KB087334

완역

성리대전 ❸

이 저서는 2010년 정부(교육과학기술부)의 재원으로 한국연구재단의 지원을 받아 수행된 연구임(NRF-2010-322-A00065)

性理大全

완역

성리대전 ❸

윤용남·이충구·김재열·윤원현
추기연·이철승·심의용·김형석
이치억·김현경 역주

皇極經世書
易學啓蒙

學古房

성리대전 총목차

역주자 서문
일러두기
참고문헌

1 太極圖 태극도 권1
通書 통서 권2 ~ 권3
西銘 서명 권4

2 正蒙 정몽 권5 ~ 권6
皇極經世書 황극경세서 권7 ~ 권10

3 皇極經世書 황극경세서 권11 ~ 권13
易學啓蒙 역학계몽 권14 ~ 권17

4 家禮 가례 권18 ~ 권21

5 律呂新書 율려신서 권22 ~ 권23
洪範皇極內篇 홍범황극내편 권24 ~ 권25
理氣 리기 권26 ~ 권27
鬼神 귀신 권28

6 性理 성리 권29 ~ 권37

7 道統 · 聖賢 도통 · 성현 권38
諸儒 제유 권39 ~ 권42
學 학 권43 ~ 권46

8 學 학 권47 ~ 권55

9 學 학 권56
諸子 제자 권57 ~ 권58
歷代 역대 권59 ~ 권62

10 歷代 역대 권63 ~ 권64
君道 군도 권65
治道 치도 권66 ~ 권69
詩 · 文 시 · 문 권70

• 해제 해당 권에 첨부

性理大全書目錄 성리대전서 목록

1

御製性理大全書序 어제성리대전서서 ······ 019
進書表 진서표 ······ 023
先儒姓氏 선유성씨 ······ 028
纂修者 찬수자 ······ 034

권 1 太極圖 태극도 ······ 037
권 2 通書一 통서 1 ······ 241
권 3 通書二 통서 2 ······ 369
권 4 西銘 서명 ······ 447

2

권 5 正蒙一 정몽 1 ······ 013
권 6 正蒙二 정몽 2 ······ 131
권 7 皇極經世書一 황극경세서 1 ······ 291
권 8 皇極經世書二 황극경세서 2 ······ 311
권 9 皇極經世書三 황극경세서 3 ······ 373
권10 皇極經世書四 황극경세서 4 ······ 461

3

권11 皇極經世書五 황극경세서 5 ······ 013
권12 皇極經世書六 황극경세서 6 ······ 133
권13 皇極經世書七 황극경세서 7 ······ 221
권14 易學啓蒙一 역학계몽 1 ······ 269
권15 易學啓蒙二 역학계몽 2 ······ 325
권16 易學啓蒙三 역학계몽 3 ······ 417
권17 易學啓蒙四 역학계몽 4 ······ 499

4
권18 家禮一 가례 1 ···013
권19 家禮二 가례 2 ···079
권20 家禮三 가례 3 ···181
권21 家禮四 가례 4 ···327

5
권22 律呂新書一 율려신서 1 ···013
권23 律呂新書二 율려신서 2 ···067
권24 洪範皇極內篇一 홍범황극내편 1 ···153
권25 洪範皇極內篇二 홍범황극내편 2 ···223
권26 理氣一 리기 1 ···323
總論 총론 ···325
太極 태극 ···333
天地 천지 ···341
天度曆法附 천도역법부 ···361

권27 理氣二 리기 2 ···387
天文 천문 ···389
日月 일월 ···389
星辰 성신 ···401
雷電 뇌전 ···406
風雨雪雹霜露 풍우설박상로 ···411
陰陽 음양 ···416
五行 오행 ···425
四時 사시 ···439
地理潮汐附 지리조석부 ···443

권28 鬼神 귀신 ···461
總論 총론 ···463
論在人鬼神兼精神魂魄 논재인귀신겸정신혼백 ···477
論祭祀祖考神祇 논제사조고신기 ···506
論祭祀神祇 논제사신기 ···530
論生死 논생사 ···539

6

권29 性理一 성리 1 ······ 013
性命 성명 ······ 015
性 성 ······ 025
人物之性 인물지성 ······ 048

권30 性理二 성리 2 ······ 075
氣質之性 기질지성 ······ 077

권31 性理三 성리 3 ······ 119
氣質之性命才附 기질지성명재부 ······ 121

권32 性理四 성리 4 ······ 173
心 심 ······ 175

권33 性理五 성리 5 ······ 235
心性情定性, 情意, 志氣志意, 思慮附 심성정정성, 정의, 지기지의, 사려부 ······ 237

권34 性理六 성리 6 ······ 287
道 도 ······ 289
理 리 ······ 324
德 덕 ······ 347

권35 性理七 성리 7 ······ 359
仁 인 ······ 361

권36 性理八 성리 8 ······ 441
仁義 인의 ······ 443
仁義禮智 인의예지 ······ 453

권37 性理九 성리 9 ······ 485
仁義禮智信 인의예지신 ······ 487
誠 성 ······ 506
忠信 충신 ······ 521
忠恕 충서 ······ 529
恭敬 공경 ······ 540

7

권38 **道統 도통** ······ 013

聖賢 성현 ······ 035

總論 총론 ······ 035

孔子 공자 ······ 045

顔子 안자 ······ 049

曾子 증자 ······ 057

子思 자사 ······ 060

孟子 맹자 ······ 062

孔孟門人 공맹문인 ······ 086

권39 **諸儒一 제유 1** ······ 095

周子 주자 ······ 097

二程子 이정자 ······ 110

張子 장자 ······ 138

邵子 소자 ······ 152

권40 **諸儒二 제유 2** ······ 177

程子門人 정자문인 ······ 179

羅從彦 라종언 ······ 228

李侗 이통 ······ 234

胡安國子寅 · 宏附 호안국자인 · 굉부 ······ 246

권41 **諸儒三 제유 3** ······ 263

朱子 주자 ······ 265

張栻 장식 ······ 290

권42 **諸儒四 제유 4** ······ 299

呂祖謙 여조겸 ······ 301

陸九淵 육구연 ······ 306

朱子門人 주자문인 ······ 315

眞德秀 진덕수 ······ 323

魏華父 위화보 ······ 325

許衡 허형 ······ 328

吳澄 오징 ······ 332

권43 **學一 학 1** ········ 337
小學 소학 ········ 339
總論爲學之方 총론위학지방 ········ 353

권44 **學二 학 2** ········ 415
總論爲學之方 총론위학지방 ········ 417

권45 **學三 학 3** ········ 469
總論爲學之方 총론위학지방 ········ 471

권46 **學四 학 4** ········ 527
存養持敬附 존양지경부 ········ 529

8

권47 **學五 학 5** ········ 013
存養持敬, 靜附 존양지경, 정부 ········ 015
省察 성찰 ········ 046

권48 **學六 학 6** ········ 071
知行言行附 지행언행부 ········ 073
致知 치지 ········ 110

권49 **學七 학 7** ········ 139
力行克己, 改過, 雜論處心立事附 역행극기, 개과, 잡논처심립사부 ········ 141

권50 **學八 학 8** ········ 189
力行理欲義利君子小人之辨, 論出處附 역행리욕의이군자소인지변, 논출처부 ········ 191

권51 **學九 학 9** ········ 239
敎人 교인 ········ 241

권52 **學十 학 10** ········ 295
人倫師友附 인륜사우부 ········ 297

권53 學十一 학 11 339
讀書法 독서법 341

권54 學十二 학 12 391
讀書法讀諸經法, 論解經, 讀史附 독서법독제경법, 논해경, 독사부 393

권55 學十三 학 13 447
史學 사학 449
字學 자학 495
科擧之學 과거지학 503

9

권56 學十四 학 14 013
論詩 논시 015
論文 논문 039

권57 諸子一 제자 1 103
老子 노자 105
列子 열자 128
莊子 장자 129
墨子 묵자 150
管子 관자 152
孫子 손자 156
孔叢子 공총자 159
申韓 신한 160
荀子 순자 161
董子 동자 165

권58 諸子二 제자 2 175
揚子 양자 177
文仲子 문중자 189
韓子總論荀揚王韓附 한자총논순양왕한부 206
歐陽子 구양자 234
蘇子王安石附 소자왕안석부 237

권59 **歷代一 역대 1** 253
唐虞三代 당우삼대 255
春秋戰國 춘추전국 266
秦 진 303

권60 **歷代二 역대 2** 315
西漢 서한 317

권61 **歷代三 역대 3** 401
西漢 서한 403

권62 **歷代四 역대 4** 487
東漢 동한 489
三國 삼국 528

10

권63 **歷代五 역대 5** 013
晉 진 015
唐 당 043

권64 **歷代六 역대 6** 109
五代 오대 111
宋 송 116

권65 **君道 군도** 171
君德 군덕 209
聖學 성학 215
儲嗣 저사 228
君臣 군신 232
臣道 신도 237

권66 **治道一 치도 1** 255
總論 총론 257
禮樂 예악 293
宗廟 종묘 313

권67 治道二 치도 2 ······ 323
宗法 종법 ······ 325
謚法 시법 ······ 334
封建 봉건 ······ 337
學校 학교 ······ 353
用人 용인 ······ 365

권68 治道三 치도 3 ······ 389
人才 인재 ······ 391
求賢 구현 ······ 398
論官蒞政附 논관리정부 ······ 407
諫諍 간쟁 ······ 425
法令 법령 ······ 437
賞罰 상벌 ······ 441

권69 治道四 치도 4 ······ 447
王伯 왕백 ······ 449
田賦 전부 ······ 458
理財 이재 ······ 464
節儉 절검 ······ 467
賑恤 진휼 ······ 470
禎異 정이 ······ 474
論兵 논병 ······ 481
論刑 논형 ······ 496
夷狄 이적 ······ 509

권70 詩 시 ······ 517
古詩 고시 ······ 517
律詩 율시 ······ 545
絶句 절구 ······ 559

文 문 ······ 575
贊 찬 ······ 575
箴 잠 ······ 584
銘 명 ······ 591
賦 부 ······ 610

性理大全書卷之十一
성리대전서 권11

皇極經世書五 황극경세서 5

觀物外篇上 관물외편상 … 15

皇極經世書五
황극경세서 5

觀物外篇上 관물외편상[1] [2]

[11-0-0-1]

邵伯溫曰："康節先君既捐館，門弟子記其平生之言合二卷．雖以次筆授不能無小失，然足以發明成書者爲多．故名之曰觀物外篇．"

소백온이 말했다. "선친인 강절 선생이 돌아가시자 문하 제자들이 선생의 평소의 말들을 기록해 합본하여 두 권을 만들었다. 순서를 정해 베껴 전하였기에 다소 잘못된 점이 없을 수가 없지만 이미 만들어진 책(『황극경세서』)을 밝힐 수 있는 점이 많았다. 그래서 이름하여 「관물외편」이라고 했다."

1 관물 외편은 소강절의 제자가 평소에 선생의 말을 기록한 것이다. 명나라 황기黃畿의 관점에 근거하면 제자들이 기록한 후에 선생의 검토를 거쳐서 다시 개정했다. 선생이 세상을 떠난 후에 그의 아들 소백온이 편집했으나 일정한 순서는 없다. 후에 황씨를 거쳐서 정리했는데 모두 12장으로 나누었다. 「外篇」의 내용은 먼저 수를 말하고 있다. 수에는 河圖 全數, 시초의 수, 괘의 수, 干支의 수, 음양의 수, 천지종시의 수 등등이 있다. 세상 사람들은 「內篇」이 이치[理]를 말하고 「外篇」이 數를 말한다고 한다. 청나라 王植은 이런 관점은 이치와 수를 나누어 둘로 보는 것과 다르지 않기 때문에 소강절의 정신에는 위배되는 것이라고 본다. 「外篇」에는 동일한 문제에 대해서 다른 해석과 설명이 있지만 왕식은 이것은 전후의 모순이 아니라 상호 발명해 주는 것이라고 한다. 그래서 「內篇」은 소강절의 뛰어난 인식이고 「外篇」은 소강절의 정밀한 언어라고 할 수 있다. 『皇極經世』는 『易』의 上下편에 해당한다면 「觀物篇」은 『易』의 「繫辭」에 해당한다고 할 수 있다. 그래서 『皇極經世書』를 연구하려면 반드시 먼저 「觀物篇」에 대한 인식과 이해를 선행하지 않을 수 없다.

2 『性理羣書句解』(宋, 熊節 編, 熊剛大 註) : "황극경세의 관물외편 상편은 태극의 낳고 낳는 이치와 음양이 줄어나고 늘어나는 기틀과 하늘과 땅의 높고 낮은 구별을 논했다.(此篇論太極生生之理, 陰陽消長之機, 天地高下之別.)"

[11-0-0-2]

張氏嶓曰："先生觀物有內外篇. 內篇，先生所著之書也，外篇，門弟子所記先生之言也. 內篇理深而數略，外篇數詳而理顯. 學先天者，當自外篇始."

장민張嶓[3]이 말했다. "선생의 「관물편」에는 내편과 외편이 있다. 내편은 선생이 직접 쓴 책이고 외편은 문하의 제자들이 선생의 말을 기록한 것이다. 내편은 이치가 심오하고 수數는 간략하지만 외편은 수가 상세하고 이치는 분명하다. 선천先天의 학문을 배우는 자는 마땅히 외편으로부터 시작해야 한다.[4]"

[11-1-1]

天數五, 地數五, 合而爲十, 數之全也. 天以一而變四, 地以一而變四, 四者有體也, 而其一者無體也. 是謂有無之極也. 天之體數四而用者三, 不用者一也. 地之體數四而用者三, 不用者一也. 是故無體之一, 以況自然也, 不用之一, 以況道也, 用之者三, 以況天地人也.

하늘의 수는 5개이고 땅의 수는 5개이며 합하여 10개이니 수의 전체이다.[5] 하늘은 1이 변하여 4개[6]가

3 張嶓: 자는 子望이다. 소강절의 제자로 철학자이며 시인이다.

4 王植, 『皇極經世書解』: "(황기가 말했다.) 외편은 곧 소강절이 문인들이 기록한 것을 바탕으로 해서 가필하고 삭제한 것이다. 찾아보았으나 확정되지 않거나 마음에 타당하지 않으면 그 뒤에 나누어 기록하여 '마땅히 더 생각하라.' 혹은 '더 자세히 하라.'라고 했다. 지금 12편으로 나누어 종류별로 서로 분류하고 의심스러운 것은 비워 놓았다.(外篇, 乃邵子, 因門人所記而筆削之者也. 覓或未定, 心或未安, 則分書其後, 曰宜更思之, 曰更詳之. 今分爲十二篇, 以類相從而闕疑者存焉.)" … "외편은 문인 제자들이 기록한 것을 소강절이 교열하고 바로 잡았는데 강절이 돌아가신 후에 아들 소백온이 모아서 책으로 만들었다. 그래서 전후로 기록한 것이 간혹 반복되고 뒤섞여 순서가 없다. 황기가 분류한 1편은 모두 수를 말하고 끝에서는 도로 귀결시켰으니 외편의 강령이다. 그 안에는 하도의 全數가 있고, 蓍卦의 수가 있고, 간지의 수가 있고, 1에서 10에 이르는 수가 있고, 4와 6의 가운데 수가 있고, 천지의 이치의 수가 있고, 음양 二儀가 있고, 천지 四象의 圖說이 있고, 천지의 시종의 수가 있다.(外篇, 蓋門人所記, 邵子嘗爲之閱正, 邵子捐館後, 伯子乃彙以爲篇. 故其前後所錄, 或反覆無序. 黃氏所分第一篇, 皆言數而末歸之道, 乃外篇之綱要也. 內有河圖全數, 有蓍卦之數, 有干支之數, 有一至十之數, 有四六中數, 有天地理數, 有陰陽二儀, 有天地四象圖說, 有天地始終之數.)"

5 하늘의 수는 … 전체이다: 『周易』「繫辭上」 11장의 "天一, 地二, 天三, 地四, 天五, 地六, 天七, 地八, 天九, 地十." 「繫辭上」 9, "天數五, 地數五, 五位相得而各有合."이라는 구절에 대해서 주자는 『易學啓蒙』에서 이렇게 설명하고 있다. "이른바 하늘이란, 양기의 가볍고 맑은 것이 위에 자리 잡고 있는 것이다. 이른바 땅이란 음의 무겁고 탁한 것이 아래에 자리 잡은 것이다. 양의 수는 홀수이므로 1·3·5·7·9가 모두 하늘에 속하니, 이른바 '하늘의 수 5개'이다. 음의 수는 짝수이므로 2·4·6·8·10이 모두 땅에 속하니, 이른바 '땅의 수 5개'이다. 하늘의 수와 땅의 수가 각기 무리를 이루니 서로 구하는 것은, 이른바 '5개의 자리에서 서로를 얻는다.'는 것이 그러하다. 하늘이 1로써 수를 낳고 땅이 6으로 그것을 이루며, 땅이 2로써 화를 낳고 하늘이 7로써 그것을 이루며, 하늘이 3으로써 목을 낳고 땅이 8로서 그것을 이루며, 땅이 4로써 금을 낳고 하늘이 9로써 그것을 이루며, 하늘이 5로써 토를 낳고 땅이 10으로 그것을 이룬다. 이것이 또 그 이른바 '각기 결합함이 있다.'는 것이다. 5개의 홀수를 모으면 25가 되고 5개의 짝수를 모으면 30이 되며, 이 둘을 합하면 55가 되고 이것이 「河圖」의 전체 수이니, 이 모든 것이 공자의 생각이고 여러 학자들의 설명이다.(所謂天者, 陽之

되고 땅은 1이 변하여 4개[7]가 되니 4개는 형체가 있고[8] 그 1개는 형체가 없다.[9] 이것들을 있음과 없음의 지극함이라고 한다.[10] 하늘의 체수體數는 4개인데 작용하는 것은 3개이며, 작용하지 않는 것은 1개이다. 땅의 체수는 4개인데 작용하는 것은 3개이고 작용하지 않는 것은 1개이다.[11] 그러므로 형체가 없는 1은 자연自然을 상징한 것이고, 작용하지 않는 1개는 도道를 상징한 것이며 작용하는 것 3개는 하늘과 땅과 사람을 상징한 것이다.[12] [13] [14] [15]

輕淸而位乎上者也. 所謂地者, 陰之重濁而位乎下者也. 陽數奇, 故一三五七九皆屬乎天, 所謂'天數五'也. 陰數偶, 故二四六八十皆屬乎地, 所謂'地數五'也. 天數地數各以類而相求, 所謂'五位之相得'者然也. 天以一生水, 而地以六成之, 地以二生火, 而天以七成之, 天以三生木, 而地以八成之; 地以四生金, 而天以九成之; 天以五生土, 而地以十成之. 此又其所謂'各有合焉'者也. 積五奇而爲二十五, 積五偶而爲三十, 合是二者而爲五十有五, 此河圖之全數; 皆夫子之意, 而諸儒之說也.)"

6 하늘은 1이 … 4개 : 여기서 4가지란 太陽, 太陰, 少陽, 少陰, 즉 四象을 말한다. 하늘에는 日月星辰이 있다. 이 일월성신 자체가 하늘[天]이다. 태양이 乾이고 해[日]이며, 태음이 兌이고 月이며, 소양이 離이고 별[星]이며, 소음이 震이고 별자리(辰)이다.

7 땅은 1이 … 4개 : 여기서 4가지란 太剛, 太柔, 少剛, 少柔를 말한다. 땅을 구성하는 요소가 水土火石이다. 이 수토화석 자체가 地이다. 태강이 艮이고 火이며, 태유가 坤이고 물[水]이며, 소강이 巽이고 돌[石]이며, 소유가 坎이고 흙[土]이다. 이상의 내용을 도표화하면 이렇다.

天				地			
태양	태음	소양	소음	태강	태유	소강	소유
日	月	星	辰	火	水	石(木)	土
乾(☰)	兌(☱)	離(☲)	震(☳)	艮(☶)	坤(☷)	巽(☴)	坎(☵)

8 『性理羣書句解』: "陰陽과 剛柔는 각각 정해진 형체가 있다.(陰陽剛柔, 各有定體.)"

9 『性理羣書句解』: "태극은 두루두루 유행하여 정체되지 않는다. 그러므로 일정된 형체가 없다.(太極周流不滯, 故無定體.)" 여기서는 一을 태극으로 해석하고 있다. 태극은 일정한 형체가 없다는 말은 왕식의 말과 연결해서 생각해 볼 수 있다. 王植, 『皇極經世書解』: "그래서 일월성신이 곧 하늘의 형체라서 하늘은 따로 형체가 있는 것이 아니며, 수화토석이 곧 땅의 형체라서 땅은 따로 형체가 없는 것이다.(故日月星辰, 即天之體, 而天非另有體, 水火土石, 即地之體, 而地非別有體也.)" 하늘과 땅을 이루는 네 가지의 구성 요소를 초월해서 태극이 있다는 말이 아니다. 천지의 태극은 천지의 구성요소의 구조와 활동 그 자체일 뿐이다. 즉 왕식은 "태극을 지극히 유한 것이면서 지극히 무한 것(所謂太極云者, 至有而至無.)"으로 해석한다. 즉 전체의 유가 곧 전체의 무이지 유를 벗어나 무가 따로 있다는 말은 아니다. 이것이 有無之極이라는 말의 의미이다.

10 있음과 없음의 … 한다 : 『性理羣書句解』에서는 "이것이 무극이면서 태극이라는 말이다.(是所謂无極而太極也)"라고 주석하고 있다.

11 건괘는 아래에서부터 변하면 손(☴), 이(☲), 태(☱)로 변하는데 그 가운데 손괘는 제외하고서 쓰지 않고 곤괘에 속하게 되고, 곤괘는 아래에서부터 변하면 진(☳), 감(☵), 간(☶)으로 변하는데 그 가운데 진은 쓰지 않고 건괘에 속하게 된다. 그래서 하늘의 체수는 4개지만 震은 쓰지 않는다는 말이다. 하늘의 경우 震은 辰에 해당하고 별자리로서 시간의 의미가 있다. 時辰이라는 말도 시간을 의미한다. 그런데 日月星은 눈으로 보며 작용하지만 시간은 눈으로 보지 않는다는 의미에서 작용하지 않는다. 땅의 경우 巽은 돌[石]이면서 나무[木]인데 水火土는 작용하여 만물을 낳지만 돌은 만물을 낳을 수가 없어 작용하지 않는다는 말이다. 또한 계절적으로도 봄, 여름, 가을은 만물을 生長成하지만 겨울은 만물을 낳지는 않으니 작용하지 않는다는 의미이다. 이것도 전체 수가 4이지만 3개가 작용하고 1개가 작용하지 않는 것이다.

12 張峴, 『御纂性理精義』: "1은 태극을 말하고 4는 사상을 말한다. 하늘이 1로써 4로 변했다는 것은 태양, 태음, 소양, 소음을 말하고, 땅이 1로써 4로 변했다는 것은 태강, 태유, 소강, 소유를 말한다. '하늘의 체수는 4인데 작용하는 것은 3이다.'라는 말에서 3이란 三陽을 말하고 '그 작용하지 않는 것은 1이다.'라는 것은 태음을 제거하고 말한 것이다. '땅의 체수는 4이고 작용하는 것은 3이다.'라는 말에서 3은 三陰을 말하고 '그 작용하지 않는 것은 1이다.'라는 것은 태강을 제외하고 말한 것이다. 이것으로부터 다음과 같은 내용을 알 수 있다. 10이 하늘과 땅의 全數이지만 태극을 포함하여 말한 것이다. 8은 하늘과 땅의 體數이지만 交數를 합쳐서 말한 것이다. 6은 하늘과 땅의 用數이지만 교수를 제외하여 말한 것이다.(一謂太極, 四謂四象. 天以一而變四, 謂太陽太陰少陽少陰也, 地以一而變四, 謂太剛太柔少剛少柔也. 天之體數四而用者三, 三謂三陽, 其不用一者, 去太陰而言也. 地之體數四而用者三, 三謂三陰, 其不用一者, 去太剛而言也. 由是而知, 十者天地之全數, 包太極而言也. 八者天地之體數, 幷交數而言也. 六者天地之用數, 去交數而言也.)"

13 張行成, 『皇極經世觀物外篇衍義』: "하늘의 수 5와 땅의 수 5는 홀수와 짝수로 말하자면 1, 3, 5, 7, 9가 하늘의 수가 되고 2, 4, 6, 8, 10이 땅의 수가 된다. 생수와 성수로 말하자면 1, 2, 3, 4, 5가 하늘의 수이고 6, 7, 8, 9, 10이 땅의 수이다. 그러므로 수의 전체라고 하였다. 하늘은 움직임에서 생겨나서 태극의 홀수를 얻는다. 一氣의 動靜과 始終이 나뉘어 태양, 소양, 태음, 소음으로 되므로 '하늘은 1로써 4로 변한다.'라고 했다. 땅은 고요함으로부터 생겨나서 태극의 짝수를 얻는다. 一氣의 動靜과 始終이 나뉘어 태강, 소강, 태유, 소유로 되므로 '땅은 1로써 4로 변한다.'라고 했다.(天數五地數五, 以奇偶言, 則一三五七九爲天, 二四六八十爲地. 以生成言, 則一二三四五爲天, 六七八九十爲地. 故曰數之全也. 天生乎動, 得太極之奇. 一氣之動靜始終, 分而爲陽陰太少, 故曰, '天以一而變四也.' 地生乎靜, 得太極之偶. 一氣之靜動始終, 分而爲柔剛太少, 故曰, '地以一而變四也.') 태양이 日이 되고 태음이 月이 되고 소양이 星이 되고 소음이 辰이 되어 天體를 이루고 사계절이 행해진다. 태극의 홀수가 사 계절의 사이에 물러나 감추어져 스스로 드러나지 않는다. 그래서 일월성신과 하늘은 다섯이지만 일월성신를 제외하면 하늘도 없다. 그러므로 '4는 형체가 있고 그 1은 형체가 없다.'라고 했다. 태유는 水가 되고 태강은 火가 되고 소유는 土가 되고 소강은 石이 되어 地體가 되어 四維가 구비된다. 태극의 짝수는 4가지 사이로 물러나 감추어져 스스로 드러나지 않는다. 그래서 수화토석과 땅은 다섯이지만 수화토석을 제외하면 땅은 없다. 그러므로 '4가지는 형체가 있고 1은 형체가 없다.'라고 했다. 일월성신은 하늘의 형체가 다한 것이다. 수화토석은 땅의 형체가 다한 것이다. 八象이 온전하면 만물이 모두 갖추어진다. 이것이 있음의 지극함을 말하니 하늘과 땅의 사상을 말한다.(太陽爲日, 太陰爲月, 少陽爲星, 少陰爲辰, 以成天體, 四時行焉. 太極之竒, 退藏四者之間, 而不自見. 所以日月星辰與天而五, 除日月星辰則無天. 故曰四者有體, 一者無體也. 太柔爲水, 太剛爲火, 少柔爲土, 少剛爲石, 以成地體, 四維具焉. 太極之偶, 退藏四者之間, 而不自見. 所以水火土石與地而五, 除水火土石則無地. 故曰四者有體, 一者無體也. 日月星辰, 天之體盡矣. 水火土石, 地之體盡矣. 八象既全, 萬物咸備. 是謂有之極者, 謂天地之四也.) 하늘은 홀수로써 4로 변하고 4가 이루어지면 1은 5로 물러나 숨는다. 땅은 짝수로써 4로 변하고 4가 이루어지면 2는 10으로 물러나 숨는다. 1로 4를 통솔하되 4를 제외하면 1은 없다. 이것이 없음의 극한이고 하늘과 땅의 1이라고 한다. 태극은 1에 자리하고 모든 변화의 근본으로 공이 이루지면 은밀한 가운데 숨는다. 작용은 그래서 끝이 없다. 천지의 위대함일지라도, 또한 반드시 1에 감추어져 있다. 다만 수만이 일정한 형상이 없이 이치에 따라서 원융하게 통하므로 어떤 경우는 1을 가리켜 1이라고 하고 어떤 경우는 5를 가리켜 1이라고 하고 어떤 경우는 10을 가리켜 1이라고 한다. 1을 가리켜 1이라고 하는 것은 하늘과 땅이 비로소 생겨나는 것을 추구한 것이고, 10을 가리켜 1이라고 한 것은 하늘과 땅이 이미 이루어진 것을 총괄한 것이며, 5를 가리켜 1이라고 한 것은 하늘을 나누고 땅을 나누어서 각각 1로써 4로 변한 것이다. 그러므로 양웅이 5라고 한 것이다. 5는 土가 된다. 그러나 5라고 한 것은 반드시 하늘에 귀속되고, 10이라고 한 것은 반드시 땅에 귀속된다. 5는 마땅히 없음의 지극함이고 10은 마땅히 있음의 지극함이다. 5는 太虛의 冲氣이고 10은 대지의 만물이다. 있음의 지극함을 또 없음이라고

하는 것은 4를 제외하면 1이 없다는 것이니 하늘의 體數는 4이지만 작용하지 않는 것은 1이므로 하늘의 辰[별자리]은 드러나지 않는다. 땅의 체수는 4이지만 작용하지 않는 것은 1이므로 땅의 火는 항상 숨어 있다. 하늘에는 사계절이 있지만 겨울은 작용하지 않고 땅에는 사방이 있지만 북쪽은 쓰지 않으며 사람에게는 사지가 있지만 등은 사용하지 않는다. 비록 작용하지 않지만 작용은 이 작용하지 않는 것을 바탕으로 생겨난다. 그러므로 없음의 체인 1은 自然을 상징하고, 작용하지 않는 1은 道를 상징하며, 작용하는 3은 하늘과 땅과 사람을 상징한다. 사람이 땅을 본받고 땅이 하늘을 본받고 하늘이 도를 본받고 도가 자연을 본받으니 생겨나는 순서는 자연의 이치로부터 연유한다. 만물이 생겨나기 이전에는 분명히 없음의 체인 1을 근본으로 삼았고, 생성된 후에는 작용하지 않는 1을 보존해서 근본으로 삼아야 한다. 작용하지 않는 1이 곧 없음의 체인 1이니 그것이 (하늘로부터) 내려와 나에게 (본성으로) 있게 된 것이다. 사람은 모두 이것을 가지고 있으나 현명한 사람이 그것을 잃지 않았을 뿐이다. 그래서 1은 머물러 움직이지 않지만 3은 무궁하게 작용한다.(天以奇變四, 四成則一退居五. 地以偶變四, 四成則二退居十. 以一統四, 除四無一. 是謂無之極者, 謂天地之一也. 大抵太極居一, 萬化之本, 功成藏密, 用故不窮. 雖天地之大, 亦須藏一. 惟數無定象, 隨理圓通. 故或指一爲一, 或指五爲一, 或指十爲一. 指一爲一者, 原天地之始生也, 指十爲一者, 總天地之既成也, 指五爲一者, 分天分地, 各以一而變四. 故揚雄謂五, 五爲土也. 然言五者, 必歸之天, 言十者, 必歸之地. 五當爲無之極, 十當爲有之極. 五爲太虛冲氣, 十爲大物元形. 有之極, 亦曰無者, 除四無一也, 天之體數四, 不用者一, 故天辰不見. 地之體數四, 不用者一, 故地火常潛. 天有四時, 冬不用, 地有四方, 北不用, 人有四體, 背不用. 雖不用而用以之生. 故無體之一, 以况自然, 不用之一, 以况道, 用之者三, 以况天地人. 人法地, 地法天, 天法道, 道法自然, 生出之序, 由乎自然之理也. 凡物未生之初, 必因無體之一以爲本, 既生之後, 當存不用之一以爲本, 不用之一, 即無體之一. 降而在我者也. 人皆有之, 賢者能勿喪爾. 是故一止不動, 則三用無窮.)"

14 王植, 『皇極經世書解』: "(황기가 말했다.) 이것은 하늘과 땅의 全數를 근원으로 하여 이 책의 강령이 된다. 1은 6과 합하여 북쪽에 자리하고, 2는 7과 합하여 남쪽에 자리하며, 3은 8과 합하여 동쪽에 자리하고 4는 9와 합하여 서쪽에 자리하며 5는 10과 합하여 중앙에 자리하니 하도의 무늬인데 『皇極經世』에서는 흩어져 작용한다. '하늘은 1로써 한다.'는 것은 乾이고 '땅은 1로써 한다.'는 것은 坤인데 4는 고정된 형체가 있지만 1은 형체가 없다. 하늘의 4가지가 구비되면 1은 5로 물러나 자리하고 땅의 4가지가 구비되면 1은 10으로 물러나 자리한다. 生數의 5는 무의 극한이고 成數의 10은 유의 극한이다. '작용하는 것은 3이고 작용하지 않는 것은 1이'라는 것은 乾괘(☰) 3효가 兌괘(☱), 離괘(☲), 巽괘(☴)로 변하나, 손괘를 제외시켜 쓰지 않고 坤괘(☷)로 돌아간다. 그러므로 일월성신은 모두 하늘이 된다. 곤괘 3효가 艮괘(☶), 坎괘(☵), 震괘(☳)로 변하나, 진괘를 제외시켜 쓰지 않고 건괘로 돌아간다. 그러므로 수화토석은 모두 땅이 된다. '작용하지 않는 1은 도를 상징한 것'이라는 것은 '한번 음하고 한번 양하는 것을 도라고 한다.'는 것이다. 하늘의 수는 1로부터 시작하여 중간이 5이고 끝이 9이며 땅의 수는 2로부터 시작하여 중간이 6이고 끝이 10이니 시작하는 수 둘을 합하면 眞數와 倚數이며 중간의 수 둘을 합하면 干數와 支數이고 끝의 수 둘을 합하면 用數와 體數이다.(此原天地全數, 爲一書之綱領. 蓋一合六居北, 二合七居南, 三合八居東, 四合九居西, 五合十居中, 河圖之文也, 皇極則散而用之. 天以一乾也, 地以一坤也, 四有體而一無體, 天之四具則一退居五, 地之四具則一退居十. 生數之五, 無之極, 成數之十, 有之極也. 用者三不用者一, 乾三爻變兌離巽, 去巽不用, 以歸於坤. 故日月星辰, 共爲天. 坤三爻變艮坎震, 去震不用, 以歸於乾. 故水火土石共爲地. 不用之一况道, 一陰一陽之謂道也. 天數始於一, 中於五, 終於九, 地數始於二, 中於六, 終於十, 合二始則眞數倚數, 合二中則干數支數, 合二終則用數體數.)"

15 王植, 『皇極經世書解』: "이 절은 외편을 여는 첫 번째 뜻이다. 소강절은 易數에 근본했지만 자주 하나의 학설을 만들어서 그 뜻이 나중의 여러 절에 나타나 있으니 여러 학파의 해석에서 확실하지 못한 것은 또한 반드시 나중의 구절을 완미해야만 그 잘못됨을 알 수 있다. '4는 형체가 있고 1은 형체가 없다.'고 한 것은

[11-1-2]

體者八變, 用者六變. 是以八卦之象不易者四, 反易者二, 以六卦變而成八也. 重卦之象不易者八, 反易者二十八, 以三十六變而成六十四也. 故爻止于六, 卦盡于八, 策窮于三十六, 而重卦極于六十四也. 卦成于八, 重于六十四, 爻成于六, 策窮于三十六, 而重于三百八十四也.

체體는 8개로 변하고[16] 용用은 6개로 변한다.[17] 이것은 8괘의 모습이 바뀌지 않는 것이 4개이고, 반대로 바뀌는 것이 2개이니, 6개의 괘가 변하여 8괘를 이룬다.[18] 중첩한 괘의 모습이 바뀌지 않는 것이 8개이고 반대로 바뀌는 것이 28개이니, 36개가 변하여 64괘가 된다.[19] 그러므로 효는 6개의 효로 끝나고

8괘가 형성되면 다시 음양을 말할 필요가 없기 때문이다. 그래서 일월성신이 곧 하늘의 형체라서 하늘은 따로 형체가 있는 것이 아니며, 수화토석이 곧 땅의 형체라서 땅은 따로 형체가 없는 것이다. 황기가 '하늘의 4가지가 구비되면 1은 5로 물러나 자리하고 땅의 4가지가 구비되면 1은 10으로 물러나 자리한다.'고 했는데, 뒤에 있는 기수 네 구절을 살펴보면 10개의 수 가운데 하늘은 1, 2, 3, 4를 쓰고 5는 쓰지 않으며, 땅은 6, 7, 8, 9를 쓰고 10을 쓰지 않아서, 5와 10이 하도의 中宮의 수가 된다. 그래서 쓰지 않는 것이니 별도로 1이 5로 물러나 자리하고 1이 10으로 물러나 자리한다는 말은 없는 것이다. 5와 10이 하도의 중궁이라면 곧 圓圖 가운데 一動一靜之間이 태극이라고 하는 것으로 지극한 유이면서도 지극한 무이다. 그러므로 '있음과 없음의 궁극'이고 '자연을 비유한다.' 비유한다는 것은 견주어보면 비슷하다는 말이다. 황기는 5를 무의 궁극으로 여기고 10을 유의 궁극으로 여겼으나 옳지 않으니 나중에 기수의 네 절에 나타나 있다. 또 '작용하지 않는 1은 도에 비유된다.'는 것은 8괘 가운데에서 진괘와 손괘를 제외하고 말한 것으로 진괘와 손괘는 원도 가운데 交數이니 교수로 도를 말하기에는 부족하다. 그러나 음과 양은 서로 뿌리가 되어 작용하지 않는 1은 작용하는 3을 낳는다. 그러므로 方圖에서 진괘와 손괘가 가운데 있는 것은 원도에 姤괘와 복괘가 중간에 있는 것과 뜻이 같다. 그러므로 도에 비유한 것이니 나중에 '양은 도의 작용이다.'라는 구절에 상세하다.(此節爲外篇開章第一義. 邵子雖本易數, 而往往自爲一說, 其義見後諸節, 諸家解之未確者, 亦必玩後諸節, 乃知其失也. 蓋四有體一無體者, 八卦既成, 不必更言陰陽. 故日月星辰, 即天之體而天非另有體, 水火土石, 即地之體而地非別有體也. 黃氏謂天之四具則一退居五, 地之四具則一退居十, 按後奇數四節, 乃於十數中, 天用一二三四而不用五, 地用六七八九而不用十, 以五與十, 爲河圖中宮之數. 故不用, 殊無一退居五, 一退居十之說. 五與十, 既河圖之中宮, 即圓圖中一動一靜之間, 所謂太極云者, 至有而至無. 故曰有無之極而以況自然, 況者, 比擬彷彿之詞也. 黃氏以五爲無之極, 十爲有之極, 亦未是, 詳見後奇數四節. 又以不用之一況道者, 是於八卦中, 去震巽而言, 震巽, 即圓圖中之交數, 交數不足言道. 然陰陽互根, 不用之一, 生用者之三. 故方圖, 震巽居中, 與圓圖中間姤復, 意同. 故以況道也, 詳見後陽者道之用節.)"

16 8개로 변하고 : 天體인 乾兌離震(일월성신) 4개와 地體인 巽坎艮坤(석수화토) 4개로 변했다는 말이다.

17 6개로 변한다 : 천체에서 震괘와 지체에서 巽괘는 작용하지 않으므로 제외시키니 작용하는 것은 이 둘을 제외한 6개이다.

18 이것은 8괘의 … 이룬다 : 8괘 가운데 뒤집어 보아도 괘의 형체가 바뀌지 않는 것은 4개로서 乾(☰), 坤(☷), 坎(☵), 離(☲)괘이고 뒤집어 보면 바뀌는 것이 2개로 震(☳)괘가 艮(☶)괘가 되고 巽(☴)괘가 兌(☱)괘가 된다. 그래서 8괘는 6괘(4+2)가 변하여 이루어진 것이다.

19 중첩한 괘의 … 된다 : 중첩된 괘 6획괘에서 뒤집어 보아도 바뀌지 않는 괘는 8개이고 뒤집어 보면 괘가 바뀌는 것이 28개이다. 결국 64괘는 이 36괘(8+28)가 변하여 이루어진 것이다. 다음과 같이 도표화할 수 있다.

괘는 8개의 괘로 다하며 책수는 36에서 끝나고 중첩된 괘는 64개의 괘로 끝난다.[20] 괘는 8개의 괘로 완성되고 64괘로 중첩되며 효는 6개의 효로 완성되고 책수는 36으로 끝나고 384효로 중첩된다.[21] [22]

상경	1 乾	2 坤	屯 蒙	需 訟	師 比	小畜 履	泰 否	同人 大有	謙 豫
18괘	隨 蠱	臨 觀	噬嗑 賁	剝 復	無妄 大畜	3 頤	4 大過	5 坎	6 離
하경	咸 恒	遯 大壯	晉 明夷	家人 睽	蹇 解	損 益	夬 姤	萃 升	困 井
18괘	革 鼎	震 艮	漸 歸妹	豐 旅	巽 兌	渙 節	7 中孚	8 小過	旣濟 未濟

20 효는 6개의 … 끝난다 : 효는 6획괘의 6효를 말한다. 3획괘는 8개이다. 그리고 揲蓍할 때 둘로 나누고 1개를 걸고 4로 세고서 3번 변화시키면 그 남는 수는 20, 28, 32, 36, 이 4가지이다. 그 가운데 가장 많은 수가 36이니, 이것이 책수의 끝이다. 중괘, 즉 6획괘는 모두 64괘이다.

21 이 단락에 대해서 황기는 왕식본 『皇極經世書解』에서 다음과 같이 설명하고 있다. "책수에서 3이 적으면 4×6=24이고 둘은 적고 1이 많으면 4×7=28이며, 2가 많고 1이 적으면 4×8=32이고 오직 3이 모두 많은 것이 4×9=36이니 책수의 궁극은 건이다.(策數三少四六二十四, 兩少一多四七二十八, 兩多一少四八三十二, 惟三多四九三十六爲策之窮則乾也.)"

22 왕식본과 『性理大全』본은 외편에 나온 단락들의 순서가 다르다. 왕식본에 따르면 이 구절은 「觀物外篇」 2장 10절에 배치되어 있다. 왕식은 『皇極經世書解』에서 다음과 같이 설명하고 있다. "8개로 변한다는 것은 선천의 괘를 긋는 시초의 때를 말하는 것이니, 괘마다 8개로 변한다는 것은 예컨대, 건(☰)이 乾(䷀), 夬(䷪), 大有(䷍), 大壯(䷡), 小畜(䷈), 需(䷄), 大畜(䷙), 泰(䷊)로 되는 것이 이것이다. 그래서 體라고 했다. 6개로 변한다는 것은 괘의 변효로 말하는 것이니 매 괘의 여섯 효가 변해서, 예컨대 건이 姤(䷫), 同人(䷌), 履(䷉), 小畜(䷈), 大有(䷍), 夬(䷪)로 되는 것이 이것이다. 그래서 用이라고 한 것이니, 용의 측면을 중시한 것이다. 오직 그 用을 주된 것으로 삼았기 때문에 아랫 구절에서 '6이 변해서 8을 이루고 36이 변해서 64를 이룬다.'고 했으니 6이 변한다는 것은 그 안에 뒤집으면 변하는 괘가 2개와 뒤집어도 변하지 않는 4개를 합하면 6개가 되고, 36으로 변한다는 것은 그 안에 바뀌지 않는 8괘와 뒤집으면 변하는 28개를 합하면 36개가 된다. 괘가 이와 같이 변하므로 아래 구절에서 '효는 6효에서 그치고 책수는 36에서 끝난다.'고 했다. 책은 세 번 변해서 한 효를 만드는 장치이다. 그러므로 효를 말하고 책수를 겸하여 말해서, 책수의 변화를 통하여 효가 이루어지고 효의 변화를 통해서 괘가 이루어지는 것을 보인 것이다. 반복해서 말한 것은 8괘가 되어 小成卦가 이루어지고 8 곱하기 8하여 64괘가 되어 大成卦가 이루어지며 또 64에 6을 곱하여 386에 이르면 괘의 작용이 다하는 것이다. 이것이 체는 8개로 변하고 용은 6개로 변한다는 것이다.(八變, 以先天畫卦之始言之, 每卦八變, 如乾之乾夬大有大壯小畜需大畜泰是也. 故曰體. 六變, 以卦之變爻言之, 每卦六爻, 如乾之姤同人履小畜大有夬是也. 故曰用. 意重用一邊. 惟其以用爲主, 故下言, '六變而成八, 三十六變而成六十四.' 六變者, 內有反易之卦二, 合不易之四, 共爲六也, 三十六變者, 內有不易之卦八, 合反易之二十八, 共爲三十六也. 卦之變如此, 故下言, '爻止於六, 策窮於三十六.' 策者, 所以三變而成一爻之具. 故言爻兼言策, 以見因策之變而成爻, 因爻之變而成卦也. 反覆言之者, 八卦而小成, 八八六十四變而大成, 又六與四各以六乘至三百八十四而卦之用盡矣. 此所以體八變而用之變有六也.)"

[11-1-3]

天有四時, 一時四月, 一月四十日, 四四十六而各去其一. 是以一時三月, 一月三十日也. 四時, 體數也. 一月三十日, 用數也. 體雖具四, 而其一常不用也. 故用者止于三而極于九也. 體數常偶, 故有四, 有十二. 用數常奇, 故有三, 有九. 大數不足而小數常盈者, 何也? 以其大者不可見而小者可見也. 故時止乎四, 月止乎三, 而日盈乎十也. 是以人之支體有四而指有十也.

하늘에는 4계절이 있고 한 계절에는 4개월이 있고 1개월은 40일이니 4 곱하기 4는 16이지만 각각 그 1을 뺀다. 그래서 한 계절은 3개월이고 1개월은 30일이다. 4계절은 체수體數이고 1개월 30일은 용수用數이다. 체가 4를 갖추었지만 그 1은 항상 사용하지 않는다. 그러므로 사용하는 것은 3일 뿐이고 9에서 극한에 이른다.[23] 체수는 항상 짝수이므로 4와 12가 있다. 용수는 항상 홀수이므로 3과 9가 있다.[24][25] 큰 것의 수[大數]는 적고 작은 것의 수[小數]는 항상 많은 것은 왜일까?[26] 그 큰 것은 볼 수 없지만 작은 것은 볼 수 있기 때문이다. 그러므로 4계절은 4개로 그치고 개월 수는 3개로 그치며 하루는 10으로 차는 것이다. 그래서 사람의 사지는 4이고 손가락과 발가락은 10이다.[27]

23 하늘에는 4계절이 … 이른다 : 앞에서 "하늘의 체수는 4이지만 사용하는 것은 3이고 사용하지 않는 것은 1이다."라고 했다. 그래서 한 계절은 4개월이고 1개월은 40일이다. 3개월, 30일이라고 하는 것은 用數이다. 체수가 4이지만 1은 항상 쓰지 않고 3만 쓰는데 3*3은 9이므로 한 계절은 90일이고 9가 수의 끝이 된다.

24 체수는 항상 … 있다 : 체수는 항상 짝수이라서 4와 12가 있다. 4계절이 있고 12개월이 있다. 용수는 항상 홀수라서 3과 9가 있다. 1개월은 30일고 한 계절은 90일이다.

25 王植, 『皇極經世書解』: "(황기가 말했다.) 하늘의 체수는 4이고 사용하는 것은 3이니 넉 달 가운데 1을 제거하면 남는 것은 석 달이고, 40 가운데 1을 제거하면 남는 것은 30이니, 용수는 체수 밖으로 벗어나지 못한다. 석 달에 그치는 것은 90에서 끝이 되고 세 계절에 그치는 것은 3*90=270에서 끝나니, 4가 있고 12가 있는 것은 4계절과 12개월이고, 3이 있고 9가 있는 것은 석 달과 90일이다.(天之體數四而用者三, 於四月之中, 去其一, 則所存者三月, 於四十之中, 去其一則所存者三十, 用數不出體數之外. 止於三月者, 極於九十日, 止於三時者, 極於三九二百七十日, 有四有十二, 四時十二月, 有三有九, 三月九十日也.)"

26 큰 것의 … 왜일까? : 여기서 말하는 大數는 상대적으로 비교해서 큰 것을 말한다. 예를 들어 원회운세의 경우 원이 대수이고 1년에는 4계절, 12개월이 있는데 1년이 대수이고 계절과 달은 소수이다. 1은 4보다 작고 4는 12보다 작으니 비교해서 말하면 대수는 항상 부족하고 소수는 항상 남는다. 張崏, 『皇極經世觀物外篇衍義』: "달은 孟仲季가 있을 뿐이어서 3개월마다 계절이 변화한다. 그래서 12개월이라고 말하지 않는다. 하루는 10으로 찬다는 것이 甲乙丙丁戊己庚辛壬癸를 말하는 것이다. 그러므로 一旬이 10일이다. 큰 것이 부족하다는 것은 천지의 수이고 작은 것은 항상 찬다는 것은 人物의 수이다. 큰 것은 볼 수 없지만 작은 것은 볼 수 있다. 그러므로 1년은 4계절을 포함하지만 계절을 제거하면 1년이 없고, 계절은 달을 포함하지만 달을 제거하면 계절이 없으며, 달은 날을 포함하지만 날을 제거하면 달이 없으니 큰 것은 통괄하는 것이고 작은 것은 세분한 것이다.(月止于三孟仲季也, 三月而時革, 故不曰十二月也. 日盈乎十者, 甲乙丙丁戊己庚辛壬癸也. 故一旬十日. 大者不足, 天地數也, 小者常盈, 人物數也. 大者不可見, 小者可見, 故年包乎時, 除時無年, 時包乎月, 除月無時, 月包乎日, 除日無月. 大者統而小者分也.)"

27 王植, 『皇極經世書解』: "체가 4인데 사용하는 것은 3인 것은 그 이치가 매우 정밀하다. 예를 들어 하루로 말하면 亥子丑 3시진은 항상 사용하지 않고, 1년으로 말하면 亥子丑의 세 달은 항상 사용하지 않고 1元으로

[11-1-4]

天見乎南而潛乎北, 極于六而餘于七. 是以人知其前, 昧其後, 而略其左右也.

하늘은 남쪽에서 드러나고 북쪽에서 잠기며[28] 6에서 극한에 이르고 7에서 남는다.[29] 그래서 사람이 눈앞의 것만 알지 그 뒤의 것은 알지 못하며, 좌우에 있는 것은 대략 안다.[30]

말하면 戌會 이후는 항상 닫힌 것이 모두 그렇다. 그러나 기운의 변화의 자연스러운 수로 정밀하게 말하면 '한 계절이 4이고 한 달이 40일'라고 말한 것은 본래 이러한 수는 없고 가상으로 말한 것이다. 이것은 바로 네가 생강이 나무에서 태어났다(엉뚱한 소리)고 말하고 나도 또한 그렇게 말하는 것과 같다. 어찌 소강절이 그렇게 했겠는가? 외편은 문인들이 잘못 기록한 것이 있으니 때때로 의심해보는 것이 옳다.(體四用三, 其理至精. 如一日則亥子丑三時常不用, 一年則亥子丑三月常不用, 一元則戌會以後常閉物, 皆是也. 然就氣化自然之數而精言之, 若謂一時四月一月四十日, 乃本無此數而懸空立言, 正所謂你道生薑樹上生我也只得憑你說, 邵子豈其然哉? 外篇爲門人記錄之誤者, 時有存疑可耳.)"

28 하늘은 남쪽에서 … 잠기며 : 북반구의 입장에서 보면 태양은 항상 남쪽에 있어서 옛날에는 모두 밝은 쪽을 향하여 다스렸다. 임금이 南面하는 것이나 관청과 宗廟가 항상 남쪽을 향하는 것은 이런 이유 때문이다. 이것은 남쪽이 태양의 빛이라는 것을 상징한다. 중국은 남쪽이 평야이기 때문에 하늘이 많이 드러나고 북쪽은 산이 있어서 하늘이 조금 드러난다.

29 6에서 극한에 … 남는다 : 옛날에는 1년 12개월과 1일 12시진으로 계산했다. 그래서 봄과 가을 둘로 나누면 6이고 밤과 낮 둘로 나누면 6이니 봄과 가을이 교차하고 밤과 낮이 교차하면서 6의 자리에서 극한에 이르게 된다. 그러나 동지나 하지에는 그 밤과 낮의 시간에 차이가 크다. 그래서 동짓날은 낮이 짧고 밤이 길며 하짓날은 낮이 길고 밤이 짧다. 張崏은 왕식본『皇極經世書解』에서 이렇게 말했다. "하늘의 둘레 365도를 남북이 각각 반씩 나누어서 북극이 땅위로 36도 나왔으니, 나머지는 모두 잠기고, 남극이 땅으로 36도 들어갔으니 나머지는 모두 나타난다. 하늘과 사람은 모두 북쪽을 등지고 남쪽을 정면으로 한다. 그러므로 남쪽은 나타나고 북쪽은 잠기게 된다. 사용하는 수 3은 6에서 완성되지만 여분을 겸하므로 7이 있다.(周天三百六十五度, 南北各分其半, 北極出地三十六度, 餘則皆潛, 南極, 入地三十六度, 餘則皆見. 天與人皆背北面南, 故南見北潛也. 用數三, 成於六, 兼餘分故有七也.)"

30 王植,『皇極經世書解』: "(황기가 말했다.) 하늘의 남쪽은 북극이 나온 것에 이르러서 다하니, 그 땅위에 있는 것이 36도의 밖에는 모두 남쪽이고, 하늘의 북쪽은 남극의 들어간 곳에 이르러서 다하니, 땅속에 있는 것이 36도의 밖에는 모두 북쪽이다. 남극의 도수가 반드시 북쪽의 도수보다 늘어난 것은 아니지만 잠긴 것은 위에서 여분의 것을 겸할 수가 없으나, 오직 나타난 것은 위에서 여분의 것을 겸할 수 있다. 여분의 것을 겸하면 넘쳐서 7이 된다. 사람은 하늘과 땅을 닮았으니, '앞에 있는 것을 아는 것'은 하늘이 남쪽에서 드러난 것과 같고 '뒤를 알지 못하는 것'은 하늘의 북쪽에서 잠긴 것과 같고, '좌우는 대략 안다.'는 것은 아침에는 서쪽을 알지 못하고 저녁에는 동쪽을 알지 못하는 것과 같다. 사계절에서 봄, 여름, 가을은 만물을 낳지만 겨울은 만물을 낳지 못하고, 하늘과 땅에서 동, 서, 남은 볼 수 있지만 북쪽은 볼 수 없으며, 사람이 보는 것도 앞, 좌우는 볼 수 있지만, 뒤쪽은 볼 수 없는 것이다.(天之南, 至北極之所出處而盡, 則其在地上者, 除三十六度之外皆南也, 北至南極之所入處, 則其在地下者, 除三十六度之外皆北也. 南之度數, 非必增於北之度數, 然潛者, 不得兼餘分於其下, 惟見者, 乃得兼餘分於其上. 兼餘分則溢而爲七. 人肖天地, 知其前, 猶天之見於南也, 昧其後, 猶天之潛於北也, 略其左右, 猶朝則未明於西, 夕則先瞑於東也. 四時, 春夏秋生物而冬不生物, 天地, 東西南可見而北不可見, 人之瞻視, 亦前與左右可見而背不可見也.)"

[11-1-5]

天體數四而用三, 地體數四而用三. 天尅地, 地尅天, 而尅者在地, 猶晝之餘分在夜也. 是以天三而地四. 天有三辰, 地有四行也. 然地之大且見且隱, 其餘分之謂耶!

하늘의 체수體數는 4이고 쓰는 것(작용하는 것)은 3이며, 땅의 체수는 4이고 쓰는 것(작용하는 것)은 3이다. 하늘은 땅을 이기고 땅은 하늘을 이겨서 이긴 것이 땅에 있는 것은 낮의 여분이 밤에 있는 것과 같다. 그래서 하늘은 3이고 땅은 4이다. 하늘에는 3개의 신辰[日月星]이 있고 땅에는 4개의 행行(水火土石)이 있다. 그러나 땅의 화火[31]는 드러나면서 은폐하니 그 여분을 말할 것이다![32][33]

[11-1-6]

天有二正, 地有二正, 而共用二變以成八卦也. 天有四正, 地有四正, 共用二十八變以成六十四卦也. 是以小成之卦正者四, 變者二, 共六卦也. 大成之卦正者八, 變者二十八, 共三十六卦也. 乾坤離坎, 爲三十六卦之祖也, 兌震巽艮, 爲二十八卦之祖也.

하늘은 2개의 정괘正卦가 있고 땅에는 2개의 정괘가 있어서 2개의 변괘變卦를 함께 사용하여 8괘를 이룬다.[34] 하늘에는 4개의 정괘가 있고 땅에는 4개의 정괘가 있어서 28개의 변괘를 함께 사용하여

31 『性理大全』에서는 "땅의 큰 것"(地之大)으로 되어 있지만 왕식본에서는 "고본의 '地之大'의 '大'는 '火'자로 고쳤다."라고 말하고 있다. 왕식은 왕식본 『皇極經世書解』에서 땅의 불에 해당하는 것으로 이해하고 있는데 이것이 하늘의 일월성신과 땅의 수화토석을 설명하는 방식과 연결되므로 火로 고쳐서 번역했다.

32 張行成, 『皇極經世觀物外篇衍義』: "하루 12시간 밤과 낮은 각각 반인데 어둡고 밝아지는 때에는 비록 음과 양이 침범하는 것이라고 하지만 모두 낮의 여분이니 침범되는 것은 실제로 밤에 있다. 하늘과 땅이 서로 침범하는 수도 역시 그러하여 여분의 수는 본래 땅의 수에 근본한다. 그러므로 火로 비유했으니 실제로는 1분이 미치지 못하므로 불은 드러나기도 하고 은폐되기도 한다. 하늘의 辰은 전혀 보이지 않지만 땅의 불은 반은 드러나고 반은 은폐되므로 '하늘에는 3개의 辰이 있고 땅에는 4개의 行이 있다.'고 한 것이니 합하면 7이 된다.(日十二時晝夜各半, 昏曉之際, 雖名陰陽相侵, 而皆爲晝之餘分, 則所侵者, 實在夜也. 天地相尅之數亦然, 餘分本地數, 故以火況之, 實不及一分, 故火且見且隱. 天之辰全不見, 地之火半見半隱, 故曰天有三辰, 地有四行, 合之則七也.)"

33 王植, 『皇極經世書解』: "(황기가 말했다.) 극이란 침범한다는 것이다. 하늘이 땅을 침범하고 땅이 하늘을 침범해서, 침범된 것은 결국 땅으로 돌아가는 것이 마치 낮이 밤을 침범하고 밤이 낮을 침범하여 침범된 것이 결국에는 밤에 남아 있는 것과 같다. 일월성은 모두 별자리[辰]에 모이지만 하늘의 별자리는 보이지 않으므로 하늘은 3을 쓰고 수화토석은 땅의 4가지 행으로 石은 작용이 없지만 火가 잠겨 있는 것이므로 땅은 4이다. 여분의 수는 正分의 수를 감당하기에는 부족하므로 땅속의 불로 비유한 것이니 불은 반은 은폐되어 있고 반은 드러나니 하늘의 별자리가 전혀 드러나지 않는 것과 같지 않다. 만약 불이 전혀 드러나지 않는다면 땅도 작용하는 것이 3에 그쳤을 것이다.(尅, 侵也. 天侵地, 地侵天, 而所侵者, 終歸於地, 猶晝侵夜, 夜侵晝, 而所侵者終歸於夜. 日月星, 皆會於辰, 而天辰全不見, 故曰天三, 水火土石爲地四行, 石雖無用, 然火之所潛, 故曰地四. 餘分之數不足以當正分之數, 故以地火況之, 火半隱半見, 不若天辰之全不見. 若全不見, 則地亦止於用三矣.)"

34 하늘은 2개의 … 이룬다: 소성괘를 보면 하늘의 乾兌離震 가운데 乾(☰)괘와 離(☲)괘, 땅의 巽坎艮坤 가운데 坤(☷)과 坎(☵)은 뒤집어 보아도 변하지 않는다. 이것이 '바른 것'이다. 그러나 하늘의 震(☳)과 兌(☱), 땅의

64괘를 이룬다.[35] 그래서 소성괘는 정괘가 4개이고 변괘가 2개로 모두 6괘이다. 대성괘는 정괘가 8개이고 변괘는 28개로 모두 36괘이다. 건·곤·이·감乾坤離坎은 36괘의 조상이고, 태·진·손·간兌震巽艮은 28괘의 조상이다.[36] [37]

[11-1-7]

乾七子, 兌六子, 離五子, 震四子, 巽三子, 坎二子, 艮一子, 坤全陰, 故無子. 乾七子, 坤六子, 兌五子, 艮四子, 離三子, 坎二子, 震一子, 巽剛, 故無子.

건乾은 자식이 7이고, 태兌는 자식이 6이고 이離는 자식이 5이고 진震은 자식이 4이고 손巽은 자식이 3이고, 감坎은 자식이 2이고, 간艮은 자식이 1이고, 곤坤은 전체가 음陰이므로 자식이 없다. 건은 자식이 7이고, 곤은 자식이 6이고, 태는 자식이 5이고, 간은 자식이 4이고, 이는 자식이 3이고 감은 자식이 2이고 진은 자식이 1이고 손은 강剛하므로 자식이 없다.[38]

艮(☶)과 巽(☴)괘는 뒤집어보면 다른 괘가 된다. 이것이 '변하는 것'이다. 이것이 8괘를 이룬다.

35 하늘에는 4개의 … 이룬다 : 대성괘를 보면 하늘의 정괘 4개는 乾(䷀), 離(䷝), 頤(䷚), 中孚(䷼)와 땅의 정괘 4개는 坤(䷁), 坎(䷜), 大過(䷛), 小過(䷽)이다. 그리고 하늘과 땅의 변괘는 모두 28괘이다. 이들을 합하면 36괘이고 변괘를 한 괘로 보지 않고 두 괘씩 계산하면 56괘이므로 하늘과 땅의 정괘 8을 합하여 64괘가 된다. 왕식은 이렇게 설명한다. "생각하건대, 이것은 괘의 정괘와 변괘를 논한 것이다. 건은 하늘이 되고 離는 건을 닮았으니 2개의 바른 괘이고, 여기에서 頤와 中孚를 합하면 4개의 바른 괘가 되며, 이밖에 兌, 震 2괘와 夬에서 복에 이르는 26괘는 모두 변하는 것으로 하늘에 속한다. 곤은 땅이 되고 坎은 곤을 닮았으니 2개의 바른 괘이고, 여기에서 大過와 小過괘를 합하면 4개의 바른 괘가 되며, 이밖에 巽괘와 艮괘 2괘와 姤괘와 剝괘에 이르는 26괘는 모두 변하는 것으로 땅에 속한다. 그러므로 바른 것은 변하지 않는 괘이고, 변하는 것은 곧 뒤집어 변하는 괘이다."(愚按此論卦之正變也. 乾爲天, 離肖乾, 二正也, 并頤中孚, 四正也, 此外兌震二卦, 并夬至復二十六卦, 皆變也而皆屬天. 坤爲地, 坎肖坤, 二正也, 并大小過, 四正也, 此外巽艮二卦, 并姤至剝二十六卦, 皆變也而皆屬地. 正即不易之卦, 變即反易之卦也.)

36 張行成, 『皇極經世觀物外篇衍義』: "하늘의 2개의 바른 것은 乾괘와 離괘이고, 땅의 2개의 바른 것은 坤괘와 坎괘이다. 2개의 변하는 것은 하늘은 兌괘와 震괘를 사용하고 땅은 艮괘와 巽괘를 사용한다. 하늘의 4개의 바른 것은 頤괘와 中孚괘를 아우르고, 땅의 4개의 바른 것은 大過괘와 小過괘를 아우른다. 28개의 변화하는 것은 나머지 28괘가 뒤집혀서 56괘가 되니, 소성괘 8괘와 대성괘 64괘는 2개의 바른 것이 하나의 변하는 것을 함께 하고, 하나의 변하는 것이 이 3개를 아우르면 4개의 體가 되고, 2개의 바른 것이 7개의 변하는 것을 함께 하고, 3개의 변하는 것이 이 9개를 아우르면 16의 체가 된다. 건곤감리는 36괘의 조상으로 體의 조상이고 간진손태는 28괘의 조상으로 用의 조상이다. 그러므로 『周易』의 상경은 건곤감리를 사용하고, 하경은 진손간태를 사용한다.(天二正乾離, 地二正坤坎, 二變者, 天用兌震, 地用艮巽. 天四正兼頤中孚, 地四正兼大小過. 二十八變者, 餘二十八卦反復爲五十六卦也. 小成八卦, 大成六十四卦, 二正共一變者, 一變而三并之, 則四體也, 二正共七變者, 三變而九并之, 則十六體也. 乾坤坎離爲三十六卦之祖, 體之祖也, 艮震巽兌爲二十八卦之祖, 用之祖也. 故周易上經, 用乾坤坎離, 下經用震巽艮兌也.)"

37 乾坤離坎은 36괘의 … 조상이다 : 정괘와 변괘를 합하면 36괘인데 정괘와 변괘 모두 건곤이감으로부터 나오고 변괘 28개는 태진손감으로부터 나온다는 의미이다. 황기는 이렇게 설명한다. "변하지 않는 것이 변하는 것을 낳으므로 36괘는 乾坤坎離를 조상으로 삼고, 변하는 것은 다시 변하는 것을 낳으므로 28괘는 兌震巽艮을 조상으로 삼는다.(不變者生變, 故三十六卦祖乾坤坎離, 變者復生變, 故二十八卦祖兌震巽艮.)"

[11-1-8]

乾坤七變, 是以晝夜之極不過七分也. 兌艮六變, 是以月止于六, 共爲十二也. 離坎五變, 是以日止于五, 共爲十也. 震巽四變, 是以體止于四, 共爲八也.

건과 곤은 7번 변하기 때문에 밤과 낮의 극한은 7분分을 넘지 않고, 태와 간은 6번 변하기 때문에 월月이 6에 그쳐서 모두 12가 된다. 이와 감은 5번 변하기 때문에 일日은 5에 그쳐서 모두 10이 된다. 진과 손은 4번 변하기 때문에 체體가 4에 그쳐서 모두 8이 된다.[39]

38 王植, 『皇極經世書解』, 황기의 설명을 먼저 도표화하면 이렇다.

坤	1	2	3	4	5	6	7
	艮						
		坎					
			巽				
		2	1	震			
	4	3			離		
6	5					兌	
7							乾

황기는 이렇게 설명한다. "乾에서 履로부터 위로 세면 否까지 이르니 그 자식이 모두 7이고, 兌는 革으로부터 위로 세로로 가서 세면 萃에 이르니 그 자식이 모두 6이고, 離는 噬嗑으로부터 위로 가서 晉에 이르고, 震은 恒으로부터 위로 豫에 이르며, 巽은 渙으로부터 觀에 이르고, 坎은 蹇과 比에 이르고, 艮은 剝에 이르고, 坤은 위에 셀 것이 없다. 건은 夬로부터 왼쪽으로 가로로 세어 가면 泰에 이르니 그 자식이 모두 7이고, 곤은 謙으로부터 아래로 거꾸로 세면 臨에 이르니 그 자식이 모두 6이고, 태는 睽로부터 왼쪽으로 가로로 세면 損에 이르고, 간은 蒙으로부터 아래로 거꾸로 세면 賁에 이르며, 이는 豊부터 旣濟에 이르고, 坎은 井과 屯에 이르고, 진은 益에 이르나, 손의 아래는 셀 것이 없으니 음이면서 강한 것은 또한 자식이 없다. 이 8괘는 모두 56개의 자식이 있으니, 8괘는 體이고 56괘는 用이다. 앞의 말은 주로 건괘를 주로 했으므로 건이 낳은 자식이 유독 다른 여섯 괘보다 많고 곤은 자식이 없으며, 뒤의 말은 곤이 건의 짝이 되는 점을 위주로 해서 그 낳은 자식이 많고 적음이 다르다. 그러나 하나는 바로 세고 하나는 거꾸로 세어서 서로 짝이 되지 않음이 없다. 巽이 震에 마땅히 짝이 될 것 같지만, 진은 하늘의 四象으로 辰이 되고, 손은 땅의 사상으로 石이 되니, 辰은 보이지 않지만 七政이 달려 있고, 石은 단지 火를 낳을 뿐 사물을 낳을 수는 없다. 이것이 자식이 없게 되는 것이다.(乾, 自履而上, 縱而數之, 以至於否, 其子凡七, 兌, 自革而上, 縱而數之, 以至於萃, 其子凡六, 離, 自噬嗑而上至晉, 震, 自恒而上至豫, 巽, 自渙而觀, 坎蹇比, 艮剝, 坤之上無可數者. 乾自夬而左, 橫而數之, 以至於泰, 其子凡七, 坤自謙而下, 倒而數之, 以至於臨, 其子凡六, 兌, 自睽而左, 橫而數之至損, 艮, 自蒙而下, 倒而數之至賁, 離, 自豐而旣濟, 坎, 井屯, 震益, 巽之下, 無可數者, 陰而剛者, 亦無子也. 凡此八卦, 共五十六子, 八卦體也, 五十六卦用也. 前說主乾, 故乾所生之子, 獨多於六卦, 而坤則無子, 後說主坤之配乾, 故其所生之子, 雖多寡不同. 然而一正一倒, 無不相配, 巽之於震, 宜若相配者矣, 然震於天之四象爲辰, 巽於地之四象爲石, 辰雖不見, 七政繫焉, 石則但能生火而已, 非能生物者也. 此其所以亦無子也.)"

39 王植, 『皇極經世書解』: "(황기가 말했다.) 건괘는 否괘에서 그치고 곤괘는 泰괘에서 그쳐서 모두 7번 변하니, 앞에서 곤괘는 임괘에서 그친다고 말한 것과는 다른 것은 태괘는 건괘의 자식이기 때문이다. 낮이 7분이 있으면 밤은 5분을 넘지 않으니 건이 7번 변하는 것은 여름의 낮에 해당하고, 밤이 7분이 있으면 낮은 5분을 넘지 않으니, 곤이 7번 변하는 것은 겨울의 밤에 해당한다. 태괘는 萃괘에서 그치고 艮괘는 大畜괘에서 그쳐서 모두 6번 변하니, 앞에서 간괘가 賁괘에서 그친다고 말한 것과는 다른 것은 대축괘는 건괘의 자식이고,

[11-1-9]

卦之正變共三十六, 而爻又有二百一十六, 則用數之策也. 三十六去四, 則三十二也. 又去四, 則二十八也. 又去四, 則二十四也. 故卦數三十二位, 去四而言之也. 天數二十八位, 去八而言之也. 地數二十四位, 去十二而言之也. 四者, 乾坤離坎也. 八者, 幷頤孚大小過也. 十二者, 兌震泰旣濟也.

괘의 정괘와 변괘는 모두 36개이고 효爻는 또 216이니 용수用數의 책수策數[40]이다.[41] 36에서 4를 빼면

6을 합하면 12이기 때문이다. 앞에서는 坎괘는 屯괘까지 자식이 둘 뿐이라고 말했는데 여기서는 감괘는 需괘에서 그치고 離괘는 晉괘에서 그친다고 말한 것은 모두 5번 변하고 여기에 5를 합하여 10이 되는 것이다. 앞에서는 巽괘는 자식이 없다고 말하고 여기서는 손괘는 小畜괘에서 그치고 震괘는 豫괘에서 그친다고 말한 것은 모두 4번 변하고 여기에 4를 합하여 8이 되기 때문이다. 卦體를 구한다면 4번 변하는 것은 건곤의 8괘로 증명할 수 있고, 5번 변하는 것은 甲癸의 10일로 증명할 수 있고, 6번 변하는 것은 춥고 더운 6달로 증명할 수 있지만, 오직 낮과 밤의 극한이 7분을 넘지 않으니, 유독 건곤의 7번 변하는 것으로 그것을 해당하여 합하지 않는 것이 없다. 이것으로 聲과 律이 日과 水에서 일어나 또한 7에서 그치는 것을 알 수 있다.(乾止於否, 坤止於泰, 皆七變, 與前言坤止於臨異者, 泰爲乾子也. 晝有七分, 則夜不過五, 乾七變, 當夏之晝, 夜有七分, 則晝不過五, 坤七變, 當冬之夜. 兌止於萃, 艮止大畜, 皆六變, 與前言艮止於賁異者, 大畜爲乾子, 六之合即十二也. 前言坎止於屯二子而已, 此言坎止於需, 離止於晉, 皆五變, 五合爲十也. 前言巽無子, 此言巽止小畜, 震止於豫, 皆四變, 四合爲八也. 求之卦體, 四變, 足以驗乾坤之八卦, 五變, 足以驗甲癸之十日, 六變, 足以驗寒暑之六月, 惟晝夜之極, 不過七分, 則獨以乾坤七變當之, 無所合焉. 以此見聲律起自日與水亦止於七也.)"

張行成, 『皇極經世觀物外篇衍義』: "건은 日로 年을 주관하고, 태는 月로 달을 주관하고, 이는 星으로 날을 주관하고 진은 辰으로 시간을 주관하니 辰은 천체이다. 그러므로 7번 변하여 1년을 구하고 6번 변하여 한 달을 구하고 5번 변하여 하루를 구하고 4번 변하여 體를 구한다. 先天은 본래 건태리진으로 일월성신을 주관하면서 곤간감손을 겸하니 하늘이 4번 변하는 것이 땅의 4번 변함을 겸하는 것이다. 선천은 짝수 괘로 달의 수 12에 해당하고 홀수괘로 날의 수 30일에 해당하니 매 두 괘가 6*7=42를 얻어서 모두 하늘의 1변이 된다. 7번 변하면 294이고, 6번 변하면 252이고, 5번 변하면 212이고, 4번 변하면 168이다. 괘가 1괘로써 1번의 변함을 삼는 것은 1괘가 6辰이므로 7, 6, 5, 4번을 변하면 모두 44괘 264효를 얻어 실용의 수가 된다. 7괘의 효는 42이고, 6괘의 효는 36이고, 5괘의 효는 30이고, 4괘의 효는 24이니, 각각 하늘을 따라 7번의 변함을 써서 그런 연후에 두 괘가 1변의 수를 맡아 합하는 것이다. 日月과 괘변의 크고 작음의 작용이 다른 것은 괘변은 사물에 속하고 일월의 변함은 하늘에 속하기 때문이다.(乾爲日主年, 兌爲月主月, 離爲星主日, 震爲辰主時, 辰, 天體也, 故七變以求年, 六變以求月, 五變以求日, 而四變以求體. 先天, 本以乾兌離震主日月星辰而兼坤艮坎巽者, 天四變含地四變也. 先天以偶卦當月之十二, 奇卦當日之三十, 每兩卦得六七四十二, 共爲天之一變. 七變者, 二百九十四, 六變者, 二百五十二, 五變者, 二百一十, 四變者, 一百六十八也. 卦以一卦爲一變者, 六辰也, 七六五四之變, 共四十四卦, 二百六十四爻, 則實用之數也. 七卦之爻, 四十二, 六卦之爻, 三十六, 五卦之爻, 三十, 四卦之爻, 二十四, 各隨天而用七變焉, 然後與兩卦當一變之數合者. 日月與卦變大小之用不同, 卦變屬物, 日月之變屬天也.)"

40 『周易』「繫辭上」 9장: "乾之策二百一十有六, 坤之策百四十有四, 凡三百有六十, 當期之日. 二篇之策, 萬有一千五百二十, 當萬物之數也."

41 대성괘를 보면 하늘의 정괘 4개는 乾(䷀), 離(䷝), 頤(䷚), 中孚(䷼)와 땅의 정괘 4개는 坤(䷁), 坎(䷜), 大過(䷛), 小過(䷽)이다. 그리고 하늘과 땅의 변괘는 모두 28괘이다. 이들을 합하면 36괘이다.

32이다. 또 4를 빼면 28이다. 또 4를 빼면 24이다.[42] 그러므로 괘의 수 32자리는 4를 빼고 말한 것이다. 천수天數 28자리는 8을 빼고 말한 것이다. 지수地數 24자리는 12를 빼고 말한 것이다. 4는 건乾·곤坤·이離·감坎이고 8은 이頤·중부中孚·대과大過·소과小過를 아우른 것이고, 12는 태兌·진震·태泰·기제既濟를 합한 것이다.[43]

---

42 36에서 4를 … 32이다 : 36에서 4를 뺀다는 것은 하늘에 속하는 乾(☰)괘와 離(☲)괘, 땅에 속하는 坤(☷)과 坎(☵)괘을 말한다. 32에서 또 4를 뺀다는 것은 하늘의 정괘인 頤(䷚)괘, 中孚(䷼)괘와 땅의 정괘인 大過(䷛)괘, 小過(䷽)괘를 말한다. 28에서 또 4를 뺀다는 것은 兌괘, 震괘, 泰괘, 既濟괘를 말한다.

43 王植, 『皇極經世書解』: "(황기가 말했다.) 효의 수 6으로 괘의 수 36을 곱하면 216이 되니, 36괘의 爻數이고 건의 策數와 서로 합치된다. 건은 작용을 주도하고 곤은 형체를 주도하므로 用數의 책수라고 하였다. '괘의 수 32'라는 6구절은 先天圓圖 64괘를 좌우로 나누면 각각 32괘의 자리가 되니, 이것이 36의 수에서 4를 빼서 말한 것이며, 32자리에서 왼쪽 방향으로 益괘, 屯괘, 頤괘, 復괘를 빼고, 오른쪽 방향으로 豫괘, 觀괘, 比괘, 剝괘를 빼서 수가 없는 것에 해당시키면 왼쪽 방향은 하늘 가운데 하늘이 되고, 오른쪽 방향은 땅 가운데 하늘이 되어 모두 28이니 36에서 8을 빼는 것이 하늘의 수를 말한다. 왼쪽 방향으로 진괘의 8자리를 빼고 오른쪽 방향으로 곤괘의 8자리를 빼서 작용하지 않는 수에 해당시키면 왼쪽 방향은 하늘 가운데 땅이 되고 오른쪽 방향은 땅 가운데 땅이 되어 모두 24이니 36에서 12를 빼는 것이 땅의 수를 말한다. 끝에 또 兌괘, 震괘, 泰괘, 既濟괘를 언급하는 것은 어떤 무엇 때문인가? 답한다. 이것은 이른 바 작용[用]이라는 것이다. 하늘은 兌(☱)를 쓰고 땅은 巽(☴)을 써서 그것들을 합한 것이 中孚(䷼)와 大過(䷛)가 되고, 하늘이 震(☳)을 쓰고 땅은 艮(☶)을 써서 그것을 합한 것이 小過(䷽)와 頤(䷚)가 되는 것이니, 이것은 그 작용은 변하지만 그 體는 변하지 않는 것이다. 乾이 아래로 坤과 교제하여 否를 바꾸어 泰가 되고, 坎이 왼쪽으로 離와 교제하여 未濟를 바꾸어 既濟가 되는 것은 그 체를 바꾸고 그 작용은 바꾸지 않는 것이다. 총괄하면 변하지 않는 것 8은 모두 易의 體이고, 변하는 것 28은 모두 역의 작용(用)이다.(以爻數六乘卦數三十六, 則爲二百一十六, 即三十六卦之爻數也, 而乾之策數適相合焉. 乾主用, 坤主體, 故曰用數之策也. 卦數三十二六句, 蓋六十四卦分爲左右, 各三十二位, 是於三十六數之中去四而言之也, 三十二位中左方, 去益屯頤復, 右方去豫觀比剝, 以當無數, 則左方爲天中天, 右方爲地中天, 皆二十八, 三十六而去八, 天數之謂也. 左方去震之八位, 右方去坤之八位, 以當不用之數, 則左方爲天中地, 右方爲地中地, 皆二十四, 三十六而去其十二, 地數之謂也. 末, 又及於兌震泰既濟者何? 曰, 此所謂用也, 天用兌而地用巽, 其合也爲中孚爲大過, 天用震而地用艮, 其合也爲小過爲頤, 變其用不變其體者也. 乾下交於坤, 易否爲泰, 坎左交於離, 易未濟爲既濟, 變其體不變其用者也. 總之則不變者八, 皆易之體, 變者二十八, 皆易之用也.)"

『皇極經世書解』에서 왕식은 황기의 설명이 원문의 내용과 부합하지 않다고 비판하면서 숫자에 얽매일 필요가 없다고 한다. "생각건대, 이 말은 괘의 바른 것과 변하는 것을 밝힌 것이고 圓圖를 빌려 괘의 수를 밝힌 것이니 앞 절에서 後天의 여섯 자식의 괘로 선천의 뜻을 밝힌 것과 같다. … 이에 건곤감리 등의 괘로 빼는 수 4, 8, 12를 삼고, 원도 안에 괘의 수에서 빼는 수 4, 하늘의 수에서 빼는 수 8, 땅의 수에서 빼는 수12는 그 수가 같지만 괘는 또한 같지 않아서 서로 어긋난 것 같아 알기 어렵다. 그러나 선천은 획만 있고 글이 없어서 뜻이 깊은 데도 완전히 궁리되지 못하여 소강절이 거꾸로 뒤집고 종횡으로 보아서 생각이 모이는 것에 대해서 뜻에 따라 열거한 것이고, 문인들이 각각 들은 것에 따라 그때그때 기록한 것 같으니 반드시 하나에 구애될 필요는 없다.(愚按此亦發明卦之正變, 而借圓圖以明卦數, 猶前節以後天六子明先天之義也. … 蓋既以乾坤坎離等卦, 爲所去之四與八與十二, 而圓圖内卦數所去之四, 天數所去之八, 地數所去之十二, 數雖同而卦又不同, 似舛互難解矣. 然先天有畫無文而義蘊靡窮, 邵子顚倒縱橫於其中, 意之所會, 可以隨意擧, 似門人, 亦各以所聞, 隨時記錄, 不必拘於一也.)"

[11-1-10]

日有八位而用止于七, 去乾而言之也. 月有八位用止于六, 去兌而言之也. 星有八位, 用止于五, 去離而言之也. 辰有八位用止于四, 去震而言之也.

일日은 8자리가 있는데 7만을 쓴 것은 건乾을 빼고 말한 것이다.[44] 월月은 8자리가 있는데 6만 쓴 것은 태兌를 빼고서 말한 것이다.[45] 성星은 8자리가 있는데 5만 쓴다고 말한 것은 이離를 빼고서 말한 것이다.[46] 신辰은 8자리가 있는데 4만 쓴 것은 진震을 빼고서 말한 것이다.[47] [48]

[11-1-11]

日有八位而數止于七, 去泰而言之.

일日은 8자리가 있는데 수는 7만 쓰는 것은 태泰를 빼고 말한 것이다.[49]

44 이 단락은 64괘 선천도에서 方圖와 관련된 말이다. 여기서 말하는 일월성신은 乾兌離震을 말한다. 방도에서 乾괘 위로 履괘에서 否괘까지 7괘가 있는데 이것이 건괘를 제외하고서 작용[用]에 해당한다. 『邵雍集』(중화서국), 60쪽 참조

45 방도에서 兌괘 위로 革괘에서 萃괘까지 6괘가 있는데 이것이 태괘를 제외하고서 작용에 해당한다. 『邵雍集』(중화서국), 59쪽 참조

46 방도에서 離괘 위로 噬嗑괘에서 晉괘까지 5괘가 있는데 이것이 이괘를 제외하고서 작용에 해당한다. 『邵雍集』(중화서국), 59쪽 참조

47 방도에서 震괘 위로 恒괘에서 豫괘까지 4괘가 있는데 이것이 진괘를 제외하고서 작용에 해당한다. 『邵雍集』(중화서국), 59쪽 참조

48 이 단락에 대해서 황기는 왕식본 『皇極經世書解』에서 이렇게 설명한다. "일월성신은 하늘의 8자리이니 본래 수화토석의 땅 8자리를 포함하고 있고, 서북쪽의 건으로부터 동남쪽의 곤에 이르기까지 모두 8괘의 바른 괘이니 그 바른 괘를 빼고 그 자식괘를 쓴 것이다.(日月星辰, 天之八位, 自可以包水火土石地之八位, 自西北乾至東南坤, 八卦之正也, 去其正用其子.)"

49 王植, 『皇極經世書解』: "(황기가 말했다.) 月은 8자리가 있는데 그 수는 6에 그친다고 한 것은 損괘를 빼고서 말한 것이다. 星은 8자리가 있는데 그 수는 5에 그친다고 한 것은 旣濟괘를 빼고 말한 것이다. 辰은 8자리가 있는데 그 수는 4에 그친다고 한 것은 益괘를 빼고 말한 것이다. 日에 포함되기 때문에 생략한 것이니, 땅의 8자리가 하늘에 포함되는 것과 같다. 이것은 서로 교류하여 소통하는 것으로 말한 것이다.(月有八位而數止於六, 去損而言之也. 星有八位而數止於五, 去旣濟而言之也. 辰有八位而數止於四, 去益而言之也. 含於日故畧之, 猶地之八位包於天也. 此以交泰言.)"

황기의 설명을 도표화하면 이렇다.

곤(坤)							비(否)
			익(益)	진(震)			
		기제(旣濟)			이(離)		
	손(損)					태(兌)	
태(泰)							건(乾)

[11-1-12]

月自兌起者, 月不能及日之數也. 故十二月常餘十二日也.

월月이 태兌로부터 일어나는 것은 월月이 일日의 수에 미치지 못하기 때문이다.[50] 그러므로 12개월에 항상 12일이 남는다.[51]

[11-1-13]

陽無十, 故不足于後, 陰無一, 故不足于首.

양陽은 10이 없기 때문에 마무리가 부족하고, 음은 1이 없기 때문에 앞장서기에 부족하다.[52]

[11-1-14]

乾陽中陽, 不可變, 故一年止擧十二月也. 震陰中陰, 不可變, 故一日止十二時不可見也. 兌陽中陰, 離陰中陽, 皆可變, 故日月之數可分也. 是陰數以十二起, 陽數以三十起, 常存

50 月이 日의 수에 미치지 못하기 때문이다. 日은 乾에 해당하고, 月은 兌에 해당한다. 그래서 해가 건에서 일어나는 것처럼 월이 태에서 일어난다고 한 것이다. 지구는 태양을 한 번 도는데 366일 걸리고 달은 태양과 12차례 만나는데 354일 걸린다. 12일이 남는다는 것은 태양이 1년에 360을 기준으로 6일이 넘치고 달은 1년에 6일이 모자라서 12일이 閏이 되기 때문이다. 즉 366일과 354일의 차이가 12일인 것이다.

51 王植, 『皇極經世書解』: "(황기가 말했다.) 日에서 乾을 빼는 것을 알면 月에서 兌를 빼는 것을 알 수 있고, 월이 兌로부터 일어나면 일이 건으로부터 일어남을 알 수 있다. 日은 건에서 일어나 하늘의 운행에는 미치지 못하지만, 1년에 항상 366일이 있고, 月은 태에서 일어나서 또 태양의 운행에 미치지 못하고 1년에 354일이 있으니 朔虛와 氣盈이 각각 6일을 합하기 때문에 12일로 말했다. 方圖는 원도와 서로 호응하니 이것은 소강절이 1년의 차이를 日과 月이 사귀어 감응하는 곳에서 정해서 음양의 모자라고 넘침으로 구했던 것이다.(知日之去乾, 則知月之去兌, 知月之自兌起, 則知日之自乾起矣. 日起乾, 雖不及天, 而一歲常有三百六十六日, 月起兌, 又不及日而一歲常有三百五十四日, 合朔之所虛與氣盈各六日, 故 以十二日言之. 蓋方圖, 與圓圖相應, 此乃邵子定歲差於日月交感之際, 以陰陽虧盈求之.)"

52 이 구절은 왕식판본에 따르면 "陰無一, 陽無十"이라는 구절과 연결되어 있지만 『性理大全』에서는 이 두 구절이 따로 분리되어 있다. 陰陽이란 天地를 말한다. 하늘의 수는 1, 3, 5, 7, 9이고 땅의 수는 2, 4, 6, 8, 10이니 음에는 1이 없고, 양에는 10이 없다. 그래서 "뒤가 부족하다."는 말은 10이 없다는 말이고, "머리가 부족하다."는 말은 1이 없다는 말이다. 이는 건괘의 "萬物資始"와 곤괘의 "無成有終"이라는 말과 연결시켜서 생각할 수 있다. 즉 陽은 시작은 가능하지만 뒤(10)가 부족하기 때문에 陰에 의지하여서 끝맺음을 이루고, 陰은 머리(1)가 부족하기 때문에 양을 취하여 시작한다. 황기는 이렇게 설명하고 있다. "이것은 하도의 시작과 끝남의 뜻을 밝힌 것이다. '뒤가 부족하다.'는 것은 乾이 곤을 기다려서 끝마친다는 것이고, '머리가 부족하다.'는 것은 坤이 건을 이어서 시작한다는 것이니, 앞에서 1을 말하지 않은 것은 보존하여 體가 되고 뒤에서 10을 말하지 않은 것은 저장하여 작용이 된다. 10의 뒤는 곧 1이 시작하는 지점으로 도표의 복괘에 해당하고, 1의 앞은 곧 10이 마치는 지점으로 도표의 곤괘에 해당하니 마치고 시작하는 지점과 貞과 元의 교제는 곧 한번 움직이고 한번 고요한 사이일 것이다.(此發明河圖始終之義, 不足於後, 乾待坤以終也, 不足於首, 坤承乾以始也. 前不言一, 存之以爲體, 後不言十, 藏之以爲用. 十之後, 乃一之所始, 圖之復也, 一之前, 乃十之所終, 圖之坤也, 終始之會, 貞元之交, 其即一動一靜之間耶!)"

二六也.

건乾은 양 중의 양이니 변할 수 없으므로 1년은 단지 12개월을 들 뿐이고, 진震은 음 중의 음이니 변할 수 없으므로 1일에 단지 12시진을 들뿐이나, 볼 수가 없다.[53] 태兌는 양 가운데 음이고 이離는 음 가운데 양이니 모두 변할 수 있으므로 하루와 한 달의 수를 나눌 수 있다.[54] 이는 음의 수는 12로부터 일어나고, 양의 수는 30으로부터 일어나서 항상 2와 6을 보존하는 것이다.[55]

[11-1-15]

舉年見月, 舉月見日, 舉日見時, 陽統陰也. 是天四變含地四變. 日之變含月與星辰之變也, 是以一卦含四卦也.

한 해 속에서 달의 수가 드러나고, 한 달 속에서 하루의 수가 드러나고, 하루 속에서 시진이 드러나니[56]

53 乾은 양 … 없다 : 乾은 1이고, 1원이고 1년이다. 1이므로 변하지 않는다. 그래서 1원은 12會이고 1년은 12개월이다. 日月星辰은 乾兌離震에 해당하고 1년(12개월), 1달(30일), 1일(12시진), 1시진에 해당한다. 볼 수가 없다는 것은 1년은 볼 수가 없지만 12개월을 통해 알 수 있고 1개월은 볼 수 없지만 30일을 통해 알 수 있고, 하루는 볼 수 없지만 12시진을 통해 알 수 있다는 말이다.

54 兌는 양 … 있다 : 월의 수는 12개월이므로 음수는 12로 일어나고, 일의 수는 30일이므로 양수는 30으로 일어난다.

55 王植, 『皇極經世書解』 : "(황기가 말했다.) 음양을 氣로 말하면 변할 수 없는 것이 없지만 상징[象]으로 말하면 변할 수 없는 것이 있고 변할 수 있는 것이 있다. 연월일시는 건태리진에 대해서 그 상징으로 말한 것이다. 乾은 양 가운데 양으로 1년으로 상징했고, 震은 음 가운데 음으로 12시진으로 상징했으니, 큰 것은 변할 수 없으므로 12개월을 들어 1년이 여기서 벗어나지 않고, 작은 것은 드러날 수 없으므로 하루를 들어 12시진이 여기서 벗어나지 않으니, 변할 수 없는 상징이다. 兌는 양 가운데 음으로 1년 가운데 12개월로 상징했고, 離는 음 가운데 양으로 한 달 가운데 30일로 상징했다. 月은 나누어 12개월로 만들 수 있고 日은 나누어 30일로 만들 수 있으니 변할 수 있는 상징이다. 음의 수가 12로 일어나니 1元의 會數이고, 運數도 12世로 끝나며, 양의 수는 30으로 일어나니 1會의 運數이고, 世數도 30년에서 끝난다. 3으로 6을 해당시킨 것은 3은 6의 반이고 6은 3의 배수이기 때문이다.(陰陽以氣言, 無不可變, 以象言, 則有可變不可變者焉. 年月日時之於乾兌離震, 言其象也. 乾陽中陽, 年之一象之, 震陰中陰, 時之十二象之, 大者不可變, 故舉十二月而年不外是, 小者不可見, 故舉一日而十二時不外是, 不可變之象也. 兌陽中陰, 年中之十二月象之, 離陰中陽, 月中之三十日象之. 月可分爲十二, 日可分爲三十, 可變之象也. 陰數起十二, 一元之會數, 雖運數亦以十二世終焉, 陽數起三十, 一會之運數, 雖世數, 亦以三十年終焉. 以三當六者, 三者, 六之半, 六即三之倍也.)"

王植, 『皇極經世書解』 : "생각하건대 여기서 하늘과 땅의 시작과 끝나는 수가 12와 30을 사용하여 서로 곱하는 뜻을 말한 것이다. 연월일시 각각에는 수가 있지만 유독 12개월과 30일을 취한 것은 1년이라는 숫자는 나눌 수 없고 12시진은 볼 수가 없기 때문에 1년과 시진을 쓰지 않고 오직 한 달과 하루의 수를 썼다.(愚按此言天地始終之數, 所以用十二三十相乘之義. 年月日時各有數, 而獨取月之十二日之三十者, 以年之一不可分, 時之十二不可見, 故不用年時, 惟用月日也.)"

56 하루 속에서 … 드러나니 : 1년에 12개월이 있고 1달에 30일이 있고 하루에 12시진이 있는 것을 우리는 쉽게 알 수 있다. 이것이 양이 음을 통솔하고 큰 것[大]이 작은 것[小]을 통솔하는 것이다. 마찬가지로 1元이 12會를 통솔하고, 1회가 30運을 통솔하고 1운이 12世를 통솔한다고 말할 수 있다.

양이 음을 통솔하는 것이다. 이것은 하늘의 4가지 변화가 땅의 4가지 변화를 함축하는 것이다.[57] 해[日]의 변화는 달[月]과 성星과 신辰의 변함을 함축하는 것이니 이것은 1괘가 4괘를 포함하는 것이다.[58]

[11-1-16]

日一位, 月一位, 星一位, 辰一位, 日有四位, 月有四位, 星有四位, 辰有四位, 四四有十六位, 此一變而日月之數窮矣. 天有四變, 地有四變. 變有長也, 有消也. 十有六變而天地之數窮矣.

일日은 한 자리, 월月은 한 자리, 성星은 한 자리, 신辰은 한 자리이지만 일에는 4자리가 있고, 월에는 4자리가 있고, 성에는 4자리가 있고, 신에는 4자리가 있어서 4×4는 16자리이니 이것이 한 가지로 변화[59]하여 일월日月의 수가 다하는 것이다.[60] 하늘에는 4가지 변화가 있고 땅에는 4가지 변화가 있으니 변화에는 자라나는 것이 있고 줄어드는 것이 있다. 16가지로 변하여 하늘과 땅의 수가 다한다.[61]

[11-1-17]

日起於一, 月起於二, 星起於三, 辰起於四. 引而伸之, 陽數常六, 陰數常二, 而大小之運窮.

57 하늘의 4가지 … 것이다 : 하늘의 4가지 변화는 日月星辰을 말하고 땅의 4가지 변화는 水火土石을 말한다. 이는 괘로 말하면 하늘은 乾兌離震이고 땅은 巽坎艮坤을 말한다. 일월성신은 元會運世와 짝이 되고 수화토석은 年月日時와 짝이 된다. 결국 원회운세가 연월일시를 포함하고 있듯이 하늘의 4가지 변화인 일월성신이 땅의 4가지 변화인 수화토석을 포함한다는 말이다. 元 속에 원회운세가 있고, 會 속에 원회운세가 있으며, 運에 원회운세가 있고 世 속에 원회운세가 있듯이 1괘에는 4괘가 포함되어 있다.

58 王植, 『皇極經世書解』: "(황기가 말했다.) 작은 것이 큰 것에 통솔되기 때문에 땅의 4가지 변화인 수화토석은 하늘의 4가지 변화인 일월성신을 벗어나지 못한다. 월과 성과 신의 변화는 일의 변화에서 벗어나지 못하므로 한 괘가 변화하여 4가지 괘가 되어 원회운세가 갖추어진다. 한 괘가 4가지 괘를 포함하면 64괘가 변하여 256괘가 된다.(小統於大, 故地之四變水火土石, 不外乎天之四變日月星辰也. 月與星辰之所變, 不外乎日之所變, 故一卦變爲四卦, 元會運世備焉. 一卦含四卦, 則六十四卦變爲二百五十六卦矣.)"
王植, 『皇極經世書解』: "생각건대, 이것은 한 괘가 4괘를 함축하고 있는 이유를 말한 것이다. 1년을 말하자면 12개월이 그 속에 있고 한 달을 말하자면 30일이 그 속에 있고 하루를 말하자면 12시진이 그 곳에 있으니 큰 것이 작은 것을 통솔할 수 있다. 오직 큰 것이 작은 것을 통솔할 수 있기 때문에 하늘의 일월성신이 땅의 수화토석을 포함하고, 하늘의 四象 가운데 日이 또 月과 星辰을 함축한다. 그래서 하늘과 땅의 시작과 끝의 수가 매 한 괘로 원회운세를 겸하는 것은 이 때문이다.(愚按此言一卦含四卦之故. 言年則十二月在其中, 言月則三十日在其中, 言日則十二時在其中, 大足以統小也. 惟大足統小, 故天之日月星辰, 含地之水火土石, 而天四象中, 日又含月與星辰. 是以天地始終之數, 每以一卦而兼元會運世者, 此也.)"

59 왕식은 一變을 四變으로 해야 한다고 주를 달고 있다.

60 이상의 내용은 64괘 방위도를 참조하면 이해할 수 있다. 방도에 나온 64괘의 모습은 일월성신(건태리진)과 수화토석(손감간곤)으로 구성되어 있다. 일월성신은 모두 한 자리이지만 일 속에 일월성신이 들어가 있고 수화토석도 마찬가지이다. 일월성신 4자리와 일월성신 4자리가 합하여 16괘를 만들고 다시 수화토석과 합쳐져서 64괘가 구성된다. 여기서 건태리진이 속한 16괘가 전체를 대표한다. 이런 방식으로 64괘 방위도를 구성하면 다음과 같다.

일日은 1에서 일어나고, 월月은 2에서 일어나고, 성星은 3에서 일어나고, 신辰은 4에서 일어난다.[62] 늘려

	日(乾)	月(兌)	星(離)	辰(震)	水(巽)	火(坎)	土(艮)	石(坤)
日(乾)	䷀ 重天 乾	䷪ 澤天 夬	䷍ 火天 大有	䷡ 雷天 大壯	䷈ 風天 小畜	䷄ 水天 需	䷙ 山天 大畜	䷊ 地天 泰
月(兌)	䷉ 天澤 履	䷹ 重澤 兌	䷥ 火澤 睽	䷵ 雷澤 歸妹	䷼ 風澤 中孚	䷻ 水澤 節	䷨ 山澤 損	䷒ 地澤 臨
星(離)	䷌ 天火 同人	䷰ 澤火 革	䷝ 重火 離	䷶ 雷火 豊	䷤ 風火 家人	䷾ 水火 旣濟	䷕ 山火 賁	䷣ 地火 明夷
辰(震)	䷘ 天雷 无妄	䷐ 澤雷 隨	䷔ 火雷 噬嗑	䷲ 重雷 震	䷩ 風雷 益	䷂ 水雷 屯	䷚ 山雷 頤	䷗ 地雷 復
水(巽)	䷫ 天風 姤	䷛ 澤風 大過	䷱ 火風 鼎	䷟ 雷風 恒	䷸ 重風 巽	䷯ 水風 井	䷑ 山風 蠱	䷭ 地風 升
火(坎)	䷅ 天水 訟	䷮ 澤水 困	䷿ 火水 未濟	䷧ 雷水 解	䷺ 風水 渙	䷜ 重水 坎	䷃ 山水 蒙	䷆ 地水 師
土(艮)	䷠ 天山 遯	䷞ 澤山 咸	䷷ 火山 旅	䷽ 雷山 小過	䷴ 風山 漸	䷦ 水山 蹇	䷳ 重山 艮	䷎ 地山 謙
石(坤)	䷋ 天地 否	䷬ 澤地 萃	䷢ 火地 晉	䷏ 雷地 豫	䷓ 風地 觀	䷇ 水地 比	䷖ 山地 剝	䷁ 重地 坤

61 王植, 『皇極經世書解』: "생각하건대, 일월성신이 각 한 자리라는 말은 방도의 건괘, 이괘, 동인괘, 무망괘를 말하니, 이른바 일의 일, 월의 일, 성의 일, 신의 일이고, 일에 4자리가 있다는 말은 첫 번째 줄의 건괘, 쾌괘, 대유괘, 대장괘를 말하고, 월에 4자리가 있다는 말은 두 번째 줄의 이괘, 태괘, 규괘, 귀매괘이니 성과 신도 이와 같다. 4*4는 16자리라고 하고 방도에서 일월성신 이후로 4자리는 말하지 않고, 구괘 아래 4가지 방도도 말하지 않은 것은 일월성신이 수화토석을 포함하고 있기 때문이니, 앞에서 '하늘의 4가지 변화는 땅의 4가지 변화를 포함하고 있다.'는 말이고, '일월의 수가 다한다.'고 말하고 성과 신을 말하지 않은 것은 일월을 말하면 성과 신은 그 속에 있기 때문이다. 아래 문장에서 통괄하여 말했으니 하늘에는 4가지 변화가 있는 것은 일월성신의 4가지의 도표이고, 땅에는 4가지 변화가 있는 것은 수화토석의 4가지의 도표이다. 건괘로부터 복괘로 가서 양이 자라나고 음이 소멸되며, 구괘로부터 곤괘로 가서 음이 자라나고 양이 소멸된다."(愚按日月星辰各一位, 即圖之乾履同人无妄, 所謂日之日月之日星之日辰之日也, 日有四位, 即第一圖之乾夬大有大壯, 月有四位, 即第二圖之履兌睽歸妹也, 星辰倣此. 四四十有六位, 不言每圖之後四位而姤以下四圖亦不再及者, 以日月星辰包水火土石, 即首篇所謂天四變含地四變也, 言日月之數窮不及星辰者, 言日月而星辰在其中也. 下文乃通言之, 天有四變, 日月星辰之四圖也, 地有四變, 水火土石之四圖也. 自乾而復, 陽長則陰消, 自姤而坤陰長則陽消.)

62 이 구절에서 말하는 일월성신은 원회운세에 해당한다. 日은 元에 해당하고 월은 會에 해당하고, 성은 運에 해당하고 신은 世에 해당한다. 그래서 원에 해당하는 건괘는 1에 자리하고 회에 해당하는 태괘는 履괘 다음인

서 펼치면 양의 수는 항상 6이고, 음의 수는 항상 2가 되어, 대운大運과 소운小運이 다한다.[63] [64]

2에 자리하고 운에 해당하는 離괘는 동인괘와 혁괘 다음인 3에 자리하고, 世에 해당하는 震괘는 무망괘, 수괘, 서합괘 다음인 4에 자리한다. 그래서 '日은 1에서 일어난다.'는 것은 건괘의 1元에서 일어난다는 것이고, '월은 2에서 일어난다.'는 것은 쾌괘의 12會에서 일어난다는 것이며, '星은 3에서 일어난다.'는 것은 대유괘의 360運에서 일어난다는 것이고 '신은 4에서 일어난다.'는 것은 대장괘의 4,320世에서 일어난다는 것이다. 16항에 나온 64괘 가운데 일월성신 부분의 16괘를 보면 이해할 수 있다.

	日	月	星	辰
日	䷀ 乾(1) 1元	䷪ 夬 12會	䷍ 大有 360運	䷡ 大壯 4,320世
月	䷉ 履	䷹ 兌(2)	䷥ 睽	䷵ 歸妹
星	䷌ 同人	䷰ 革	䷝ 離(3)	䷶ 豊
辰	䷘ 无妄	䷐ 隨	䷔ 噬嗑	䷲ 震(4)

63 王植의 『皇極經世書解』에서 황기는 원회운세의 수를 열거하면서 설명한다. "건괘는 1원이 되고, 쾌괘는 12회가 되고, 대유괘는 360운이 되고, 대장괘는 4,320세가 되며, 소축괘는 129,600년이 되고, 需괘는 1,555,200月이 되고, 대축괘의 46,656,000에 이르면 日의 수이니 또한 양의 수는 항상 6을 말하고, 泰괘의 559,872,000은 時의 수이니 또한 음의 수는 항상 2를 말한다. 그러면 運의 수는 여기서 그치는가? 아니다. 누적하여 震괘의 204垓 이하의 수에 이르면 大運의 수가 끝날 뿐 아니라 小運의 수 역시 끝난다.(乾爲一元, 夬爲十二會, 大有爲三百六十運, 大壯爲四千三百二十世, 小畜爲十二萬九千六百年, 需爲一百五十五萬五千二百月, 至大畜之四千六百六十五萬六千者, 日數也, 亦陽數常六之謂也, 泰之五萬五千九百八十七萬二千者, 時數也, 亦陰數常二之謂也. 然則運數止此乎. 未也. 積而至於震得二百四垓以下之數焉, 則不特大運之數窮, 小運之數亦窮矣.)"
황기가 나열한 숫자는 다음과 같다.

乾	1元
夬	12會
大有	360運
大壯	4,320世
小畜	129,600年
需	1,555,200月
大畜	46,656,000日
泰	559,872,000時

64 王植, 『皇極經世書解』: "8자리 가운데 1, 3, 5, 7은 모두 양의 수이니 본래 자리가 30에 있어서 아래로 12로 곱하며, 2, 4, 6, 8은 음의 수이니 본래 자리가 12에 있어서 아래로 30을 곱해서, 30과 12로 반복해서 곱한다. 그러므로 '이끌어서 펼치는 것이다.'라고 하였다. 크고 작은 운이 끝난다는 것은 책력가들의 연월일시는 모두 60갑자로 논해서 그 歷元이 甲子에서 시작되고 癸亥에서 끝나지 않는 것이 없다. 그러므로 큰 운이 끝나면 작은 운의 수도 끝난다.(蓋各八位中一三五七, 皆陽數, 其本位居三十, 而下以十二乘之, 二四六八, 皆陰數, 其本位居十二, 而下以三十乘之, 以三十與十二反覆相乘. 故曰引而伸之也. 大小之運窮者, 歷家年月日時, 皆論六十甲子, 其歷元, 無不始於甲子終於癸亥, 故大運窮而小運之數亦窮也.)"

[11-1-18]

三百六十變爲十二萬九千六百. 十二萬九千六百變爲一百六十七億九千六百一十六萬. 一百六十七億九千六百一十六萬變爲二萬八千二百一十一兆九百九十萬七千四百五十六億. 以三百六十爲時, 以一十二萬九千六百爲日, 以一百六十七億九千六百一十六萬爲月, 以二萬八千二百一十一兆九百九十萬七千四百五十六億爲年. 則大小運之數立矣.

360이 변하여 129,600(=360^2)[65]이 된다. 129,600이 변하여 16,796,160,000(=360^4)이 된다. 16,796,160,000이 변하여 282,110,990,745,600,000,000(=360^8)가 된다.[66] 360으로 시時를 삼고, 129,600으로 일日을 삼으며, 16,796,160,000으로 월月을 삼고, 282,110,990,745,600,000,000로 년年을 삼으면 대운과 소운의 수[67]가 확립된다.[68]

65 129,600 : 1元의 年의 수이고 1會의 月의 수이고 1運의 日의 수이고, 1世의 時의 수이고, 1년의 分의 수이고, 1개월의 秒의 수이다. 즉 1元은 129,600년에 해당한다. 1元의 원회운세는 1년의 연월일시에 해당하므로 연월일시는 원회운세에 해당한다. 1원이 12회이고 1회가 30운이며 1운이 12세이고 1세가 30년인 것은 1년이 12개월이고, 1개월이 30일이고, 1일이 12시진이고, 1시진이 30분이고 1분이 12초인 것과 같다. 그래서 1원을 총계산하면 12회이고 360운이고, 4,320세이고, 129,600년이다. 마찬가지로 1년은 12개월이고 360일이고, 4,320시진이고, 129,600분이다. 360은 大有괘에 해당하고, 129,600은 小畜괘에 해당한다. 「纂圖指要下」의 3. 經世天地始終之數圖를 참조하라.

66 129,600을 제곱하면 16,796,160,000이 되는데 이것은 元之元의 수에 해당한다. 16,796,160,000을 제곱하면 282,110,990,745,600,000,000이 되는데 이것은 元之元之元之元의 수가 된다. 이것이 大運의 수이다. 『邵雍集』(중화서국) 66쪽 참조.

67 대운과 소운의 수: 元會運世가 대운이고 年月日時가 소운이다. 그것을 계산하는 법은 다음과 같다. 1) 時는 世에 해당하므로 12가 1초의 수에 해당한다. 즉, 1시는 30분이고 360초이니 360초가 1시진의 수이다.(1세는 30년이고 360월이다.) 2) 日은 運에 해당하므로 360이 1분의 수에 해당한다. 즉, 1일은 12시이고 360분이고 129,600초이니 129,600이 1일의 수이다.(1운은 12세이고 360년이며 4,320월이고 129,600일이다.) 3) 月은 會에 해당하므로 129,600이 1초의 수에 해당한다. 즉, 1월은 30일이고 360시진이고 10,800분이고 129,600초이고 16,796,160,000이다.(1회는 30운이고 360세이고 10,800년이고 129,600월이고 3,888,000일이고 46,656,000시진이고 1,399,680,000분이고 16,796,160,000초이다.) 4) 年은 元에 해당하니 16,796,160,000이 1분의 수에 해당한다. 즉, 1년은 12월이고 360일이고 4,320시진이고 129,600분이고 1,555,200초이고 46,656,000이고 559,872,000이고 16,796,160,000이고 282,110,990,745,600,000,000이다. 282,110,990,745,600,000,000이 1원의 수이다.(1원은 12회이고 360운이고 4,320세이고 129,600년이고 1,555,200월이고 46,656,000일이고 559,872,000시이고 16,796, 160,000분이고 282,110,990,745,600,000,000이다.)

대운과 소운의 수는 12와 30을 번갈아 곱하는 것이다. 실제로는 1원, 12회, 360운, 4,320세, 129,600년, 1,555,200월, 46,656,000일, 559,872,000시, 1,679,616,000분, 201,553,920,000초이다. 결국 1년이 1원에 해당하여 1년, 12월, 360일, 4,320시, 129,600분, 1,555,200초이고, 1월이 회에 해당하여 1월, 30일, 360시, 10,800분, 129,600초이고, 1일이 운에 해당하여 1일, 12시, 360분, 4,320초이고, 1시가 세에 해당하여 1시, 30분 360초이다. 이렇게 수를 계산하면 1년은 실제로 365.25일이고 매 달이 완전하게 30일이 되지 못하니 대운과 소운의 수로 계산하여 윤달을 두는 것이 필요하게 된다. 『邵雍集』(중화서국) 66쪽 참조.

68 王植, 『皇極經世書解』: “(황기가 말했다.) 129,600은 360 곱하기 360이고, 16,796,160,000은 129,600의 제곱이다., 282,110,990,745,600,000,000은 16,796,160,000의 제곱이고, 360은 大有괘의 수이니 한 시진이 360초이다.

二萬八千二百一十一兆九百九十萬七千四百五十六億分而爲十二, 前六爲長, 後六爲消, 以當一年十二月之數而進退三百六十日矣. 一百六十七億九千六百一十六萬分而爲十, 以當一月十日之數, 隨大運之消長而進退六十日矣. 十二萬九千六百分而爲十二以當一日十

그러나 '360으로 時를 삼는다.'라고 하고 360초로 시를 삼는다고 말하지 않는 것은 초의 수는 1을 하나로 삼을 뿐 아니라 간혹 12를 하나로 삼고, 혹은 129,600을 하나로 삼고, 혹은 1,399,680,000을 하나로 삼아서 그 수가 본래 네 가지의 차이가 있기 때문이다. 그래서 여기서 360으로 시를 삼은 것은 시의 수가 이것으로부터 확립되어 1이 1초가 된다. 1일이 4,320초이면 4,320초로 하루를 삼으면 충분한데 지금 129,600초로 하루를 삼았으니, 이것은 12로 1초를 삼고, 360으로 1분을 삼고, 10,800으로 1시진을 삼은 것이다. 12시진이 129,600을 얻어서 소축괘의 수이니 하루의 수가 여기에서 확립되고 초와 분과 시진의 수가 따라서 변한다. 1개월이 30일이니 30을 129,600배하면 3,888,000으로 한 달을 삼기에 충분한데 지금 16,796,160,000으로 한 달을 삼았으니, 이것은 129,600으로 1초를 삼고, 1,555,200으로 1분을 삼고, 46,656,000으로 1시진을 삼고, 559, 872,000으로 하루를 삼은 것이다. 그래서 30일에 16,796,160,000을 얻어서 履괘의 수이니 1개월의 수가 여기에서 확립되고 초와 분과 시진의 수가 따라서 변한다. 1년은 12개월이니 12를 16,796,160,000배하면 201,553, 920,000을 1년으로 삼기에 충분한데 지금 2,821,1990,745,600,000,000으로 1년을 삼았으니, 이것은 1,399, 680,000으로 1초를 삼고, 16,796,160,000으로 1분을 삼고, 503,884,800,000으로 하루를 삼고, 1,812,985,380,000으로 1개월을 삼고, 2,176,782,336,000,000으로 1년을 삼은 것이다. 그러나 1년의 수는 이것에 그치지 않으니 반드시 129,600으로 2,176,782,336,000,000의 수를 곱해야만 2,821,1990,745,600,000,000을 얻어서 동인의 수이니, 이것이 1년이 된다. 1년의 수가 여기에서 확립되고, 초, 분, 시, 일, 월의 수가 따라서 변한다. 설명하는 사람은 대운은 60년에 한번 변하고, 소운은 6년에 한번 변한다고 하니, 60년으로 6년을 보면 실로 대운과 소운의 차이가 있지만 소운이 5번 돌면 대운을 따라가서 이르지 않았던 적은 없었다. 그래서 일어나면 함께 일어나고 그치면 함께 그쳐서 같지 않음이 없다. 운으로는 360년이고 1년으로는 360일이니 모두 6곱하기 6으로 한번 도는 것이다. '대운과 소운의 수가 확립된다.'고 말한 것은 하루로 1년을 해당시킨 것이다.(十二萬九千六百者, 乃三百六十之三百六十也, 一百六十七億九千六百一十六萬者, 乃十二萬九千六百之自乘也, 二萬八千二百一十一兆九百九十萬七千四百五十六億者, 乃一百六十七億以下之自乘也. 三百六十者, 大有之數, 一時三百六十秒也. 然但曰以三百六十爲時而不曰以三百六十秒爲時者, 秒數不但以一爲一而已或以十二而爲一, 或以十二萬九千六百而爲一, 或以一十三億九千九百六十八萬而爲一, 其數自有四者之不同. 故此姑以三百六十爲時者, 時之數, 自此而立而一爲一秒也. 一日四千三百二十秒, 則以四千三百二十爲日足矣, 今以十二萬九千六百爲日, 則是以十二爲一秒, 以三百六十爲一分, 以一萬八百爲一時, 十二時得十二萬九千六百, 小畜之數, 則日之數自此而立而秒分時之數, 從而變焉. 一月三十日, 三十其十二萬九千六百, 則以三百八十八萬八千爲月足矣, 今以一百六十七億九千六百一十六萬爲月, 則是以十二萬九千六百爲一秒, 以一百五十五萬五千二百爲一分, 以四千六百六十五萬六千爲一時, 以五億五千九百八十七萬二千爲一日, 三十日得一百六十七億以下, 履之數, 則月之數自此而立, 而秒分時日之數從而變焉. 一年十二月, 十二其一百六十七億以下, 則以二千一十五億五千三百九十二萬爲年足矣, 今以二萬八千二百一十一兆九百九十萬七千四百五十六億爲年, 則是以十三億九千九百六十八萬爲一秒, 以一百六十七億以下爲一分, 以五千三十八億八千四百八十萬爲一日, 以一百八十一萬二千九百八十五億三千八百萬爲一月, 以二千一百七十六萬七千八百二十三億三千六百萬爲一年. 然年之數不止於是也, 必以十二萬九千六百乘此二千一百七十六萬以下之數方得二萬八千二百一十一兆以下, 同人之數, 是爲一年, 年之數自此而立, 而秒分時日月之數從而變焉. 說者曰, 大運六十年而一變, 小運六年而一變, 夫以六十年視六年, 信有大小之不同矣. 然小運五周, 未嘗不可追大運而及之, 故起則同起, 止則同止, 無不同也. 以運則三百六十年, 以年則三百六十日, 皆六六而一周, 其曰大小運之數立, 蓋以日而當年者也.)"

二時之數而進退六日矣. 三百六十以當一時之數, 隨小運之進退以當晝夜之時也.

282,110,990,745,600,000,000을 나누어서 12기한을 만들면 앞의 6은 자라나고 뒤의 6은 줄어드니,[69] 1년 12개월의 수에 해당하여 나아가고 물러나서 360일이 된다. 16,796,160,000이 나누어서 30[70]을 만들면 1개월 30일의 수에 해당하여 대운의 자라나고 줄어드는 것에 따라서 나아가고 물러나서 60일이 된다. 129,600을 나누어서 12개로 만들면 하루의 12시진의 수에 해당하여 나아가고 물러나서 6일이 된다. 360은 1시진의 수에 해당하여 소운의 나아가고 물러나는 것에 따라서 낮과 밤의 시진에 해당한다.[71]

69 앞의 6은 … 줄어들어 : 선천도 64괘 원도는 1년의 기후가 운행하는 것을 상징한다. 그래서 子에서 巳까지는 자라나고 午에서 亥까지는 줄어든다. 1년 12개월이 64괘에서 유행하는데 1개월은 30일이고, 12개월은 360일이다. 元之元之元之元의 수인 282,110,990,745,600, 000,000를 나누어 12개로 나누면 12개월에 배당되는데 앞의 6개가 선천도의 左方에 해당하여 자라나고, 뒤의 6개가 선천도의 右方에 해당하여 줄어든다. 이는 卦氣의 유행을 개월 수에 배당한 것이다.(『邵雍集』(중화서국) 66쪽 참조.)

70 왕식은 30이어야 한다고 주석하고 있다.

71 王植, 『皇極經世書解』: "(황기가 말했다.) 1元이 천지에 있는 것은 1년의 수와 같다. 子에서 巳에 이르는 것이 앞의 6개의 기한이고 午에서 亥에 이르는 것이 뒤의 6개의 기한이 되어 번갈아 자라나고 번갈아 줄어들며 번갈아 나아가고 번갈아 물러나게 된다. 1會가 천지 사이에 있는 것은 한 달의 수와 같다. 星의 甲으로부터 성의 戊에 이르고, 성의 己로부터 성의 癸에 이르러 또 번갈아 자라나고 번갈아 줄어들며 번갈아 나아가고 번갈아 물러난다. 1運이 천지 사이에 있는 것은 하루의 수와 같다. 子로부터 巳에 이르는 것은 나아가는 6일을 포함하고, 午로부터 亥까지는 물러나는 6일을 포함하여 늘어나고 줄어드는 것으로 말하지 않았지만 그 나아가고 물러나는 것은 역시 늘어나고 줄어드는 것을 말한다. 1世가 천지 사이에 있는 것은 시진의 수와 같다. 그래서 月은 會에 해당하니 대운의 줄어들고 물러나는 것에 따른다고 한다. 이것으로 앞에서 대운의 수가 확립된다고 말한 것을 알 수 있으니 1년의 수가 이미 확립되었다. 시진으로 1세를 해당시키면 소운의 줄어들고 물러나는 것에 따른다고 한다. 이것으로 앞에서 말한 소운의 수가 확립된다고 말한 것을 알 수 있으니 하루의 수가 이미 확립되었다. 한 해에는 줄어들고 늘어나는 것이 있으니 나아가고 물러나는 것을 겸해서 말했고, 하루에는 나아가고 물러나는 것이 있지만 줄어들고 늘어나는 것을 말하지 않은 것에 대해서 張岷은 '줄어들고 물러나는 것은 나아가고 물러나는 것이 누적된 것이다.'라고 했다.(一元之在天地間, 猶一年之數也. 從子至巳爲前六限, 從午至亥爲後六限而遞長遞消, 遞進遞退焉. 一會之在天地間, 猶一月之數也. 從星之甲至星之戊, 從星之己至星之癸, 亦遞長遞消, 遞進遞退焉. 一運之在天地間, 猶一日之數也. 從子至巳, 該所進之六日, 從午至亥, 該所退之六日, 雖不以消長爲言, 而其進其退, 固亦消長之謂也. 一世之在天地間, 猶一時之數也. 是故以月當會, 則曰隨大運之消長. 是知前言大運之數立, 正以年數之已立也. 以時當世, 則曰隨小運之消長, 是知前言小運之數立, 正以日數之已立也. 年有消長, 兼言進退, 日有進退, 不言消長者, 張氏曰, '消長者進退之積也.')"

王植, 『皇極經世書解』: "이것은 위의 단락을 이어서 대운이 년월이 되고 소운이 일시가 되는 것을 밝히고, 연월일시가 줄어들고 늘어나는 것을 나아가고 물러나는 것으로 삼았으니 곧 氣盈과 朔虛의 뜻으로, 윤달이 생겨나는 연유이다. 282,110,990,745,600,000,000을 12로 나누면 23,509,249, 228,800,000,000의 수를 얻으니 1년에 해당하고, 16,796,160,000을 30으로 나누면 559,872,000의 수를 얻으니 1월에 해당하고, 129,600을 12로 나누면 10,800의 수를 얻으니 1시진에 해당한다. 시진은 낮과 밤을 겸해서 말한 것이니 또한 6가지 기한으로 자라나는 것과 6가지 기한으로 줄어드는 것이다. 282,110,990,745, 600,000,000은 곧 秒로 이전의 수를 계산하여 1元의 초수를 10배한 것이니 곧 1년 12개월의 수에 해당하고 360일 나아가고 물러난다고 한 것이다. 360은 1년의 일수인데 반드시 30년을 계산한 후에 그 수를 얻는 것은 어째서인가? 1년 12개월로 나아가고

十六變之數去其交數，取其用數，得二萬八千二百一十一兆九百九十一萬七千四百五十六億.[72] 二萬八千二百一十一兆九百九十一萬七千四百五十六億[73]分而爲十二限，前六限爲長，後六限爲消，每限得二十億九千九百六十八萬之一百六十七億九千六百一十六萬. 每一百六十七億九千六百一十六萬年開一分，進六十日也. 六限開六分，進三百六十日也. 猶有餘分之一，故開七分進三百六十六日也. 其退亦若是矣.

16번 변하는 수[74]에서 그 교수交數를 빼고, 그 용수用數를 취하여[75] 282,110,990,745,600,000,000을 얻는다. 282,110,990,745,600,000,000을 나누어 12기한으로 하면[76] 앞의 6기한은 자라나고, 뒤의 6기한은 줄어들어서 매 기한마다 2,099,680,000의 16,796,160,000[77]을 얻는다. 매 16,796,160,000년에서 1분이 열리면 60일이 나아가고, 6기한에서 6분이 열리면 360일이 나아간다. 그래도 여분의 하나가 있으므로

물러나서, 이것은 마땅히 맥락에 따라서 보아야한다. 1년에 해당하고, 1월에 해당하고 하루에 해당하고 1시진에 해당한다고 말한 것은 임시로 빌려서 뜻을 드러낸 것이니 반드시 이 수에 집착해서는 안 된다. 아래에서 말한 16,796,160,000의 수는 원의 분, 회의 초가 모두 이 수이고, 129,600의 수는 원의 년, 회의 월, 운의 일, 세의 시진, 년의 분, 월의 초가 모두 이 수이고, 360의 수는 원의 운, 회의 세, 운의 년, 세의 월, 년의 일, 월의 시, 일의 분, 시진의 초가 모두 이 수이다. 모두가 나아가고 물러나는 수와 합치되지 않으니 또한 융통성 있게 보아야 한다. 임시로 빌려서 뜻을 밝힌 것이기 때문에 '해당한다'고 말했다.(此承上，發明大運之爲年月小運之爲日時，而年月日時消長以爲進退，即氣盈朔虛之義，蓋閏所由生也. 二萬八千以下之數分爲十二得二千三百五十兆九千二百四十九萬二千二百八十八億之數，當一年，一百六十以下之數分爲三十得五萬五千九百八十七萬二千之數，當一月，十二萬九千六百分爲十二得一萬八百之數，當一時. 時兼晝夜而言，亦六限長六限消也. 然二千三百五十兆以下之數，即以秒算已數，十倍於一元之秒數矣，乃以當一年十二月之數而，曰進退三百六十日. 夫三百六十者一年之日數，計必三十年而後得之何? 以一年十二月爲進退，此當活看. 蓋所云當一年當一月當一日當一時者，不過借以見義而非必果執此數也. 如下言一百六十七億以下之數，元之分，會之秒，皆此數也，十二萬九千六百之數，元之年會之月運之日世之時年之分月之秒，皆此數也，三百六十之數，元之運會之世運之年世之月年之日月之時日之分時之秒，皆此數也. 皆與所進退之數不合，亦當活看. 蓋惟借以明義故曰當也.)"

72 二萬八千二百一十一兆九百九十一萬七千四百五十六億 : 九百九十一萬에서 一은 오자이다. 실제로 계산하면 282,110,990,745,600,000,000이란 숫자가 나온다.

73 二萬八千二百一十一兆九百九十一萬七千四百五十六億 : 위의 각주와 같다.

74 16번 변하는 수 : 282,110,990,745,600,000,000이라는 수가 나오려면 16번 12와 30을 번갈아 곱해야 한다.

75 交數를 빼고, … 취하여 : 교수는 전체에서 30퍼센트에 해당하고, 용수는 전체에서 70퍼센트에 해당한다. 뒤에 설명이 나온다.

76 12기한으로 하면 : 282,110,990,745,600,000,000을 12기한으로 나누면 1기한은 23,509,249,228,800,000,000이다. 그런데 뒤에서 16,796,160,000을 얻는다고 한 이유는 이렇게 생각할 수 있다. 앞에서 360으로 時를 삼고, 129,600으로 日을 삼으며, 16,796,160,000으로 月을 삼고, 282,110,990,745,600,000,000으로 年을 삼는다고 했으므로 16,796,160,000이란 月에 해당한다. 1元은 12會이고 360運이고 4,320世이고 129,600年이고 1,555,200月이고 46,656,000日이고, 1,399,680,000시진이고 16,796,160,000분이다. 그러므로 1,399,680,000시진을 16,796,160,000분으로 곱하면 23,509,249,228,800,000,000분이 나온다.

77 왕식은 왕식본 『皇極經世書解』의 보충 주석에서 "2,099,680,000의(二十億九千九百六十八萬之)"라는 12글자가 잘못 붙여진 것이라서 제거해야 한다고 하였다.

7분을 열어서 366을 나아가는 것이다. 그 물러남도 이와 같다.[78]

十二萬九千六百去其三者, 交數也, 取其七者, 用數也. 用數三而成于六, 加餘分故有七也. 七之得九萬七百二十年, 半之得四萬五千三百六十年, 以進六日也. 日有晝夜, 數有朓朒, 以成十有二日也. 每三千六百年進一日, 凡四萬三千二百年進十有二日也. 餘二千一百六十年以進餘分之六合交數之二千一百六十年, 共進十有二分以爲閏也. 故小運之變凡六十而成三百六十有六日也.

129,600에서 그 30퍼센트를 뺀 것이 교수交數이고 그 70퍼센트를 취한 것이 용수用數이다. 용수는 30퍼

78 王植, 『皇極經世書解』: "(황기가 말했다.) 360일 외에 남는 6분은 1분의 숫자가 되기에 부족한데 또한 1분으로 계산한 것은 成數(딱 덜어지는 수)를 들어서 말한 것이다. 그래서 6분을 이어서 7분을 연 것이니, 물러나는 것이 나아가는 것에서 나온 것이다. 나아가는 것은 앞의 6기한의 늘어남이 되고, 물러남은 뒤에 6기한의 줄어듦이 되며, 그 늘어남은 正分의 6이 있으면 반드시 여분의 1이 있고, 그 물러남은 정분의 6이 있으면 반드시 여분의 1이 있으니 나아가는 수가 곧 물러나는 수이다.(三百六十之外所餘者六, 不足以當一分之數, 而亦以一分計之者, 擧成數而言. 所以繼六分而開爲七也, 退生於進者也. 其進爲前六限之長, 其退爲後六限之消, 其長也有正分之六必有餘分之一, 其退也有正分之六亦必有餘分之一, 則所進之數, 即所退之數也.)"
王植, 『皇極經世書解』: "이것은 또 위의 건의 6가지 변괘를 이어서 閏을 두는 방법에 용수와 교수 그리고 여분의 차이가 있음을 말한 것이다. 16번 변하는 데에 교수인 3을 버리고 용수인 7을 취한 것은 大有괘·小畜괘·履괘에서 同人괘까지 취한 것이다. 그러므로 282,110, 990,745,600,000,000을 얻었으니 동인괘의 수이다. 姤괘를 말하지 않은 것은 구괘의 수가 많아서 계산하기 어려워 마땅히 빼서 건괘로 돌아가는 것이다. 282,110, 990,745,600,000,000수를 12기한으로 나누면 매 기한은 23,509,249,228,800,000,000의 수를 얻는데 16,796, 160,000을 얻는다고 말했으니 이것은 履괘의 수인데, 건괘의 두 번째 효가 변하여 동인괘가 되고 세 번째 효과 변하여 이괘가 되기 때문에 서로 이어서 종류별로 열거한 것이지, 곱하고 나누는 방법을 사용한 것이 아니다. 1분을 연다는 것은 1분을 나아간다는 뜻이니 양의 6기한이 6분을 나아가고 또 여분의 1이 있어 모두 7분이 된다. 양은 항상 음을 침범하고 낮은 항상 밤을 침범하여 6분 이외의 것이 곧 여분이다. 7분에 366일을 얻는다. 그 6기한의 물러남 역시 같아서 나아가고 물러남을 합하면 12일이 되어 閏이 이루어진다. 16,796,160,000의 아래 年자는 융통성 있게 보아야한다. 이 년수에 따라서 1분을 열면 어떻게 60일에 그치겠는가? 이절의 큰 뜻은 건괘의 여섯 변괘로 64괘를 포괄하고, 건괘의 여섯 변괘가 나아가고 물러나는 숫자로 64괘의 자라나고 물러나는 수를 밝힌 것이니, 아래 절의 년과 일 등의 글자와 함께 모두 임시로 빌려서 기영과 삭허가 각각 6이라는 뜻을 밝힌 것이다. 보충주석과 황기의 말은 견강부회하고 천착한 주장이 많아서 도리어 얽매이는 점이 있고 통하기가 어려워 따를 수가 없다.(此又承上乾之六變卦, 而言置閏之法有用數交數與餘分之異也. 十六變去其交數之三, 取其用數之七, 蓋取大有小畜履至同人. 故得二萬八千以下之數即同人之數也. 不言姤者, 姤以數多難算, 宜去之以歸於乾者也. 分二萬八千以下之數爲十二限, 每限應得二千三百五十兆以下之數, 乃云得一百六十七億以下之數者, 此即履之數也, 以乾之二爻變同人, 三爻變履, 故相承類擧之, 非用乘除法也. 開一分, 即進一分之意, 陽六限進六分, 又有餘分之一, 共爲七分. 蓋陽常侵陰, 晝常侵夜, 六分之外, 即餘分矣, 七分得三百六十六日. 其六限之退亦如之, 進退合爲十二日而閏成焉. 一百六十七億至一十六萬下年字宜活看. 依此年數而開一分, 何止六十日? 蓋此節大意, 以乾之六爻變該六十四卦, 以乾六變卦進退之數明六十四卦消長之數, 與下節年日等字, 皆借以明氣盈朔虛各六之意耳. 補註黃氏, 多牽合穿鑿之說, 恐反拘泥難通矣, 所不敢從.)"

센트이고 60퍼센트에서 완성되지만 여분을 더하기 때문에 70퍼센트이다. 70퍼센트는 90,720년[79]이고 그 반은 45,260년이고, 6일을 나아간다. 하루에는 낮과 밤이 있고, 수에는 초하루와 그믐[朓朒][80]이 있어서 12일을 이룬다. 매 3,600년마다 하루를 나아가서 43,200년에는 12일을 나아간다. 나머지 2,160년에 여분의 6을 나아가서 교수 2,160년과 합하면 모두 12분을 나아가서 윤閏이 된다.[81] 그러므로 소운의 변화는 모두 60이고 366일을 이룬다.[82]

79 70퍼센트는 90,720년 : 129,600/10×7=90,720

80 朓朒 : 옛날 달력에서 초하루로서 달이 동방에서 보이는 것(朒)과 그믐으로서 달이 서방에서 보이는 것(朓)을 말한다. 『九章算術』 7장에서 劉徽의 주는 이렇게 말하고 있다. "찬 것을 朓라 하고 부족한 것을 朒이라 한다." (盈者謂之朓, 不足者謂之朒)

81 매 3,600년마다 … 된다 : 3,600×12=43,200이고 45,360-43,200=2,160이다. 45,360년 동안 모두 12일 12분을 나아간다. 그 가운데 12분이 윤이 된다.

82 王植, 『皇極經世書解』 : "(황기가 말했다.) 10의 온전한 것으로 계산하면 하늘은 70퍼센트[分]가 땅 위에 있고 30퍼센트[分]가 땅 아래에 있다. 땅 아래에 있는 수는 땅 위에서 쓰지 않는 것이니 우주가 닫힌[閉物] 이후 戌의 반에서 寅의 반에 이르는 것이 이것이다. 그 用數인 70퍼센트를 취하면 우주가 열린 이후에 寅의 반에서 8시진이 되어 8회에 해당하니 12에서 그 8을 취하므로 129,600을 나누어 86,400에 해당하고, 360을 나누어 240에 해당한다. 모두 10에서 그 7을 취하고 그 3을 뺀다는 뜻이다. 하늘의 건태리진은 용수의 3에 해당하고, 진을 쓰지 않으며, 땅은 손감간이 용수의 3에 해당하고 곤은 쓰지 않으니, 3을 2배하면 6이 된다. 그러나 교수 가운데에 명이괘 한 자리가 있어서 곤괘와 진괘의 수에 해당하지 않으니 합해서 여분이 되어 正分 위에 더하면 용수에 7이 있음을 알 수 있다. 7 가운데에 또 그 반만 취한 것이 소운법이다. 대운법은 正數를 위주로 하므로 그 전체를 든 것이고, 소운법은 閏數를 위주로 하므로 그 반만을 든 것이다. 낮과 밤은 日로부터 말한 것이므로 하루의 나아감과 물러남이고, 초하루와 그믐은 月로부터 말한 것이므로 한 달의 나아감과 물러남이다. 나아가고 물러나는 것을 각각 나누어 말하면 6일의 나아감에는 반드시 6일의 물러남이 있으니, 나아감과 물러남을 합해서 말하면 2×6=12인 것이다. 3,600은 360을 10배한 수이고, 43,200은 3,600을 12배한 수이다. 8시진의 초수로 계산하면 그 반을 얻으니, 8시진의 반으로 12일을 나가가면 8시진의 전체는 24일을 나아감을 알 수 있다. 나머지 2,160일은 4,320의 반으로, 여분의 6은 기영이고, 교수의 6은 삭허이니 모두 12를 나아가니 나눈 수는 日數가 아니다. 그러나 작은 것이 쌓여서 큰 것이 되면 또 日이 된다. 소운의 변함은 한 번 변해서 6일이 되고 10번 변해서 60일이 되니 60번 변해야 겨우 360일이 된다. 그런데 어째서 6일이 남는가? 수에는 正分 안에 숨는 것이 있으니, 삭허가 그것이고, 또 정분 밖에 드러나는 것이 있으니 기영이 그것이다. 여분의 6과 교수의 6을 합하면 모두 12일을 나아가는데 단지 6일을 말한 것은 여분은 양이니 나아가는 수에 속하고, 交分은 음이니 물러나는 수에 속한다. 여기서 나아가는 것만 말하고 물러나는 것을 말하지 않았기 때문에 '소운의 변함은 모두 60이고 366일을 이룬다.'고 했다. 10에서 그 7을 취하는 용수는 원회운세로 말하면 하늘에서 賁괘 이상과 땅의 艮괘 이상은 모두 252運 9,720년이고, 7운의 년수와 일수도 그러하다. 예를 들어 1世의 년과 1시진의 초로 논하자면 모두 4,320 가운데 그 반을 나누면 즉 2,160이고 여분의 기영과 교수의 삭허의 수 또한 이러하니 서로 합하여 계산할 수 있다.(以十數之全計之, 天有七分在地上, 有三分在地下. 地下之數非所用於地上, 則閉物以後, 自戌之半至寅之半是也. 取其用數之七, 則開物以後, 自寅之半通爲八時, 以當八會, 十二而取其八, 故分十二萬九千六百而爲八萬六千四百, 分三百六十而爲二百四十. 皆十取其七去其三之意也. 蓋天之乾兌離, 當用數之三而震不用, 地以巽坎艮, 當用數之三而坤不用, 二其三爲六. 然交數之中, 猶有明夷一位, 不當屬坤震之數, 合以爲餘分而加之正分之上, 則用數之有七可見矣. 於七之中又僅取其半者, 小運法也. 大運法以正數爲主, 故擧其全, 小運法以閏數爲主, 故擧其半也. 晝夜自日而言, 則一日之進退也,

[11-1-19]

乾爲一. 乾之五爻分而爲大有, 以當三百六十之數也. 乾之四爻分而爲小畜, 以當十二萬九千六百之數也. 乾之三爻分而爲履, 以當一百六十七億九千六百一十六萬之數也. 乾之二爻分而爲同人, 以當二萬八千二百一十一兆九百九十萬七千四百五十六億之數也. 乾之初

······················

朓朒自月而言, 則一月之進退也. 分進退而各言之, 則有六日之進, 必有六日之退, 合進退而並言之, 以二六爲十二也. 三千六百者, 十其三百六十之數也, 四萬三千二百者, 十二其三千六百之數也. 以八時之秒數計之, 適得其半也, 於八時之半而進十二日, 則八時之全當進二十四日, 從可知也. 餘二千一百六十, 乃半其所加之四千三百二十也, 餘分之六, 氣之盈也, 交數之六, 朔之虛也, 共進十二. 則分數非日數也. 然積小成大分, 亦日也. 小運之變, 一變六日, 十變而六十日, 六十變僅可以成三百六十日耳. 何以餘六日? 蓋數有隱於正分之內者, 朔之虛者是也, 亦有顯於正分之外者, 氣之盈者是也. 合餘分之六與交數之六, 共進十有二日, 而但言六日者, 餘分, 陽屬進數, 交分陰屬退數. 此但言進不言退, 故曰小運之變凡六十而成三百六十有六日也. 十取其七之用數, 以元會運世言之, 天自賁以上, 地自艮以上, 凡二百五十二運九千七百二十年, 而七運之年數日數, 亦如之. 如以一世之年一時之秒而論, 則皆四千三百二十中分其半, 即二千一百六十, 而餘分之氣盈交數之朔虛數, 亦如之, 可相合而算也.)”

王植, 『皇極經世書解』: “이것은 위의 윤을 두는 방법을 말하고 교수와 용수의 뜻을 자세하게 설명한 것이니, 세 단락으로 만들어 거듭해서 밝힌 것이다. 앞의 절은 교수와 용수를 말하고 여기서는 교수가 10에서 3이 되고 용수는 10에서 7이 됨을 밝혔다. 그렇게 되는 이유는 천지의 용수는 각각 3이니 합하면 6이고 여분을 합하면 7이 되니, 그 다음에 7분을 바탕으로 해서 6에서 이루어지는 뜻을 말한 것이다. 1,296을 7배하면 90,720년인데 또 반을 나누어 45,360을 말한 것은 나아가는 바가 단지 6일을 말한 것이기 때문에 먼저 7의 반을 말한 것이다. 이것이 황기가 ‘소운법은 윤을 위주로 삼기 때문에 체수는 그 반만을 들었다.’는 것이다. 그 다음에 6이 12가 되는 것을 말한 것은 음양이 줄어들고 늘어나는 것은 日로 보면 낮과 밤이 있는 것이고 月로 보면 초하루와 그믐이 있는 것이다. 『한서』에 ‘달이 그믐에 서방에서 나타나는 것을 朓라 하고 초하루에 동쪽에 나타나는 것이 朒이다.’라고 했고 그 주석에 ‘朓는 나아가고 빠른 모습이고 朒은 축소되고 느린 모습이다.’라고 했으니, 해와 달의 도수가 그 행하는 데에 하늘을 미치지 못해서 기영과 삭허가 이로부터 생겨난다. 앞에서 ‘6일을 나아간다’고 말한 것은 기영만을 말한 것이나 실제로는 해와 달을 합하여 12일이 되는 것이다. 매번 12를 3,600년으로 곱하면 43,200년이 되어 12일을 나아가고, 또 6을 360으로 곱하면 2,160년이 되어 나아가는 여분의 6을 교수의 6과 합하면 모두 12분을 나아간다. 어떤 때는 日을 말하고 어떨 때는 分을 말하지만 10분이 곧 1일이다. 큰 뜻은 모두 日로 계산했기 때문에 소운의 수로 삼았고 소운의 변함이 모두 60번 변해서 366일이 된다고 말한 것이 이것이다. 위절과 함께 모두 윤을 두는 방법을 말했다. 보충 주석에서 위 구절은 대운의 수를 거듭 밝혔고, 이 구절에서는 소운의 수를 거듭 밝혔다고 했으나 모두 잘못이다.(此承上言置閏之法, 而詳言交數用數之義也. 作三層申明. 蓋前節但言交數用數, 此乃明交數爲十之三, 而用數爲十之七. 所以然者, 天地之用各三, 合之爲六, 加餘分而爲七也. 次因七分而言其成於六之義. 七其一二九六, 應得九萬七百二十年, 又言半之爲四萬五千三百六十年者, 以所進止言六日, 故先言七之半. 黃氏所謂小運法以閏數爲主, 故體數, 但擧其半也. 次言六之所以爲十二者, 陰陽之消長, 以日則有晝夜, 以月則有朓朒. 『漢書』, ‘月晦而見西方謂之朓, 朔而見東方謂之朒’, 註云, ‘朓行疾貌, 朒縮遲貌.’ 蓋日月之度, 行不及天, 而氣盈朔虛由是焉. 前言進六日, 但就氣盈言之, 實則合日月而成十二日也. 每十二其三千六百年, 爲四萬三千二百年而進十二日, 又六其三百六十年, 爲二千一百六十年, 而進餘分之六合交數之六分, 共進十二分. 或言日或言分, 十分即一日也. 大意皆以日計, 故爲小運之數, 而曰小運之變, 凡六十而成三百六十六日者, 此也. 與上節, 皆言置閏之法. 補註, 以上節爲申明大運之數, 此節爲申明小運之數, 皆非也.)”

爻分而爲姤, 以當七秭九千五百八十六萬六千一百一十垓九千九百四十六萬四千八京八千四百三十九萬一千九百三十六兆之數也. 是謂分數也. 分大爲小, 皆自上而下, 故以陽數當之如一分爲十二, 十二分爲三百六十

건괘가 1이 된다. 건괘의 다섯 번째 효가 나뉘어서 대유大有괘가 되니 360의 수에 해당한다. 건괘의 네 번째 효가 나뉘어서 소축小畜괘가 되니 129,600의 수에 해당한다. 건괘의 세 번째 효가 나뉘어서 이履괘가 되니 16,796,160,000의 수에 해당한다. 건괘의 두 번째 효가 나뉘어서 동인同人괘가 되니 282,110,990,745,600,000,000의 수에 해당한다. 건괘의 초효가 나뉘어서 구姤괘가 되니 79,586,611,099,464,008,843,919,360,000,000,000,000,000의 수가 된다. 이것을 분수分數[나뉜 수]라고 한다. 큰 것을 나누어 작은 것이 된 것은 모두 위에서 아래로 내려오기 때문에 양의 수로써 해당시킨 것이다.[83] 예를 들면 하나가 나뉘어 12가 되고 12가 나뉘어 360이 되는 것과 같다.[84]

[11-1-20]

天統乎體, 故八變而終于十六. 地分乎用, 故六變而終于十二. 天起於一, 而終于七秭九千五百八十六萬六千一百一十垓九千九百四十六萬四千八京八千四百三十九萬一千九百三十六兆. 地起於十二, 而終于二百四秭六千九百八十萬七千三百八十一垓五千四百九十一萬八千四百九十九兆七百二十萬億也.

하늘은 형체를 통솔하므로 8번 변하여 16에서 마친다. 땅은 작용에서 나뉘므로 6번 변하여 12에서

83 양의 수로써 … 것이다 : 왕식은 "건괘의 다섯효가 변한 대유괘 등 다섯 괘는 모두 홀수 자리에 있으므로 양의 수이다.(大有, 五卦, 皆居數之奇, 故曰陽數其分也.)"라고 설명하고 있다. 64괘 원도에서 보면 다섯 괘는 모두 홀수의 자리에 위치한다.

84 王植, 『皇極經世書解』: "(황기가 말했다.) 건괘가 1이 되면 대유괘로부터 내려와 구괘에 이르니 수가 복잡하지만 모두 1에서 나뉜 것이다. 그 나뉨이 위에서부터 내려오기 때문에 나누면 나눌수록 작아진다.(乾爲一, 則自大有而下以至於姤, 有數雖繁, 然皆自一而分之也. 其分也, 自上而下, 是以愈分而愈小.)"

王植, 『皇極經世書解』: 왕식은 황기의 설명이 명료하지 못하다고 비판하면서 다음과 같이 설명한다. "이것은 건괘의 여섯 효가 변한 괘로 각 괘의 대운과 소운의 수를 밝힌 것이다. '나뉘어서 대유괘가 되었다.'는 것은 아래 문장의 '큰 것을 나누어 작은 것이 된다.'는 뜻이다. 먼저 다섯 효가 변하는 것을 말하고 차례로 한 효씩 언급하였으므로 '위에서부터 내려왔다.'고 했다. 64괘의 가장 위에 있는 한 획은 모두 하나의 양과 하나의 음이 서로 번갈아 있지만, 건괘의 다섯효가 변한 대유괘 등 다섯 괘는 모두 홀수 자리에 있으므로 양의 수라고 했다. 그 나뉘어진 것은 本數를 제곱하는 방법을 사용하였으니 129,600은 360을 제곱한 것이다. 아래 것들도 이와 같다. 대운과 소운의 수가 12와 30을 돌아가면서 서로 제곱하는 방법을 반복하는 것과는 같지 않지만, 그 얻은 수는 서로 부합된다. 보충주석에서 30으로 12를 곱해서 얻어진다고 했으니 잘못된 것이고, 황기도 건괘의 여섯 변괘로 말하지 않았으니 분명하지 않다.(此以乾之六爻變卦, 明各卦大小運之數也. 分而爲大有, 即下分大爲小之意. 先言五爻變, 以次遞及一爻, 故曰自上而下. 六十四卦上一畫, 皆一陽一陰相間, 大有五卦, 皆居數之奇, 故曰陽數. 其分也, 用本數自相乘之法, 如十二萬九千六百, 即三百六十之三百六十也. 下倣此. 與大小運數十二三十反覆相乘之法不同, 然所得之數相符. 補註, 謂以三十乘十二而得之, 非也. 黃氏不以乾之六變卦言之, 亦未了然.)" 이와 같이 왕식은 황기의 설명이 명료하지 못하다고 비판하였다.

마친다. 하늘은 1에서 일어나 79,586,611,099,464,008,843,919,360,000,000,000,000,000에서 마친다. 땅은 12에서 일어나 20,469,807,381,549,384,990,720,000,000,000,000에서 마친다.[85]

[11-1-21]

一生二爲夬, 當十二之數也. 二生四爲大壯, 當四千三百二十之數也. 四生八爲泰, 當五億五千九百八十七萬二千之數也. 八生十六爲臨, 當九百四十四兆三千六百九十九萬六千九百一十五億二千萬之數也. 十六生三十二爲復, 當二千六百五十二萬八千八百七十垓三千

85 하늘은 1에서 … 마친다 : 하늘은 건괘의 1에서 일어나 姤괘에서 마치니 이 수는 구괘에 해당하는 수이다. 分數(나뉘어지는 수)는 대유괘에서 구괘까지 16괘이다. 땅은 쾌괘 12에서 일어나 진괘에서 마치니 이 수는 진괘에 해당하는 수이다. 長數(자라나는 수)는 수괘에서 진괘까지 16괘이다.
이 단락에 대해서 황기는 왕식본『皇極經世書解』에서 이렇게 설명하고 있다. "형체는 땅이지만 하늘이 통솔한다. 땅의 4가지 변화가 하늘의 네가지 변화에 포함되니 이것이 8이 되는 것이다. 작용은 하늘이지만 땅이 나누어서 하늘의 용수는 3이고 땅의 용수도 3이니 이것이 6이 되는 것이다. 하늘이 8번 변하는 것은 夬괘에서 일어나 1번 변하여 2번째 괘를 얻어 대유괘가 되고, 2번 변하여 4번째 괘를 얻어 소축괘가 되고, 4번 변하여 8번째 괘를 얻어 履괘가 되고, 8번 변하여 16번째 괘를 얻어 동인괘가 되고, 16번 변하여 32번째 괘를 얻어 姤괘가 되니 구괘에 이르면 마친다. 그래서 79,586,611,099,464,008,843,919,360,000,000,000, 000,000는 구괘의 수이다. 땅이 6번 변하는 것은 소축괘로부터 일어나 1번 변하여 2번째 괘를 얻어 需괘가 되고, 2번 변하여 4번째 괘를 얻어 泰괘가 되고, 3번 변하여 6번째 괘를 얻어 兌괘가 되고, 6번 변하여 12번째 괘를 얻어 臨괘가 되고, 12번 변하여 24번째 괘를 얻어 震괘가 되니 진괘에 이르면 마친다. 그래서 20,469,807,381,549, 384,990,720,000,000,000,000는 진괘의 수이다. 쾌괘에서 일어난 것은 건괘 한 괘를 존중하여 32괘의 주재자로 삼는 것이니, 또한 통솔한다는 뜻이 있다. 소축괘에서 일어난 것은 앞의 네 괘를 비워서 24괘의 뿌리로 삼는 것이니, 또한 나눈다는 뜻이 있다. 형체를 말하는 경우는 구괘에 이르러 그쳤으니 나머지 31괘를 통솔하지만 작용이 없는 것이고, 작용을 말하는 경우는 진괘에 이르러 그쳤으니 나머지 4괘는 나누어지고나면 쓰지 않는 것이다. 이것이 선천의 학문이 항상 그 반을 쓰는 이유이다.(體, 地也, 而天統之, 地之四變, 包於天之四變, 是爲八也. 用, 天也, 而地分之, 天之用數三, 而地之用數亦三, 是爲六也. 天之八變, 自夬而起, 一變得二卦爲大有, 二變得四卦爲小畜, 四變得八卦爲履, 八變得十六卦爲同人, 十六變得三十二卦爲姤, 至於姤, 則終矣. 是故七秭而下, 是即姤之數也. 地之六變, 自小畜而起, 一變得二卦爲需, 二變得四卦爲泰, 三變得六卦爲兌, 六變得十二卦爲臨, 十二變得二十四卦爲震, 至於震, 則終矣, 是故二百四垓而下, 是即震之數也. 自夬而起者, 尊乾一卦以爲三十二卦之主宰, 亦有統之意焉. 自小畜而起者, 虛前四卦以爲二十四卦之根柢, 亦有分之意焉. 言體者, 至姤而止, 餘三十一卦雖統而無用也, 言用者, 至震而止, 餘四卦旣分, 則不用也. 此先天之學, 所以常用其半也.)"
王植,『皇極經世書解』: "이 아래 네 구절은 모두 대운과 소운의 수에 대한 설명이다. 하늘이 건괘에서 일어나는 것은 말할 필요도 없고, 땅이 소축괘에서 일어나는 것은 앞에 있는 네 사리를 하늘에 귀속시키는 깃이다. 이 절은 마땅히 2편의 '하나가 변해서 둘이 된다.'는 말과 '역은 건곤에 근본한다.'는 말을 참고해서 봐야한다. 모두 방도를 가지고 그 의미를 구해야 그 말을 알 수 있다.『性理大全』원본에 '垓'자를 '秭'라고 하고 '京'자를 '垓'로 하고, '九三三'을 '九十一'로 했으니 모두 잘못이다.(此下四節, 皆大小運數之圖說也. 天起於乾, 不待言, 地起於小畜者, 以前四位歸之天也. 此節當與二篇'一變而二', '易根於乾坤' 二節叅看. 皆當按圖求義, 方得其說. 大全原本以垓作秭, 京作垓, 九十三作九十一, 皆誤.)"

六百六十四萬八千八百京二千九百四十七萬九千七百三十一兆二千萬億之數也. 三十二生六十四爲坤, 當無極之數也. 是謂長數也. 長小爲大, 皆自下而上, 故以陰數當之.

1이 2를 낳아 쾌夬괘가 되니 12의 수에 해당한다. 2가 4를 낳아 대장大壯괘가 되니 4,320의 수에 해당한다.[86] 4가 8을 낳아 태泰괘가 되니 559,872,000의 수에 해당한다.[87] 8이 16을 낳아 임臨괘가 되니 9,403,699,691,520,000,000의 수에 해당한다.[88] 16이 32를 낳아 복復괘가 되니 2,652,887,036,648,800,294, 797,312,000,000,000,000,000,000의 수에 해당한다.[89] 32가 64를 낳아 곤坤괘가 되니 무극의 수에 해당한다. 이를 일러 장수長數[자라나는 수]라고 한다. 작은 것을 키워서 큰 것이 되는 것은 모두 아래로부터 위로 가기 때문에 음의 수로써 해당시킨 것이다.[90]

[11-1-22]

有地然後有二, 有二然後有晝夜. 二三以變, 錯綜而成, 故易以二而生, 數以十二而變, 而一非數也. 非數而數以之成也. 天行不息, 未嘗有晝夜, 人居地上以爲晝夜, 故以地上之數爲人之用也.

땅이 있고 난 후에 2가 있고, 2가 있고 난 후에 낮과 밤이 있다. 2와 3이 변하여 섞이고 합쳐져서 이루어지므로 역易이 2로써 낳고 수數가 12로써 변하니 1은 수가 아니다. 수가 아니지만 수는 그것으로써 이루어진다. 하늘의 운행은 서두르지 않아 낮과 밤이 있었던 적이 없지만 사람이 땅 위에 거주하여 낮과 밤으로 여기므로 땅 위의 수를 사람의 쓰임으로 삼는다.[91]

86 4,320의 수에 해당한다 : 12×360=4,320이다.

87 559,872,000의 수에 해당한다 : 4,320×129,600=559,872,000이다.

88 9,403, … 해당한다 : 559,872,000×16,796,160,000=9,403,699,691,520,000,000이다.

89 2,652, … 해당한다 : 9,403,699,691,520,000,000×2,821,109,907,456=2,652,… 이다.

90 王植, 『皇極經世書解』: "(황기가 말했다.) 쾌괘가 12가 되면 대장괘로부터 아래로 곤괘에까지 이르니, 그 수가 번잡하지만 모두 12로부터 자라난 것이다. 그 자라난 것이 아래로부터 위로 가기 때문에 자라날수록 더 커진다.(夬爲十二, 則自大壯而下以至於坤, 其數雖繁, 然皆自十二而長之也. 其長也, 自下而上, 是以愈長則愈大.)"
王植, 『皇極經世書解』: "이것은 月의 괘를 배분하여 3월인 쾌괘로부터 거슬러 10월인 곤괘에 이르러 각 괘의 대운과 소운의 수를 밝힌 것이다. '1이 2를 낳는다.'의 낳는다는 것은 아래 문장의 작은 것을 키워서 큰 것이 된다는 뜻이다. 먼저 2월의 대장괘를 말하고 차례로 거슬러 10월인 곤괘에 이르므로 '아래로부터 올라간다.'고 했다. 쾌괘 이하 여섯 괘는 모두 圓圖의 짝수 번째 자리에 있으므로 음의 수라고 했다. 그 자라나는 것은 11월에 하나의 양이 생겨나는 것으로 복괘가 되고, 12월에 두 양의 臨괘와 정월에 세 양의 泰괘로부터 10월의 순음인 곤괘가 되니 또한 12와 30을 반복해서 제곱하는 방법과는 다르지만 그 수는 서로 부합한다. 보충주석에서 '12로 30에 곱하여 얻는다.'고 했고, 황기 또한 그것이 月의 괘에 배분한 것임을 말하지 않았으니 모두 잘못이다.(此以配月之卦, 由三月夬, 逆擧至十月坤, 明各卦大小運之數也. 一生二之生即下文長小爲大之意. 先言二月大壯, 以次逆溯十月坤, 故曰自下而上. 夬六卦皆居數之偶, 故曰陰數. 其長也, 以十一月一陽生爲復, 十二月二陽臨, 正月三陽泰, 以至十月純陰爲坤, 亦與十二三十反覆相乘之法不同, 而數則相符. 補註, 謂以十二乘三十得之, 黃氏亦不言其爲配月之卦, 皆非也.)"

[11-1-23]

天自臨以上, 地自師以上, 運數也; 天自同人以下, 地自剥以下, 年數也, 運數則在天者也, 年數則在地者也. 天自賁以上, 地自艮以上, 用數也; 天自明夷以下, 地自否以下, 交數也. 天自震以上, 地自晉以上, 有數也; 天自益以下, 地自豫以下, 無數也.

하늘의 임臨괘 이상과 땅의 사師괘 이상은 운수運數이고, 하늘의 동인同人괘 이하와 땅의 박剝괘 이하는 년수年數이니, 운수는 하늘에 있는 것이고 년수는 땅에 있는 것이다. 하늘의 비賁괘 이상과 땅의 간艮괘 이상은 용수用數[92]이고, 하늘의 명이明夷괘 이하와 땅의 비否괘 이하는 교수交數[93]이다. 하늘의 진震괘 이상과 땅의 진晉괘 이상은 유수有數[94]이고, 하늘의 익益괘 이하와 땅의 예豫괘 이하는 무수無數[95]이다.[96]

91 王植, 『皇極經世書解』: "『易』「繫辭傳上」 9장에서 '하늘은 1이고 땅은 2이다.'라고 했다. 땅이 있고 난 후에 2가 있어서 하늘과 對待가 된다. 땅의 2가 있고 난 후에 나누어 땅 위에 해가 있는 것을 낮이라 하고 해가 땅 속으로 들어가는 것을 밤이라고 하니 모두 땅이 한 것이다. 아래는 모두 이 뜻을 거듭 밝힌 것이다. 1과 2는 3이 되므로 '2와 3으로 변한다.'라고 했다. '하늘은 3으로 하고 땅은 둘로 해서 수를 붙이'고 '섞이고 합해져서 이루어진다.'고 했다. 단지 1만 있으면 낳지 못하고 또한 변화하지 못하고, 오직 1이 2와 대립하고 2가 12로 끝난 후에야 변화가 생겨나므로 '易이 2로써 수를 낳고 12로써 변한다.'라고 했지만 궁구해 보면 모두 1로부터 일어나므로 '1은 수가 아니지만 수는 그것으로써 이루어진다.'고 했다. 이것은 12와 30을 서로 곱하는 뜻과는 관계가 없다. 보충 주석과 황기는 모두 서로 곱하는 수로 말했으니 잘못이다. 땅 위의 수는 2수인데, 보충 주석에서 3의 수라고 해서 사람의 수로 삼았다고 했으니 또한 잘못이다. 위의 절은 건괘에 중요성을 돌렸고 이 구절에서는 땅에 중요성을 돌렸다는 것이 바로 올바른 뜻이다.(易大傳天一地二, 蓋有地, 然後有二, 以爲天之對待. 有地之二, 然後分地之上爲晝, 日入地下爲夜, 皆地之爲也. 下皆申明此意. 一與二爲三, 故曰二三以變. 參天兩地而倚數, 故曰錯綜而成. 止有一則不生亦不變, 惟一之對爲二, 二之終爲十二, 然後變化生焉, 故曰易以二而生數. 以十二而變, 究之皆自一而起, 故曰一非數而數以之成也. 此與十二三十相乘之義無涉. 補註黄氏, 皆以相乘之數言之, 非也. 地上之數, 即二數, 補註謂爲三數以爲人之數, 亦非是. 蓋上節歸重於乾, 此節則歸重於地, 乃其正義.)"

92 用數 : 원도의 좌쪽 賁괘에서 乾괘까지 23괘와 오른쪽 艮괘에서 姤괘 23괘의 수가 용수이다.(『邵雍集』(중화서국) 75쪽 참조)

93 交數 : 왼쪽 明夷괘부터 頤괘까지 9괘와 오른쪽 否괘에서 곤괘까지 8괘의 수가 교수이다.(『邵雍集』(중화서국) 75쪽 참조)

94 有數 : 왼쪽 震괘에서 夬괘까지 27괘와 오른쪽 晉괘와 姤괘까지 27괘의 수가 유수이다.(『邵雍集』(중화서국) 75쪽 참조)

95 無數 : 왼쪽 益괘에서 復괘까지 4괘와 오른쪽 豫괘와 剝괘 4괘의 수가 무수이다.(『邵雍集』(중화서국) 75쪽 참조)

96 王植, 『皇極經世書解』: "(황기가 말했다.) 하늘은 왼쪽 방위의 괘이고 땅은 오른쪽 방위의 괘이다. 임괘와 사괘 이상은 運數이니 360년이 1운이나. 동인괘와 돈괘 이하는 년수이니 360일이 1년이다. 운수는 大數이고 년수는 소운이니, 임괘, 사괘, 동인괘 돈괘로부터 나누면, 임괘 이상은 하늘 가운데 하늘이고, 사괘 이상은 땅 가운데 하늘이므로 '하늘에 있다.'고 말했다. 동인괘 이하는 하늘 가운데 땅이고, 돈괘 이하는 땅 가운데 땅이므로 '땅에 있다.'고 말했다. 용수는 10 가운데 7이니, 우주가 열린 이후와 우주가 닫힌 이전으로 寅의 반으로부터 戌의 반까지가 이것이다. 교수는 10 가운데 3이니, 우주가 닫힌 이후와 우주가 열린 이전으로 戌의 반으로부터 인의 반까지가 이것이다. 否괘 이하로부터 謙괘를 말하지 않은 것은 그 교류함을 드러낸

[11-1-24]

天之有數, 起乾而止震, 餘入于無者, 天辰不見也. 地去一而起十二者, 地火常潛也. 故天以體爲基而常隱其基, 地以用爲本而常藏其用也. 一時止于三月, 一月止于三十日, 皆去其辰數也. 是以八八之卦六十四而不變者八, 可變者七[97], 七八五十六, 其義亦由此矣.

하늘의 유수有數는 건괘에서 일어나 진괘에서 멈추고 나머지 무無로 들어가는 것은 하늘의 별자리에

....

것이다. 하늘에 속한 것에서 震괘 이상은 건괘가 주관하여 모두 有數에 속하고, 우주가 열리는 점차적인 과정이다. 하늘에 속한 것에서 益괘 이하는 곤괘가 주관하여 無數에 속하고, 우주가 닫히는 극한이다. 오른쪽 방위의 괘는 미루어 알 수 있으나 임괘에서 그 초효가 변하면 사괘가 되고, 동인괘에서 그 초효가 변하면 돈괘가 된다. 賁괘 이상의 괘는 초효가 변하면 艮괘 이상의 괘가 되고, 명이괘 이하의 괘는 초효가 변하면 겸괘 이하의 괘가 되고, 否괘 이하의 괘는 초효가 변하면 무망괘 이하의 괘들이 된다. 모두 서로 보는 것이 형체와 그림자와 같지만 오직 否괘와 명이괘, 晉괘와 震괘, 豫괘와 益괘가 모두 한 자리씩 물러나고 나아가서 서로 배합되지 않는 것은 어째서인가? 교수는 否괘에 빠져들어 겸괘가 간괘에 부속되니 어찌 곤으로 하여금 작용이 없게 할 수 있겠는가? 有數는 晉괘에서 넘쳐나서 예괘로 곤괘를 보존하니 건괘로 하여금 짝이 없게 할 수는 없다. 交數라는 것은 64괘에서 건곤감리의 正卦를 빼고 매 10괘마다 3괘를 제거하여 교수로 삼는 것이니, 60괘는 당연히 18괘를 얻는다. 하늘이 명이괘 이하로부터이니 땅은 겸괘 이하인 것이 옳다. 그러나 복괘로부터 왼쪽은 하늘이 땅과 교류하는 것이고, 명이괘가 먼저 그 초효를 변하여 겸괘가 되며, 곤괘로부터 오른쪽으로 땅이 하늘과 교류하는 것이고, 否괘가 먼저 그 초효를 변하여 무망괘가 되니, 이것이 교류하는 이유이다. 교수가 비록 否괘로부터 일어나지만 용수는 艮괘로부터 일어나니, 겸괘로부터 명이괘를 합한 것이 곧 60괘의 10분의 3(18괘)임을 알 수 있다. 하루로 말하면 낮은 7을 얻고 밤은 3을 얻으며 1년으로 말하면 3계절의 작용은 7을 얻고 한 계절이 작용하지 않는 것이 그 3을 얻는 것이다. 모두 하늘과 땅의 교류이다.(天左方之卦, 地右方之卦也. 臨師以上爲運數, 三百六十年爲一運. 同人遯以下爲年數, 三百六十日爲一年. 運數爲大數, 年數爲小運, 自臨師同人遯而分之, 臨以上天中天, 師以上地中天也, 故謂之在天. 同人以下天中地, 遯以下地中地也, 故謂之在地. 用數者十之七, 開物以後, 閉物以前, 自寅之半至戌之半是也. 交數者十之三, 閉物以後, 開物以前, 自戌之半至寅之半是也. 自否以下不言謙者, 以見其交也. 天自震以上, 以乾主之, 皆屬於有, 開物之漸也. 天自益以下, 以坤主之, 皆屬於無, 閉物之極也. 右方之卦可推而知, 然臨變其初爻即爲師, 同人變其初爻即爲遯也. 賁以上變初爻, 即艮以上也, 明夷以下變初爻即謙, 否以下變初爻即无妄也. 皆相視如形影, 惟否於明夷, 晉於震, 豫於益, 皆有一位之進退不相配合者, 何哉? 交數儉入於否, 以謙附艮, 寧可使坤無用. 有數溢出於晉, 以豫存坤, 不可使乾無配也. 夫所謂交數者, 六十四卦去乾坤坎離四正, 每十卦而除其三, 以爲交數, 則六十卦當得十八. 天自明夷以下, 則地自謙以下可也. 然自復而左, 天交乎地, 明夷先變其初而爲謙; 自坤而右, 地交乎天, 否乃後變其初而爲无妄, 此所以爲交也. 交數雖起於否, 用數則起於艮, 可知謙合明夷乃六十卦十之三也. 以日言之, 晝得其七, 夜得其三; 以歲言之, 三時之用, 得其七, 一時之不用得其三. 皆天地之交也.)"

王植, 『皇極經世書解』: "이것은 先天圓圖의 중요한 뜻이다. 하늘은 운행을 주관하여 줄어듦과 늘어남이 순환하므로 運이라 했고, 땅은 만물을 낳는 것을 주관하여 봄에 낳고 가을에 거두기 때문에 年이라고 했다. 운수는 하늘에 있는 것이고 년수는 땅에 있는 것이다. 소강절은 분명하게 밝혔는데 그 소에서 풀이한 황기의 말에서는 대운과 소운에 매번 왜곡된 설명이 많아 도리어 그 뜻을 그르쳤으니 필요치 않다고 할 수 있다.(此先天圓圖之要義也. 天主運行, 消長循環, 故曰運, 地主生物, 春生秋收, 故曰年. 運數則在天者也, 年數則在地者也. 邵子已明, 自疏解黃氏言, 大運小運每多曲說, 反失其意, 可以不必矣.)"

97 왕식 판본에서는 "可變者七, 七八五十六,"에서 七이라는 글자 하나가 없다. 그래서 "변할 수 있는 것이 7×8=56이니, 그 뜻이"라고 번역할 수 있다.

드러나지 않는다. 땅이 1을 빼고 12에서 일어나는 것은 땅의 불이 항상 잠복해 있는 것이다. 그러므로 하늘은 형체를 기초로 삼지만 항상 그 기초를 숨기고, 땅은 작용을 뿌리 삼지만 항상 그 작용을 감춘다.[98] 한 계절은 3개월에서 멈추고, 한 달은 30일에서 멈추니 모두 그 신辰의 수를 뺀 것이다. 그래서 8×8=64이지만 변하지 않는 것은 8괘이고, 변할 수 있는 것은 7×8=56이니 그 뜻 역시 여기에서 연유한 것이다.

[11-1-25]

陽爻, 晝數也, 陰爻, 夜數也. 天地相銜, 陰陽相交, 故晝夜相離[99], 剛柔相錯. 春夏陽也, 故晝數多夜數少, 秋冬陰也, 故晝數少夜數多.

양효陽爻는 낮의 수이고, 음효陰爻는 밤의 수이다. 하늘과 땅은 서로 맞물려 있고[100] 음과 양은 서로 교류하므로 낮과 밤은 서로 섞이고, 강함과 유함은 서로 섞인다. 봄과 여름은 양이므로 낮의 수가 많고 밤의 수가 적으며,[101] 가을과 겨울은 음이므로 낮의 수는 적고 밤의 수는 많다.[102] [103]

[11-1-26]

體數之策三百八十四, 去乾坤離坎之策, 爲用數三百六十. 體數之用二百七十, 去乾與離坎之策, 爲用數之用二百五十二也. 體數之用二百七十, 其一百五十六爲陽, 一百一十四爲陰, 去離之策, 得一百五十二陽, 一百一十二陰, 爲實用之數也. 蓋陽去離而用乾, 陰去坤而用坎也. 是以天之陽策一百一十二, 去其陰也. 地之陰策一百一十二, 陽策四十, 去其南北之陽也. 極南大暑, 極北大寒, 物不能生, 是以去之也. 其四十爲天之餘分也. 陽侵陰, 晝侵夜, 是以在地也. 合之爲一百五十二陽, 一百一十二陰也. 陽去乾之策, 陰去坎之策, 得

98 王植, 『皇極經世書解』: "(황기가 말했다.) 하늘의 유수는 28이고 무수는 4이니 益괘, 屯괘, 頤괘, 復괘이다. '땅은 1을 뺀 12에서 일어난다.'는 것은 곤괘가 元이 되어 그 수가 1이면 간괘는 會가 되어 12가 되는 것이다. '하늘의 별자리가 보이지 않는다.'는 것은 그 기초를 숨긴 4이고, '땅의 불이 항상 잠복해 있다.'는 것은 작용을 감춘 1이다.(天之有數, 二十八, 無數 四, 益屯頤復也. 地去一起十二者, 坤爲元, 數一則艮爲會, 十二也. 天辰不見, 隱基之四, 地火常潛, 藏用之一.)"

99 離: 왕식본에서는 이를 雜으로 바꾸었다.

100 하늘과 땅은 … 있고: 『性理羣書句解』에서는 이렇게 설명한다. "하늘은 땅을 감싸고 있고 땅은 하늘을 받치고 있다.(天包乎地, 地載乎天.)"

101 낮의 수가 … 적으며: 『性理羣書句解』에서는 이렇게 설명한다. "그래서 낮의 시각은 길고 밤의 시각은 짧다.(故晝刻長, 而夜刻短.)"

102 낮의 수는 … 많다: 『性理羣書句解』에서는 이렇게 설명한다. "그래서 낮의 시각은 짧고 밤의 시각은 길다.(故晝刻短, 夜刻長.)"

103 王植, 『皇極經世書解』: 황기는 다음과 같이 설명한다. "복괘에서 건괘에 이르는 것은 112양효와 80음효를 얻고, 구괘에서 곤괘에 이르는 것은 112음효와 80양효를 얻는다.(復至乾得一百十二陽八十陰, 姤至坤得一百十二陰八十陽.)"

一百四十四陽, 一百八陰, 爲用數之用也.

체수體數의 책수策數는 384인데[104] 건곤이감乾坤離坎의 책수를 빼면 용수用數 360이 된다. 체수의 쓰임은 270인데 건괘와 이離괘 · 감坎괘의 책수를 빼면 용수의 쓰임 252가 된다.[105] 체수의 쓰임 270에서 156은 양이고 114는 음인데 이離괘의 책수를 빼면 152는 양이고 112는 음이니[106] 실용實用(실제로 쓰이는 수)의 수가 된다. 양陽에서 이離괘를 빼고 건乾괘를 쓰고, 음陰에서 곤坤괘를 빼고 감坎괘를 쓴다.[107] 그래서 하늘의 양陽 책수 112는 그 음을 뺀 것이다.[108] 땅의 음陰 책수 112와 양 책수 40은 그 남북의 양을 뺀 것이다.[109] 남쪽 끝은 매우 덥고 북쪽 끝은[110] 매우 추워 사물이 생겨날 수가 없다. 그래서 빼는 것이다. 그 40은 하늘의 여분이다.[111] 양은 음을 침범하고 낮이 밤을 침범하니 그래서 땅에 있다. 합하면 152양과 112음이 된다. 양에서 건乾괘의 책수를 빼고 음에서 감坎괘의 책수를 빼면 144양과 108음을 얻으니 용수用數의 쓰임[112]이 된다.[113]

104 384인데 : 한 괘는 6효로 이루어졌고 64괘는 384효로 이루어졌다.

105 체수의 쓰임은 … 된다 : 체수에서 交數를 제거하면 270이 나오고 270에서 건괘, 이괘, 감괘의 책수인 18을 빼면 252가 된다.

106 152는 양이고 … 음인데 : 離(☲)는 4양 2음으로 이루어졌다. 156의 양과 114의 음에서 4양 2음을 빼면 152와 112가 된다.

107 陽에서 離를 … 쓴다 : 王植, 『皇極經世書解』, 황기는 다음과 같이 설명하고 있다. "이괘의 책수를 뺀다는 것은 양의 책수 4와 음의 책수 2를 빼는 것이니 이괘 효의 수이다. '이괘를 버리고 건을 쓰며 곤을 버리고 감을 쓴다.'는 것은 건은 남아있는 44괘의 주인이고, 곤은 뺀 16괘의 주인이 된다는 것이다.(去離之策者, 去陽策四陰策二, 離之爻數也. 去離用乾去坤用坎者, 乾爲所存四十四卦之主, 坤爲所去一十六卦之主也.)"

108 하늘의 陽 … 것이다 : 王植, 『皇極經世書解』, "하늘의 양 책수 112" 다음에 "음 책수 80은"이 덧붙여 있다. 전체 책수는 384효이다. 64괘 원도를 보면 반으로 나누어 좌방과 우방이 되어 좌방은 192효, 우방은 192효이다. 좌방은 192효 가운데 양효가 112효이고 음효가 80효이며 우방은 음효가 112효이고 양효가 80효이다. 하늘의 책수란 좌방을 뜻하는 것으로 음의 책수 80을 뺐다는 것이므로 '음 책수 80'이라는 말이 없어도 무방하다.

109 땅의 陰 … 것이다 : 우방이 땅에 속하는데 음의 책수는 112이고 양의 책수는 80인데 그것을 남북으로 나누면 40이 된다.

110 남쪽 끝은 … 끝은 : 남극은 午 방향의 끝이고 북극은 子 방향의 끝이다.

111 땅의 陰 … 여분이다 : 王植, 『皇極經世書解』, 황기는 다음과 같이 설명하고 있다. "하늘과 땅의 책수에서 음을 빼고 양을 빼는 것은 하늘에서 음의 책수 전부를 빼고 땅에서 양의 책수 80을 사방에 고르게 하면 매 방위마다 20이 되지만 40을 빼고 그 반을 쓴다. 남쪽과 북쪽의 추위와 더위는 지나치게 할 수 없으므로 40 양을 빼고서 쓰지 않으며, 동쪽과 서쪽의 낮과 밤은 지나침이 없게 할 수가 없으므로 40양을 써서 여분으로 삼는다.(天地之策, 去陰去陽者, 天之陰策全去, 地之陽策八十均之四方, 則每方二十, 去其四十用其半. 蓋南北寒暑, 不可使之過者, 故去四十陽而不用, 東西晝夜, 不能使之無過者, 故用四十陽爲餘分也.)"

112 양은 음을 … 쓰임 : 王植, 『皇極經世書解』, 황기는 다음과 같이 설명하고 있다. "양이 음을 침범하면 양이 여분이 있고, 낮이 밤을 침범하면 낮이 여분이 있다. 그러나 하늘의 여분은 항상 땅으로 돌아온다. 그러므로 152양과 112음이 합해서 264이고, 264 가운데에서 양의 책수 8과 음의 책수 4를 빼면 곧 144양과 108음이 되어 용수의 쓰임이 된다. 먼저 離괘를 빼고 다음으로 건괘와 감괘를 빼고 합하여 252이니, 이것이 하늘에서 비괘로부터 그 이상과 땅에서 간괘로부터 그 이상의 수이다.(夫陽侵陰, 則陽有餘分矣, 晝侵夜, 則晝有餘分

陽三十六, 三之爲一百八, 陰三十六, 三之爲一百八. 三陽三陰, 陰陽各半也, 陽有餘分之一爲三十六, 合之爲一百四十四陽, 一百八陰也. 故體數之用二百七十而實用者二百六十四, 用數之用二百五十二也.

양의 수 36을 3배하면 108이고 음의 수 36을 3배하면 108이다. 3양과 3음은 음양이 각각 반이지만 양에는 여분의 1이 있어 36이고 합하면 144양과 108음이 된다. 그러므로 체수의 쓰임은 270이지만 실제로 쓰이는 것은 264이고 용수의 쓰임은 252이다.[114]

卦有六十四而用止于三十六, 爻有三百八十四而用止于二百一十有六也. 六十四分而爲二百五十六, 是以一卦去其初上之爻亦二百五十六也. 此生物之數也. 故離坎爲生物之主. 以

矣. 然天之餘分, 常歸於地. 是以一百五十二陽一百一十二陰合二百六十四也, 二百六十四之中, 去陽策八陰策四, 是爲一百四十四陽一百八陰, 爲用數之用者. 先去離次去乾坎合二百五十二, 是即天自賁以上地自艮以上之數.)"

113 선천도 64괘 원도에서 좌방의 隨괘에서 復괘까지 7괘이고 우방의 漸괘에서 곤괘까지 12괘인데 나머지 45괘는 그 효의 수가 270이고 그 가운데 양효가 156개이고 음효는 114개이다. 離괘는 4양 2음으로 이루어졌는데 이를 제거하면 양효는 152개이고 음효는 112개로 實用의 수이다. 45괘 270효에서 건괘와 감괘, 리괘의 18효를 빼면 나머지는 252효이다. 체수의 쓰임은 270이고 용수의 쓰임은 252인데 양효 152와 음효 112가 실용의 수이다. 45괘 가운데 건괘는 있지만 곤괘는 없고 다시 이괘를 빼면 "陽에서 離를 빼고 乾을 쓰고, 陰에서 坤을 빼고 坎을 쓴다."는 말이 된다. 실용의 양 책수는 152이고 남북의 40책수를 빼면 하늘의 양 책수 112와 땅의 음 책수 112가 나온다.(『邵雍集』(중화서국) 75쪽 참조)

王植, 『皇極經世書解』: "첫머리 장에서 '체수는 4이고 용수는 3이다.'라고 한 것을 여기서는 체수와 용수로 자세하게 말했다. 첫 번째 절에서 건괘를 버리고 감괘와 리괘를 쓴다고 했고, 이 절에서는 건괘와 감괘, 리괘를 버리는 것을 말하고서 또 리괘를 버리고 건괘를 쓰며, 곤괘를 버리고 감괘를 쓴다는 것을 말했다. 그것이 같지 않은 것은 첫머리 절은 먼저 건괘의 전부를 쓴다는 것을 말하고 또 건괘와 곤괘를 쓰지 않는 것을 말했으니 건을 쓴다는 것은 건괘의 여섯 양을 써서 氣盈의 주인으로 삼고, 쓰지 않는 것은 양이나 음 혼자 만으로 사물을 낳고 이룰 수 없기 때문이다. 그러므로 건곤을 쓰지 않고 리괘와 감괘를 쓰는 것이니 곧 기영과 여분을 말하는 것이다. 여기서 리괘를 버리고 건괘와 감괘를 쓴다는 것은 4가지 閏괘로 24절기를 나누어 주관하여 리괘에서 시작해서 건괘와 감괘로 이어지고 곤괘로 마치는 것이지만, 곤괘는 순수한 음으로 우주가 닫힌 이후를 주관하니 말할 필요가 없는 것이다. 그 시작은 리괘이지만 우주가 열린 이후로 오래지 않아 건괘에 이른 후에는 寅의 뒤와 戌의 앞에 모두 건괘와 감괘가 주관해서 만물을 낳고 이루니 첫 번째 절에서 '리괘와 감괘로 봄과 가을, 낮과 밤의 문으로 삼는다.'는 것과는 별도의 한 가지 뜻이 된다.(首篇體數四而用者三, 此乃詳言體用之數. 首節言去乾而用坎離, 此節言去乾與坎離, 又言去離而用乾, 去坤而用坎. 其所以不同者, 盖首節先言乾全用, 又言乾坤不用, 用乾者, 用其六陽以爲氣盈之主, 不用者獨陽獨陰不能生物成物. 故不用乾坤而用離坎, 即氣盈與餘分而言也. 此言去離而用乾坎者, 以四閏卦分主二十四氣, 始以離繼以乾坎終以坤, 坤純陰主閉物以後, 不待言矣. 其始以離者, 至開物以後, 不久即至乾則寅後戌前, 皆乾坎主之以生成萬物, 與首節以離坎爲春秋晝夜之門者, 別爲一義也)"

114 王植, 『皇極經世書解』: "실제로 쓰이는 수와 用數의 쓰임은 모두 36을 나누어 얻어지니, 앞에서 '1이 6을 낳는다.'는 절과 함께 모두 건의 양의 책수를 중요하게 여긴 것이다.(實用之數用數之用, 皆分三十六而得之, 與前一生六節, 皆以乾之陽策爲重也.)"

離四陽坎四陰, 故生物者必四也. 陽一百一十二, 陰一百一十二, 去其離坎之爻, 則二百一十六也. 陰陽之四十共爲二百五十六也. 是以八卦用六爻, 乾坤主之也, 六爻用四位, 離坎主之也. 故天之昏曉不生物而日中生物, 地之南北不生物而中央生物也.

괘는 64괘가 있는데 쓰이는 것은 36개에 그치고, 효는 384효가 있는데 쓰이는 것은 216효에 그친다.[115] 64괘가 나뉘어 256괘가 되니, 그래서 한 괘에서 그 초효와 상효를 빼면 또한 256효가 된다.[116] 이것이 만물을 낳는 수이다. 그러므로 이離괘와 감坎괘는 만물을 낳는 주인이다. 이괘는 4양이고 감괘는 4음이므로 만물을 낳는 것은 반드시 4이다. 양 112효와 음 112효에서 이괘와 감괘의 효를 빼면 216효가 되고,[117] 음양[118]의 40과 함께 모두 256이 된다. 그래서 8괘가 6효를 쓰니 건괘와 곤괘가 주관하고, 6효는 4자리를 쓰니 이괘와 감괘가 주관한다. 그러므로 하늘이 어두워질 무렵과 해가 뜰 무렵에는 만물을 낳지 않고 해가 중천에 뜰 무렵에 만물을 낳고, 땅의 남쪽과 북쪽은 만물을 낳지 않고 중앙에서 만물을 낳는다.[119]

體數何爲者也? 生物者也. 用數何爲者也? 運行者也. 運行者天也, 生物者地也. 天以獨運, 故以用數自相乘, 而以用數之用爲生物之時也. 地耦而生, 故以體數之用陽乘陰爲生物之

115 괘는 64괘가 … 그친다: 대성괘는 정괘가 8개이고 변괘는 28개로 모두 36괘이다. 36괘는 모두 216효이다.

116 64괘가 나뉘어 … 된다: 한 괘가 4가지 괘를 포함하기 때문에 64괘가 변하여 256괘가 된다. 64×4=256이다. 그리고 64괘에서 초효와 상효를 빼면 4효로 이루어졌으므로 64×4=256이다.

117 양 112효와 … 되고: 64개 선천도 원도에서 복괘로부터 건괘까지 112양효와 80음효가 있고, 구괘에서 곤괘까지 112음효와 80양효가 있다. 그래서 양 112효와 음 112효라 했다. 여기서 離괘의 음효 4개와 감괘의 양효 4개를 빼면 108+108=216이다.

118 음양의 40과 … 된다: 왕식본 『皇極經世書解』의 보충 주석에 따르면 '음양'의 陰자는 마땅히 '餘'로 되어야 한다고 한다.

119 王植, 『皇極經世書解)』: "이것은 가운데 효의 互體를 밝혀서 이괘와 감괘가 사물을 낳는 것을 몇 층으로 하여 256의 수를 밝힌 것이다. 36은 윗 절을 이은 것이고 216은 36을 6배한 것이고, 256은 64를 4배 한 것이니, 64괘에서 초효와 상효를 빼고 4를 64배 한 것이다. 이괘와 감괘는 선천의 가운데에서 卯酉의 자리에 있으니, 이괘의 4양과 감괘의 4음이 모두 만물을 낳는 것을 주관한다. 그러므로 4가 만물을 낳는 수가 된다. 4윤괘는 곤괘가 가장 나중에 있어서 만물을 낳을 수 없는 것을 제외하고, 이괘는 낳는 것의 시작이 되고 감괘는 낳는 것의 끝이 되니, '어두워질 무렵과 해가 뜰 무렵에는 만물을 낳지 않고 해가 중천에 뜰 무렵에 만물을 낳는다.'는 것이며 '남쪽과 북쪽은 만물을 낳지 않고 중앙에서 만물을 낳는다.'는 것이다. 여기서 여섯 효에서 4자리만을 쓰는 것은 이괘와 감괘가 만물을 낳는 것이다. 氣는 여섯으로 변하고 體는 넷으로 나뉘니, 앞에서 '하나가 여섯을 낳는다.'는 절은 이 절과 모두 6과 4의 뜻을 밝힌 것이다.(此發明中爻互體, 以見離坎之能生物, 作數層洗發以明二百五十六之數. 三十六承上節來, 二百一十六者, 六其三十六也, 二百五十六者, 四其六十四也, 六十四卦, 去初上二爻, 六十四其四也. 離坎在先天中居卯酉之位, 則離四陽坎四陰, 皆主生物. 故以四爲生物之數也. 四閏卦除坤居最後不能生物外, 離爲生之始, 坎爲生之終, 所謂昏曉不生物而日中生物, 南北不生物而中央生物. 此六爻止用四位, 所以爲離坎之生物也. 氣以六變體以四分, 前一生六節, 與此節, 皆兼明六與四之義.)"

數也.

체수體數란 무엇을 하는 것인가? 만물을 낳는 것이다. 용수用數란 무엇을 하는 것인가? 운행하는 것이다. 운행하는 것은 하늘이고, 만물을 낳는 것은 땅이다. 하늘은 홀로 운행하므로 용수用數로 스스로 제곱하고[120], 용수의 쓰임으로 만물을 낳는 때를 삼는다. 땅은 하늘과 짝하여 낳으므로 체수의 쓰임인 양에 음을 곱한 것을 만물을 낳는 수로 삼는다.[121]

天數三, 故六六而又六之, 是以乾之策二百一十六. 地數兩, 故十二而十二之, 是以坤之策百四十有四也. 乾用九, 故三其八爲二十四, 而九之亦二百一十有六. 兩其八爲十六, 而九之亦百四十有四也. 坤用六, 故三其十二爲三十六, 而六之亦二百一十有六也. 兩其十二爲二十四, 而六之亦百四十有四也. 坤以十二之二十四, 六之, 六之一與半爲乾之餘分, 則乾得一百五十二[122], 坤得一百八也.

하늘의 수는 3이므로 6×6(36)이고 또 6을 곱하니 그러므로 건의 책수는 216이다. 땅의 수는 2이므로 12×12이니 그러므로 곤의 책수는 144이다.[123] 건은 9를 쓰므로 8×3=24이고 다시 9를 곱하면 또한

120 장행성, 『皇極經世觀物外篇衍義』: "하늘은 하나이다. 음을 빌리지 않고서, 용수는 서로 곱한 것이다. 용수는 360이다. 360으로 360을 곱하면 129,600이니 1원의 수이다.(天一也, 無借乎陰, 用數自相乘者, 用數三百六十也, 以三百六十乘三百六十, 得一十二萬九千六百, 則一元之年數也.)"

121 이상의 내용은 다양한 견해가 있다. 이러한 견해에 대해서 왕식은 『皇極經世書解』에서 근거가 없다고 비판하고 후세에 아는 사람을 기다리겠다고 말하고 있다. "이것은 체수와 용수의 뜻을 거듭 밝혀서 앞의 글을 총괄한 것이다. 그러나 앞의 글에 의거해서 말하면 체수는 384이고, 용수는 360이고, 체수의 쓰임은 270이고, 용수의 쓰임은 252이니, 4를 더하면 256이 된다는 뜻은 머리말의 臆說에 자세히 있다. 이 절에 '용수가 스스로 제곱한다, 양을 음으로 곱한다.'는 두 말은 보충 주석과 황기의 말이 서로 다르다. 황기의 말은 곡절이 많고 견강부회한 듯하며, 보충 주석은 양으로 음을 곱하여 270을 삼는다고 했으니 또한 어떤 곱셈을 쓰고 어떤 수로 만물을 낳는 수로 삼았는지 알 수 없다. 잠시 두 가지 견해를 모두 보존하여 아는 사람을 기다린다.(此申明體數用數之義, 總收前文. 然據前文言之, 體數三百八十四也, 用數三百六十也, 體數之用二百七十也, 用數之用二百五十二, 加四, 則二百五十六也. 義詳篇首臆說. 此節用數自相乘以陽乘陰二語, 補註黃氏二說互異. 黃氏說似曲折太多涉於牽强, 補註以陽乘陰爲二百七十, 亦未知其用何乘法, 以何數爲生物之數, 姑兩存以俟知者.)"

장행성, 『皇極經世觀物外篇衍義』, "체수는 384이고 용수의 체는 288이며 그 실제 쓰이는 것은 264이다. 또 감괘와 이괘의 8을 빼면 256이 된다. 땅은 그것으로 만물을 낳으니 땅의 쓰임이다. 용수는 360이고 체수의 쓰임은 270이다. 건괘와 감괘·이괘를 빼면 252가 된다. 하늘은 그것으로 운행하니 하늘의 쓰임이다. 두 가지는 모두 쓰임이다."(體數三百八十四, 用數之體二百八十八, 其實用者, 二百六十四, 又去坎離之八爲二百五十六, 地以之而生物, 地之用也. 用數三百六十, 體數之用二百七十, 去乾與坎離爲二百五十二, 天以之而運行, 天之用也. 二者皆用也.)

122 『사고전서』본에서는 二百五十二로 되어 있다.

123 하늘의 수는 … 216이다. … 144이다: 「繫辭傳上」 9장: "건의 책수는 216이고 곤의 책수는 144이니 모두 360으로 1년의 날 수에 해당한다."(乾之策二百一十有六, 坤之策百四十有四, 凡三百有六十, 當期之日.)

216이다. 8×2=16이고 9를 곱하면 또한 144이다. 곤은 6을 쓰므로 12×3=36이고 6을 곱하면 또한 216이다. 21×2=24이고 6을 곱하면 또한 144이다. 곤은 24를 12배하고(288) 6배한 것(144)으로 6배한 1개(24)와 6배한 반 개(12)로 건의 여분(36)을 삼으면 건은 252를 얻고 곤은 108을 얻는다.[124] [125]

[11-1-27]

陽四卦十二爻, 八陽四陰. 以三十六乘其陽, 以二十四乘其陰, 則三百八十四也.

양陽 4괘[126] 12효 가운데 8개의 효는 양이고 4개의 효는 음이다. 36으로 그 양효의 숫자를 곱하고 24[127]로 그 음효의 숫자에 곱하면[128] 384가 된다.

[11-1-28]

卦之反對, 皆六陽六陰也. 在易則六陽六陰者十有二對也. 去四正者, 八陽四陰八陰四陽者各六對也. 十陽二陰十陰二陽者各三對也.

괘에서 뒤집어 쌍이 되는 것이 모두 6양 6음이다. 역에서 6양 6음인 것은 12개의 쌍이 있다. 4개의 정괘[129]를 빼고, 8양 4음, 8음 4양이 각각 6개의 쌍이고, 10양 2음, 2양 10음이 각각 3개의 쌍이다.[130]

124 건의 여분(36)을 … 얻는다: 건의 책수는 216이니 여분 36을 합하면 252가 되고, 곤의 책수 144의 2배인 288에서 36을 빼도 252가 된다. 곤의 책수는 144이니 여분 36을 빼면 108이 된다.

125 王植, 『皇極經世書解』: "이것은 「繫辭傳上」 9장의 '건의 책수는 216이고 곤의 책수는 144이다.'라는 것에 근본하여 양은 9이고 음은 6이라는 뜻을 밝히고 건의 여분으로 줄어들고 늘어나는 연유로 삼았으니, 총괄적으로 용수의 쓰임이 252가 되는 까닭을 밝혔다.(此本上傳九章, 乾之策二百一十有六, 坤之策百四十有四, 以明陽九陰六之義, 而以乾之餘分爲消息之由, 總以明用數之用所以有二百五十二之故也.)"

126 陽 4괘: 乾(☰), 兌(☱), 離(☲), 震(☳)이다. 이 4괘는 8괘가 형성되는 과정에서 陽효로 모두 12효에 양이 8효이고 음이 4효이다.

127 36으로 그 … 24: 시초 수로 老陽이 36이고 老陰이 24이다.

128 36으로 그 … 곱하면: 36×8=288이고 24×4=96이다. 288+96=384이다.

129 4개의 정괘: 乾(䷀), 坤(䷁), 坎(䷜), 離(䷝)이다.

130 이 단락에 대해서 황기는 왕식본『皇極經世書解』에서 다음과 같이 설명하고 있다. "6양 6음은 앞의 否(䷋)괘와 泰(䷊)괘가 있고 뒤에 旣濟(䷾)괘와 未濟(䷿)괘가 있으니 각각 두 짝이고, 그 사이에 咸(䷞)괘와 恒(䷟)괘, 豐(䷶)괘와 旅(䷷)괘, 漸(䷴)괘와 歸妹(䷵)괘, 渙(䷺)괘와 節(䷻)괘, 損(䷨)괘와 益(䷩)괘, 噬嗑(䷔)괘와 賁(䷕)괘, 隨(䷐)괘와 蠱(䷑)괘, 困(䷮)괘와 井(䷯)괘가 있어 모두 10개의 짝이 된다. 8양 4음은 遯(䷠)괘와 大壯(䷡)괘, 需(䷄)괘와 訟(䷅)괘, 無妄(䷘)괘와 大畜(䷙)괘, 家人(䷤)괘와 睽(䷥)괘, 巽(䷸)괘와 兌(䷹)괘, 革(䷰)괘와 鼎(䷱)괘이고, 8음 4양은 臨(䷒)괘와 觀(䷓)괘, 明夷(䷣)괘와 晉(䷢)괘, 升(䷭)괘와 萃(䷬)괘, 蹇(䷦)괘와 해(解䷧)괘, 艮(䷳)괘와 震(䷲)괘, 屯(䷂)괘와 蒙(䷃)괘이며, 10양 2음은 姤(䷫)괘와 夬(䷪)괘, 同人(䷌)괘와 大有(䷍)괘, 履(䷉)괘와 小畜(䷈)괘이고, 10음 2양은 復(䷗)괘와 剝(䷖)괘, 師(䷆)괘와 比(䷇)괘, 謙(䷎)괘와 豫(䷏)괘이다. 對待하는 것이 體이고, 유행하는 것이 用이다. 그러나 유행하는 중에는 대대가 없은 적이 없으니 선천이 이것이고, 대대하는 중에는 유행이 없은 적이 없으니 후천이 이것이다.(六陽六陰, 前有否泰, 後有旣未濟, 各二對, 其間咸恒, 豐旅, 漸歸妹, 渙節, 損益, 噬嗑賁, 隨蠱, 困井, 共十對. 八陽四陰, 遯大壯, 需訟, 无妄大畜, 睽家人, 兌巽, 革鼎, 八陰四陽, 臨觀, 明夷晉, 升萃, 蹇解, 艮震, 屯蒙, 十陽二陰, 姤夬, 同人大有,

[11-1-29]

體有三百八十四而用止于三百六十, 何也? 以乾坤坎離之不用也. 乾坤離坎之不用, 何也? 乾坤離坎之不用, 所以成三百六十之用也. 故萬物變易而四者不變也. 夫惟不變, 是以能變也. 用止於三百六十而有三百六十六, 何也? 數之贏也. 數之贏則何用也? 乾之全用也. 乾坤不用則離坎用半也. 乾全用者何也? 陽主贏也. 乾坤不用者何也? 獨陽不生, 專陰不成也.

체수體數는 384가 있는데 쓰는 것이 360에 그치는 것은 무슨 까닭인가? 건곤이감乾坤離坎을 쓰지 않기 때문이다. 건곤이감을 쓰지 않는 것은 무슨 까닭인가? 건곤이감을 쓰지 않는 것은 360의 쓰임을 이루기 위해서이다. 그러므로 만물이 변하고 바뀌어도 4가지(건곤이감)는 변하지 않는다. 오직 변하지 않기 때문에 변화할 수 있다. 360을 쓰는 데에 그치는데 366이 있는 것은 무슨 까닭인가?[131] 수의 여분[贏][132] 때문이다. 수의 여분은 어떻게 쓰는가? 건괘의 전부를 쓰는 것이다. 건괘와 곤괘가 쓰이지 않으면 이괘와 감괘의 반을 쓴다. 건괘가 전부를 쓴다는 것은 무슨 까닭인가? 양이 여분을 주관하기 때문이다. 건괘와 곤괘가 쓰이지 않는다는 것은 무슨 까닭인가? 양만으로는 낳지 못하고, 음만으로는 이루지 못하기 때문이다.

離坎用半何也? 離東坎西, 當陰陽之半爲春秋晝夜之門也. 或用乾, 或用離坎, 何也? 主陽而言之, 故用乾也. 主贏分而言之, 則陽侵陰, 晝侵夜, 故用離坎也. 陽主贏, 故乾全用也, 陰主虛, 故坤全不用也. 陽侵陰, 陰侵陽, 故離坎用半也. 是以天之南全見而北全不見, 東西各半見也.

이괘와 감괘는 반을 쓴다는 것은 무슨 까닭인가? 이괘는 동쪽이고 감괘는 서쪽이니 음양의 반을 담당하여 봄과 가을, 낮과 밤의 문이 된다. 어떤 경우는 건괘를 쓰고 어떤 경우는 이괘와 감괘를 쓰는 것은 무슨 까닭인가? 양을 중심으로 말하기 때문에 건을 쓰는 것이다. 여분을 중심으로 말하면 양이 음을 침범하고 낮이 밤을 침범하기 때문에 이괘와 감괘를 쓰는 것이다. 양은 여분을 주관하기 때문에

履小畜, 十陰二陽, 復剝, 師比, 謙豫. 對待, 體也, 流行, 用也. 然流行之中, 未嘗無對待, 先天是也, 對待之中, 未嘗無流行, 後天是也.)"

131 體數는 쓰는 … 까닭인가? : 王植, 『皇極經世書解』: "이것은 선천의 64괘로 1년 24절기에 분배한 것이다. 두 괘 반이 한 절기를 담당하면 24절기는 모두 64괘에 해당된다. 건곤감리 4괘를 제거하고 쓰지 않는 것은 건괘와 곤괘는 천지의 體를 세우고 이괘와 감괘는 천지의 用이 되어서, 64괘가 이것으로부터 연유하여 생겨나는 것이니 어찌 그 가운데에 배열할 수 있겠는가? 쓰는 것은 360인데 366이 있는 것은 閏의 수가 있기 때문이다.(補註, 此以先天六十四卦, 分配一年二十四氣. 蓋兩卦半而當一氣, 二十四氣共六十四也. 除乾坤離坎四卦不用者, 蓋乾坤立天地之體, 離坎爲天地之用, 乃六十四卦所由生, 何得列於其中? 用止於三百六十而有三百六十六六者, 閏數也.)"

132 수의 여분 : 王植, 『皇極經世書解』, 황기는 이렇게 설명하고 있다. "'나머지'란 기영을 말하는 것이다. 동지의 시작으로부터 대설이 끝날 때까지 365와 1/4일로 '6일'이란 큰 수를 들어서 말한 것이다.(贏謂氣盈也. 自冬至之始至大雪之終, 三百六十五日四分日之一, 六日, 擧大數言之.)"

건괘는 전체를 쓰고, 음은 허虛(모자람)를 주관하기 때문에 곤괘는 전체를 쓰지 않는다. 양은 음을 침범하고 음이 양을 침범하기 때문에 이괘와 감괘는 반을 쓴다. 그래서 하늘의 남쪽은 전체가 드러나고 북쪽은 전체가 드러나지 않으며 동쪽과 서쪽은 각각 반만 드러난다.[133]

離坎陰陽之限也, 故離當寅, 坎當申, 而數常踰之者, 蓋陰陽之溢也. 然用數不過乎寅, 爻數[134]不過乎申. 或離當卯坎當酉

이괘와 감괘는 음과 양의 경계이므로 이괘는 인寅에 해당하고, 감괘는 신申에 해당하는데 수가 항상 넘치는 것은 음과 양이 넘치기 때문이다. 그러나 용수用數는 인寅을 넘지 않고 교수交數는 신申을 넘지 않는다. 어떤 곳에는 이괘가 묘卯에 해당하고 감괘가 유酉에 해당한다고 한다.[135]

133 王植, 『皇極經世書解』: "이것은 經世 360괘도에 대한 설명이니 天運과 曆法으로 말한 것이다. 우선 건곤감리를 쓰지 않는 것은 64괘를 가지고 분별하여 말한 것이고, 다음에 4괘 가운데 건괘는 전체를 쓰고 곤괘는 쓰지 않고, 감괘와 이괘는 반을 쓰는 것은 4정괘를 분별해서 말한 것이다. 다음에 건괘와 곤괘는 쓰지 않고 감괘와 이괘를 쓴다는 것을 말하여 日과 여분을 주로 하여 구분하였다. 그러므로 4정괘의 24효가 효마다 15일을 해당시키면 모두 閏을 숨기고 있지만 건괘는 氣盈의 6일로 윤을 낳고 이괘와 감괘는 낮과 밤이 서로 침범하므로 기영과 삭허가 각각 6일이 있다. 그래서 전부를 쓰고 반을 쓰고 쓰지 않는 구별이 있다. 이 절의 뜻은 외편 억설에 상세하다.(此經世三百六十卦圖說也, 以天運兼歷法言之. 先言乾坤坎離之不用, 就六十四卦而分別言之也, 次言四卦中乾全用, 坤不用, 坎離用半, 以四正卦而分別言之也. 次言乾坤不用而用坎離, 以主日與贏分之. 故蓋四正卦二十四爻, 爻直十五日, 固皆以藏閏, 而乾以氣盈之六日生閏, 離坎以晝夜相侵, 因以有氣盈朔虛之各六日. 故有全用半用不用之別也. 此節之義詳外篇臆說.)"

134 爻數: 왕식본에는 交數로 되어 있다.

135 王植, 『皇極經世書解』: "'감괘와 이괘는 음양의 경계이다.'라는 것은 寅과 申을 취해서 말한 것이다. 사계절을 가지고 논하자면 봄은 양으로 寅에서 시작하니, 이것은 이괘가 인에 해당하여 양의 경계가 되는 것이고, 가을은 음으로 申에서 시작하니, 이것은 감괘가 신에 해당하여 음의 경계가 되는 것이다. '수는 항상 넘친다.'는 것은 이괘는 인에 해당하지만 卯 가운데에서 다하고, 감괘는 신에 해당하지만 酉 가운데에서 다하니, 이것이 인과 신의 경계를 넘는 것이고 음양이 넘치는 것이다. 그러나 用數는 중간을 넘지 못하다는 것은 소강절은 묘와 유로 음양의 넘치는 것을 삼았으니 중간이라는 것은 인과 신을 취한 것이지 묘와 유를 취하지 않은 것이다. 子의 자리는 양이 생기는 자리이지만 땅에서 나오지 않았고, 寅에 이르러 온후한 기가 비로소 일어나니 이것이 용수는 인과 신의 중간을 지나지 않는다는 것이다. 이괘는 인에 해당하고, 감괘는 신에 해당하는 것으로 미루어보면, 건괘는 巳에 해당하고, 곤은 亥에 해당하고, 兌는 卯辰에 해당하고, 震은 子丑에 해당하고, 巽은 午未에 해당하고, 艮은 酉戌에 해당하는 것은 모두 수가 미치지 못하는 것인데 소강절이 중으로 삼은 것이다. 또 이괘가 卯에 해당하고 감이 酉에 해당하고 곤은 子의 반에 해당하는 것으로 미루어 보면, 乾은 午에 해당하고 坤은 子에 해당하고 兌는 辰巳에 해당하고 震은 丑寅에 해당하고 巽은 未申에 해당하고 艮은 戌亥에 해당하는 것은 모두 사방의 중이고 4모서리가 만나는 곳인데 소강절이 수가 항상 넘치는 것을 삼았다. 이것은 소강절이 그 성대한 것에 처하는 것을 두려워한 뜻이다.(坎離陰陽之限者, 就寅申而言也. 以四時論之, 春爲陽而始於寅, 是離當寅而爲陽之限, 秋爲陰而始於申, 是坎當申而爲陰之限也. 數常踰之者, 離雖當寅而盡於卯中, 坎雖當申而盡於酉中, 是踰寅申之限而爲陰陽之溢矣. 然用數不過乎中者, 蓋邵子以卯酉爲陰陽之溢, 則其所謂中者, 是取寅申而不取卯酉也. 蓋子位, 陽雖生而未出乎地, 至寅則溫厚之氣始用事, 是所謂用數仍不過乎寅申之中也. 夫以離當寅坎當申推之, 則乾當巳, 坤當亥, 兌當卯辰, 震當子丑, 巽

乾四十八而四分之一分爲陰所尅. 坤四十八而四分之一分爲所尅之陽也. 故乾得三十六, 而坤得十二也. 陽主進, 是以進之爲三百六十日. 陰主消, 是以十二月消十二日也. 順數之, 乾一, 兌二, 離三, 震四, 巽五, 坎六, 艮七, 坤八 ; 逆數之, 震一, 離兌二, 乾三, 巽四, 坎艮五, 坤六也. 乾四十八, 兌三十, 離二十四, 震十, 坤十二, 艮二十, 坎三十六, 巽四十, 乾三十六, 坤十二, 離兌巽二十八, 坎艮震二十. 兌離巽宜更思之

건은 48이지만[136] 4분의 1분은 음에 의해 극복당한 것이다.[137] 곤은 48이지만[138] 4분의 1분은 양에 의해 극복당한 것이다.[139] 그러므로 건은 36을 얻고 곤은 12를 얻는다. 양은 나아감을 주도하니, 그래서 나아가 360일이 된다. 음은 줄어들음을 주도하니, 그래서 12개월에서 12일이 줄어든 것[140]이다.[141] 순하게 수를 세면, 건 1, 태 2, 이 3, 진 4, 손 5, 감 6, 간 7, 곤 8이고 역으로 수를 세면, 진 1, 이·태 2, 건 3, 손 4, 감·간 5, 곤 6이다.[142] 건 48, 태 30, 이 24, 진 10, 곤 12, 간 20, 감 36, 손 40, 건 36, 곤 12, 이·태·손 28, 감·간·진 20이다.[143] 태·리·손은 마땅히 더 생각해야 하겠다.

當午未, 艮當酉戌, 皆數之不及, 而邵子以爲中者也. 又以離當卯坎當酉坤爲子半推之, 則乾當午, 坤當子, 兌當辰巳, 震當丑寅, 巽當未申, 艮當戌亥, 皆四方之中, 四隅之會處, 而邵子以爲數常踰之者也. 此即邵子懼處其盛之意.)"

136 건은 48이지만: 건괘를 貞괘(내괘)로 하는 괘는 건괘에서 태괘까지 8괘인데 효 전체는 모두 48효이다.

137 건은 48이지만 … 것이다.: 『性理羣書句解』에서는 다음과 같이 설명한다. "건괘에서 태괘까지는 양효가 36효이고 음효가 12효이다. 이것이 1분이 음에게 극함을 당한 것이라고 한 것이다.(自乾而泰, 陽三十六畫, 陰十二畫, 此所謂一分爲陰所尅.)"

138 곤은 48이지만: 곤괘를 貞괘로 하는 괘는 곤괘에서 否괘까지 8괘인데 효 전체는 모두 48효이다.

139 4분의 1분은 … 것이다.: 『性理羣書句解』에서는 다음과 같이 설명한다. "곤괘에서 비괘까지는 음효가 36효이고 양효가 12효이다. 이것이 1분이 극한 바가 양이라고 한 것이다.(自坤至否, 陰三十六畫, 陽十二畫. 此所謂一分爲所尅之陽.)"

140 12개월에서 12일이 … 것: 음력으로 말하자면 366에서 354일로 줄어든 것이다.

141 王植, 『皇極經世書解』: "(황기가 말했다.) 36을 나아가서 1년의 날에 해당하니 1년의 正數이다. 줄어들면 나아가지 않을 뿐만 아니라 12일도 함께 모두 줄어드니, 1년의 閏의 수이다. 나아간다고 말하면 늘어나는 것을 알 수 있고, 줄어든다고 말하면 물러난다는 것을 알 수 있다.(進三十六, 當朞之日, 一年之正數也, 消則不惟不進, 雖十二日亦與之俱消, 則一年之閏數也. 言進則長可知, 言消則退可知.)"
王植, 『皇極經世書解』: "'12일이 줄어든다.'는 것은 12개월 동안 줄어들어서 12일의 윤일이 되는 것이니 위에서 나아가서 36일이 된다는 뜻과 같다. 황기가 12일도 함께 모두 줄어든다고 한 것은 이해하기 어렵다.(消十二日, 謂十二月消之爲十二閏日, 與上進之爲三百六十日意同. 黄氏謂十二日亦與之俱消, 難解.)"

142 순하게 수를 … 6이다: 王植의 『皇極經世書解』에서 황기는 왕이렇게 설명하고 있다. "『易』「繫辭傳」에서 말하는 '逆順'은 하늘을 따라서 왼쪽으로 진행하는 것이 順이고 하늘을 거슬러 오른쪽으로 진행하는 것이 逆이다. 이것이 역순이라고 하는 것이니 위로부터 나누어지는 것을 順으로 하고 아래로부터 생겨나는 것을 逆으로 삼은 것이다. 그래서 순하게 수를 세면 괘에는 8개의 體數가 있고, 역으로 수를 세면 그 수에는 6개의 用數가 있다.(易大傳所言逆順, 蓋以順天而左行者爲順, 逆天而右行者爲逆, 此所謂逆順, 則以自上而分者爲順, 自下而生者爲逆. 是故順數之, 其卦有八體數也, 逆數之, 其數有六用數也.)"

143 건 48, … 20이다: 이상의 내용은 왕식본 『皇極經世書解』에 의하면 11장에 속하는데 이 장은 闕疑로 모두

[11-1-30]

圓數有一, 方數有二, 奇耦之義也. 六卽一也, 十二卽二也. 天圓而地方. 圓之數, 起一而積六. 方之數, 起一而積八, 變之則起四而積十二也. 六者常以六變, 八者常以八變, 而十二者亦以八變, 自然之道也. 八者, 天地之體也. 六者, 天之用也, 十二者, 地之用也. 天變方爲圓而常存其一, 地分一爲四而常執其方. 天變其體而不變其用也, 地變其用而不變其體也. 六者幷其一而爲七, 十二者幷其四而爲十六也. 陽主進, 故天幷其一而爲七, 陰主退, 故地去其四而止於十二也. 是陽常存一而陰常晦一也. 故天地之體止於八, 而天之用極於七, 地之用止於十二也.

원圓의 수는 1이 들어있고 방方의 수는 2가 들어있으니 홀수와 짝수의 뜻이다. 6은 1에 있었고, 12는 2에 있었다.[144] 하늘은 둥글고 땅은 네모나다. 원의 수는 1에서 일어나 누적하여 6이 된다. 방의 수는 1에서 일어나 누적하여 8이 되니 변하면 4에서 일어나 누적하여 12가 된다. 6은 항상 6으로 변하고 8은 항상 8로 변하며 12 또한 8로 변하니 자연自然의 도이다. 8이란 천지의 체수體數이다. 6은 하늘의 쓰임이고, 12는 땅의 쓰임이다.[145] 하늘이 방方을 변화시켜 원圓이 되어도 항상 그 1을 보존하며, 땅이

의심나는 구문만을 모아놓았다. 어떤 설명도 붙어 있지 않고, "주은노가 억지로 해석을 했으나 결국에는 통하지 않으니 지금 따르지 않는다.(朱氏隱老, 强解終不可通, 今不敢從.)"라고 했다.

144 圓의 수는 … 있었다 : 圓이란 양이며 乾(☰)괘이다. 건괘는 양효(⚊), 즉 1이 6개 모인 것이다. 方이란 음이며 坤(☷)괘이다. 곤괘는 음효(⚋), 즉 2가 12개 모인 것이다. 황기는 왕식본『皇極經世書解』에서 이렇게 설명한다. "하늘은 1이고 땅은 2이니 건은 홀수 획으로 6이고 크며, 곤은 짝수 획으로 12이며 작다. 6은 지름 1에 둘레 3인 것을 둘로 한 것이니 하늘이 땅을 쓴 것이고, 12는 지름 1에 둘레 4인 것을 셋으로 한 것이니, 땅이 하늘을 쓴 것이다.(天一地二, 乾奇畫六而大, 坤偶畫十二而小. 六則徑一圍三而兩之, 天用地也, 十二則徑一圍四而參之, 地用天也.)" 이에 대해서 왕식은 왕식본『皇極經世書解』에서 이렇게 설명하고 있다. "이 절 이하는 도형의 方圓으로부터 천지의 수를 밝힌 것이다. 이것은 방과 원의 1과 2라는 수가 홀수와 짝수로부터 생겨난 것을 말했다. 1이 있으므로 6이 있고, 2가 있으므로 12가 있다. 건의 내괘와 외괘가 모두 6획인 것이 곧 건의 1이고, 곤의 내괘와 외괘가 12획인 것이 곧 곤의 2이다.(此節以下, 從圖形方圓發明天地之數. 此則言方圓一二之數, 從奇耦而生. 有一故有六, 有二故有十二. 乾之內外卦共六畫, 卽乾之一也, 坤之內外卦十二畫, 卽坤之二也.)"

145 하늘은 둥글고 … 쓰임이다 : 王植,『皇極經世書解』의 설명은 이렇다. "앞의 1장 1절에서 '하늘의 體數는 4인데 쓰는 것은 3이고 쓰지 않는 것은 1이며, 땅의 체수는 4인데 쓰는 것은 3이고 쓰지 않는 것은 1'이라고 했고 대연의 수에 관한 절에서는 '1을 보존하여 7을 쓴다.'고 했다. 여기서는 또 그 뜻을 밝혀서 하늘과 땅의 체수와 용수를 드러낸 것이다. 수로 말하자면 하늘은 둥글고, 둥근 것은 지름은 1이고 둘레는 3인데 그것을 중첩하면 6이다. 땅은 네모이고 네모는 지름이 1이고 둘레는 4인데 그 4를 중첩하면 8이다. 그것을 3배하면 12이고 4배하면 16이다. 체용으로 말하면 하늘은 둥글어서 운행을 주관하니 작용을 주된 것으로 삼고, 6은 1이 누적된 것이므로 하늘의 용수가 된다. 땅은 네모나서 낳고 양육하는 것을 주관하니 형체를 주된 것으로 삼고, 12는 4가 누적된 것이므로 땅의 용수가 된다.(前首篇第一節, 天體數四而用三不用者一, 地體數四而用三不用者一, 大衍之數節, 言存一言用七. 此又發明其義, 以見天地體用之數. 蓋以數言之, 天圓, 圓者一而三, 重其三則六. 地方, 方者一而四, 重其四則八. 三之而十二, 四之則十六也. 以體用言之, 天圓, 主運行, 以用爲主, 而六卽一之積, 故爲天之用. 地方, 主生化, 以體爲主, 而十二卽四之積, 故爲地之用也.)"

1을 나누어 4가 되어도 항상 그 방方을 유지한다. 하늘은 그 체體을 변화시키되 그 용用을 변화시키지 않고, 땅은 그 용을 변화시키되 그 체를 변화시키지 않는다. 6은 그 1을 합해서 7이 되고, 12는 그 4를 합해서 16이 된다. 양은 나아감을 주로 하므로 하늘은 1을 합하여 7이 되고 음은 물러감을 주로 하므로 땅은 그 4를 빼고 12에 그친다. 이것이 양은 항상 1을 보존하고 음은 항상 1을 감추는 것이다. 그러므로 하늘과 땅의 체수體數는 8에서 그치고 하늘의 용수用數는 7에서 극한에 이르며 땅의 용수는 12에서 그치는 것이다.[146]

圓者刓方以爲用, 故一變四, 四去其一則三也. 三變九, 九去其三則六也. 方者引圓以爲體, 故一變三, 幷之四也, 四變十二, 幷之十六也. 故用數成於三而極於六, 體數成於四而極於十六也. 是以圓者徑一而圍三, 起一而積六, 方者分一而爲四, 分四而爲十六, 皆自然之道也.
원은 네모를 깎아서 용用으로 삼으므로 1이 4로 변하고 4에서 그 1을 빼면 3이 된다. 3이 9로 변하고 9에서 그 3을 빼면 6이 된다. 네모는 원을 늘려서 체體로 삼으므로 1이 3으로 변하고 그 1을 아울러서 4가 되며, 4는 12로 변하고 그 4를 아울러서 16이 된다. 그러므로 용수는 3에서 이루어지고 6에서 극한에 이르고, 체수는 4에서 이루어지고 16에서 극한에 이른다. 그래서 원은 지름이 1이고 둘레는 3인데 1에서 일어나 누적되어 6이 되고, 네모는 1을 나누어 4가 되고 4를 나누어 16이 되니, 모두 자연의 도이다.[147]

146 王植, 『皇極經世書解』: "보존하고 빼는 것으로 말하자면 하늘의 체수는 4인데 쓰는 것은 3이니 항상 1을 보존하여 근본으로 삼는다. 만약 그 1을 제거하면 운행의 작용으로 삼을 것이 없다. 땅의 체수는 4인데 쓰는 것은 3이니 항상 그 4를 지녀서 기초로 삼는다. 만약 그 네모를 훼손하면 만물을 낳는 체를 삼을 것이 없다. 변하는 것으로 말하자면 하늘의 용수 3이 땅의 용수 3을 통솔하므로 6이 변하여 그 체를 변화시키지만 그 6의 작용을 변화시키지는 않는다. 땅의 체수 4가 하늘의 체수 4와 합치하므로 8이 변하여 그 작용을 변화시키지만 그 4의 체를 변화시키지는 않는다. 나아가고 물러남으로 말하자면, 양은 나아감을 주도하므로 원도에서 누적된 6이 보존된 1을 아울러서 7에서 극한에 이르지만 1은 6 가운데에서 운행하며, 음은 물러남을 주도하므로 방도에서 누적된 16이 항상 그 4를 제거하고 12에서 그치지만 4는 12의 밖에 있는 것이다. 말하는 것이 반복되고 일정하지 않지만 요점은 체가 4이고 용이 3이라는 것에서 벗어나지 않으니, 方圓의 뜻을 밝힌 것이다.(以所存所去言之, 天之體數四而用者三, 常存一以爲本. 若去其一, 則無以爲運行之用. 地之體數四而用者三, 常執其四以爲基. 若毁其方, 則無以爲生物之體也. 以所變言之, 天之用三, 統地之用三, 故六變而變其體, 不變其六之用. 地之體四合天之體四, 故八變而變其用, 不變其四之體也. 以進退言之, 陽主進, 故圓之積六并所存之一, 而極於七, 一行於六之中, 陰主退, 故方之積十六, 常去其四, 而止於十二, 四執乎十二之外也. 言之反復不一, 要不外以體四用三, 明方圓之義.)"

147 王植, 『皇極經世書解』: "(황기가 말했다.) 4를 살라서 3으로 하면 네모는 원으로 돌이기므로 원은 운행을 주관하고, 3을 펴서 4를 만들면 원은 네모로 돌아가므로 방도는 만물을 낳는 것을 주관한다. 6에서 극한에 이르는 것은 4正卦의 24효를 뺀 360이고, 16에서 극한에 이르는 것은 四維괘로 나누어 각각 16괘이다. 원은 운행하고 네모는 그쳐서 체와 용이 서로 쓰여서 변화가 끝이 없다. 사람들이 천착할 수 있는 것이 아니니 '저절로 그러하다.'고 했다.(裁四爲三, 則方者歸於圓, 故圓圖主運行. 展三爲四, 則圓者歸於方, 故方圖主生物. 極於六者, 去四正而三百六十, 極於十六者, 分四維各一十六卦. 圓則行, 方則止, 體用相需而變化無窮. 非人所

[11-1-31]

一役二以生三, 三去其一則二也. 三生九, 九去其一則八也, 去其三則六也. 故一役三, 三復役二也, 三役九, 九復役八與六也. 是以二生四, 八生十六, 六生十二也. 三幷一則爲四. 九幷三則爲十二. 十二又幷四則爲十六. 故四以一爲本, 三爲用. 十二以三爲本, 九爲用. 十六以四爲本, 十二爲用. 更思之

1이 2를 부려서 3을 낳고 3에서 그 1을 빼면 2이다. 3이 9를 낳고 9에서 그 1을 빼면 8이고, 그 3을 빼면 6이다. 그러므로 1이 3을 부리고 3이 다시 2를 부리며, 3이 9를 부리고 9는 다시 8과 6을 부린다. 그래서 2가 4를 낳고 8이 16을 낳고 6이 12를 낳는다. 3이 1을 병합하면 4가 된다. 9가 3을 병합하면 12가 된다. 12가 또 4를 병합하면 16이 된다. 그러므로 4는 1을 근본으로 삼고 3을 용用으로 삼는다. 12는 3을 근본으로 삼고 9를 용用으로 삼는다. 16은 4를 근본으로 삼고 12를 용用으로 삼는다. 좀 더 생각해야 한다.[148]

[11-1-32]

陽尊而神. 尊故役物, 神故藏用. 是以道生天地萬物而不自見也. 天地萬物亦取法乎道矣.

양은 높되 신묘하다. 높으므로 만물을 부리고 신묘하므로 용用에 감춘다. 그래서 도가 천지天地와 만물을 낳으면서도 스스로를 드러내지 않는다. 하늘과 땅과 만물도 또한 도로부터 모범을 취한다.[149]

[11-1-33]

陽者道之用, 陰者道之體. 陽用陰, 陰用陽, 以陽爲用則尊陰, 以陰爲用則尊陽也. 陰幾於道, 故以況道也.

양은 도의 용用이고 음은 도의 체體이다. 양은 음을 쓰고 음은 양을 써서 양으로 쓰임을 삼으면 음을 높이고 음으로 쓰임을 삼으면 양을 높인다. 음이 도에 가깝기 때문에 도를 비유한 것[150]이다.[151]

能鑿, 故曰自然.)"

148 이 단락은 왕식본 『皇極經世書解』에 의하면 11장에 속하는데 이 11장은 闕疑로 모두 의심나는 구문만을 모아놓은 장이다. 황기는 이 여러 가지 해석을 따를 수 없다고 말하고 있고 왕식도 황기를 따르고 있다.

149 王植, 『皇極經世書解』: "존귀하다는 것은 낮다는 것을 대비하여 말한 것이고, 신묘하다는 것은 氣를 대비하여 말한 것이다. 존귀하므로 만물이 모두 작용을 받는 바가 되어서 만물을 부리고, 신묘하므로 만물에 두루 영향을 미치면서도 그 공을 드러내지 않고 작용을 감춘다. 陽이란 도의 작용이다. 그러므로 또 도를 말했다. 도가 하늘과 땅과 만물을 낳는 것이 '인을 드러내는 것'이고, 스스로 드러나지 않는 것이 '작용을 감추는 것'이다. 만물에 대해서는 신묘하다고 말하고 하늘과 땅과 만물에 대해서는 도라고 말했다. 만물은 땅을 본받고 땅은 하늘을 본받고 하늘은 도를 본받으니 모두 인을 드러내고 작용을 감춘다는 뜻이 있다.(尊對卑言, 神對氣言. 尊故萬物皆爲所用而役物, 神故徧物而不見其功而藏用. 陽者道之用. 故又言道. 道生天地萬物, 顯諸仁也, 不自見, 藏諸用也. 對萬物則言神, 對天地萬物則言道. 萬物法地, 地法天, 天法道, 皆有顯仁藏用之義在焉.)"

150 음이 도에 … 것: 「觀物外篇」 1장에서는 다음과 같이 말하고 있다. "그러므로 형체가 없는 1은 自然을

[11-1-34]

六變而三十六矣. 八變而成六十四矣. 十二變而成三百八十四矣. 六六而變之, 八八六十四變而成三百八十四矣. 八八而變之, 七七四十九變而成三百八十四矣.

6이 변하여 36이 된다. 8이 변하여 64가 된다. 12가 변하여 384가 된다.[152] 6×6으로 변하고, 8×8=64가 변하여 384가 된다. 8×8로 변하고 7×7=49[153]가 변하여 384가 된다.[154]

상징한 것이고, 작용하지 않는 1은 道를 상징한 것이며 작용하는 것 3은 하늘과 땅과 사람을 상징한 것이다.(是故無體之一, 以況自然也, 不用之一, 以況道也, 用之者三, 以況天地人也.)"

151 王植, 『皇極經世書解』: "이것은 음과 양이 모두 중요시 되는 뜻을 말하였고 마지막 구절에 음이 중요시 되는 이유를 드러냈다. '한번 음하고 한번 양하는 것이 도이다.'라고 말한 것은 도로 말한 것이고, '양은 작용이고 음은 형체이다.'라고 한 것은 움직임과 고요함의 나뉨이니, 음양으로 말한 것이다. 또 음과 양은 서로 작용이 된다고 말한 것은 때에 따라 작용하는 것을 말하니 때에 따라 작용하면 양이 높고 음도 높다. 음이 고요할 때 고요함이 극한에 이르러 양을 낳으므로 도에 가깝다고 했다. 첫 번째 장에서 '작용하지 않는 하나로 도에 비유한다.'고 한 것을 황기는 '한번 음하고 한번 양하는 것을 도라고 한다.'는 것으로 말했으나 의미는 분명하지 않다. 이 절로부터 본다면 움직임과 고요함이 서로 뿌리가 되어 작용하지 않는 하나가 작용하는 셋을 낳는 것이므로 도에 비유했다고 했다.(此言陰陽並重之義, 末句見陰之所以重也. 一陰一陽之謂道, 以道言, 陽用而陰體, 動靜之分也, 以陰陽言. 陰陽又相爲用, 當時用事之謂也, 當時用事, 則陽尊陰亦尊. 陰靜之時, 靜極而生陽, 故曰幾於道. 首節不用之一以況道, 黃氏謂一陰一陽之謂道, 意未清醒. 由此節觀之, 動靜互根, 不用之一, 所以生用者之三也, 故曰以況道.)"

152 6이 변하여 … 된다 : 6이란 6획괘의 6효를 말한다. 효란 책수를 말한다. 즉 시초와 같다. 시초를 셀 때[揲蓍] 둘로 나누고 1개를 걸고 4로 세고서 3번 변화시키면 그 남는 수는 20, 28, 32, 36, 이 4가지이다. 그 가운데 가장 많은 수가 36이니, 이것이 책수의 끝이다. 이것이 36을 말한다. 8이란 3획괘의 8개를 말한다. 8괘가 중첩하여 64괘가 된다. 황기에 의하면 "12로 변한다는 것은 쾌괘에서 곤괘에 이르고 박괘에서 건괘에 이르는 것이다.(十二變自夬至坤, 自剝至乾也.)" 어떤 사람은 12소식괘의 운행이라고 말하기도 한다.
장행성은 『皇極經世觀物外篇衍義』에서 "1이 변하여 3이 되고 2배하면 6이 되니, 6은 하늘의 用數이다. 1이 변하여 4가 되고 2배하면 8이 되니 8은 천지의 體數이다. 6을 제곱하면 12이고 12는 땅의 용수이다. 6에 1을 더하면 7이 되니 7은 하늘의 여분의 수[贏數]이다.(一變三重之則六, 六者天之用數. 一變四重之則八, 八者天地之體數. 六耦爲十二, 十二者, 地之用數, 六一爲七, 七者天之贏數.)"라고 하였다.

153 7×7=49 : 황기는 왕식본 『皇極經世書解』에서 49라는 숫자에 대해서 48로 계산해야 한다고 하면서 다음과 같이 설명한다. "48이라고 하지 않고 49라고 말한 것은 손가락에 거는 하나 때문이니 하나를 걸면 48이다.(不曰四十八而曰四十九者, 掛一故也, 掛一則四十八.)"

154 王植, 『皇極經世書解』: "이것은 괘효의 수를 말하고 시초의 수로 참조해서 말했다. '6×6으로 변하고'라는 6구절은 64와 49를 구절로 삼아 變자를 아랫구절에 속하여 읽으면 뜻이 저절로 밝혀진다. 64를 6으로 곱한 것으로 6×6은 360이 되고, 4×6은 24효가 된다. 48은 8로 곱한 것으로 4×8은 320이 되고, 8×8은 64효가 된다. 이는 각각 384효를 얻는 것이다.(此言卦爻之數, 而參以蓍數言之. 六六而變之六句, 以六十四四十九爲句, 變字屬下句讀, 意自明. 蓋六十四而以六乘之六六得三百六十, 四六得二十四爻. 四八而以八乘之, 四八得三百二十, 八八得六十四爻, 是各得三百八十四爻也.)"

[11-1-35]

圓者六變, 六六而進之, 故六十變而三百六十矣. 方者八變, 故八八而成六十四矣. 陽主進, 是以進之爲六十也.

원도圓圖는 6으로 변하니 6×6으로 나아가므로 60이 변하여 360이 된다.[155] 방도方圖는 8로 변하므로 8×8로 변해서 64가 된다.[156] 양은 나아감을 주도하므로 나아가는 것이 60으로 된다.[157]

[11-1-36]

圓者, 星也, 曆紀之數其肇於此乎! 方者, 土也, 畫州井地之法其倣於此乎! 蓋圓者河圖之數, 方者洛書之文. 故羲文因之而造易, 禹箕敍之而作範也.

둥근 것은 성星[별]이니 역법[曆紀]의 수는 아마 여기에서 시작되었을 것[158]이다! 네모난 것은 토土[땅]이니 주州를 나누고 전답을 정井자로 나누는 법이 아마 이것을 모방했을 것이다! 둥근 것은 「하도」의 수이고, 네모난 것은 「낙서」의 문양이다. 그러므로 복희와 문왕은 그것에 의지하여 『역』을 지었고, 우왕과 기자箕子는 그것을 서술하여 「홍범洪範」을 만들었다.[159]

155 60이 변하여 … 된다 : 64괘 圓圖는 시간을 상징하므로 60은 60갑자를 의미하고 360은 1년 360일을 말한다.

156 8×8로 변해서 … 된다 : 64괘 方圖는 8로 변하여 64괘를 이룬다.

157 장행성, 『皇極經世觀物外篇衍義』: "6은 用數이고 작용은 陽이다. 8은 體數이고 體는 음이다. 작용은 爻에 속하고, 체는 卦에 속한다. 시초를 세어서 효를 구하고 누적하여 괘를 이루니 작용은 체 이후에 있다. 양은 3으로 변하고 음은 2로 변하니 하늘은 3이고 땅은 2라는 뜻이다. 양은 그 3을 얻고 양은 나아감을 주도한다. 6×6으로 36이 되어 나아가니 360이 된다. 그러므로 天度와 爻數가 호응한다. 8×8이 64가 되어 그치므로 卦數에 호응한다.(六爲用數, 用者陽也. 八爲體數, 體者陰也. 用屬乎爻, 體屬乎卦. 蓍以求爻, 積而成卦, 則用在體後也. 夫陽以三變, 陰以兩變, 三天兩地之義也. 陽得其三, 陽主進也. 六六而三十六進之爲三百六十, 故天度與爻數應之也. 八八得六十四而止, 故卦數應之也.)" 왕식본 『皇極經世書解』에서 황기는 이렇게 설명한다. "60은 변하는 것이므로 나아간다고 했고, 8×8은 변하지 않기 때문에 나아간다고 말하지 않았다.(六十, 能變者, 故進之. 八八, 不變, 故不言進.)" 다음은 왕식의 설명이다. "이하 구절은 모두 방도와 원도를 따라서 유추하여 말하여 아래 세 구절의 뜻을 거듭 밝혔다. 아마도 문인들이 각각 들은 바를 기록했기 때문에 말에 상세하고 간략한 차이가 있다.(以下皆因方圓而推類言之, 以申明上三節之意. 抑或門人, 各記所聞, 故詞有詳畧不同也.)"

158 시작되었을 것 : 시작되었을 것이라고 번역한 '肇'는 『書』「舜典」에 "肇十有二州"라고 하였는데 공영달은 "肇, 始也."라고 했다.

159 이 단락의 내용은 『易學啓蒙』 1-4에 나와 있다. 여기에서 주희는 다음과 같이 주를 달고 있다. '〈 〉'안의 글씨가 주희의 주이다. "둥근 것은 별이니, 曆法 규율의 수는 아마 여기에서 시작되었을 것이다! 〈역법에서는 천지의 시작하는 두 개의 수(1 · 2)를 결합하여 강 · 유를 정하고, 중간의 두 개의 수(5 · 6)를 결합하여 율력을 정하며, 끝나는 두 개의 수(9 · 10)를 결합하여 윤달을 정하는 규율로 하였으니, 이것이 이른바 '역법의 규율'이다.(曆法合二始以定剛柔, 二中以定律曆, 二終以紀閏餘, 是所謂曆紀也.)〉 모난 것은 땅이니, 州를 나누고 전답을 井자로 나누는 법이 아마 이것을 모방했을 것이다! 〈州는 9개가 있고 정은 900畝이니, 이것이 이른바 '州를 나누고 전답을 井자로 나누는 것'이다.(州有九, 井九百畝, 是所謂畫州井地也.)〉 대개 둥근 것은 「河圖」의 수이고, 모난 것은 「洛書」의 문양이다. 그러므로 복희와 문왕은 그것에 따라서 『易』을 지었고,

[11-1-37]

蓍數不以六而以七, 何也? 幷其餘分也. 去其餘分則六, 故策數三十六也. 是以五十者, 六十四卦閏歲之策也, 其用四十有九, 六十四卦一歲之策也. 歸奇掛一, 猶一歲之閏也. 卦直去四者, 何也? 天變而地效之. 是以蓍去一則卦去四也.

시초의 수에 6을 쓰지 않고 7을 쓰는 것은 무슨 까닭인가? 그 여분을 합했기 때문이다. 여분을 제거하면 6이 되므로 책수는 36이다.[160] 그래서 50은 64괘의 윤세閏歲의 책수이고, 사용하는 49는 64괘[161]의 1년의 책수이다. 나머지를 되돌려서 '왼손의 셋째 손가락과 넷째 손가락 사이에 끼우는 것[扐]'은 1년의 윤수閏數와 같다. 64괘에서 4괘를 빼는 것은 무슨 까닭인가?[162] 하늘이 변하면 땅이 본받기 때문이다. 그러므로 시초에서 1개를 빼면[163] 괘에서는 4괘를 빼는 것이다.[164]

[11-1-38]

圓者, 徑一圍三, 重之則六. 方者徑一圍四, 重之則八也.

둥근 것은 지름이 1이고 둘레가 3이니 중첩하면 6이다. 네모난 것은 지름이 1이고 둘레가 4이니 중첩하면 8이다.[165]

[11-1-39]

裁方而爲圓, 天之所以運行, 分大而爲小, 地之所以生化. 故天用六變, 地用四變也.

우임금과 箕子는 그것을 펼쳐서 「洪範」을 만들었다." 왕식본 『皇極經世書解』에서도 이를 인용하고 있다.

160 책수는 36이다: 시초를 셀 때 둘로 나누고 1개를 걸고 4개씩 세고서 3번 변화시키면 그 남는 수는 24, 28, 32, 36, 이 4가지이다. 36이란 책수의 끝을 말한다.

161 64괘: 왕식본 『皇極經世書解』의 보충 주석에서는 64괘가 아니라 60괘가 되어야 한다.

162 64괘에서 4괘를 … 까닭인가?: 4괘란 正卦인 건곤감리를 말한다.

163 시초에서 1개를 빼면: 50개의 시초에서 1개를 빼고 49개를 실제로 사용하여 점을 친다. 1개를 뺀다는 것은 태극을 상징한다.

164 王植, 『皇極經世書解』: "이것은 앞 절에서 '시초는 1을 보존하고 괘는 4를 뺀다.'는 뜻을 거듭 밝힌 것이다. 64괘를 '卦直'이라고 하니, 直이란 正이라는 뜻이다. 그 설명이 60괘 변화에 드러나 있다. 50은 윤閏과 한 해의 책수를 말하니, 64괘가 윤과 한 해를 아울러서 말한 것과 같고, 49는 한해의 윤수이니 64괘가 한 해와 윤을 나누어 말한 것과 같다. 그러므로 나머지를 끼고 하나를 거는 것은 한 해의 윤수와 같다.(此申明前節蓍存一卦去四之義, 六十四卦謂之卦直, 直, 正也. 說見六十卦變. 五十者閏歲之策, 猶六十四卦并閏與歲而言之, 四十九者, 一歲之閏, 猶六十卦分歲與閏而言之, 故以歸奇掛一, 猶一歲之閏也.)"

165 장행성, 『皇極經世觀物外篇衍義』: "역은 3획에서 시작하니 둥근 것의 작용은 지름이 1이고 둘레가 3이니 중첩하면 6이므로 6효가 있다. 역은 4상에서 시작하니 네모난 것의 체는 지름 1이고 둘레가 4이니 중첩하면 8이므로 8괘가 있다. 천지 만물의 형체는 모두 4개가 있고 작용은 3개가 있다. 성인이 역을 스스로 그러한 이치로 만들어서 사람들에게 보여주었을 뿐이다.(易始三畫, 圓者之用, 徑一圍三也, 重之則六, 故有六爻. 易始四象, 方者之體, 徑一圍四也, 重之則八, 故有八卦. 天地萬物體皆有四, 用皆有三. 聖人作易以自然之理, 而示諸人爾.)"

네모난 것을 마름질하여 둥근 것이 되는 것은 하늘이 운행하는 것이고, 큰 것을 나누어 작은 것이 되는 것은 땅이 낳고 화육하는 것이다. 그러므로 하늘은 6변變을 쓰고 땅은 4변變을 쓴다.[166]

[11-1-40]

一八爲九, 裁爲七, 八裁爲六, 十六裁爲十二, 二十四裁爲十八, 三十二裁爲二十四, 四十裁爲三十, 四十八裁爲三十六, 五十六裁爲四十二, 六十四裁爲四十八也. 一分爲四, 八分爲三十二, 十六分爲六十四, 以至九十六分爲三百八十四也.

1과 8은 9이니 마름질하여 7이 되고, 8은 마름질하여 6이 되고, 16은 마름질하여 12가 되고, 24는 마름질하여 18이 되고 32는 마름질하여 24이 되고, 40은 마름질하여 30이 되고, 48은 마름질하여 36이 되고 56은 마름질하여 42가 되고, 64는 마름질하여 48이 된다.[167] 1은 나뉘어 4가 되고, 8이 나뉘어 32가 되고, 16은 나뉘어 64가 되고, 96이 나뉘어 384가 되는 데에 이른다.[168] [169]

166 王植, 『皇極經世書解』: "(황기가 말했다.) 4를 마름질하여 3이 되니 중첩하면 6이고, 나아가면 36이고 변하면 360이니 운행이 수이다. 4를 나누어 8이 되고, 8을 나누어 16이 되고 16을 나누어 64가 되고 64를 나누어 256이 되니, 만물을 낳는 수이다. 하늘은 4변을 쓰지만 1을 마름질하고 그치므로 3을 배로 하여 6을 쓰고, 땅은 4변을 써서 나누면 나눌수록 작아지지만 실제로 4에서 벗어나지 않는다.(裁四爲三, 重之則六, 進之則三十六, 變之則三百六十, 運行之數. 分四爲八, 分八爲十六, 分十六爲六十四, 分六十四爲二百五十六, 生物之數. 天用四變, 一裁則止, 故倍三而用六, 地用四變, 愈分愈小, 而實不離於四也.)"

장행성, 『皇極經世觀物外篇衍義』: "그래서 8괘에서 6효를 쓰는 것은 건괘와 곤괘가 주재하는 것이니 운행의 수이고, 6효가 4位를 쓰는 것은 감괘와 이괘가 주재하는 것이니 만물을 낳는 수이다. 운행하는 것은 하늘이고 만물을 낳는 것은 땅이므로 하늘은 6이고 땅은 4이니, 하늘에는 六氣가 있고 땅에는 四維가 있다.(是故八卦用六爻, 乾坤主之者, 運行之數也 ; 六爻用四位, 坎離主之者, 生物之數也. 運行者, 天也, 生物者, 地也, 故天六地四, 天有六氣, 地有四維也.)"

167 1과 8은 … 된다: 64괘 圓圖에서 用數는 모두 4분의 1씩 뺀다. 8에서 4분의 1을 빼면 6이고, 16에서 4분의 1을 빼면 12이고, 24에서 4분의 1을 빼면 18이고, 32에서 4분의 1을 빼면 24이고, 40에서 4분의 1을 빼면 30이고, 48에서 4분의 1을 빼면 36이고, 56에서 4분의 1을 빼면 42이고, 64에서 4분의 1을 빼면 48이다.(『邵雍集』(중화서국) 88쪽 참조)

168 1은 나뉘어 … 이른다: 64괘 方圖에서는 體數가 모두 1이 나뉘어 4가 된다. 괘변으로 말하자면 1이 변하여 4가 되고, 2가 변하여 8이 되며, 4가 변하여 16이 되고, 8이 변하여 32가 되고, 16이 변하여 64가 된다. 효로 말하자면 16괘 96효가 변하여 64괘 384효가 된다.

169 王植, 『皇極經世書解』: "생각하건데 보충주석에서 '9는 마름질하여 7이 된다는 말 이하는 모두 모난 것을 마름질하여 둥근 것을 만드는 것이니, 하늘이 운행하는 것이다. 1이 나뉘어 4가 된다는 말 이하는 큰 것을 나누어 작은 것이 된다는 것이니 땅이 만물을 낳고 화육하는 것이다. 4가 1을 마름질하여 3이 되면 8이 2를 마름질하여 6이 되니, 근본을 보존하고 말하면 9는 2를 마름질하여 7이 되는 것이다.'라고 했다. 황기는 '앞에서 네모난 것을 마름질하여 둥근 것을 만드는 것이라고 했으니, 운행하는 것이다. 여기서는 여러 가지 방식으로 마름질하여 1가지 방식에 그치지 않았다. 대체로 모두 1에서 4로 나아가는 것이지만 억지로 해석할 수 없다.'고 했다. 이상의 8절은 이치와 수가 분명하지 못한 것이다.(補註, 九裁爲七以下, 即裁方爲圓, 天之所以運行也. 一分爲四以下, 即分大爲小, 地之所以生化也. 蓋四裁一爲三, 則八裁二爲六, 存本而言, 則九

[11-1-41]

一生六, 六生十二, 十二生十八, 十八生二十四, 二十四生三十, 三十生三十六, 引而伸之, 六十變而生三百六十矣. 此運行之數也. 四生十二, 十二生二十, 二十生二十八, 二十八生三十六, 此生物之數也. 故乾之陽策三十六, 兌離巽之陽策二十八, 震坎艮之陽策二十, 坤之陽策十二也.

1이 6을 낳고, 6이 12를 낳고, 12가 18을 낳고, 18이 24를 낳고, 24가 30을 낳고, 30이 36을 낳으니 이것을 늘려가 60번 변해서 360을 낳는다. 이것이 운행의 수이다. 4가 12를 낳고, 12가 20을 낳고, 20이 28을 낳고, 28이 36을 낳으니 이것이 만물을 낳는 수이다. 그러므로 건乾괘의 양 책수는 36이고, 태兌괘 · 이離괘 · 손巽괘의 양 책수는 28이며, 진震괘 · 감坎괘 · 간艮괘의 양 책수는 20이고, 곤坤괘의 양 책수는 12이다.

[11-1-42]

圓者一變則生六, 去一則五也. 二變則生十二, 去二則十也. 三變則生十八, 去三則十五也. 四變則二十四, 去四則二十也. 五變則三十, 去五則二十五也. 六變則三十六, 去六則三十也. 是以存之則六六, 去之則五五也. 五則四而存一也. 四則三而存一也. 二則一而存一也. 故一生二, 去一則一也. 二生三, 去一則二也. 三生四, 去一則三也. 四生五, 去一則四也. 是故二以一爲本, 三以二爲本, 四以三爲本, 五以四爲本, 六以五爲本也. 更思之

둥근 것이 한 번 변하면 6을 낳으니 1을 빼면 5이다. 두 번 변하면 12를 낳으니 2를 빼면 10이다. 세 번 변하면 18을 낳으니 3을 빼면 15이다. 네 번 변하면 24이니 4를 빼면 20이다. 다섯 번 변하면 30이니 5를 빼면 25이다. 여섯 번 변하면 36이니 6을 빼면 30이다. 그러므로 보존하면 6×6이고 빼면 5×5이다.[170] 5는 4와 1을 보존한 것이다. 4는 3과 1을 보존한 것이다. 2는 1과 1을 보존한 것이다. 그러므로 1이 2를 낳으니 1을 빼면 1이다. 2는 3을 낳으니 1을 빼면 2이다. 3은 4를 낳으니 1을 빼면 3이다. 4는 5를 낳으니 1을 빼면 4이다. 그러므로 2는 1을 근본으로 삼고, 3은 2를 근본으로 삼고, 4는 3을 근본으로 삼고, 5는 4를 근본으로 삼고, 6은 5를 근본으로 삼는다. 좀 더 생각해야 한다.[171]

裁二爲七也. 黃氏云, 前言裁方而爲圓, 所以運行. 此則多方而裁之, 非止一端. 大概皆一而四之, 不敢強解. 以上八節, 皆理數之未瑩者.)"

170 둥근 것이 … 5×5이다 : 둥근 것은 지름이 1이고 둘레가 3이다. 그래서 둥근 것은 3의 배수인 6이 되고 그것이 다시 누적되어 계산되면 12, 18, 24, 30, 36이 나온다. 여기서 2, 3, 4, 5, 6을 빼면 10, 15, 20, 25, 30이 나온다. 결국 1을 수의 근본으로 하여 5와 6까지 나아가고 30과 36까지 나아간다는 것을 밝힌 것이다.

171 王植, 『皇極經世書解』: "생각하건데, 이 절의 보충 주석에서는 '8편의 1이 6을 낳는다는 절에서 말한 사물을 낳는 수를 거듭 밝혔다.'라고 했다. 황기는 '둥근 것은 여섯 번 변하니 60괘와 360일은 곧 36을 말한다. 1을 빼면 5라고 하니 어떻게 그 6을 빼면 1회 36운이겠는가!'라고 하고 두 번 변한다는 말 이하는 억지로 해석할 수 없다고 했다.(愚按此節, 補註謂, 申八篇一生六節生物之數. 黃氏云, 圓者六變, 六十卦而三百六十日, 則三十六之謂也. 去其一則五, 豈去其六則一會三十運歟! 二變以下, 不敢強解.)"

方者一變而爲四, 四生八, 并四而爲十二. 八生十二, 并八而爲二十. 十二生十六, 并十二而爲二十八. 十六生二十, 并十六而爲三十六也. 一生三, 并而爲四也. 十二生二十, 并而爲三十二也. 二十八生三十六, 并而爲六十四也. 更思之

네모난 것은 한 번 변하면 4가 되고, 4는 8을 낳으니 4를 합해서 12가 된다. 8은 12를 낳으니 8을 합해서 20이 된다. 12는 16을 낳으니 12를 합해서 28이 된다. 16은 20을 낳으니 16을 합해서 36이 된다. 1이 3을 낳으니 합해서 4가 되고, 12가 20을 낳으니 합해서 32가 되고, 28은 36을 낳으니 합해서 64가 된다.[172] 좀 더 생각해야 한다.

[11-1-43]

易之大衍何數也? 聖人之倚數也. 天數二十五, 合之爲五十, 地數三十, 合之爲六十. 故曰五位相得而各有合也. 五十者, 蓍之數也, 六十者, 卦數也. 五者蓍之小衍也, 故五十爲大衍也. 八者卦之小成, 則六十四爲大成也. 蓍德圓, 以況天之數, 故七七四十九也. 五十者, 存一而言之也. 卦德方, 以況地之數, 故八八六十四也. 六十者, 去四而言之也. 蓍者, 用數也, 卦者, 體數也. 用以體爲基, 故存一也. 體以用爲本, 故去四也. 圓者本一, 方者本四, 故蓍存一而卦去四也. 蓍之用數七, 并其餘分, 亦存一之義也. 掛其一, 亦去一之義也.

『주역』의 대연大衍의 수[173]는 무슨 수인가? 성인이 본뜬 수이다.[174] 하늘의 수 25[175]는 합하면 50이 되고, 땅의 수 30[176]은 합하면 60이 된다. 그러므로 '5자리가 서로 얻으며 각각 합이 있다.'[177]고 했다.

172 네모난 것은 둘레가 4인데 그것이 더해져서 계산되어 8, 12, 16, 20이 된다. 王植, 『皇極經世書解』: "생각하건데, 이 절은 왕식본 『皇極經世書解』에서 보충 주석에 '1이 6을 낳는다는 절의 사물을 낳는 수를 거듭 밝힌 것이다.'라고 했다. 또 황기는 '네모난 것은 8로 변하니, 하늘의 괘는 한 번 변하는 것으로 시작해서 4가 되고, 땅의 괘를 합하면 4가 8을 낳고 4를 아울러서 12가 된다는 말 이하는 억지로 해석할 수 없다. 1이 3을 낳는다는 것은 건의 한 괘가 태·리·진괘를 낳고, 곤괘가 간·감·손을 낳는 것이다. 그러므로 각각 합쳐서 4가 된다. 건의 12음이 손·리·태의 20음을 낳고, 곤의 20양이 간·감·진의 12양을 낳으니, 그래서 각각 아울러서 32가 되는 것이다. 그 이하는 억지로 해석할 수 없다.'고 했다.(愚按此節, 補註, 謂申一生六節生物之數. 黃氏云, 方者八變, 天卦始於一變而爲四, 合地卦, 則四生八, 并四爲十二以下, 不可強解. 一生三者, 乾一卦生兌離震, 坤生艮坎巽. 所以各并而爲四也. 乾十二陰生巽離兌之二十陰, 坤十二陽生艮坎震之二十陽, 所以各并而爲三十二也. 以下不敢強解.)"

173 大衍의 수: 『易』「繫辭上」에서 "대연의 수는 50이다."(大衍之數五十)라고 했는데 공영달은 京房의 말을 인용하여 "50은 10일, 12진, 28수이다.(五十者謂十日十二辰二十八宿也.)"라고 했다.

174 성인이 본뜬 수이다: 『皇極經世書』「觀物外篇」 권13에서 "參天兩地而倚數, 非天地之正數也, 倚者, 擬也, 擬天地正數而生也."라고 되어 있다. 倚를 擬, 즉 본뜬다는 뜻으로 풀었다. 『易』「說卦傳」 1장에 "옛날에 성인이 역을 지을 때 신명을 그윽하게 도와서 시초를 내고 하늘에서 3을 취하고 땅에서 2를 취해서 수를 본떴다.(昔者聖人之作易也, 幽贊於神明而生蓍, 參天兩地而倚數.)"라고 했다."

175 하늘의 수 25: 1, 3, 5, 7, 9인 홀수를 말한다. 모두 합하면 25이다.

176 땅의 수 30: 2, 4, 6, 8, 10인 짝수를 말한다. 모두 합하면 30이다.

50은 시초의 수이고 60은 괘의 수이다. 5는 시초가 작게 넓혀진 것[小衍]이므로 50은 크게 넓혀진 것[大衍]이다. 8은 괘가 작게 이루어진 것[小成]이니 64는 크게 이루어진 것[大成]이다.[178] 시초의 덕은 둥그니 하늘의 수를 상징하므로 7×7=49이다. 50은 1을 보존하여 말한 것이다. 괘의 덕은 네모나니 땅의 수를 상징하므로 8×8=64이다. 60은 4를 빼고 말한 것이다. 시초는 용수用數이고 괘는 체수體數이다. 용수는 체수를 기초로 삼으므로 1을 보존한다. 체수는 용수를 근본으로 삼으므로 4를 뺀다. 둥근 것은 1을 근본으로 하고 네모난 것은 4를 근본으로 하기 때문에 시초는 1을 보존하고 괘는 4를 뺀다. 시초의 용수는 7인데 그 여분을 합친 것이니 또한 1을 보존한다는 뜻이다. 그 하나를 손가락에 거는 것은 또한 1을 뺀다는 뜻이다.[179]

177 5자리가 서로 … 있다 : 『易』「繫辭上」 9장에 "하늘의 수는 5이고 땅의 수는 5이니, 5자리가 서로 얻으며 각각 합이 있다. 하늘의 수는 25이고 땅의 수는 30이다. 하늘과 땅의 수는 55이니 이것이 변화를 이루고 귀신을 행하게 한다.(天數五, 地數五, 五位相得而各有合. 天數二十有五, 地數三十. 凡天地之數五十有五, 此所以成變化而行鬼神也.)"라고 하였고, 주희는 "相得은 1과2, 3과 4, 5와 6, 7과 8, 9와 10으로 각각 홀수와 짝수로 짝이 되어 서로 얻는 것이고 有合이란 1과 6, 2와 7, 4과 8, 4와 9, 5와 10이다.(相得, 謂一與二三與四五與六七與八九與十, 各以奇偶爲類而自相得, 有合, 謂一與六二與七三與八四與九五與十.)"라고 하여 서로 얻는 것과 각각 짝이 있다는 것으로 풀었는데 여기서는 문맥상 5자리의 수를 더하여 25가 되고 30이 되는 것으로 해석하였다.

178 5는 시초가 … 것[大成]이다 : 왕식본 『皇極經世書解』에서 황기는 다음과 같이 설명하고 있다. "수는 1에서 시작하여 그 짝이 2가 되니 1을 3배해서 3이 되고 2를 2배해서 4가 되면 1, 2, 3, 4가 있고, 10의 수가 갖추어진다. 매번 하나씩 더하여 4로 넓히는 것은 1을 불려서 4로 불리는 것을 말하고, 4를 1과 아울러 합하면 5가 되니 작게 넓혀진 것이고 50은 크게 넓혀진 것이다. '작게 이루어진 것'은 시초를 4개씩 세어 9번 변하여 8괘의 하나가 이루어지므로 작다고 말했고 18번 변하면 64괘가 되므로 크다고 했다.(蓋數起於一, 其對爲二, 一參之爲三, 二兩之爲四, 有一二三四而十數具矣. 每一加羡以四謂之衍一而衍四, 四并一爲五, 小衍也, 五十大衍也. 小成者, 揲之以四, 九變成八卦之一, 故曰小, 十有八變, 則成六十四矣, 故曰大.)"

179 王植, 『皇極經世書解』 : "생각하건데, 『易』「繫辭傳」에서 '하늘의 수는 5이고 땅의 수는 5이니, 5자리가 서로 얻으며 각각 합이 있다. 하늘의 수는 25이고 땅의 수는 30이다.'라고 했다. 대연의 수는 50이니 그 쓰임은 49이다. 나누어 둘로 하여 兩儀를 상징하고, 하나를 손가락에 걸어서 三才를 상징하며 4개씩 세어서 四時를 상징하고, 나머지를 손가락에 걸어서 閏을 상징한다. 4번 운영하여 역을 이루고, 18번 변하여 괘를 이루니, 8괘가 작게 이루어진다. 또 「繫辭傳」에서 '시초의 덕은 둥글고 신묘하며 괘의 덕은 네모나고 지혜롭다.'고 했다. 『周易本義』에서는 '하늘의 수 5개는 모두 홀수이고 땅의 수 5개는 모두 짝수이니 「서로 얻는다.」는 말은 1과 2, 3과 4, 5와 6, 7과 8, 9와 10이니 각각 홀수와 짝수로 같은 부류가 되어 서로 얻는 것이고, 「합이 있다.」는 말은 1과 6, 2와 7, 3과 8, 4와 9, 5와 10이니 모두 둘이 서로 합하는 것이다. 「25」란 5개 홀수를 누적한 것이고 「30」이란 5개 짝수를 누적한 것이다. 대연의 수는 하도 中宮의 하늘 수 5로 땅의 수 10을 곱해서 얻은 것이지만 시초를 사용하는 데에서는 또 49를 사용하는 데에 그친다.'라고 했다. 또 말하기를 '「둥글고 신묘하다」는 말은 변화해서 일정한 장소가 없다는 것이고 「네모나서 지혜롭다」는 말은 일에는 정해진 이치가 있다.'는 말이다. 소강절은 '25를 합하여 50이 되니 합한다는 것은 두 개의 25를 합한 것이고, 땅의 수 30도 그러하다.'고 하여 『周易本義』에서 서로 얻는다는 것과 합이 있다는 것을 해석한 것과는 다르다. 아마도 50으로 시초의 수를 삼고 60으로 괘의 수를 삼았기 때문이다. 소강절은 시초와 괘로 써 아울러 말했으니 본래 역에 근본하였지만 괘를 사용하는 것은 60에 그친다는 것은 옛날에는 있지 않았으니 소강절이 단독 소견으로 360運에 배속시킨 것이다. 쓰는 것이 49개에 그치니 쓰지 않은 하나는 보존하는

蓍之用數掛一以象三. 其餘四十八, 則一卦之策也. 四其十二爲四十八也, 十二去三而用九, 四三十二, 所去之策也, 四九三十六, 所用之策也, 以當乾之三十六陽爻也. 十二去五而用七, 四五二十, 所去之策也, 四七二十八, 所用之策也, 以當兌離之二十八陽爻也. 十二去六而用六, 四六二十四, 所去之策也, 四六二十四, 所用之策也, 以當坤之半二十四陰爻也. 十二去四而用八, 四四十六, 所去之策也, 四八三十二, 所用之策也, 以當艮坎之二十四爻并上卦之八陰爲三十二爻也. 是故七九爲陽, 六八爲陰也. 九者陽之極數, 六者陰之極數. 數極則反, 故爲卦之變也. 震巽無策者, 以當不用之數. 天以剛爲德, 故柔者不見. 地以柔爲體, 故剛者不生. 是震巽不用也. 或先艮離, 後兌離. 乾用九, 故其策九也. 四之者, 以應四時, 一時九十日也. 坤用六, 故其策亦六也.

시초의 용수는 1개를 걸어서 삼재三才를 상징한다. 그 나머지 48개는 1괘의 책수이니 12를 4배하여 48이 된다. 12에서 3을 빼어 9를 쓰면, 4×3=12는 빼는 책수이고, 4×9=36은 쓰는 책수이니, 건괘 36 양효에 해당한다. 12에서 5를 빼어 7을 쓰면, 4×5=20은 빼는 책수이고, 4×7=28은 쓰는 책수이니, 태兌괘와 이離괘의 28 양효에 해당한다. 12에서 6을 빼어 6을 쓰면, 4×6=24는 빼는 책수이고, 4×6=24는 쓰는 책수이니, 곤괘의 반인 24 음효에 해당한다. 12에서 4를 빼어 8을 쓰면, 4×4=16은 빼는 책수이고, 4×8=32는 쓰는 책수이니 간艮괘와 감坎괘의 24효와 상괘의 8음을 아울러서 32효에 해당한다.[180] 그러므로 7, 9는 양이고 6, 8은 음이다. 9는 양의 극한의 수이고, 6은 음의 극한의 수이다. 수가 극한에 이르면 되돌아가므로 괘의 변화가 된다. 진震괘와 손巽괘에 책수가 없는 것은 쓰지 않는 수에 해당하기 때문이다.[181] 하늘은 강함을 덕으로 삼으므로 부드러움이 드러나지 않는다. 땅은 부드러움을 체로 삼기

1이고, 나머지를 돌려 윤을 상징하는 하는 것과 4개를 빼어 윤을 감춘다는 것은 이치 상으로 서로 같은 점이 있다. 4개를 빼고 윤을 감추는 것과 진괘와 손괘의 여분의 뜻을 말한 것은 외편 억설에 자세하다.(愚按易繫辭, 天數五, 地數五, 五位相得而各有合, 天數二十有五, 地數三十. 大衍之數五十, 其用四十有九. 分而爲二以象兩, 掛一以象三, 揲之以四以象四時, 歸奇於扐以象閏. 四營而成易, 十有八變而成卦, 八卦而小成. 又曰蓍之德, 圓而神, 卦之德, 方以智. 本義云, 天數五皆奇也, 地數五皆耦也, 相得謂一與二三與四五與六七與八九與十, 各以奇耦爲類而自相得, 有合謂一與六二與七三與八四與九五與十, 皆兩相合. 二十有五者, 五奇之積也, 三十者, 五耦之積也. 大衍之數, 以河圖中宮天五, 乘地十而得之. 至用以筮則又止用四十有九. 又曰圓神謂變化無方, 方智謂事有定理. 邵子謂二十有五合之爲五十, 合者, 合兩個二十五也, 地數三十亦然, 與本義解相得有合不同. 蓋以五十爲蓍數, 六十爲卦數故也. 邵子以蓍卦并言, 固本於易, 而用卦止以六十, 則古所未有, 而邵子所獨見以配三百六十運者也. 用止四十有九, 不用之一, 即所存之一, 歸奇以象閏, 與去四以藏閏, 理有相同, 而去四藏閏, 及言震巽餘分之義, 詳外篇臆說.)"

180 12를 4배하여 … 해당한다 : 이상의 내용은 시초를 셀 때 나온 수를 설명하고 있다. 48개를 둘로 나누고 각각 4개씩 세어서 나머지가 12(3×4)이면 48-12=36이 되어 老陽의 책수가 되고, 나머지가 20(5×4)이면 48-20=28이 되어 少陽의 책수가 되고, 나머지가 24(6×4)이면 48-24=24가 되어 老陰의 책수가 되며, 나머지가 16(4×4)이면 48-16=32가 되어 少陰의 책수가 된다. 건괘가 노양의 책수 36(9×4)이 되고, 兌괘와 離괘가 소양의 책수 28(7×4)이 되며, 坎괘와 艮괘가 少陰의 책수 32(8×4)가 되고, 곤괘는 노음의 책수 24(6×4)가 된다.

181 震괘와 巽괘에 … 때문이다 : 8괘 가운데 노양, 소양, 노음, 소음의 책수가 없다.

때문에 강함이 생겨나지 않는다. 그래서 진괘와 손괘는 쓰지 않는다. 혹 간괘와 감괘를 먼저하고 태괘와 이괘를 나중에 하는 경우도 있다. 건은 9를 쓰므로 그 책수가 9이다. 4배하는 것은 사시四時에 호응하여 한 계절이 90일이 된다. 곤은 6을 쓰므로 그 책수 역시 6이다.[182]

182 王植, 『皇極經世書解』: "생각하건대, 『易』「繫辭傳」에서 '건의 책수는 216이고, 곤의 책수는 144이니, 모두 360으로 1년의 날에 해당하고, 두 편의 책수는 11,520이니 만물의 수에 해당한다.'라고 했다. 『周易本義』에서 '책수는 四象으로부터 나왔으니 하도의 4면에 태양이 1의 자리에 있으면서 9와 연접해 있고, 소음은 2의 자리에 있으면서 8과 연접해 있고, 소양은 3의 자리에 있으면서 7과 연접해 있고, 태음은 4의 자리에 있으면서 6과 연접해 있다. 시초를 세는 법은 3번 변하고 남은 시초를 계산하되, 처음에 걸은 한 개를 빼니, 넷이 홀수가 되고 여덟이 짝수가 된다. 홀수는 둥글고 둘레가 3이고, 짝수는 네모나고 둘레가 4이니, 3은 그 전체 수를 쓰고 4는 그 반을 써서 합하여 세면 6, 7, 8, 9가 되고 3번 변한 시초의 수와 책수가 또한 다 부합한다. 나머지가 3번 다 홀수이면 9이고 수를 센 것도 9이고 책수도 4×9=36이니, 이것이 1의 자리에 있는 태양의 수이고, 나머지가 홀수 2와 짝수 1이면 8이고 수를 센 것도 8이고 책수도 4×8=32이니, 이것이 2의 자리에 있는 소음의 수이고, 나머지가 짝수 2와 홀수 1이면 7이고 수를 센 것도 7이고 책수도 4×7=28이니, 이것이 3의 자리에 있는 소양의 수이며, 나머지가 짝수 3이면 6이고 수를 센 것도 6이고 책수도 4×6=24이니, 이것이 4의 자리에 있는 노음의 수이다. 이것은 변화하고 왕래하며 진퇴하고 離合하는 신묘함이니, 모두 저절로 그러함에서 나온 것이고 사람이 할 수 있는 것이 아니다. 상경과 하경에 있는 모든 양효는 192로 6,912 책수를 얻고, 음효는 192로 4,608 책수를 얻어 합하면 11,520이 된다.'라고 했다. 또 『周易本義』 '朱子筮儀'에서 말하기를 '3번 변하는 것이 끝났으면 걸고 손가락에 껴서 얻은 수가 5와 4는 홀수가 되고, 9와 8은 짝수가 되니, 걸고 손가락에 낀 수 3개가 모두 홀수로 합해서 13 책수가 되면 센 책수가 36으로 노양이 되며, 걸고 손가락에 낀 수가 홀수 2와 짝수 1로 합해서 17 책수가 되면 센 책수가 32로 소음이 되며, 걸고 손가락에 낀 수가 짝수 2와 홀수 1로 합해서 21 책수가 되면 센 책수가 28로 소양이 되며, 걸고 손가락에 낀 수가 짝수 3으로 합해서 25 책수가 되면 센 책수가 24로 노음이 된다.'고 했다. 소강절이 괘의 효로 시초의 수와 합치했으나 이리저리 돌려서 이룬 것을 면치 못하니, 주자의 말이 저절로 그러함의 신묘함을 얻었다는 것만 못하다. 9는 양의 극한의 수이고 6은 음의 극한의 수라고 한 것은 7도 양이나 음이 나왔고, 8도 음이나 양이 나왔기 때문이다. '진괘와 손괘는 책수가 없다'고 한 것은 圓圖를 참고해서 보면 하늘과 땅이 교류하는 10분의 3을 말하니 모두 소강절이 經을 인용하고 뜻을 인용하여 스스로 하나의 학설을 만든 것이다.(愚按易繫辭, 乾之策二百一十有六, 坤之策, 百四十有四, 凡三百有六十, 當期之日, 二篇之策, 萬有一千五百二十, 當萬物之數也. 本義云, '策數生於四象, 盖河圖四面, 太陽居一而連九, 少陰居二而連八, 少陽居三而連七, 太陰居四而連六. 揲蓍之法則通計三變之餘, 去其初掛之一, 凡四爲奇, 凡八爲耦. 奇圓圍三, 耦方圍四, 三用其全, 四用其半, 積而數之, 則爲六七八九, 而第三變揲數策數亦皆符合. 蓋餘三奇則九, 而其揲亦九, 策亦四九三十六, 是爲居一之太陽, 餘二奇一耦則八而其揲亦八, 策亦四八三十二, 是爲居二之少陰, 二耦一奇則七而其揲亦七, 策亦四七二十八, 是爲居三之少陽, 三耦則六而其揲亦六, 策亦四六二十四, 是爲居四之老陰. 是其變化往來進退離合之妙, 皆出自然, 非人之所能爲也. 上下經凡陽爻百九十二, 得六千九百一十二策, 陰爻百九十二, 得四千六百八策, 合之得萬有一千五百二十之數.' 又朱子筮儀云, '三變既畢, 所得掛扐之數, 五四爲奇, 九八爲耦, 掛扐三奇, 合十三策, 則過揲三十六策, 而爲老陽, 掛扐兩奇一耦, 合十七策, 則過揲三十二策, 而爲少陰, 掛扐兩耦一奇, 合二十一策, 則過揲二十八策, 而爲少陽, 掛扐三耦, 合二十五策, 則過揲二十四策, 而爲老陰.' 邵子以卦爻合蓍數, 不免委折遷就, 不如朱子之言, 得自然之妙. 謂九爲陽極六爲陰極者, 七亦陽而陰已生, 八亦陰而陽已生也, 其謂震巽無策, 以圓圖參觀之, 所謂天地之交十之三者, 皆邵子之引經引義, 自爲一說者也.)"

[11-1-44]

奇數四, 有一有二有三有四也. 策數四, 有六有七有八有九. 合而爲八數, 以應方數之八變也. 歸奇合掛之數有六, 謂五與四四也, 九與八八也, 五與四八也, 九與四八也, 五與八八也, 九與四四也, 以應圓數之六變也.

남는 수 4가지는 1이 있고, 2가 있고, 3이 있고, 4가 있다. 책수 4가지는 6이 있고, 7이 있고, 8이 있고, 9가 있다. 합해서 8가지 수가 되어 방수方數의 8번 변함에 호응한다.[183] 나머지를 되돌려서[184] 낀 것과 걸은 것을 합한 수가 6가지가 있는데 5·4·4와 9·8·8과 5·4·8과 9·4·8과 5·8·8과 9·4·4를 말하니[185] 원수圓數의 6번 변하는 것에 호응한다.[186]

[11-1-45]

奇數極於四而五不用. 策數極於九而十不用. 五則一也, 十則二也, 故去五十而用四十九也. 奇不用五, 策不用十, 有無之極也, 以況自然之數也.

남는 수는 4에서 극한에 이르러 5는 쓰지 않는다. 책수는 9에서 극한에 이르러 10은 쓰지 않는다.[187] 5는 1이고 10은 2이므로 50을 빼고 49를 쓴다. 나머지 수는 5를 쓰지 않고 책수는 10을 쓰지 않는 것은 있음과 없음의 극한[188]이기 때문이니 자연自然의 수를 비유한 것이다.[189]

183 합해서 8가지 … 호응한다: 64괘 方圖는 8로 변하는 것을 말한다.

184 나머지를 되돌려서: '나머지를 되돌린다.'(歸奇)는 것은 시초를 셀 때 '네 번 경영[四營]'하는 것 가운데 네 번째에 해당하는 것이다. '네 번 경영'은 다음 네 과정을 가리킨다. 첫째는 '分二'로써 49개의 시초를 둘로 나누는 것이고, 둘째는 '掛一'로써 오른손의 한 개의 시초를 뽑아 왼손 새끼 손가락사이에 걸어두는 것이며, 셋째는 '揲四'로써 넷씩 세는 것이고, 넷째는 '歸奇以扐'으로써 나머지를 왼손 가운데 세 손가락사이에 끼우는 것이다.

185 5·4·4와 9·8·8과 … 말하니: 5·4·4는 49-13=36(4×9=36)으로 乾의 老陽의 수이고, 9·8·8은 49-25=24(4×6=24)로 坤의 老陰의 수이며, 5·4·8과 9·4·4는 49-17= 32(4×8=32)로 少陰의 수이며, 9·4·8과 5·8·8은 49-21=28(4×7=28)로 少陽의 수이다.

186 圓數의 6번 … 호응한다: 64괘 圓圖는 6으로 변하는 것을 말한다.

187 남는 수가 … 않는다: 시초를 세고 남은 수는 1, 2, 3, 4만 있고 5일 경우 1로 하고, 6은 2로 하며, 책수는 6, 7, 8, 9로 음양노소를 상징한다.

188 1장에서 있음과 없음의 지극함이라고 한다는 표현이 나온다. 이에 대해 『性理羣書句解』에서는 "이것이 무극이면서 태극이라는 말이다.(是所謂无極而太極也)"라고 주석하고 있다.

189 王植, 『皇極經世書解』: "생각하건데 '5는 1이고 10은 2이다.'라는 말은 5는 하늘의 수 5개의 가운데 수가 되고 10은 땅의 수 5개의 가운데 수가 되며, 하늘은 1이고 땅은 2이니, 5는 1이라는 것은 5는 하늘이라는 말과 같고 10은 2라는 것은 10은 땅이라는 말과 같다. 첫 번째 절에서 '體가 없는 1이다.'라고 했으므로 쓰지 않고 49를 쓰는 것이다. '있음과 없음의 극한'이라는 말은 첫 번째 절에서 황기의 주에서 '5는 없음의 극한이 되고, 10은 있음의 극한이다.'라고 했는데 5가 있으면 어떻게 없음의 극한이라고 할 수 있고 10이 있으면 어떻게 있음의 극한이라고 할 수 있겠는지 알지 못하겠다. 5와 10은 河圖의 中宮의 수이고 圓圖의 곤괘와 복괘가 교차하는 곳으로, 형체가 없고 수도 없는데 만물의 수를 함유하고 있다. 그러므로 있음과 없음의 극한이라고 말한 것이다. 5와 10을 합해서 말한 것이니 나누어 속하게 한 것은 잘못이다.(愚按五則

[11-1-46]

卦有六十四而用止六十者何也? 六十卦者, 三百六十爻也. 故甲子止于六十也, 六甲而天道窮矣. 是以策數應之. 三十六與二十四, 合之則六十也. 三十二與二十八, 合之亦六十也.

괘는 64괘가 있는데 쓰임은 60괘에 그치는 것은 무슨 까닭인가? 60괘가 360효이기 때문이다. 그러므로 갑자甲子는 60에 그치니 육갑六甲[190]으로 하늘의 도는 끝난다. 그래서 책수가 여기에 호응한다. 36과 24를[191] 합하면 60이다. 32와 28을[192] 합하면 또한 60이다.

[11-1-47]

乾四十八, 坤十二 ; 震二十, 巽四十 ; 離兌三十二, 坎艮二十八 ; 合之爲六十. 蓍之數全, 故陽策三十六與二十八合之爲六十四也. 卦數去其四, 故陰策二十四與三十二合之爲五十六也.

건乾은 48이고, 곤坤은 12이며[193], 진震은 20이고 손巽은 40이며[194], 이離와 태兌는 32이고 감坎과 간艮은 28이니 각각 합하면 60이다.[195] [196] 시초의 수가 온전하므로 양의 책수 36과 28을 합하여 64가 된다.

一, 十則二者, 五爲天數五之中數, 十爲地數五之中數, 天一地二, 五則一, 猶言五則天, 十則二, 猶言十則地. 首節所謂無體之一, 故不用而用四十九也. 有無之極, 首節黃註謂, 五爲無之極, 十爲有之極, 不知既有五, 何言無之極, 方有十, 何言有之極耶? 蓋五與十者, 河圖中宮之數, 圓圖坤復之交, 無形無數而涵萬有之數, 故曰有無之極. 合五與十而言之, 分屬則非也.)"

190 六甲 : 漢大 卦氣說에 따르면 건곤이감 4正卦를 뺀 60괘가 1년 360에 해당한다. 1효는 1분에 해당하게 된다. 10개의 天干과 12개의 地支가 조합되어 60개를 이룬다. 그 가운데 甲子, 甲戌, 甲申, 甲午, 甲辰, 甲寅이 육갑이다.(『邵雍集』(중화서국), 94쪽 참조)

191 36과 24를 : 36은 노양의 수이고 24는 노음의 수이다.

192 32과 28을 : 32는 소음의 책수이고, 28은 소양의 책수이다.

193 乾은 48이고 … 12이며 : 64괘 方圖를 보면 乾(☰)을 貞卦로 한 內卦 8괘는 양효가 24개이고 건괘를 悔卦로 한 外卦 8괘는 양효가 24개이다. 그래서 도합 48이고, 坤(☷)을 정괘로 한 외괘 8괘는 양효가 12개이다. 그래서 도합 60이다.(『邵雍集』(중화서국), 94쪽 참조)

194 震은 20이고, … 40이며 : 震(☳)을 貞괘로 한 8괘에 내괘 양효가 8개이고, 悔괘로 한 8괘에 외괘는 양효가 12개로 모두 20개이다. 巽(☴)을 정괘로 한 8괘의 양효 16개와 곤을 회괘로 한 8괘의 외괘 음효 32개로 모두 40이다. 그래서 도합 60이다.(『邵雍集』(중화서국), 94쪽 참조)

195 乾은 48이고, … 60이다 : 乾 48과 坤 12, 震 20과 巽 40, 離와 兌는 32와 坎과 艮 28을 각각 합하면 60이 나온다.

196 王植, 『皇極經世書解』 : "생각하건대 황기가 말하기를 '건의 1자리 8괘는 전부를 쓰고 곤의 1자리 8괘는 양을 취하고 음을 빼며, 震은 상괘의 12양을 쓰고, 12음을 빼며, 하괘의 8양을 쓰고 16음을 빼고, 巽은 상괘를 전부 쓰고 하괘의 초효를 빼며, 離와 兌는 하괘의 24효는 쓰고 상괘의 8양을 더하며, 艮과 坎은 하괘의 24효를 쓰고 상괘의 4양을 더하면, 괘효의 수가 시초의 책수와 합한다.'고 했다. 그러나 그 말은 너무도 왜곡된 것이다. 보충 주석에서 '건은 48에서 합하면 60이 된다는 말까지는 그 수가 자세하지 못하다.'고 했으니 보충주석이 옳다.(愚按黃氏謂乾一位八卦, 全用, 坤一位八卦, 取陽去陰, 震, 用上卦十二陽去十二陰, 用下卦八陽去十六陰, 巽, 全用上卦, 去下卦初爻, 離兌, 用下卦二十四, 加上卦八陽, 艮坎, 用下卦二十四, 加上

괘의 수는 4개를 빼므로[197] 음의 책수 24와 32를 합하여 56이다.

[11-1-48]

九進之爲三十六, 皆陽數也. 故爲陽中之陽. 七進之爲二十八, 先陽而後陰也. 故爲陽中之陰. 六進之爲二十四, 皆陰數也. 故爲陰中之陰. 八進之爲三十二, 先陰而後陽也. 故爲陰中之陽. 蓍四, 進之則百, 卦四, 進之則百二十. 百則十也. 百二十則十二也.

9는 나아가서 36이 되니 모두 양의 수이다. 그러므로 양 가운데 양이다.[198] 7은 나아가서 28이 되니 앞서는 것은 양효이고 뒤쫓는 것은 음효이다. 그러므로 양 가운데 음이다.[199] 6은 나아가서 24가 되니 모두 음의 수이다. 그러므로 음 가운데 음이다.[200] 8은 나아가서 32가 되니 앞서는 것은 음효이고 뒤쫓는 것은 양효이다. 그러므로 음 가운데 양이다.[201] [202] 시초는 4번 나아가니 100이고 괘는 4번 나아가니 120이다. 100은 10이고 120은 12이다.[203]

[11-1-49]

歸奇合掛之數, 得五與四四, 則策數四九也. 得九與八八, 則策數四六也. 得五與八八, 得九與四八, 則策數皆四七也. 得九與四四, 得五與四八, 則策數皆四八也. 爲九者, 一變以

卦四陽, 卦之爻數, 與蓍之策數相合. 然其說太曲, 補註云, 自乾四十八, 至合之爲六十, 其數未詳. 補註是也.)"

197 4개를 빼므로 : 36과 28에서 4를 빼면 32와 24가 나온다.

198 9는 나아가서 … 양이다 : 36은 乾괘의 책수이다. 건괘의 효는 모두 양효이므로 양 가운데 양이라고 했다.

199 7은 나아가서 … 음이다 : 28은 少陽의 괘인 震(☳), 坎(☵), 艮(☶)괘이다.

200 6은 나아가서 … 음이다 : 24는 坤괘의 책수이다. 곤괘는 모두 음효이므로 음 가운데 음이라고 했다.

201 8은 나아가서 … 양이다 : 32는 少陰의 괘인 巽(☴), 兌(☱), 離(☲)괘이다.

202 王植, 『皇極經世書解』 : "(황기가 말했다.) 위 두 구절은 시초의 수가 괘의 수를 낳는 시초라는 점을 말한 것이다. 양의 수는 건이 9를 쓰고 양이 음에 앞서니, 震이 먼저이고 艮과 坎은 뒤이다. 음의 수는 곤이 6을 쓰고 음이 양에 앞서니, 巽이 먼저이고 兌와 離는 뒤이다.(上二節, 申言蓍數生卦數之始. 陽數乾用九, 陽先陰, 震先艮坎後也. 陰數坤用六, 陰先陽, 巽先兌離後也.)" 王植, 『皇極經世書解』 : "주인으로 삼으므로 먼저라고 말했다. 양이 앞서고 음이 뒤쫓는 것은 少陽의 책수이고, 짝수 둘과 홀수 하나이니 홀수를 주인으로 삼고, 음이 앞서고 양이 뒤쫓는 것은 少陰의 책수이고, 홀수 둘과 짝수 하나이니 짝수를 주인으로 삼는다.(愚按以之爲主, 故曰先. 先陽後陰者, 少陽之策, 兩偶一竒, 以竒爲主, 先陰後陽者, 少陰之策, 兩竒一偶, 以偶爲主.)"

203 시초는 4번 … 12이다 : 황기는 왕식본 『皇極經世書解』에서 다음과 같이 설명한다. "시초는 하늘을 위주로 하니 하늘의 수는 25인데 4배하면 100이다. 괘는 땅을 위주로 하니 땅의 수는 30인데 4배하면 120이다. 하늘은 10干으로 홀수가 되고, 땅은 12支로 짝수가 된다. 간은 지를 통괄해서 六甲이 되고, 지는 간을 이어서 五子가 되니, 모두 60이다. 또 60을 4배하면 240이고, 6배하면 360이다. 원회운세가 교대로 經緯가 되는 것이 여기에서 유래하지 않은 것이 없다.(蓍主天, 天數二十五, 四之爲百. 卦主地, 地數三十, 四之爲百二十. 天以十干爲竒, 地以十二支爲偶. 干統支爲六甲, 支承干爲五子, 均之爲六十. 又四之則二百四十, 六之則三百六十. 元會運世遞相經緯, 莫不由此.)"

應乾也, 爲六者, 一變以應坤也, 爲七者, 二變以應兌與離也, 爲八者, 二變以應艮與坎也. 五與四四, 去掛一之數, 則四八三十二也[204], 九與八八, 去掛一之數, 則四六二十四也, 五與八八, 九與四八, 去掛一之數, 則四五二十也, 九與四四, 五與四八, 去掛一之數, 則四四十六也. 故去其三四五六之數, 以成九八七六之策也.

나머지를 되돌려서 낀 것[205]과 걸은 것을 합한 수가 5·4·4를 얻으면 책수는 4×9=36이다. 9·8·8을 얻으면 책수는 4×6=24이다. 5·8·8이나 9·4·8을 얻으면 책수는 4×7=28이다. 9·4·4나 5·4·8을 얻으면 책수는 4×8=32이다. 9가 되는 것은 한 번 변하여 건에 응하고, 6이 되는 것은 한 번 변하여 곤에 응하는 것이며, 7이 되는 것은 두 번 변하여 태兌와 이離에 응하는 것이고, 8이 되는 것은 두 번 변하여 간艮과 감坎에 응하는 것이다. 5·4·4는 걸어놓은 하나의 수를 빼면 4×8=32이고, 9·8·8은 걸어놓은 하나의 수를 빼면 4×6=24이고, 5·8·8이나 9·4·8은 걸어놓은 하나의 수를 빼면 4×5=20이고, 9·4·4나 5·4·8은 걸어놓은 하나의 수를 빼면 4×4=16이다. 그러므로 그 3·4·5·6의 수를 빼어 9·8·7·6의 책수를 이룬다.[206]

204 四八三十二也 : 왕식본 『皇極經世書解』의 보충 주석에서는 '八'이 잘못 붙여진 글자라고 하여 없애야만 한다고 했다. 그래서 4×3=12가 된다.

205 나머지를 되돌려서 … 것 : '나머지를 되돌린다.'(歸奇)는 것은 시초를 셀 때 '歸奇以扐'으로 나머지를 왼손 가운데 넷째와 셋째, 셋째와 넷째 손가락 사이에 끼우는 것이다.

206 王植, 『皇極經世書解』: "(胡方平이 말했다.) 노양의 걸어두고 끼운 시초의 수는 13개인데, 처음에 걸어둔 시초 1개를 제거하면 12개가 된다. 노음의 걸어두고 끼운 시초의 수는 25개인데, 처음에 걸어둔 시초 1개를 제거하면 24개가 된다. 소양의 걸어두고 끼운 시초의 수는 21개인데, 처음에 걸어둔 시초 1개를 제거하면 20개가 된다. 소음의 걸어두고 끼운 시초의 수는 17개인데, 처음에 걸어둔 시초 1개를 제거하면 16개가 된다. 이것은 처음에 걸어둔 시초 1개를 제거함으로써 홀[奇]·짝[偶]의 많음·적음이 나누어지는 연유를 증험한 것이다. 홀[奇]과 짝[偶]이 이미 나누어지면 사용하는 수가 여기에서 갈라진다.(老陽掛扐十三, 去初掛一爲十二. 老陰掛扐二十五, 去初掛一爲二十四. 少陽掛扐二十一, 去初掛扐爲二十. 少陰掛扐十七, 去初掛一爲十六. 此去初掛之一, 以驗奇偶多寡之所由分也. 奇偶旣分, 用數斯判.) 홀[奇]은 원으로서 전부를 사용하고 지름 1에 둘레 3이며, 짝[偶]은 네모로서 절반을 사용하고 지름 1에 둘레 4이니, 이 때문에 노양의 걸어두고 끼운 시초의 수(5·4·4)는 3개의 홀[奇]로서 12이고, 전부를 사용한다. 또 3개의 홀[奇] 안에서 1개의 시초의 수를 제거하여 원을 상징하고, 3개의 1 가운데 각각 다시 3개가 있으니, 그 3개의 3을 누적한 수는 9가 되므로, 이것이 3을 제거하여 9를 이룬다.(奇圓用全而徑一圍三, 偶方用半而徑一圍四, 是以老陽掛扐三奇十二, 全用. 又於三奇內去一策以象圓, 而三一之中, 各復有三, 積三三之數爲九, 是去三以成九也.) 소음의 걸어두고 끼운 시초의 수(9·4·4와 5·4·8)는 2개의 홀[奇]과 1개의 짝[偶]으로서 16이고, 그 가운데 2개의 홀[奇](4·4와 5·4)은 전부 사용하므로, 4개의 시초는 각각 전부 사용한다. 1개의 짝[偶](9와 8)은 절반을 사용하므로 8개의 시초는 다만 4개를 사용하고 또한 12를 사용한다. 2개의 홀[奇] 안에서 1개의 시초의 수를 제거하여 원을 상징하고, 2개의 1 가운데 각각 다시 3개의 시초가 있으며, 1개의 짝[偶] 안에서 2개의 시초의 수를 제거하여 네모를 상징하고, 1개의 2 가운데 다시 2개가 있으니, 그 2개의 3과 1개의 2를 누적한 시초의 수는 8이 되므로, 이것이 4를 제거하여 8을 이룬다.(少陰掛扐兩奇一偶十六, 兩奇全用, 故四策各全用. 一偶用半, 故八策只用四, 亦用十二. 於兩奇內去一數以象圓, 而二一之中, 各復有三, 於一偶內去二數以象方, 而一二之中復有二, 積二三·一二之策爲八, 是去四以成八也.) 소양의 걸어두고 끼운 시초의 수(5·8·8과 9·4·8)

[11-1-50]

天一地二天三地四天五地六天七地八天九地十, 參伍以變, 錯綜其數也, 如天地之相銜, 晝夜之相交也. 一者, 數之始而非數也. 故二二爲四, 三三爲九, 四四爲十六, 五五爲二十五, 六六爲三十六, 七七爲四十九, 八八爲六十四, 九九爲八十一, 而一不可變也. 百則十也, 十則一也, 亦不可變也. 是故數去其一而極于九, 皆用其變者也. 五五二十五, 天數也. 六六三十六, 乾之策數也. 七七四十九, 大衍之用數也. 八八六十四, 卦數也. 九九八十一, 玄範之數也.

'하늘 1, 땅 2, 하늘 3, 땅 4, 하늘 5, 땅 6, 하늘 7, 땅 8, 하늘 9, 땅 10'[207]이 '3과 5로 변하여 그 수를 착종하니'[208] 이것은 하늘과 땅이 서로 맞물려 있고 낮과 밤이 서로 교류하는 것과 같다. 1은

는 2개의 짝[偶]과 1개의 홀[奇]로서 20이고, 1개의 홀[奇](5와 4)은 전부 사용하므로 4개의 시초는 전부 사용한다. 2개의 짝[偶](8·8과 9·8)은 절반을 사용하므로 8개의 시초는 각각 4개를 사용하고 또한 12개를 사용한다. 1개의 홀[奇] 안에서 1개의 시초의 수를 제거하여 원을 상징하고, 1 가운데 다시 3개의 시초가 있으며, 2개의 짝[偶] 안에 각각 다시 2개의 시초의 수를 제거하여 네모를 상징하고 2개의 2 가운데 각각 다시 2개가 있으니, 1개의 3과 2개의 2를 누적한 시초 수는 7이 되므로, 이것이 5를 제거하여 7을 이룬다.(少陽掛扐兩偶一奇二十, 一奇用全, 故四策全用. 兩偶用半, 故八策各用四, 亦用十二. 於一奇內去一數以象圓, 而一之中, 復有三, 於兩偶內, 各去二數以象方, 而三(二)二之中, 各復有二, 積一三·二二之策爲七, 是去五以成七也.) 노음의 걸어두고 끼운 시초의 수(9·8·8)는 3개의 짝[偶]으로서 24이고, 절반을 사용하니 또한 다만 12개를 사용한다. 또 3개의 짝[偶] 안에서 각각 2개의 시초의 수를 제거하여 네모를 상징하고, 3개의 2 가운데 각각 다시 2개가 있으니, 3개의 2를 누적한 시초 수는 6이 되므로, 이것이 6을 제거하여 6을 이룬다.(老陰掛扐三偶二十四, 用半亦只用十二. 又於三偶內, 各去二數以象方, 而三二之中, 各復有二, 積三二之策爲六, 是去六以成六也.) 이것이 3·4·5·6이라는 수를 제거하여 9·8·7·6이라는 시초의 수를 얻는다.(此去三·四·五·六之數, 以成九·八·七·六之策也.) 이에 노·소의 걸어두고 끼운 시초의 수에서 처음 걸어둔 시초를 제거한 뒤에 그것들의 많음과 적음이 비록 다르지만, 전부 사용하는 것과 절반을 사용하는 것이 모두 12라는 수를 넘지 않는 것을 알 수 있다. 그 12라는 수에서 3을 제거하면 9가 이루어지고, 4를 제거하면 8이 이루어지며, 5를 제거하면 7이 이루어지고, 6을 제거하면 6이 이루어진다. 12는 곧 노양의 걸어두고 끼운 시초의 수이다. 한결 같이 모두 노양의 수를 기준으로 삼아 제거하고 취하여 9·8·7·6의 수를 이룬다. 그 양을 높이는 뜻을 또 여기에서 볼 수 있다.(是知老少掛扐去初掛之後, 多寡雖不同, 而用全·用半均不過十二之數. 以其十二者去三則成九, 去四則成八, 去五則成七, 去六則成六. 十二, 乃老陽掛扐之數也. 壹是皆以老陽之數爲準, 而去取以成九·八·七·六焉. 其尊陽之意, 又可見於此矣.)"

207 하늘 1 … 땅 10 : 『周易』「繫辭傳上」 9장

208 3과 5로 … 착종하니 : 『周易』「繫辭傳上」 10장에, "參으로 세고 伍로 세어 변하며 그 數를 교착하고 綜合하여 그 변화를 통하여 마침내 천지의 文을 이루며, 그 수를 지극히 하여 마침내 천하의 象을 정하니, 천하의 지극히 변화하는 자가 아니면 그 누가 이에 참여하겠는가!(參伍以變, 錯綜其數. 通其變, 遂成天地之文, 極其數, 遂定天下之象, 非天下之至變, 其孰能與於此.)"라고 하였는데, 주희는 이렇게 설명하고 있다. "이는 象을 숭상하는 일이니, 變은 象이 아직 정해지지 않은 것이다. 參은 三으로 셈이요 伍는 五로 셈이니, 이미 三으로 세어 변하고 또 五로 세어 변하여 한 번 먼저하고 한 번 뒤에 하여 번갈아 서로 상고해서 많고 적음의 실제를 살피는 것이다. 錯은 사귀어 서로 함이니 한 번 왼쪽으로 하고 한 번 오른쪽으로 함을 이르며, 綜은 총괄하여 셈이니 한 번 낮추고 한 번 높임을 이르니, 이 또한 모두 시초를 세어 卦를 구하는 일을 말한

수의 시작이지만 수가 아니다. 그러므로 2×2=4이고, 3×3=9이고, 4×4=16이고, 5×5=25이고, 6×6=36이고, 7×7=49이고, 8×8=64이고, 9×9=81이지만 1은 변할 수 없다. 100은 10이고 10은 1이니 또한 변할 수 없다. 그러므로 수에서 그 1을 빼고 9에서 극한에 이르니 모두 그 변하는 것을 쓴다. 5×5=25이니 천天의 수이다. 6×6=36이니 건乾괘의 책수이다. 7×7=49이니 대연大衍의 용수用數이다. 8×8=64이니 괘의 수이다. 9×9=81이니 현범玄範의 수[209]이다.[210]

[11-1-51]

大衍之數, 其筭法之源乎! 是以筭數之起, 不過乎方圓曲直也.

대연의 수는 산법算法의 근원일 것이다! 그래서 산수算數의 시작은 방方과 원圓, 곡曲과 직直[211]에서 벗어나지 않는다.[212]

[11-1-52]

陰無一, 陽無十

음에는 1이 없고 양에는 10이 없다.[213]

[11-1-53]

乘數, 生數也 ; 除數, 消數也. 筭法雖多, 不出乎此矣.

것이다. 세 번 센 두 손의 책수를 통해서 陰陽 老少의 획을 이루고, 七·八·九·六의 數를 연구하여 卦爻와 動靜의 象을 정한다. 參伍錯綜은 모두 옛말인데, 參伍가 더욱 알기 어렵다.(此, 尙象之事, 變則象之未定者也. 參者, 三數之也, 伍者, 五數之也, 旣參以變, 又伍以變, 一先一後, 更相考, 以審其多寡之實也. 錯者, 交而互之, 一左一右之謂也, 綜者, 總而挈之, 一低一昂之謂也, 此亦皆謂蓍求卦之事. 蓋通三兩手之策, 以成陰陽老少之劃, 究七八九六之數, 以定卦爻動靜之象也. 參伍錯綜, 皆古語而參伍尤難曉.)"

209 玄範의 수: 현은『太玄經』이고, 범은「洪範」이라고 한다.『太玄經』은 81首로 이루어졌고, 홍범은 9疇를 말하므로 9×9=81이다.

210 王植,『皇極經世書解』: "하늘과 땅이 서로 맞물려 있고 낮과 밤이 서로 교류하는 것은 앞 절에서 말한 하늘과 땅, 해와 달이 서로 교류하는 작용이다. 하늘과 땅의 교류는 10분의 3이다. 낮과 밤이 서로 침범하여 여분이 밤에 있으니 이것이 하늘과 땅의 수가 셋과 다섯으로 착종하여 판연하게 나눌 수 없는 이유이다.(愚按天地相銜, 晝夜相交, 即前節所謂天地日月交之用也. 天地之交, 十之三, 晝夜相尅, 而餘分在夜, 此天地之數, 所以參伍錯綜, 而非判然可以截分也.)"

211 方과 圓, 曲과 直: 장행성은『皇極經世觀物外篇衍義』에서 다음과 같이 설명하다. "하늘의 변화는 원수이고, 땅의 변화는 방수이며 하늘이면서 하늘이고, 땅이면서 땅은 직수이고, 하늘이면서 땅이고 땅이면서 하늘은 곡수이다.(天之變, 圓數也, 地之變, 方數也, 天而天, 地而地, 直數也, 天而地, 地而天, 曲數也.)"

212 대연의 수는 … 않는다: 乘除法은 加減法에서 나왔으니 계산법은 方圓曲直의 수를 구하려는 것에서 나왔다.(『邵雍集』(중화서국), 97쪽 참조)

213 음에는 1이 … 없다: 1은 하늘의 수이고, 양에 속하며, 10은 땅의 수이고 음에 속한다.(『邵雍集』(중화서국), 97쪽 참조.)

승수乘數(곱하는 수)는 낳는 수이고, 제수除數(나누는 수)는 소멸하는 수이다. 산법은 많지만 이것에서 벗어나지 않는다.

[11-1-54]

陽得陰而生, 陰得陽而成. 故蓍數四而九, 卦數四而十也. 猶幹支之相錯, 幹以六終而支以五終也.

양은 음을 얻어서 생기고, 음은 양을 얻어서 이루어진다. 그러므로 시초의 수는 4에서 9가 되고, 괘의 수는 4에서 10이 된다. 이것은 간지幹支가 서로 섞였을 때 간은 6[214]으로 끝나고 지支는 5[215]로 끝나는 것과 같다.[216]

[11-1-55]

三四, 十二也, 二六, 亦十二也. 二其十二, 二十四也, 三八, 亦二十四也. 四六, 亦二十四也. 三其十二, 三十六也. 四九, 亦三十六也. 六六, 亦三十六也. 四其十二, 四十八也, 三其十六, 亦四十八也, 六八, 亦四十八也. 五其十二, 六十也. 三其二十, 亦六十也. 六其十, 亦六十也. 皆自然之相符也. 此蓋陰數分其陽數耳. 是以相因也. 如月初一全作十二也. 二十四氣七十二候之數, 亦可因以明之.

3×4=12이고 2×6도 12이다. 12×2=24이고 3×8도 24이며 4×6도 24이다. 12×3은 36이고, 4×9도 36이고 6×6도 36이다. 12×4=48이고, 16×3도 48이고 6×8도 48이다. 12×5=60이고 20×3도 60이고 10×6도 60이다. 모두 저절로 그렇게 서로 부합하는 것이다.[217] 이것은 음의 수가 양의 수를 나눈 것뿐이다. 그래서

214 6: 六甲을 의미한다. 육십갑자에서 甲이 여섯 개이므로 육갑이다.

215 5: 五子를 의미한다. 육십갑자에서 子는 다섯 개이므로 오자이다.

216 王植, 『皇極經世書解』: "(황기가 말했다.) 시초는 양의 수로 4의 음을 얻어서 9의 양을 낳는다. 그래서 4에서 9가 된다. 괘는 음의 수로 6의 양을 얻어 10의 음을 이룬다. 그래서 6에서 10이 된다. 6이 양이 되는 것은 하늘인 3을 2배하는 것이다. 4가 음이 되는 것은 땅인 2를 2배하는 것이다. 天干인 양의 수는 地支인 음을 얻으면 6에서 끝나므로 六甲이라고 한다. 지지인 음의 수는 천간의 양을 얻으면 5에서 끝나므로 五子라고 한다. 그 수가 서로 비슷하다.(蓍陽數, 得四之陰, 生九之陽. 夫是以四而九, 卦陰數, 得六之陽, 成十之陰. 夫是以六而十. 六爲陽者, 倍參天也. 四爲陰者, 倍兩地也. 幹陽數, 得支之陰, 則終於六, 故曰六甲. 支陰數, 得幹之陽, 則終於五, 故曰五子. 其數正相似.)"

217 王植, 『皇極經世書解』: "(황기가 말했다.) 48은 6자리가 각각 8괘에 있다는 것이니 8괘는 48효이다. 60은 60갑자이니 5로 나누면 각각 12가 되고, 20×3은 한 달로 낮과 밤을 나눈 것이고, 10×6은 두 달로 달의 차고 기우는 것을 정한 것이니, 수는 다르지만 저절로 합치된다. 이것은 노양의 奇數의 쓰임을 밝힌 것이다.(四十八者, 六位, 各八卦, 卦四十八爻. 六十者, 六十甲子, 五分之各爲十二, 三其二十, 則以一月, 分晝夜, 六其十, 則以兩月, 定盈縮, 數雖不同, 天然脗合. 此明老陽奇數之用也.)" 王植, 『皇極經世書解』: "16×3이 또한 48이 되는 것에 대해서 여러 주석가들이 해석하지 않았으니 그 뜻이 상세하지 못하다. 원래 주석에 '월의 처음 하나가 12이다.'라고 한 것은 달은 2에서 일어나기 때문에 夬괘의 12는 곧 월의 1이다. 뜻이 「억설」편

서로 인因(곱하다)한다. 예를 들어 월月의 처음 1은 완전히 해서 12개로 만드는 것과 같다. 24기氣 72후候[218]의 수도 이것을 바탕으로 해서 밝힐 수 있다.

[11-1-56]

四九, 三十六也, 六六, 三十六也. 陽六而又兼陰六之半, 是以九也. 故以數言之, 陰陽各三也, 以三爻言之, 天地人各二也. 陰陽之中各有天地人, 天地人之中各有陰陽, 故參天兩地而倚數也.

4×9=36이고 6×6은 36이다. 양수 6은 음수 6의 반을 또 합했으므로 9이다. 그러므로 수로 말하자면 음과 양이 각각 3이고 세 효로 말하자면 하늘·땅·사람이 각각 2이다. 음양 중에 각각 하늘·땅·사람이 있고, 하늘·땅·사람 중에 각각 음양이 있으므로 "하늘은 3으로 땅은 2로 해서 수를 본떴다."[219][220]

[11-1-57]

太極旣分, 兩儀立矣. 陽下交於陰, 陰上交於陽, 四象生矣. 陽交於陰, 陰交於陽, 而生天之四象. 剛交於柔, 柔交於剛, 而生地之四象. 於是八卦成矣. 八卦相錯, 然後萬物生焉. 是故一分爲二, 二分爲四, 四分爲八, 八分爲十六, 十六分爲三十二, 三十二分爲六十四. 故曰分陰分陽, 迭用柔剛, 易六位而成章也. 十分爲百, 百分爲千, 千分爲萬. 猶根之有幹, 幹之有枝, 枝之有葉, 愈大則愈小, 愈細則愈繁. 合之斯爲一. 衍之斯爲萬. 是故乾以分之, 坤以翕之, 震以長之, 巽以消之. 長則分, 分則消, 消則分也.

태극이 나누어지고 나서 양의兩儀가 확립된다.[221] 양이 아래로 음과 교류하고 음은 위로 양과 교류하여

처음에 나타나 있다. 24기는 12를 2배 한 것이고, 72후는 12를 6배 한 것이다. 모두 12를 누적한 것이다. 음의 수와 양의 수는 앞 절에서 큰 수와 작은 수라고 한 것과 같으니 또한 양은 1이고 음은 2라는 뜻이다.(愚按三其十六, 亦四十八, 諸家無解, 未詳其義. 原註, 月初一今作十二者, 月起於二, 故夫十二即月之一也. 義見篇首臆說. 二十四氣, 二其十二也, 七十二候, 六其十二也. 皆十二之積也. 陰數陽數, 猶前節大數小數, 亦陽一陰二之意.)"

218 24氣 72候 : 15일이 1氣이고, 5일이 1候이다.

219 "하늘은 3으로 … 세웠다." : 『易』「說卦傳」 1장, "옛날에 성인이 역을 지을 때 신명을 그윽하게 도와서 시초를 내고 하늘은 3으로 땅은 2로 해서 수를 세웠다.(昔者聖人之作易也, 幽贊於神明而生蓍, 參天兩地而倚數.)" 『皇極經世書』「觀物外篇」 권13에서 "參天兩地而倚數, 非天地之正數也, 倚者, 擬也, 擬天地正數而生也."라고 되어 있다. 倚를 擬, 즉 본뜬다는 뜻으로 풀었다.

220 王植, 『皇極經世書解』, "양의 6이 또 음 6의 반을 겸했다는 것은 여섯 효는 양의 본래 수이고 나머지 셋이 음의 반이 되기 때문이다. 그러므로 양의 수가 9를 쓰는 것이다. 음의 수는 단지 여섯만을 쓰니 양을 겸하지 못한다. 일반적으로 양은 음을 거느릴 수 있지만, 음은 양을 찬탈할 수 없다는 뜻이 이와 같다."(愚按陽六, 又兼陰六之半者, 六爻, 陽之本數, 餘三者, 爲陰之半. 故陽數用九也. 若陰數止六, 則不能兼陽. 蓋陽能統陰, 陰不僭陽之義固如此.)

221 태극이 나누어져 … 확립된다 : 『性理羣書句解』, "황극경세의 8괘도로 보면 태극으로부터 생겨 나온다. 양의

사상四象을 낳는다. 양이 음과 교류하고 음이 양과 교류하여 하늘의 사상을 낳고[222], 강剛이 유柔와 교류하고 유가 강과 교류하여 땅의 사상을 낳는다.[223] 이에 8괘가 이루어진다. 8괘가 서로 착종된 후에 만물이 생겨난다. 그러므로 1이 나누어져서 2가 되고, 2가 나누어져서 4가 되고, 4가 나누어져서 8이 되고, 8이 나누어져서 16이 되고, 16이 나누어져서 32가 되고, 32가 나누어져서 64가 된다. 그러므로 '음으로 나뉘고 양으로 나뉘어 번갈아서 유와 강을 사용하여 역의 6자리가 한 장을 이룬다.'[224]고 했다. 10이 나뉘어 100이 되고, 100이 나뉘어 1,000이 되고, 1,000이 나뉘어 10,000이 된다. 이것은 마치 뿌리에 줄기가 있고, 줄기에 가지가 있으며, 가지에 잎이 있는 것과 같아서 커질수록 더욱 작아지고 가늘어질수록 더욱 번성한다. 합하면 하나가 되고 펼치면 만 가지가 된다. 그러므로 건乾☰으로 나누고[225], 곤坤☷으로 합하며[226], 진震☳으로 성장시키고[227], 손巽☴으로 소멸시킨다.[228] 성장하면 나누어지고, 나누어지면 소멸되고, 소멸되면 모인다.[229] [230]

는 하나의 양과 하나의 음으로 2획이 여기로부터 확립된다."(當以經世八卦圖看, 自太極而生出去. 兩儀即一陽一陰, 二畫由是而立)

222 하늘의 사상을 낳고 : 『性理羣書句解』, "4가지는 乾 1, 兌 2, 離 3, 震 4가 이것으로 태양, 태음, 소양, 소음이 하늘의 사상이다.(凡四, 乾一, 兌二, 離三, 震四是, 爲太陽太陰少陽少陰, 天之四象也.)"

223 땅의 사상을 낳는다 : 『性理羣書句解』, "4가지는 巽 5, 坎 6, 艮 7, 坤 8이 이것으로 소강, 소유, 태강, 태유가 땅의 사상이다.(凡四, 巽五, 坎六, 艮七, 坤八是, 爲少剛少柔太剛太柔, 地之四象也)"

224 한 장을 이룬다 : 음악이 끝나서 1章이 된다. 누적하여 점차 변해서 형국·단위를 이룬다는 뜻이다. 『易』「說卦傳」 2장에 "그러므로 『易』은 6위에서 章이 이루어진다.(故易六位而成章.)"라고 하였다.

225 乾으로 나누고 : 『性理羣書句解』의 설명이다. "양이 건의 6양의 극한에 이르면 또 나뉘어져서 음이 된다."(陽到乾六陽之極, 又將分爲陰.)

226 坤으로 합하며 : 『性理羣書句解』의 설명이다. "곤은 음의 극한으로 합하고 모으는 것을 주관한다.(坤者, 陰之極, 主於翕聚.)"

227 震은 성장시키고 : 『性理羣書句解』의 설명이다. "진은 곧 양이 처음 낳는 것이다. 長은 상성이다.(震, 乃陽之始生, 長上聲.)" 長이 상성일 경우는 '자라다'로 풀이된다.

228 巽은 소멸시킨다 : 『性理羣書句解』, "손은 곧 음이 처음 소멸되는 것이다. 처음 자라나는 것은 복괘를 震宮의 괘로 삼으니 하나의 양이 처음 생겨나는 것이다. 처음 소멸되는 것은 姤괘를 巽宮의 괘로 삼으니 하나의 음이 처음 생겨나는 것이다.(巽乃陰之始消, 始長以復卦爲震宮之卦, 一陽初生也, 始消以姤卦爲巽宮之卦, 一陰始生也.)"

229 모인다 : 장행성의 『皇極經世觀物外篇衍義』에서는 '分'이 '翕'으로 되어 있다. 의미상으로 '翕'이라고 보는 것이 옳다. 그래서 '모인다.'로 번역했다.

230 왕식본의 『皇極經世書解』에는 『易學啓蒙』에 인용된 胡方平의 말을 다음과 같이 정리하고 있다. "주자가 또 이것을 해석하여 袁機仲(袁樞)에게 답하며 말했다. '이 아래 4단락은 「伏羲六十四卦圓圖」를 통틀어 논의하였다. 「태극이 나뉘고 나서 兩儀가 확립된다.」는 단락은, 제1효로 말한 것이다. 왼쪽 하나의 홀(⚊)이 양이 되고 오른쪽 하나의 짝(⚋)이 음이 되니, 이른바 兩儀라는 것이다. 지금 이 하나의 홀(⚊)이 왼쪽 32괘의 첫 효가 되고 하나의 짝(⚋)이 오른쪽 32괘의 첫 효가 된 것은, 거듭 포개서 변하여 나누어진 것이지 본래 바로 이 64개의 단계가 있는 것이 아니다. 뒤도 이와 같다.(朱子又釋此以答袁機仲云, '此下四節, 通論伏羲六十四卦圓圖. 「太極既分, 兩儀立矣.」 此一節以第一爻而言; 左一奇爲陽, 右一偶爲陰, 所謂兩儀者也. 今此一奇爲左三十二卦之初爻, 一偶爲右三十二卦之初爻, 乃以累變而分, 非本卽有此六十四段也. 後倣此.) 「양이 위로

음과 交錯하고 음이 아래로 양과 교착하여 四象이 생긴다.」는 단락은, 제1효가 제2효를 낳는 것으로 말한 것이다. 양 아래의 절반이 위로 음 위의 절반과 교착하면 음 가운데 제2효의 하나의 홀(⚊)과 하나의 짝(⚋)을 낳아서 소양(⚎)과 태음(⚏)이 되고, 음 위의 절반이 아래로 양 아래의 절반과 교착하면 양 가운데 제2효의 하나의 홀(⚊)과 하나의 짝(⚋)을 낳아서 태양(⚌)과 소음(⚍)이 되니, 이른바 兩儀가 4상을 낳는다는 것이다. 태양에서 하나의 홀(⚊)이 지금 나뉘어 왼쪽 위 16괘의 제2효가 되고, 소음에서 하나의 짝(⚋)이 지금 나뉘어 오른쪽 아래 16괘의 제2효가 되며, 소양과 태음도 그 나뉨이 이와 같은데 初爻의 2개가 또한 나뉘어 4개가 된다.(「陽上交於陰, 陰下交於陽, 而四象生矣.」 此一節, 以第一爻生第二爻而言也. 陽下之半上交於陰上之半, 則生陰中第二爻之一奇一偶而爲少陽・太陰矣; 陰上之半下交於陽下之半, 則生陽中第二爻之一奇一偶而爲太陽・少陰矣; 所謂兩儀生四象也. 太陽一奇, 今分爲左上十六卦之第二爻; 少陰一偶, 今分爲右下十六卦之第二爻; 少陽・太陰其分放此, 而初爻之二亦分爲四矣.) 「양이 음과 교착하고 음이 양과 교착하여 하늘의 4상을 낳고, 강이 유와 교착하고 유가 강과 교착하여 땅의 4상을 낳는다.」는 단락은, 제2효가 제3효를 낳는 것으로 말한 것이다. 양은 태양(⚌)을 말하고 음은 태음(⚏)을 말하며, 강은 소양(⚎)을 말하고 유는 소음(⚍)을 말한다. 태양의 아래 절반이 태음의 위 절반과 교착하면, 태음 가운데 제3효의 하나의 홀(⚊)과 하나의 짝(⚋)을 낳아서 艮(☶)이 되고 坤(☷)이 된다. 태음의 위 절반이 태양의 아래 절반과 교착하면, 태양 가운데 제3효의 하나의 홀(⚊)과 하나의 짝(⚋)을 낳아서 乾(☰)이 되고 兌(☱)가 된다. 소양의 위 절반이 소음의 아래 절반과 교착하면, 소음 가운데 제3효의 하나의 홀(⚊)과 하나의 짝(⚋)을 낳아서 離(☲)가 되고 震(☳)이 된다. 소음의 아래 절반이 소양의 위 절반과 교착하면 소양 가운데 제3효의 하나의 홀(⚊)과 하나의 짝(⚋)을 낳아서 巽(☴)이 되고 坎(☵)이 된다. 이것이 이른바 4상이 8괘를 낳는다는 것이다. 건의 하나의 홀(⚊)이 지금 나뉘어 8괘의 제3효가 되고, 곤의 하나의 짝(⚋)이 지금 나뉘어 8괘의 제3효가 되며, 나머지도 모두 이와 같다. 초효・2효의 4개가 지금 또 나뉘어 8개가 된다. 건・태・간・곤은 태양과 태음에서 생기므로 하늘의 4상이 되고, 리・진・손・감은 소양과 소음에서 생기므로 땅의 4상이 된다.(「陽交於陰, 陰交於陽, 而生天之四象; 剛交於柔, 柔交於剛, 而生地之四象.」 此一節, 以第二爻生第三爻言也. 陽, 謂太陽; 陰, 謂太陰; 剛, 謂少陽; 柔, 謂少陰. 太陽之下半交於太陰之上半, 則生太陰中第三爻之一奇一偶而爲艮爲坤矣. 太陰之上半交於太陽之下半, 則生太陽中第三爻之一奇一偶而爲乾爲兌矣. 少陽之上半交於少陰之下半, 則生少陰中第三爻之一奇一偶而爲離爲震矣. 少陰之下半交於少陽之上半, 則生少陽中第三爻之一奇一偶而爲巽爲坎矣. 此所謂四象生八卦也. 乾一奇, 今分爲八卦之第三爻; 坤一偶, 今分爲八卦之第三爻; 餘皆放此. 而初爻二爻之四今又分爲八矣. 乾・兌・艮・坤生於二太, 故爲天之四象; 離・震・巽・坎生於二少, 故爲地之四象.) 「8괘가 서로 뒤섞인 뒤에 만물이 생긴다.」는 것은, 1개의 괘 위에 각각 8괘를 더하여 서로 갈마들게 뒤섞으면 64괘가 이루어진다는 것이다. 그러나 제3효가 서로 교착하면 제4효의 하나의 홀(⚊)과 하나의 짝(⚋)을 낳는다. 이에 하나의 홀(⚊)과 하나의 짝(⚋)은 각각 4개 괘의 제4효가 되고 아래 3개의 효도 역시 나뉘어 16개가 된다. 제4효가 또 서로 교착하면 제5효의 하나의 홀(⚊)과 하나의 짝(⚋)을 낳는다. 이에 하나의 홀(⚊)과 하나의 짝(⚋)은 각각 2개 괘의 제5효가 되고 아래 4개의 효도 역시 나뉘어 32개가 된다. 제5효가 또 서로 교착하면 제6효의 하나의 홀(⚊)과 하나의 짝(⚋)을 낳는다. 이에 하나의 홀(⚊)과 하나의 짝(⚋)은 각각 2개 괘의 제6효가 되고 아래 5개의 효도 역시 나뉘어 64개가 된다. 8괘가 서로 올라타서 64개가 되는데, 3획부터 그 위는 세 번 1배를 가하여 6획에 이르니, 3획도 역시 1배를 가한 것이고, 괘의 체(體)를 가로로 나눈 것도 역시 64개가 된다. 두 가지 數가 방법이 다르지만 기약하지 않고도 회합하는 것은 부절을 합한 것 같이 조금도 차이나지 않으니, 바로 『易』의 오묘한 점이다.'(「八卦相錯而後萬物生焉.」 一卦之上, 各加八卦以相間錯, 則六十四卦成矣. 然第三爻之相交, 則生第四爻之一奇一偶. 於是一奇一偶, 各爲四卦之第四爻, 而下三爻亦分爲十六矣. 第四爻又相交, 則生第五爻之一奇一偶. 於是一奇一偶, 各爲二卦之第五爻, 而下四爻亦分爲三十二矣. 第五爻又相交, 則生第六爻之一奇一偶. 於是一奇一偶各爲二卦之第六爻,

[11-1-58]

乾坤定位也, 震巽, 一交也, 兌離坎艮, 再交也. 故震陽少而陰尙多也. 巽陰少而陽尙多也. 兌離陽浸多也. 坎艮陰浸多也. 是以辰與火不見也.

건과 곤은 제 자리를 정하고, 진震과 손巽은 (건과 곤이) 한 번 교류한 것이고, 태兌☱ · 이離☲ · 감坎☵ · 간艮☶은 두 번 교류한 것이다.[231] 그러므로 진은 양이 적고 음이 여전히 많고, 손은 음이 적고 양이 여전히 많으며, 태 · 이는 양이 점차로 많아지고, 감 · 간은 음이 점차로 많아진다.[232] 그래서 신辰과 화火는 드러나지 않는다.[233]

而下五爻亦分爲六十四矣. 蓋八卦相乘爲六十四, 而自三畫以上, 三加一倍以至六畫, 則三畫者亦加一倍, 而卦體橫分亦爲六十四矣. 二數殊塗, 不約而會; 如合符節, 不差毫釐, 正是易之妙處.') (주자가) 또 말했다. '이 단락은 비록 「圓圖」를 통틀어 논의하였으나, 사실 먼저 「橫圖」의 兩儀에서 64괘까지를 가지고 「원도」를 밝혔다. 이른바 두 가지 數라는 것은 「橫圖」에서 생긴 것과 「圓圖」에서 나뉜 것을 가리켜 말한다. 두 가지 수가 서로 섞인 것들은 모두 약속하지 않고도 합치된다.'(又曰, '此段雖通論圓圖, 實先以橫圖自兩儀至六十四者明之. 所謂二數者, 指橫圖所生與圓圖所分而言. 二數相參, 皆不約而合也.')"

王植, 『皇極經世書解』: "생각하건대, 이것은 소강절의 「經世演易圖」에 대한 설명이다. 주자의 말은 스스로 하나의 뜻이 되지만 소강절의 말을 해석한 것인데 직접 그 말이 그르다고 반박하지 않았지만 이것이 하늘의 사상이라고 말했으면서, 곤으로 그것을 배속한 것이 『皇極經世』의 뜻과는 부합하지 않는다. 배우는 사람은 소강절의 학설을 소강절에게 되돌려 주는 것이 좋을 것이다.(愚按, 此邵子經世衍易圖說也. 朱子之說, 雖自爲一義, 然所釋者, 邵子之言, 非直駁其說爲非, 是且既, 曰天四象而以坤屬之, 與經世全書之意, 皆不相合. 學者, 但當以邵子之說, 還邵子可也.)"

231 건과 곤은 … 것이다. : 복희 선천도를 보면 건괘와 곤괘가 상하로 정해지고 곤괘의 우측이 震(☳)괘로 1양이 생겨난다(1양2음). 건괘의 좌측이 巽(☴)괘로 1음이 생겨난다(1음 2양). 진괘를 이어서 離괘와 兌괘가 이어지고, 손괘를 이어서 坎괘와 艮괘가 이어진다. 이것이 한 번 교류하고 두 번 교류한다는 의미이다.

232 진은 양이 … 많아진다 : 震(☳)괘는 1양2음이고 巽(☴)괘는 1음 2양이다. 그리고, 진괘의 옆으로 離(☲)괘와 兌(☱)괘가 있는데 2양 1음이다. 그래서 '양이 점차로 많아진다.'고 했다. 또 손괘 옆으로는 坎(☵)괘와 艮(☶)괘가 있는데 2음 1양이다. 그래서 '음이 점차로 많아진다.'고 했다.

233 왕식본 『皇極經世書解』에서 『易學啓蒙』에서도 인용된 玉齋胡氏(胡方平)의 말을 인용하고 있다. "진은 자라남의 시작이니, 우레로 움직이게 한다. 리 · 태를 지나 건이 되면 자라남이 극도에 달해 음양의 分限이 되니, 건으로 君臨한다. 손은 사라짐의 시작이니, 바람으로 흩뜨린다. 감 · 간을 지나 곤이 되면 사라짐이 극도에 달해 純陰이 모여서 합쳐지니, 곤으로 간직한다. 이것은 자라나면 나누어지고 나누어지면 사라지고 사라지면 모이고, 모이면 다시 자라나서 순환하여 끝이 없게 되는 것이다. 건은 지극한 양이니, 위에 자리 잡아서 아래에 임하므로 '군림한다.[君]'고 하였다. 진 · 리 · 태의 양으로 건을 얻어 임금으로 주재함이 있다. 곤은 지극한 음이니, 아래에 자리 잡아서 끝을 마무리하므로 '저장한다.[藏]'고 하였다. 손 · 감 · 간의 음으로 곤을 얻어 귀착됨이 있다. 그러나 건으로 나눈다고 했으니, 움직여서 양이 되는 것은 건이고 고요하여 음이 되는 것도 건이니, 건은 실로 음양을 나누어 임금으로 주재하지 않음이 없다. 주자가 일찍이 말하기를, '천지의 사이에는 본래 하나의 氣가 유행하여 움직임과 고요함이 있을 뿐이다. 그 유행의 전체로 말하면 다만 乾이라고 하며 포함하지 않는 것이 없다. 움직임과 고요함으로 그것을 나뉜 뒤에 음 · 양과 강 · 유의 구별이 있다.'고 하였으니, 바로 이 뜻이다. 이와 같으면 여러 괘는 모두 건이 임금으로 주재하는 것이다. 성인이 그것을 특별히 '군림한다.'고 말하였으니, 造化에서 陽을 귀하게 여기는 큰 뜻과 성인이 양을 떠받치는 지극한 뜻이 아주 뚜렷하다. 건과 곤은 음과 양의 순수함으로 위와 아래의 제 자리를 정하고, 진이 한 번 교착하고 태 · 리

[11-1-59]

一氣分而爲陰陽, 判得陽之多者爲天, 判得陰之多者爲地. 是故陰陽半而形質具焉, 陰陽偏而性情分焉. 形質又分, 則多陽者爲剛也. 多陰者爲柔也. 性情又分, 則多陽者陽之極也, 多陰者陰之極也.

일기一氣[234]가 나뉘어 음과 양이 되는데[235], 나뉘어 양이 많은 것은 하늘이 되고, 나뉘어 음이 많은 것은 땅이 된다. 그러므로 음양이 반이 나뉘어서 형질形質이 갖추어지고, 음양이 치우쳐서 성정性情이 나누어진다.[236] 형질이 또 나누어지면[237] 양이 많은 것은 강剛함이 되고, 음이 많은 것은 유柔함이 된다. 성정이 또 나누어지면[238] 양이 많은 것은 양의 극한이 되고 음이 많은 것은 음의 극한이 된다.[239]

가 두 번 교착하는 것은 하나의 양이 교착하는 것으로부터 두 개의 양이 교착하는 데에 이른 것이다. 손이 한 번 교착하고 감 · 간이 두 번 교착하는 것은 하나의 음이 교착하는 것으로부터 두 개의 음이 교착하는 데에 이른 것이다. 그러므로 처음 교착하여 진이 되면 양이 아직 적고, 두 번 교착하여 리 · 태가 되면 양이 점점 많아진다. 처음 교착하여 손이 되면 음이 아직 적고, 두 번 교착하여 감 · 간이 되면 음이 점점 많아진다.(玉齋胡氏曰 : "震者長之始, 雷以動之也. 歷離兌而乾, 則長之極而爲陰陽之分限矣, 乾以君之也. 巽者消之始, 風以散之也. 歷坎艮而坤, 則消之極而爲純陰之翕聚矣, 坤以藏之也. 此所以長則分, 分則消, 消則翕, 翕則復爲長而循環無端也. 乾至陽也, 居上而臨下, 故曰君. 以震離兌之陽, 得乾而有所君宰. 坤至陰也, 居下而括終, 故曰藏. 以巽坎艮之陰, 得坤而有所歸宿. 然謂乾以分之, 則動而陽者, 乾也; 靜而陰者, 亦乾也; 乾實分陰陽而无不君宰也. 朱子嘗言, '天地之間, 本一氣之流行而有動靜耳. 以其流行之體統而言, 則但謂之乾而旡所不包. 以動靜分之, 然後有陰陽剛柔之別.' 正此意也. 大如是, 則諸卦皆乾之所君宰. 聖人特以君言之, 造化貴陽之大義, 聖人扶陽之至意, 昭昭矣. 乾坤以陰陽之純, 定上下之位; 震一交, 兌離再交, 由一陽之交, 以至二陽之交也. 巽一交, 坎艮再交, 由一陰之交以至二陰之交也. 故初交爲震, 則陽尙少; 再交爲離兌, 則陽浸多也. 初交爲巽, 則陰尙少; 再交爲坎艮, 則陰浸多矣.)"

황기는 왕식본 『皇極經世書解』에서 다음과 같이 설명한다. "震은 辰이 되고 하늘에 속하지만 양이 여전히 적어서 곤에게 극함을 받기 때문에 하늘의 신은 보이지 않는다. 艮은 火가 되어 땅에 속하지만 음이 점차로 많아서 감에게 극하기 때문에 땅의 화는 항상 잠복해 있다.(震爲辰, 屬天, 然陽尙少, 而尅於坤, 故天辰不見, 艮爲火, 屬地, 然陰浸多, 而尅於坎, 故地火常潛.)"

왕식은 왕식본 『皇極經世書解』에서 다음과 같이 설명한다. "이것은 복희 8괘 방위도에 대한 설명이다. 辰과 火는 드러나지 않는다는 구절은 『易學啓蒙』에는 없으니 아마도 소강절이 스스로 이룬 일설을 주자가 분별하여 본 것이다.(愚按, 此伏羲八卦方位圖說也. 辰與火不見句, 啓蒙無之, 蓋邵子之自成一說, 朱子分別觀之也.)"

234 一氣 : 왕식본 『皇極經世書解』의 보충 주석에서는 일기를 소강절이 말하는 '無極之前'으로 해석하였다.

235 음과 양이 되는데 : 왕식본 『皇極經世書解』의 보충 주석에서는 兩儀라고 하였다.

236 음양이 반이면 … 나누어진다 : 왕식본 『皇極經世書解』의 보충 주석에서는 이 부분을 四象의 형성으로 설명하였다.

237 형질이 또 : 왕식본 『皇極經世書解』의 보충 주석에서는 이 부분을 태강, 태유, 소강, 소유가 되는 것을 말한다고 하였다.

238 성정이 또 : 왕식본 『皇極經世書解』의 보충 주석에서는 이 부분을 태음, 태양, 소양, 소음이 되는 것을 말한다고 한다. 그래서 결국 형질과 성정이 나뉘는 것은 8괘에 해당한다고 말했다.

239 王植, 『皇極經世書解』 : "생각하건대, 보충주석에서는 형질을 땅에 배속시키고 성정을 하늘에 배속시켜서, 땅의 사상을 형질에 배속하고 하늘의 사상을 성정에 배속하였으니, 소강절의 본래 뜻인 듯하다. 그러나

[11-1-60]

兌離巽, 得陽之多者也, 艮坎震, 得陰之多者也. 是以爲天地用也. 乾陽極, 坤陰極, 是以不用也.

태兌 · 이離 · 손巽은 양을 많이 얻은 것이고, 간艮 · 감坎 · 진震은 음을 많이 얻은 것이다.[240] 그래서 하늘과 땅의 쓰임이 된다. 건은 양의 극한이고, 곤은 음의 극한이다. 그래서 쓰지 않는다.[241]

[11-1-61]

乾四分取一以與坤, 坤四分取一以奉乾. 乾坤合而生六子, 三男皆陽也, 三女皆陰也. 兌分一陽以與艮, 坎分一陰以奉離. 震巽以二相易. 合而言之, 陰陽各半. 是以水火相生而相尅, 然後旣成萬物也.

건乾이 4분에서 1분을 취하여 곤坤에게 주고, 곤은 4분에서 1분을 취하여 건을 받든다. 건과 곤이 합해서 여섯 자녀를 낳으니 세 남자는 모두 양이고, 세 여자는 모두 음이다.[242] 태兌는 하나의 양을 나누어

양의 극한과 음의 극한은 또 소양과 소음을 겸해서 말했으니, 少라는 것은 극한이라고 말하기는 어렵다. 아마도 太로 少를 포함한 것일 것이다.(愚按, 補註以形質屬地, 性情屬天, 地四象屬形質, 天四象屬性情, 似得邵子本意. 然於陽之極陰之極, 又兼少陽少陰言之, 少者, 恐難以極言. 意其以太包少也.)"

240 兌 · 離 · 巽은 … 것이다 : 『易』「繫辭傳下」 4장에는 "양괘는 음이 많고, 음괘는 양이 많다.(陽卦多陰, 陰卦多陽)"라는 말이 있다. 장녀인 巽(☴)괘, 중녀인 離(☲)괘와 소녀인 兌(☱)괘는 모두 2양1음이다. 그래서 "양을 많이 얻었다."라고 했다. 장남인 震(☳)괘, 중남인 坎(☵)괘, 소남인 艮(☶)괘는 모두 2음1양이다. 그래서 "음을 많이 얻었다."고 했다.

241 王植, 『皇極經世書解』 : "호방평이 말했다. '이 구절은 위의 글을 이어서, 여섯 자녀 괘들이 음과 양을 많이 얻어서 작용을 하고, 건괘와 곤괘는 음과 양이 극한에 이르러 작용하지 않음을 말하였다. 음괘가 양이 많으므로 태괘 · 리괘 · 손괘는 양을 얻은 것이 많고, 양괘가 음이 많으므로 간괘 · 감괘 · 진괘는 음을 얻은 것이 많다. 그래서 각기 하늘과 땅이 하는 일을 맡아서 만물을 낳고 이룬다. 「건괘는 양이 극한에 이른 것이고, 곤괘는 음이 극한에 이른 것이다.」는 경우에, 극한에 이르면 멈추니 다시는 작용하지 않는다. 그러나 여섯 자녀 괘들의 작용은 곧 건괘와 곤괘의 작용이다.'(玉齋胡氏曰 '此承上文而言六子得陰陽之多而致用, 乾坤陰陽之極而不用也. 陰卦多陽, 故兌離巽得陽之多; 陽卦多陰, 故艮坎震得陰之多. 是以各司天地之用, 而生成萬物也. 至於乾極陽, 坤極陰, 極則止而不復用矣. 然六子之用卽乾坤之用也.')"

王植, 『皇極經世書解』 : "황기가 말했다. '양이 많은 것에서 兌 · 離는 하늘의 작용이 되지만 巽은 유함 가운데에서 강함이 되어 땅의 작용이 된다. 이는 양이 많으면 음을 이기기 때문이다. 음이 많은 것에서 艮과 坎은 땅의 작용이 되지만 震은 양 가운데 음이 되어 하늘의 작용이 된다. 이것은 음이 많으면 양을 이기기 때문이다. 양이 극한에 이르면 9가 변하여 8이 되고, 음이 극한에 이르면 6이 변하여 7이 되니, 이것은 부모가 스스로 작용하지 않고 그 자식을 쓰기 때문이다.'(黃氏畿曰, '陽之多者, 兌離爲天之用, 巽柔中之剛, 則爲地之用. 陽多則勝陰故也. 陰之多者, 艮坎爲地之用, 震陽中之陰, 則爲天之用. 陰多則勝陽故也. 陽極, 則九變爲八, 陰極則六變爲七, 父母不自用而用其子.')"

242 乾이 4분에서 … 음이다 : 왕식본 『皇極經世書解』의 설명이다. "선천8괘는 모두 24효로 음양이 각각 12개로 나뉜다. 양은 건이 되니 양효 12 가운데 4분의 1을 취하여 곤에게 준다는 것은 3양을 준다는 것이다. 음은 곤이 되니 음효 12 가운데 4분의 1을 취하여 건을 받든다는 것은 3음을 준다는 것이다. 3양과 3음이 여섯

간艮에게 주고, 감坎은 하나의 음을 나누어 이離를 받들며[243], 진震과 손巽은 두 효씩을 서로 바꾼다.[244] 합하여 말하면 음양은 각각 반이다. 그래서 수水와 화火가 상생하고 상극한 후에 만물을 이룬다.[245]

[11-1-62]

乾坤之名位不可易也, 坎離名可易而位不可易也, 震巽位可易而名不可易也, 兌艮名與位皆可易也. 離肖乾, 坎肖坤, 中孚肖乾, 頤肖離, 小過肖坤, 大過肖坎. 是以乾坤離坎中孚頤大過小過皆不可易者也. 離在天而當夜, 故陽中有陰也. 坎在地而當晝, 故陰中有陽也. 震始交陰而陽生. 巽始消陽而陰生. 兌陽長也. 艮陰長也. 震兌在天之陰也. 巽艮在地之陽也. 故震兌上陰而下陽, 巽艮上陽而下陰. 天以始生言之, 故陰上而陽下, 交泰之義也. 地以旣成言之, 故陽上而陰下, 尊卑之位也.

건乾·곤坤의 이름과 자리는 바꿀 수 없고, 감坎·이離는 이름은 바꿀 수 있지만 자리는 바꿀 수 없고, 진震·손巽은 자리는 바꿀 수 있지만 이름은 바꿀 수 없고, 태兌·간艮은 이름과 자리를 모두 바꿀 수 있다.[246] 이는 건을 닮고, 감은 곤을 닮고, 중부中孚는 건을 닮고, 이頤는 이離를 닮고, 소과小過는 곤을

자식을 낳는 것이다.(先天八卦, 共二十四爻, 陰陽各分十二. 陽爲乾, 陽爻十二, 四分取一以與坤, 即三陽也. 陰爲坤, 陰爻十二, 四分取一以奉乾, 即三陰也. 三陽三陰而六子生焉.)" 건과 곤이 각각 4분의 1씩 서로 취하여 여섯 자식인 兌·離·震·巽·坎·艮이 되었다는 말이다.

243 兌는 하나의 … 받들며 : 왕식본 『皇極經世書解』의 설명이다. "건(乾☰)이 兌(☱)가 된 것은 위에 있는 양효 하나를 곤에게 나누어서 艮(☶)에게 준 것이고, 坤(☷)이 坎(☵)이 되는 것은 가운데 하나의 음을 나누어 離(☲)를 받드는 것이다.(乾之兌, 分上一陽以與艮, 坤之坎, 分中一陰以奉離)" 乾(☰)과 坤(☷)이 위에 있는 효를 각각 바꾸어서 건은 兌(☱)가 되고 곤은 艮(☶)이 되고, 건이 離(☲)가 되고 곤이 坎(☵)이 된다는 말이다.

244 震과 巽은 … 바꾼다 : 왕식본 『皇極經世書解』의 설명이다. "乾(☰)이 震(☳)이 되는 것은 가운데와 위의 두 양을 巽(☴)의 두 음과 바꾼 것이고, 坤(☷)이 巽(☴)이 되는 것은 가운데와 위의 두 음을 震(☳)의 두 양과 바꾼 것이다.(乾之震, 以中上二陽易巽之二陰, 坤之巽, 以中上二陰易震之二陽.)" 건(乾☰)과 곤(坤☷)이 두 효씩을 서로 바꾸어서 건은 震(☳)이 되고 곤은 巽(☴)이 된다는 말이다.

245 水와 火가 … 이룬다 : 왕식본 『皇極經世書解』의 설명이다. "8괘를 합하여 말하면 24효는 음양이 각각 반이다. 水와 火는 음과 양이니 화가 수를 돕고 양이 음과 교류하기 때문에 서로 상생하고, 수가 화를 돕고 음이 양과 교류하기 때문에 서로 상극하여 만물을 이룬다.(合八卦言之, 二十四爻, 陰陽各半也. 水火, 則陰陽也, 火濟水, 陽交於陰, 故相生, 水濟火, 陰交於陽, 故相尅而萬物成也.)"

246 乾·坤의 이름과 … 있다 : 왕식본 『皇極經世書解』의 설명이다. "이름이란 음양의 이름을 말한 것이다. 자리는 反易의 자리를 말한다. 건곤감리는 4개의 정괘의 자리이므로 바꿀 수 없고, 진손태감은 4개의 방위 자리이므로 바꿀 수 있다. 離는 하늘에서 밤의 星에 해당하니 음 가운데 양이고, 坎은 땅에서 낮의 土에 해당하니 음 가운데 양이며, 震은 하늘의 辰에 해당하여 처음 음과 교류하여 양이 생겨 음이 여전히 많고, 巽은 땅의 石에 해당하여 처음 양이 소멸하여 음이 생겨나서 양이 여전히 많고, 兌는 하늘의 月에 해당하여 양이 자라나고, 艮은 땅의 火에 해당하여 음이 자라난다. 그러므로 건곤진손의 이름은 바꿀 수 없고, 감이태간의 이름은 바꿀 수 있다. 이 장은 처음부터 '모두 바꿀 수 있다.'는 데까지는 서두를 제기한 것이고, 그 이하 '간은 음이 자라는 것이다.'까지는 위의 뜻을 거듭한 것이고, '진과 태는 하늘의 음이다.' 이하는 또 하나의 뜻이다.

닮고, 대과大過는 감坎을 닮았다.[247] 그러므로 건 · 곤 · 이離 · 감 · 중부 · 이頤 · 대과 · 소과는 모두 바꿀 수 없다.[248] 이離☲는 하늘에서 밤에 해당하므로 양 가운데 음이 있다. 감坎☵은 땅에서 낮에 해당하므로 음 가운데 양이 있다.[249] 진震☳은 처음 음과 교류하여 양이 생겨나고 손巽☴은 비로소 양이 소멸하여 음이 생겨난다. 태兌☱는 양이 자라나는 것이고, 간艮☶은 음이 자라나는 것이다.[250] 진과 태는 하늘에 있는 음이고, 손과 간은 땅에 있는 양이다. 그러므로 진과 태는 위가 음이고 아래가 양이며, 손과 간은

(名謂陰陽之名, 位謂反易之位, 蓋乾坤離坎, 四正之位, 故不可易, 震巽兌艮, 四維之位, 故可易也. 離在天而當夜之星, 則陽中有陰, 坎在地而當晝之土, 則陰中有陽, 震當天之辰, 始交陰陽生而陰尚多, 巽當地之石, 始消陽陰生而陽尚多, 兌當天之月而陽長, 艮當地之火而陰長. 故乾坤震巽之名, 不可易, 而坎離兌艮之名, 可易也. 此章自首至皆可易也, 是提頭, 以下至艮陰長也, 是申上意, 震兌在天之陰以下, 又是一意.)"

247 이는 건을 … 닮았다 : 왕식본 『皇極經世書解』에서의 황기의 설명이다. 황기는 다음과 같이 설명하였다. "離(䷝)괘는 양효가 많으니 乾(䷀)괘의 모습이 있고, 坎(䷜)괘는 음효가 많으니 坤(䷁)괘의 모습이 있으며, 中孚(䷼)괘가 건괘를 닮은 것은 離의 모습이 있기 때문이고, 頤(䷚)괘는 양효가 밖에서 음효를 쌓고 있으므로 離(☲)괘를 닮았고, 小過(䷽)괘가 곤괘를 닮은 것은 坎괘의 모습이 있기 때문이고, 大過(䷛)괘는 양효가 음효를 밖에서 감싸고 있으므로 坎(☵)괘를 닮았다.(離陽爻多, 有乾之象, 坎陰爻多, 有坤之象, 中孚肖乾, 以其有離之象, 頤則速, 肖於離, 小過肖坤, 以其有坎之象, 大過則速, 肖於坎.)"

248 그러므로 건 · 곤 … 없다 : 왕식본 『皇極經世書解』의 설명이다. "생각하건대, 64괘 가운데에 뒤집어 보고 똑바로 보아 서로 짝이 되는 것이 56괘이다. 예를 들어 上經에서 水雷屯(䷂)괘를 뒤집어 보면 山水蒙(䷃)이 되는 것과 같은 부류가 24개이고, 下經에서 澤山咸(䷞)괘를 뒤집어 보면 雷風恒(䷟)이 되는 부류가 32개이다. 뒤집어 보아도 서로 동일한 것은 8개이니, 상경의 건 · 곤 · 감 · 離 · 頤 · 대과의 6개와 하경의 중부 · 소과이다. 뒤집어 보아서 서로 짝이 되는 것도 괘를 하나의 괘로 하고, 뒤집어 짝이 없는 것은 한 괘가 스스로 한 괘가 되니, 이 두 종류를 합하면 36괘이고 상하경을 나누어서 각각 18괘씩 있으니 소강절이 말한 '바꿀 수 없는 것'은 뒤집어 보고 똑바로 보아 서로 같은 것이다. 나머지 뒤집어 보고 똑바로 보아 서로 짝이 되는 것은 모두 바꿀 수 있는 것이다. 주자가 '중부괘는 두 획씩으로 된 離괘이고, 소과괘는 두 획씩으로 된 坎괘이고, 대과괘는 획이 두꺼운 坎괘이고, 頤괘는 획이 두꺼운 離괘이다.'라는 말을 참고해 보는 것이 좋을 것이다.(愚按六十四卦, 反正互對者五十六. 如上經水雷屯, 反觀之, 即山水蒙之類, 凡二十有四, 下經澤山咸, 反觀之, 即雷風恒之類, 凡三十有二是也. 反是相同者八, 如上經乾坤坎離頤大過六卦, 下經中孚小過二卦是也. 反對者, 以兩卦爲一卦, 無反對者, 一卦自爲一卦, 則合之三十六, 而分之上下經, 各十有八, 邵子所謂不可易者, 即反正相同者也. 餘反正互對者, 皆可易者也. 朱子曰, 中孚是個雙夾底離, 小過是個雙夾底坎, 大過是箇厚畫底坎, 頤是箇厚畫底離, 語可叅看.)"

249 離(☲)는 하늘에서 … 있다 : 왕식본 『皇極經世書解』에서의 황기의 설명이다. "離는 하늘의 4괘 가운데 陽이고, 그 자리는 卯에 해당한다. 해[日]가 나오지 않았을 때는 밤이 되므로 양 가운데 음이 있다. 坎은 땅의 4괘 가운데 陰이고, 그 자리는 酉에 해당한다. 해가 들어가지 않았을 때는 여전히 낮이 되므로 음 가운데 양이 있다.(離在天四卦之中陽也, 位當卯. 日未出, 猶爲夜, 故陽中有陰. 坎在地四卦之中陰也, 位當酉. 日未入猶爲晝, 故陰中有陽.)"

250 震(☳)은 비로소 … 것이다 : 왕식본 『皇極經世書解』의 설명이다. "'진은 음과 처음 교류하여 양이 생겨난다.'는 것은 震(☳)이 坤(☷)과 접해서 하나의 양이 생겨난 것이고, 兌(☱) 두 양효에 이르면 양이 자라는 것이다. '손이 처음 교류하여 음이 생겨난다.'는 것은 巽(☴)이 乾(☰)과 접하여 하나의 음이 생겨난 것이고, 艮(☶) 두 음효에 이르면 음이 자라는 것이다.(震始交陰而陽生, 以震接坤而一陽生也, 至兌二陽則爲陽之長. 巽始消陽而陰生, 以巽接乾而一陰生也, 至艮二陰則爲陰之長.)

위가 양이고 아래가 음이다. 하늘은 처음 생겨나는 것으로 말하므로 음이 위에 있고 양은 아래 있으니 교류하고 소통하는 뜻이고, 땅은 이미 이룬 것으로 말하므로 양이 위에 있고 음이 아래에 있으니 높고 낮은 지위이다.[251]

[11-1-63]

乾坤定上下之位, 離坎列左右之門, 天地之所闔闢, 日月之所出入. 是以春夏秋冬, 晦朔弦望, 晝夜長短, 行度盈縮, 莫不由乎此矣.

건 · 곤이 위와 아래의 자리를 정하고, 이離 · 감坎이 왼쪽과 오른쪽 문을 벌리는 것이니, 하늘과 땅이 닫히고 열리는 것이며 해와 달이 들고 나는 것이다. 그래서 봄 · 여름 · 가을 · 겨울, 그믐 · 초하루 · 상하현 · 보름, 낮과 밤의 길고 짧음, 운행도수의 영축盈縮(남음과 모자람)이 여기로부터 연유하지 않음이 없다.[252]

[11-1-64]

無極之前, 陰含陽也. 有象之後, 陽分陰也. 陰爲陽之母. 陽爲陰之父. 故母孕長男而爲復. 父生長女而爲姤. 是以陽始於復, 陰始於姤也.

무극無極 이전은 음이 양을 품고 있다. 상象이 있은 후에는 양이 음을 나눈다. 음은 양의 어머니이고 양은 음의 아버지이다. 그러므로 어머니는 장남을 잉태하여 복復괘가 되고 아버지는 장녀를 낳아 구姤괘가 된다. 그래서 양은 복괘에서 시작하고 음은 구괘에서 시작한다.[253]

251 진과 태는 하늘에 … 지위이다 : 왕식본 『皇極經世書解』의 설명이다. "이 절은 먼저 震巽艮兌의 四維의 괘를 논하고 뒤에 乾坤坎離의 4정괘를 언급했다. '震兌가 하늘에 있는 음이다.'라는 말은 소강절이 震(☳)을 하늘의 少陰으로 여기고, 兌(☱)를 하늘의 太陰으로 여긴 것이다. 오직 그것이 음이기 때문에 음효는 모두 위에 있고 양효는 모두 아래에 있다. 하늘은 만물을 낳는 것을 주로 하니, 처음 낳을 때에 교류하여 泰가 되지 않으면 낳을 수 없으므로 음이 위에 있고 양이 아래에 있어서 交泰의 뜻을 취한 것이다. '巽艮은 땅에 있는 양이다.'라는 것은 소강절이 巽(☴)을 땅의 少剛으로 여기고, 艮(☶)을 땅의 太剛으로 여긴 것이다. 오직 그것이 강이기 때문에 양효는 모두 위에 있고 음효는 모두 아래에 있다. 땅은 만물을 이루는 것을 주로 하니, 만물을 이룬 후에는 尊卑가 정해지므로 음이 아래에 있고 양이 위에 있어서 尊卑의 뜻을 취한 것이다.(此節先論震巽艮兌四維之卦, 而後及於乾坤坎離四正之位. 震兌在天之陰者, 邵子以震爲天之少陰, 兌爲天之太陰. 惟其爲陰, 故陰爻皆在上, 而陽爻皆在下. 天以生物爲主, 始生之初, 非交泰不能, 故陰上陽下而取交泰之義. 巽艮在地之陽者, 邵子以巽爲地之少剛, 艮爲地之太剛. 惟其爲剛, 故陽爻皆在上而陰爻皆在下. 地以成物爲主, 既成之後, 則尊卑定, 故陰下陽上, 而取尊卑之位.)"

252 건 · 곤이 … 없다. : 왕식본 『皇極經世書解』에서 옥재 호씨의 말을 인용했다. "'건 · 곤이 위와 아래의 자리를 정했다.'는 것은 하늘과 땅이 닫히고 열리는 것이고, '감 · 리가 왼쪽 오른쪽 문을 벌린다.'는 것은 해와 달이 들고 나는 것이다. 한 해에서 봄 · 여름 · 가을 · 겨울과 한 달에서 그믐 · 초하루 · 상하현 · 보름과 하루에서 낮과 밤의 운행도수가 이것과 함께 나오지 않는 것은 없다. 어찌 효의 획의 음양 사이에서 구구하게 하겠는가?(乾坤定上下之位, 天地之所闔闢也, 坎離列左右之門, 日月之所出入也. 歲而春夏秋冬, 月而晦朔弦望, 日而晝夜行度, 莫不胥此焉出. 豈拘拘爻畫陰陽之間哉?)"

[11-1-65]

性非體不成, 體非性不生. 陽以陰爲體, 陰以陽爲體. 動者性也, 靜者體也. 在天則陽動而

253 王植,『皇極經世書解』: "『朱子語類』에서 다음과 같이 물었다. '무극을 어떻게 이전이라고 말할 수 있는가?' 대답했다. '소강절이 圓圖에서 순환의 뜻을 말한 것이다. 姤괘에서 坤괘에 이르기까지 음이 양을 품고 있고, 복괘에서 건괘에 이르기까지 양이 음을 나눈다. 곤괘와 복괘 사이가 무극이고 곤괘에서 구괘까지 돌아가는 것이 무극의 이전이다.' 물었다. '무극의 이전은 전후가 있는 것이니 반드시 있고 없음이 있는가?' 대답했다. '본래 단절이 없다.' 물었다. '선천도에서는 음양이 양쪽 변두리에서부터 생겨나는데 만약 곤괘를 태극으로 삼으면 태극과 같지 않는 것은 왜인가?' 대답했다. '그 의사에 근거해서 말했으니 염계를 살피지 않은 것이다. 그 태극을 논하면 중간에 빈 곳이 바로 이것이니 또한 선천도의 가운데에서 일어난다. 양쪽 변두리에서 일어나는 것은 음이 양에 뿌리하고 양은 음에 뿌리하여 두 개가 짝이 있으나 가운데에서 일어나는 것은 짝이 없다.(朱子語類, 問無極如何說前, 曰邵子就圖上說循環之意. 自姤至坤, 是陰含陽, 自復至乾, 是陽分陰. 坤復之間, 乃無極, 自坤反姤, 是無極之前. 問無極之前, 既有前後, 須有有無. 曰本無間斷. 問先天圖, 陰陽自兩邊生, 若將坤爲太極, 與太極不同, 如何? 曰姑自據他意思說, 却不曾契勘濂溪底. 若論他太極, 中間虛底, 便是他, 亦自說圖從中起. 那兩邊生, 即是陰根陽, 陽根陰, 這個有對, 從中出者, 即無對.)" 玉齋胡氏는 다음과 같이 말했다. "선천 원도의 오른쪽 변은 음에 속하고 음 가운데 양이 있으므로 하나의 음효인 구괘로부터 6개의 음효인 곤괘에 이르기까지 모두 음으로써 양을 품고 있다. 음은 닫힘을 주도하여 그 모이는 것은 이 양을 함축하고 있는 것이다. 왼쪽 변은 양에 속하고 양 가운데 음이 있으므로 하나의 양효인 복괘로부터 6개의 양효인 건괘에 이르기까지 모두 양효로써 음을 나눈다. 양은 열리는 것을 주도하여 그 발산하는 것이 이 음을 나누어 퍼뜨리는 것이다. 곤괘와 복괘 사이가 무극인데 한번 움직이고 한번 고요한 사이라는 것은 소리도 없고 냄새도 없는 이치일 뿐이니 곤괘에서 돌이켜 관찰하면 앞에서 미루어가서 구괘에 이르므로 무극 이전이 된다. 복괘로부터 순하게 수를 세어 뒤로 이끌어가면 건괘에 이르므로 象이 있는 뒤가 된다. 4괘가 순환해서 그 끝이 드러나지 않는다. 음이 양의 어머니가 된다는 것은 곤괘가 복괘의 어머니가 되는 것이므로 복괘를 낳는 것이고, 양은 음의 아버지가 된다는 것은 건괘는 구괘의 아버지가 되므로 구괘를 낳는 것이다. 원도에서 음양으로 나뉘어 복괘와 구괘가 음과 양이 일어나는 곳이 되므로 건괘와 곤괘는 큰 부모가 되고, 복괘와 구괘는 작은 부모가 된다.(圖右一邊屬陰, 而陰中有陽, 故自一陰之姤, 至六陰之坤, 皆是以陰而含陽. 陰主闔, 其翕聚者, 所以含蓄此陽也. 左一邊屬陽, 而陽中有陰, 故自一陽之復, 至六陽之乾, 皆自以陽而分陰. 陽主闢, 其發散者, 所以分布此陰也. 坤復之間, 乃爲無極, 蓋以一動一静之間, 一無聲無臭之理而已, 自坤而反觀則推之於前, 以至於姤, 故爲無極之前. 自復而順數則引之於後, 以至於乾, 故爲有象之後. 四卦之循環, 蓋未見其終窮也. 陰爲陽之母, 謂坤爲復之母, 故生復也, 陽爲陰之父, 謂乾爲姤之父, 故生姤也. 圖分陰陽, 復姤爲陰陽之起處, 故曰乾坤爲大父母, 復姤爲小父母也.)"

이에 왕식은 다음과 같이『周易折中』권19「易學啓蒙」에서의 설명을 그대로 말했다. "『周易折中』에서 주렴계가 '無極而太極이라고 말한 것은 음양의 본래 형체를 가지고 말한 것이니,『中庸』에서 天命의 性이라고 한 것이고, 소강절이 무극은 動靜의 지도리를 가지고 말한 것이니,『中庸』의 未發의 中을 말한다. 천명의 성은 두루 흘러 있지 않는 곳이 없는 것이다. 그러나 사람이 생겨나서 고요한 것이 천명의 성이라면, 광막하여 조짐이 없는 때가 본래 형체의 참됨이 갖추어지게 되는 것이다. 그러므로 주렴계가 또한 主靜을 말했고, 정이천은 그 근본은 참되고 고요하다고 했으니, 세 사람의 말은 실제로 서로 밝혀주어 어긋나지 않는다.(周易折中, 周子所謂無極而太極者, 以陰陽之本體言之, 中庸所謂天命之性也, 邵子所謂無極者, 以動静之樞紐言之. 中庸所謂未發之中也. 天命之性, 固周流而無不在. 然人生而靜, 天之性也, 則沖漠無朕之時, 乃本體之眞之所以具. 故周子亦言主靜, 程子言其本也眞而静, 三子之說, 實相發明而不相悖也.)"

陰靜, 在地則陽靜而陰動. 性得體而靜, 體隨性而動. 是以陽舒而陰疾也. 更詳之

성性은 체體가 아니면 이루어지지 않고, 체는 성이 아니면 생겨나지 않는다. 양은 음을 체로 삼고, 음은 양을 체로 삼는다. 움직이는 것은 성이고, 고요한 것은 체이다. 하늘에서는 양이 움직이고 음이 고요하며, 땅에서는 양이 고요하고 음이 움직인다. 성은 체를 얻어 고요해지고 체는 성에 따라 움직인다. 그래서 양은 느긋하고 음은 빠르다.[254] 더 생각해야 한다.

[11-1-66]

陽不能獨立, 必得陰而後立, 故陽以陰爲基. 陰不能自見, 必待陽而後見, 故陰以陽爲唱. 陽知其始而享其成, 陰效其法而終其勞.

양은 홀로 설 수가 없으니 반드시 음을 얻은 후에 서므로 양은 음을 기초로 삼는다. 음은 스스로 드러날 수가 없으니 반드시 양에 의지한 후에 드러나므로 음은 양을 선도로 삼는다. 양은 그 시작을 주관하여 그 이룸을 누리고, 음은 그 모범을 본받아 그 일을 끝마친다.[255]

[11-1-67]

陽能知而陰不能知, 陽能見而陰不能見也. 能知能見者爲有, 故陽性有而陰性無也. 陽有所不徧而陰無所不徧也. 陽有去而陰常居也. 無不徧而常居者爲實, 故陽體虛而陰體實也.

양은 주관할 수 있지만 음은 주관할 수가 없고, 양은 드러낼 수 있지만 음은 드러낼 수가 없다. 주관할 수 있고 드러낼 수 있는 것은 '유'有이므로 양의 성性은 있음[有]이고 음의 성性은 없음[無]이다. 양은 두루하지 않는 것이 있고 음은 두루 하지 않는 것이 없다. 양은 가는 바가 있고 음은 항상 머문다. 두루 하지 않는 바가 없으면서 항상 거주하는 것은 실實이므로 양의 체體가 비어있고[虛] 음의 체는 꽉 차 있다[實].[256]

254 王植, 『皇極經世書解』: "보충 주석에서 '음은 양을 체로 삼는다.'고 할 때의 체는 마땅히 性으로 해야 한다. 황씨는 '성은 양이고 체는 음이니 음과 양은 상생하고 체와 성은 서로 의지한다.'는 것은 이미 앞에 보였고, '양은 느긋하고 음은 빠르다.'라는 말은 억지로 해석할 수가 없다.(愚按補註, 陰以陽爲體之體, 當作性. 黃氏云, 性爲陽, 體爲陰, 陰陽相生, 體性相須, 已見前矣. 舒疾不敢強解.)"

255 王植, 『皇極經世書解』: "'知는 주도한다는 말과 같다. 양은 그 만물을 낳는 시초를 주도하여 그 만물이 이루어지는 공을 누리고, 음은 만물을 낳는 모범을 본받아 만물이 이루어지는 일을 끝마쳐서 그 공로를 소유하지 않으니, 땅의 도리의 당연함이다.(補註知猶主也. 陽主其生物之始, 而享其成物之功, 陰效其生物之法, 而終其成物之勞. 不敢有其功, 地道當然也.)"

256 王植, 『皇極經世書解』: "'주도한다.'는 것은 그 시작을 주도하는 것이고, '드러낸다.'는 것은 그 공을 드러내는 것이다. 생겨난 만물에는 양이 있으니 만약 죽었다면 양이 없다. 그러므로 양은 두루 하지 않는 바가 있고, 가는 때가 있다. 오직 음만이 삶과 죽음에 모두 있어서 음은 두루 하지 않은 것이 없으나 항상 그 자리에 처한다."(知, 謂主其始, 見, 謂著其功. 凡物之生者, 有陽, 若死者, 則無陽. 故陽有所不徧, 而有去之時也. 惟陰, 則生死皆在, 故陰無所不徧, 而常居其處也.) 王植, 『皇極經世書解』에서 황기는 다음과 같이 설명했다. "시작하므로 두루 하지 않고, 이루기 때문에 두루 한다. 움직이기 때문에 가고, 고요하기 때문에 거주한다."(始故

[11-1-68]

自下而上謂之升, 自上而下謂之降. 升者, 生也, 降者, 消也. 故陽生於下而陰生於上, 是以萬物皆反生. 陰生陽, 陽生陰, 陰復生陽, 陽復生陰, 是以循環而無窮也.

아래에서 위로 가는 것을 '오른다.'고 하고 위에서 아래로 가는 것을 '내려간다.'고 한다. '오른다'는 것은 생겨나는 것이고, '내려간다'는 것은 소멸되는 것이다. 그러므로 양은 아래에서 생겨나고 음은 위에서 생겨나니, 그래서 만물은 모두 반대로 생겨난다. 음은 양을 낳고, 양은 음을 낳고, 음은 다시 양을 낳고, 양은 다시 음을 낳으니 그래서 순환하여 끝이 없다.[257]

[11-1-69]

天地之本, 其起於中乎! 是以乾坤交變而不離乎中. 人居天地之中. 心居人之中. 日中則盛. 月中則盈. 故君子貴中也.

하늘과 땅의 뿌리는 중심[中][258]에서 일어나는 것이다! 그래서 건과 곤이 교류하고 변하되 중심을 떠나지 않는다.[259] 사람은 하늘과 땅의 중심에 자리하고 마음은 사람의 중심에 자리한다.[260] 해가 중천에

不偏, 成故偏. 動故去, 静故居.) 王植, 『皇極經世書解』, "위의 두 구절 또한 음과 양이 모두 귀중하다는 뜻을 나타낸 것이다."(愚按, 上二節, 亦見陰陽並重之義.)

257 王植, 『皇極經世書解』: "양은 아래에서 위로 가고 음은 위에서 아래로 간다. 이것은 정해진 분수이다. 그러나 동물은 양으로 머리부터 생겨나고 식물은 음으로 뿌리로부터 생겨나니 모두 거꾸로 생겨난다는 것이며 음양은 서로 뿌리를 둔다는 뜻이다. 이것은 사람과 만물의 낳는 것으로 음양이 서로 낳는 이치를 드러낸 것이니 다른 것들을 알 수 있다.(愚按, 陽自下而上, 陰自上而下. 此定分也. 然動物陽也, 而自首生, 植物陰也, 而自根生, 皆謂之反生, 蓋陰陽互根之義. 此即人物之生, 以見陰陽相生之理, 而他可知也.)"

258 중심[中]: 이것은 中을 말한다. 王植, 『皇極經世書解』, "가운데 中자는 포함하는 것이 넓다. 이치로 말하면 태극이고 수로 말하면 5와 6이며, 방위로 말하면 子와 午이다.(中字, 所包者廣. 以理言之, 中即太極也, 以數言之, 即五六是也, 以方位言之, 即子午是也.)"

259 그래서 건과 … 않는다: 왕식본 『皇極經世書解』에서 황기는 다음과 같이 설명하고 있다. "하늘은 무엇을 근본으로 하는가? 子의 가운데인 復괘에서 일어나고 복괘가 한 번 변하여 臨괘가 되고 두 번 변하여 泰괘가 되고 세 번 변하여 大壯괘가 되고 네 번 변하여 夬괘가 되고 다섯 번 변하여 乾괘에 이르면 午에서 가운데가 되니, 이것은 여러 번 변하여도 결국에는 떠나지 않는 것이 가운데이다. 땅이 근본하는 것은 午의 가운데인 姤괘에서 일어나 구괘가 변하여 遯괘가 되고 둔괘가 변하여 否괘가 되고 비괘가 변하여 觀괘가 되고 관괘가 변하여 剝괘가 되고 곤괘에 이르면 子에서 가운데가 되니, 건괘와 같다.(天何所本乎? 起於子中之復, 復一變爲臨, 再變而泰, 三變而大壯, 四變而夬, 五變至乾, 則中於午, 是屢變而終不離者中也. 地之所本, 起於午中之姤, 姤而遯, 遯而否, 否而觀, 觀而剝, 至坤則中於子, 猶夫乾也.)"

260 사람은 하늘과 … 마음은 사람의 가운데 자리한다: 王植, 『皇極經世書解』에서 황기는 다음과 같이 설명했다. "사람이 곧 하늘과 땅의 마음이고 마음이 곧 사람의 태극이다. 해가 91도에 이르면 中이 되고, 달은 15일에 이르면 중이 된다. 이상은 선천원도의 괘수를 밝힌 것이니, 그 체와 용은 모두 하늘이 땅의 바깥을 감싸고 있는 것을 상징한다."(人即天地之心也, 心即人之極也. 日至九十一度以爲中, 月至一十五日以爲中, 以上發明先天圓圖卦數, 凡其體用, 皆象天包地外.)

王植, 『皇極經世書解』, "여기서 말하는 중을 '마음은 사람의 가운데에 자리한다.'고 말한 것은 또 子午의

뜨면 성대하고 달은 보름이 되면 가득 찬다. 그러므로 군자는 중中을 귀하게 여긴다.

[11-1-70]

本一氣也, 生則爲陽, 消則爲陰. 故二者一而已矣, 六者三而已矣, 八者四而已矣. 是以言天而不言地, 言君而不言臣, 言父而不言子, 言夫而不言婦也. 然天得地而萬物生, 君得臣而萬化行, 父得子夫得婦而家道成. 故有一則有二. 有二則有四. 有三則有六. 有四則有八.

하나의 기氣에 근본하고 있지만 생겨나면 양이 되고 소멸되면 음이 된다. 그러므로 두 가지는 하나일 뿐이고, 6가지는 셋 일 뿐이며, 8가지는 넷일 뿐이다. 그래서 하늘을 말하면서 땅을 말하지 않고, 군주는 말하면서 신하를 말하지 않고, 아버지는 말하면서 자식을 말하지 않고 남편을 말하면서 부인을 말하지 않는다. 그러나 하늘은 땅을 얻어야 만물이 생겨나고, 군주는 신하를 얻어야 만 가지 교화가 시행되며 아버지는 자식을 얻고 남편은 부인을 얻어야 가정의 도리가 이루어진다. 그러므로 1이 있으면 2가 있고, 2가 있으면 4가 있고, 3이 있으면 6이 있고 4가 있으면 8이 있다.[261]

[11-1-71]

陰陽生而分二儀. 二儀交而生四象. 四象交而成八卦. 八卦交而生萬物. 故二儀生天地之類, 四象定天地之體, 四象生八卦之類, 八卦定日月之體, 八卦生萬物之類. 重卦定萬物之體. 類者, 生之序也, 體者, 象之交也. 推類者必本乎生, 觀體者必由乎象. 生則未來而逆推, 象則旣成而順觀. 是故日月一類也. 同出而異處也. 異處而同象也. 推此以往, 物焉逃哉.

음양이 생겨나서 양의兩儀가 나뉜다. 양의가 교류하여 사상四象이 생긴다. 사상이 교류하여 8괘가 이루

방위가 아니라, 원도의 중간이다. 모두 마땅히 융통성 있게 보아 中이라는 글자의 뜻을 다 드러내야 한다.(愚按, 此所言中, 曰心居人之中, 又非子午之位, 乃圓圖之中間也. 皆當活看, 以盡中字之義.)"

261 王植, 『皇極經世書解』:"(황기가 말했다. "생겨나서 양이 되는 것은 복괘에서 건괘에 이르는 것이다. 소멸하여 음이 되는 것은 구괘에서 곤괘에 이르는 것이다. 음과 양은 하나의 氣에 뿌리를 두고 있고 四象은 음양兩儀에 뿌리를 두고 있고, 6효는 3획괘에 뿌리를 두고 있고, 8괘는 사상에 뿌리를 두고 있다. 하늘을 말하고 땅을 말하지 않는다는 이하의 말은 모두 양이 음을 통솔한다는 것이고, 하늘은 땅을 얻어야 한다는 이하의 말은 양은 반드시 음이 있어야만 변화를 이룬다는 말이다.(生爲陽, 自復至乾也. 消爲陰, 自姤至坤也. 陰陽本一氣也, 四象本兩儀也, 六爻本三畫也, 八卦本四象也. 言天不言地以下, 皆陽統陰, 天得地以下, 蓋陽必有陰而成變化.)"

王植, 『皇極經世書解』, "절의 끝에 '2가 있으면 4가 있다.'는 구절이 있으니 앞에서 황기가 말했듯이 '4는 2일 뿐이다.'라는 말이 있어야 합당하다. 보충주석에서 '2는 건괘와 곤괘이고, 6은 여섯 자식괘를 말한 것이고, 8은 8괘를 말한 것이니, 소강절은 양을 부양하고 음을 억제했다. 그래서 2는 1이라는 것은 곤괘를 빼고 말한 것이고, 6은 3이라는 것은 巽離兌괘를 빼고 말한 것이며, 8은 4라는 것은 곤손이태를 빼고 말한 것이다.' 라고 하니, 뜻은 통하지만 본래의 뜻이 아닌 것같다.(愚按, 節末, 有有二則有四句, 則前云四者二而已矣, 爲所宜有. 補註云, 二謂乾坤, 六謂六子, 八謂八卦, 邵子扶陽抑陰, 故二者一, 去坤而言也, 六者, 三去巽離兌而言也, 八者, 四去坤巽離兌而言也. 於義雖通, 似非本旨.)"

어진다. 8괘가 교류하여 만물이 생겨난다. 그러므로 양의는 천지의 부류를 낳고, 사상은 천지의 체體를 정하고, 사상은 8괘의 부류를 낳고[262], 8괘는 일日과 월月의 체를 정하고, 8괘는 만물의 부류를 낳고, 중첩된 64괘는 만물의 체體를 정한다.[263] 부류[類]는 낳는 순서이고, 체體는 상象의 교류이다. 부류를 미루어 가는 것은 반드시 낳는 것에 근본해야 하고 체를 관찰하는 것은 반드시 상으로부터 연유해야 한다. 낳는 것은 오지 않았지만 역逆으로 미루어갈 수 있고, 상은 이루어졌지만 순順하게 관찰할 수 있다.[264] 그러므로 일日과 월月은 한 가지 부류이다. 그러나 같은 곳에서 나왔지만 다른 곳에 처하고, 다른 곳에 처하지만 동일한 상이다.[265] 이것으로 미루어 나간다면 사물이 어떻게 도망갈 수 있겠는가?

262 사상은 8괘의 … 낳고 : 왕식본『皇極經世書解』의 보충 주석에서는 이 구절은 마땅히 "사상이 해와 달을 낳았다.(四象生日月)"고 고쳐야 한다고 주장하였다.

263 음양이 생겨나서 … 정한다 : 王植, 『皇極經世書解』, "생각하건대, 이 절은 두 단락으로 구분하여 보아야 한다. 먼저 사물의 부류가 생겨나는 데에 각각 그 體와 類가 있다고 말했다. '낳는 순서' 이하는 사물의 이치를 추측하는 도를 말했다. 세상의 이치와 수는 음양오행에서 벗어나지 않는다. 소강절이 양의와 사상과 8괘는 이치가 하나라고 말했으니, 양의가 생겨났다는 것은 動靜이 순환하는 뜻이 있다. 그러므로 그 아래에서 모두 교류함을 말했으니 교류한 후에 낳는 것이다. '양의가 천지의 부류를 낳는다.'는 것은 건이 양이 되고 곤이 음이 되는 것이다. '사상이 천지의 체를 정했다.'는 것은 이른바 일월성신이 모두 하늘이 되고, 수화토석이 모두 땅이 되는 것이다. '사상이 해와 달의 부류를 낳는다.'는 것은 해는 太陽이고, 달은 太陰이라는 것이다. '8괘가 해와 달의 체를 정한다.'는 것은 先天에서 離가 日이 되고, 坎이 月이 되는 것이고, 經世에서 乾이 일이 되고 兌가 월이 되는 것이다. '8괘가 만물의 부류를 낳는다.'는 것은 건이 말이 되고, 곤이 소가 되는 것이다. '중첩된 괘가 만물의 체를 낳는다.'는 것은 두 편의 책수를 합하면 11,520이니 만물의 수에 해당한다.(愚按, 此節分二截看. 首言物類之生, 各有其體類者. 生之序以下, 言推測物理之道也. 天下之理數, 不外陰陽五行. 邵子言二儀四象八卦理則一也, 二儀之生, 即有動靜循環之義. 故以下皆言交, 交而後生也. 二儀生天地之類, 乾爲陽, 坤爲陰也. 四象定天地之體, 所謂日月星辰共爲天, 水火土石共爲地也. 四象生日月之類, 日太陽月太陰也. 八卦定日月之體, 先天, 離爲日, 坎爲月, 經世, 乾爲日, 兌爲月也. 八卦生萬物之類, 乾爲馬, 坤爲牛之屬也. 重卦定萬物之體, 合二篇之策, 萬有一千五百二十, 當萬物之數也.)"

264 부류[類]는 낳는 … 있다 : 王植, 『皇極經世書解』, "2에서부터 4로 8로 64로 되므로 '낳는 순서'라고 했다. 한 사물에는 한 사물의 體가 있어, 8괘의 상이 서로 교류함으로부터 낳으니, 오행이 서로 상생상극하는 것과 같다. 그러므로 '상의 교류'라고 했다. '부류를 미루어간다'는 4구절은 사물의 이치의 정밀한 뜻을 추측하는 것이다. '낳는 것에 근본한다.'는 것은 현재의 사물로부터 유래해 온 것을 逆으로 미루어가는 것이고, '상으로부터 연유해야한다.'는 것은 지금 앞에 있는 사물을 바탕으로 해서 끝마칠 것을 順하게 미루어가는 것이다."(由二而四而八而六十四, 故曰生之序. 一物有一物之體, 由八卦之象相交而生, 猶五行之相爲生尅也. 故曰象之交. 推類四句, 正推測物理之精義, 本乎生, 由現在之物而逆推所自來, 由乎象, 因現前之物而順推其所終.)

265 日과 月은 … 상이다 : 王植, 『皇極經世書解』, "'일과 월은 한 가지 부류' 이하는 일월에 대하여 그 나머지를 예시한 것이다. 여기서 '부류'[類]라는 것은 앞에 있는 말과 같지 않다. 앞에서 '부류'라고 하고 여기서는 '한 가지 부류'라고 했으니, 류 중에서 서로 같은 것이다. '같은 곳에서 나왔지만 다른 곳에 처하고, 다른 곳에 처하지만 동일한 상이다.'라는 말은 보충 주석에서 일월의 운행을 말한 것이라고 했으니 옳은 말이다.(日月一類以下, 即日月以例其餘. 此類字, 與前不同. 前言類, 此言一類, 類中之相同者也. 同出異處同象, 補註言日月之行者, 得之.)"

[11-1-72]

天變時而地應物. 時則陰變而陽應. 物則陽變而陰應. 故時可逆知, 物必順成. 則是以陽迎而陰隨, 陰逆而陽順. 語其體則天分而爲地, 地分而爲萬物, 而道不可分也. 其終則萬物歸地, 地歸天, 天歸道. 是以君子貴道也.

하늘에서 때가 변하여 땅에서 사물이 호응한다. 때란 음이 변하여 양이 호응하는 것이고, 사물은 양이 변하여 음이 호응하는 것이다. 그러므로 때는 역逆하여 알 수 있고, 사물은 반드시 순順하게 이룬다.[266] 그러므로 양은 맞아들이고 음은 따르고, 음은 역逆으로 하고 양은 순順하게 한다. 그 체體를 말하면 하늘이 나뉘어 땅이 되고, 땅이 나뉘어 만물이 되지만 도는 나뉠 수가 없다. 그 끝은 만물은 땅으로 돌아가고, 땅은 하늘로 돌아가고 하늘은 도로 돌아간다. 그래서 군자는 도를 귀하게 여긴다.[267]

[11-1-73]

有變則必有應也. 故變於內者應于外, 變于外者應于內, 變于下者應于上, 變於上者應于下也. 天變而日應之, 故變者從天而應者法日也. 是以日紀乎星, 月會於辰, 水生於土, 火潛於石, 飛者棲木, 走者依草, 心肺之相聯, 肝膽之相屬, 無他, 變應之道也.

266 하늘에서 때가 … 이룬다 : 王植, 『皇極經世書解』, "선천 8괘에 따르면 震괘에서 乾괘까지는 음이 변하여 양이 호응하는 것이고, 때는 거슬러 알 수 있다. 巽괘에서 坤괘까지는 양이 변하여 음이 호응하는 것이고, 사물은 반드시 순하게 이루는 것이다.(補註, 按先天八卦, 自震至乾, 是陰變陽應, 而時可逆知也. 自巽至坤, 是陽變陰應, 而物必順成也.)"

267 王植, 『皇極經世書解』: "생각건대, 천지의 때와 사물이 消息하고 서로 호응하는 이치를 밝힌 것이다. 변하고 호응하는 도는 이미 원형이정 3절에서 보였고, 이것은 추측해서 말한 것이다. 하늘은 하나의 기운이지만 변하여 봄 · 여름 · 가을 · 겨울의 사계절이 되고 땅에서 만물의 生長收藏으로 호응한다. 그러므로 하늘을 말한 것은 때를 말한 것이고 땅을 말한 것은 만물을 말한 것으로 만물이 낳고 사라지는 것은 곧 반드시 때의 消長으로 한다. 때는 동지 이전은 더위로부터 추워졌으니 음이 성하다. 그러나 動靜이 서로 순환하여, 동지 이후는 양기가 날로 불어난다. 그래서 음이 변하여 양이 호응하여 만물은 동지 이후부터 저장된 것으로부터 생겨나니 양의 움직임이고, 생겨난 후에는 반드시 성장하고 점차로 거두고 저장하는 데에 이르니 이는 양이 변하여 음이 호응하는 것이다. '逆'은 '易은 逆數이다.'라는 말의 逆과 같다. 때는 봄 계절에 여름이 있고 가을이 있을 것을 아니 이것이 '거슬러 아는 것'이다. 사물은 생겨난 후에 반드시 성장하고 이루어질 것을 아니, 이것이 '순하게 이루어지는 것'이다. 맞이하고 따른다는 것은 『天原發微』에서 '불의 성질은 맞아들일 수 있지만 따를 수 없다. 그러므로 소멸된다. 물의 체질은 따를 수 있지만 맞이할 수 없다. 그러므로 뜨겁다.'라고 했다. 맞이한다[迎]는 것은 거스르는 뜻이 있고 따른다는 것은 순하게 한다는 뜻이 있다. 이 두 구절은 윗구절인 '단절되어 음이 되고 양이 되는 이치는 없다.'는 것을 거듭 밝힌 것이다.(愚按, 此明天地時物消息相應之理. 變應之道, 已見二篇元亨利貞三節. 此則以推測言之. 天一氣也, 變爲春夏秋冬之四時, 而地以物之生長收藏應之. 故言天者言時, 言地者言物, 而言物之生息者, 即必以時之消長也. 時自冬至以前, 由暑而寒, 陰之盛也. 然動靜相循, 至冬至以後, 陽氣日滋. 是以陰變而陽應, 物自冬至以後, 由藏而生, 陽之動也, 而生後必長, 漸至收藏, 是爲陽變而陰應. 逆與易逆數也之逆同. 時即春時, 即知有夏有秋, 是可逆知也. 物即生後, 即知必長而成, 是以順成也. 迎隨云者, 漁樵問對云, 火之性, 能迎而不能隨, 故滅. 水之體, 能隨而不能迎, 故熱. 迎有逆之義, 隨即順之意. 此二句, 申明上文無截然爲陰爲陽之理也.)"

변함이 있으면 반드시 호응함이 있다. 그러므로 안에서 변하는 것은 밖에서 호응하고, 밖에서 변하는 것은 안에서 호응하며, 아래에서 변하는 것은 위에서 호응하고, 위에서 변하는 것은 아래에서 호응한다. 하늘이 변하면 일日이 호응하므로 변하는 것은 하늘을 따르고 호응하는 것은 일日을 본받는다. 그래서 일日은 성星에 기紀가 되고, 월月은 신辰에서 모이며, 수水는 토土에서 생겨나고, 화火는 석石에 감추어져 있으며, 나는 것은 나무[木]에 깃들어 있고, 달리는 것은 풀[草]에 의지하며, 심장과 폐가 서로 연결되어 있고 간과 담이 서로 붙어 있는 것은 다른 것이 아니라 변하고 호응하는 도이다.[268]

[11-1-74]

本乎天者親上, 本乎地者親下. 故變之與應, 常反對也.

하늘에 근본한 것은 위로 친하고 땅에 근본한 것은 아래로 친하다. 그러므로 변하는 것과 호응하는 것은 항상 반대이다.[269]

[11-1-75]

陽交於陰而生, 蹄角之類也, 剛交於柔而生, 根核之類也, 陰交於陽而生, 羽翼之類也. 柔交於剛而生, 枝榦之類也, 天交於地, 地交於天, 故有羽而走者, 足而騰者, 草中有木, 木中

268 王植, 『皇極經世書解』: "(황기가 말했다.) 하늘이 변하여 日이 호응하는 것은 하늘이 변하여 봄이 되고 해가 따스한 것으로 호응하며, 하늘이 변하여 여름이 되고 해가 더운 것으로 호응하는 부류와 같다. 그러므로 변하는 것은 하늘을 따르고 호응하는 것은 日을 본받는다. 星·辰·土·石·木·草·肺·肝은 변화는 도이고, 日·月·水·火·飛·走·心·膽은 호응하는 도이다.(補註, 天變而日應之, 如天變爲春而日以溫應之, 天變爲夏而日以燠應之之類是也. 故凡變者從天, 而應者法日也. 星也辰也土也石也木也草也肺也肝也, 變之道也, 日也月也水也火也飛也走也心也膽也, 應之道也.)"

王植, 『皇極經世書解』: "생각건대, 위 글의 변하여 호응한다는 것을 이어서 말했다. '안에서 변하여' 4구절은 변하면 반드시 호응한다는 것을 말했다. '하늘이 변하여 日이 호응한다.'는 것은 변화와 호응의 뜻을 말한 것이다. '日이 紀이다.'라는 4구절은 8괘로 말한 것이고, '나는 것' 2구절은 '멀리 사물에서 취한다.'는 것이고, '심장과 폐' 2구절은 '가까이 몸에서 취한다.'는 것이고, '일이 성에 紀가 된다.'는 것은 해가 1도를 가면 하나의 星으로 기록하니, 역산가들이 말하는 躔度星이고, '월이 별자리에서 모인다.'는 것은 달이 하나의 舍(운행거리)를 가서 서로 만나는 자리를 별자리라고 하니, 이상의 세 구절은 모두 추산하는 이치를 말했다. 그것이 어떻게 변하고 어떻게 응하는지를 당시에는 분명히 상세하게 알았지만 지금은 알 수 가 없다.(愚按, 此承上文變應而言. 變於內四句, 正言變之必應. 天變日應, 言變應之義. 日紀四句, 以八卦言之, 飛者二句, 遠取諸物, 心肺二句, 近取諸身, 日紀乎星, 日行一度, 則以一星紀之, 曆家所謂躔度星也, 月會於辰, 月行一舍, 其相會之次, 謂之辰也, 以上三節, 皆言推算之理. 其何以變何以應, 當時必得其詳, 今亦不可知矣.)"

269 王植, 『皇極經世書解』: "(황기가 말했다.) 동물이 몸은 가로이지만 그 머리는 반드시 위에 있으니 하늘에 근본한 것이고, 식물은 몸이 세로이지만 뿌리는 반드시 아래에 있으니 땅에 근본한 것이다. 乾·兌·巽·坎이 위에 있는 것은 坤·艮·震·離가 뒤집어 짝이 되어 아래로부터 호응한다. 곤·간·진·이 또한 그러하다.(動物, 體雖橫, 其首必在上, 本乎天者也, 植物, 體雖縱, 其根必在下本乎地者也. 乾兌巽坎在上, 坤艮震離反對, 自下應之, 坤艮震離亦然.)"

有草也. 各以類而推之, 則生物之類不逃數矣. 走者便於下, 飛者利於上, 從其類也.

양이 음과 교류하여 낳으니, 발굽과 뿔이 있는 부류이고, 강함이 유함과 교류하여 낳으니, 뿌리와 씨가 있는 부류이며, 음이 양과 교류하여 낳으니 깃과 날개가 있는 부류이고, 유함이 강함과 교류하여 낳으니 가지와 줄기가 있는 부류이다. 하늘이 땅과 교류하고 땅이 하늘과 교류하므로 깃이 있고 달리는 것과 발이 있고 나는 것이 있으며 풀 가운데 나무가 있고 나무 가운데 풀이 있다. 각각 부류로 미루어가면 낳은 만물의 부류는 수에서 벗어나지 않는다. 뛰는 것은 아래에서 편리하고 나는 것은 위에서 유리하니 그 부류를 따른다.[270]

[11-1-76]

陸中之物水中必具者, 猶影象也. 陸多走水多飛者, 交也. 是故巨于陸者必細于水, 巨于水者必細于陸也.

육지 가운데 있는 것이 물 가운데 반드시 갖추어져 있는 것은 그림자 모양과 같다. 육지에는 달리는 것이 많고 물속에는 나는 것이 많은 것은 교류하기 때문이다. 그러므로 육지에서 거대한 것은 반드시 물속에서는 작고, 물속에서 거대한 것은 반드시 육지에서는 작다.[271]

270 王植, 『皇極經世書解』: "(황기가 말했다.) 음양은 하늘이니 달리는 것과 나는 것을 낳고, 강함과 유함은 땅이니 풀과 나무를 낳는다. 이것이 바른 것이다. 만약 음양, 강유가 서로 교류하면 깃이 있는 것이 날 수도 있으며 달릴 수도 있고, 발이 있는 것은 달릴 수도 있으며 높이 뛰기도 한다. 달리는 것은 발이 있어서 달리고 높이 뛰는 것은 깃이 없으면서 나는 것이다. '풀 가운데 나무가 있다.'고 한 것은 뿌리가 있으면서 가지와 줄기가 있는 것이고, '나무 가운데 풀이 있다.'는 것은 가지와 줄기가 있으면서 뿌리가 있는 것이다. 또한 각각 부류로 미루어가면, 走의 草는 털이 깊은 것이니, 여우와 오소리의 부류가 이것이고, 走의 木은 뼈가 긴 것이니 원숭이의 부류가 이것이다. 飛의 草는 깃이 약한 것이니 비취새의 부류가 이것이고, 飛의 木은 날개가 강한 것이니 수리와 물수리의 부류가 이것이다. 草의 走는 덩굴이 이어진 것이니 오이와 박의 부류가 이것이고, 草의 飛는 뿌리가 뜬 것이니 마름과 쑥의 부류가 이것이다. 木의 走는 뿌리가 감추어진 것이니 복령의 부류가 이것이고, 木의 飛는 가지가 가늘게 늘어진 것이니 버들 부류가 이것이다. '뛰는 것은 아래를 편하게 여긴다.'는 것은 음이 주가 되는 것이고, '나는 것은 위가 이롭다.'는 것은 양이 주가 되기 때문이니 또한 그 부류가 그러한 것이다.(陰陽天也, 而走飛生焉, 剛柔地也, 而草木生焉, 此其正者也. 若陰陽柔剛互相交, 則羽者, 能飛兼能走也, 足者, 能走兼能騰也, 走則有足而馳, 騰則無羽而飛矣. 草中有木, 根荄而又枝幹也, 木中有草, 枝幹而又根荄也. 又各以類而推之, 走之草, 毛之深者, 狐貉之類是也, 走之木, 骨之修者, 猿猱之類是也. 飛之草, 羽之弱者, 翡翠之類是也, 飛之木, 翼之勁者, 鵰鶚之類是也. 草之走, 蔓之延者, 瓜匏之類是也, 草之飛, 根之浮者, 萍蓬之類是也. 木之走, 根之逸者, 茯苓之類是也, 木之飛, 枝之裊者, 楊柳之類是也, 走者便下, 陰爲主也, 飛者利上, 陽爲主也, 亦其類則然.)"

271 王植, 『皇極經世書解』: "(황기가 말했다.) 육지는 양이고 물은 음이며, 양은 형체이고 음은 그림자이다. 육지에 달리는 것이 많은 것은 양이 음과 교류하는 것이고, 물에 나는 것이 많은 것은 음이 양과 교류하는 것이다. 양이 음을 이기지 못하고 음이 양을 이기지 못하기 때문에 반대로 작다. 『精義』에서는 '물속에서 나는 것은 비늘이 있는 부류이고, 물속에서 달리는 것은 껍질이 있는 부류이며, 육지에 있는 것은 수컷이 크고 암컷이 작으며 물에 있는 것은 암컷이 크고 수컷이 작다.'고 했다.(陸陽而水陰, 陽形而陰影. 陸多走, 陽交陰也, 水多飛, 陰交陽也. 陽不勝陰, 陰不勝陽, 故反細也. 精義, 水中之飛, 鱗之類也, 水中之走, 介之類也,

[11-1-77]

虎豹之毛猶草也, 鷹鶻之羽猶木也.

호랑이와 표범의 털은 풀과 같고, 매와 송골매의 깃털은 나무와 같다.[272]

[11-1-78]

木者星之子. 是以果實象之.

목木은 성星의 자식이다. 그러므로 열매가 그것을 상징했다.[273]

[11-1-79]

葉, 陰也. 華實, 陽也. 枝葉軟而根幹堅也.

잎은 음이다. 꽃과 열매는 양이다. 가지와 잎은 연하고 뿌리와 줄기는 견고하다.[274]

[11-1-80]

人之骨巨而體繁, 木之幹巨而葉繁, 應天地之數也.

사람의 뼈가 거대하면 몸이 번성하고, 나무의 줄기가 거대하면 잎이 번성하는 것은 하늘과 땅의 수에 호응하는 것이다.[275]

[11-1-81]

動者體橫, 植者體縱. 人宜橫而反縱也.

동물은 몸이 가로로 되어 있고 식물은 몸이 세로로 되어 있다. 사람은 마땅히 가로로 되어 있어야 하는데 반대로 세로로 되어 있다.[276]

在陸者, 牡巨而牝細, 在水者, 牝巨而牡細.)"

272 王植, 『皇極經世書解』: "호랑이와 표범이 풀과 같다는 것은 走의 草이고 매와 송골매는 나무와 같다는 것은 飛의 木이다.(補註, 虎豹猶草, 走之草也, 鷹鶻猶木, 飛之木也.)"

273 장행성, 『皇極經世觀物外篇衍義』: "하늘의 사상은 일월성신이고 땅의 사상은 수화토석이니 화가 일이고, 수가 월이며 토가 신이고 석이 성이다. 사물에서는 비가 화에 속하고 주가 수에 속하고 초가 토에 속하고 목이 석에 속한다. 그러므로 목은 성의 자식이다.(天之四象, 日月星辰, 地之四象, 水火土石, 火爲日, 水爲月, 土爲辰, 石爲星. 其在物, 則飛屬火, 走屬水, 草屬土, 木屬石, 故木者星之子也.)"

274 王植, 『皇極經世書解』: "(황기가 말했다.) "기는 음과 양이 있고 몸은 유함과 강함이 있다.(氣有陰陽, 體有柔剛.)"

275 王植, 『皇極經世書解』: "하늘은 1이고 땅이 2이니 양수는 항상 적고 음수는 항상 많음을 알 수 있다.(補註, 天一地二, 可見陽數常少, 而陰數常多也.)"

276 王植, 『皇極經世書解』: "동물은 새와 짐승을 말한다. 몸은 모두 가로로 생장하니, 가로라는 것은 씨줄이 되므로 움직인다. 식물은 풀과 나무를 말한다. 몸은 모두 세로로 생장하니 세로라는 것은 날줄이 되므로 고요한 것이다. 사람에게 와서는 또한 동물이므로 몸은 마땅히 가로로 되어 있어야 하는데 반대로 세로로

[11-1-82]

飛者有翅, 走者有趾. 人之兩手, 翅也, 兩足, 趾也.

나는 것은 날개가 있고 달리는 것은 발가락이 있다. 사람의 두 손이 날개이고 두 발이 발가락이다.[277]

[11-1-83]

飛者食木. 走者食草. 人皆兼之, 而又食飛走也. 故最貴於萬物也.

나는 것은 나무를 먹고 달리는 것은 풀을 먹는다. 사람은 모두 겸비하여 또 나는 것과 달리는 것을 먹는다. 그러므로 만물 가운데 가장 귀하다.[278]

[11-1-84]

體必交而後生, 故陽與剛交而生心肺, 陽與柔交而生肝膽, 柔與陰交而生腎與膀胱, 剛與陰交而生脾胃. 心生目, 膽生耳, 脾生鼻, 腎生口, 肺生骨, 肝生肉, 胃生髓, 膀胱生血. 故乾爲心, 兌爲脾, 離爲膽, 震爲腎, 坤爲血, 艮爲肉, 坎爲髓, 巽爲骨. 泰爲目, 中孚爲鼻, 旣濟爲耳, 頤爲口, 大過爲肺, 未濟爲胃, 小過爲肝, 否爲膀胱.

몸은 반드시 교류한 후에 살리므로 양이 강함과 교류하여 심장과 폐를 살리고, 양이 유함과 교류하여 간과 담을 살리고, 유함과 음이 교류하여 신장과 방광을 살리고, 강함이 음과 교류하여 비장과 위장을 살린다. 심장은 눈을 살리고, 담은 귀를 살리고, 비장은 코를 살리고, 신장은 입을 살리고, 폐는 뼈를 살리고, 간은 근육을 살리고, 위장은 골수를 살리고, 방광은 피를 살린다. 그러므로 건乾은 심장이 되고, 태兌는 비장이 되고, 이離는 담이 되고, 진震은 신장이 되고, 곤坤은 피가 되고 간艮은 근육이 되고, 감坎은 골수가 되고, 손巽은 뼈가 되고, 태泰는 눈이 되고, 중부中孚는 코가 되고, 기제旣濟는 귀가 되고, 이頤는 입이 되고, 대과大過는 폐가 되고, 미제未濟는 위장이 되고, 소과小過는 간이 되고, 비否는 방광이 된다.[279]

되어 있으니, 만물과 다르며 가장 귀한 것이 된다.(補註, 動物, 謂鳥獸, 體皆橫生, 橫者, 爲緯故動. 植物, 謂草木, 體皆縱生, 縱者, 爲經故靜. 至於人, 亦動物, 體宜橫而反縱, 所以異於萬物而最貴也.)"

王植, 『皇極經世書解』: "생각하건대, 사람의 머리는 하나이고 귀와 눈은 짝수이고, 사지는 짝수이다. 코 두 구멍과 다섯 손가락이 또한 각각 홀수이니 또한 음과 양이 서로 뿌리를 두고 있다는 뜻이고 가운데에 인중(人中)으로 경계를 했으니, 이것도 세로와 가로인 것 중에서 마땅히 참고해야 할 한 가지이다.(愚按, 人之元首, 奇也, 耳目以偶, 四支偶也. 二竅, 五指, 又各以奇, 亦陰陽互根之義, 而中以人中界之, 此亦縱橫中, 當叅之一端也.)"

277 王植, 『皇極經世書解』: "사람은 나는 것과 달리는 것을 겸했으니, 양손은 날개를 본뜨고 두 발은 발가락을 본뜬 것이다.(補註, 人兼飛走, 所以兩手象翅, 而兩足象趾.)"

278 王植, 『皇極經世書解』: "(황기가 말했다.) 사람이 만물보다 귀하다. 그러나 만물을 이용하는 것은 좋지만 만물을 좇아가면 어리석고 천하다.(人貴於物, 然因物則可, 逐物則蠢而賤矣.)"

279 위의 내용을 다음과 같이 도표화할 수 있다.

[11-1-85]

天地有八象, 人有十六象, 何也? 合天地而生人, 合父母而生子, 故有十六象也.

하늘에는 8상이 있고, 사람에게는 16상이 있는 것은 무엇 때문인가? 하늘과 땅이 합쳐져서 사람을 낳고 아버지와 어머니가 합쳐져서 자식을 낳는다. 그러므로 16상이 있다.[280]

[11-1-86]

心居肺膽居肝, 何也? 言性者必歸之天, 言體者必歸之地. 地中有天, 石中有火, 是以心膽象之也. 心膽之倒懸, 何也? 草木者地之本體也. 人與草木反生, 是以倒懸也. 口目橫而鼻縱, 何也? 體必交也. 故動者宜縱而反橫, 植者宜橫而反縱, 皆交也.

심장은 폐에 있고 담(쓸개)은 간에 있는 것은 무슨 까닭인가? 성性을 말한 것은 반드시 하늘에 귀속하고, 체體를 말한 것은 반드시 땅에 귀속한다. 땅 속에 하늘이 있고 석石 속에 화火가 있으니 그래서 심장과 담이 그것을 상징했다. 심장과 담이 거꾸로 매달린 것은 무슨 까닭인가? 초목草木은 땅의 본래 형체이다. 사람과 초목草木은 거꾸로 생겨나니 그래서 거꾸로 매달린다.[281] 입과 눈은 가로로 되어 있고

태양	태음	소양	소음	소강	소유	태강	태유
일(日)	월(月)	성(星)	신(辰)	석(石)	토(土)	화(火)	수(水)
건(乾)	태(兌)	이(離)	진(震)	손(巽)	감(坎)	간(艮)	곤(坤)
심장	비장	담	신장	뼈	골수	근육	피
천(天)				지(地)			
눈	코	귀	입	폐	위장	간	방광
태(泰)	중부(中孚)	기제(旣濟)	이(頤)	대과(大過)	미제(未濟)	소과(小過)	비(否)

그러나 왕식은 굵게 표기한 부분처럼 바뀌어야 한다고 주장했다.

천(天)				지(地)			
건(乾)	**태(兌)**	**이(離)**	진(震)	손(巽)	**감(坎)**	**간(艮)**	곤(坤)
심장	**담**	**비장**	신장	뼈	**근육**	**골수**	피
눈	**귀**	**코**	입	폐	**간**	**위장**	방광
태(泰)	**중부(中孚)**	**기제(旣濟)**	이(頤)	대과(大過)	**미제(未濟)**	**소과(小過)**	비(否)

280 王植, 『皇極經世書解』: "이것은 윗 장의 괘상의 뜻을 거듭 밝힌 것이다. 아버지의 기는 하늘의 기이고 어머니의 기는 땅의 기이니, 천지는 하나의 큰 부모이고 부모는 하나의 작은 천지이다. 8상은 건·태·리·진·손·감·간·곤이고 16상은 泰·中孚·旣濟·頤·大過·小過·否를 합쳐서 말한 것이다.(補註, 此申上章卦象之意. 蓋父之氣, 卽天之氣, 母之氣, 卽地之氣, 天地, 一大父母也, 父母, 一小天地也. 八象, 乾兌離震巽坎艮坤, 十六象, 幷泰中孚旣濟頤大過未濟小過否而言也.)"

281 심장은 폐에 … 매달린다: 王植, 『皇極經世書解』에서 황기는 다음과 같이 설명한다. "심장과 담은 性이 되고 간과 폐는 體가 된다. 체는 성이 함유된 것이고, 성은 체가 주도되는 것이다. 체는 땅과 같고 石과 같고, 성은 하늘과 같고 火와 같다. 하늘과 火는 올라가 위로 가고, 땅과 석은 내려가 아래로 간다. 그러나 심장은 폐의 아래에 거꾸로 달려 있고, 담은 간의 아래에 거꾸로 늘어져 있는 것은 성은 하늘이고 체는 땅이기 때문이다. 초목을 보면 모두 뿌리에서 생겨나고, 사람은 비록 머리부터 나오더라도 그 처음 나올 때 머리가 먼저 땅에 닿기 때문에 '사람과 초목은 모두 거꾸로 생겨난다.'고 했다.(心膽爲性, 肝肺爲體. 體者, 性之所含, 性者, 體之所主. 體猶地也石也, 性猶天也火也. 天與火, 升而上, 地與石, 降而下. 然而心, 則倒懸於

코는 세로로 되어 있는 것은 무슨 까닭인가?[282] 몸은 반드시 교류한다. 그러므로 움직이는 것은 마땅히 세로로 되어 있어야 하는데 도리어 가로로 있고, 식물은 마땅히 가로로 되어 있어야 하는데 도리어 세로로 있으니 모두 교류하는 것이다.

[11-1-87]

天有四時, 地有四方, 人有四支. 是以指節可以觀天, 掌文可以察地. 天地之理具乎指掌矣, 可不貴之哉?

하늘에는 사계절이 있고 땅에는 사방이 있고 사람에게는 사지가 있다. 그래서 손가락 마디로 하늘을 관찰할 수 있고 손금으로 땅을 살필 수 있다. 천지의 이치는 손가락과 손바닥에 갖추어져 있으니 귀하게 여기지 않을 수 있겠는가?[283]

[11-1-88]

神統於心, 氣統於腎, 形統於首. 形氣交而神主乎其中, 三才之道也.

肺之下, 膽則倒垂於肝之下者, 性則天, 體則地也. 觀之草木, 皆自根生, 人雖自首生而其初生, 首先著於地, 故曰人與草木, 皆反生.)"

王植, 『皇極經世書解』: "살펴보건대, 사람의 장부에서 심장이 가장 신령하여 앎이 있고, 담이 그 다음으로 사람 가운데 두려움과 무서움이 많거나 용맹하게 가서 두려워하지 않는 자가 있으니, 담에 앎이 있음을 알 수 있다.(愚按人之臟腑, 心最靈而有知, 膽次之, 人有多恐怖, 或勇往不懼者, 可見膽之有知.)"

282 입과 눈은 … 까닭인가?: 王植, 『皇極經世書解』 황기는 다음과 같이 설명하고 있다. "입과 눈은 체의 움직이는 것이니 가로로 되어 있는 것은 세상의 동물을 본떴으며, 코와 귀는 체의 세워진 것이니, 세로로 되어 있는 것은 세상의 식물을 본떴다.(口目, 體之動者也, 橫則象世間之動物, 鼻耳, 體之植者也, 縱則象世間之植物.)"

王植, 『皇極經世書解』: "살펴보건대, 1편에서 귀·눈·코·입은 함께 머리가 되고 골수·피·뼈·근육은 모두 몸이 된다.'고 하여 머리를 몸에 해당시킨 것은 사람의 빼어남과 완고함, 욕심과 싫어함이 모두 얼굴에 드러나기 때문이다. 눈이 밝고 어두우며, 한번 찡그리고 웃는 것이 입·눈·귀·코에 갖추어진 것은 마치 해와 달의 빛과 구름과 노을의 기이한 변화가 모두 하늘에 드러나는 것과 같다. 그러므로 얼굴이 가장 중요하다. 눈 앞의 이치는 오직 사람만이 깨달아 새롭게 이해하는 것이다.(愚按一篇云, 耳目鼻口共爲首, 髓血骨肉共爲身, 以首當身者, 蓋人之秀頑欲惡, 皆見於面. 爲瞭爲眊, 一顰一笑, 於口目耳鼻具焉, 如日月之光華雲霞之奇變, 皆見於天. 故面最重也, 目前之理, 惟人悟入新會.)"

283 王植, 『皇極經世書解』: "吳澄이 말하기를 '손가락 마디 12를 합하면 24가 되니, 하늘의 상이 있는 것이고, 손금은 뒤는 높고 앞은 낮아서 산은 높고 물이 흐르니 땅의 법이 있는 것이다.(補註, 吳氏澄曰, 指節十二合之二十四, 有天之象焉, 掌文, 後高前下, 山峙水流, 有地之法焉.)"

王植, 『皇極經世書解』: "황기는 이렇게 설명한다. '만약 12州로 손가락 마디 사이에 배열하면 손가락 마디에서도 땅을 살필 수 있고, 28수로 손금 위에 배열하면 손금에서도 하늘을 관찰할 수 있다. 손바닥을 움켜쥐어 주먹을 만들면 그 가운데가 텅 비어 태극이 양의를 함축하고 있는 상이 된다.' (黃氏畿曰, 若以十有二州, 而列之指節之間, 指節, 亦可以察地, 若以二十八宿, 而列之掌文之上, 則掌文亦可以觀天. 至掌心握以爲拳, 其中虛焉, 固太極含兩儀之象也.)"

신神은 심장에서 통제되고, 기氣는 신장에서 통제되며 형체는 머리에서 통제된다. 형체와 기가 교류하고 신은 그 가운데서 주관하니, 삼재三才의 도이다.[284]

[11-1-89]

人之四肢各有脉也. 一脉三部, 一部三候, 以應天數也.

사람의 사지에는 각각 맥脈이 있다. 한 맥은 삼부三部이고 한 부는 삼후三候이니 하늘의 수에 대응한다.[285]

[11-1-90]

心藏神, 腎藏精, 脾藏魂, 膽藏魄, 胃受物而化之, 傳氣於肺, 傳血於肝, 而傳水穀於脬腸矣.

심장은 신神을 저장하고, 신장은 정精을 저장하고 비장은 혼魂을 저장하고 담은 백魄을 저장하니 위가 음식을 받아 소화해서 기氣를 폐에 보내고 피를 간에 보내며, 물과 곡식을 방광과 장에 보낸다.[286]

[11-1-91]

天圓而地方, 天南高而北下. 是以望之如倚蓋焉. 地東南下西北高, 是以東南多水西北多山也. 天覆地, 地載天, 天地相函, 故天上有地, 地上有天.

하늘은 둥글고 땅은 네모나며, 하늘은 남쪽이 높고 북쪽이 낮다. 그래서 멀리서 보면 마치 기울어진 양산과 같다. 땅은 동남쪽이 낮고 서북쪽이 높아, 그래서 동남쪽은 물이 많고 서북쪽은 산이 많다.

284 王植, 『皇極經世書解』: "사람이 胞胎에 있을 때에는 먼저 머리가 생기고 나중에 몸이 생긴다. 그러므로 형체는 머리에서 통제되니 하늘의 상이다. 사람 몸의 기는 모두 아래에서부터 위가 생긴다. 그러므로 기는 신장에서 통제되니 땅의 상이다. 사람의 知覺은 모두 심장에 근본하므로 신은 심장에서 통제되니, 사람의 상이다.(補註, 人在胞胎時, 先生頭而後生身, 故形統於首, 天之象也. 人身之氣, 皆自下生上, 故氣統於腎, 地之象也. 人之知覺, 皆本於心, 故神統於心, 人之象也.)"
황기는 이렇게 말한다. "神으로 위 아래를 주도한다.(以神主上下.)"

285 王植, 『皇極經世書解』, "한 맥이 삼부라는 것은 寸, 關, 尺이고, 한 부는 삼후라는 것은 浮, 中, 沈이니 하늘의 9수와 대응된다.(補註, 一脉三部, 寸關尺也, 一部三候, 浮中沈也, 所以應天之九數也.)"

286 王植, 『皇極經世書解』: "생각건대, 이것은 장부 가운데 심장과 위장을 중요하게 여긴 것이다. '臟'은 저장한 다[藏]는 것이고, '腑'는 창고[府]이다. 신장·비장·담은 모두 저장하는 것이 있고 심장은 저장한 신이 주관하고, 폐·간·방광·장은 각각 받은 바가 있어서 위장이 전달하고 보내는 창고가 되어서 보낸다. 그래서 몸을 수양하는 것은 심장을 기르는 것보다 큰 것이 없고, 생명을 보존하는 것은 위를 조화시키는 것보다 중요한 것이 없다. 또 살펴보면, 「漁樵問對」에서 '눈·귀·코·입·심장·담·신장·위장의 기가 온전한 것을 사람이라고 하니 심장의 영험함을 신이라 하고, 담의 영험함을 혼이라 하고, 비장의 영험함을 혼이라 하고, 신장의 영험함을 정이라고 한다.'고 하니 이것의 뜻과 동일하다.(愚按, 此於臟腑中, 重心與胃也. 臟者, 藏也, 腑者, 府也. 腎脾膽皆有所藏, 而心所藏之神主之, 肺肝脬腸各有所受, 而胃爲傳送之府以輸之. 是以修身者, 莫大於養心, 而保生者, 莫要於和胃. 又按漁樵問對云, 目耳鼻口心膽腎胃之氣全, 謂之人, 心之靈曰神, 膽之靈曰魄, 脾之靈曰魂, 腎之靈曰精, 與此義同.)"

하늘은 땅을 덮고 있고, 땅은 하늘을 싣고 있어서 하늘과 땅이 서로 맞물려 있으므로 하늘 위에 땅이 있고 땅위에 하늘이 있다.[287]

[11-1-92]

天渾渾於上而不可測也, 故觀斗數以占天也. 斗之所建, 天之行也. 魁建子, 杓建寅, 星以寅爲晝也. 斗有七星, 是以晝不過乎十分也.更詳之

하늘은 위에서 광대하여 예측할 수가 없으므로 북두[288]의 수를 관찰하여 하늘을 점친다. 북두가 세워지는 것이 하늘의 운행이다. 괴魁는 자子에 세워지고, 표杓는 인寅에 세워지며, 성星은 인寅으로 낮을 삼는다. 북두는 일곱 개의 별이 있으므로 낮은 10분을 넘지 않는다.다시 생각해야 한다.[289]

[11-1-93]

天行所以爲晝夜. 日行所以爲寒暑. 夏淺冬深, 天地之交也. 左旋右行, 天日之交也.

하늘의 운행은 낮과 밤이 되는 까닭이고, 해의 운행은 추위와 더위가 되는 까닭이다. 여름은 얕고 겨울은 깊은 것은 하늘과 땅이 교류하는 것이고, 왼쪽으로 돌고 오른쪽으로 가는 것은 하늘과 해가 교류하는 것이다.[290]

287 王植, 『皇極經世書解』: "장민의 『皇極經世衍義』에서 '하늘은 둥글어 빈 공과 같고 땅은 경사져서 그 가운데를 막고 있다. 서북쪽이 높은 것은 하늘을 이고 있기 때문이다. 그러므로 북극이 땅의 36도를 나와 있고 동남쪽으로 내려가면 하늘의 끝을 밟고 있으므로 남극이 또한 36도를 들어가 있다. 동남쪽은 물이 많고 서북쪽은 산이 많으니, 그 높고 낮음을 알 수 있다. 땅의 지세가 기울어지고 험준함이 있지만 그 형체가 크기 때문에 사람이 그 위에 살면서도 깨닫지 못하고, 서북쪽은 채운 것을 지고 있고 동남쪽은 허한 쪽으로 향했으니, 사람이 채운 것에 의지하고 허한 곳을 향한다. 그러므로 하늘은 북쪽이 잠겨 있고 남쪽은 드러나며, 물은 서쪽에서 발원하여 동쪽으로 흐른다. 하늘이 땅을 둘러 싸고 땅이 하늘을 실으니, 하늘과 땅이 서로 맞물려서 태극의 가운데 서 있고, 만고에 허물어지지 않을 수 있다.(補註, 張氏衍義曰, 天圓, 如虛毬, 地斜, 隔其中. 西北之高, 戴乎天頂. 故北極出地, 纔三十六度, 降及東南, 履乎天末, 故南極入地, 亦三十六度. 東南多水, 西北多山, 其高卑可見矣. 地勢有傾峻, 以其體大, 故人居其上而弗覺, 西北負實, 東南向虛也, 人倚實而面虛. 是以天潛乎北而顯乎南, 水發乎西而流乎東也. 天包地, 地載天, 天地相函, 以立乎太極之中, 而能終古不壞.)"

288 北斗 : 북두칠성은 天樞, 天璿, 天璣, 天權, 玉衡, 開陽, 搖光이 배열된 모양이 국자 모양이다. 앞의 4별을 斗魁 혹은 璿璣라고 하고, 뒤에 3별을 斗杓 혹은 玉衡이라고 한다.

289 王植, 『皇極經世書解』: "생각하건대, 보충주석에서 '북두의 세워지는 것은 하루 밤낮에 12신을 두루 거치고, 奇가 있다. 그러므로 1년에 또한 12신을 두루 거친다.'고 했다. 황기는 '괴는 4이고, 표는 3으로 일곱별에 불과하다. 그러므로 묘와 유 역시 7분에 지나지 않아서 곧 밤이 되는 것이 그 대략이다.'라고 했다. 앞 각 절의 주석에서 '다시 생각해야 한다.'고 한 것은 말한 것이 상세하지 못한 것이고, '다시 생각해야 한다.'는 것은 생각한 것이 자세하지 않은 것이다.(愚按, 補註云, 斗之所建, 一晝夜徧歷十二辰, 有奇. 故一周歲, 亦徧歷十二辰也. 黃氏云, 魁四杓三, 不過七星. 故卯酉亦不過七分, 即夜, 其大略矣. 前各節註云, 更詳之者, 蓋言之未詳也, 其云更思之者, 蓋思之未審也.)"

290 王植, 『皇極經世書解』: "하늘이 왼쪽으로 돌아서 하루에 한번 도니 낮과 밤이 되는 까닭이다. 해는 오른쪽으

[11-1-94]

日朝在東, 夕在西, 隨天之行也. 夏在北, 冬在南, 隨天之交也. 天一周而超一星, 應日之行也. 春酉正, 夏午正, 秋卯正, 冬子正, 應日之交也.

해가 아침에 동쪽에 있고, 저녁에 서쪽에 있는 것은 하늘의 운행을 따르는 것이다. 여름에 북쪽에 있고, 겨울에 남쪽에 있는 것은 하늘의 교류를 따르는 것이다. 하늘이 한 번 돌아서 하나의 별을 넘는 것은 해의 운행에 호응하는 것이다. 봄은 유酉 방위[291]를 바르게 여기고, 여름은 오午 방위를 바르게 여기며, 가을은 묘卯 방위[292]를 바르게 여기고 겨울은 자子 방위를 바르게 여기는 것은 해의 교류에 호응하는 것이다.[293]

로 가서 일 년에 한번 돌아 추위와 더위가 된다. 그러나 하늘은 여름에 땅 아래에 얕게 운행하고, 겨울에 땅 아래에 깊게 운행하니, 하늘과 땅이 교류하는 것이 건과 곤이 교류하여 泰괘가 되는 것과 같다. 하늘은 왼쪽으로 돌아 동쪽으로 가고, 해는 오른쪽으로 운행하여 서쪽으로 가니 하늘과 해가 교류하는 것이 물과 불이 교류하여 기제괘가 되는 것과 같다.(補註, 天左旋而一日一周, 所以爲晝夜. 日右行而一歲一周, 所以爲寒暑. 然天夏行地下淺, 冬行地下深, 所以天地之交, 猶乾坤交而爲泰也. 天左旋而東, 日右行而西, 所以天日之交, 猶水火交而爲旣濟也.) 포운룡의 『天原發微』에서 '해는 하늘을 따라 돈다. 여름에는 寅에서 나와 戌로 들어가고, 겨울에는 辰에서 나와 申으로 들어가며, 봄 가을에 卯에서 나와 酉로 들어간다. 나오면 낮이 되고 들어가면 밤이 되니, 해의 나가고 들어가는 것에 달려 있으나 그 운행은 하늘에 달려 있다. 해가 땅 아래에 있으면 춥고, 해가 하늘 위에 있으면 덥다. 겨울에 해가 북쪽 땅으로 가면 춥고 여름에 남쪽 땅으로 가면 더우며 봄에 서쪽 땅으로 가고 가을에 동쪽 땅으로 가면 춥고 더운 중간이 되므로 해의 운행이 추위와 더움이 되는 까닭이다. 하늘의 도가 남쪽으로 향하면 해는 땅 속 깊은 곳으로부터 얕은 곳으로 가고, 북쪽으로 향하면 해는 땅 아래 얕은 곳으로부터 깊은 곳으로 가고, 북쪽으로 향하면 해는 땅속 얕은 곳으로부터 깊은 곳으로 가는 것은 하늘과 땅의 교류이고, 동지에 해가 星紀에서 일어나서 오른쪽으로 가서 매일 1도씩 옮겨가고, 하늘이 왼쪽으로 돌아 매일 한 번 돌아 1도를 더 지나는 것은 하늘과 해의 교류이다.'라고 했다.(鮑氏發微曰, 日隨天而轉, 夏出寅入戌, 冬出辰入申, 春秋出卯入酉, 出爲晝入爲夜, 雖係乎日之出入, 其行也則係乎天. 日在地下則寒, 日在天上則暑. 冬行北陸爲寒, 夏行南陸爲暑, 春行西陸秋行東陸, 爲寒暑之中, 故日行所以爲寒暑. 天道向南, 則日行地下自深之淺, 向北, 則日行地下自淺之深, 天地之交也, 冬至日起星紀, 右行而日移一度, 天左旋日一周而過一度, 天日之交也.)"

291 酉 방위: 왕식본 『皇極經世書解』의 보충 주석에서 옛날 책에서는 '卯'로 되어 있다고 했다.

292 卯 방위: 왕식본 『皇極經世書解』의 보충 주석에서 옛날 책에서는 '酉'로 되어 있다고 했다.

293 王植, 『皇極經世書解』: "해가 아침에 동쪽에 있고 저녁에 서쪽에 있는 것은 해가 운행하는 것이 아니라 하늘의 운행을 따르는 것이다. 여름에는 북두를 따라 북쪽으로 가고 겨울에는 북두를 따라 남쪽으로 가는 것은 하늘이 땅과 교류하는 것을 따르는 것이다. 하나의 별은 곧 1도이니, 하늘이 1도를 지나가는 것은 해가 1도를 가는 것에 대응하는 것이다. 봄은 卯로 올바름을 삼는데 해는 가서 서쪽에 있고, 여름은 午로 올바름으로 삼는데 해는 가서 북쪽에 있으며, 가을은 酉로 올바름을 삼는데 해는 가서 동쪽에 있고, 겨울은 子로 올바름으로 삼는데 해는 가서 남쪽에 있으니 이것은 해가 땅과 교류하는 것에 대응하는 것이다.(補註, 日朝東夕西, 非日之行, 所以隨天之行也. 夏隨斗而北, 冬隨斗而南, 是隨天之交於地也. 一星, 即一度, 天過一度, 應日行一度. 春以卯爲正, 而日行在西, 夏以午爲正, 而日行在北, 秋以酉爲正, 而日行在東, 冬以子爲正, 而日行在南, 是應日之交於地也.)"

王植, 『皇極經世書解』: "(황기가 말했다.) 하늘의 운행에 따르므로 동서의 출입이 있고, 하늘의 교류를 따르

[11-1-95]

日以遲爲進, 月以疾爲退, 日月一會而加半日減半日, 是以爲閏餘也. 日一大運而進六日, 月一大運而退六日, 是以爲閏差也.

해는 더딘 것으로 나아감을 삼고, 달은 빠른 것으로 물러남을 삼아서, 해와 달이 한 번 만나서 하루의 반을 더하고 하루의 반을 빼니 그래서 윤의 나머지가 된다. 해는 한번 크게 운행하여 6일을 나아가고, 달은 한번 크게 운행하여 6일을 물러난다. 그래서 윤의 차이가 된다.[294]

[11-1-96]

日行陽度則贏, 行陰度則縮, 賓主之道也. 月去日則明生而遲, 近日則魄生而疾, 君臣之義也. 陽消則生陰, 故日下而月西出也. 陰盛則敵陽, 故日望而月東出也. 天爲父, 日爲子, 故天左旋日右行. 日爲夫, 月爲婦, 故日東出月西生也.

해가 양의 도수를 행하면 남고 음의 도수를 행하면 모자라는 것은 손님과 주인의 도이다. 달이 해에서 멀어지면 밝음이 생겨 더디고, 해와 가까워지면 검은 부분[魄]이 생겨 빨라지는 것은 군주와 신하의 의로움이다. 양이 소멸하면 음을 낳으므로 해가 지면 달이 서쪽에서 나온다. 음이 성대하면 양을 적대하므로 해가 마주하면 달이 동쪽에서 나온다. 하늘은 아버지이고 해는 아들이므로 하늘은 왼쪽을 돌고, 해는 오른쪽을 간다. 해는 남편이고 달은 부인이므로 해가 동쪽으로 나오면 달은 서쪽에서 생긴다.[295]

므로 남북의 승강이 있고, 해의 운행에 호응하므로 하루에 한 별을 넘어섬이 있고, 해의 교류에 호응함이 있으므로 四仲[4계절의 각각 두 번째 달]이 네가지 정방위에 합해짐이 있다.(隨天之行, 故有東西之出入, 隨天之交, 故有南北之升降, 應日之行, 故一日而有一星之超, 應日之交, 故四仲而有四正之合.)"

294 王植, 『皇極經世書解』: "(황기가 말했다.) 해는 더딘데 도리어 나아가는 것이 되어, 365일을 쌓아 나머지가 있어 하늘을 좇아가서 하늘과 만난다. 달은 빠른데 도리어 물러나는 것이 되어, 27일을 쌓아 하늘에 미친다. 그러나 또 2일 반에 해에 미쳐서 해와 만난다. 이 만남은 항상 해의 뒤에 있으니 이것이 빠른 것이 물러남이 되고, 더딘 것이 도리어 나아감이 되는 까닭이다. 한 번 만나는 것에서 해는 하루의 반을 더하고 달에서는 하루의 반을 빼니, 이것이 윤의 나머지가 쌓이는 까닭이다. 한 번 만나는 것으로 말하자면 運의 작은 것이고, 1년 12會로 말하면 운의 큰 것이 되니, 작은 것이 하루의 반을 더하고 빼는 것이 있으면 큰 것은 6일의 나아가고 물러남이 있는 것이다. 이것이 윤의 차이가 이루어지는 까닭이다. 그러므로 3년에 한번 윤월을 두는 것을 이로부터 미루어 갈 수 있다.(日遲而反爲進者, 積三百六十五日有奇, 追及於天而與天會. 月疾而反爲退者, 積二十七日, 即及於天. 然又二日半, 乃及日而與日會. 其會也, 常在日之後, 此疾者所以爲退而遲者反進也. 一會而日加半日, 月減半日, 此閏餘之所由積也. 自一會言之, 運之小者, 自十二會言之, 則爲運之大, 小而有半日之加減, 則大而有六日之進退矣. 此閏差之所由成也. 故三年一閏, 自此推之.)"

295 王植, 『皇極經世書解』: "(황기가 말했다.) 동지 후에 점차 서쪽으로 가서 북쪽 땅에 이르는 것을 양의 도수라고 하고, 하지 후에 점차 동쪽으로 가서 남쪽 땅에 이르는 것을 음의 도수라고 한다. 해는 양이므로 양의 도수를 가니, 군주가 본국의 국경을 가는 것과 같아서 누가 감히 항거하겠는가? 그러므로 남는 것이다. 음의 도수를 가는 것은 이웃나라의 국경을 가는 것과 같으니 반드시 겸양한다. 그러므로 모자라는 것이다. 달이 밝음이 생겨 더디고 해와의 거리가 점차 멀어지는 것은 제후가 봉해진 봉토로 갈 때 더디게 하는 것과 같고, '검은 부분[魄]이 생겨 빨라져서 해와의 거리가 점차 가까워지는' 것은 제후가 왕에게 조공할

[11-1-97]

日月相食, 數之交也. 日望月則月食, 月掩日則日食, 猶水火之相尅也. 是以君子用智, 小人用力.

해와 달이 서로 먹는 것은 수의 교차이다. 해가 달을 마주하면 달이 먹히고 달이 해를 가리면 해가 먹히니, 물과 불이 서로 극하는 것과 같다. 그래서 군자는 지혜를 쓰고 소인은 힘을 쓴다.[296]

[11-1-98]

日隨天而轉, 月隨日而行, 星隨月而見. 故星法月, 月法日, 日法天. 天半明半晦, 日半贏半縮, 月半盈半虧, 星半動半靜, 陰陽之義也.

해는 하늘을 따라서 돌고 달은 해를 따라서 가고 별은 달을 따라서 드러난다. 그러므로 별은 달을 본받고, 달은 해를 본받고, 해는 하늘을 본받는다. 하늘은 반은 밝고 반은 어두우며, 해는 반은 남고 반은 모자라며, 달은 반은 차고 반은 이그러지며, 별은 반은 움직이고 반은 고요하니 음양의 뜻이다.[297]

때 빠른 걸음으로 나가는 것과 같으니, 군주와 신하의 큰 의리를 해와 달에서 징험한 것이다. 달이 해가 진 후에 서쪽으로 나오는 것은 남편이 부르면 부인이 따라가는 것이고, 보름에 동쪽에서 나와서 둥글다는 것은 부부가 대등한 예를 행하는 것이고, 해가 하늘에서 매일 1도를 물러나는 것은 반드시 높은 것이 있다는 것을 보여준 것이다. 그러므로 대등한 예를 행하는 때가 없는 것이다. 달이 해가 동쪽에서 나오는 때에 서쪽에서 나오는 것은 부부가 대등한 형체의 상이 있는 것이다.(冬至後, 漸西至北陸, 謂之陽度, 夏至後, 漸東至南陸, 謂之陰度. 日陽也, 行陽度. 猶君行本國之境, 誰敢抗之? 故贏. 行陰度, 猶行鄰國之境, 則必謙讓矣. 故縮. 月明生而遲, 去日漸遠, 猶諸侯就封, 遲遲其行, 魄生而疾, 去日漸近, 猶諸侯覲王疾趨而進, 君臣大義, 徵諸日月也. 月西出以日没後, 猶夫倡婦隨, 東出以望而圓, 猶夫婦抗禮, 日之於天每日退一度, 示必有尊也, 故無抗禮之時, 月之於日東出西生, 有夫婦敵體之象焉.)"

296 王植, 『皇極經世書解』: "장민의 『皇極經世衍義』에서 '해와 달이 서로 대하는 것을 望이라고 하고, 해와 달이 서로 만나는 것을 晦라고 한다. 해는 항상 朔에 일식하고 달은 항상 望에 월식하니 마치 물과 불이 서로 극하는 것과 같다. 물이 불을 극하는 것은 가려서 극하는 것이니 소인이 힘을 쓰는 것이고, 불이 물을 극하는 것은 불이 사물을 사이에 두는 것이니 군자가 지혜를 쓰는 것이다. 해와 달이 1년에 12번 만나고, 12번 마주 보는데, 식이 있거나 없는 것은 교차하면 식이 되지만 교차하지 않으면 식이 되지 않는 것이니, 교차하고 교차하지 않는 것이 있는 것은 해가 黃道로 가고 달이 九道(9가지 길)로 가기 때문이다.(補註, 張氏衍義曰, 日月相對, 謂之望, 日月相會, 謂之晦. 日常食於朔, 月常食於望, 正如水火之相尅, 水之尅火, 掩而尅之, 小人用力也, 火之尅水, 火隔物焉, 君子用智也. 日月一年十二會十二望, 而有食有不食者, 交則食, 不交則不食也, 所以有交有不交者, 日行黃道, 月行九道也.)"

황기는 다음과 같이 설명한다. "달의 몸은 마침 해와 서로 가려지면 일식이 되니 물이 형체로 불을 끄는 것과 같고, 해의 빛이 마침 달과 서로 마주보면 월식이 되니 불이 기운으로 물을 없애는 것과 같다.(月之體適與日相掩, 則日爲所食, 猶水以形滅火, 其或日之光, 適與月相望, 則月爲之食, 猶火以氣滅水.)"

297 王植, 『皇極經世書解』: "장민의 『皇極經世衍義』에서 '해가 오른쪽으로 가지만 하늘을 따라 왼쪽으로 돌고, 달은 빠르게 가지만 해를 따라서 만나 항상 그 뒤에 있다. 별이 달을 따른다는 것은 밤에 나타난다는 것이고, 해가 반은 남고 반은 모자란다는 것은 양의 도수에 있을 때는 남고 음의 도수에 있을 때는 모자란다는 것이며, 별은 반은 움직이고 반은 고요하다는 것은 緯星은 움직이고 經星은 고요하다는 것이다.(補註, 張氏

[11-1-99]

天晝夜常見. 日見於晝. 月見於夜而半不見. 星半見於夜. 貴賤之等也.

하늘은 낮과 밤에 항상 보이고, 해는 낮에만 보인다. 달은 밤에만 보이지만 반은 보이지 않고 별은 밤에 반만 보이니 귀하고 천한 등급이다.[298]

[11-1-100]

月, 晝可見也, 故爲陽中之陰. 星, 夜可見也, 故爲陰中之陽. 天奇而地耦, 是以占天文者觀星而已. 察地理者觀山水而已. 觀星而天體見矣. 觀山水而地體見矣. 天體容物. 地體負物. 是故體歸於道也.

달은 낮에 볼 수 있으므로 양 가운데 음이 되고, 별은 밤에 볼 수 있으므로 음 가운데 양이다.[299] 하늘은 홀수이고 땅은 짝수이다. 그래서 천문天文을 점치는 자는 별을 관찰할 뿐이고, 지리地理를 살피는 자는 산수山水를 관찰할 뿐이다. 별을 관찰하여 천체天體가 드러나고, 산수를 관찰하여 지체地體가 드러난다. 천체는 만물을 포용하고, 지체는 만물을 등에 진다. 그러므로 체體는 도道에 귀속된다.[300]

[11-1-101]

極南大暑, 極北大寒. 故南融而北結, 萬物之死地也. 夏則日隨斗而北, 冬則日隨斗而南. 故天地交而寒暑和, 寒暑和而物乃生也.

남극은 크게 덥고 북극은 크게 춥다. 그러므로 남쪽은 녹고 북쪽은 어니 만물이 죽는 땅이다. 여름에는

衍義曰, 日雖右行, 然隨天左轉, 月雖行疾, 然及日而會, 常在其後, 星隨月者, 見於夜也, 半贏半縮者, 在陽度則贏, 在陰度則縮, 半動半静者, 緯星動, 經星静也.)"

298 王植, 『皇極經世書解』: "장민의 『皇極經世衍義』에서 '하늘이 반은 어둡고 반은 밝지만 밤낮으로 보이고, 해는 낮이 되어 반드시 하늘 위에 있으며 달은 밤이 되어 땅 아래에 있어서 반은 보이지 않는다. 별도 달에 미치지 못하니, 귀하고 천한 등급으로 위는 아래를 겸할 수 있고 큰 것은 작은 것을 포함할 수 있다. 별이 반만 보인다는 것은 5緯와 28수가 모두 교대로 드러나기 때문이다.'라고 했다.(曰天雖半晦半明而晝夜常見, 日當晝時必在天上, 月當夜時有在地下, 故半不見. 星又不及乎月, 貴賤之分, 上能兼下, 大能包小也. 星半見者, 五緯二十八宿, 皆遞見故也.)"

299 달은 낮에 … 양이다: 王植, 『皇極經世書解』, "장민의 『皇極經世衍義』에서 달이 낮에 볼 수 있으므로 양 가운데 음이 되고 별은 밤에 볼 수 있으므로 음 가운데 양이 되며 辰은 볼 수 없기 때문에 음 가운데 음이 되니, 신은 天壤으로 해와 달과 별이 의탁하는 것이다. 신은 비록 볼 수 없지만 하늘은 밤낮으로 항상 보이기 때문에 쓰지 않는 1이 쓰는 것의 宗이 된다.(補註, 張氏衍義曰, 月晝可見, 故爲陽中陰, 星夜可見, 故爲陰中陽, 辰不可見, 故爲陰中陰, 辰者, 天壤也, 日月星託焉. 辰雖不可見, 而天晝夜常見, 故不用之一者, 用之所宗也.)"

300 하늘은 홀수이고 … 귀속된다: 王植, 『皇極經世書解』, "하늘의 체는 덮는 것이 직분이고, 땅의 체는 싣는 것이이 직분이니, 만물을 덮고 싣는 것은 하늘과 땅의 체이고 덮고 실을 수 있는 까닭은 한번 음하고 한번 양하는 도이기 때문이다. 도는 체에 붙어 있으므로 '본체는 도에 귀속된다.'고 했다. 황기가 '첫번째 편에서 음이 도에 가깝다'고 한 것과 같다.(愚按天之體職覆, 地之體職載, 覆載萬物者, 天地之體, 而所以能覆載者, 一陰一陽之道也. 道寄於體, 故曰體歸於道. 黃氏謂與首篇陰幾於道同.)"

해가 북두를 따라 북쪽으로 가고, 겨울에는 해가 북두를 따라 남쪽으로 간다. 그러므로 하늘과 땅이 교류하여 추위와 더위가 조화를 이루고, 더위와 추위가 조화를 이루어 만물이 생겨난다.[301]

[11-1-102]

天以剛爲德, 故柔者不見. 地以柔爲體, 故剛者不生. 是以震巽, 天之陽也. 地陰也, 有陽而陰效之. 故至陰者辰也, 至陽者日也, 皆在乎天, 而地則水火而已. 是以地上皆有質之物. 陰伏陽而形質生. 陽伏陰而性情生. 是以陽生陰, 陰生陽, 陽尅陰, 陰尅陽. 陽之不可伏者不見於地. 陰之不可尅者不見於天. 伏陽之少者其體必柔, 是以畏陽而爲陽所用. 伏陽之多者其體必剛, 是以禦陽而爲陰所用. 故水火動而隨陽, 土石静而隨陰也. 一說云, 陰效陽而能伏, 是以辰在天, 而地之四物皆有所主也.

하늘은 강剛함을 덕으로 삼으므로 유柔함은 드러나지 않는다. 땅은 유함을 체體로 삼으므로 강함은 낳지 않는다.[302] 그래서 진震과 손巽은 (쓰지 않는다.) 하늘은 양이고[303] 땅은 음이니 양이 있으면 음은 본받는다. 그러므로 지극한 음은 신辰이고 지극한 양은 해이니 모두 하늘에 있고, 땅에는 수水와 화火가 있을 뿐이다.[304] 그래서 땅 위에 있는 것은 모두 질質이 있는 것[305]이다. 음에 양이 잠복하여 형질形質이

301 王植, 『皇極經世書解』: "(황기가 말했다.) 남쪽이 녹는다는 것은 기가 化하여 물이 된다는 것이다. 물이 촉촉해지면 짜지니 만물을 낳는 물이 아니다. 북쪽이 언다는 것은 기가 응결하여 산이 된다는 것이다. 산이 건조해지면 불타오르니 만물을 낳는 산이 아니다. 그러므로 만물이 죽는 땅이라고 했다. 만물을 낳는 것은 땅에 달려 있기는 하지만 실제로는 기와 관련된다. 그러므로 땅과 기가 中을 얻으면 조화롭게 되니 중과 조화가 만물을 낳는 근본이다.(南融者, 氣化爲水. 水潤則鹹, 非生物之水也. 北結者, 氣凝爲山. 山燥則焦, 非生物之山也. 故曰物之死地. 生物雖拘於地, 而實係乎氣. 故地與氣得中則和, 中和者, 生物之本.)"
王植, 『皇極經世書解』: "여름에 하늘의 운행은 남쪽에 있으나 해는 북두를 따라 북쪽에 있고, 겨울에 하늘의 운행은 북쪽에 있으나 해는 북두를 따라 남쪽에 있다. 그러므로 하늘과 땅의 기는 항상 교류하니 추위와 더위가 조화하여 만물이 생겨난다.(補註, 夏, 天運在南, 而日隨斗在北, 冬, 天運在北, 而日隨斗在南. 故天地之氣常交, 而寒暑和, 萬物生也.)"

302 하늘은 剛함은 … 않는다 : 황기는 왕식본 『皇極經世書解』에서 다음과 같이 설명한다. "'유한 것이 드러나지 않는다.'는 것은 震(☳)의 두 음이 하늘의 辰이라는 것이고, '강한 것은 낳지 않는다.'는 것은 巽(☴)의 두 양이 땅의 石이라는 것이다.(柔者不見, 震二陰, 天之辰也, 剛者不生, 巽二陽, 地之石也.)"

303 그래서 震과 … 양이고 : 王植, 『皇極經世書解』, "앞장을 보면 '是以震巽' 아래에 마땅히 '不用'이라는 두 글자가 있어야 하고 '天之陽'이라는 글자에서 '之'라는 글자는 더 들어간 것이겠다.(補註, 觀諸前章, 是以震巽下, 當有不用二字, 天之陽也之字, 宜衍.)" 보충 주석에 따라서 번역했다.

304 하늘은 양이고 … 뿐이다. : 황기는 왕식본 『皇極經世書解』에서 다음과 같이 설명한다. "'양이 있으면 음이 본받는다.'는 것은 乾이 象을 이루고 坤이 본받는다는 말이다. 震이 辰이 되고 乾이 日이 되고 坤이 水가 된다는 것은 하늘의 日을 본받는 것이고 艮이 火가 된다는 것은 하늘의 辰을 본받는 것이다.(有陽而陰效者, 乾成象坤效法也, 震爲辰, 乾爲日, 坤爲水, 效天之日, 艮爲火, 效天之辰.)"

305 質이 있는 것 : 황기는 왕식본 『皇極經世書解』에서 다음과 같이 설명했다. "'質이 있는 것'은 水火土石이다.(有質之物, 水火土石也.)"

생겨난다. 양에 음이 잠복하여 성정性情이 생겨난다. 그래서 양이 음을 낳고 음이 양을 낳으며, 양이 음을 극하고 음이 양을 극한다. 양에 잠복할 수 없는 것은 땅에 드러나지 않고, 음에 극할 수 없는 것은 하늘에 드러나지 않는다.[306] 잠복한 양이 적은 것은 그 체가 반드시 유柔하니, 그래서 양을 두려워해 양에게 쓰여지게 된다. 잠복한 양이 많은 것은 그 체가 반드시 강剛하니, 그래서 양을 막아서 음에게 쓰여지게 된다. 그러므로 수水와 화火가 움직여 양을 따르고 토土와 석石이 고요하여 음을 따른다.[307]
일설에서는 이렇게 말한다. 음이 양을 본받아 잠복할 수 있다. 그래서 신辰은 하늘에 있고 땅의 4가지 것은 모두 주인되는 바가 있다.[308]

[11-1-103]

陽生陰, 故水先成. 陰生陽, 故火後成. 陰陽相生也, 體性相須也, 是以陽去則陰竭, 陰盡則陽滅.

양은 음을 낳으므로 수水는 먼저 이루어지고, 음은 양을 낳으므로 화火는 나중에 이루어진다. 음과

306 음에 양이 … 않는다 : 황기는 왕식본 『皇極經世書解』에서 다음과 같이 설명한다. "'음에 양이 잠복했다.'는 것은 坎(☵)의 하나의 양이 두 음 속에 잠복해 있는 것이고, '양에 음이 잠복했다.'는 것은 離(☲)의 하나의 음이 두 양 속에 잠복해 있다는 것이다. '양에서 잠복할 수 없는 것'은 坎의 하나의 양은 잠복할 수 있지만, 巽의 두 양은 잠복할 수 없으므로 땅의 火는 石에 잠복해 있다. '음에서 이길 수 없는 것'은 離의 하나의 음은 극할 수 있지만 진의 두 음은 극할 수가 없으므로 하늘의 辰은 항상 月에서 만난다.(陰伏陽, 坎一陽伏於二陰中, 陽伏陰, 離一陰伏於二陽中. 陽之不可伏者, 坎一陽可伏, 巽二陽不可伏, 故地火當潛於石. 陰之不可尅者, 離一陰可尅, 震二陰不可尅, 故天辰常會於月.)"

307 잠복한 양이 … 따른다.: 황기는 왕식본 『皇極經世書解』에서 다음과 같이 설명했다. "곤의 12양과 간의 20양은 잠복한 양이 적은 것이므로 水와 火가 움직여서 양을 따르니 양을 두려워하기 때문이다. 감의 20양과 손의 28양은 잠복한 양이 많은 것이므로 土와 石이 고요해서 음을 따르니 양을 막기 때문이다.(坤十二陽艮二十陽, 伏陽之少者, 故水火動而隨陽, 畏陽故也. 坎二十陽巽二十八陽, 伏陽之多者, 故土石静而隨陰, 禦陽故也.)"

308 王植, 『皇極經世書解』: "살펴보건대, 앞의 다섯 구절은 앞의 시초의 용수를 말한 절에 나타나 있다. '양이 있으면 음이 본받는다.'는 말 이하는 辰과 石으로부터 말해 水와 火에 미치고, 또 이어서 水火에 대해서 말한 것이다. '양에 잠복할 수 없는 것' 이하의 4구절은 또 水火로부터 다시 辰과 石을 언급하고 '잠복한 양이 적은 것' 이하는 수화토석을 짝으로 말한 것이다. 큰 뜻은 모두 땅의 사상이 하늘을 본받는다는 점을 말한 것이다. 原註의 일설에서도 이 뜻에서 벗어나지 않았다. 四物은 땅의 사상이다. 坤을 말하고 坎을 말했으니 水이고, 艮을 말하고 離를 말했으니 모두 火이고 巽을 말했으니 땅의 石이고 震을 말했으니 하늘의 辰이다. 잠복은 저장하고 숨기는 것과 같으니 음 가운데 양을 감추고, 양 가운데 음을 감추는 것이니, 곧 양이 음을 낳고 음이 양을 낳는다는 뜻이다. 생겨나는 것이 있으면 극하는 것이 있기 때문에 양에서는 잠복할 수 없음을 말했고 음에서는 극할 수 없는 것을 말했다.(愚按, 首五句, 已見前蓍之用數節. 有陽而陰效之以下, 由辰與石而言, 及水火, 又遂即水火言之. 陽之不可伏四句, 又由水火, 復及辰與石, 伏陽之少以下, 水火土石, 對言. 大意皆謂地之四象效法乎天也. 原註一說, 亦不外此意. 四物, 即地四象也. 言坤言坎, 皆水也, 言艮言離, 皆火也, 言巽, 則地之石, 言震, 則天之辰也. 伏, 猶藏也, 隱也, 陰中伏陽, 陽中伏陰, 即陽生陰, 陰生陽之義. 有生則有尅矣, 故於陽言不可伏, 於陰言不可尅.)"

양은 서로 낳고, 체體와 성性은 서로 의지한다. 그래서 양이 가면 음이 고갈되고 음이 다하면 양이 소멸된다.[309]

[11-1-104]

金火相守則流, 火木相得則然, 從其類也.

금金과 화火가 서로 지키면 흐르고 화火와 목木이 서로 얻으면 타니 그 부류를 따른다.[310]

309 王植, 『皇極經世書解』: "수는 음이 양에 뿌리하여 1에서 생겨나므로 수는 먼저 이루어지고, 화는 양이 음에 뿌리하여 2에서 생겨나므로 화는 나중에 이루어진다. 양은 음이 아니면 낳을 수 없고, 음은 양이 아니라면 이룰 수 없다. 그래서 양이 가면 음이 다하고 음이 다하면 양이 소멸된다.(補註, 水陰根陽而生於一, 故水先成, 火陽根陰而生於二, 故火後成. 陽非陰不生, 陰非陽不成也. 是以陽去則陰竭, 陰盡則陽滅也.)" 황기는 왕식본 『皇極經世書解』에서 이렇게 설명하다. "음은 체이고 양은 성이다. 체가 있으면서 성이 없으면 고갈되고, 성이 있으면서 체가 없으면 소멸된다.(陰體, 陽性, 有體無性則竭, 有性無體則滅.)"

310 王植, 『皇極經世書解』: "금 속에 화가 감추어져 있다. 그러므로 금과 화가 서로 지키면 흐르니, 금이 수를 낳을 수 있어서 그 흐름이 넘치는 것은 수의 상이다. 화는 목에 감추어져 있다. 그러므로 화와 목이 서로 얻으면 불타니, 화가 토를 낳아서 그 화함이 재가 되는 것이 토의 상이다.(補註, 金中伏火, 故金火相守則流, 金能生水, 其流而爲汗, 水之象也. 火藏於木, 故火木相得則然, 火能生土, 其化而爲灰, 乃土之象也.)"
王植, 『皇極經世書解』: "생각하건대, 금의 액체는 수의 상이 있고, 목의 재는 토의 상이 있으니 서로 낳는 실제는 아닌 듯하다. 금이 수를 낳고, 화가 토를 낳는 것은 이것을 버리고는 별다른 학설이 없다. 그러므로 소강절은 또한 이것으로 말했다. 또 四瀆[4대강]의 물은 모두 동쪽으로 가서 바다로 돌아가도 서쪽에서 생겨나니, 서쪽은 금의 방위이고 또 금이 물을 낳는 한 가지 뜻이다. 廬陵 王道升이 '오행이 모두 사물을 낳지만 오직 금이 낳지 못하니, 산에 모든 금은동철의 여러 광이 있다면 그 산은 민둥산이고 초목이 나지 않는다.' 고 했으니 금이 나무를 극하기 때문이다.(愚按, 金液有水之象, 木灰有土之象, 似非相生之實. 然金之生水, 火之生土, 舍此, 又無別說. 故邵子亦以此言之. 又四瀆之水, 皆東歸海, 而生於西, 西金方也, 亦金生水之一義. 廬陵王道升云, 五行皆能生物, 惟金不生, 凡山有金銀銅鐵諸鑛, 其山必童而不生草木, 亦克木故也.) 또 오행의 학설을 살펴보면 본 왕조의 姚澄遠이 생하고 극하는 것을 논하여 이렇게 말한다. '토가 금을 생하여 스스로 빛나고, 금은 수를 생하여 스스로 아름다워지는 것은 어머니와 자식이 서로 기르는 뜻이니 생하는 것을 생으로 삼는 것이다. 수는 목을 생하지만 스스로 마르고, 목은 화를 생하지만 스스로 멸하며, 화는 토를 생하지만 스스로 재가 되는 것은 아버지와 자식이 서로 잇는 뜻이니, 생하는 것을 극으로 삼는 것이다. 수는 토를 만나 제방이 되고, 화는 수를 만나 꺼지며, 금은 화를 만나 변화하고, 목은 금을 만나 절단되고, 토는 목을 만나 느슨해지는 것은 임금과 스승이 서로 이루는 뜻이니 극으로 극을 삼는 것이다. 토는 수를 만나 촉촉해지고 수는 불을 만나 따뜻해지고, 화는 금을 만나 윤택해지고, 금은 목을 만나 날카로워지고 목은 토를 만나 영화로워지니 이것으로 말하자면 또 할아버지와 손자가 서로 보답하는 뜻이니 극으로 생을 삼는 것이다. 만약 화가 목에서 생겨나 목을 불태우고 금이 토에서 생겨나 토를 호미질하고 토는 목을 기르는데 목은 도리어 토를 극하고, 수는 토를 기름지게 하는데 토는 도리어 수를 왕성하게 하는 것은 또한 생하는 것이 극하는 것이 되는 것이고, 극하는 것이 곧 생하는 것이 되는 것이다.' 이 말은 또한 참조할 만하다.(又按五行之說, 本朝有姚澄遠論生克云. 土生金以自輝, 金生水以自麗, 母子相養之義, 以生爲生者也. 水生木以自枯, 木生火以自滅, 火生土以自灰, 父子相紹之義, 以生爲克者也. 水遇土而隄, 火遇水而息, 金遇火而化, 木遇金而斷, 土遇木而疏, 君師相成之義, 以克爲克者也. 土得水而潤, 水得火而温, 火得金而治, 金得木而利, 木得土而榮, 以此言之, 又祖孫相報之義, 以克爲生者也. 若火生於木而焚, 木金生於土而鉏土, 土養木而

[11-1-105]

水遇寒則結, 遇火則竭, 從其所勝也.

물이 추위를 만나면 응결되고 불을 만나면 마르니 그 이기는 것을 따른다.[311]

[11-1-106]

陽得陰而爲雨, 陰得陽而爲風, 剛得柔而爲雲, 柔得剛而爲雷. 無陰則不能爲雨. 無陽則不能爲雷. 雨柔也, 而屬陰. 陰不能獨立, 故待陽而後興. 雷剛也, 屬體. 體不能自用, 必待陽而後發也.

양이 음을 얻어 비가 되고, 음이 양을 얻어 바람이 되며, 강剛이 유柔를 얻어 구름이 되고, 유가 강을 얻어 우레가 된다. 음이 없으면 비가 될 수 없고, 양이 없으면 우레가 될 수 없다. 비는 유柔이고 음陰에 속한다. 음은 홀로 설 수가 없으므로 양에 의지한 후에야 일어난다. 우레는 강剛이고 체體에 속한다. 체는 스스로 작용할 수 없으므로 반드시 양에 의지한 후에 발동한다.[312]

木反克土, 水滋土而土反旺水, 又生即所以爲克, 克即所以爲生者也. 語亦可叅.)"

311 王植, 『皇極經世書解』: "(황기가 말했다.) 추위는 하늘의 陰이고, 火는 땅의 剛이니 모두 水를 이긴다. 그러나 수가 땅에 있는 유이지만 하늘에 있는 음과 교류하여 이기지 못하면 체는 응결되고 기는 소멸되지 않고, 화는 땅에 있어서 같은 부류이지만, 이기면 체가 소멸되는 것은 그것이 원래 원수와 적이기 때문이다.(寒爲天之陰, 火爲地之剛, 皆能勝水. 然水爲在地之柔, 交於在天之陰, 不勝則體結而氣不滅, 火雖在地同類, 而勝則體滅, 以其本讐敵故也.)"

312 王植, 『皇極經世書解』: "장민의 『皇極經世衍義』에서 다음과 같이 말한다. '양이 부르고 음이 따르면 흘러서 비가 되고, 음이 겨루고 양이 치면 흩어져 바람이 되며, 강이 부르고 유가 따르면 증발하여 구름이 되고, 유가 쌓이고 강이 움직이면 격발되어 우레가 되니, 객과 주인이 나중에 하고 먼저하며 음과 양이 거스르고 순하는 것이 다르다. 바람과 비는 하늘에서 내려오므로 음양을 말했고, 구름과 우레는 땅으로부터 올라가므로 강유를 말했다. 하늘은 양이니 양은 반드시 음을 바탕으로 하므로 음이 없으면 비가 될 수가 없고, 양이 음을 얻은 후에 모여서 체를 이룬다. 땅은 음이니 음은 반드시 양을 바탕으로 하므로 양이 없으면 우레가 될 수가 없고, 음이 양을 얻은 후에 격발하여 소리를 이룬다. 이것은 음양이 서로 바탕으로 하는 것을 말했다. 비의 형상은 柔하고 음에 속한다는 것은 하늘의 기에 뿌리하기 때문이고, 음이 홀로 설 수 없으므로 양에 의지하여 일어난다는 것은 하늘의 음은 하늘의 양을 바탕으로 하는 것이다. 우레의 소리는 강하고 體에 속한다는 것은 땅의 형체에서 나오기 때문이고, 체는 스스로 작용하지 못하여 양에 의지하여 발동한다는 것은 땅의 음이 땅의 양에 바탕을 둔다는 것이다.'(補註張氏衍義曰, 陽唱而陰從, 則流而爲雨, 陰格而陽薄, 則散而爲風, 剛唱而柔從, 則蒸而爲雲, 柔畜而剛動, 則激而成雷, 客主後先, 陰陽逆順, 不同也. 風雨, 自天而降, 故言陰陽, 雲雷, 自地而升, 故言柔剛. 天陽也, 陽必資陰, 故無陰則不能爲雨, 陽得陰, 然後聚而成體也. 地陰也, 陰必資陽, 故無陽則不能爲雷, 陰得陽, 然後發而成聲也. 此言陰陽之相資也. 雨之形柔也, 屬陰者, 本乎天之氣也, 陰不能獨立, 待陽而興者, 天之陰, 資乎天之陽也. 雷之聲剛也, 屬體者, 出乎地之形也. 體不能自用, 必待陽而發者, 地之陰, 資乎地之陽也.)"

[11-1-107]

有意必有言. 有言必有象. 有象必有數. 數立則象生. 象生則言著. 言著則意顯. 象數, 則筌蹄也. 言意, 則魚兎也. 得魚兎而謂必由筌蹄可也. 舍筌蹄而求魚兎, 則未見其得也.

뜻이 있으면 반드시 말이 있고, 말이 있으면 반드시 상象이 있고 상이 있으면 반드시 수數가 있다. 수가 세워지면 상이 생겨나고 상이 생겨나면 말로 나타나고 말로 나타나면 뜻이 드러난다. 상과 수는 물고기를 잡는 통발과 토끼를 잡는 올가미이고, 말과 뜻은 물고기와 토끼이다. 물고기와 토끼를 잡는데 반드시 통발과 올가미를 써야한다는 것은 옳지만 통발과 올가미를 버리고 물고기와 토끼를 구하려고 한다면 구했다는 것을 보지 못했다.[313]

天變而人效之. 故元亨利貞, 易之變也. 人行而天應之. 故吉凶悔吝, 易之應也. 以元亨爲變, 則利貞爲應, 以吉凶爲應, 則悔吝爲變. 元則吉, 吉則利應之, 亨則凶, 凶則應之以貞. 悔則吉. 吝則凶. 是以變中有應, 應中有變也. 變中之應, 天道也. 故元爲變則亨應之. 利爲變則應之以貞. 應中之變, 人事也. 故變則凶, 應則吉, 變則吝, 應則悔也. 悔者吉之先, 而吝者凶之本, 是以君子從天不從人.

하늘이 변하면 사람은 그것을 본받는다. 그러므로 원 · 형 · 이 · 정元亨利貞은 역의 변화이다. 사람이 행하면 하늘은 그것에 응한다. 그러므로 길 · 흉 · 회 · 린吉凶悔吝은 역의 응함이다. 원 · 형으로 변화를 삼으면 이 · 정이 응하고, 길 · 흉으로 응함을 삼으면 회 · 린이 변한다. 원元은 길하니 길하면 이로움[利]이 응하고, 형亨은 흉하니 흉하면 올바름[貞]으로써 응한다. 후회하면 길하고 인색하면 흉하다. 그래서 변하는 가운데 응함이 있고 응하는 가운데 변함이 있다. 변하는 가운데 응함이 있는 것이 천도天道이다. 그러므로 원이 변하면 형이 응하고 이로움이 변하면 올바름으로 응하는 것이다. 응하는 가운데 변하는 것이 인사人事이다. 그러므로 변하면 흉하고, 응하면 길해지며, 변하면 인색해지고 응하면 후회한다. 후회는 길함의 앞이고, 인색함은 흉함의 근본이다.[314] 그래서 군자는 천도를 따르지 인사를 따르지 않는다.[315]

313 뜻이 있으면 … 못했다 : 王植, 『皇極經世書解』에서 황기는 다음과 같이 말한다. "반드시 통발을 가지고 물고기를 잡고는 통발을 잊어야 한다는 것을 말했다.(謂必由筌作而忘筌)" 또 황기는 이렇게 말한다. "물고기와 토끼를 잡고 통발과 올가미를 잊어버리는 것이 학문이 완성된 자이고, 통발과 올가미를 버리고 물고기와 토끼를 잡으려는 자는 학문이 이루어지지 못한 자를 비유한 것이다.(得魚兎而忘筌蹄, 學已成者, 舍筌蹄而求魚兎, 喻學不成者.)"

314 후회는 길함의 … 근본이다 : 황기는 왕식본 『皇極經世書解』에서 이렇게 설명했다. "흉해도 후회할 줄 알면 길함이 싹트는 것이고, 길해도 인색하면 흉함의 뿌리이다.(凶而知悔, 吉之萌, 吉而或吝, 凶之根.)"

315 王植, 『皇極經世書解』 : "생각하건대, 이것은 앞절의 '천도의 변함과 인도의 응함'을 따라서 그 뜻을 말한 것이다. 역의 변함은 천도가 스스로 변하는 것이고, 역의 응함은 천도가 사람으로 인해서 응하는 것이니, 원 · 형으로 변하면 이 · 정으로 응하는 것은 천도이고, 길 · 흉으로 응하면 회 · 린으로 변하는 것은 인도이다. '元은 길하니 길하면 이로움[利]이 응하고, 亨에 또 흉함을 말한 것'은 형통함은 흉함과 반대이지만 흉함이 잠복해 있다. 그러므로 마땅히 올바름으로 응해야 하는 것이니 인도가 천도에 합치되는 것이다. '후회하면

元者, 春也, 仁也. 春者時之始, 仁者德之長,. 時則未盛而德足以長人, 故言德而不言時. 亨者, 夏也, 禮也. 夏者時之盛, 禮者德之文, 盛則必衰而文不足救之, 故言時而不言德. 故曰大哉乾元, 而上九有悔也. 利者, 秋也, 義也. 秋者時之成, 義者德之方. 萬物方成而獲利, 義者不通於利, 故言時而不言德也. 貞者, 冬也, 智也. 冬者時之末. 智者德之衰. 正則吉, 不正則凶, 故言德而不言時也. 故曰利貞者性情也.

원元은 봄이고 인仁이다. 봄은 때의 시작이고, 인은 덕의 우두머리이니, 때는 아직 번성하지 못했지만 덕은 사람을 기르기에 충분하므로 덕을 말하고 때를 말하지 않는다. 형亨은 여름이고 예禮이다. 여름은 때의 번성함이고 예는 덕의 꾸밈이니, 번성하면 반드시 쇠락하게 되고 꾸밈은 구제하기에는 부족하므로 때를 말하고 덕을 말하지 않는다. 그러므로 '위대하구나! 건원乾元이여'[316]라고 말하였고, 건괘 상구효에서 '후회가 있다.'고 말했다. 이利는 가을이고 의義이다. 가을은 때의 완성이고, 의는 덕의 반듯함이니, 만물이 완성되어 이로움을 획득하고, 의는 이로움과 통하지 않으므로 때를 말하고 덕을 말하지 않는다. 정貞은 겨울이고 지智이다. 겨울은 때의 끝이고 지는 덕의 쇠락이니, 올바르면 길하고 올바르지 않으면 흉하므로 덕을 말하고 때를 말하지 않는다. 그러므로 '이 · 정은 성정性情'이라고 했다.[317]

[11-1-108]

至哉文王之作易也! 其得天地之用乎! 故乾坤交而爲泰, 坎離交而爲旣濟也. 乾生於子, 坤生於午, 坎終於寅, 離終於申, 以應天之時也. 置乾於西北, 退坤於西南, 長子用事而長女

길하고 인색하면 흉하다.'는 것은 천도가 인도에 응한 것이다. 그러므로 변화 속에 응함이 있고 응함 속에 변화가 있는 것이니, 천도와 인도를 합해서 말한 것이다. '변하는 가운데 응함이 있다.'는 4구절은 또한 위에 있는 '응함 가운데 변함이 있다.'는 뜻을 거듭 밝힌 것이고, '응함 가운데 변하는 것이 있다.'는 4구절은 또한 위에 있는 '응함 가운데 변함이 있다.'는 뜻을 거듭 밝힌 것이다. 중요점은 응함 가운데 변함이 있다는 것이다. 그 흉함을 알아서 잘 대응하면 길하니, 후회하면 흉함을 길함으로 바꿀 수가 있다. 그 인색함을 방비하여 잘 대응하면 후회하게 되니 인색하면 패악해져서 길함에서 흉해지는 것이다. 이것이 군자가 천도를 따르고 인도를 따르지 않는 까닭이니, 반드시 인도를 다하여 천도를 계승하는 것이다.(愚按, 此因前節天道之變人道之應, 而申言其義. 易之變, 天道之自爲變也, 易之應, 天道之因人而應也, 以元亨爲變, 則利貞爲應, 天道也, 以吉凶爲應, 則悔吝爲變, 人道也. 元則吉, 吉則利應之, 而亨又言凶者, 亨與凶反而凶所伏也. 故宜應之以貞, 人道之所以合天道也. 悔則吉, 吝則凶, 天道之所以應人道也. 故曰變中有應, 應中有變, 兼天人而合言之. 變中之應四句, 又申上變中有應意, 應中之變四句, 又申上應中有變意. 重在應中有變. 知其凶而善應之則吉, 蓋悔可轉凶爲吉矣. 防其吝而善應之則悔, 蓋吝則悖吉, 而凶矣. 此君子所以從天而不從人, 必盡人道以承天道也.)"

316 위대하구나! 乾元이여 : 『周易』「乾卦 · 文言傳」

317 王植, 『皇極經世書解』: "(황기가 말했다.) "이것은 사람의 4덕을 하늘과 짝지은 것이니, 원과 이 · 정을 해석한 것은 의심할 것이 없다. 오직 건괘 상구효의 '후회가 있다.'는 것을 인용하여 亨을 말한 것은 아마도 때가 과도하게 번성하고 덕이 과도하게 꾸며지면 예의 말단이니 그렇게 행동하면 후회가 이르기 때문에 경계했다.(此以人之四德配天, 其釋元與利貞, 無可疑. 獨引上九有悔以言亨者, 蓋時過盛, 德過文, 則禮之末節, 有動而致悔者焉, 故戒之.)"

代母, 坎離得位, 兌艮爲耦, 以應地之方也. 王者之法其盡於是矣.

지극하구나, 문왕이 주역을 지으신 것이여! 하늘과 땅의 작용을 얻었구나! 그러므로 건과 곤이 교류하여 태泰괘가 되고 감坎과 이離가 교류하여 기제旣濟괘가 된다. 건은 자子에서 생기고, 곤은 오午에서 생기고, 감坎은 인寅에서 마치고, 이離는 신申에서 마치니, 하늘의 때에 응한 것이다. 건을 서북쪽에 놓고, 곤을 서남쪽에 물리고, 장남이 일을 하고 장녀는 어머니를 대신하고, 감과 이가 자리를 얻고 태兌와 간艮이 짝이 되니, 땅의 방위에 응한 것이다. 왕의 법이 여기에서 다했다.[318]

318 왕식본 『皇極經世書解』에서 주희의 『易學啓蒙』에 나온 구절을 인용한다. "이것은 문왕이 복희의 「卦圖」를 변경한 뜻을 말한다. 건괘가 남쪽이고 곤괘가 북쪽인 것에서부터 교착하면, 건괘가 북쪽이고, 곤괘는 남쪽이 되어 태괘가 된다. 리괘가 동쪽이고, 감괘가 서쪽인 것에서부터 교착하면 리괘가 서쪽이고 감괘는 동쪽이 되어 기제괘가 된다. 건괘와 곤괘의 교착은 이미 이루어진 것으로부터 말미암아 생기는 것으로 되돌아가는 것이다. 그러므로 다시 한 번 변하면 건괘는 서북쪽에 물러나고 곤괘는 서남쪽에 물러난다. 감괘와 리괘의 변화는 동쪽에 있던 것이 위에서부터 서쪽으로 가고 서쪽에 있던 것은 아래에서부터 동쪽으로 가는 것이다. 건괘와 곤괘가 이미 물러났으니, 리괘가 건괘의 자리를 얻고 감괘는 곤괘의 자리를 얻는다. 진괘가 일을 한다는 것은 동쪽에서 발생한다는 것이고, 손괘가 어머니를 대신한다는 것은 동남쪽에서 기른다는 것이다. (此言文王改易伏羲卦圖之意也. 蓋自乾南・坤北而交, 則乾北・坤南而爲泰矣. 自離東坎西而交, 則離西坎東而爲旣濟矣. 乾・坤之交者, 自其所已成而反其所由生也. 故再變則乾退乎西北, 坤退乎西南也. 坎・離之變者, 東自上而西, 西自下而東也. 故乾・坤旣退, 則離得乾位, 而坎得坤位也. 震用事者, 發生於東方. 巽代母者, 長養於東南也.)"

왕식본 『皇極經世書解』에서 옥재 호씨(胡方平)는 이렇게 설명하고 있다. "「先天圖」의 괘에서 건괘가 午에 자리 잡고 있는데 '子에서 생긴다.'고 한 것은 건괘의 陽이 복괘에서 처음으로 생겼기 때문이다. 복괘는 子의 半이다. 곤괘가 子에 자리 잡고 있는데 '午에서 생긴다.'고 한 것은 곤괘의 陰이 구괘에서 처음으로 생겼기 때문이다. 구괘는 바로 午의 半이다. 午는 건괘가 이미 이루어진 곳이다. 이제 아래로 내려가 子에서 곤괘와 교착하니 이는 그 말미암아 생긴 곳으로 되돌아 간 것이다. 子는 곤괘가 이미 이루어진 곳이다. 이제 위로 올라가 午에서 건괘와 교착하니, 이는 그 말미암아 생긴 곳으로 되돌아 간 것이다. 그러므로 다시 한 번 변하여 후천의 괘가 되면, 건괘는 서북쪽으로 물러나고 곤괘는 서남쪽으로 물러난다. (先天卦乾居午而云'生於子'者, 以乾陽始生於復; 復, 子之半也. 坤居子而云'生於午'者, 以坤陰始生於姤; 姤, 午之半也. 午, 乾之所已成; 今下而交坤於子, 是反其所由生也. 子, 坤之所已成; 今上而交乾於午, 是反其所由生也. 故再變而爲後天卦, 則乾退西北, 坤退西南也.) 「先天圖」의 괘에서 리괘가 寅에 해당하는데 '申에서 마친다.'고 한 것은, 申이 바로 감괘의 방위이며 리괘가 감괘와 교착하여 申에서 마친다는 것이다. 감괘가 申에 해당하는데 '寅에서 마친다.'고 한 것은, 寅이 바로 리괘의 방위이며 감괘가 리괘와 교착하여 寅에서 마친다는 것이다. 동쪽은 리괘의 본래 방위이지만 그것이 변하면 감괘와 교착하여 서쪽으로 향하니, '동쪽에 있던 것이 위에서 서쪽으로 간다.'는 것이다. 서쪽은 감괘의 본래 방위지만 그것이 변하면 리괘와 교착하여 동쪽으로 향하니, '서쪽에 있던 것이 아래에서 동쪽으로 간다.'는 것이다. 그러므로 다시 한 번 변하여 후천의 괘가 되는데, 건괘와 곤괘가 이미 물러났으니, 리괘는 위로 올라가서 건괘의 방위를 얻고 감괘는 아래로 내려와서 곤괘의 방위를 얻는다. 진괘는 아버지를 대신해 일을 시작하여 동쪽에서 만물을 발생하고 손괘는 어미를 대신해 일을 이어받아 동남쪽에서 기른다. (先天卦離當寅而云'終于申'者, 申乃坎之位, 離交坎而終於申也. 坎當申而云'終於寅'者, 寅乃離之位, 坎交離而終於寅也. 東者離之本位, 其變則交於坎而向西, 是東自上而西也. 西者坎之本位, 其變則交於離而向東, 是西自下而東也. 故再變而爲後天卦; 乾坤旣退, 則離上而得乾位, 坎下而得坤位也. 震代父始事而發生於東方, 巽代母繼事而長養於東南也.) 「先天圖」는 건괘와 곤괘, 감괘와 리괘의 교착

[11-1-109]

乾坤, 天地之本. 離坎, 天地之用. 是以易始於乾坤, 中於離坎, 終於旣未濟, 而泰否爲上經之中, 咸恒爲下經之首. 皆言乎其用也.

건과 곤은 하늘과 땅의 근본이고, 이離와 감坎은 하늘과 땅의 작용이다. 그래서 역은 건과 곤으로부터 시작하고 감과 이에서 중간이 되고, 기제와 미제에서 마치니 태泰와 비否가 상경의 중간이고, 함咸과 항恒이 하경의 머리이다. 모두 작용을 말한 것이다.[319]

[11-1-110]

坤統三女於西南. 乾統三男於東北. 上經起於三, 下經終於四, 皆交泰之義也. 故易者, 用也. 乾用九, 坤用六, 大衍用四十九, 而潛龍勿用也. 大哉用乎. 吾於此見聖人之心矣.

곤은 세 딸을 서남쪽에서 통솔하고, 건은 세 아들을 동북쪽에서 통솔한다. 상경上經은 3에서 일어나고, 하경下經은 4에서 마치니, 모두 교류하여 태평해지는 뜻이다.[320] 그러므로 『역』은 쓰는 것이다. 건괘는

을 위주로 하는데, 그 교착함은 장차 변하여 정해진 방위가 없고 하늘의 때가 무궁하기 때문에 '하늘에 응한다.'고 하였다. 「후천도」는 감괘와 리괘, 진괘와 태괘의 교착을 위주로 하는데, 그 교착함은 변하지 않아 정해진 방위가 있고 땅은 네모져서 일정함이 있기 때문에 '땅의 방위에 응한다.'고 하였다.(先天主乾坤坎離之交, 其交也將變而无定位, 天時之不窮也, 故曰'應天.' 後天主坎離震兌之交, 其交也不變而有定位, 地方而有常也, 故曰'應地.') 「先天圖」의 괘에 근거하여 「후천도」의 괘를 만들었으니, 이는 문왕이 『易』을 만드는 데에 하늘과 땅의 작용을 터득한 까닭이며 邵雍은 '지극하다!'라는 말로 그것을 찬양했다. 비록 그러하지만 이것은 소자와 주자가 이미 말한 것이고, 그들이 말하지 않은 것은 더욱 궁구해야 한다. 「先天圖」의 괘에서는 건괘를 '임금[君]'이라고 말하니 주관하는 것이 건괘에 있다. 「후천도」의 괘에서는 진괘를 '천제[帝]'라고 말하니 주관하는 것이 또한 진괘에 있다. 무엇 때문인가? 이것은 바로 공자가 복희와 문왕이 陽을 높이는 뜻을 밝힌 것이다. 건괘는 진괘의 아버지가 되고 진괘는 건괘의 아들이 된다.(由先天卦而爲後天卦, 此文王作易所以得天地之用, 而邵子以'至哉'之辭贊之也. 雖然, 此邵子朱子之所已言者, 而其所未言者尤當竟也. 先天卦乾以君言, 則所主者在乾. 後天卦震以帝言, 則所主者又在震; 何哉? 此正夫子發明羲文尊陽之意也. 蓋乾爲震之父, 震爲乾之子.)"

319 王植, 『皇極經世書解』, "서계 이씨가 말했다. '『周易』의 상편은 건괘와 곤괘가 첫머리이고, 감괘와 이괘로 끝나며 하편은 함괘와 항괘가 첫머리이고 기제괘와 미제괘로 끝나니 기제괘와 미제괘도 감괘와 이괘이다. 천지의 도는 음양에 불과하다. 오행의 작용은 水火보다 앞선 것이 없다. 상편에 천지를 첫머리로 한 것은 음양의 바른 것이기 때문이고, 水火의 바름으로 마쳤다. 하편은 부부의 괘를 첫머리로 한 것은 음양이 사귄 것이다. 그러므로 水火의 사귐으로 마쳤다.'(補註, 西溪李氏曰, 上篇首乾坤, 終坎離, 下篇首咸恒, 終旣未濟, 亦坎離也. 天地之道, 不過乎陰陽, 五行之用, 莫先於水火, 上篇首天地, 陰陽之正也, 故以水火之正終焉. 下篇首夫, 婦陰陽之交也, 故以水火之交終焉.)"

320 곤은 세 … 뜻이다 : 장행성, 『皇極經世觀物外篇衍義』, "양기는 동북쪽에서 생겨나고 음기는 서남쪽에서 생겨나니 건이 동북쪽을 통솔하고 곤이 서남쪽을 통솔하는 것은 양이 먼저이고 음을 아래로 하는 것이다. 3은 하늘의 용수이고 4는 땅의 체수이니 상경은 3에서 일어나고 하경은 4에서 일어나는 것은 하늘이 먼저이고 땅은 아래로 하는 것이다. 그러므로 모두 교류하여 태평한 뜻이 있다.(陽氣生於東北, 陰氣成於西南, 乾統東北, 坤統西南, 陽先而下陰也. 三者, 天之用數, 四者, 地之體數, 上經起于三, 下經終於四, 天先而下地也.

9를 쓰고 곤괘는 6을 쓰며, 대연의 수는 49를 쓰고, 잠긴 용은 쓰지 말아야 한다. 위대하구나, 쓰임이여! 나는 여기서 성인의 마음을 본다.[321]

[11-1-111]

道生天, 天生地, 及其功成而身退, 故子繼父禪. 是以乾退一位也.

도는 하늘을 낳고 하늘은 땅을 낳지만 그 공을 이루고는 몸은 물러나므로 자식이 잇고 아버지는 선양하는 것이다. 그래서 건이 첫 번째 지위에서 물러나는 것이다.[322]

[11-1-112]

乾坤交而爲泰, 變而爲雜卦也.

건과 곤이 교류하여 태괘가 되고, 변하여 복잡한 괘가 된다.[323]

故曰皆交泰之義也.)"

321 王植, 『皇極經世書解』, "巽·離·兌는 모두 음인데 위에 있고, 坎·艮·震은 모두 양인데 아래에 있으며, 상경 30괘는 하경의 뜻을 일으키고, 하경의 34괘는 상경의 뜻을 마무리하니, 모두 교류하여 태평한 뜻이다. 4를 쓰고 9를 쓰는 것은 49개의 시초로부터 나온 것이고, 대연의 수 50에서 1을 비우는 것은 잠긴 용을 상징한다. 교류한다는 것은 반드시 교류하지 않는 것을 체로 삼고, 쓰는 것은 반드시 쓰지 않는 것을 체로 삼으니 쓰는 것의 뜻은 잠긴 용으로부터 시작한다. 그런데 쓰지 말라고 한 것은 아래에서 그 체를 기른 후에 밭에 드러내고, 물속에서 뛰어서 하늘에서 나는 것이니, 이것이 쓰지 않는 것의 쓰임이다.(巽離兌, 皆陰也而居於上, 坎艮震, 皆陽也而居於下, 上經三十卦, 起下經之義, 下經三十四卦, 終上經之義, 皆交泰之義也. 用四, 用九, 皆自四十九蓍而出, 大衍之數五十, 虛其一, 以象潛龍也. 交者, 必以不交者爲體, 用者, 必以不用者爲體, 用之義, 自潛龍始. 曰勿用者, 養其體於下, 而後見且躍以飛, 是不用之用也.)"

322 王植, 『皇極經世書解』, "(황기가 말했다.) 氣는 理로부터 생겨나고 形은 기로부터 생겨나니, 공을 이루면 몸은 물러난다는 것은 하늘은 낳은 후에 하늘을 볼 수 있지만 도는 볼 수 없고, 땅을 낳은 뒤에 땅은 밟고 나아갈 수 있지만 하늘은 밟고 나아갈 수 없다. 이는 坎과 離가 중앙에 해당하고 건은 서북쪽에 자리하는 것을 상징한다.(氣由理生, 形由氣生, 功成身退者, 生天之後, 天可見, 道不可見也, 生地之後, 地可即, 天不可即也. 象坎離當中而乾居西北.)"

323 王植, 『皇極經世書解』, "(황기가 말했다.) 공자가 진술한 「雜卦傳」에서 '건은 강하고 곤은 부드럽다.'고 했고 그 이하는 둘씩 서로 짝이 되어 모두 교류하여 태평해지는 뜻이다. 오직 大過괘에서 夬괘에 이르는 8괘는 교류하여 태평해지는 뜻을 변화시켜서 복잡하게 나열되었다.(夫子所陳雜卦, 自乾剛坤柔, 而下兩兩相對, 皆交泰之義, 惟大過至夬八卦, 變交泰之義, 而雜以陳之.)"

王植, 『皇極經世書解』, "생각하건대, 황기가 '오직 大過괘에서 夬괘에 이르는 8괘는 교류하여 태평해지는 뜻을 변화시켜서 복잡하게 나열하였다.'고 했다. 자세하게 대과괘 이하를 살펴보면 주자는 '괘가 짝이 되지 않으니 내용이 착간되었는지 의심스럽다. 그러나 음운으로 맞춰보면 잘못된 것이 아닌듯하다.'고 했다. 그리고 절재 채씨가 본장의 서로 짝이 되는 것과 운을 맞춘 예들을 살펴 그 문장을 고쳐서 '대과괘는 엎어지는 것이고, 頤는 바르게 기르는 것이고, 기제괘는 안정되는 것이고, 미제는 남자의 궁함이고, 귀매괘는 여자의 마침이고, 점괘는 여자가 시집가는 것이니 남자를 기다려서 가는 것이고, 구괘는 만남이니, 유한 것이 강한 것을 만나는 것이고, 쾌괘는 결단으로 강한 것이 유한 것을 결단내는 것이니 군자의 도는 자라나고 소인의 도는 근심스럽게 된다.'고 했다. 건안 구씨와 파양 동씨가 모두 그 말이 합당하다고 했다. … 그러나 그

[11-1-113]

乾坤坎離爲上篇之用, 兌艮巽震爲下篇之用也. 頤中孚大過小過爲二篇之正也.

건·곤·감·이乾坤坎離는 상편의 쓰임이 되고, 태·간·손·진兌艮巽震은 하편의 쓰임이 된다. 이頤괘·중부中孚괘·대과大過괘·소과小過괘는 두 편의 바른 괘가 된다.[324]

[11-1-114]

易者, 一陰一陽之謂也. 震兌, 始交者也, 故當朝夕之位. 離坎, 交之極者也, 故當子午之位. 巽艮雖不交, 而陰陽猶雜也, 故當用中之偏位. 乾坤, 純陰陽也, 故當不用之位.

역은 한 번 음하고 한 번 양하는 것을 말한다. 진震과 태兌는 처음 교류한 것이므로 아침과 저녁의 지위에 해당한다. 이離와 감坎은 교류의 지극함이므로 子와 오午의 지위에 해당한다. 손巽과 간艮은 교류하지 않지만 음과 양이 섞여 있으므로 사용 중인 치우친 지위에 해당한다. 건乾과 곤坤은 순전히 음과 양이므로 쓰지 않는 지위에 해당한다.[325]

말이 너무 잘못되었다. 소강절의 말을 깊게 음미해보면 단지 대과괘 이하의 8괘만을 말한 것이 아니고, '건과 곤이 교류하여 태괘가 된다.'는 말도 단지 본장의 첫 번째 장만을 가리킨 것이 아니다.(愚按, 黃氏謂大過八卦, 變交泰之義, 而雜陳之. 細按大過以下. 朱子以爲卦不反對, 疑有錯簡, 以韻協之, 又似非誤. 節齋蔡氏按本章反對協韻之例, 改正其文, 曰大過顚也, 頤養正也, 旣濟定也, 未濟男之窮也, 歸妹女之終也, 漸女歸待男行也, 姤遇也, 柔遇剛也, 夬決也, 剛決柔也, 君子道長, 小人道憂也. 建安邱氏鄱陽董氏俱服其允當. … 然其說太曲, 竊味邵子之意, 非止爲大過以下八卦而言也, 乾坤交而爲泰, 亦不但指本章首句而已.)"

324 王植, 『皇極經世書解』, "(황기가 말했다.) 건곤감리는 교류하지 않았으니 체괘이나 상편의 쓰임으로 삼았으니 체의 쓰임이고, 태감손진은 모두 변용괘이나 하편의 쓰임으로 삼았으니 용의 쓰임이다. 대과괘는 건을 닮고, 頤괘는 곤을 닮았으나 본래 태손진간의 합인데 상편의 정괘로 삼았으니 변했으나 실제로는 올바른 것이고, 중부괘는 離괘를 닮고, 소과괘는 坎괘를 닮았으나 또 태손진간의 합인데 하편의 정괘로 삼았으니 바르지만 실제로는 변한 것이다. 변했지만 실제로는 올바르므로 坎과 離에 가까워서 상편의 마지막으로 삼았으니 天道를 마치는 뜻이고, 바르지만 실제로는 변했으므로 기제괘와 미제괘에 가까워 하편의 마지막으로 삼았으니 人道를 마치는 뜻이다. 이것이 후천의 쓰임이다.(乾坤坎離不交, 體卦也, 而以爲上篇之用, 則體之用也, 兌艮巽震, 皆變用卦也, 而以爲下篇之用, 則用之用也. 大過肖乾, 頤肖坤, 本兌巽震艮之合也, 而以爲上篇之正, 變而實正者也, 中孚肖離, 小過肖坎, 亦兌巽震艮之合也, 而以爲下篇之正, 正而實變者也. 變而實正, 故近於坎離, 以爲上篇之終, 終天道之義也, 正而實變, 故近於旣未濟, 以爲下篇之終, 終人道之義也. 此後天之用也.)"

325 王植, 『皇極經世書解』, "이절은 음양이 자리를 바꾸어 교류하는 것을 논했다. 양은 본래 위에 있고 음은 본래 아래에 있으니, 艮은 한 양이 위에 있고, 巽은 한 음이 아래에 있으므로 '교류하지 않는다'라고 했고, 震은 한 양이 아래에 있고, 兌는 한 음이 위에 있으므로 '처음 교류한다.'고 했고, 坎은 양이 가운데 있고 離는 음이 가운데 있으므로 교류의 지극함이 된다. 봄은 양의 시작이므로 진이 자리하고, 가을은 음의 시작이므로 태가 자리하고, 여름은 양이 극에 달해 음이 생기므로 이가 자리하고, 겨울은 음이 극에 달해 양이 생기므로 감이 자리한다. 간은 양이 하나에 음이 둘이고, 손은 양이 둘에 음이 하나니 여전히 쓰임이 있고, 건은 순전한 양이고 곤은 순전한 음이니 쓰이지 않는다. 동쪽은 양이 되어 쓰임을 주관하고 서쪽은 음이 되어 쓰지 않으므로, 건곤은 서쪽 모퉁이에 자리하고, 간손은 동쪽 모퉁이에 자리한다. 건과 간은 양이 되고,

[11-1-115]

乾坤縱而六子橫, 易之本也. 震兌橫而六卦縱, 易之用也.

건과 곤이 세로로 있고 여섯 자식이 가로로 있으니 역의 근본이고, 진震과 태兌는 가로로 있고 6괘가 세로로 있으니 역의 작용이다.[326]

[11-1-116]

象起於形, 數起於質, 名起於言, 意起於用, 天下之數出於理. 違乎理則入於術. 世人以數

곤과 손은 음이 되니, 북쪽은 땅의 양이 되고, 남쪽은 땅의 음이 되므로 건과 간은 북쪽에 있고 손과 곤은 남쪽에 있다.(此節論陰陽以易位爲交. 陽本在上, 陰本在下, 艮一陽在上, 巽一陰在下, 故云不交, 震一陽在下, 兌一陰在上, 故爲始交, 坎陽在中, 離陰在中, 故爲交之極. 春陽之始, 故震居之, 秋陰之始, 故兌居之, 夏陽極陰生, 故離居之, 冬陰極陽生, 故坎居之. 艮一陽二陰, 巽二陽一陰, 猶有用, 乾純陽, 坤純陰, 不爲用. 東方爲陽, 主用, 西方爲陰, 不用, 故乾坤居西隅, 艮巽居東隅也. 乾艮爲陽, 坤巽爲陰, 北爲地之陽, 南爲地之陰, 故乾艮居北, 而巽坤居南也.)" 이 단락은 『易學啓蒙』에도 나와 있는데 왕식본 『皇極經世書解』에서 호방평은 이렇게 설명한다. "하나의 음과 하나의 양이 正位에 자리 잡으면 서로 마주하여 교역하는 의미가 있지만, 치우친 방위에 자리 잡으면 마주하지 않아 교역하는 의미를 취할 수 없다. 후천 8괘 가운데 정위에 자리 잡아 마주하는 괘들은 진괘와 태괘, 감괘와 리괘이고, 치우친 방위에 자리 잡아 마주하지 않는 괘들은 건괘와 곤괘, 간괘와 손괘이다. 그러므로 동과 서, 남과 북에 있는 괘들은 서로 상대하니 그 교역함을 취하지만, 동북과 동남, 서북과 서남에 있는 괘들은 마주하지 않아 그 교역함을 취하지 못한다.(一陰一陽居正, 則相對而有交易之義; 居偏則不對, 而於交之義无取. 後天八卦正而對者, 震兌坎離; 偏而不對者, 乾坤艮巽. 故在東西南北者, 相對則取其交, 而在東北東南・西北西南者不對, 則不取其交也.) 교역하는 것으로부터 논하면, 진괘는 동쪽, 태괘는 서쪽에 자리 잡아서 교역의 시작이 되며, 卯의 中과 酉의 中 및 아침과 저녁의 위치에 해당한다. 리괘는 남쪽, 감괘는 북쪽에 자리 잡아서 교역의 극한이 되며, 子와 午의 위치 및 하늘과 땅의 가운데에 해당한다. 교역하지 않는 것으로부터 논하면, 손괘와 간괘는 남과 북의 동쪽에 자리 잡아서 건괘와 곤괘에 비하여 음과 양이 더욱 뒤섞여 있기 때문에 손괘는 조금 일을 하는 쪽으로 향해 가지만 간괘는 전혀 쓰이지 않으므로, 쓰이는 것 가운데 치우침에 해당하게 된다. 건괘와 곤괘는 남과 북의 서쪽에 자리 잡아서 손괘와 간괘에 비하여 음과 양이 순수하므로, 이른바 부모가 이미 늙어서 쓰이지 않는 곳에 물러나 있다는 것이다.(自其交者論之, 震東兌西爲交之始, 當卯酉之中, 朝夕之位也. 離南坎北爲交之極, 當子午之位, 天地之中也. 自其不交者論之, 巽艮居南北之東, 比於乾坤陰陽爲尤雜, 故巽稍向用而艮全未用, 所以爲當用中之偏. 乾坤居南北之西, 比於巽艮爲陰陽之純, 所謂父母既老而退處於不用之地也.)"

326 장행성, 『皇極經世觀物外篇衍義』, "건과 곤이 세로로 있고 여섯 자식이 가로로 있는 것은 복희의 선천의 괘이다. 그러므로 역의 근본이라고 했다. 진과 태는 가로로 있고 6괘는 세로로 있다는 것은 문왕의 후천의 괘이다. 그러므로 역의 작용이라고 했다. 經이 세로이고 緯가 가로이다. 경으로 체를 세우고 위로 쓰임에 이른다. 경은 常道이고 위는 變道이다. 여섯 자식이 가로로 있는 것은 6자식을 사용하는 것이다. 진과 태가 가로로 있는 것은 진과 태를 사용하는 것이다. '하늘과 땅이 자리를 정한다.'는 것은 體이고, '산과 연못이 기를 통하고', '우레와 바람이 서로 부딪치고' '물과 불이 서로 해치지 않는다.'는 것은 모두 用이다.(乾坤縱而六子橫, 伏羲先天之卦也, 故曰易之本. 震兌橫而六卦縱, 文王後天之卦也. 故曰易之用. 經縱而緯橫, 經以立體, 緯以致用. 經常而緯變也. 六子橫者, 用六子也, 震兌橫者, 用震兌也. 天地定位, 體也, 山澤通氣, 雷風相薄, 水火不相射, 皆用也.)"

而入術, 故失於理也.

상象은 형形에서 일어나고, 수數는 질質에서 일어나고, 명名은 언言에서 일어나고, 의意는 용用에서 일어나니, 세상의 수는 이理(이치)에서 나온다. 이치를 어기면 술수에 들어간다. 세상 사람들은 수를 가지고 술수에 빠지므로 이치를 잃는다.[327]

[11-1-117]

天下之事皆以道致之, 則休戚不能致矣.

세상의 일을 모두 도로써 이룬다면 아름답고 슬픈 것이 이를 수가 없다.[328]

[11-1-118]

天之陽在南而陰在北. 地之陰在南而陽在北. 人之陽在上而陰在下, 旣交則陽下而陰上.

하늘의 양은 남쪽에 있고 음은 북쪽에 있다. 땅의 음은 남쪽에 있고 양은 북쪽에 있다. 인간의 양은 위에 있고 음은 아래에 있지만 교류하게 되면 양은 아래에 있고 음은 위에 있다.[329]

[11-1-119]

天以理盡而不可以形盡. 渾天之術, 以形盡天, 可乎!

하늘은 이치로 다할 수 있지만 형形으로 다할 수 없다. 혼천渾天의 방법은 형으로 하늘을 다했으니 옳겠는가!

327 王植, 『皇極經世書解』: "(황기가 말했다.) 천 · 지 · 수 · 화 · 뢰 · 풍 · 산 · 택은 形이니 象으로 일으키고, 높음 · 낮음 · 밝음 · 어둠 · 두드림 · 춤 · 통함 · 막힘은 質이니 數로 기록한다. 건 · 곤 · 감 · 이 · 진 · 손 · 태 · 간은 言이니 名으로 분별하고, 올라탐 · 이어받음 · 나아감 · 물러남 · 나눔 · 합함 · 취함 · 줌은 用이니 意로 이해한다. 군자는 易에서 사물을 견주어 그 상을 본받고, 사물을 기록하여 수를 본받고, 일을 말해서 그 명을 본받고, 일을 실행하여 意를 본받고, 수에서 추론하여 이치에 근본하고, 이치에서 헤아려서 그 수를 상세하게 한 후에야 실수하는 바가 없다.(天地水火雷風山澤, 形也, 起之以象, 高下明暗鼓舞通塞, 質也, 紀之以數, 乾坤坎離震巽兌艮, 言也, 辨之以名, 乘承進退分合取與, 用也, 會之以意. 君子於易, 擬物則尙其象, 紀物則尙其數, 言事則尙其名, 行事則尙其意, 推之於數而本於理, 揆之以理而詳其數, 然後無所失矣.)"

328 장행성, 『皇極經世觀物外篇衍義』: "도는 天理의 公이고 아름다움과 슬픔은 人情의 私이다. 세상의 일들을 천리의 공에 맡겨 둔다면 길흉에 대해서 貞으로 움직임을 이겨 이롭지 않는 것이 없고, 득실에 대해서 命으로 처하여 편안하지 않음이 없다. 어떻게 아름다움과 슬픔이 그 마음을 얽매이게 하겠는가? 그러므로 군자는 어디를 가든 자득하게 된다.(道者, 天理之公, 休戚者, 人情之私也. 天下之事, 苟任天理之公, 則吉凶, 以貞勝動, 無非利, 得喪, 以命處居, 無非安, 何休戚能累其心哉? 故君子無入而不自得也.)"

329 王植, 『皇極經世書解』: "(황기가 말했다.) 원도에서 건은 남쪽 곤은 북쪽이고 방도에서 곤은 남쪽이고 건은 북쪽이다. 사람의 심장은 위에 있으니 양이고, 신장은 아래에 있으니 음이다. 교류하지 않았을 때는 體를 말하므로 건은 위에 있고 곤은 아래에 있지만 교류하면 用을 말하므로 坎은 위에 있고 離는 아래에 있다.(圓圖, 乾南坤北, 方圖, 坤南乾北, 人之心在上, 陽也, 腎在下, 陰也. 未交, 則言其體, 故乾上坤下, 旣交, 則言其用, 故坎上離下.)"

[11-1-120]

辰數十二, 日月交會謂之辰. 辰, 天之體也. 天之體, 無物之氣也.

신辰의 수는 12이니 해와 달이 교차하여 만나는 것을 신辰(별자리)이라고 한다. 신은 하늘의 체體이다. 하늘의 체는 사물이 없는 기氣이다.

[11-1-121]

精義入神, 以致用也. 不精義則不能入神, 不能入神, 則不能致用也.

의義를 정밀하게 하여 신神의 경지에 들어가서 쓰임을 극대화한다. 의를 정밀하게 하지 않으면 신의 경지에 들어갈 수 없으니, 신의 경지에 들어갈 수 없다면 쓰임을 극대화할 수 없다.[330]

[11-1-122]

爲治之道必通其變, 不可以膠柱. 猶春之時不可行冬之令也.

다스림을 행하는 도는 반드시 그 변화에 통달해야 하니 하나만을 고집할 수 없다.[331] 이는 마치 봄의 때에 겨울의 시행령施行令을 행할 수 없는 것과 같다.[332]

[11-1-123]

陽數一, 衍之爲十, 十干之類是也. 陰數二, 衍之爲十二, 十二支十二月之類是也.

양의 수는 1이 늘어나서 10이 되니 10간의 종류가 이것이다. 음의 수는 2가 늘어나서 12가 되니, 12지, 12월의 종류가 이것이다.[333]

330 장행성, 『皇極經世觀物外篇衍義』: "오직 至誠만이 精을 낳을 수 있고, 지극한 精만이 神을 낳는다. 이것이 낳고 나오는 근본이니 지극한 이치는 그 사이에 있지만 專一하는 것에 불과할 뿐이다. 의를 정밀하게 하여 신의 경지에 이르면 그렇게 되는지도 모르고 그렇게 된다. 그러므로 쓰임에 이른다. 뱃사람이 배를 다루고, 곱사등이가 매미를 잡고, 포정이 소를 잡고, 윤편이 수레바퀴를 깎는 것은 바로 신의 경지에 들어 쓰임에 이른 것이다. 맹자는 인은 성숙하는 데에 있을 뿐이라고 했는데 정밀하면 성숙하고 성숙하면 신묘하게 된다. 세상의 모든 일은 바로 신의 경지에 나아가려는 것이니 요체는 성숙하는 데에 달려 있고 다른 기교는 없다. (惟至誠爲能生精, 惟至精爲能生神, 此生出之本, 有至理, 在其間. 然不過乎專一而已. 精義入神, 不知所以然而然, 故能致用也. 津人操舟, 僂者承蜩, 庖丁解牛, 輪扁斲輪, 皆入神致用之義. 在孟子, 則曰'爲仁在熟之而已', 精則熟, 熟則妙. 天下之事, 欲進乎神者, 要在於熟, 無他巧也.)"

331 하나만을 … 없다. : 膠柱는 줄을 조율하는 기러기발에 아교칠을 하여 음의 고저를 조절할 수 없는 지경에 이르는 것을 말한다. 하나만을 고집하여 변통을 알지 못하는 것을 의미한다.

332 王植, 『皇極經世書解』: "생각하건대, 이것은 군자가 權道를 아는 것을 귀하게 여기는 까닭이다.(愚按, 此君子所以貴知權.)"

333 王植, 『皇極經世書解』: "(황기가 말했다.) 10간은 甲으로부터 癸에 이르는 것이고 12지는 子로부터 亥에 이르는 것이다. 1은 곧 10의 시작이고 10은 곧 1의 끝이며, 2는 곧 12의 시작이고 12는 곧 2의 끝이다.(十干者, 自甲至癸, 十二支者, 自子至亥. 蓋一即十之始也, 十即一之終也, 二即十二之始也, 十二即二之終也.)"
王植, 『皇極經世書解』: "생각하건데 음양과 홀수 · 짝수의 뜻은 하늘의 1과 하늘의 9를 합하여 10이 되고,

[11-1-124]

元亨利貞之德, 各包吉凶悔吝之事, 雖行乎德, 若違于時, 亦或凶矣.

원 · 형 · 이 · 정의 덕은 각각 길 · 흉 · 회 · 린의 일을 포함하고 있으니 덕을 행할 지라도 때를 어긴다면, 또한 흉할 수도 있다.

[11-1-125]

初與上同, 然上亢不及初之進也. 二與五同, 然二之陰中不及五之陽中也. 三與四同, 然三處下卦之上, 不若四之近君也.

초효와 상효는 같지만 상효가 지나치게 높이 올라간 것은 초효의 나아감에 미치지 못한다. 이효와 오효는 같지만 이효의 음이 중도를 이룬 것은 오효의 양이 중도를 이룬 것에 미치지 못한다. 삼효와 사효는 같지만 삼효가 하괘의 상에 처한 것은 사효가 군주와 가까이 자리한 것에 미치지 못한다.[334]

[11-1-126]

天之陽在南, 故日處之. 地之剛在北. 故山處之, 所以地高西北, 天高東南也.

하늘의 양은 남쪽에 있으므로 해가 거기에 있고, 땅의 강剛은 북쪽에 있으므로 산이 거기에 있으니, 그래서 땅은 서북쪽이 높고 하늘은 동남쪽이 높다.[335]

[11-1-127]

天之神棲乎日, 人之神發乎目. 人之神, 寤則棲心, 寐則棲腎, 所以象天也. 晝夜之道也.

하늘의 신神은 해에 깃들여 있고, 사람의 신은 눈에서 발한다. 사람의 신은 깨면 심장에 깃들고, 잠들면 신장에 깃드니, 하늘을 본받은 까닭이다. 낮과 밤의 도이다.[336]

땅의 2와 땅의 10을 합하여 12가 되니 그 이치가 정밀하다. 글자 형체로 말하면 '日'이라는 글자는 가운데가 一이니 홀수이고, '月'이라는 글자는 가운데가 二이니 짝수이다. 홀수는 양이고 짝수는 음이다. 그러므로 干은 일에 속하고 支는 월에 속하니 도한 한 가지의 뜻이다. 역이라는 글자는 日과 月에 딸려 있으니 음양의 바뀜이고 역의 뜻도 그러하다.(愚按, 陰陽奇耦之義, 天一合天九以爲十, 地二合地十以爲十二, 其理精矣. 以字形言之, 日中一爲奇, 月中二爲耦, 奇, 陽也, 耦, 陰也. 故干屬日, 而支屬月, 亦其一義. 易文從日月, 則陰陽變易者, 易之義亦然.)"

334 王植, 『皇極經世書解』: "(황기가 말했다.) 지나치게 높이 올라 극한에 이르렀다면 물러가게 되므로 초효의 나아감에 미치지 못하는 것이다. 이효와 오효는 모두 중도를 이루었지만 오효는 군주이고 이효는 신하이니 군주가 양이고 신하는 음이다. 신하가 군주를 지나칠 수 있는 이치는 없다. 이것이 이효가 오효에 미치지 못하는 까닭이다.(亢而極則退, 所以不及初之進. 二與五, 皆得中, 然五君也, 二臣也, 君爲陽, 臣爲陰, 臣無過君之理. 此二之所以不逮五也.)"

335 王植, 『皇極經世書解』: "생각하건대, 이런 뜻은 여러 차례 나타났다. 소강절이 항상 말했던 것이지만 문인들이 기록하는 데에 소략한 점이 있었을 것이다. 그러므로 모두 보존해서 서로 밝히게 했다.(愚按, 此義前後屢見. 蓋康節所嘗言, 而門人記之, 有詳略. 故並存而可以互發也.)"

[11-1-128]

雲行雨施, 電發雷震, 亦各從其類也.

구름이 오고 비가 내리며, 번개가 치고 우레가 진동하는 것 역시 각각 그 부류를 따르는 것이다.

[11-1-129]

吹噴噓呵, 風雨雲霧雷, 言相類也.

사람이 한숨 쉬고 화를 내고 탄식하고 웃는 것과 바람이 불고 비가 오고 구름이 끼고 안개가 끼고 우레가 치는 것은 서로 같은 부류임을 말한다.[337]

[11-1-130]

萬物各有太極兩儀四象八卦之次, 亦有古今之象.

만물에 각각 태극·양의·사상·8괘의 순서가 있는 것 역시 고금古今의 상이 있는 것이다.[338]

[11-1-131]

雲有水火土石之異, 他類亦然.

구름에는 수·화·토·석의 차이가 있으니 다른 종류 역시 그러하다.

[11-1-132]

二至相去, 東西之度凡一百八十, 南北之度凡六十.

동지와 하지의 거리는 동서의 도수 180이고, 남북의 도수 60이다.[339]

336 王植, 『皇極經世書解』: "사람의 양의 신은 심장에 있으니 양은 여는 것을 주관하므로 깨는 것이다. 사람의 음의 신은 신장에 있으니 음은 닫는 것을 주관하므로 자는 것이다.(補註, 人之陽神, 存乎心, 陽主闢, 所以寤也. 人之陰神, 存乎腎, 陰主闔, 所以寐也.)"
王植, 『皇極經世書解』: "생각하건데 하늘과 사람이 서로 호응하는 이치는 『소문』 1조에 '하늘은 서북쪽이 부족하므로 서북쪽은 음이고, 사람은 오른쪽 귀와 눈이 왼쪽같이 밝지 못하다. 땅은 동남쪽이 가득하지 못하므로 동남쪽은 양이고, 사람은 왼쪽 손과 발이 오른쪽 만큼 강하지 못하다.'고 했으니, 이 말을 서로 참고해야 한다.(愚按, 天人相應之理, 素問一條云, 天不足西北, 故西北方陰也, 而人右耳目, 不如左明也, 地不滿東南, 故東南方陽也, 而人左手足, 不如右强也, 語可互衆.)"

337 王植, 『皇極經世書解』: "(황기가 말했다.) 하늘과 사람은 하나의 기운이므로 상을 이루는 것이 서로 같은 부류이다.(天人一氣, 故成象相類.)"

338 王植, 『皇極經世書解』: "태극에서 8괘까지는 본래 선후의 순서가 없지만 1에서 나뉘어져 2가 되고, 4가 되고 8이 되어 간단한 데서 복잡한 데로 이르면 古今의 상이 있을 뿐이다.(補註, 太極至八卦, 本無先後之次, 但其一分爲二而四而八, 自簡至繁, 則有古今之象耳.)"

339 王植, 『皇極經世書解』: "(황기가 말했다.) 춘분에는 해가 壁宿 8도를 돌고, 추분에는 해가 軫宿의 1도를 도니 두 별자리는 서로 반대에 있다. 하지에는 해가 井宿 4도를 도니 서쪽으로 벽수와 90도 차이가 나고,

[11-1-133]

冬至之月所行如夏至之日, 夏至之月所行如冬至之日.

동지에 달이 가는 것은 하지의 해와 같고, 하지에 달이 가는 것은 동지의 해와 같다.[340]

[11-1-134]

四正者, 乾坤坎離也. 觀其象無反覆之變, 所以爲正也.

4개의 정괘는 건·곤·이·감이다. 그 상을 보면 뒤집어서 변화가 없으므로 정괘가 된다.[341]

[11-1-135]

陽在陰中陽逆行, 陰在陽中陰逆行, 陽在陽中陰在陰中則皆順行. 此眞至之理, 按圖可見之矣.

양은 음 가운데 있으면 양이 역행하고, 음은 양 가운데 있으면 음이 역행하며, 양은 양 가운데 있고 음은 음 가운데 있으면 모두 순행順行한다. 이것은 참되고 지극한 이치이니 원도圓圖를 살펴보면 알 수 있다.[342]

동쪽으로 진수와는 91도 차이가 난다. 동지에는 해가 箕宿 8도를 도니 남쪽으로 진수와는 91도 차이가 나고, 북쪽으로 벽수와는 90도 차이가 나서 동서의 합이 182도이고 남북의 합도 마찬가지인데, 여기서 180이라고 한 것은 대체적인 수를 거론한 것이다. 하지에는 극이 가까우니 해가 하늘에서는 높게 가고 땅에서는 얕게 가므로 북극으로 67도 차이가 나고 남극으로 115도 차이가 나며, 동지에는 극에서 머니 해가 하늘에서는 아래로 가고 땅에서는 깊게 가므로 남극으로 67도 차이가 나고 북극으로 115도 차이가 나는데 60이라고 한 것도 대체적인 수를 거론한 것이다.(春分, 日躔壁八度, 秋分, 日躔軫一度, 二宿相對者也. 夏至, 日躔井四度, 則西去壁九十度, 東去軫九十一度. 冬至, 日躔箕八度, 則南去軫九十一度, 北去壁九十度, 東西之合, 得一百八十二度, 南北之合, 亦如之, 其言一百八十者, 擧大數也. 夏至, 近極, 日之行天者高, 行地者淺, 故去北極六十七度, 去南極一百一十五度, 冬至, 遠極, 日之行天者下, 行地者深, 故去南極六十七度, 去北極一百一十五度, 言六十者, 亦擧大數言之.)"

340 王植, 『皇極經世書解』: "(황기가 말했다.) 해에는 황도가 있고 달에는 九道가 있으니 가는 것이 반드시 서로 같지는 않으나, 낮이 짧으면 밤이 길고, 밤이 짧으면 낮이 길어서 나뉜 도수를 참조하여 비교하면 대략 같다.(日有黃道, 月有九道, 所行未必相似, 但晝短則夜長, 夜短則晝長, 參較分數則略似也.)"
王植, 『皇極經世書解』: "생각하건데 하지에 해는 寅시에 나와 戌시에 들어가니, 낮은 59각 남짓하고, 밤은 36각 남짓하며, 동지에 해는 辰시에 나와 申시에 들어가니, 낮은 36각 남짓하고, 밤은 59각 남짓한다. 이치는 매우 깊지 않지만 사람들이 습관화되어 살피지 않는 것이다. 소강절은 이치를 궁구하는 학문과 수를 논하는 학문과 사물을 탐구하는 학문을 하였는데 이 절은 사물을 탐구하는 학문이다. 뒤에 이러한 것이 많다.(愚按, 夏至, 日出寅入戌, 晝五十九刻有奇, 夜三十六刻有奇, 冬至, 日出辰入申, 晝三十六刻有奇, 夜五十九刻有奇. 理不甚深, 而人多習而不察者也. 邵子有窮理之學, 有談數之學, 有格物之學, 此節其格物之學也. 後多倣此.)"

341 王植, 『皇極經世書解』: "(황기가 말했다.) 선천도에서 건이 午에 자리하고, 곤은 子에 자리하며, 감은 酉에 자리하고, 이는 卯에 자리하며, 태는 변하여 손이 될 수 있고, 진은 변하여 간이 될 수 있지만, 4 정괘는 뒤집어보면 그 상이 동일하다.(先天圖, 乾當午, 坤當子, 坎當酉, 離當卯, 兌可變爲巽, 震可變爲艮, 四正則反覆視之, 其象如一也.)"

342 王植, 『皇極經世書解』: "(朱子가 말했다.) 「圓圖」에서 왼쪽은 양에 속하고 오른쪽은 음에 속한다. 곤괘는 양이 없고 간괘와 감괘는 하나의 양이 있으며 손괘는 두 개의 양이 있는데, 이것은 '양이 음의 영역에서 역행한 것'이다. 건괘는 음이 없고 태괘와 리괘는 하나의 음이 있으며 진괘는 두 개의 음이 있는데, 이것은 '음이 양의 영역에서 역행한 것'이다. 진괘는 하나의 양이 있고 리괘와 태괘는 두 개의 양이 있으며 건괘는 세 개의 양이 있는데, 이것은 '양이 양의 영역에서 순행한 것'이다. 손괘는 하나의 음이 있고 감괘와 간괘는 두 개의 음이 있으며 곤괘는 세 개의 음이 있는데, 이것은 '음이 음의 영역에서 순행한 것'이다. 이것은 모두 內卦 8괘 3획의 음과 양으로 말한 것이다.(圓圖左屬陽, 右屬陰. 坤無陽, 艮坎一陽, 巽二陽, 爲'陽在陰中逆行.' 乾无陰, 兌離一陰, 震二陰, 爲'陰在陽中逆行.' 震一陽, 離兌二陽, 乾三陽, 爲'陽在陽中順行.' 巽一陰, 坎艮二陰, 坤三陰, 爲'陰在陰中順行.' 此皆以內八卦三畫陰陽言也.) 만약 外卦 8괘로 유추해도 음과 양의 역행과 순행은 또한 마찬가지다. 오른쪽에 있는 외괘 네 부분[節]은 모두 건괘에서 시작해서 곤괘로 끝나는데 4개의 곤괘는 양효가 없고, 4개의 간괘에서부터 각기 1개의 양효가 역행하여 건괘의 3개의 양효에 이르게 되며, 그 양효들은 모두 아래로부터 위로 올라가니 또한 '양이 음의 영역에서 역행한 것'이다. 왼쪽에 있는 외괘 네 부분[節]도 건괘에서 시작해서 곤괘로 끝나는데 4개의 건괘는 음효가 없고, 4개의 태괘에서부터 각기 1개의 음효가 역행하여 곤괘의 3개의 음효에 이르게 되며, 그 음효들은 모두 아래로부터 위로 올라가니 이 또한 '음이 양의 영역에서 역행한 것'이다.(若以外八卦推之, 陰陽逆順行亦然. 右方外卦四節, 皆首乾終坤, 四坤无陽, 自四艮各一陽逆行, 而至於乾之三陽, 其陽皆自下而上, 亦'陽在陰中陽逆行'也. 左方外卦四節, 亦首乾終坤, 四乾無陰, 自四兌各一陰逆行, 而至於坤之三陰, 其陰皆自上而下, 亦'陰在陽中陰逆行'也.) 왼쪽에 있는 외괘 4개의 곤괘는 양효가 없고 4개의 간괘에서부터 각기 1개의 양효가 순행하여 건괘의 3개의 양효에 이르게 되며, 그 양효들은 모두 아래로부터 위로 올라가니 또한 '양이 양의 영역에서 순행한 것'이다. 오른쪽에 있는 외괘 4개의 건괘는 음효가 없고 4개의 태괘에서부터 각기 1개의 음효가 순행하여 곤괘의 3개의 음효에 이르게 되며, 모두 위로부터 아래로 내려가니 이 또한 '음이 음의 영역에서 순행한 것'이다.(左方外卦四坤无陽, 自四艮各一陽順行, 而至於乾之三陽, 其陽皆自下而上, 亦陽在陽中陽順行也. 右方外卦四乾无陰, 自四兌各一陰順行, 而至於坤之三陰, 皆自上而下, 亦陰在陰中陰順行也.) 순행과 역행의 이론으로 미루어보건대, 음과 양이 각기 자신의 영역에 자리 잡으면, 양이 아래로부터 위로 올라가고 음이 위로부터 아래로 내려가는 것이 모두 순행이 된다. 그러나 만약 음과 양이 서로 자신의 영역을 바꾸어 자리 잡으면, 양이 위로부터 아래로 내려가고 음이 아래로부터 위로 올라가는 것이 모두 역행이 된다. 이것은 자연스러운 형세로서 본래 당연히 참으로 지극한 이치가 있다.(以逆順之說推之, 陰陽各居本方, 則陽自下而上, 陰自上而下, 皆爲順. 若陰陽互居其方, 則陽自上而下, 陰自下而上, 皆爲逆. 此自然之勢, 固自有眞至之理也.)"
또 왕식본 『皇極經世書解』에서 思齋翁氏(翁泳)는 이렇게 설명했다. "「先天圓圖」에서 왼쪽은 양이고 오른쪽은 음이다. 왼쪽의 32괘의 양들은 復괘의 初九에서 시작하여 열여섯 번의 변화를 거쳐 양효가 2개인 臨괘가 되고, 또 여덟 번 변하여 양효가 3개인 泰괘가 되며, 또 세 번 변하여 양효가 4개인 大壯괘가 되고, 또 한 번 변하여 양효가 5개인 夬괘가 되는데, 건괘가 거기에 군림하여 양이 나아가는 것이다. 처음에는 느리다가 끝에는 빨라져서 그 나아감이 점진적이니, 이른바 '양이 양의 영역에서 순응하는 것'이다. 양은 오르는 것을 위주로 하여 아래로부터 위로 올라가는 것 역시 순행이다.(先天圓圖左陽右陰. 左三十二卦陽, 始於復之初九, 暦十六變而二陽臨, 又八變而三陽泰, 又三變而四陽大壯, 又一變而三陽夬, 而乾以君之, 陽之進也. 始緩而終速, 其進也以漸, 所謂'陽在陽中順'也. 陽主升, 自下而升亦順也.) 復괘에서 無妄괘까지 양효가 20개이고, 明夷괘에서 同人괘까지는 양효가 28개이며, 臨괘에서 履괘까지는 양효가 28개이고, 乾괘에서 泰괘까지는 양효가 36개이다. 여기에서 20개는 양의 미미함이고 28개는 양의 드러남이며 36개는 양의 성대함이다. 양이 북쪽에 있으면 미미하고 동쪽에 있으면 드러나고 남쪽에 있으면 성대한 것 역시 순행이다. 양이 순행할 때 음이 역행하는 것은 말하지 않아도 알 수 있다. 양이 오른쪽의 32괘에 있을 때는 이와 반대된다. 그러므로

[11-1-136]

自然而然不得而更者, 內象內數也. 他皆外象外數也.

저절로 그러하여 바꿀 수 없는 것은 안에 있는 상과 안에 있는 수[343]이다. 다른 것은 모두 밖으로 드러난 상과 밖으로 드러난 수[344]이다.[345]

'참으로 지극한 이치이니 「圓圖」를 살펴보면 알 수 있다.'고 말한 것이다.(復至无妄二十陽, 明夷至同人二十八陽, 臨至履亦二十八陽, 乾至泰三十六陽. 二十者陽之微, 二十八陽之著, 三十六陽之盛. 陽在北則微, 在東則著, 在南則盛, 亦順也. 陽順而陰逆, 不言可知矣. 陽在右方三十二卦則反是. 故曰, '眞至之理, 按圖可見'也.)" 주희의 설명에 대해서 부가적으로 황기는 왕식본 『皇極經世書解』에서 설명하고 있다. "주자의 학설은 괘를 가지고 말했다. 효를 가지고 말한다면 첫 번째 획은 왼쪽 32효가 양이고 오른쪽 32효가 음이니 음양의 定分이다. 두 번째 획은 양이 음 속에 가고, 음은 양 속에 가서 각각 16효가 된다. 세 번째 획은 양이 음 속에 가면서 한 번 끊기고 한번 연속되며, 음이 양속에 가면서 또한 한번 끊기고 한번 연속되어 각각 16효가 된다. 네번째 획은 양이 음속에 가면서 네 개씩 끊기고 네 개씩 연속되며 음이 양속에 가면서 또한 네 개씩 끊기고 네 개씩 연속되어 각각 16효가 된다. 다섯 번째 획은 여덟 번 끊기고 여덟 번씩 연속되어 16효를 얻고 여섯 번째 효는 16번 끊어지고 이어져서 16획을 얻어서, 음양의 수가 모두 같다. 그 같음은 하늘을 따라서 거슬러 가는 것이다. 양이 양 가운데 가고 음이 음 가운데 가면 수의 끊어지고 이어짐이 비록 같지만 가는 것의 거스름과 순함은 다르다. 그 다름은 하늘을 거슬러 순종하여 가는 것이다. 또 6음 6양으로 말하면, 원도의 오른쪽은 음의 방위로 양은 위로부터 아래로 가서 거꾸로 생겨나니 박괘의 1양, 관괘의 2양, 否괘의 3양, 돈괘의 4양, 구괘의 5양, 건괘의 6양이 그러하여 양이 음 가운데 있으면 양이 逆行한다. 음이 아래에서 위로 가서 구괘의 1음, 돈괘의 2음, 否괘의 3음, 관괘의 4음, 박괘의 5음이 그러하여 음은 음 가운데 있으면 음은 순행한다. 원도의 왼쪽은 양의 방위로 음은 위로부터 아래로 거꾸로 생겨나니 쾌괘의 1음, 대장괘의 2음, 泰괘의 3음, 임괘의 4음, 복괘의 5음, 곤괘의 6음이 그러하여 음이 양 가운데 있으면 음은 역행한다. 양은 아래에서 위로 가니 복괘의 1양, 임괘의 2양, 태괘의 3양, 대장괘의 4양, 쾌괘의 5양, 건괘의 6양이 그러하여 양이 양 가운데 있으면 순행한다.(朱子之說, 以卦言之也. 若以爻言之, 第一畫, 左三十二爲陽, 右三十二爲陰, 陰陽之定分也. 第二畫, 陽行陰中, 陰行陽中, 各至十六, 第三畫, 陽行陰中, 一斷一續, 陰行陽中, 亦一斷一續, 各得十六, 第四畫, 陽行陰中, 再斷再續, 陰行陽中, 亦再斷再續, 各得十六, 第五畫, 八斷八續而得十六, 第六畫, 十六斷續而得十六, 陰陽之數, 皆同. 其同也, 順天而逆行者也. 其陽行陽中, 陰行陰中, 數之斷續雖同, 行之逆順則異. 其異也, 逆天而順行者也. 又以六陰六陽言之, 圖右陰方, 陽自上而下, 反生, 剝一陽, 觀二陽, 否三陽, 遯四陽, 姤五陽, 乾六陽, 陽在陰中陽逆行也, 陰自下而上, 姤一陰, 遯二陰, 否三陰, 觀四陰, 剝五陰, 坤六陰, 陰在陰中而順行矣. 圖左陽方, 陰自上而下反生, 夬一陰, 大壯二陰, 泰三陰, 臨四陰, 復五陰, 坤六陰, 陰在陽中陰逆行也. 陽自下而上, 復一陽, 臨二陽, 泰三陽, 大壯四陽, 夬五陽, 乾六陽, 陽在陽中則順行矣.)"

343 안에 있는 상과 안에 있는 수 : 왕식본 『皇極經世書解』에 인용된 鮑雲龍의 『天源發微』에서는 "體를 세우는 經(立體之經)"이라고 하였다.

344 밖으로 드러난 상과 밖으로 드러난 수 : 왕식본 『皇極經世書解』에 인용된 鮑雲龍의 『天源發微』에서는 "현실에 응용하는 변화(應用之變)"라고 하였다.

345 王植, 『皇極經世書解』 : "생각하건대 이것은 상과 수의 뜻을 풀이한 것이다. '안에 있는 상과 안에 있는 수는 복희 태극이 8괘를 낳은 상과 그 1, 2, 3, 4를 낳은 수이니 바꿀 수가 없는 것이다. 나머지는 모두 괘를 이룬 후에 가깝게 몸에서 취하고 멀리 여러 사물에서 취해서, 혹 삼재로 나뉘고, 사계절을 따르고 혹 오행으로 안배하고, 혹 여섯 자식으로 나뉘고, 혹 거꾸로 짝을 주도하고, 혹 착종을 말해서 그 종류가 하나가 아니

[11-1-137]

草類之細入於坤.

초류의 세목들은 곤에 들어간다.[346]

[11-1-138]

五行之木, 萬物之類也. 五行之金, 出乎石也. 故火水土石不及金木, 金木生其間也.

오행의 목木은 만물의 부류이다. 오행의 금金은 석石에서 나온다. 그러므로 수·화·토·석水火土石이 금·목에 미치지 않으니 금·목은 그 사이에서 생겨난다.[347]

[11-1-139]

得天氣者動, 得地氣者靜.

하늘의 기운을 얻은 것은 움직이고 땅의 기운을 얻은 것은 고요하다.[348]

다. 상이 다르면 수 역시 변하여 그 의미가 무궁하니, 오직 사람이 깨닫는 것에 달려 있을 뿐이다.(愚按, 此明象數之義. 內象內數, 伏羲太極生八卦之象, 與其一二三四之數, 不可易者也. 餘凡卦成之後, 近取諸身, 遠取諸物, 或分三才, 或順四時, 或按五行, 或分六子, 或主反對, 或言錯綜, 其類不一, 象異而數亦以變, 其義無窮, 惟人所悟入耳.)"

346 王植, 『皇極經世書解』: "(황기가 말했다.) 곤의 수는 무극에 해당하는데, 초류가 무극의 수에 들어간다.(坤之數, 以無極當之, 草類入無極之數.)"

347 王植, 『皇極經世書解』: "(황기가 말했다.) 四象 가운데 금과 목은 없다. 사물의 종류로 말하면 땅의 사상이 坤에서 巽에 이르는 것은 飛走草木이니, 목은 石氣를 얻었고, 손에서 곤에 이르는 것은 飛走木草이니, 목은 火氣를 얻은 것이다. 기운이 石에 잠복해 있으면 火가 있고, 형질이 石에 잠복해 있으면 金이 있는 것이니, 형질은 금을 말하고 기는 화를 말하여 그 귀결은 다르지만 모두 석에서 나왔다. 이것이 사상에 금과 목이 없는 까닭이다.(四象之中, 無金與木. 以物類言之, 地四象從坤至巽, 則曰飛走草木, 木得石氣, 從巽至坤, 則曰飛走木草, 木得火氣. 若夫氣藏於石, 則有火, 質藏於石, 則有金, 質言金, 氣言火, 其歸不同, 而皆出於石. 此四象之所以無金木也.)" 王植, 『皇極經世書解』: "생각하건대, 내편의 첫머리에 '움직이는 것에서 가장 큰 것은' 이라는 절에서 소강절은 '금은 석에서 나오고 목은 토에서 나오니 목은 식물의 한 종류이다.'라고 했는데 그 말이 자세하다. 그런데 황기의 '비주초목이니, 목은 화기를 얻었다'는 말은 너무 곡해한 것이다.(愚按, 內篇之首, 動之大者節, 邵伯子謂金出於石, 木生於土, 木者植物之一類, 其說詳矣. 黃氏飛走木草, 木得火氣之說, 太曲.)"

348 王植, 『皇極經世書解』: "(황기가 말했다.) 식물은 고요한 것이지만 봄과 여름에 발생하는 것은 하늘의 기운을 얻어 움직이는 것이고, 가을과 겨울에 영락하는 것은 땅의 기운을 얻어 다시 고요해지는 것이다. 동물은 움직이는 것이지만 저녁과 밤에 자고 멈추는 것은 땅의 기운을 얻어 고요한 것이고, 아침과 낮에 움직이는 것은 하늘의 기운을 얻어 움직일 수 있는 것이다. 사람도 역시 그러하니 또한 동물이다.(植物靜矣, 而春夏發生, 得天氣而動, 秋冬零落, 得地氣乃復靜焉, 動物動矣, 而暮夜宿止, 得地氣而靜, 旦晝運動, 得天氣乃能動焉. 惟人亦然, 亦動物也.)"

[11-1-140]

陽之類圓, 成形則方. 陰之類方, 成形則圓.

양의 종류는 둥글지만 형체가 이루어지면 네모나고, 음의 종류는 네모나지만 형체가 이루어지면 둥글다.[349]

[11-1-141]

天道之變, 王道之權也.

천도天道의 변화는 왕도王道의 권도權道이다.[350]

[11-1-142]

夫卦各有性有體, 然皆不離乾坤之門, 如萬物受性于天, 而各爲其性也. 在人則爲人之性, 在禽獸則爲禽獸之性, 在草木則爲草木之性.

괘에는 각각 성性과 체體가 있지만 모두 건곤의 문에서 벗어나지 않으니 만물이 하늘로부터 성을 받고 각각 그 성이 된 것과 같다. 사람에게서는 사람의 성이 되고 금수에게서는 금수의 성이 되고 초목에게서는 초목의 성이 된다.[351]

349 王植, 『皇極經世書解』: "장행성의 『皇極經世觀物外篇衍義』에서 다음과 같이 말하였다. '양의 종류는 둥그니 하늘의 부류이지만 형체를 이루면 네모나게 되니, 땅과 교류하여 이루어졌기 때문이다. 음의 종류는 네모나니 땅의 부류이지만 형체를 이루면 둥그니, 하늘과 교류하여 이루어졌기 때문이다. 그러므로 胎와 알은 둥글지만 성장한 형체는 네모나고 뿌리는 모나지만 가지와 잎은 둥글다.(補註, 張氏衍義曰, '陽之類圓, 天類也, 成形則方, 交於地而成也, 陰之類方, 地類也, 成形則圓, 交於天而成也. 故胎卵圓而形體方, 根荄方而枝葉圓.')"

350 장행성, 『皇極經世觀物外篇衍義』: "천도에 변화가 있어서 그 常을 잃지 않고 왕도에 권도가 있어서 그 經을 잃지 않는다. 경과 상이란 자연의 이치이고 簡易의 도이다. 천도는 음양에 불과하고 왕도는 인의에 불과하다.(天道有變, 不失其常, 王道有權, 不亂其經. 經常者, 自然之理, 簡易之道也. 天道不過乎陰陽, 王道不過乎仁義.)" 王植, 『皇極經世書解』: "천도의 변화에 일정한 기운이 없는 것은 왕도의 권도에 일정한 법이 없는 것과 같다.(補註, 天道之變, 無一定之氣, 猶王道之權, 無一定之法也.)" 王植, 『皇極經世書解』: "생각하건대 내편의 4장에 '변화는 것은 호천이 만물을 낳는 것을 말하고, 권도는 성인이 만민을 낳는 것을 말한다.'라고 했으니 주석의 뜻이 이미 자세하다.(愚按, 内篇之四, 變也者, 昊天生萬物之謂也, 權也者, 聖人生萬民之謂也, 註意已詳.)"

351 王植, 『皇極經世書解』: "성은 음양오행의 이치이다. 사람은 그 기운의 온전함을 얻었으므로 그 성 역시 온전하고 금수는 그 기의 치우침을 받았으므로 성 역시 치우쳤고, 초목은 그 기운이 더욱 치우쳤으므로 그 성 역시 더욱 치우쳤다.(補註, 性即陰陽五行之理. 人得其氣之全, 故其性亦全, 禽獸得其氣之偏, 故其性亦偏, 草木得其氣之愈偏, 故其性亦愈偏.)" 王植, 『皇極經世書解』: "생각하건대, 「繫辭傳下」에서 '건곤은 역의 문일 것이다'라고 했으니 64괘의 형체가 같지 않고 성 역시 같지 않아서 「象傳」의 말과 「大象傳」에서 칭한 것이 그러하다. 홀수는 양이 되고 짝수는 음이 되어 모두 건곤의 덕에서 벗어나지 않으니 사람과 만물이 받은 성이 그것이다.(愚按下繫, 乾坤其易之門耶! 六十四卦, 體不一, 性亦不一, 如象辭大象所稱者是也. 而奇者爲陽, 偶者爲陰, 皆不外乎乾坤之德, 人物之受性猶是也.)"

[11-1-143]

天以氣爲主, 體爲次. 地以體爲主, 氣爲次. 在天在地者亦如之.

하늘은 기氣를 위주로 하고 체體는 그 다음이고, 땅은 체體를 위주로 하고 기는 그 다음이다. 하늘에 있고 땅에 있는 것 역시 마찬가지이다.[352]

[11-1-144]

氣則養性. 性則乘氣. 故氣存則性存. 性動則氣動也.

기氣는 성性을 기르는 것이고 성은 기를 타는 것이다. 그러므로 기가 보존되면 성이 보존되고 성이 움직이면 기는 움직인다.[353]

[11-1-145]

堯之前, 先天也. 堯之後, 後天也. 後天乃效法耳.

요임금 이전이 선천이고 요임금 이후가 후천이다. 후천은 곧 모범을 본받았을 뿐이다.[354]

[11-1-146]

天之象數, 則可得而推. 如其神用, 則不可得而測也.

하늘의 상象과 수數는 추론할 수 있다. 그러나 그 신묘한 작용은 헤아릴 수 없다.[355]

352 王植, 『皇極經世書解』: "(황기가 말했다.) 일월성신은 모두 기인데 신은 하늘에 있는 체이므로 드러나지 않는다. 수화토석은 모두 체인데 화는 땅에 있는 기이므로 항상 잠복해 있다. 일월성신은 하늘에 있기 때문에 하늘과 같이 象을 이루고, 동물도 하늘과 같아서 기에서 주관된다. 수화토석은 땅에 있기 때문에 땅과 같이 形를 이루고, 식물도 땅과 같아서 체에 주관된다.(日月星辰, 皆氣也, 辰爲在天之體, 故不見. 水火土石, 皆體也, 火爲在地之氣, 故常潛. 日月星辰在天, 故如天成象, 而動物亦如天, 以其主於氣也. 水火土石在地, 故如地成形, 而植物亦如地, 以其主於體也.)"

353 王植, 『皇極經世書解』: "생각건대, 기는 체에 가득 찬 것이고, 성은 마음의 이치이다. 두 가지는 섞이지 않으며 분리되지도 않는다. 맹자의 養氣의 이치를 보면 알 수 있다.(愚按, 氣, 體之充也, 性, 心之理也. 二者不相雜, 亦不相離. 觀孟子言養氣之理可見.)"

354 王植, 『皇極經世書解』: "(황기가 말했다.) 요와 순의 巳會는 건의 도이니 복희가 창시한 것이 여기에 이르러 완성되었다. 주희는 '요임금 때가 바로 건괘의 구오효에 해당하니, 우・하・상・주나라 이후가 모두 요임금에게서 모범을 본받았으니 坤道이다. 역에서 「모범을 본받을 것을 곤이라 한다.」라고 했다.'(堯舜巳會, 則乾道也, 伏羲所創者, 至此而成. 朱子曰, 堯時, 正是乾卦九五, 虞夏商周以後, 皆效法於堯, 坤道也. 易曰效法之謂坤.)" 王植, 『皇極經世書解』: "생각하건대, 이것은 요임금이 中天이 된 까닭이니 때와 도가 모두 그러하다.(愚按, 此堯之所以爲中天也, 以時以道皆然.)"

355 王植, 『皇極經世書解』: "(황기가 말했다.) 象은 개천과 혼천같은 것이고 數는 태초력과 대연력과 같은 것이다. 상은 그 몸체를 살피고 수는 그 기를 헤아릴 뿐이다.(象, 如蓋天渾天, 數, 如太初大衍之類. 象, 察其體, 數, 測其氣而已.)"

[11-1-147]

木之支幹, 土石之所成, 所以不易. 葉花, 水火之所成, 故變而易也.

나무의 가지와 줄기는 토土와 석石으로 이루어진 것이니 바뀌지 않는 것이다. 잎과 꽃은 수水와 화火로 이루어진 것이므로 변하여 바뀐다.[356]

[11-1-148]

自然而然者, 天也. 唯聖人能索之. 效法者, 人也. 若時行時止, 雖人也, 亦天.

저절로 그러한 것이 천天이다. 오직 성인만이 그것을 탐색한다. 모범을 본받는 것은 사람이다. 때에 따라 행하고 때에 따라 멈추는 것은 사람이 하는 것이지만 또한 하늘이다.[357]

[11-1-149]

生者性, 天也. 成者形, 地也.

낳아진 것은 성性이니 하늘이다. 이루어진 것은 형形이니 땅이다.[358]

[11-1-150]

日入地中, 搆精之象也.

해가 땅속으로 들어가는 것은 음양의 정기가 결합하는 모습이다.[359]

356 王植, 『皇極經世書解』: "가지는 토로 이루어진 것이고 줄기는 석으로 이루어진 것이니 토와 석은 고요한 것이고 음을 따르므로 바뀌지 않는다. 잎은 수로 이루어진 것이고 꽃은 화로 이루어진 것이니 수와 화는 움직여 양을 따르므로 바뀐다.(補註, 枝者, 土所成, 幹者, 石所成, 土石靜而隨陰, 故不易. 葉, 水所成, 花, 火所成, 水火動而隨陽, 故易.)"

357 王植, 『皇極經世書解』: "혼연하게 저절로 이루어져 그렇게 된 까닭을 모르는 것이 天造이다. '오직 성인만이 그것을 탐색한다.'는 것은 신묘함을 궁리하고 변화를 아는 오묘함이고, '때에 따라 행하고 때에 따라 멈추는 것'은 이치에 자신을 기탁하여 사사로운 의도가 관여하지 않는 것이다.(補註, 渾然自成, 不知所以然而然者, 天造也. 惟聖人能索之者, 謂窮神知化之妙, 時行時止者, 委身於理, 私意無與焉.)" "(황기는 말했다.) 성인이 그 이치를 탐색하고 보통 사람들이 그것을 본받는다.(聖人索其理, 而常人效之.)"

358 王植, 『皇極經世書解』: "이것은 사람과 사물을 겸하여 말한 것이다. 품수된 것은 하늘에서 성을 품수받은 것으로 양에 속하고, 이루어진 것은 땅에서 형을 부여받은 것이니 음에 속한다.(補註, 此兼人物言之. 蓋生者, 所以稟性於天, 陽之屬也, 成者, 所以賦形於地, 陰之屬也.)"

359 王植, 『皇極經世書解』: "포운룡의 『天原發微』에서 '하루의 밤은 한 해의 겨울과 같다. 天神, 地靈, 陽魂, 陰魄이 동지 자반에 밤이 자시 반에 이르면 황천의 궁에서 만나니, 원기를 낳아 기르고 만물을 싹틔운다.(補註, 鮑氏發微曰, 一日之夜, 猶一歲之冬. 天神, 地靈, 陽魂, 陰魄, 冬至子半, 夜至子半, 相與會合於黃泉之宮, 所以胎育元造, 萌芽萬物也.)" "(황기가 말했다.) 남녀를 상징하지만 정욕은 없다.(象男女而無情慾.)"

[11-1-151]

體四而變六, 兼神與氣也. 氣變必六, 故三百六十也.

체體 4가 6으로 변하는 것은 신神과 기氣를 겸한 것이다. 기의 변화는 반드시 6으로 하므로 360이다.[360]

[11-1-152]

凡事爲之極幾十之七, 則可止矣. 蓋夏至之日止于六十, 兼之以晨昏分可辨色矣, 庶幾乎十之七也.

모든 일은 10분의 7에 거의 이르면 그칠 수 있다. 하지에 해가 60각에 그치는데 새벽과 저녁으로 나누어 색을 분별할 수 있으니 거의 10의 7이다.[361]

[11-1-153]

東赤南白西黃北黑, 此正色也. 驗之于曉午暮夜之時, 可見之矣.

동쪽은 붉은 색, 남쪽은 백색, 서쪽은 황색, 북쪽은 흑색이니 이것은 정색正色이다. 이를 새벽 · 점심 · 저녁 · 밤의 때에 증험하여 볼 수 있다.[362]

[11-1-154]

圖雖無文, 先天圖也 **吾終日言而未嘗離乎是, 蓋天地萬物之理盡在其中矣.**

도圖에는 글이 없지만 선천도를 말한다. 내가 종일토록 말해도 여기서 벗어나지 않으니 천지 만물의

360 王植, 『皇極經世書解』: "(황기가 말했다.) 원회운세는 4×4로 배열되므로 '체는 4로 나뉜다.'고 했다. 復은 천지의 원이 되고, 한 괘가 4개씩 포함해서 16자리가 되니, 건이 만물의 元이 되어 하나로 4개를 포함한 것도 같아서 천지의 체수가 각각 4이다. 그 작용을 신이라 하고 그 변함을 기라고 한다. 6으로부터 변하기 때문에 360운이니, 360일과 같다.(元會運世, 以四四而列, 故曰體以四分. 蓋復爲天地之元, 一卦含四, 爲十六位, 乾爲萬物之元, 以一含四亦如之, 天地體數各四. 其用謂之神, 其變謂之氣. 由六而變, 故三百六十運, 猶三百六十日.)"

361 王植, 『皇極經世書解』: "(황기가 말했다.) 사람이 하는 것을 10분으로 계산하면 모든 일에 거의 7분에 가까우면 그칠 수가 있다. 하루 100각으로 말하면 하지의 날 낮이 60각을 얻으니 7분에 극하지는 않았지만, 새벽을 나눈 2각 반과 저녁을 나눈 2각 반을 더하면 거의 10분의 7이 된다. 하늘의 수도 이것을 지나칠 수 없는데 하물며 사람이랴?(人之所爲以十分爲率, 每事幾於七分, 則可以止矣. 自一日百刻言之, 夏至之日, 晝得六十, 猶未極於七分也, 若以晨分之二刻半, 與昏分之二刻半, 加之, 庶幾乎十分之七矣. 天地之數, 猶不可過也, 況於人乎!)" 王植, 『皇極經世書解』: "생각하건대, 이 절은 하지의 날로 사람의 일을 통하여 억지로 하려고 하면서 그칠 줄 모르는 것을 경계한 것이다.(愚按, 此節就夏至之日, 通之人事, 以戒强爲而不知止者.)"

362 王植, 『皇極經世書解』: "(황기가 말했다.) 이것은 오행의 순서가 수의 검은 것에서 시작하며, 화의 붉은 것에서 일어나고, 목의 푸름과 금의 흰 색에서 변하며, 토의 누런 색에서 마치게 되고, 다시 수의 검은 것에서 교류한다는 점을 말한 것이다.(此言五行之序, 始于水之黑, 發于火之赤, 變于木之青金之白, 終于土之黃, 而復交于水之黑也.)"

이치가 다 그 가운데에 있다.[363]

[11-1-155]

冬至之子中, 陰之極. 春分之卯中, 陽之中. 夏至之午中, 陽之極. 秋分之酉中, 陰之中. 凡三百六十, 中分之則一百八十, 此二至二分相去之數也.

동지의 자子 중간은 음의 극한이다. 춘분의 묘卯 중간은 양의 중간이다. 하지의 오午 중간은 양의 극한이다. 추분의 유酉 중간은 음의 중간이다. 360일을 반으로 나누면 180이니, 이것이 동지와 하지, 춘분과 추분이 서로 떨어진 수이다.[364]

363 王植, 『皇極經世書解』: "(황기가 말했다.) 도에는 상이 있고 수가 있으나 말이 없으니 이것이 글이 없는 것이다. 그러나 건괘·곤괘와 姤괘·復괘가 유행하는 것으로부터 관찰하면 천지의 이치가 아닌 것이 없고, 臨·師·遯·同人괘가 대대인 것으로부터 관찰하면 만물의 이치가 아닌 것이 없다. 마음에서 터득하여 말로 발설하면 크게는 원회운세와 작게는 하루 한 시각의 차고 비고 소멸하고 늘어나는 것과 하늘과 땅의 시작과 끝이 모두 이 둥근 것 가운데 있다는 뜻이다.(圖有象數而無辭, 是無文也. 然自乾坤姤復流行者而觀之, 無非天地之理, 自臨師遯同人對待者而觀之, 無非萬物之理. 得之心發之言, 蓋大而元會運世, 小而一日一時, 盈虛消息, 天地始終, 皆此環中之意矣.)"

王植, 『皇極經世書解』: "생각하건대, 이것은 소강절이 직접 쓴 것으로 「無名公傳」에서 말한 '복희씨와 헌원씨의 글이 손에서 벗어난 적이 없다.'고 한 것이고, 시에서 '구슬을 굴리던 여가'라는 구절이 있으니 각 괘에서 「彖傳」과 「象傳」의 뜻에 정이천과 주희가 주를 단 것처럼 상세하게 하지는 않았지만, 오직 괘의 도와 상에서는 반복하고 완색하여 상하좌우로 교착하고 왕래하여 그 무궁한 뜻을 말하였으므로, 구슬을 가지고 노는 것에 비유하였다. 그러나 그 뜻이 언어문자보다 이전에 있기 때문에 선천도라고 한 것이니, 『易』의 강령의 오묘한 이치이다. 십익의 이치를 그 가운데 총괄해서 모아놓았을 뿐만 아니라, 천지만물의 무궁한 이치와 수가 그 안에 포함되지 않은 것이 없다. 이것이 소강절이 天機의 활발함을 종신토록 사용하여 스스로 몸에 터득한 것이지만, 사람들이 알지 못하는 것이다. 내편의 끝에 '그 즐거움이 또한 크지 않은가?'라고 했으니 여기서도 그 즐거움이 있는 곳을 생각할 수 있을 것이다.(愚按, 此邵子之自敘, 如無名公傳所云, 羲軒之書, 未嘗去手者也, 其詩, 有弄丸餘暇之句, 蓋於各卦中彖象之義, 如程朱所疏者, 多不致詳, 惟於卦之圖象, 反覆玩索, 而上下左右, 交錯往來, 發其無窮之蘊, 故擬之若弄丸者. 然其義在語言文字之先, 故謂之先天圖, 乃易之綱領要妙也. 不但十翼之理, 總彙其中, 而天地萬物無窮之理與數, 無不苞蘊其內. 此邵子天機活潑, 終身受用, 自得於己, 而人不及知者. 內篇之末, 曰其於樂也, 不亦大乎! 於此可想見其樂處所在.)"

364 王植, 『皇極經世書解』: "주자가 '동지로부터 춘분까지는 나아가는 것이 반쯤이니 分이라고 했고, 춘분에서 하지까지는 나아가는 것이 극한에 이른 것이니 至라고 했다. 나아감이 지나치면 물러나니, 추분에 이르면 곧 반쯤 물러난 것이고, 동지에 이르면 극한까지 물러난 것이다.'라고 했다. 장행성의 『皇極經世觀物外篇衍義』에서 '하늘의 도수가 서로 떨어진 것이 각 182.5이니, 하늘에서는 도수가 되고 사람에게서는 日이 된다. 그러므로 동지·하지와 춘분·추분의 거리가 180일과 나머지가 있다. 여기서 말하는 180은 하늘의 도수는 본래 360이지만 기의 많은 것은 양이 차는 것이 되고 年의 물러나는 것은 음의 모자람이 된다. 이것이 하늘의 변화를 헤아릴 수 없는 까닭이고, 閏이 나오는 이유이다.'라고 했다. 생각하건대 동지·하지와 춘분·추분이 四立(입춘, 입하, 입추, 입동) 사이에 있으니, 입춘과 입하를 여는 것이고, 입추와 입동을 닫는 것이라 한다. 『춘추좌전』에 '분과 지는 열고 닫고, 사립은 절기를 세운다.'라고 했으니, 동지·하지와 춘분·추분은 中氣이다.(補註, 朱子曰, 自冬至至春分, 是進到一半, 所以謂之分, 自春分至夏至, 是進到極處, 所以謂之至. 進之過

[11-1-156]

陽中有陰, 陰中有陽, 天之道也. 陽中之陽, 日也, 暑之道也. 陽中之陰, 月也, 以其陽之類, 故能見于晝. 陰中之陽, 星也. 所以見于夜. 陰中之陰, 辰也. 天壤也.

양 속에 음이 있고, 음 속에 양이 있는 것이 하늘의 도이다. 양 속의 양은 일日이니 서暑[더위]의 도이다. 양 속의 음은 월月이니 양의 종류이므로 낮에 볼 수가 있다. 음 속의 양이 성星이니 밤에 나타나는 것이다. 음 속의 음이 신辰이니 하늘의 땅이다.[365]

[11-1-157]

氣一而已, 主之者乾也. 神亦一而已, 乘氣而變化, 能出入于有無死生之間, 無方而不測者也.

기는 하나일 뿐이니 주도하는 것은 건乾이다. 신 역시 하나일 뿐이니 기를 타고 변화하여 유무有無와 사생死生의 사이를 출입할 수가 있어서 장소가 없어 헤아릴 수 없는 것이다.[366]

[11-1-158]

干者, 幹之義, 陽也. 支者, 枝之義, 陰也. 干十而支十二, 是陽數中有陰, 陰數中有陽也.

간干은 줄기의 뜻이니 양이고, 지支는 가지의 뜻이니 음이다. 간은 10이고 지는 12인 것은 양의 수 속에 음이 있고 음의 수 속에 양이 있는 것이다.[367]

則退, 至秋分是退一半, 至冬至, 亦是退到極處. 張氏衍義曰, 天度相去, 各一百八十二有半, 在天爲度, 在人爲日. 故二至二分之日相去, 常一百八十有餘. 此云一百八十者, 天度本三百六十也, 氣之多者, 爲陽之盈, 年之絀者, 爲陰之縮. 此天之變化, 所以不測, 而閏之所以生也. 愚謂二至二分間乎四立, 立春立夏, 謂之啓, 立秋立冬謂之閉. 左傳分至啓閉四立節氣也, 二至二分, 中氣也.)"

365 王植, 『皇極經世書解』: "장행성의 『皇極經世觀物外篇衍義』에서 '日은 하늘의 精魂이고 月은 하늘의 精魄이며, 星은 하늘의 남은 정기이고, 신은 사물이 없는 기로 하늘의 體이므로 하늘의 땅이라고 한 것이다. 하늘에서 신은 천지의 체와 같다.(補註, 張氏衍義曰, 日者, 天之精魂, 月者, 天之精魄, 星者, 天之餘精, 辰者, 無物之氣, 天之體, 故曰天壤也. 辰之於天, 猶天地之體也.)"

366 王植, 『皇極經世書解』: "(황기가 말했다.) 건도가 변화하는 것이 곧 기의 변화이다. 이 기를 주관하는 것이 건이니 건 이외에 따로 신이라는 것이 없으므로 하나라고 했다.(乾道變化, 即此氣之變化. 主此氣者, 乾也, 乾之外, 無所謂神, 故曰一.)" "있는 것은 살아 있는 것으로 양의 움직임이고 없는 것은 죽은 것으로 음의 고요함이니 이치가 그 사이에서 출입한다.(補註, 有也, 生也, 陽之動, 無也, 死也, 陰之静, 而理出入於其間.)" "생각하건데 음양의 유행은 실상 하나의 기일 뿐이다. 주관하는 것은 건이다. 건도가 형체가 없는 속에서 신묘한 것을 신이라고 한다. 신은 기를 타고 변화하여 건의 바깥에 또 신이라는 것이 있는 것이 아니다. 이것이 유와 생이 모두 양에 속하고 무와 사가 모두 음에 속하지만 그 사이를 출입하여 장소가 없고 헤아릴 수 없는 것이 모두 신이 하는 것이다. 『易』에서 '신은 장소가 없다.'고 했고 또 '음양을 헤아릴 수 없는 것을 신이라고 한다.'고 했으므로 합해서 말했다.(愚按, 陰陽之流行, 實一氣而已. 主之者, 乾也. 乾道之妙於無形者曰神. 神乘氣而變化, 非乾之外, 又有所謂神也. 此所以有與生, 皆陽之屬, 無與死, 皆陰之屬, 而出入其間, 無方而不測, 皆神之爲也. 易曰神無方, 又曰陰陽不測之謂神, 故合而言之.)"

367 王植, 『皇極經世書解』: "생각하건대, 간 10개 가운데 5개의 짝수가 있고, 지 12개 가운데 6개 홀수가 있으므

[11-1-159]

不知乾, 無以知性命之理.

건乾을 알지 못하면 성性과 명命의 이치를 알지 못한다.[368]

[11-1-160]

時然後言, 乃應變而言, 言不在我也.

때가 된 후에 말하는 것은 변화에 호응하여 말하는 것이니 말이 나에게 있지 않는 것이다.[369]

[11-1-161]

仁配天地謂之人, 唯仁者眞可謂之人矣.

인仁이 천지와 짝 하는 것을 사람이라고 하니 오직 인자仁者만이 진실로 사람이라고 할 수 있다.

[11-1-162]

生而成, 成而生, 易之道也.

낳고 이루며, 이루고 낳는 것이 『역』의 도이다.[370]

[11-1-163]

氣者, 神之宅也, 體者, 氣之宅也.

기氣는 신神이 머무는 곳이고, 체體는 기氣가 머무는 곳이다.[371]

로 양의 수 속에 음이 있고 음의 수 속에 양이 있다고 했다.(愚按, 干十中, 有五偶, 支十二中, 有六奇, 故曰陽數中有陰, 陰數中有陽.)"

368 王植, 『皇極經世書解』: "건의 원형이정이 곧 성과 명의 이치이다.(補註, 乾之元亨利貞, 即性命之理也.)"

369 王植, 『皇極經世書解』: "'변화에 호응해서 말한다'는 것은 말하는 것을 그칠 수 없는 것이다. 그러므로 '때'라고 말했다.(愚按, 應變而言, 言之不可已者也. 故曰時.)"

370 王植, 『皇極經世書解』: "선천8괘는 진괘에서 건괘까지가 만물을 낳는 것이고 손괘에서 곤괘까지가 만물을 이루는 것이다. 낳으면 이루고 이루면 다시 낳으니 순환하여 끝이 없다.(補註先天八卦, 自震至乾, 所以生物, 自巽至坤, 所以成物. 生則成, 成則復生, 循環不窮也.)" "낳으면 이루는 것은 복괘에서 건괘까지이고 이루면 낳는 것은 구괘에서 곤괘까지이다. 한번 낳고 한번 이루어 변화하고 바꾸는 것이 무궁하다.(生而成, 自復至乾, 成而生, 自姤至坤, 一生一成, 變易無窮.)" "내가 생각건대, 보충 주석에서 진괘와 손괘로부터 일어나는 것은 하늘과 땅의 交數는 빼고 말했으나 이치는 하나이다.(愚按, 補註自震巽起, 除天地之交數言之, 理則一也.)"

371 장행성, 『皇極經世觀物外篇衍義』: "땅은 體를 몸으로 삼아 기가 머물고, 하늘은 氣를 몸으로 삼아 신이 머무니 태허는 체가 없지만 神이 저절로 생겨난다. 그러므로 군자는 虛心을 귀하게 여긴다. 虛란 아무것도 없다는 것이 아니니, 『易』에서 말하는 '하늘과 땅 사이의 기운이 성하다.'는 것과 노자가 말하는 '끊임없이 이어진다.'는 것과 자사가 말하는 '희노애락이 발하지 않은 것을 中이라 한다.'라는 것과 맹자가 말하는 '誠이 하늘의 도이다.'라는 것이다. 허가 곧 기이고 기가 곧 허이니 허는 기가 아직 모이지 않았을 때 기의 작용은

[11-1-164]

魚者, 水之族也. 蟲者, 風之族也.

물고기는 물의 종류이고, 벌레는 바람의 종류이다.[372]

[11-1-165]

天六地四, 天以氣爲質, 而以神爲神, 地以質爲質, 而以氣爲神. 唯人兼乎萬物而爲萬物之靈. 如禽獸之聲, 以其類而各能得其一, 無所不能者人也. 推之他事, 亦莫不然. 唯人得天地日月, 交之用, 他類則不能也, 人之生, 眞可謂之貴矣. 天地與其貴而不自貴, 是悖天地之理, 不祥莫大焉. 目口舌也凸而耳鼻竅. 竅者受臭嗅氣, 物或不能閉之. 凸者視色別味, 物則能閉之也. 四者雖象于一, 而各備其四矣.

하늘은 6이고 땅은 4이니 하늘은 기氣를 질質로 삼고 신神을 신神으로 삼으며, 땅은 질質을 질로 삼고 기를 신으로 삼는다. 오직 사람만이 만물을 겸하여 만물의 영장이 된다. 예를 들어 금수의 소리는 그 종류에 따라 각각 그 하나를 얻을 수 있지만 능하지 못한 것이 없는 것은 사람이다. 그 밖의 일을 미루어 보아도 또한 그렇지 않은 것이 없다. 오직 사람만이 천지天地와 일월日月을 얻어서 교류하는 작용을 한다.[373] 다른 종류들은 그렇게 할 수 없으니 사람의 생명은 참으로 귀하다고 할 수 있다. 천지가 귀함을 주었는데도 스스로 귀중하게 여기기 않으면 이것은 천지의 이치를 어그러뜨리는 것이니 상스럽지 못함이 이보다 큰 것은 없다. 눈과 입은(혀이다.) 돌출되어 나왔고, 귀와 코는 구멍이 있다. 구멍이 있는 것은 소리를 받고[374] 냄새를 맡아서 사물이 막을 수 없다. 돌출되어 있는 것은 색깔을

있지만 기의 얽매임이 없는 상태이다.(地以體爲體而宅氣, 天以氣爲體而宅神, 太虛無體, 神自生焉. 故君子貴虛心. 虛非無也, 易所謂天地絪縕, 老子所謂綿綿若存, 子思所謂喜怒哀樂之未發謂之中, 孟子所謂誠者, 天之道. 虛即氣, 氣即虛, 虛者, 氣之未聚, 有氣之用, 無氣之累者也.)"

372 王植, 『皇極經世書解』, "생각건대, 달리는 것[走]은 짐승이라 하고 나는 것[飛]은 새라고 하는데 짐승도 아니고 새도 아닌 것에 또 물고기가 있고, 나는 것에 달리는 것이 섞인 것이 또한 벌레이다. 물고기는 물의 종류이니 음이고, 벌레는 바람의 종류이니 양이다. 바람은 육지와 같다."(愚按, 走曰獸, 飛曰鳥, 而非禽非獸者, 又有魚, 雜飛雜走者, 又有蟲. 魚, 水之族, 陰也, 蟲, 風之族, 陽也. 風, 猶陸也.)

373 하늘은 6이고 … 한다 : 왕식본 『皇極經世書解』의 설명이다. "새는 양이 많은 것이므로 그 소리가 가볍고 맑으며 짐승은 음이 많은 것이므로 그 소리가 무겁고 탁하지만 오직 사람은 천지와 일월의 교류하는 작용을 얻어서 능하지 못할 것이 없다.(補註, 禽得陽之多者, 故其聲, 輕清, 獸得陰之多者, 故其聲, 重濁, 惟人, 得天地日月, 交之用, 故無所不能.)" "(황기는 말했다.) 하늘은 땅을 통솔하므로 질이 없지만 질이 있는 것이고 땅은 하늘을 분화시키므로 기가 없지만 기가 있는 것이다. 사람은 땅에서 몸이 분화되어 질 또한 갖추어져 있고, 하늘에서 기가 분화되어 신 또한 갖추어져 있다. 사물에 없는 것을 사람은 모두 겸하여 있으니 이것이 만물의 영장이 되는 것이 분명하다. 이것을 쓰는 수 3은 하늘과 땅과 사람을 비유한 것이다. 일월은 곧 땅의 水火이고 수화는 곧 하늘의 일월이므로 교류한다고 했다.(天統乎地, 故無質而有質, 地分乎天, 故無氣而有氣. 若人則分體於地而質亦具焉, 分氣於天而神亦具焉. 物之所無者, 人皆兼而有之, 斯其爲物之靈, 信矣. 此用數之三, 所以況天地人也. 日月, 即地之水火, 水火, 即天之日月, 故曰交.)"

374 소리를 받고 : 왕식본 『皇極經世書解』에서 보충주석에서는 受臭의 臭가 聲이 되어야만 한다(補註, 受臭之臭,

보고 맛을 구별해서 사물이 막을 수 있다 4가지는 하나에 상이 있지만 각각 4가지를 갖추고 있다.[375]

[11-1-166]

燈之明暗之境, 日月之象也.

등이 밝고 어두운 곳은 해와 달의 모습이 있다.[376]

[11-1-167]

月者日之影也, 情者性之影也. 心性而膽情. 性神而情鬼. 水者火之地, 火者水之氣. 黑者白之地, 寒者暑之地.

월月은 일日의 그림자이고, 정情은 성性의 그림자이다. 심장은 성性이고 담膽은 정이다. 성은 신神이고 정은 귀鬼이다.[377] 수水는 화火의 땅이고 화는 수의 기이다. 흑黑은 백白의 땅이고, 추위는 더위의 땅이다.

當作聲)고 한다. 이를 따라 번역했다.

375 눈과 입은 … 각각 4가지를 갖추고 있다 : 王植, 『皇極經世書解』, "사람의 귀·눈·입·코는 하늘의 일·월·성·신을 본뜬 것이니 그 體를 말한 것이고, '이미 교류하면 각각 그 4가 갖추었다'고 한 것은 작용을 말한 것이다."(補註, 人之耳目口鼻, 象天之日月星辰, 言其體也. 既交則各備其四, 言其用也.) 王植, 『皇極經世書解』, "생각하건대, 閉라는 뜻은 사물에 가려져 막히는 것이다. 4가지는 그 체로써 하니, 각각 하나의 상이 되지만 하나의 기관으로 사용하면 소리·냄새·색깔·맛을 모두 막을 수 없으니 마음이 주인이 되기 때문이다."(愚按, 閉者, 蔽於物也. 四者, 以其體, 雖各爲一象, 然一官用而聲臭色味, 俱不能蔽, 心爲之主故也.)

376 王植, 『皇極經世書解』: "어두운 곳은 등불을 얻어 밝고 달의 魄은 해의 밝음을 얻는다. 그러므로 등불의 밝음은 해의 모습이 있고, 어두운 곳은 달의 모습이 있다."(補註, 暗之境, 得燈以明, 月之魄, 得日之明. 故燈之明, 有日之象, 暗之境, 有月之象.)

377 月은 日의 … 땅이다 : 장행성의 『皇極經世觀物外篇衍義』에서 다음과 같이 말했다. "그림자는 형체의 그늘이니 형체에 따라 없을 수가 없다. 그림자는 반드시 밝음에 의탁하여 드러나니 그늘은 스스로 드러날 수가 없다. 일은 하늘의 양이고 혼이며 달은 하늘의 음이고 백이다. 성은 사람의 양이며 혼이고 정 역시 사람의 음이고 백이다. 달은 해를 빌려서 밝지만 지나치면 해를 잡아 먹고, 정은 성을 바탕으로 생겨나지만 지나치면 성을 혼란하게 한다. 성정은 모두 형체에 깃들여 있으니, 심장은 성으로 신령의 주인이고, 담은 정으로 혈기를 부린다. 신은 허에 근본하고 귀는 사물에 가깝기 때문에 성은 신이고 정은 귀이다. 심이 없는 것이 신이고 정이 있는 것이 귀이지만 정은 동일하다. 희노애오에도 또한 올바르지 않은 것과 올바른 것이 있으니 올바른 것은 귀의 신과 같고 올바르지 않은 것은 귀의 사물이다.(影者, 形之陰, 因形而有不能免也. 影必託明而見, 陰不能自見也. 日者, 天之陽魂, 月陰魄也. 性者, 人之陽魂, 情亦陰魄也. 月借日以明, 過則食日, 情因性而生, 過則亂性. 性情皆虛寓之於形, 則心爲性, 神靈之主也, 膽爲情, 血氣之使也. 神本於虛, 鬼近於物, 故性神而情鬼. 無心者爲神, 有情者爲鬼, 情一也. 喜怒愛惡, 又有邪正焉, 正者, 猶爲鬼之神, 不正者, 斯爲鬼之物矣.)" 황기는 왕식본 『皇極經世書解』에서 다음과 같이 설명했다. "심장은 虛靈한 것이 깃드는 곳이니 성이고, 담은 氣血이 의탁한 곳이니 정이다. 성은 형체가 없으니 양에 속하므로 신이라고 했고, 정은 욕망이 있으니 음에 속하여 귀라고 했다."(心者, 虛靈所寓, 則性, 膽者, 氣血所托, 則情. 性無形屬陽, 故曰神, 情有欲屬陰, 故曰鬼.)

[11-1-168]

心爲太極, 又曰道爲太極.

마음이 태극이다. 또 도가 태극이라고 했다.[378]

[11-1-169]

形可分, 神不可分.

형체는 나눌 수 있지만 신神은 나눌 수 없다.[379]

[11-1-170]

草伏之獸, 毛如草之莖. 林棲之鳥, 羽如林之葉. 類使之然也.

풀에 숨어사는 짐승은 그 털이 풀의 줄기와 같고, 숲에 깃드는 새는 그 깃이 숲의 잎새와 같다. 이것은 종류가 그렇게 한 것이다.[380]

[11-1-171]

陰事太半, 蓋陽一而陰二也.

378 王植, 『皇極經世書解』: "생각하건대, 소강절이 태극을 말한 것은 '원도 가운데'라고 한 경우가 많고, 주자가 '원도 가운데 텅 빈 것이 그것'이라 하고, 또 '그의 뜻을 말하여 주렴계의 것과 들어맞지 않은 적이 없었다.'고 했지만 이 절은 주렴계의 뜻과 대체로 같다.(愚按, 邵子言太極, 多就環中言之, 朱子謂圖中間虛者, 便是, 又謂只就他意思說, 不曾契勘到濂溪底, 此節則與周子之意, 大同矣.)" "(황기가 말했다.) 마음이 곧 도이니, 도가 나에게 갖추어졌으므로 작용이 천지보다 앞서 일어난다. 천지의 全數에서 쓰지 않는 1이 곧 도가 자연에서 나온 것이니 역에서 말한 태극이다. 河圖 가운데 텅 비어 있는 모습이 대연의 수와 시초의 근본이 된다. 이상은 양의와 사상이 태극에 근본한 것을 추구하였다.(心即道也, 道具乎我, 故用起天地之先. 天地全數不用之一, 乃道之出於自然, 所謂易有太極也. 蓋河圖虛中之象爲大衍蓍策之本. 以上原兩儀四象本於太極.)"

379 장행성, 『皇極經世觀物外篇衍義』: "나누어야 하는 것은 나눌 수 없는 것이고, 나누어서는 안 되는 것은 나눌 수 있는 것이란 변해야 하는 것은 변할 수 없고, 변해서는 안 되는 것은 변할 수 있는 것과 같다. 신은 형체의 작용이고 형체는 신의 형체이다. 신은 형체에 깃들어 있고 형체는 다양하지만 신은 동일하다. 그러므로 한 몸뚱이가 움직이고 사지가 반응하는 것은 신이 본래 하나이기 때문이다. 사람이 신을 체득하고 하나에 이를 수 있으니 만물과 감응하는 것이 마치 동일한 형체에 있는 것과 같다. 그래서 '지극한 정성은 신과 같다.'고 했고, 또 '빠르게 하지 않아도 신속하게 오고, 가려고 하지 않아도 이른다.'고 했다. 신이 주인이 되면 하나로 할 수 있고 형체가 주인이 되면 하나로 할 수 없다. 보통 사람들은 형체를 주인으로 해서 사물에 얽매이니 어떻게 신을 체득하여 하나에 이를 수 있겠는가?(可分者不能分, 不可分者能分, 猶可變者不能變, 不可變者能變也. 神者, 形之用, 形者, 神之體. 神寓於形, 形有殊而神則一, 故一體動而四支應者, 神本一故也. 人能體神致一, 則萬物應感如同一形. 故曰至誠如神, 又曰不疾而速, 不行而至. 神爲主, 則能一, 形爲主, 則不一. 衆人以形爲主, 物爲之累, 安能體神而致一乎?)"

380 王植, 『皇極經世書解』: "(황기가 말했다.) 나는 것은 나무에 깃들고, 달리는 것은 풀에 의지하니 종류대로 기가 모이고 정이 감응한다.(飛者, 棲木, 走者, 依草, 類聚氣感精.)"

음의 일이 태반太半[2/3]인 것은 양이 하나고 음이 둘이기 때문이다.[381]

[11-1-172]

冬至之後爲呼, 夏至之後爲吸, 此天地一歲之呼吸也.

동지 이후는 내쉬는 숨이고 하지 이후는 들이마시는 숨이니, 이것은 천지의 한 해 호흡이다.[382]

[11-1-173]

木結實而種之, 又成是木而結是實, 木非舊木也, 此木之神不二也. 此實生生之理也.

나무가 열매를 맺어서 씨를 내리면 또 그 나무가 되어 그 열매를 맺지만, 나무는 옛날의 나무가 아니라도, 이 나무의 신은 둘이 아니다. 이것이 실로 낳고 낳는 이치이다.[383]

---

381 王植, 『皇極經世書解』: "양수는 홀수이고 음수는 짝수이므로 시초 책수의 홀수 하나가 양이 되고, 홀수 둘이 음이 되며 괘의 한 획이 양이 되고 괘의 두 획이 음이 되니, 어찌 양수는 항상 적고 음수는 항상 많지 않겠는가?(補註, 陽數奇, 陰數偶, 故蓍策一奇爲陽, 二奇爲陰, 卦畫一畫爲陽, 二畫爲陰, 豈不陽數常少而陰數常多乎?)" "(황기가 말했다.) 군주와 아버지는 양이고 신하와 아들은 음이며, 남편은 양이고 부인과 첩은 음이다. 군자와 소인, 중국과 사방의 오랑캐도 이와 같으니, 제어하여 도가 있게 하면 양의 도는 풍요롭고 음의 도는 줄어들지만, 도로 제어할 수가 없다면 양의 1이 음의 2를 이길 수가 없다.(君父爲陽, 則臣子爲陰, 夫子爲陽, 則婦妾爲陰. 君子小人, 中國四夷, 亦然, 御之有道, 則陽道常饒, 陰道常縮, 不能以道御之, 則陽之一, 不能勝陰之二矣.)"

382 王植, 『皇極經世書解』: "양은 내쉬는 숨이고 음은 들이마시는 숨이니 천지의 한 해는 사람의 한 번 호흡과 같다.(補註陽爲呼, 陰爲吸, 天地之一歲, 猶人之一息.)"

383 이 단락에 대해서 왕식본 『皇極經世書解』에서 보충 주석은 다음과 같이 설명했다. "사물이 생겨날 처음에 나무가 각각 천지의 낳고 낳는 성을 얻어 마침내 각각 그 종류대로 스스로 서로 낳으니, 나무만 그러한 것이 아니라, 만물을 미루어보면 모두 다 그러하다. 이것이 낳고 낳는 이치이다.補註, 生物之始, 木各得天地生生之性, 遂各以種自相生, 非惟木也, 推之萬物, 皆然. 此生生之理也.)"

皇極經世書六 황극경세서 6

觀物外篇下 관물외편하 … 135

皇極經世書六
황극경세서 6

觀物外篇下 관물외편하

[12-2-1]

以物喜物, 以物悲物, 此發而中節者也.

기뻐할 만한 것은 기뻐하고 슬퍼할 만한 것은 슬퍼하니, 이것이 정情이 발현해서 절도에 적중한 것이다.[1]

[12-2-2]

石之花, 鹽消之類是也. 水之木, 珊瑚之類是也.

석石의 꽃은 염소鹽消의 종류가 이것이고 수水의 나무는 산호珊瑚의 종류가 이것이다.[2]

[12-2-3]

水之物無異乎陸之物, 各有寒熱之性. 大較則陸爲陽中之陰, 而水爲陰中之陽.

수중의 사물이 육지의 사물과 다름이 없어서 각각 차갑고 뜨거운 성질이 있다. 크게 비교하면 육지의 사물은 양 속에 음의 성질을 띠고 있고 수중의 사물은 음 속에 양의 성질을 띠고 있다.[3]

1 王植, 『皇極經世書解』: "사물의 마땅히 기뻐해야 할 것을 따라 기뻐하고 사물의 마땅히 분노해야 할 것을 따라서 분노하는 것이 본성의 발현이고 情의 올바름이다.(補註, 因物之當喜, 因物之當怒, 性之發, 情之正也.)"

2 王植, 『皇極經世書解』: "석의 꽃은 강함이 유함과 교류하여 생겨난 것이고, 수의 나무는 유함이 강함과 교류하여 생겨난 것이다.(補註, 石之花, 剛交於柔而生, 水之木, 柔交於剛而生也.)"

3 王植, 『皇極經世書解』: "육지의 사물은 양에 속한다. 양의 사물은 성질이 뜨거운데 성질이 차가운 것도 있으니, 양 속의 음으로 甘遂와 토별이 그러하다. 水의 사물은 음에 속한다. 음의 사물은 성질이 차갑지만 성질이 뜨거운 것도 있으니, 음 속의 양으로 澤蘭과 鯽魚의 종류가 그러하다.(補註, 陸之物, 屬陽, 陽物, 性熱, 而有性

[12-2-4]

日月星辰共爲天. 水火土石共爲地. 耳目鼻口共爲首. 髓血骨肉共爲身. 此乃五之數.

일·월·성·신日月星辰은 모두 하늘이고 수·화·토·석水火土石은 모두 땅이다. 이·목·구·비耳目口鼻는 모두 머리고 혈·수·골·육血髓骨肉은 모두 몸이다. 이것은 곧 5의 수이다.[4]

[12-2-5]

火生於無, 水生於有.

화火는 무無에서 생겨나고, 수水는 유有에서 생겨난다.[5]

[12-2-6]

不我物則能物物.

내가 사물이 되지 않으면 사물을 사물로 다스릴 수 있다.[6]

[12-2-7]

辰至日爲生. 日至辰爲用. 蓋順爲生而逆爲用也.

신辰에서 일日에 이르는 것은 생生이 되고 일日에서 신辰에 이르는 것은 용用이 된다. 순행順行이 생이 되고, 역행逆行이 용用이 되기 때문이다.[7]

寒者, 陽中之陰, 甘遂土鼈之類是也. 水之物, 屬陰, 陰物, 性寒, 而有性熱者, 陰中之陽, 澤蘭鯽魚之類是也.)"

4 王植, 『皇極經世書解』: "天數는 5이고 地數는 5인데 하늘은 1로써 4로 변하니 일월성신이 그것이고, 땅은 1로써 4로 변하니 수화토석이 그것이다. 4는 보이지만 1은 볼 수가 없다. 사람은 천지와 합하여 생겨난 자이므로 머리의 이목구비가 일월성신의 상이고, 몸의 수혈골육이 수화토석의 상이다.(補註, 天數五, 地數五, 天以一而變四, 日月星辰是也, 地以一而變四, 水火土石是也, 四可見而一不可見也. 人合天地而生者, 故首之耳目口鼻, 日月星辰之象也, 身之髓血骨肉, 水火土石之象也.)"

5 王植, 『皇極經世書解』: "화는 양이지만 음에 뿌리하니 음의 성질은 無이고, 수는 음이지만 양에 뿌리하니 양의 성질은 有이다.(補註, 火陽, 根陰, 陰性無, 水陰, 根陽, 陽性有.)"

6 王植, 『皇極經世書解』: "생각하건대, 내편 9장에 '사람도 사물이지만 그것이 지극히 귀하므로 특별히 사람이라고 했다. 사람이 사물과 같으면 또한 하나의 사물일 뿐이니 어떻게 사물을 사물로 다스리겠는가?'라고 했고, 보충 주석에서는 '관물의 측면에서 말하자면 아래 구절의 사물을 따르면 성이라고 한 뜻이 되니 별개의 의미이다.(愚按, 內篇之九, 人亦物也, 以其至貴, 故特謂之人. 若人而下, 同於物, 則亦一物而已,焉 能物物乎? 補註, 就觀物言, 乃下節因物則性之意, 另是一義.)"

7 王植, 『皇極經世書解』: "경세사상도를 보면 '신에서 일에 이른다.'는 것은 震에서 乾에 이르는 것이고, '일에서 신에 이른다.'는 것은 건에서 진에 이르는 것이다. 포운룡의 『天原發微』에서 '신에서 일에 이르는 것은 하늘이 왼쪽으로 순하게 해서 기를 펴서 사물을 낳는 것을 말하고, 일에서 신에 이르는 것은 일이 오른쪽으로 거슬러 가서 기를 변화시켜 때를 쓰는 것을 말한다. 그러므로 때는 거슬러 추측할 수 있고 사물은 반드시 순하게 이루어진다.(補註, 按經世四象圖, 辰至日, 自震至乾也, 日至辰, 自乾至震也. 鮑氏發微曰, 辰至日者, 言天左行爲順, 布氣生物, 日至辰者, 言日右行爲逆, 變氣用時. 故時可逆推, 物必順成.)"

[12-2-8]

易有三百八十四爻, 眞天文也.

『역』에는 384효가 있는데 이는 참으로 하늘의 무늬이다.[8]

[12-2-9]

鷹鵰之類食生, 而雞鳧之類不專食生, 虎豹之類食生, 而猫犬之類食生又食穀. 以類推之, 從可知矣.

매와 수리의 종류는 날 것을 먹지만, 닭과 오리의 종류는 전적으로 날 것만 먹지 않으며, 호랑이와 표범의 종류는 날 것을 먹지만, 고양이와 개의 종류는 날 것도 먹고 또 곡식도 먹는다. 종류로 추론하면 따라서 알 수가 있다.[9]

[12-2-10]

馬牛皆陰類. 細分之, 則馬爲陽而牛爲陰.

말과 소는 모두 음의 종류이다. 세분하면 말은 양이고 소는 음이다.[10]

[12-2-11]

飛之類喜風而敏於飛上. 走之類喜土而利於走下.

나는 종류는 바람을 기뻐하여 위로 날아가는 데에 민첩하고, 달리는 종류는 땅을 기뻐하여 아래로 달리는 데에 이롭다.[11]

[12-2-12]

禽蟲之卵, 果穀之類也. 穀之類多子, 蟲之類亦然.

8 王植, 『皇極經世書解』: "선천 64괘의 원도는 하늘의 상이다. 모두 384효로 음양이 아닌 것이 없으니, 참으로 하늘의 무늬가 아니고 무엇이겠는가?(補註, 先天六十四卦圓圖, 天之象也. 共三百八十四爻, 無非陰陽, 非眞天文而何哉?)"

9 王植, 『皇極經世書解』: "매와 수리가 날 것을 먹는 것은 양의 사물이고, 닭과 오리는 날 것을 전적으로 먹지 않는 것은 양 속의 음이다. 호랑이와 표범이 날 것을 먹는 것은 강한 사물이고, 고양이와 개가 또한 곡식을 먹는 것은 강함 속의 유함이다.(補註, 鷹鵰食生, 陽物也, 而鷄鳧不專食生, 陽中陰也. 虎豹食生, 剛物也,而猫犬又食穀, 剛中柔也.)"

10 王植, 『皇極經世書解』: "말과 소는 모두 달리는 것으로 음의 종류이다. 세분하면 말의 성질은 강건하니 음 속의 양이다. 그러므로 주공이 乾으로 용을 삼았는데 공자는 말로 삼았다. 소의 성질은 순하니 음 속의 양이다. 그러므로 문왕이 坤으로 암말을 삼았는데 공자는 소로 삼았다.(補註, 馬牛皆走陰類也. 細分之, 馬性健, 則爲陰中陽. 故周公以乾爲龍, 而夫子以爲馬也. 牛性順, 則爲陰中陰, 故文王以坤爲牝馬, 而夫子以爲牛也.)"

11 王植, 『皇極經世書解』: "생각건대, 이것은 앞절의 '달리는 것은 아래에서 편리하고 나는 것은 위에서 이롭다.'는 뜻이다.(愚按, 此即前節, 走者便於下, 飛者, 利於上之意.)"

새와 벌레의 알은 과일과 곡식의 종류이니, 곡식의 종류는 씨앗이 많고 벌레의 종류 역시 그러하다.[12]

[12-2-13]

蠶之類, 今歲蛾而子, 來歲則子而蠶. 蕪菁之類, 今歲根而苗, 來歲則苗而子.

누에의 종류는 금년에는 나방이 되어 알을 낳고, 다음 해에는 알이 누에가 된다. 청무菁蕪의 종류는 금년에는 뿌리를 내려 싹이 트고, 다음해에는 싹에서 씨앗이 나온다.[13]

[12-2-14]

天地之氣運, 北而南則治. 南而北則亂. 亂久則復北而南矣. 天道人事皆然. 推之歷代, 可見消長之理也.

천지의 기운氣運이 북쪽에서 남쪽으로 오면 다스려지고 남쪽에서 북쪽으로 가면 혼란해진다. 혼란이 오래 지속되면 다시 북쪽에서 남쪽으로 온다. 천도天道와 인간사는 모두 그러하다. 역대를 추론하면 성쇠盛衰의 이치를 볼 수 있다.[14]

[12-2-15]

任我則情, 情則蔽, 蔽則昏矣. 因物則性, 性則神, 神則明矣.

나에게 맡기면 정情이고, 정에 따라하면 가려지고, 가려지면 어두워진다. 사물에 따르면 성性이고, 성에

12 王植, 『皇極經世書解』: "하늘과 땅 사이에 올바른 기운으로 생겨난 것은 적고 번잡한 기운으로 생겨난 것은 많다. 그러므로 사람은 단지 하나를 낳지만, 짐승은 둘 셋을 낳고, 새는 그 배를 낳고, 벌레는 또 그 배를 낳는다.(補註, 天地間, 正氣生者, 常少, 繁氣生者, 常多. 故人生止一, 而獸生二三, 禽又倍之, 蟲又倍之也.)"

13 王植, 『皇極經世書解』: "인으로 드러내고 작용을 감추어 造化가 미물에 있는 것이 대개 이와 같다.(顯仁藏用, 造化在微物者, 大都如此.)"

14 王植, 『皇極經世書解』: (황기가 말했다.) "원회운세의 수는 선천 괘기가 360효가 360운에 해당한다. 역대의 질서와 혼란을 추론하여 알 수 있다. 요순우탕문무의 교화는 모두 서북쪽에서 동남쪽에 이르니 세상이 다스려진 까닭이고, 오진송제양진의 정사는 모두 동남쪽에서만 통치해 서북쪽에 미치지 못하였으니 혼란해진 까닭이다. 질서와 혼란의 줄어듦과 늘어남은 인간사의 일을 보면 알 수가 있다. 子에서 卯에 이르는 것은 음 속의 양이니 다스려지려는 것이고, 卯에서 午에 이르는 것은 양 속의 양이니 매우 질서있는 것이며, 오에서 酉에 이르는 것은 양 속의 음이니 혼란스럽게 되는 것이고, 유에서 子에 이르는 것은 음 속의 음이니 매우 혼란스러운 것이다. 否에서 泰에 이르는 것은 북쪽에서 남쪽으로 오는 것이라 하고, 태에서 비에 이르는 것은 남쪽에서 북쪽으로 오는 것이라 하니 비와 태의 줄어듦과 늘어남은 天道를 보면 알 수 있다. 천도는 하나의 圖에 있고, 인간사는 역대에 보존되어 있다. 그러므로 '하늘과 사람은 서로 겉과 속이 된다.'고 했다.(元會運世之數, 先天卦氣, 三百六十爻, 當三百六十運. 可以推歷代之治亂. 堯舜禹湯文武之化, 皆自西北而至於東南, 世所以治. 吳晉宋齊梁陳之政, 皆在東南, 不至西北, 此所以亂也. 治亂之消長, 觀人事而可見矣. 子至卯, 陰中陽, 將治也, 卯至午, 陽中陽, 極治也, 午至酉, 陽中陰, 將亂也, 酉至子, 陰中陰, 極亂也. 由否至泰, 是謂自北而南, 由泰至否, 是謂自南而北, 否泰之消長觀天道而可見矣. 天道存乎一圖, 人事存乎歷代, 故曰天人相爲表裏.)"

따라하면 신묘하고, 신묘하면 밝게 된다.[15]

[12-2-16]

潛天潛地, 不行而至, 不爲陰陽所攝者, 神也.

하늘에 잠기고 땅에 잠겨 행하려고 하지 않아도 이르고, 음양의 간섭을 받지 않는 것이 신神이다.

[12-2-17]

在水者不瞑, 在風者瞑, 走之類上睫接下, 飛之類下睫接上, 類使之然也.

물에 사는 것은 눈을 감지 않고, 바람에 있는 것은 눈을 감으며, 달리는 종류는 위의 속눈썹이 아래와 접하고, 나는 종류는 아래 속눈썹이 위와 접하니, 종류가 그렇게 한 것이다.[16]

[12-2-18]

在水而鱗鬣, 飛之類也, 龜獺之類, 走之類也.

물에 살면서 비늘과 지느러미가 있는 것은 나는 종류이고, 거북과 수달의 종류는 달리는 종류이다.[17]

[12-2-19]

夫四象若錯綜而用之, 日月, 天之陰陽. 水火, 地之陰陽. 星辰, 天之剛柔. 土石, 地之剛柔.

사상四象을 착종하여 사용한다면 일日과 월月은 하늘의 음양이고, 수水와 화火는 땅의 음양이며, 성星과 신辰은 하늘의 강유剛柔이고, 토土와 석石은 땅의 강유이다.[18]

15 王植, 『皇極經世書解』: "생각하건대, 자기의 사사로움에 맡기면 情이 되고, 사물의 이치에 따르면 性이다. 性이란 음양의 헤아릴 수 없는 이치가 천지와 함께 흐르는 것이다. 그러므로 신묘하다고 했으니 어찌 반대로 간섭을 받겠는가?(愚按, 任己之私, 則情, 因物之理, 則性. 性則陰陽不測之理, 與天地同流, 故謂之神, 豈反爲所攝耶?)"

16 王植, 『皇極經世書解』: "살펴보건대, 陳繼儒의 『秘笈』「賢奕編」에서 '胎로 낳는 것은 눈의 껍질이 위에서부터 감기고, 알로 낳은 것은 눈껍질이 아래로부터 감기며, 습한 데서 생긴 것은 눈껍질이 없어 눈을 감지 않고, 변화해서 생겨나는 것은 눈에 구멍이 없고 빛이 있다.'고 했다. 또 '풀과 나무가 줄기를 심어서 사는 것은 태로 낳는 종류이고, 열매로 생산하는 것은 알로 낳는 종류이며, 연과 새풀은 습한 데서 나는 것이고, 지초와 난초는 변화해서 낳는 것이다.'라고 했으니 참고할 만하다.(愚按, 陳繼儒, 秘笈, 賢奕編云, 胎生者, 眼胞自上而瞑, 卵生者, 眼胞自下而瞑, 濕生者, 眼無胞而不瞑, 化生者, 眼無竅而有光. 又曰, 草木可插而活者, 胎生類也, 以實而産者, 卵生類也, 荷芡, 濕生也, 芝蘭, 化生也, 語亦可參.)"

17 王植, 『皇極經世書解』: "장행성의 『皇極經世觀物外篇衍義』에서 '육지에 있는 사물이 물에서 완전히 구비하지 않음이 없는 것은 음양이 서로 호응하는 것이다. 육지에 날고 달리는 것이 있으면 물에도 날고 달리는 것이 있고, 육지에는 달리는 것이 많고 물에는 나는 것이 많은 것은 음양이 교류하는 것이다.(補註, 張氏衍義曰, 陸中之物, 水無不具, 陰陽相應也. 陸有飛走, 水亦有飛走, 陸多走, 水多飛者, 交也.)"

18 王植, 『皇極經世書解』: "장행성은 『皇極經世觀物外篇衍義』에서 이렇게 말한다. '하늘의 도를 세우니 음과 양이고, 땅의 도를 세우니 강과 유이다. 만약 뒤섞여서 사용한다면 하늘 역시 강과 유가 있고 땅 역시 음과

[12-2-20]

天之孽, 十之一不可違, 人之孽, 十之九不可逭.

하늘이 만든 재앙은 열에 하나는 피할 수 있지만, 인간이 만든 재앙은 열에 아홉을 피할 수가 없다.

[12-2-21]

陽主舒長. 陰主慘急. 日入盈度, 陰從於陽. 日入縮度, 陽從于陰.

양은 천천히 자라나는 것을 주관하고, 음은 매우 급박함을 주관한다. 해가 영도盈度에 들어가면 음이 양을 따르고 해가 축도縮度에 들어가면 양이 음을 따른다.

[12-2-22]

飛之走, 雞鳧之類是也, 走之飛, 龍馬之屬是也.

비飛(나는 것) 가운데 주走(달리는 것)는 닭과 물오리의 종류가 그것이고, 주 가운데 비는 용과 말의 무리가 그것이다.[19]

양이 있다. 日이 양이고 月이 음이며 星이 강이고 辰이 음이 되니 하늘에 땅이 있는 것이다. 水는 음이고 火는 양이며 土는 유이고 石은 강이 되니 땅에 하늘이 있는 것이다. 선천 8괘가 건은 일이 되고, 태는 월이 되고 離는 성이 되고 진은 신이 되며, 손은 석이 되고 감은 토가 되고 간은 화가 되고 곤은 수가 되는 것은 本象이다. 또 건을 일로 하고, 태를 성으로 하고 이를 월로 하고 진을 신으로 하며, 손을 석으로 하고 감을 화로 하고 간은 토로 하고 곤을 수로 하는 것은 變象이다. 그래서 성의 양을 취해 강으로 하여 태와 호응하면 진의 신은 유가 되며, 화의 강을 취하여 양으로 하여 감과 호응하면 곤의 수가 음이 된다. 본상은 천지의 用으로 하나이면서 둘이고, 뒤섞는 것은 사람과 사물의 用으로 둘이면서 넷이 되는 것이니, 천지가 교류하여 사람과 사물을 낳기 때문이다.'(補註, 張氏衍義曰, 立天之道, 曰陰與陽, 立地之道, 曰柔與剛. 若錯綜而用之, 則天亦有剛柔, 地亦有陰陽. 日爲陽, 月爲陰, 星爲剛, 辰爲柔, 天有地也. 水爲陰, 火爲陽, 土爲柔, 石爲剛, 地有天也. 先天八卦, 乾爲日, 兌爲月, 離爲星, 震爲辰, 巽爲石, 坎爲土, 艮爲火, 坤爲水, 本象也. 又以乾爲日, 兌爲星, 離爲月, 震爲辰, 巽爲石, 坎爲火, 艮爲土, 坤爲水者, 變象也. 取星之陽爲剛, 以應兌, 則震之辰, 爲柔矣, 取火之剛爲陽, 以應坎, 則坤之水, 爲陰矣. 本象者, 天地之用, 一而二也, 錯綜者, 人物之用, 二而四也, 天地交而生人物故也.)"

19 王植, 『皇極經世書解』: "장행성은 『皇極經世觀物外篇衍義』에서 이렇게 설명한다. '기 가운데 가볍고 빠른 것은 양이니 비의 주는 양의 음이다. 기 가운데 느리고 무거운 것은 음이니 주의 비는 음의 양이다.'(補註, 張氏衍義曰, 氣之輕疾者, 陽也, 飛之走, 陽之陰也. 氣之遲重者, 陰也, 走之飛, 陰之陽也.)" 王植, 『皇極經世書解』, "생각건대, 사물을 탐구하는 것이 여기에 이르면 또 다했다고 할 수 있다. 그러나 나는 것과 달리는 것에서 다른 형체는 또 나는 것도 아니고 달리는 것도 아닌 것이 있으니, 물고기의 종류가 그러하다. 풀과 나무에서 다른 형체는 풀도 아니고 나무도 아닌 것이 있으니, 대나무의 종류가 그러하다. 만물의 종류가 끝이 없는 것이 또 이와 같다.(愚按, 格物至此, 亦云盡矣. 然如飛走, 異形, 又有非飛非走者, 魚之類, 是也. 草木, 異體, 又有非草非木者, 竹之類, 是也. 物之無盡, 又如此.)"

[12-2-23]

先天之學, 心也. 後天之學, 迹也. 出入有無死生者, 道也.

선천의 학문은 마음이고, 후천의 학문은 흔적이다. 유무有無·사생死生에 출입하는 것이 도이다.[20]

[12-2-24]

神無所在, 無所不在. 至人與他心通者, 以其本于一也. 道與一, 神之强名也, 以神爲神者, 至言也.

신神은 있는 곳도 없으며 없는 곳도 없다. 지극한 사람이 타인의 마음과 통하는 것은 하나에 근본하기 때문이다. 도와 하나는 신神을 억지로 이름붙인 것이다. 신을 신이라고 하는 것은 지극한 말이다.[21]

[12-2-25]

身地也, 本乎靜. 所以能動者, 氣血使之然也.

몸은 땅이니 본래 고요하다. 몸이 움직일 수 있는 것은 기와 피가 그렇게 한 것이다.[22]

[12-2-26]

天地生萬物, 聖人生萬民.

20 王植, 『皇極經世書解』: "선천의 학문은 말로 전할 수가 없으니 마땅히 마음의 뜻으로 이해해야 한다. 후천의 학문은 글자로 고찰할 수 있으므로 형체와 흔적이 있어 볼 수가 있다. 나와서 있게 된 것이 생이고 들어가 없어진 것이 죽음이다. 이것은 모두 음양이 움츠리고 펼치는 작용이 하는 것이다. 그러므로 한번 음하고 한번 양하는 것을 도라고 했다.(補註, 先天之學, 非可言, 傳當以心意而領會. 後天之學, 文字可考, 故有形迹可見. 出而有爲生, 入而無則死. 此皆陰陽屈伸之所爲, 故曰一陰一陽之謂道.)" 황기는 왕식본 『皇極經世書解』에서 이렇게 말한다. "나가는 기틀은 닫힌 곳으로부터 열리니 있음의 극한으로 만물이 생겨나고, 들어가는 기틀은 열린 것으로부터 닫히니 없음의 극한으로 만물이 죽는다.(出機, 自闔而闢, 有之極, 而萬物生, 入機, 自闢而闔, 無之極, 而萬物死.)"

21 王植, 『皇極經世書解』: "신은 이치[理]이다. 이치는 형체가 없지만 천지의 만물이 모두 이것에 의지하여 생겨나므로 있는 곳도 없고 없는 곳도 없다고 했다. 지극한 사람은 정과 기호가 세속과 같지 않아 각각 다르지만, 헤아리면 같지 않음이 없고 자극을 주면 응하지 않음이 없어 그가 다른 사람과의 마음과 통하는 것은 그가 하나에 근본했기 때문이다. 하나란 무엇인가? 천지 만물의 이치이다. 그래서 마음이 태극이라고 했고 또 도가 태극이라고 했다.(補註, 神即理也. 理無形, 而天地萬物, 皆賴之以生, 故無所在, 無所不在. 至人, 雖情好, 不同俗, 尙各異, 然度之而無不同, 感之而無不應, 其與他心通者, 以其本於一也. 一者, 何也? 即天地萬物之理也. 故曰心爲太極, 又曰道爲太極也.)"

22 王植, 『皇極經世書解』: "사람이 하늘로부터 기를 품부받고 땅으로부터 형체를 품부받았다. 형체는 땅에 속하므로 고요한 것이고, 기와 피는 하늘에 속하므로 움직인다. 그러나 대체로 피는 항상 안에 있고 의사들이 榮이라고 하니 안에서 번성한다는 것이다. 기는 항상 밖에 있고 의사들이 衞라고 하니 밖에서 호위한다는 것이다. 기는 피를 끌고 가고 피는 기를 따라 돈다.(補註, 人稟氣於天, 賦形於地. 形屬地, 故靜, 氣血屬天, 故動. 蓋血常在內, 醫家謂之榮, 榮於內也. 氣常在外, 醫家謂之衞, 衞於外也. 氣引血行, 血隨氣轉.)"

천지는 만물을 낳고 성인은 만 백성을 낳는다.[23]

[12-2-27]

生生長類, 天地成功, 別生分類, 聖人成能.

생명을 낳고 여러 종류를 기르는 것은 천지가 공을 이룬 것이지만, 생명을 구별하고 그 종류를 분류하는 일은 성인이 천지의 기능을 이루는 것이다.[24]

[12-2-28]

神者人之主, 將寐在脾, 熟寐在腎, 將寤在肝(又言在膽), 正寤在心.

신神은 사람의 주인이니, 자려고 할 때는 비장에 있고, 깊이 잘 때는 신장에 있고, 깨어나려 할 때는 간에 있고,(또 담에 있다.) 바로 깨어났을 때는 심장에 있다.[25]

[12-2-29]

以物觀物, 性也. 以我觀我, 情也. 性公而明. 情偏而暗.

사물로 사물을 관찰하는 것이 성性이고, 자신의 뜻으로부터 사물을 관찰하는 것은[26] 정情이다. 성은 공명정대하며 밝고, 정은 치우치고 어둡다.[27]

[12-2-30]

陽主闢而出, 陰主翕而入.

양은 열고 나가는 것을 주관하고 음은 닫고 들어오는 것을 주관한다.[28]

---

23 王植, 『皇極經世書解』: "생각하건대, 내편의 호천이 만물을 다하고 성인이 백성을 다한다는 것은 뜻을 이미 상세하게 다루었다.(愚按, 內篇之三, 昊天盡物, 聖人盡民, 意已詳矣.)"

24 王植, 『皇極經世書解』: "여러 생명을 낳고 여러 종류를 기르는 것은 천지가 공을 이룬 것이지만, 그 생명을 구별하고 그 종류를 분류하는 것은 성인이 천지의 기능을 이루려는 것이다.(補註, 生羣生長庶類者, 天地之成功也, 別其生, 分其類, 聖人所以成天地之能也.)"

25 王植, 『皇極經世書解』: "(황기가 말했다.) 신은 해와 같다. 심장에 있는 것은 해가 正午에 있는 것과 같고, 신장으로 돌아오는 것은 해가 子에 있는 것과 같고, 나와서 간과 담에 있는 것은 卯의 정각과 같고, 비장으로 돌아오는 것은 酉의 정각과 같다.(神如日, 在心, 如日正午, 歸腎, 如日在子, 出在肝膽, 如正卯, 返在脾, 如正酉.)"

26 자신의 뜻으로부터 … 것은: '以我觀我'는 왕식본에는 '以我觀物'로 되어 있다. 왕식본을 따랐다.

27 王植, 『皇極經世書解』: "사물로 사물을 관찰하는 것은 성에 근본하고, 자신의 뜻으로 사물을 관찰하는 것은 정에 맡기는 것이다. 『說苑』에서 '공명정대함은 밝음을 낳고 치우침은 어둠을 낳는다.'고 했다.(補註, 以物理觀物者, 本乎性, 以己意觀物者, 任乎情. 說苑曰, 公生明偏生暗.)"

28 王植, 『皇極經世書解』: "진괘에서 건괘까지는 열어 나가는 것이고, 손괘에서 곤괘까지는 닫아 들어오는 것이다.(補註, 自震至乾, 爲闢而出, 自巽至坤, 爲翕而入.)" 황기는 이렇게 말한다. "그래서 聲이 열려서 부르면

[12-2-31]

日在于水則生, 離則死, 交與不交之謂也.

일日이 수水에 있으면 살고, 이離에 있으면 죽으니, (감坎과 이離가) 교류함과 교류하지 않음을 말한다.[29]

[12-2-32]

陰對陽爲二, 然陽來則生, 陽去則死. 天地萬物生死主于陽, 則歸之于一也.

음은 양과 짝이 되어 둘이지만 양이 오면 살고 양이 가면 죽는다. 천지 만물의 생사는 양이 주관하니 곧 하나로 귀결된다.[30]

[12-2-33]

神無方而性有質.

신神은 장소가 없지만 성性은 질質이 있다.[31]

[12-2-34]

發于性則見于情, 發于情則見于色, 以類而應也.

성性에서 발현하면 정精에서 드러나고 정에서 발현하면 안색에서 드러나니, 종류로써 응하는 것이다.[32]

音은 맑음으로 화답하고, 성이 닫혀 부르면 음이 탁함으로 화답한다.(是故聲以闢唱, 則音以淸和之, 聲以翕唱, 則音以濁和之.)"

29 王植, 『皇極經世書解』: "(황기가 말했다.) 건은 午의 중간에 해당하면 日이 되고, 곤은 子의 중간에 해당하면 水가 되므로 日이 한번 북에 가면 만물이 생겨나고 한번 남쪽에 가면 만물이 죽는 것은 태괘와 비괘의 모습이다. 이상 몇 구절은 사상의 체용을 밝힌 것이다.(乾當午中爲日, 坤當子中爲水, 故日一北而萬物生, 一南而萬物死, 泰否之象. 以上數節, 發明四象之體用.)"

30 王植, 『皇極經世書解』: "양이 오면 음이 가고 양이 가면 음은 와서 둘은 항상 서로 짝을 이룬다. 그러나 양은 삶을 주관하고 음은 죽음을 주관하니 크게는 천지가 寅에서 만물을 여는 것은 양이 오는 것이고, 戌에서 만물을 닫는 것은 양이 가는 것이며, 작게는 만물에서 심는 것을 배양하는 것은 양이 오는 것이고, 기울어진 것을 엎어지게 하는 것은 양이 가는 것이다.(補註, 陽來則陰往, 陽往則陰來, 二者常相對也. 然陽主生, 陰主死, 大而天地開物於寅, 陽之來也, 閉物以戌, 陽之去也, 小而萬物, 栽者, 培之, 陽之來也, 傾者, 覆之, 陽之去也.)"

31 王植, 『皇極經世書解』: "신은 하늘에 있으므로 장소가 없고, 성은 사람에 있으므로 질이 있다.(補註, 神在天, 故無方, 性在人, 故有質.)" 왕식은 이렇게 말한다. "생각건대, 『易』「繫辭傳」에서 신은 장소가 없다고 말한 것을 가지고 성을 배합하여 말했다.(愚按, 此因易言神無方, 而以性配言之.)"

32 王植, 『皇極經世書解』: "생각건대, 주렴계가 말한 강유가 선이 되고 악이 되고 중도가 되는 것과 같은 부류는 품수받은 것이 다르지만 그것이 발현되고 드러나는 것은 서로 호응하지 않음이 없으니, 각각 종류로써 호응한 것이다.(愚按, 此如周子所言剛柔善惡中之類, 所稟不同, 而其發其見, 無不相應, 各以其類也.)" 장행성, 『皇極經世觀物外篇』: "성에서 발한 것은 속 마음이 일어난 것이니, 속마음이 일어나면 혈기가 호응하므로 정에 드러난다. 혈기가 속에서 움직이면 안색이 얼굴에 드러나니, 이것은 감출 수가 없다. 오직 위대한 사기꾼과 위대한 성인만이 안색을 통해 그 마음을 다 드러내지 않는다.(發乎性者, 內心起也, 內心起, 則血氣應之, 故見

[12-2-35]

天地之大寤在夏, 人之神則存于心.

천지의 큰 깨어남은 여름에 있고, 사람의 신神은 심心에 있다.

[12-2-36]

以天地生萬物, 則以萬物爲萬物. 以道生天地, 則天地亦萬物也.

천지가 만물을 낳기 때문에 만물이 만물이 된다. 그러나 도가 천지를 낳기 때문에 천지도 역시 만물이다.[33]

[12-2-37]

水之族以陰爲主, 陽次之. 陸之類以陽爲主, 陰次之. 故水類出水則死. 風類入水則死. 然有出入之類者, 龜蟹鵝鳧之類是也.

물의 종류는 음을 주된 것으로 하고 양이 그 다음이며, 육지의 종류는 양을 주된 것으로 하고 음이 그 다음이다. 그러므로 물의 종류는 물에서 벗어나면 죽고 육지의 종류는 물에 들어가면 죽는다. 그러나 물에 들어가기도 하고 나가기도 하는 종류가 있으니, 거북·게·거위·오리의 종류가 그러하다.[34]

[12-2-38]

天地之交十之三.

하늘과 땅의 교류는 10가운데 3이다.[35]

[12-2-39]

一變而二, 二變而四, 三變而八卦成矣. 四變而十有六, 五變而三十有二, 六變而六十四卦備矣.

於情. 血氣動於中, 顔色見於面, 不得而隱也. 惟大姦大聖, 顔色不能盡其心.)"

33 장행성, 『皇極經世觀物外篇衍義』: "도는 천지를 낳는다는 것은 태극이 양의를 낳는다는 것이다. 천지는 가장 큰 사물이니, 만물은 모두 천지의 몸체가 된다. 천지 사이에 하나의 사물이 있을 뿐이다. 사람이 사물을 체득할 수 있다면 천지와 같다.(道生天地者, 太極生兩儀也. 天地者, 大物也, 萬物皆爲天地之體, 合天地之間一物而已. 人能體物, 則如天地也.)"

34 王植, 『皇極經世書解』: "(황기가 말했다.) 이상은 대체로 사물의 종류를 논한 것이니 음 속의 양이고, 양 속에 음이다.(以上大槪論物類, 陰中陽, 陽中陰.)"

35 장행성, 『皇極經世觀物外篇衍義』: "해를 가지고 말하면 여름의 낮은 하늘 위에 있는 것이 7분이고 겨울의 밤은 땅 아래에 있는 것이 7분이다. 하늘을 가지고 말하면 땅 위에 있는 것은 10분의 7이고 땅 아래 있는 것은 10분의 3이다. 그러므로 양수는 7에서 가득 찬다. 해와 하늘이 다른 것은 해의 운행은 남쪽 길과 북쪽 길이 있기 때문이다.(自日言之, 夏之晝, 在天上者, 七分, 冬之夜, 在地下者, 七分. 自天言之, 在地上十之七, 在地下十之三. 故陽數盈于七也. 日與天不同者, 日行有南北道故也.)"

한 번 변해서 2가 되고 2번 변해서 4가 되고 3번 변해서 8괘가 완성된다. 4번 변해서 16이 되고 5번 변해서 32가 되며 6번 변해서 64괘가 갖추어진다.[36]

[12-2-40]

天火, 無體之火也, 地火, 有體之火也. 人之貴兼乎萬類, 自重而得其貴, 所以能用萬類.

하늘의 화火는 형체가 없는 불이고, 땅의 화火는 형체가 있는 불이다.[37] 사람의 귀함은 다양한 종류를 겸하는 것이니 스스로 소중히 하여 그 귀함을 얻는 것이 다양한 종류를 쓸 수 있는 것이다.[38]

[12-2-41]

凡人之善惡, 形于言, 發于行, 人始得而知之. 但萌諸心, 發于慮, 鬼神已得而知之矣. 此君子所以愼獨也.

사람의 선하고 악한 것은 말로 드러나고 행동으로 발현되어야, 남이 비로소 알 수가 있다. 그러나 단지 마음속에는 싹트고 사려에서는 발현된다면 귀신은 먼저 알 수가 있다. 이것이 군자가 홀로 있을 때를 신중하게 하는 까닭이다.[39]

36 王植, 『皇極經世書解』: “(황기가 말했다.) 건이 위에서 생겨 한 번 변하여 쾌괘가 되어 2가 되고, 두 번 변하여 쾌괘가 되어 대유·대장을 포함하여 4가 되며, 세 번 변하여 대장이 소축·수·대축·태를 포함하여 8이 된다. 태로 변하여 쾌가 된 것으로부터 이가 대유가 되고, 진이 대장이 되고, 손이 소축이 되고, 감이 수가 되고, 간이 대축이 되고, 곤이 태가 되어 乾괘의 자리 8괘가 된다. 네 번 변하여 泰괘가 되어 태·규·귀매·중부·절·손·임을 포함하여 16이 되어 兌괘의 자리 8괘를 이룬다. 다섯 번 변하여 臨괘가 되어 동인·혁·이·풍·가인·기제·비·명이·무망·수·서합·진·익·둔·이·복을 포함하여 32가 되어 離괘와 震괘의 자리 8괘를 이룬다. 여섯 번 변하여 곤괘가 되어 박에서 구까지 이르는 것을 포함하여 앞의 것과 함께 세면 64괘가 된다. 곤으로부터 한 번 변하여 2에서 32까지 이르는 것 같은 경우도 마찬가지이다.(乾自上生, 一變含夬爲二, 二變夬, 含大有大壯爲四, 三變大壯, 含小畜需大畜泰爲八. 自變兌爲夬, 離爲大有, 震爲大壯, 巽爲小畜, 坎爲需, 艮爲大畜, 坤爲泰, 成乾位八卦. 四變泰, 含履兌睽歸妹中孚節損臨爲十六, 成兌位八卦. 五變臨, 含同人革離豐家人旣濟賁明夷旡妄隨噬嗑震益屯頤復爲三十二, 成離震二位各八卦, 六變坤, 含剝至於姤, 并前數之爲六十四. 若坤一變二以至三十二, 亦如之.)”

37 하늘의 火는 … 불이다: 王植, 『皇極經世書解』, “번개불과 飛火는 하늘의 불이고, 石火와 木火는 땅의 불이다.(補註, 若雷火飛火, 天火也, 石火木火, 地火也.)” 황기는 이렇게 말한다. “사물을 통해서 형체를 삼는 것은 땅의 불이니 형체가 있기 때문에 의탁하는 것은 탄다.(因物爲體, 地火也, 有體, 故其所托則焚.)”

38 사람의 귀함은 … 것이다: 王植, 『皇極經世書解』, “다양한 종류를 쓸 수 있다는 것은 예를 들어 소는 밭을 갈게 하고 말은 달리게 하고 개는 밤을 지키게 하는 것과 같은 종류이다.(補註, 能用萬類, 若牛使耕, 馬使馳, 犬使司夜之類.)”

39 王植, 『皇極經世書解』: “생각하건대, 『中庸』에서 ‘귀신이 사물을 체득한다.’고 하고 ‘제사를 지낼 때 귀신이 위에 있는 것처럼 한다.’고 하고, ‘집안의 구석진 귀신은 헤아릴 수가 없다.’고 말한 것이 이러한 뜻이다. 만약 바깥 가르침과 속세에서 들은 것으로 귀신에 형체가 있고 소리가 있다고 한다면 잘못된 것이다.(愚按, 中庸言, 鬼神之體物, 而以祭祀之鬼神如在其上, 屋漏之鬼神, 不可度思言之, 即此意也. 若外教俗聞, 以爲鬼神有形有聲, 則非矣.)”

[12-2-42]

氣變而形化.

기는 변變하고 형체는 화化한다.[40]

[12-2-43]

人之類備乎萬物之性.

인간은 만물의 성性을 갖추고 있다.[41]

[12-2-44]

火無體, 因物以爲體. 金石之火烈于草木之火者, 因物而然也.

화火는 형체가 없어서 사물에 의존하여 형체를 삼는다. 금석金石의 불이 초목의 불보다 맹렬한 것은 사물에 의존하여 그러한 것이다.

[12-2-45]

氣形盛則魂魄盛, 氣形衰則魂魄亦從而衰矣. 魂隨氣而變, 魄隨形而止. 故形在則魄存, 形化則魄散.

기와 형체가 성하면 혼과 백이 성하고, 기와 형체가 쇠하면 혼과 백 역시 따라서 쇠해진다. 혼은 기를 따라 변하고, 백은 형체를 따라 멈춘다. 그러므로 형체가 있으면 백이 보존되고 형체가 화하면 백은 사라진다.[42]

[12-2-46]

人之神則天地之神. 人之自欺, 所以欺天地, 可不愼哉!

사람의 신神은 천지의 신이다. 사람이 스스로를 속이는 것은 천지를 속이는 것이니 신중하지 않을

40 王植, 『皇極經世書解』: “기가 위에서 변하는 것은 일월성신이 그것이고, 아래에서 형체가 화하는 것은 수화토석이 그것이다.(補註, 氣變於上, 若日月星辰, 是已, 形化於下, 若水火土石, 是已.)”
왕식은 왕식본 『皇極經世書解』에서 이렇게 말한다. “「繫辭傳」에서 ‘변화를 이루고 귀신을 행하게 한다.’고 했고, 또 ‘변화의 도를 아는 것은 신의 하는 것을 아는 것이다.’라고 했다, 내편1장의 변함은 하늘에 속하고 화함은 땅에 속해서 서한주야를 변함에 속하게 하고, 우풍로뢰를 화함에 속하게 했으니, 모두 기가 변하고 형이 화하는 뜻이다.(愚按, 繫辭傳, 成變化而行鬼神, 又曰, 知變化之道者, 其知神之所爲乎! 內篇之一以變屬天, 以化屬地, 以暑寒晝夜屬變, 以雨風露雷屬化, 皆氣變形化之義也.)”

41 王植, 『皇極經世書解』: “사람은 음양과 강유의 온전함을 얻었으므로 만물은 모두 나에게 갖추어져 있다.(人得陰陽剛柔之全, 故萬物皆備於我.)”

42 王植, 『皇極經世書解』: “『禮記』 제의에서 말하기를 ‘기는 신이 성한 것이고 백은 귀가 성한 것이다.’라고 하니, 이 뜻과 같다.(祭義曰, 氣者, 神之盛也, 魄者, 鬼之盛也, 同此意.)”

수 있겠는가![43]

[12-2-47]

人之畏鬼, 亦猶鬼之畏人. 人積善而陽多, 鬼益畏之矣. 積惡而陰多, 鬼弗畏之矣. 大人者與鬼神合其吉凶, 夫何畏之有?

사람이 귀신을 두려워하듯이 또한 귀신이 사람을 두려워하는 것도 같다. 사람이 선을 쌓아서 양이 많아지면 귀신 또한 두려워하고, 악을 쌓아서 음이 많아지면 귀신은 두려워하지 않는다. 대인은 귀신과 길흉이 부합하니, 어찌 두려운 것이 있겠는가?[44]

[12-2-48]

至理之學, 非至誠則不至.

지극한 이치의 학문은 지극한 정성과 진실이 아니면 이를 수 없다.[45]

[12-2-49]

物理之學, 或有所不通, 不可以强通. 强通則有我, 有我則失理而入於術矣.

사물의 이치에 대한 학문은 간혹 통하지 못하는 것이 있어도 억지로 통하게 할 수 없다. 억지로 통하게 한다면 사사로운 자기가 있는 것이고, 사사로운 자기가 있으면 이치를 잃고 술術에 빠진다.[46]

43 王植, 『皇極經世書解』: "(황기가 말했다.) 소강절의 시에 '생겨나기를 천지 뒤에, 작용하는 것은 천지보다 먼저, 천지가 나에게 있으니, 그 나머지는 어찌 말할 것이랴!'라고 했으니, 스스로를 속이는 것은 천지를 속이는 것이다.(邵子詩曰, 生在天地後, 用起天地先, 天地旣在我, 其餘何足言.' 故自欺, 即欺天地也.)"

44 王植, 『皇極經世書解』: "사람이 죽으면 혼기가 흩어져도 체백은 보존되니, 마치 들의 흙에 드러난 뼈들이 음침하고 비오고 어두울 때 있는 듯이 드러나는 것은 이 귀신을 말한다. 그러나 혼기가 회복되어도 마음이 없으면 모이고 흩어져서, 모이면 지각이 있는 것 같고, 흩어지면 없다.(補註, 人之死也, 魂氣雖散, 而體魄猶存, 如野土暴骨, 於陰雨晦冥之時, 若有所見, 此鬼之謂也. 然魂氣雖復, 而無心或聚或散, 聚則若有知覺, 散則無有也.)" 王植, 『皇極經世書解』, "생각건대, 귀신의 설은 하나가 아니므로, 세상의 어리석은 사람은 미혹된다. 그래서 이것은 세상 사람들이 쉽게 미혹되는 것으로 천박하게 말하여 『易』에 '귀신과 더불어 길흉을 합치한다.'는 것을 해석했다.(愚按, 鬼神之說, 不一, 世人之愚, 易惑. 此就世所易惑者, 而淺言之, 以釋易鬼神合吉凶之意)"

45 王植, 『皇極經世書解』: "관자가 말하기를 '생각하고 생각해도 알지 못하는 것을 귀신은 가르쳐주니, 귀신의 힘이 아니라 精氣가 지극하기 때문이다.'라고 했다.(補註, 管子曰, 思之思之不得, 鬼神教之, 非鬼神之力也, 其精氣之極也.)"

46 王植, 『皇極經世書解』: "생각하건대, 소강절의 수에 대한 학문은 이치로 하는 것이지 술수로 하는 것이 아니니, 여기서 알 수 있다.(愚按, 邵子數學以理, 而不以術者也, 即此可見.)"

[12-2-50]

星爲日之餘, 辰爲月之餘.

성星은 일日의 나머지이고, 신辰은 월月의 나머지이다.[47]

[12-2-51]

星之至微如塵沙者, 隕而爲堆阜.

별의 지극히 미세한 것은 티끌과 모래가 떨어져 언덕이 된 것과 같다.[48]

[12-2-52]

心一而不分, 則能應萬變. 此君子所以虛心而不動也.

마음은 하나라서 나뉘지 않으면 다양한 변화에 응할 수 있다. 이것이 군자가 마음을 비우고 요동하지 않는 것이다.[49]

[12-2-53]

藏者, 天行也, 府者, 地行也. 天地並行, 則配爲八卦.

장藏[50]은 하늘의 운행이고 부府는 땅의 운행이다. 하늘과 땅이 함께 운행하면 배당하여 8괘가 된다.[51]

47 王植, 『皇極經世書解』: "포운룡의 『天原發微』에서 '일은 양의 정기이고, 월은 음의 정기이며, 성은 양의 나머지 정기이고, 신은 음의 나머지 정기이다.(補註, 鮑氏發微曰, 日爲陽精, 月爲陰精, 星爲陽之餘精, 辰爲陰之餘氣.)" 황기는 이렇게 말한다. "일과 성은 10간으로 벼리를 삼고, 월과 신은 12지로 벼리를 삼는다.(日星紀以十干, 月辰紀以十二支.)"

48 王植, 『皇極經世書解』: "소강절이 '별이 땅에 있으면 돌이 되고 돌이 하늘에 있으면 별이 된다.'고 했다.(補註, 邵子云, 星在地, 則爲石, 石在天則爲星.)" 황기는 이렇게 말한다. "상을 이루므로 미세하고 형체를 이루므로 크다.(成象故微, 成形故大.)"

49 王植, 『皇極經世書解』: "마음을 비우는 것이 마음이 하나로 되는 것을 말하고, 요동하지 않는 것은 나뉘지 않는 것을 말한다.(補註, 虛心, 即心一之謂, 不動, 即不分之謂.)"

50 藏: 왕식본 『皇極經世書解』에는 臟으로 되어 있다.

51 장행서, 『皇極經世觀物外篇衍義』: "乾이 심장이고, 兌가 비이고, 離가 담이고, 震이 신장이니 4개의 藏이 하늘에 호응하는 것이다. 巽이 폐이고 坎이 위이고 艮이 간이고 坤이 방광이니 4개의 府가 땅에 호응한다. 소강절의 논의와 『素問』 등 여러 책들은 모두 다르다. 여러 책들은 오행을 논하고 소강절은 8괘를 논하니 8괘는 천지의 수이고 선천의 체이며, 오행은 인물의 수이며 후천의 用이다.(乾爲心, 兌爲脾, 離爲膽, 震爲腎, 四藏應乎天者也. 巽爲肺坎, 爲胃, 艮爲肝, 坤爲膀胱, 四府應乎地者也. 此邵雍之論, 與素問諸書, 皆不同. 諸書論五行, 邵雍論八卦, 八卦者, 天地數也, 先天之體也, 五行者, 人物數也, 後天之用也.)" 황기는 왕식본 『皇極經世書解』에서 이렇게 말한다. "음양은 하늘이고, 강유는 땅이다. 양이 강과 교류하는 종류는 하늘과 땅이 함께 운행하는 것이다. 심장·비장·담·신장은 하늘의 네 괘에 배당하고, 폐·위장·간·방광은 땅의 네 괘에 배당된다.(陰陽, 天也, 剛柔, 地也. 陽與剛交之類, 天地並行也. 心脾膽腎, 配天四卦, 肺胃肝膀胱, 配地四卦.)"

[12-2-54]

聖人利物而無我.

성인은 만물을 이롭게 하고 사사로운 자기가 없다.[52]

[12-2-55]

明則有日月, 幽則有鬼神.

밝은 곳에는 해와 달이 비치고 있고, 어두운 곳에는 귀와 신이 지켜보고 있다.[53]

[12-2-56]

易有眞數, 三而已. 參天者三三而九, 兩地者, 倍三而六.

『역』에는 진수眞數가 셋 있을 뿐이다. '삼천'參天은 3을 3배하여 9이고, '양지'兩地는 3을 2배하여 6이다.[54]

52 王植, 『皇極經世書解』: "생각건대, 만물을 이롭게 하는 것을 마음으로 삼는 자는 반드시 자아를 잊으니, 곧 『易』에서 '성인은 다른 사람과 같으나 사사로운 자기가 없다.'라는 뜻이다.(愚按, 以利物爲心者, 必能忘已, 即易聖人同乎人而無我之意.)"

53 王植, 『皇極經世書解』: "해와 달은 음양의 바탕이고, 귀신은 음양의 기이니 두 가지 이치가 없다.(補註, 日月, 陰陽之質, 鬼神, 陰陽之氣, 無二理也.)"

54 王植, 『皇極經世書解』: "(황기가 말했다.) 이것은 천지의 시작하는 수에 근원해서 9와 6이 된다. 수를 본뜬 근본은 태극이 양의를 나누어 오른쪽 한 획은 양이 되어 그 수가 1이고, 왼쪽 한 획은 음이 되어 그 수가 2이며, 1과 2가 합하여 3이 되니, 이것이 『易』의 진수이다. '擬'의 뜻은 의지해서 본뜨는 것이니, 진수가 있고 또 본뜬 수가 있다면 3 이외의 수는 모두 본뜬 수이다.(此原天地之始數爲九六. 倚數之本, 太極分兩儀, 右一畫爲陽, 其數一, 左一畫爲陰, 其數二, 一與二合而爲三, 此易之眞數也. 擬者, 依倣也, 有眞數而又有倚數, 則自三之外, 皆倚數爾.)" 王植, 『皇極經世書解』, "생각하건대, 「說卦傳」에서 '하늘은 3이고 땅은 2로 하여 숫자를 본떴다.'고 했고, 주희의 『周易本義』에서는 '하늘은 둥글고 땅은 네모나다. 둥근 것은 지름이 1이고, 둘레는 3이니, 1인 홀수를 3번 한 것이므로, 하늘은 3배하니 3이다. 네모난 것은 지름이 1이고 둘레는 4이니, 2라는 짝수를 합하였으므로, 땅은 2배하니 2이다. 그러므로 시초점의 방법이 3번 변한 끝에 그 나머지가 홀수가 3이면 3을 3배하여 9가 되고, 짝수가 3이면 2를 3배하여 6이 되고, 2가 둘이고 3이 1이면 7이 되고, 3이 2이고 2가 1이면 8이 된다.'고 했다. 이것을 보면 주희는 7·8·9·6의 수를 모두 3과 2를 따라서 일으켰고, 소강절의 뜻은 건곤괘의 획 속에서 3이 진수가 된다는 것을 알아, 하늘은 3배, 땅은 2배 한 것이니, 모두 3으로부터 일으킨 것이다. 그러므로 본받는 수라고 했다. 각각 하나의 학설을 만든 것이니, 소강절의 학설은 소강절에게 돌려야 한다. 나의 친구 宋銳臣은 날카롭게 말했다. '소강절은 3을 진수로 삼아, 3을 3배하여 9를 만들고 3을 2배하여 6을 만들었으니, 9와 6이 3이라는 숫자를 본떠서 나왔다는 것이지 3이 본뜬 수라는 것이 아니다. 주희가 소강절을 모두 터득하지 못하였다고 한 것은 소강절의 뜻을 알지 못한 듯하다.'고 했다. (愚按, 易說卦傳, 參天兩地而倚數, 本義云, 天圓地方, 圓者一而圍三, 三各一奇, 故參天而爲三. 方者一而圍四, 四合二耦, 故兩地而爲二. 數皆倚此而起. 故揲蓍三變之末, 其餘三奇, 則三三而九, 三耦則三二而六, 兩二一三則爲七, 兩三一二則爲八. 按此, 則朱子以爲七八九六之數, 皆從三二而起也, 邵子之意, 則就乾坤卦畫中, 看出三爲眞數, 以爲參天兩地, 皆由三數而起. 故謂之倚數. 各自爲一說, 但以邵子之說還邵子可也. 予友宋銳臣鋒

[12-2-57]

八卦相錯者, 相交錯而成六十四也.

“8괘가 서로 섞인다.”[55]는 것은 서로 교류하여 섞여서 64괘를 이룬다.

[12-2-58]

夫易根於乾坤而生于姤復. 蓋剛交柔而爲復, 柔交剛而爲姤, 自玆而無窮矣.

역易은 건괘 곤괘에 뿌리를 두고, 구姤괘 복復괘에서 생겨난다. 강함이 유함과 교류하여 복괘가 되고, 유함이 강함과 교류하여 구괘가 되니, 이로부터 끝이 없다.[56]

[12-2-59]

素問陰符, 七國時書也.

『소문』과 『음부경』은 전국 시대의 책이다.[57]

曰, “邵子以三爲眞數, 而謂三三爲九, 倍三爲六, 九六爲倚三數而生, 非謂三之爲倚數也. 朱子謂其見得不盡, 似未盡邵子之意.”)”

55 『周易』「說卦傳」: “天地定位, 山澤通氣, 雷風相薄, 水火不相射, 八卦相錯. 數往者順, 知來者逆, 是故易逆數也.”

56 王植, 『皇極經世書解』: “포운룡의 『天原發微』에서 ‘건곤이 큰 부모가 되므로 복과 구를 낳고, 복과 구가 작은 부모가 되므로 하나의 음과 하나의 양을 낳으니 음양이 한번 가고 한번 오는 것이 여기서 시작된다. 복과 구로부터 임과 遯이 되면, 두 음과 두 양이 가고 오니, 이것이 丑월과 未월이 되고, 임과 둔으로부터 否와 태에 이르면 세 음과 세 양이 가고 오니, 이것이 寅월과 申월이 된다. 네 음과 네 양이 가고 오는 데에 이르면 觀이 되고 대장이 되며, 다섯 음과 다섯 양이 가고 오면 夬가 되고 剝이 되어, 마침내 여섯 음과 여섯 양이 교류하여 서로 바뀌는 데에 이르면, 복과 구가 다시 건과 곤이 되고, 건과 곤이 다시 복과 구가 되어, 12궁 가운데 서로 흘러 행하고 짝이 되어 기다린다.’고 했다. 웅씨가 말하기를 ‘교류하여 바뀌는 것이 체가 되고, 변하여 바뀌는 것이 용이 되니, 64괘가 낳고 나아 끝이 없다.’고 했다.(補註, 鮑氏發微曰, 乾坤爲大父母, 故生復姤, 復姤爲小父母, 以生一陰一陽, 陰陽之一往一來, 始於此矣. 自復姤而臨遯, 則二陰二陽之往來, 是爲丑未之月, 由臨遯而否泰, 則三陰三陽之往來, 是爲寅申之月, 以至四陰四陽之往來而爲觀爲大壯, 五陰五陽之往來而爲夬爲剝, 終於六陰六陽交相轉易, 復姤復爲乾坤, 乾坤復爲復姤, 相與流行對待於十二宮之中. 熊氏曰, 交易爲體, 變易爲用, 六十四卦, 生生無窮矣.)” 황기는 왕식본 『皇極經世書解』에서 다음과 같이 말한다. “역이라는 말은 변한다는 것으로, 변한다는 것은 반드시 변하지 않는 것을 뿌리로 삼는다. 건에 뿌리한 것이 구에서 나오니, 오른쪽에 있는 32음이 구에서 같이 나왔으나, 뿌리는 왼쪽에 있고, 곤에 뿌리를 둔 것은 복에서 나오는 것이니, 왼쪽 32양이 복에서 함께 나왔으나 뿌리는 오른쪽에 있다. 뿌리는 건괘와 곤괘보다 큰 것이 없고, 낳는 것은 복괘와 구괘보다 앞선 것이 없으니, 복괘와 구괘로부터 나오면 끝이 없고, 건괘와 곤괘를 뿌리로 하면 변하지 않는다.(易之爲言變也, 變者, 必以不變者爲根. 根於乾者, 生於姤者也, 右三十二陰, 同生於姤, 而其根則在左, 根於坤者, 生於復者也, 左三十二陽, 同生於復, 而其根則在右. 根莫大乎乾坤, 生莫先於復姤, 由復姤則無窮, 本乾坤則不變.)”

57 王植, 『皇極經世書解』: “『陰符經』 李筌 서문에서 ‘숭산의 석벽에서 이 책을 얻으니 어떤 사람은 황제의 책으로 광성자에게 주었다.’고 했다.(補註, 陰符經, 李筌序云, 得此於嵩山石壁中, 或謂黃帝之書, 受於廣成子.)”

[12-2-60]

夫聖人六經, 渾然無跡, 如天道焉. 故春秋錄實事, 而善惡形于其中矣.

성인의 6경은 전혀 흔적이 없어 마치 천도와 같다. 그러므로 『춘추』는 사실을 기록했지만 선과 악이 그 가운데 드러난다.[58]

[12-2-61]

中庸之法, 自中者天也, 自外者人也.

『중용』의 법은 가운데에서 나오는 것이 천이고, 바깥으로부터 나오는 것이 사람이다.[59]

[12-2-62]

韻法, 開閉者律天, 淸濁者呂地.

운법韻法에서 개음開音과 폐음閉音은 땅의 음音으로 하늘의 성聲에 화답하는 것이고, 청음과 탁음은 하늘의 성으로 땅의 음을 부르는 것이다.[60]

[12-2-63]

韻法, 先閉後開者, 春也, 純開者, 夏也, 先開後閉者, 秋也, 冬則閉而無聲.

운법에서 먼저가 폐음이고 뒤가 개음인 것인 봄이고 순수하게 개음인 것은 여름이며, 먼저가 개음이고 뒤가 폐음인 것은 가을이고, 겨울은 폐음이면서 성이 없다.[61]

58 王植, 『皇極經世書解』: "주자가 말하기를 '『春州』의 책은 좌구명에 근거하면 천하가 크게 어지러울 때 성인은 단지 사실에 근거하여 기록했다. 그 시비와 득실을 후세의 공론에 붙였으니, 말 밖에 뜻이 있는 것이다. 만약 하나의 문자, 하나의 말 사이에서 포폄이 있는 것을 구한다면 아마도 옳지 못할 것이다.'(補註, 朱子曰, 春秋之書, 且據左氏, 當天下大亂, 聖人止據實而書之. 其是非得失, 付諸後世公論, 蓋有言外之意. 若必於一字一辭之間, 求褒貶所在, 竊恐不然.)" 황기는 왕식본 『皇極經世書解』에서 다음과 같이 말한다. "성인의 마음은 하늘과 같아 혼연하니, 『春秋』를 지은 것에 어찌 사사로운 뜻을 허용했겠는가? 선과 악이 저절로 드러나니 경전이 되는 것이다.(聖人之心, 如天渾然, 其作春秋, 何嘗容意, 而善惡自彰, 所以爲經也.)"

59 장행성, 『皇極經世觀物外篇衍義』: "가운데에서 나오는 것이 하늘의 誠이고 밖에서 나오는 것이 사람이 성을 생각하는 것이다."(自中者, 天誠也, 自外者, 人思誠也.) 왕식은 다음과 같이 말한다. "생각건대, 이 절은 앞의 타고난 성은 하늘에서 얻고 학문은 사람에게서 얻는다는 절의 뜻이다.(愚按, 此節, 卽前資性得之天, 學問得之人節意.)"

60 王植, 『皇極經世書解』: "(황기가 말했다.) 열림은 음의 드날림이고, 닫힘은 음의 억눌림이다. 음은 땅에 속하여 하늘을 律한다고 한 것은 땅의 음으로 하늘의 성에 화답하므로 '하늘을 율한다.'고 했다. 맑음은 성의 가벼운 것이고, 탁함은 성의 무거운 것이다. 성은 하늘에 속하는데 땅을 呂한다고 한 것은 하늘의 성으로 땅의 음을 부르기 때문에 '땅을 여한다.'고 했다.(闢, 音之揚者也, 翕, 音之抑者也. 音屬地, 而曰律天者, 以地之音, 和天之聲, 故以律天爲言也. 淸, 聲之輕者也, 濁, 聲之重者也, 聲屬天, 而曰呂地者, 以天之聲, 唱地之音, 故以呂地爲言也.)"

61 王植, 『皇極經世書解』: "(황기가 말했다.) 봄 · 여름 · 가을 · 겨울은 열림 · 발현함 · 거둠 · 닫힘을 말한다. 단

[12-2-64]

素問密語之類, 於術之理可謂至也.

『소문』의 「밀어」와 같은 종류는 술수의 이치로는 지극하다고 할 수 있다.[62]

[12-2-65]

顯諸仁, 藏諸用, 孟子善藏其用乎!

『역』에서 "인을 드러내고 용을 감춘다."고 했는데 맹자가 그 용을 잘 감추는구나![63]

[12-2-66]

寂然不動, 反本復靜, 坤之時也. 感而遂通天下之故, 陽動于中, 間不容髮, 復之義也.

"고요하여 움직이지 않는다."는 것은 근본으로 돌아가고 고요함으로 복귀하는 것이 곤坤괘의 때이다. "감응하여 세상의 일들에 통한다."는 것은 양이 그 속에서 움직이고 그 사이에 털끝만한 것도 허용하지 않는 것이 복復괘의 뜻이다.[64]

[12-2-67]

莊荀之徒, 失之辯.

장자와 순자의 무리는 잘못이 변론에 있다.[65]

지 열리고 닫히는 음만 말하고, 맑고 탁한 성을 말하지 않은 것은 음은 성을 따라 일어나기 때문에 그 음만 통하면 그 성에 통하기 때문이다.(春夏秋冬, 即開發收閉之謂. 但言闢翕之音, 不言清濁之聲者, 音由聲起, 苟達其音, 即達其聲矣.)"

62 王植, 『皇極經世書解』: "『玄珠密語』는 계현자가 지은 것이니 대체적인 요체는 5운 6기를 논한 것이다.(補註, 玄珠密語, 啟玄子所作也, 大要論五運六氣.)" 황기는 이렇게 말한다. "『玄珠密語』는 곧 『黃帝素問』의 부록이다.(玄珠密語, 乃黃帝素問附録.)"

63 王植, 『皇極經世書解』: "맹자는 제나라 경대부가 되었지만 녹을 받지 않았으니, 또한 그 작용을 잘 감춘 것의 일단이다. 이것이 맹자가 역을 잘 사용했다는 것이다.(補註, 觀其爲卿於齊而不受禄, 亦善藏其用之一端. 此孟子所以善用易也.)"

64 王植, 『皇極經世書解』: "임천 오씨가 말하기를 '초목이 그 액을 거두어들이지 않으면 펴져 꽃을 피울 수 없고, 곤충이 그 몸을 칩거하지 않으면 떨쳐 일어날 수가 없으니, 이것이 사람이 복괘를 귀중하게 여기는 것이다. 복괘는 고요함을 귀하게 여긴다. 고요함은 감응의 군주이고 닫힘은 열림의 뿌리이니, 겨울에 저장하는 것은 한 해의 복이고 밤에 쉬는 것은 하루의 복이고, 희노애락이 발하지 않은 것은 순간의 복이다.(補註, 臨川吳氏曰, 草木不斂其液, 則不能以敷榮, 昆蟲不蟄其身, 則不能以振奮, 此人之所以貴於復, 而復之所以貴於靜也. 寂者, 感之君, 翕者, 闢之根, 冬之藏, 一歲之復也, 夜之息, 一日之復也, 喜怒哀樂之未發, 須臾之復也.)" "생각건대, 「繫辭傳」의 말로 곤괘와 복괘의 뜻을 밝혔으니, 사람들이 성인이 하늘을 본받는 것을 본받게 하기 위함이다.(愚按, 此以繫辭之言明坤復之義, 亦欲人以法聖者法天也.)"

65 王植, 『皇極經世書解』: "(황기가 말했다.) 성현이 어찌 변론을 좋아하겠는가? 이것이 장자와 순자의 무리는 언어를 숭상한 이유이다.(聖賢豈好辨哉? 此莊荀之徒, 所以尙言.)"

[12-2-68]

東爲春聲, 陽爲夏聲. 此見作韻者亦有所至也. 銜凡, 冬聲也.

동쪽은 봄의 성聲이고 양은 여름의 성이다. 여기서 운법을 지은 사람이 터득한 것이 있음을 본다. 함銜과 범凡은 겨울의 성이다.[66]

[12-2-69]

不見動而動, 妄也, 動于否之時是也. 見動而動, 則爲無妄. 然所以有災者, 陽微而無應也. 有應而動, 則爲益矣.

움직임을 보지 않고 움직이는 것은 경망하니, 비否의 때에 움직이는 것이 이것이다. 움직임을 보고 움직이면 무망無妄괘의 내용이 된다. 그러나 재앙이 있는 까닭은 양이 미약하여 호응이 없기 때문이다. 호응이 있고 움직이면 익益괘의 내용이 된다.[67]

[12-2-70]

精氣爲物, 形也. 遊魂爲變, 神也. 又曰, 精氣爲物, 體也. 遊魂爲變, 用也.

'정과 기가 사물이 된다.'는 것은 형체이고, '떠도는 혼이 변한다.'는 것은 신神이다. 또 말했다. '정과 기가 사물이 된다.'는 것은 체體이고 '떠도는 혼이 변한다.'는 것은 용用이다.[68]

66 王植, 『皇極經世書解』: "(황기가 말했다.) '터득한 것이 있다.'는 것은 이치에 이르렀다는 말이다. 어떤 것이 가을의 성이 된다고 거론하지 않고, 단지 '함과 범이 겨울의 성이 된다.'고 거론한 것은 배우는 사람이 종류로써 구하여 스스로 터득하게 하려는 것이다.(有所至, 謂至於理也. 不擧某爲秋聲, 但擧銜凡爲冬聲者, 欲學者, 以類求而自得之.)"

67 王植, 『皇極經世書解』: "천지비괘의 아래 효는 모두 음효이니, 움직임을 보지 못하고 움직이면 경망하다. 천뢰무망괘의 초효 一陽은 움직임을 보고 움직이지만 재앙이 있는 것은 무망 초효와 사효가 양이 미약하고 호응이 없기 때문이다. 호응이 있어 움직이는 것은 풍뢰익괘가 그러한 것이다.(補註, 天地否, 下爻爻, 皆陰, 不見動也, 而動則妄矣. 天雷无妄, 初爻一陽, 見動而動, 然所以有災者, 无妄初與四爻, 陽微而無應也. 有應而動, 風雷益是也.)" 황기의 설명이다. "震은 움직임이니, 否의 때에는 坤이 있고 진이 없으니, 움직이면 경망하다. 무망의 때에는 진이 있고 곤이 없으니 움직일 수가 있지만 재앙을 면치 못하는 것은 진의 일양이 건의 세 양을 만나 양이 미약하고, 초효와 사효가 모두 양으로 움직임에 호응이 없으므로 재앙이 있다. 만약 건이 변해서 巽이 되면 호응이 있어 익괘가 된다. 그렇다면 움직여서 경망하니 무슨 이익이 있겠는가?(震, 動也, 在否之時, 有坤無震, 動則妄矣. 无妄之時, 有震無坤, 可以動矣, 而不免於災, 以震一陽遇乾三陽, 陽微初四陽動無應, 故有災. 若使乾變爲巽, 則有應而爲益, 然則動而妄何益乎?)" 왕식은 다음과 같이 정리한다. "생각건대, 이것은 비괘와 익괘 두 괘로 무망괘 삼효의 '무망의 재앙이다.'라는 효를 밝힌 것이다. 반복해서 미루어 완미하여 한 효를 판단했으니 역의 정미함을 설명하는 것이 이와 같다.(愚按, 此以否益二卦, 明無妄三爻無妄之災之義. 反覆推玩, 以斷一爻, 蓋說易之精如此.)"

68 王植, 『皇極經世書解』: "이것은 『易』「繫辭傳」의 뜻을 풀이한 것이다. 그러나 『易』은 사람의 생사를 짝으로 말했고, 소강절은 전적으로 사람의 삶으로 말했다.(補註, 此釋易大傳之意, 但易以人之生死對言, 邵子專以人之生者而言也.)" "생각건대, 「繫辭上」 4장의 주자 『本義』에서는 '음의 정과 양의 기가 모여 사물을 이루니,

[12-2-71]

君子之學, 以潤身爲本. 其治人應物, 皆餘事也.

군자의 학문은 몸을 윤택하게 하는 것을 근본으로 삼는다. 사람을 다스리고 만물을 응대하는 것은 모두 그 이외의 일이다.[69]

[12-2-72]

剸劇者, 才力也, 明辯者, 智識也, 寬弘者, 德器也. 三者不可闕一.

결단하는 것은 재주와 힘이고, 분명하게 분별하는 것은 지혜와 식견이고, 너그럽고 큰 것은 덕의 기량이다. 세 가지 중 하나라도 빼서는 안 된다.[70]

[12-2-73]

無德者責人怨人易滿, 滿則止也.

덕이 없는 사람은 남을 책망하고 남을 원망하며 쉽게 자만하니 자만하면 그친다.[71]

[12-2-74]

龍能大能小, 然亦有制之者, 受制於陰陽之氣. 得時則能變化, 失時則不能也.

용은 크게 할 수도 있고 작게 할 수도 있지만 또한 제어하는 것이 있어서 음양의 기에 제어를 받는다. 때를 얻으면 변화할 수 있고 때를 잃으면 변화할 수 없다.[72]

신이 펼쳐진 것이다. 혼이 떠돌고 백이 내려 앉아 흩어져서 변하니, 귀의 돌아감이다.'라고 했다. 이것은 형체와 신, 체와 용을 나누어 한 학설을 이룬 것이다. 「漁樵問對」에서 '사람의 삶은 기가 유행하는 것을 말하고, 사람의 죽음은 그 형체가 돌아가는 것을 말하니, 기가 유행되면 신과 혼이 교류하고, 돌아가면 정과 백이 보존된다.'고 했다. 또한 기와 혼을 산 것에 속하게 하고, 형체와 백을 죽음에 속하게 했다.(愚按, 上傳四章本義云, 陰精陽氣, 聚而成物, 神之伸也. 魂遊魄降, 散而爲變, 鬼之歸也. 此則分形神體用言之, 自爲一說也. 漁樵問對云, 人之生也, 謂其氣行, 人之死也, 謂其形返, 氣行則神魂交, 形返則精魄存, 又似以氣與魂屬之生者, 形與魄屬之死者矣.)"

69 王植, 『皇極經世書解』: "생각건대, 몸을 윤택하게 한다는 것은 맹자가 말하는 '얼굴에 빛나고 등에 후광이 가득하다.'는 것이 이런 것이다. 『史記』에서 '선생이 덕기가 순수하여 멀리서 바라보면 그가 현자임을 안다.'고 했는데 이것은 모두 그가 실제로 터득하였음을 말한다.(愚按 潤身, 如所謂睟然見於面, 盎於背是也. 史稱先生, 德氣, 粹然, 望之, 知其賢. 此皆其實得之言也.)"

70 王植, 『皇極經世書解』: "생각건대, 3가지 가운데 덕의 기량이 어려우니, 관중과 같은 사람은 덕의 기량이 작은 데도 소강절이 뒷절에서 지혜와 식견과 재주와 힘을 미루어 밝혔으니, 경중을 알 수 있다. 황기는 재주와 힘이 먼저라고 했는데 이는 잘못된 말이다.(愚按, 三者, 德器爲難, 如管仲器小, 而邵子於後節, 推其智識才力. 則輕重可見矣. 黃氏謂先才力非是.)"

71 王植, 『皇極經世書解』: "(황기가 말했다.) 기가 쪼그라들므로 책망하고 원망하며 기가 가득 차므로 쉽게 만족한다. 덕으로 유지시킬 줄 모르는 것이다.(氣歉, 故責怨, 氣盈, 故易滿, 皆無德以持之.)"

72 王植, 『皇極經世書解』: "생각건대, 크게 할 수 있고 작게 할 수 있는 용의 성질은 본래 이와 같이 영험하고,

[12-2-75]

伯夷義不食周粟, 至餓且死, 止得爲仁而已.

백이는 의義를 지키기 위해 주나라의 곡식을 먹지 않고 굶어 죽었으나, 단지 인을 행했을 뿐이다.[73]

[12-2-76]

三人行, 亦有師焉. 至于友一鄕之賢, 天下之賢, 以天下爲未足, 又至於上論古人, 無以加焉.

세 사람이 가면 역시 스승이 있다. 나아가 한 시골의 현자와 천하의 현자를 벗삼는 데에 이른다. 그러나 천하의 현자를 벗하는 것도 만족하지 않고, 위로 옛사람을 의론하는 데에 이르면 더 보탤 것이 없다.[74]

[12-2-77]

義重則內重, 利重則外重.

의로움을 중시하면 안을 중시하고, 이익을 중시하면 밖을 중시한다.[75]

[12-2-78]

兌, 說也. 其他說皆有所害. 惟朋友講習, 無說於此, 故言其極者也.

태兌는 기쁨이다. 그 이외의 기쁨은 모두 해로움이 있다. 오직 친구들과 강습하는 것은 이보다 더 기쁜 것이 없으므로 그 최고로 기쁜 것을 말했다.[76]

[12-2-79]

能循天理動者, 造化在我也.

음양의 기가 그것을 제어할 수 있지만 반드시 음이 양을 타고 일어나 구름이 일어나야 곧 용의 때이다. 그래서 구름이 용을 따른다고 했다.(愚按, 能大能小龍之質性, 本如是之靈也, 而陰陽之氣, 能制之, 必陰乘陽起, 而雲興則龍之時矣. 故曰雲從龍.)"

73 王植, 『皇極經世書解』: "생각건대, 의를 지켜 죽음에 이르는 것 역시 그 인을 보존할 뿐, 사람의 도 밖으로 벗어난 것이 아니다. 성인이 지나치게 허여하지 않음을 또한 여기서 알 수 있다.(愚按, 守義至死, 亦止全其仁, 非有出於人道之外也. 聖人之無過與, 亦於此可見.)"

74 王植, 『皇極經世書解』: "생각건대, 스승과 벗의 도를 논한 것이니 공자와 맹자의 말에 근본하여 합해서 말했다.(愚按, 論師友之道, 本孔孟而合言之.)"

75 王植, 『皇極經世書解』: "생각건대, 윗 절의 뜻은 이 말을 통해 더욱 분명해진다.(愚按, 上節之義, 得此愈明矣.)"

76 王植, 『皇極經世書解』: "『易』에서 말하기를 '이어 붙은 연못이 兌이니, 군자가 이것을 본받아, 친구들과 강습한다.'고 했다.(補註, 易曰, 麗澤兌, 君子以, 朋友講習.)" 황기는 이렇게 말한다. "성색취미는 모두 사람을 기쁘게 할 수 있지만 각각 해가 있다. 오직 친구들과 강습하는 것은 이치를 주로 삼으니, 기쁨이 더한 것이 없다.(聲色臭味, 皆足以說人, 而各有所害. 惟朋友講習, 以理爲主, 說莫過焉.)"

천리를 따라서 움직일 수 있는 자는 조화造化가 나에게 달려 있다.[77]

[12-2-80]

學不際天人, 不足以謂之學.

배움이 하늘과 사람을 만나게 하지 않는다면 배움이라고 말하기에는 부족하다.[78]

[12-2-81]

君子於易, 玩象, 玩數, 玩辭, 玩意.

군자는 『역』에서 상象을 완상하고, 수를 완상하며, 말을 완상하고, 뜻을 완상한다.[79]

[12-2-82]

能醫人能醫之疾, 不得謂之良醫. 醫人之所不能醫者, 天下之良醫也. 能處人所不能處之事, 則能爲人所不能爲之事也.

남이 치료할 수 있는 질병을 치료할 수 있는 것은 좋은 의사라고 할 수 없다. 남이 치료할 수 없는 것을 치료하는 것이 천하의 좋은 의사이다. 남이 처할 수 없는 일에 처하면, 남이 할 수 없는 일을 할 수 있다.[80]

[12-2-83]

人患乎自滿, 滿則止也. 故禹不自滿假, 所以爲賢. 雖學亦當常常若不足, 不可臨深以爲高也.

사람은 스스로 가득하는 것을 염려해야 하니, 자만하면 그치게 된다. 그러므로 우임금은 자만하고 큰 체[81]하지 않았으니, 현자가 된 까닭이다. 그러므로 배우는 사람일지라도 또한 항상 부족한 듯이 해야만 하고, 깊은 곳에 임하였으면서 높다고 여겨서는 안 된다.[82]

77 王植, 『皇極經世書解』: "(황기가 말했다.) 조화란 天理이다.(造化即天理)"

78 王植, 『皇極經世書解』: "하늘과 사람은 본성과 천명의 이치이다.(補註, 天人, 性命之理也.)"

79 王植, 『皇極經世書解』: "생각건대, 「繫辭上」 2장에 '성인은 괘를 만들어 상을 보고 말을 붙여서 길흉을 밝혔다.'라고 하고, '군자는 자신의 직분에 자리할 때 그 상을 관찰하여 그 말을 완상한다.'고 했으니, 여기서 그 뜻을 넓혀 완상하고 관찰하는 것을 상세하게 했다.(愚按, 上繫之二章, 聖人, 設卦觀象繫辭焉, 而明吉凶, 君子居, 則觀其象, 而玩其辭. 此廣其義, 玩觀之詳也.)"

80 王植, 『皇極經世書解』: "남이 처할 수 없는 것에 처하는 것은 빈천과 환난의 일이다. 남이 할 수 없는 일을 하는 것은 도덕과 인의의 일을 말한다.(補註, 處人所不能處, 貧賤患難之事也. 爲人所不能爲, 道德仁義之事也.)"

81 큰 체: 假를 해석한 것이다. 음은 格이고 뜻은 大이다.

82 王植, 『皇極經世書解』: "생각건대, 『書』의 「大禹謨」에서 '스스로 자만하거나 거짓되지 않는다.'고 했고, 『禮記』「流行」에서 '깊은 데에 임하여 높다고 하지 말고, 적은 것을 더하고 많다고 여기지 말라.'고 했다.(愚按, 書大禹謨, 不自滿假, 禮儒行, 不臨深而爲高, 不加少而爲多.)"

[12-2-84]

人苟用心, 必有所得. 獨有多寡之異, 智識之有淺深也.

사람이 진실로 마음을 쓰면 반드시 얻는 것이 있다. 오직 많고 적음의 차이가 있으니, 이것은 지혜와 식견에 깊고 얕음이 있기 때문이다.[83]

[12-2-85]

理窮而後知性. 性盡而後知命. 命知而後知至.

이치를 궁구한 뒤에야 성性을 알고, 성을 다 한 뒤에야 명命을 알고, 명을 안 뒤에야 이를 데를 안다.[84]

[12-2-86]

凡處失在得之先, 則得亦不喜. 若處得在失之先, 則失難處矣. 必至於隕穫.

실패에 대처하는 자세가 성공하기 앞서 이루어졌다면, 성공해도 기뻐하지 않는다. 만약 성공에 대처하는 도리가 실패에 앞서 있다면 실패하여 처신하기 어렵다. 반드시 얻은 것을 잃게 된다.[85]

[12-2-87]

人必有德器, 然後喜怒皆不妄. 爲卿相爲匹夫, 以至學問高天下, 亦若無有也.

사람은 반드시 덕의 기량이 있은 뒤에 기쁨과 분노가 망령스럽지 않다. 공경과 재상이 되거나 필부가 되거나, 학문이 천하에 높은 경지에 이르렀다고 해도 역시 없는 것처럼 한다.[86]

[12-2-88]

人必內重, 內重則外輕. 苟內輕必外重, 好利好名無所不至.

사람은 반드시 안을 중시하니, 안을 중시하면 밖은 경시한다. 진실로 안을 경시하면 반드시 밖은 중시

83 王植, 『皇極經世書解』: "생각건대, 지혜와 식견 역시 타고난 성품 가운데 하나이다.(愚按, 智識, 亦資性之一也.)"

84 王植, 『皇極經世書解』: "(황기가 말했다.) 나에게 있는 것이 성이니, 성은 마땅히 다해야 하고, 사물에게 있는 것이 이치이니, 이치는 마땅히 궁구해야 한다. 앎이 앞에 있고 이르는 것이 뒤에 있으므로 '이르러야 할 곳을 알고서 이른다.'고 했다.(在我爲性, 性則當盡, 在物爲理, 理則當窮. 知之在前, 至之在後, 故曰知至至之.)" "생각건대 이는 「說卦傳」의 '이치를 궁구하고 성을 다하여 명에 이른다.'고 한 뜻을 해석한 것으로 중점은 앎에 있다.(愚按, 此釋說卦, 窮理盡性以至於命意, 重在知.)"

85 王植, 『皇極經世書解』: "생각건대, 사람이 잃는 것이 얻는 것보다 먼저 있다는 것을 항상 알면, 처하기 어려운 경우가 없다. 유학자의 행동은 빈천하더라도 기죽지 않고 부귀하더라도 득의양양해하지 않는다.(愚按, 人常見失在得先, 則無難處之境矣. 儒行不隕穫於貧賤, 不充詘於富貴.)"

86 왕식, 『皇極經世書解』: "생각건대, 그릇이 작아 쉽게 넘치는 사람은 덕이 부족한 것이다. 덕으로 그 그릇을 넓게 하면 항상 스스로 부족한 듯이 하고, 또한 용납하지 않는 바가 없다.(愚按, 器小易盈者, 德不足也. 以德裕其器, 則常自視欿然, 且無所不容矣.)"

되니, 이익을 좋아하고 명예를 좋아함이 이르지 않는 곳이 없게 된다.[87]

[12-2-89]

得天理者不獨潤身, 亦能潤心. 不獨潤心, 至於性命亦潤. 天下言讀書者不少, 能讀書少. 若得天理眞樂, 何書不可讀, 何堅不可破, 何理不可精?

천리를 얻는 사람은 몸만 윤택하게 할 뿐만 아니라, 또한 마음도 윤택하게 할 수 있다. 마음을 윤택하게 할 뿐 아니라 성과 명 역시 윤택하게 한다.[88] 세상에 책을 읽었다고 말하는 자는 적지 않지만 책을 읽을 줄 아는 사람은 적다. 천리를 얻어 진정으로 즐거우면 어떤 책이건 읽지 못할 수 없겠으며, 어떤 견고함이라고 뚫지 못할 수 없겠으며, 어떤 이치라도 정밀하게 이해할 수 없겠는가?

[12-2-90]

曆不能無差. 今之學曆者, 但知曆法, 不知曆理. 能布算者, 洛下閎也, 能推步者, 甘公石公也. 洛下閎但知曆法, 楊雄知曆法, 又知曆理.

책력의 오차가 없을 수가 없다. 지금 책력을 배우는 자는 단지 역법曆法만을 알고 역리曆理를 알지 못한다. 계산할 줄 아는 자는 낙하굉洛下閎이고, 추명推命할 줄 아는 자는 감공과 석공甘公石公이었다. 낙하굉은 단지 역법을 알았지만, 양웅은 역법을 알고 또 역리를 알았다.[89]

[12-2-91]

一歲之閏, 六陰六陽, 三年三十六日, 故三年一閏. 五年六十日, 故五歲再閏. 天時, 地理, 人事, 三者知之不易.

한 해의 윤閏은 여섯 음의 삭허朔虛와 여섯 양의 기영氣盈이니, 3년은 36일이므로 3년 한 번의 윤이 있다. 5년은 60일이므로 5년에 두 번 윤이 있다. 천시天時, 지리地理, 인사人事 3가지는 아는 것이 쉽지 않다.[90]

87 왕식, 『皇極經世書解』: “생각건대, 이것은 의로움과 이익의 분별이다.(愚按, 此義利之辨也.)”

88 천리를 얻는 … 한다: “생각건대, 성과 명의 이치는 마음에 훤해야 비로소 마음을 윤택하게 했다고 할 수 있고, 성명으로 마음을 윤택하게 해야 비로소 몸을 윤택하게 할 수 있다.(愚按, 性命之理, 盎然於心, 始可謂之潤心, 以性命潤心, 始可謂之潤身.)”

89 왕식, 『皇極經世書解』: “(황기가 말했다.) 별 위치를 추산해서 계산한 것을 증험하면 오차가 없을 수 없으니, 오차는 수 가운데 이치이다. 양웅은 역법을 알았고, 그 이치를 알았으므로 ‘세가 어찌 병이 있으며 년이 병이 있겠는가?’라고 했으니, 그 오차로써 사람에게 보여준 것이다.(以推步驗算數, 決不能無差, 差者, 數中之理也. 楊雄知歷法, 又知其理, 故謂歲寧恙而年病, 正以其差者, 示人也.)”

90 왕식, 『皇極經世書解』: “(황기가 말했다.) 6음의 朔虛와 6양의 氣盈이 12이니, 3배하면 36이고 2배하면 24이다. 24와 36을 합하면 60이 되어 두 번 윤을 두는 법이 완성된다.(六陰朔虛, 六陽氣盈, 十二, 而參之爲三十六, 兩之爲二十四, 以二十四合三十六爲六十, 再閏之法成矣.)” “생각건대, 송예신은 말하기를 ‘윤괘 건곤감이의 책수가 모두 24이니, 다른 괘는 1책이 한 효를 차지하지만, 여기서는 2책이 한 효를 차지한다. 1효가 하루를

[12-2-92]

資性, 得之天也. 學問, 得之人也. 資性, 由內出者也, 學問, 由外入者也. 自誠明, 性也. 自明誠, 學也. 顔子不遷怒, 不貳過. 遷怒貳過, 皆情也, 非性也. 不至於性命, 不足以謂之好學.

바탕이 되는 성性은 하늘에서 얻은 것이다. 학문은 사람에게서 얻은 것이다. 바탕이 되는 성은 안으로부터 나오는 것이고, 학문은 밖으로부터 들어가는 것이다. 진실무망하여 밝아지는 것이 성性이고, 밝아져서 진실무망해지는 것이 학문이다.[91] 안자는 화를 옮기지 않고 과실을 반복하지 않았다. 화를 옮기지 않고 과실을 반복하지 않은 것은 모두 정情이지 성性이 아니다. 성과 명에 이르지 않으면 배움을 좋아한다고 말하기에는 부족하다.

[12-2-93]

伯夷柳下惠得聖人之一端. 伯夷得聖人之清, 柳下惠得聖人之和, 孔子時清時和, 時行時止, 故得聖人之時.

백이와 유하혜는 성인의 한 가지를 얻었다. 백이는 성인의 맑음을 얻었고, 유하혜는 성인의 조화를 얻었지만 공자는 어떤 때는 맑고 어떨 때는 조화하고, 어떨 때는 행하고 어떨 때는 그치므로 성인의 시중時中을 얻었다.[92]

[12-2-94]

太玄九日當兩卦, 餘一卦當四日半.

『태현』은 9일에 두 괘를 배당하고 나머지 한 괘가 4일 반을 담당한다.[93]

맡으면 1년에 12일이 남으니, 19년이 되어 1章이 되면 기영과 삭허의 여분이 같아 일곱 번의 윤을 꼭 맞게 얻는다.'고 했다.(愚按, 宋子鋭臣曰, 閏卦, 乾坤坎離之策, 共二十四, 他卦一策當一爻, 此則二策當一爻也. 一爻直一日, 一年應餘十二日, 至十九年爲一章, 則氣朔分齊, 恰得七閏.)"

91 바탕으로 한 … 학문이다 : 왕식, 『皇極經世書解』, "생각건대, 소강절의 誠明吟에서 '공자는 태어나면서부터 알아, 학습이 필요 없었고, 맹자는 먼저 깨달았으나 또 수양이 필요했다. 성을 수양하여 명하게 되는 것이 본래 우리들의 일인데, 지금 사람들은 바깥에서 찾는 것만을 좋아하네.'라고 했다.(愚按, 邵子誠明吟, 孔子生知非假習, 孟軻先覺亦須修. 誠明本屬吾家事, 自是今人好外求.)"

92 왕식, 『皇極經世書解』 : "맹자의 말을 밝혀서 성인이 큰 중도와 지극히 올바른 도를 얻었음을 보였다.(發明孟子之言, 以見聖人得大中至正之道.)"

93 왕식, 『皇極經世書解』 : "사마광이 태현경을 해설하면서 '역의 괘기는 중부괘에서 일어나 진이태감 4 정괘의 24효가 24기를 주관하는 것을 제외하고, 그 나머지는 60괘가 매 괘마다 6일 7분을 담당하여 모두 365와 4분의 1을 얻는다. 태현의 729찬이 2찬마다 1일이 되어, 1찬은 낮이 되고 1찬은 밤이 되어, 모두 364일과 반을 얻으니, 踦와 羸 두 찬을 합하여 365일과 4분의 1을 이룬다. 모든 태현의 수가 모두 역의 괘기로 차례를 삼고 그 명칭만을 변경했으니, 中은 중부괘이고, 周는 복괘이고, 養은 이괘이고 閑은 둔괘이고, 少는 겸괘이고 戾는 규괘이니 나머지도 이와 같다. 그러므로 태현의 첫머리에 81수에 1년의 일이 실로 이루어진다.'고 했고, 測에서 '육갑을 돌아가며 곱해서 북두와 서로 만나고, 歷으로 歲를 기록하니, 백곡이 때에 맞게 융성한다.'고 했으니 모두 이것을 말한다.(補註, 司馬說玄曰, 易卦氣, 起中孚, 除震離兌坎四正卦二十四爻, 主二十四氣外,

[12-2-95]

楊雄作玄, 可謂見天地之心者也.

양웅은 『태현경』을 지었으니, 천지의 마음을 보았다고 할 수 있다.[94]

[12-2-96]

用兵之道, 必待人民富, 倉廩實, 府庫充, 兵强名正, 天時順, 地利得, 然後可擧.

군대를 사용하는 도는 반드시 백성이 부유해지고, 창고가 가득 차며, 곳간이 채워지고, 군대가 강하고 명분이 올바르며, 천시天時가 순조롭고, 지리地利가 유리한 후에야 거행할 수 있다.[95]

其餘六十卦, 每卦當六日七分, 凡得三百六十五日四分日之一. 玄七百二十九贊, 每二贊合爲一日, 一贊爲晝, 一贊爲夜, 凡得三百六十四日半, 蓋以踦贏二贊, 成三百六十五日四分日之一. 凡玄首, 皆以易卦氣爲次序而變其名稱, 中者, 中孚也, 周者, 復也, 養者, 頤也, 閑者, 屯也, 少者, 謙也, 戾者, 暌也, 餘皆倣此. 故玄首曰, 八十一首歲事成貞. 測曰, 巡乘六甲, 與斗相逢, 歷以紀歲而百穀時雍, 皆謂是也.)" 황기는 왕식본 『皇極經世書解』에서 이렇게 말한다. "9일에 두 괘면 360일이 바로 80괘에 해당하고, 또 한 괘가 남아 4일 반을 담당하고, 다시 기와 영의 두 찬으로 채우면 5와 4분의 1에 해당하게 된다.(九日兩卦則三百六十日, 正當八十卦, 又餘一卦, 以當四日半, 復以踦贏二贊, 足之則當五日四分日之一.)"

94 왕식, 『皇極經世書解』에서 주자의 말을 인용했다. "강절의 학문은 양자운과 유사하다. 『太玄經』은 『易』을 모방해서 方, 州, 郡, 家를 모두 3으로 추산하니, 태현의 首가 하나가 셋을 낳아 3방이 되고, 셋이 아홉을 낳아 구주가 되고, 아홉이 27을 낳아 27부가 되고, 9에 9를 곱하여 81가가 되니, 수의 81은 64괘에 준하고, 찬의 729는 384효에 준하는 것이다. 3이라는 수로 추산하지 않는 것이 없고, 강절의 수는 가배의 법을 썼다. 『周易折中』에서 '양웅이 『太玄經』을 지으니, 3방, 92주, 27부, 81가는 곧 선천의 태극, 양의, 사상, 팔괘의 가배의 법과 유사하고, 유행의 순서는 中, 羨, 從에서 시작해서, 更, 晬, 廓이 중간이 되고, 減, 沈, 成에서 마치는 것은 선천의 복괘에서 시작해서 건괘에서 마치고, 구괘에서 시작해서 곤괘에서 마치는 순서와 유사하다. 태현에서 수는 9×9=81을 쓰고 책수는 6×6=36을 쓰는 것은 선천에서 괘는 8×8=64를 쓰고, 책수는 7×7=49를 쓰는 것과 유사하다.'고 했다. 생각건대, 강절이 양웅의 글을 읽고 마음에서 『易』을 지은 근본을 깨달았을 것이다. 그래서 강절이 깊게 『太玄經』에 감복하여 '천지의 마음을 알았다.'고 했다. 강절의 학문이 계발되어 힘을 얻은 것이다. 그러나 소강절의 글이 나온 뒤로 『太玄經』이 참람한 경이 되고, 음양의 순서를 어지럽힌 것이 되었으나, 소강절책과 관련이 없기는 푸른 색과 흰색 같이 서로 같지 않은 것과 같다. 그래서 정자가 '요부의 수는 태현과 비슷하나 같지 않다.'고 했다.(朱子曰, 康節之學, 似楊子雲. 太玄擬易, 方州郡家, 皆自三數, 推之, 玄爲之首, 一以生三爲三方, 三生九爲九州, 九生二十七爲二十七, 部九九乘之則爲八十一, 家首之以八十一所以準六十四卦, 贊之以七百二十九所以準三百八十四爻. 無非以三數推之, 康節之數則以加倍之法. 周易折中, 楊雄作太玄, 三方九州二十七部八十一家, 則與先天極儀象卦加倍之法相似也, 流行之序, 始於中羨從, 中於更晬廓, 終於減沈成, 則與先天始復終乾, 始姤終坤之序, 相似也. 首用九九, 策用六六, 則與先天, 卦用八八, 策用七七之數, 相似也. 意者, 康節讀楊雄之書, 而心悟, 作易之本歟. 故康節深服太玄以爲見天地之心. 蓋其學所啓發得力處也. 然自邵書旣出, 則太玄爲僭經, 爲汨陰陽之序, 與邵書逈乎如蒼素之不相侔矣. 程子故曰"堯夫之數似玄而不同.")"

95 왕식, 『皇極經世書解』에서 황기는 이렇게 말한다. "이것은 제왕의 도가 온전한 데서 나오는 것이다.(此乃帝王之道出於萬全)"

[12-2-97]

易無體也. 曰旣有常典, 則是有體也. 恐遂以爲有體, 故曰不可爲典要. 旣有典常, 常也. 不可爲典要, 變也.

역易에는 일정한 형체가 없다. '이미 일정한 전범이 있다.'고 했으니 이것이 형체가 있는 것이다. 그러나 아마도 사람들이 일정한 형체가 있다고 생각하므로 '전범으로 삼을 수 없다.'[96]고 했을 것이다. '일정한 전범이 있다.'고 한 것은 일정한 것[常]이고, '전범으로 삼을 수 없다.'는 것은 변통되는 것[變]이다.[97]

[12-2-98]

莊周雄辯, 數千年一人而已. 如庖丁解牛曰躊躇四顧. 孔子觀呂梁之水曰蹈水之道無私. 皆至理之言也.

장주의 웅변은 수 천 년에 최고일 뿐이다. 포정해우庖丁解牛에서 '머뭇거리며 사방을 둘러본다.'[98]고 하고, 공자가 여량呂梁의 물을 살핀 부분에서 '물에서 헤엄치는 도에 사사로움이 없다.'[99]고 했으니, 이것은 모두 지극한 이치의 말이다.[100]

[12-2-99]

老子五千言, 大抵皆明物理.

노자의 5천여 말은 대체로 모두 사물의 이치를 밝힌 것이다.[101]

[12-2-100]

今有人登兩臺, 兩臺皆等, 則不見其高. 一臺高, 然後知其卑下者也.

지금 두 개 누대에 올라가는 사람이 있는데, 두 개 누대가 같으면, 그 누대가 높은지를 알지 못한다. 한 개 누대가 높아야 한 개 누대가 낮은 것을 알게 된다.

96 『易』「繫辭下」 8장 : "易之爲書也不可遠, 爲道也屢遷, 變動不居, 周流六虛, 上下無常, 剛柔相易, 不可爲典要, 唯變所適."

97 왕식, 『皇極經世書解』에서 황기는 이렇게 말하다. "형체가 없으면서도 형체가 있으니 변화 속에 일정함이 있고, 형체가 있으면서도 형체가 없으니, 일정함 속에 변통이 있다.(無體而有體, 則變中有常, 有體而無體, 則常中有變.)"

98 『莊子』「養生主」

99 『莊子』「達生」

100 왕식, 『皇極經世書解』에서 황기는 이렇게 말한다. "소를 잡는다는 말은 도에 가깝고, 물에서 헤엄치는 말은 神에 가깝다.(解牛之說近於道, 蹈水之說近於神.)"

101 왕식, 『皇極經世書解』 : "생각건대, 소강절이 노자를 취한 것이 이와 같으니, 단지 그 현묘한 것만을 말한 사람과는 다르다.(愚按, 邵子之取老子者, 如是, 與但稱其元者, 異矣.)" '元'은 송나라 때 '玄'의 대용 글자이다.

[12-2-101]

學不至於樂, 不可謂之學.

배우는 것이 즐기는 것에 이르지 못하면 배움이라 말할 수 없다.[102]

[12-2-102]

一國一家一身皆同. 能處一身, 則能處一家. 能處一家, 則能處一國. 能處一國, 則能處天下. 心爲身本, 家爲國本, 國爲天下本. 心能運身. 苟心所不欲, 身能行乎?

한 나라, 한 집한, 한 몸은 모두 같다. 한 몸을 대처할 수 있다면, 한 집안을 대처할 수 있다. 한 집안을 대처할 수 있다면 한 나라를 대처할 수 있다. 한 나라를 대처할 수 있다면 천하를 대처할 수 있다. 마음이 몸의 뿌리가 되고, 집안이 나라의 뿌리가 되며, 나라가 천하의 뿌리가 된다. 마음이 몸을 운용할 수 있다. 진실로 원하지 않는다면 몸이 행할 수 있겠는가?[103]

[12-2-103]

人之精神, 貴藏而用之. 苟衒於外, 則鮮有不敗者. 如利刀, 物來則剸之. 若恃刀之利而求割乎物, 則刀與物皆傷矣.

사람의 정精과 신神은 감추었다가 사용하는 것을 귀하게 여긴다. 바깥으로 자랑하면 패하지 않는 자가 적다. 예를 들어 예리한 칼은 어떤 사물이 오면 벤다. 그러나 칼의 예리함만을 믿고 사물을 자르려고만 하면 칼과 사물이 모두 상한다.[104]

102 왕식, 『皇極經世書解』에서 황기는 이렇게 설명한다. "알고서 좋아하고, 좋아해서 즐거워하니, 이것은 몸만 윤택하게 할 뿐 아니라 성과 명도 윤택하게 한다. 성현이 서로 전하는 학문은 응당 이와 같아야 한다.(知而好, 好而樂, 非徒潤身, 性命亦潤矣. 聖賢相傳之學, 當如是.)" 왕식, 『皇極經世書解』 "생각건대, 즐겁다는 말은 소강절이 평생에 노력하여 수용한 곳이다. 역사적 기록에 따르면, '평상시에 여러번 양식이 떨어졌지만, 화락하게 즐거운 듯 했다.'고 했고, 「無名公傳」에서 '술을 얼큰하게 마시는 것을 좋아해서, 술 마시면 먼저 입에서 시를 읊조리고 크게 노래했다.'고 했고, 또 '궁색해도 근심하지 않고, 술 마셔도 취하는 데까지 이르지 않았다.'고 했다. 천하의 봄을 모두 거두어 자신의 간과 폐에 돌리기 때문에 「內篇」의 끝에 '그 즐거움 또한 크지 않은가?'라고 했으니, 여기서 말한 것이다.(愚按, 此樂字, 乃邵子生平得力受用處. 史傳云, 平居屢空, 怡然有所甚樂. 無名公傳云, 飮喜微酡, 口先吟哦, 遂及浩歌, 又曰窘未嘗憂, 飮不至醉. 收天下春, 歸之肝肺, 故內篇之末, 曰其於樂也, 不亦大乎, 而於此亦云.)"

103 왕식, 『皇極經世書解』: "생각건대, 『대학』에서 '수신제가치국평천하'라고 했다. 『孟子』는 '천하와 나라의 근본은 몸에서 미루어 나간다.'고 했으니, 여기서 마음에서 근본을 추구하였다. '마음에서 원하지 않은 것을 몸이 행할 수 있겠는가?'라고 한 것은 용서하지 않는 것을 몸에 지니고 사람을 깨우칠 수 있는 자는 없다는 말이다.(愚按, 大學言修齊治平, 孟子言天下國家推本於身, 此又推本於心. 心所不欲, 身能行乎? 則藏身不恕而能喩諸人者, 未之有也.)"

104 왕식, 『皇極經世書解』: "정과 신은 겨울에 저장하고 난 후에 봄이 오는 것과 같으니, 칼날의 예리함만을 믿는 것은 감출 줄을 모르는 자이다.(精神, 當如冬藏而後春發, 恃刃之利, 不知所藏者也.)"

[12-2-104]

言發于眞誠, 則心不勞而逸, 人久而信之. 作爲任數, 一時或可以欺人, 持久必敗.

말이 진심과 정성에서 나오면 마음은 힘들이지 않고 편안하며, 사람이 오래되면 신뢰한다. 조작하여 술수를 쓰는 것은 한 때는 혹시 사람을 속일 수 있지만 오래되면 반드시 패한다.[105]

[12-2-105]

人貴有德, 小人有才者有之矣. 故才不可恃, 德不可有.

사람은 덕이 있는 것을 귀하게 여지기만 소인은 재주가 있는 사람이 있으므로 재주는 믿을 것이 못되고, 덕은 없어서는 안 된다.[106]

[12-2-106]

天地日月, 悠久而已. 故人當存乎遠, 不可見其近.

하늘과 땅, 해와 달은 오래도록 지속할 뿐이다. 그러므로 사람은 마땅히 먼 곳을 보존하고 그 가까운 것을 보아서는 안 된다.[107]

[12-2-107]

君子處畎畝, 則行畎畝之事. 居廟堂, 則行廟堂之事. 故無入不自得.

군자는 농촌에 처하면 농촌의 일을 하고, 묘당에 자리하면 묘당의 일을 행한다. 그러므로 어디를 가던 스스로 얻지 않는 것이 없다.[108]

[12-2-108]

智數或能施于一朝, 蓋有時而窮. 惟至誠與天地同久. 天地無, 則至誠可息. 苟天地不能無,

105 왕식, 『皇極經世書解』: "말은 충심으로부터 해야지, 거짓을 행해서는 안 된다.(言由衷, 不可爲僞.)"

106 왕식, 『皇極經世書解』: "생각건대, 덕이 없는 재능은 오히려 악을 조장한다. 어떤 판본에는 '덕은 있을 수 없다.'(德不可有)고 되어 있는데, 오류이다. 「漁樵問對」에서 '사람들이 말하는 재능은 이로운 것도 있고 해로운 것도 있다. 재능의 올바른 것은 사람에게 이롭고 자신에게도 이롭지만, 재능의 바르지 못한 것은 자신에게만 이롭지만 사람들에게는 해롭다. 비유하면 약으로 질병을 치료하는 것과 같다. 독약도 때에 따라서는 쓰지만 병이 더해지면 속히 그만두어야 한다. 그만두지 않으면 사람을 죽게 한다.'고 했다.(愚按, 無德之才, 反濟其惡矣. 一作德不可有者, 誤. 漁樵問對曰, 人之所謂才者, 有利焉, 有害焉. 才之正者, 利乎人而及乎身者也, 才之不正者, 利乎身而害乎人者也. 譬猶藥之療疾也. 毒藥亦有時而用也, 疾愈則速已, 不已則殺人矣.)"

107 왕식, 『皇極經世書解』: "생각건대, 가까운 것만을 보고 먼 것을 소홀히 하면 빨리 하려고 해도 이르지 않으니, 어떻게 오래 지속되는 것을 바랄 수 있겠는가?(愚按, 見邇遺遠, 則欲速而不達, 何悠久之可望?)"

108 왕식, 『皇極經世書解』: "생각건대 이윤이 신야에서 농사지으니, 요순의 도를 즐겼고, 세 번 초빙하는 것에 응해서 정치를 맡으니, 위아래 사람들은 모두 요순의 임금과 백성이 되게 했다. 이것이 위에서 말한 그런 사람이다.(愚按, 伊尹耕莘野, 則樂堯舜之道, 應三聘, 則使上下爲堯舜之君民. 斯其人也.)"

則至誠亦不息也.

지혜와 술수는 하루 아침에 시행할 수 있으나 대체로 때로는 궁색할 때가 있다. 오직 지극한 진실과 정성만이 천지와 함께 오래도록 지속된다. 천지가 없다면 지극한 진실과 정성도 멈춘다. 그러나 천지는 없을 수가 없으므로 지극한 진실과 정성은 멈추지 않는다.[109]

[12-2-109]

室中造車, 天下可行, 軌轍合故也. 苟順義理, 合人情, 日月所照皆可行也.

방 안에서 수레를 만들어도, 천하 어느 곳이나 모두 시행할 수 있는 것은 궤도와 수레바퀴가 합치되기 때문이다. 의리義理를 따르고 인정에 합치하면 해와 달이 비추는 데에서 모두 시행할 수 있다.[110]

[12-2-110]

中庸非天降地出, 揆物之理, 度人之情, 行其所安, 是爲得矣.

중용中庸은 하늘에서 떨어지고 땅에서 나온 것이 아니라, 사물의 이치를 헤아리고 사람의 감정을 헤아려서 자신의 마음에 편안한 바를 행하는 것이니, 그래서 얻게 된 것이다.[111]

[12-2-111]

斂天下之智爲智, 斂天下之善爲善, 則廣矣. 自用則小.

천하의 지혜를 거두어서 지혜로 삼고, 천하의 선함을 거두어서 선함으로 삼으면 넓을 것이다. 자기의 지혜만을 쓴다면 작아질 것이다.[112]

[12-2-112]

漢儒以反經合道爲權, 得一端者也. 權所以平物之輕重. 聖人行權, 酌其輕重而行之, 合其宜而已. 故執中無權者, 猶爲偏也. 王通言春秋王道之權, 非王通莫能及此. 故權, 在一身則有一身之權. 在一鄉則有一鄉之權. 以至於天下則有天下之權. 用雖不同, 其權一也.

한나라 유학자는 경經에 위배되지만 도道에 합치하는 것을 권도權道라고 했는데 한 편만을 얻는 것이다. 권權이란 사물의 경중을 저울질하는 것이다. 성인은 권도를 행하니, 그 경중을 참작하여 시행해서 그

109 왕식, 『皇極經世書解』: "생각건대, 이 것은 『中庸』의 '지극한 정성은 멈추지 않는다'는 뜻을 밝혀서 정성의 귀함을 드러냈다.(愚按, 此明中庸至誠無息之義, 以見誠之爲貴.)"

110 왕식, 『皇極經世書解』: "생각건대, 의리라는 것은 사람의 마음에서 동일한 것이다. 그래서 인정에 합치된다. 愚按, 義理者, 人心所同然, 故合乎人情.)"

111 왕식, 『皇極經世書解』: "생각건대, 『中庸』에서 '중용은 능히 할 수 없다.'고 했으므로 인용하여 가깝게 말했으니, 이른바 일상적인 것이다.(愚按, 中庸云, 中庸不可能, 故引而近之, 所謂庸也.)"

112 왕식, 『皇極經世書解』: "생각건대, 성인이라면 순임금의 큰 지혜이고, 현인이라면 악정자의 선을 좋아함이니, 모두 자신의 의견만을 쓰지 않았다.(愚按, 聖則舜之大智, 賢則樂正子之好善, 皆不自用者也.)"

마땅함에 합치될 뿐이다. 그러므로 중中에 집착하여 권權을 모르는 자는 편협한 것이다. 왕통은 '춘추는 왕도의 권도이다.'라고 했으니, 왕통이 아니라면 이것을 언급할 수가 없다. 그러므로 권도란 한 몸에 있으면, 한 몸의 권도가 되고 한 마을에 있으면, 한 마을의 권도가 되며, 천하에 이르면 천하의 권도가 된다. 쓰임은 다르지만 권도는 하나일 뿐이다.[113]

[12-2-113]

夫弓固有强弱. 然一弓二人張之, 則有力者以爲弓弱. 無力者以爲弓强. 故有力者不以己之力有餘而以爲弓弱, 無力者不以己之力不足而以爲弓强, 何不思之甚也? 一弓非有强弱也, 二人之力强弱不同也. 今有食一杯在前, 二人大餧而見之, 若相讓, 則均得食矣. 相奪則爭, 非徒爭之而已, 或不得其食矣. 此二者皆人之情也, 知之者鮮. 知此, 則天下之事皆如是也.

활이란 본래 강하고 약한 것이 있다. 그러나 하나의 활을 두 사람이 당기면 힘있는 자는 활이 약하다고 생각하고 힘이 없는 사람은 활이 강하다고 생각한다. 그러므로 힘 있는 자는 자신의 힘이 넘치는 것이 아니라 활이 약하다고 하고, 힘이 없는 자는 자신의 힘이 부족한 것이 아니라 활이 강하다고 하니, 어째서 깊게 생각하지 않는가? 하나의 활에 강하고 약한 것이 있는 것이 아니라 두 사람의 힘이 강하고 약한 차이가 있는 것이다. 지금 밥 한 그릇이 앞에 있는데, 두 사람이 매우 배가 고파 밥을 보고서, 만약 사양하면 고르게 먹는다. 하지만 서로 빼앗으면 다투니, 단지 다툴 뿐 아니라 그 밥을 얻지 못하는 경우도 있다. 이 두 가지는 모두 사람의 감정이지만 아는 사람이 드므니, 이것을 알면 천하의 일을 모두 이와 같이 할 것이다.[114]

[12-2-114]

夫易者, 聖人長君子消小人之具也. 及其長也, 闢之於未然. 及其消也, 闔之於未然. 一消一長, 一闔一闢, 渾渾然無跡. 非天下之至神, 其孰能與於此?

『역』이란 성인이 군자를 늘어나게 하고 소인을 줄어들게 하는 도구이다. 군자를 늘어나게 할 경우

---

113 왕식, 『皇極經世書解』: "'춘추는 왕도의 권도'라고 하니, 소강절이 왕도의 권도를 말한 것이 여기에 뿌리를 두고 있다.(春秋王道之權, 邵子言王道之權, 本此.)" 왕식은 이렇게 말한다. "문중자는 '왕도에서 춘추는 경중의 권형이다'라고 했고, 한나라 선비들은 '경에 위배되지만 도에 합치하는 것'을 권도라 했다. 『春秋』환공 12년 조목에서 「公羊傳」에 '어째서 祭仲이 어진가? 권도를 알기 때문이다. 권도는 무엇인가? 경에 위배된 후에 선함이 있는 것이다.'라고 했고, 『易』「繫辭下」 7장에 '巽으로 권도를 행한다.'고 했는데 한강백은 '권도는 경에 위배되지만 도에 합치하는 것이니 반드시 공손한 후에야 권도를 행할 수 있다.'고 했으니, 모두 권도를 변화하여 속이는 뜻으로 해석하여 선유들이 자세하게 변론했다.(愚按, 文中子曰, 春秋之於王道, 是輕重之權衡也, 漢儒以反經合道爲權. 春秋桓公十一年公羊傳, 何賢乎祭仲? 以爲知權也. 權者, 何? 權者, 反於經, 然後有善者也, 易繫辭, 巽以行權, 韓康伯註, 權反經而合道, 必合乎巽順而後, 可以行權也. 皆以權爲變詐之意, 先儒辨之詳矣.)"

114 왕식, 『皇極經世書解』: "앞의 것은 살피지 못하는 자신을 말하고, 뒤의 것은 공명정대하지 못한 사람을 말하니, 비유해서 깨우쳤다.(愚按, 前者, 不審之己, 後者, 不公之人, 喩以醒之.)"

아직 늘어나지 않았을 때에 열어 놓고, 소인을 줄어들게 할 경우 아직 줄어들지 않았을 때에 닫아 놓는다. 한 번 줄어들고 한번 자라나고, 한번 닫고 한번 열어 완전히 하나가 되어 흔적이 없다. 천하의 지극히 신묘한 사람이 아니라면 누가 여기에 참여하겠는가?[115]

[12-2-115]

大過, 本末弱也. 必有大德大位, 然後可救. 常分, 有可過者, 有不可過者. 有大德大位, 可過者也, 伊周其人也, 不可懼也. 有大德無大位, 不可過也, 孔孟其人也, 不可悶也. 其位不勝德耶! 大哉位乎! 待才用之宅也.

대과大過괘는 근본과 끝이 약한 것이다. 반드시 큰 덕과 큰 지위를 가진 사람이 있는 뒤에 구제할 수 있다. 상분常分은 지나칠 수 있는 것이 있고, 지나칠 수 없는 것이 있다. 큰 덕과 큰 지위가 있으면 지나칠 수 있으니, 이윤과 주공이 그러한 사람으로 두렵게 할 수 없다. 큰 덕은 있지만 큰 지위가 없으면 지나칠 수가 없으니, 공자와 맹자가 그러한 사람으로 근심하게 할 수 없다. 그 지위가 덕을 이기지 못하였구나! 위대하구나, 지위여! 재주와 쓰임을 기다리는 집이다.[116]

115 왕식, 『皇極經世書解』: "복괘의 '7일에 와서 회복한다.'고 말한 것은 아직 일어나지 않았을 때 열어 놓는 것이고, 臨괘의 '8월에 이르면 흉함이 있다.'고 한 것은 아직 일어나지 않았을 때에 닫은 것이다.(補註, 若復言七日來復, 是闢之於未然, 臨言至於八月有凶, 是闔之於未然也.)"
황기는 왕식본 『皇極經世書解』에서 이렇게 말한다. "군자는 소인에 대해서 항상 양육하는 데에 합치되어 하나로 되지 않았던 적이 없고, 소인은 군자에 대해서 항상 해치는 데에 분명하게 둘로 하지 않았던 적이 없다. 그러므로 소인이 군자를 해치게 하는 것보다 차라리 군자가 소인을 양육하게 해야 한다. 성인이 군자는 자라나게 하고 소인은 줄어들게 하되, 그 줄어들고 자라나는 것을 급작스럽게 하지 않으니, 그 닫히고 열리는 데에 흔적이 없다. 천하가 군자의 혜택을 입고, 소인도 군자의 혜택을 입는다. 이것이 성인의 오묘한 작용이다."(君子之於小人, 常有以養之, 未嘗不合爲一, 小人之於君子, 常有以害之, 未嘗不判爲二. 與其使小人傷君子, 寧使君子養小人. 聖人於君子則長之, 於小人則消之, 其消長也不驟, 則其闔闢也無迹. 使天下被君子之澤, 而小人亦與受其賜焉. 此聖人之妙用也.)

116 왕식, 『皇極經世書解』: "대과괘는 초효와 상효가 모두 음효이므로 「彖傳」에서 '근본과 끝이 약하다.'고 했다.(補註, 大過, 初上爻, 皆陰, 故彖曰, 本末弱.)" 왕식, 『皇極經世書解』, "대과괘의 상사에서 말하기를 '연못이 나무를 소멸시키는 것이 대과이니, 군자는 이것을 관찰하여 홀로 서도 두려워하지 않고, 세상에서 은둔해도 근심하지 않는다.'고 했다. 소강절이 '홀로 서도 두려워하지 않는다.'는 경우로 이윤과 주공을 들었고, '세상에서 은둔해도 근심하지 않는다.'는 경우로 공자와 맹자를 들었다. 만일 공자와 맹자가 정치적 지위가 있었다면 이윤과 주공처럼 했을 것이기 때문에 끝에 다시 읊고 감탄했던 것이다. 64괘에서 유독 이 괘를 자세하게 한 것은 午會가 한나라 오봉 연호를 쓴 해부터 운이 大過가 되어, 송나라에 이르러 여러 현인들이 배출되었지만, 모두 이윤과 주공의 지위를 얻지 못했으니, 어찌 까닭이 있어 발한 것이 아니겠는가?(大過之象辭曰, 澤滅木, 大過, 君子以獨立不懼, 遯世無悶. 邵子以獨立不懼言伊周, 以遯世無悶言孔孟. 使孔孟有位, 則亦伊周矣. 故末復詠歎言之. 六十四卦獨此爲詳者, 午會自漢五鳳以來, 運纏大過, 至宋羣賢輩出, 皆不得伊周之位, 豈有所爲而發歟!)"

[12-2-116]

復次剝, 明治生於亂乎! 姤次夬, 明亂生於治乎! 時哉時哉! 未有剝而不復, 未有夬而不姤者. 防乎其防, 邦家其長, 子孫其昌. 是以聖人貴未然之防, 是謂易之大綱.

복괘가 박괘 다음에 온 것은 다스림은 혼란으로부터 생긴다는 점을 밝힌 것이다. 구괘가 쾌괘 다음에 온 것은 혼란이 다스림으로부터 생긴다는 점을 밝힌 것이다. 때여, 때여! 깎임이 극에 이르면 다시 회복되지 않는 것은 없고 갈라졌다면 만나지 않는 것은 없다. 막아라! 막아라! 나라와 집안이 커지고, 자손이 번창한다. 그래서 성인은 일이 터지기 전에 방지하는 것을 귀하게 여겼으니, 이것을 역의 큰 벼리라고 한다.[117]

[12-2-117]

先天學, 心法也. 故圖皆自中起, 萬化萬事生乎心也.

선천의 학문은 심법心法이다. 그러므로 선천도의 원도圓圖와 방도方圖는 모두 가운데에서 일어나며 다양한 변화와 다양한 일들이 마음에서 일어난다.[118]

117 왕식, 『皇極經世書解』: "이것은 성인께서 괘를 순서대로 배열한 뜻을 말한 것이다. 웅씨가 말하기를 '예나 지금이나 혼란과 질서는 단지 군자와 소인에게 달려 있으니, 박은 소인의 도가 자라나는 때이고, 복은 군자의 도가 자라나는 때이며, 쾌는 다섯 양효가 하나의 음효를 척결하는 것이니, 군자의 도가 성장하는 때이고, 구는 하나의 음이 아래에서 생겨나는 것이니 소인이 뿌리에서 싹트기 시작하는 것이다. 이는 반드시 막 싹트는 음을 끊어 이미 자란 양을 굳게 행할 것이다. 그러면 혼란을 돌이켜 다스릴 수 있다.'고 했다.(補註, 此言聖人序卦之意. 熊氏曰, 古今治亂, 只在君子小人, 剝是小人道消之時, 復是君子道長之時, 夬是五陽决去一陰, 君子道盛之時, 姤是一陰生於下, 小人根萌之始. 是必絶去其方萌之陰, 以固其已長之陽, 則亂可反而治矣.)" 왕식, 『皇極經世書解』, "박괘와 복괘와 쾌괘와 구괘는 서로 반대되는 때이다. 그러나 방도가 있으니, 미연에 예방할 수 있으면 번창한다.(剝復夬姤之相反時也. 然有道焉, 能防之於未然, 則昌矣.)"

118 왕식, 『皇極經世書解』에서 옥재호씨는 이렇게 말한다. "이것은 선천도에서 태극을 밝힌 것이다. 선천도에서 가운데에서부터 일어나는 것은 마음의 법이니, 마음이 태극이 되고, 다양한 조화와 다양한 일이 마음에서 나오며, 선천도의 중앙도 태극이 되어 양의, 사상, 팔괘가 가운데서 나온다. 임학리가 '선천도가 모두 가운데에서 일어나니, 다양한 조화와 다양한 일이 마음에서 일어난다는 말은 무엇입니까.'라고 물었다. 주자가 '그 중간은 흰 곳이 곧 태극이니, 32양, 32음이 곧 양의이고, 16양 16음이 사상이며, 8음, 8양은 팔괘이다.'라고 했다.(玉齋胡氏曰, 此明圖之所謂太極也. 圖從中起者, 心法也, 心爲太極而萬化萬事生於心, 圖之中, 亦爲太極, 而儀象卦, 生於中也. 林學履問, 圖皆從中起, 萬化萬事, 生於心, 何也. 朱子云, 其中間, 白處, 便是太極, 三十二陽, 三十二陰, 便是兩儀, 十六陰, 十六陽, 便是四象, 八陰, 八陽, 便是八卦.)" 황기는 왕식본 『皇極經世書解』에서 이렇게 말했다. "복괘에서 건괘에 이르고, 구괘에서 곤괘에 이르니, 가운데에서 일어나는 것이고, 임괘로부터 사괘에 이르고, 돈괘에서 동인괘에 이르니, 또한 가운데에서 일어나는 것이다. 가운데에서 일어나고 가운데에서 그치니, 횡도와 원도가 모두 그러하다. 조화라는 것은 천지의 조화이고 일은 사람의 일이다.(自復至乾, 自姤至坤, 起於中也, 自臨至師, 自遯至同人, 亦起於中也. 自中而起, 自中而止, 横圖與圓圖, 莫不皆然, 化謂天地之化, 事人事也.)" 정직방은 왕식, 『皇極經世書解』에서 이렇게 말한다. "'선천도에서 모두 가운데에서 일어난다.'고 했는데 여기서 '모두'라는 말은 '천지가 자리를 정한다.'와 '우레로 움직인다.'는 두 절을 가리켜 말한 것이다. '천지가 자리를 정한다.'는 것은 원도에서 건곤은 남북의 가운데에서 일어나고,

[12-2-118]

先天學主乎誠. 至誠可以生神明. 不誠則不可以得道.

선천의 학문은 진실무망을 주된 것으로 한다. 지극한 성실은 신명을 낳을 수가 있다. 성실하지 않으면 도를 터득할 수가 없다.[119]

[12-2-119]

先天圖中, 環中也.

선천도의 가운데는 둥근 고리의 가운데이다.

'산과 못이 기운을 통한다.'는 것은 艮은 곤의 오른쪽에 있고, 兌는 건의 왼쪽에 있으며, '우레와 바람이 서로 부딪힌다.'는 것은 震은 곤의 왼쪽에 있고, 巽은 건의 오른쪽에 있으며, '물과 불이 서로 해치지 않는다.'는 것은 坎이 서쪽에 있고, 離는 동쪽에 있는 것이니, 이것은 남북의 가운데에서 일어나 동서로 나뉜 것이다. '우레로 움직이고 바람으로 흩어진다.'는 것은 곧 方圖의 진손이 선천도의 가운데에서부터 일어나는 것이고, '비로 적신다.'는 것은 감이 손의 다음에 있는 것이며, '해로 말린다.'는 것은 이가 진 다음에 있는 것이고, '간으로 그친다.'는 것은 간이 감 다음에 있는 것이며, '태가 기쁘게 한다.'는 것은 태가 이괘 다음에 있는 것이고, '건으로 군주를 삼는다.'는 것은 건이 태의 다음에 있는 것이며, '곤으로 감춘다.'는 것은 곤이 간 다음에 있는 것이다. 또한 선천도의 가운데에서 일어나 동서남북으로 뻗쳐나가는 것이다. 그러므로 '모두 가운데에서부터 일어난다.'고 했다. 그러면 圓圖는 천지의 수를 주관하니, 다양한 조화가 음양에서 나기 때문에, 건곤을 쓰지 않는 것은 체이고, 방도는 만물의 수를 주관하니, 만물은 사라지고 자라나는 것에서 생기므로 진손을 쓰지 않는 것도 체이다.(程直方曰, 圖皆從中起, 皆字指天地定位, 及雷以動之兩節而言. 天地定位一節, 則圓圖乾坤, 從南北之中起, 山澤通氣, 則艮居坤右, 兌居乾左, 雷風相薄, 則震居坤左, 巽居乾右, 水火不相射, 則坎居正西, 離居正東, 是起南北之中而分於東西也. 雷動風散一節, 則方圖震巽自圖之中起, 雨以潤之, 則坎次巽, 日以晅之, 則離次震, 艮以止之, 則艮次坎, 兌以說之, 則兌次離, 乾以君之, 則乾次兌, 坤以藏之, 則坤次艮. 亦起圖之中而達乎西北東南也. 故曰皆從中起. 然則圓圖主天地之數, 萬化生於陰陽, 故乾坤不用者, 體也, 方圖主萬物之數, 萬事生於消長, 故震巽不用者, 亦體也.)"

왕식, 『皇極經世書解』, "생각건대, 주자가 가운데로 태극을 삼으니, 이치가 좋다. 그러나 황기의 말에서는 가운데를 괘의 가운데로 여겨, 이것을 마음의 법으로 나타냈으니, 소강절의 본래 뜻을 얻었다. '선천도가 모두 가운데로부터 일어난다.'는 것은 단지 원도의 가운데만 그럴 뿐만 아니다.(愚按, 朱子以中爲太極, 於理固然. 然如黃氏之說, 以中爲卦之中, 而因以此見心法, 似得邵子本意. 蓋云圖皆自中起, 則非但圓圖之中而已.)"

119 왕식, 『皇極經世書解』: "생각건대, 주자는 '소강절의 기질은 맑고 밝으며 또한 배양하기를 순수하고 두텁게 해서 그래서 고요함이 극한에 이르렀다. 그러므로 천하의 일의 이치를 정밀하고 분명하게 볼 수 있다.'고 했다. 일찍이 백원산 깊은 곳에 서재를 열고 그 가운데 홀로 자리해서, 왕승지가 가끔 달밤에 방문해 보면 반드시 그가 등불 아래 옷깃을 여미고 똑바로 정좌하는 것을 보게 되고, 깊은 밤이라도 그대로 였다. 이 말로 본다면 '정성이 신명과 통한다.'는 것은 소강절의 평생 학문의 본령이다.(愚按, 朱子曰, 康節氣質, 本來清明, 又養得來純厚, 被他靜極了, 故看得天下之事理, 精明. 嘗於百原深山中, 闢書齋, 獨處其中, 王勝之嘗乘月訪之, 必見其燈下正襟危坐, 雖夜深, 亦如之. 由此言觀之, 則誠通神明, 乃邵子一生本領.)"

[12-2-120]

事必量力, 量力故能久.

어떤 일이건 반드시 역량을 헤아려야 하니, 역량을 헤아리므로 오래 할 수 있다.[120]

[12-2-121]

所行之路不可不寬. 寬則少礙.

가는 길을 넓게 하지 않을 수가 없다. 넓으면 막힘이 적다.[121]

[12-2-122]

知易者不可引用講解, 是爲知易. 孟子之言未嘗及易, 其間易道存焉. 但人見之者鮮耳. 人能用易, 是爲知易. 如孟子, 可謂善用易者也.

『역』을 아는 사람은 반드시 『역』을 인용하여 강설하고 해설하지 않았으니, 이것이 『역』을 아는 사람이다. 맹자의 말에는 『역』이 언급되지 않았으나 그 말들 사이에는 『역』의 도리가 있다. 단지 사람들이 그것을 보고 아는 자가 드물 뿐이다. 사람이 『역』을 사용할 수 있다면 이것이 『역』을 아는 것이다. 맹자와 같은 사람이 『역』을 잘 사용했던 사람이라고 할 수 있다.[122]

[12-2-123]

學以人事爲大. 今之經典, 古之人事也.

학문은 인간사를 가장 중요한 것으로 삼아야 한다. 지금의 경전은 옛날의 인간사이다.[123]

120 왕식, 『皇極經世書解』에서 황기는 이렇게 말한다. "역량을 헤아리지 않고 망령되게 한다면, 잠시 동안만 할 수 있을 뿐이다.(不量力而妄爲之, 可暫而已.)"

121 왕식, 『皇極經世書解』: "생각건대, 자기가 있는 줄만 알고 타인이 있는 것을 알지 못하는 것은 참으로 잘못이다. 곧 군자가 소인을 대하는 데에도 반드시 소인을 편안하게 해야 한다. 손은군이 『奇逢傳』에서 '손은군이 소강절이 병이 심하다고 하니, 이천이 찾아가서 어떤 가르침의 말씀이 있느냐고 하자, 강절이 두손을 들어 보이며 말하기를 「앞길을 반드시 관대하게 하라. 좁다면 자신의 몸을 둘 곳이 없으니, 어떻게 사람들이 지나가게 할 수 있겠는가?」라고 했다.'고 했다. 이 말이 어디에서 나오는지는 알지 못하겠지만 이천이 근엄하므로 이런 말을 했을 것이다.(愚按, 知有己, 不知有人者, 固非矣. 即君子之待小人, 亦必使之得自安. 孫隱君, 奇逢傳, 先生謂堯夫疾甚, 伊川問更有以見教乎? 堯夫擧兩手示之曰, 前面路徑, 須令寬路. 窄則自無著身處, 況能使人行也. 不知出何書, 或伊川謹嚴, 故以此語之歟!)"

122 왕식, 『皇極經世書解』: "생각건대, 선유들이 '먼저 『易』을 읽고 다시 『孟子』를 읽어야 맹자가 역을 안다는 것을 알 수 있다.'고 했다.(愚按, 先儒謂, 先讀易再讀孟子, 乃見孟子知易也.)"

123 왕식, 『皇極經世書解』: "생각건대, 『易』은 변화를 말하고 『書』는 정치를 말하고, 『詩』는 성정에 통하고, 『예』는 절도와 문식을 삼가니, 모두 인간사이다. 이러한 내용을 지금 현재의 상황에서 구하지 않고, 단지 경전으로 본다면 글을 잘 읽는 사람이 아니다.(愚按, 易以道化, 書以道政, 詩達性情, 禮謹節文, 皆人事也. 不求之今, 而但以經視之, 非善讀書者.)"

[12-2-124]

春秋三傳之外, 陸淳啖助可以兼治.

『춘추』의 삼전三傳 이외에 육순陸淳과 담조啖助를 아울러 공부해야 한다.[124]

[12-2-125]

所謂皇帝王霸者, 非獨謂三皇五帝三王五霸而已. 但用無爲則皇也, 用恩信則帝也, 用公正則王也, 用智力則霸也. 霸以下則夷狄. 夷狄而下, 是禽獸也.

황·제·왕·패라는 것은 오직 삼황·오제·삼왕·오패를 말하는 것만이 아니다. 단지 무위의 정치를 사용했으면 황이고, 은혜와 신뢰의 정치를 사용했으면 제이고, 공평함과 정의를 사용했으면 왕이고, 지혜와 힘을 사용했으면 패이다. 패 이하는 오랑캐이다. 오랑캐 이하는 금수이다.[125]

[12-2-126]

季札之才近伯夷

124 왕식, 『皇極經世書解』: "양인이 말하기를 '한나라 이래로 삼전의 우열을 논한 것이 어찌 분분해서 하나같지 않은가? 요약하면, 국사를 근거해서 일을 정밀하게 살펴본 것은 좌씨전의 장점이다. 그러나 넓게 기록했지만 의리를 알지 못하고, 여러 가지를 늘어놓았지만 실질적인 것을 구하지 못했으니 이것은 세상을 속인 것을 면치 못했다. 서법을 밝히고 의리를 바르게 한 것은 공양전과 곡량전에서 취할만한 것이다. 그러나 日과 月로 뜻을 삼아, 한 글자의 예로 포폄을 하고, 또 주나라를 내치고 노나라를 왕으로 했으니 잘못된 것이 심하다. 당나라 조국의 담조와 육손에 이르러 삼전의 잘못된 점을 분별하고 오직 성인의 경전의 뜻을 찾았으니, 모두 완전하게 잘하지는 못했지만, 후세 사람들에게 열어준 것은 그 공이 많다.(補註, 梁氏寅曰, 自漢以來, 三傳優劣之論, 何紛紛而莫之一乎? 要之根據國史, 考事精詳, 此左氏之所長也. 然博而不知義, 奢而不求實, 此未免於誣矣. 發明書法, 義理頗正, 此公羊穀梁之可取也. 然以日月爲義例, 一字爲褒貶, 又且黜周而王魯, 則誤謬亦甚矣. 至唐, 趙國啖助陸淳, 始辨三傳之非, 而專求聖經之義, 雖未能盡善而其開示後人者, 其功已多.)" 왕식, 『皇極經世書解』: "생각건대, 『宋史』「李之才傳」에 '소강절이 이지재를 따라 공부했고, 이지재가 먼저 육순의 『春秋』를 보여주었다.'고 했으니, 아마도 『春秋』로 오경의 의표로 삼으려 했던 것이다. 오경의 큰 뜻을 이미 말할 수 있게 되자, 『易』을 전수하여 마쳤으니, 소강절이 『易』 이외에 『春秋』를 논한 것이 비교적 많은 것은 아마 이 때문일 것이다.(愚按, 宋史, "李之才傳, 邵雍從之才, 受業, 之才先示之, 以陸淳春秋意", 欲以春秋, 表儀五經. 既可語五經大旨, 則受易而終焉. 邵子於易之外, 論春秋者, 較多, 意以是歟!)"

125 왕식, 『皇極經世書解』: "무위는 도로써 백성을 교화시키는 것이고, 은혜와 신뢰는 덕으로 백성을 교육시키는 것이고, 공평함과 정의는 공으로 백성을 권면하는 것이고, 지혜와 힘은 힘으로 백성을 통솔하는 것이다.(補註, 無爲以道化民也, 恩信以德教民也, 公正以功勸民也, 智力以力率民也.)" 황기는 왕식본 『皇極經世書解』에서 이렇게 말한다. "한나라 이후로 왕망을 숭상하고 조조의 일을 따라, 요임금 순임금에게 선양한 것을 본받으려고 하지만, 실은 참람되게 훔쳐 황제라고 이름했을 뿐이다. 삼국시대와 남북조의 찬탈하고 시해하는 일과, 오계의 난을 사람으로써 논할 수 있겠는가? 비유하면 일식과 월식이 일어나고, 하늘과 땅이 어두워져서 금수가 어두운 곳에서 사람을 핍박하는 것과 같다.(自漢以後, 大抵祖莽而述操, 動欲法堯而禪舜, 實則僭竊而名爲帝皇耳. 三國南北朝之簒弑, 五季之亂離, 尙可以人論哉? 譬猶日月薄蝕, 天地晦冥, 禽獸逼人於陰暗中也.)"

계찰의 자질은 백이에 가깝다.[126]

[12-2-127]

叔向子産晏子之才相等埒

숙향, 자산, 안자의 자질은 서로 크기가 같다.[127]

[12-2-128]

管仲用智數, 晩識物理. 大抵才力過人也.

관중은 지혜와 술수를 쓰고 늦게서야 사물의 이치를 깨달았다. 대체로 재주와 힘이 남보다 뛰어났다.[128]

[12-2-129]

五霸者, 功之首, 罪之魁也, 春秋者, 孔子之刑書也. 功過不相掩. 聖人先褒其功, 後貶其罪. 故罪人有功, 亦必錄之, 不可不恕也.

오패는 공의 우두머리이면서 동시에 죄의 괴수이니, 『춘추』는 공자의 형법서이다. 공과 과실은 서로 가릴 수 없으니, 성인이 먼저 그 공을 포상하고 후에 그 죄를 폄하했다. 그러므로 죄인이 공이 있으면 반드시 기록했으니, 참작하지 않을 수 없는 것이다.[129]

[12-2-130]

始作兩觀. 始者, 貶之也, 誅其舊無也. 初獻六羽. 初者, 褒之也. 以其舊僭八佾也.

'처음으로 두 개 문루門樓를 지었다.'라는 것에서는 '처음'[始]이라는 글자는 폄하한 것이니, 옛날에는 없었던 것을 지었다고 벌한 것이고, '처음으로 육일무六佾舞를 바쳤다.'라는 것에서는 '처음'[初]이라는 글자는 포상한 것이니, 그가 옛날에 참람되게 팔일무를 사용했기 때문이다.[130]

126 왕식, 『皇極經世書解』에서 황기는 이렇게 말한다. "나라를 선양한 것으로 말했다.(以讓國言.)"

127 왕식, 『皇極經世書解』: "숙향은 진나라 대부이고, 자산은 정나라 대부이고, 안영은 제나라 대부이다.(補註, 叔向晉大夫, 子産鄭大夫, 晏嬰齊大夫.)"

128 왕식, 『皇極經世書解』: "지혜와 술수는 패자의 일이고, 사물의 이치를 안다는 것은 제나라 군주에게 정화의 간사한 꾀를 듣는 것을 간언한 것과 주나라 왕이 상경의 만찬 예법을 베풀은 것을 사양했던 것과 같으니, 왕도를 보좌할 만한 재능이다.(補註, 智數, 霸者之事, 識物理, 若諫齊侯聽鄭華之奸謀, 辭周王用上卿之饗禮, 則幾乎王佐才矣.)"

129 왕식, 『皇極經世書解』: "쌍봉요씨가 말하기를 '『春秋』가 노나라 역사를 바탕으로 편수되었다. 그러나 실상 이것을 지은 것은 상벌이 천자의 일이지만 그때의 왕은 상벌을 올바로 하지 못했기 때문이다. 그래서 『春秋』가 선한 일을 포상하고 악한 일을 폄하하여 나라를 어지럽히는 도적들을 주살했다. 그래서 공자는 필부이지만 천자를 대행하여 상벌을 내렸다.'고 했다.(補註, 雙峰饒氏曰, 春秋雖因魯史而修之, 然實却是作, 蓋賞罰, 天子之事, 時王不能正其賞罰. 故春秋爲之褒善貶惡, 以誅亂賊, 是以匹夫而代天子行賞罰也.)"

[12-2-131]

某人受春秋於尹師魯, 師魯受於穆伯長. 某人後復攻伯長曰, 春秋無褒, 皆是貶也. 田述古曰, 孫復亦云春秋有貶而無褒, 曰, 春秋禮法廢, 君臣亂. 其間有能爲小善者, 安得不進之也? 況五霸實有功於天下. 且五霸固不及於王, 不猶愈於夷狄乎. 安得不與之也? 治春秋者, 不辨名實, 不定五霸之功過, 則未可言治春秋. 先定五霸之功過而治春秋, 則大意立. 若事事求之, 則無緒矣.

어떤 사람이 『춘추』를 윤사노尹師魯에게서 배웠고, 윤사노는 목백장穆伯長에게 배웠다. 어떤 사람이 뒤에 다시 목백자를 공격하여 말하기를 "춘추에는 포상하는 것은 없고 모두 폄하하는 것이다."라고 했다. 전술고田述古[131]가 말하기를 "손복孫復[132]이 또 『춘추』에는 '폄하는 있지만 포상은 없다.'고 했다. 춘추시대에는 예법이 무너지고 군신이 어지러웠으니, 그 사이에 조금이라도 선한 사람이 있을 수 있다면 어찌 그를 내세우지 않겠는가? 하물며 오패는 실상 세상에 공이 있으니, 오패는 왕에게는 미치지 못하는 것이 당연하지만 그래도 오랑캐보다는 낫지 않은가? 어찌 인정하지 않을 수 있겠는가?"라고 했다.

130 왕식, 『皇極經世書解』: "『春秋左傳』을 보면 '노나라 애공 초년에 처음으로 두 개 문루를 지었다.'고 했고, 그 주에서 '觀자의 뜻은 闕[문루]을 말하니, 궐이 문의 양쪽 곁에 있어 중간을 뚫어 길을 만들었던 것이고, 그 위에 법상을 달아 그 형상이 산같이 높고 큰 것을 象魏라고 하여, 사람들이 보게 한다고 해서 兩觀이라고 했다.'고 하니, 한 가지를 세 가지 이름으로 부른 것이다. 은공 5년 仲子의 사당이 완성되어 무악을 행하려고, 은공이 꿩 꼬리를 단 깃발을 잡고 춤추는 사람의 수를 衆仲에게 물으니, '천자는 팔일무를 쓰고, 제후는 육일무를 쓰고 대부는 사일무를 쓰고, 사대부는 이일무를 쓴다.'고 답하니, 이에 처음으로 육일무를 썼다.(補註, 按左傳, 魯哀初年, 始作兩觀, 註觀, 闕也, 闕在門兩旁, 中間闕然爲道也, 其上, 懸法象, 其狀巍然高大, 謂之象魏, 使人觀之, 謂之觀. 一物而三名也. 隱公五年, 考仲子之宮, 將萬焉, 公問羽數於衆仲, 對曰天子用八, 諸侯用六, 大夫四, 士二, 於是初獻六羽.)" 왕식, 『皇極經世書解』: "생각건대, 『春秋』의 애공 초년에 '처음으로 두 대궐을 지었다.'는 글이 없고, 오직 '정공 2년 여름 5월에 雉門과 兩觀에 불이 나서 10월에 새로 치문과 양관을 지었다.'고 했는데, 황기가 '치문과 양관을 완성한 것은 『春秋』를 쓰기 전이다. 그러므로 『春秋』에 보이지 않는다.'고 했다. 『胡傳』에서 말하길 '새로 지었다고 쓴 것은 왕이 법제를 참칭했으나, 바꾸지 못한 것을 비난한 것이다.'라고 했다. 『춘추곡량전』에서 말하길 '새로라고 말한 것은 옛 것이 있다는 것이고, 作의 뜻은 만든다는 뜻이니, 그 법도를 더 보탰다는 것이다.'라고 했으니, 이것은 보충 주석에 잘못된 것이 있다는 것이고, 본문의 '처음으로 지었다.'는 것과 '옛날에는 없었다.'는 글도 반드시 와전된 것이 있을 것이다.(愚按, 哀公初年, 無始作兩觀之文, 惟定公二年夏五月, 雉門及兩觀災, 十月, 新作雉門及兩觀, 汪氏曰, 雉門兩觀之作, 蓋在春秋之前故, 不見耳. 胡傳曰, 書新作者, 譏僭王制而不能革也. 穀梁傳曰, 言新, 有舊也, 作爲也, 有加其度也. 據此則補註, 不能無悞而本文, 始作與舊無字, 亦必有訛矣.)"

131 田述古 : 자는 明之이고, 본래 安丘 사람인데 하남으로 옮겨 살았다. 호원의 무하에서 수학하여 高弟로 일컬어졌다. 네 번이나 향천을 받았지만 과거에 합격하지 못하자 은거하였다. 사마광, 소옹, 정씨 형제 등과 교유하였다.

132 孫復 : 자는 明復이고, 호는 泰山이며 평양 사람이다. 진사시에 낙방하자 태산에 은거하여 『春秋』를 연구했고, 石介 등이 그에게 수학했다. 범중엄, 부필 등의 천거로 비서성교서랑과 국자감직강 등을 지냈다. 陸淳의 학문을 계승하여 춘추학의 대가가 되었으며, 후대의 춘추학자 호안국에게 큰 영향을 끼쳤다. 호원, 석개 등과 함께 인의예악을 학문의 근본으로 삼아 송나라 초기 이학의 학풍을 열었다.

『춘추』를 공부하는 자는 이름과 실질을 분별하지 못하고, 오패의 공과 과실을 정하지 못하면 『춘추』를 공부했다고 말할 수 없을 것이다. 먼저 오패의 공과 과실을 정하고 『춘추』를 공부하면 큰 뜻이 확립될 것이다. 만약 일마다 찾는다면 단서를 찾지 못할 것이다.[133]

[12-2-132]

凡人爲學, 失於自主張太過.

사람이 배우는 데에 자신의 주장이 너무 과도한 데에서 실수가 있다.[134]

[12-2-133]

平王名雖王, 實不及一小國之諸侯. 齊晉雖侯, 而實僭王. 此春秋之名實也. 子貢欲去告朔之餼羊. 羊, 名也, 禮, 實也. 名存而實亡, 猶愈於名實俱亡. 苟存其名, 安知後世無王者作, 是以有所待也.

평왕[135]은 이름은 왕이지만 실제로는 작은 나라의 제후에 미치지 못하였다. 제나라와 진나라가 제후였지만 실상은 왕을 참칭했다. 이것은 춘추 시대의 이름과 실제이다. 자공은 초하룻날 태묘에 바치는 희생양을 없애려고 했다.[136] 그러나 양은 이름이고 예는 실제이다. 이름을 보존하고 실제를 없애는

133 왕식, 『皇極經世書解』: "송나라 尹洙의 자는 師魯이니 하남 사람이고, 손복의 자는 명복이니 평양사람이다.(補註, 宋尹洙, 字師魯, 河南人, 孫復, 字明復, 平陽人.)" 황기는 왕식본 『皇極經世書解』에서 이렇게 말한다. "공으로 죄를 가리고, 오패[霸]를 왕보다 올리는 일을 성인은 하지 않았다. 또 죄로 공을 가리고, 오패를 오랑캐보다 낮추는 일을 성인은 차마 못하였다.(以功掩罪, 升霸於王, 聖人不爲. 以罪掩功, 降霸於狄, 聖人不忍.)"

134 왕식, 『皇極經世書解』에서 황기는 이렇게 말한다. "스스로 주장하지 않으면 도에 나아가는 데에 용감하지 못하고, 주장이 너무 과도하면 스스로의 마음을 스승으로 삼아 그것만 쓴다.(不自主張, 則進道不勇, 主張太過, 則師心自用.)"

135 平王 : 西周의 제13대 왕(B.C.770~720)이다. 이름은 宜臼・宜咎이다. 幽王의 아들로 申后의 소생이다. 유왕은 寵妃 褒姒의 환심을 사기 위해 신후와 태자를 폐하고 포사를 正后로, 포사의 아들 伯服을 태자로 삼았다. 따라서 외척인 申后의 아버지 申侯는 曾・犬戎과 연합하여 유왕을 공격하여 驪山에서 죽였다. 평왕은 申侯 및 제후들에 의해 옹립되어 申(지금의 河南省 南陽市 북쪽)에서 즉위했다. 당시 주의 수도 宗周는 야만족의 침입을 빈번하게 받고 있었다. 평왕은 이를 피해 수도를 동쪽의 洛邑으로 옮겼는데, 이후를 東周라고 한다. 이때부터 주 왕실의 힘은 약해졌고 정권은 제후에 의해 유지되어 중국은 제후들이 서로 패권을 다투는 춘추시대로 접어들었다.

136 『論語』「八佾」: "자공이 초하룻날 태묘에 바치는 희생양을 없애려고 했다. 공자는 말했다. '사야! 너는 그 양을 아까워하느냐, 나는 그 예를 아까워한다.'(子貢欲去告朔之餼羊. 子曰, '賜也, 爾愛其羊, 我愛其禮.')" 告朔의 예에 대해서 주자는 다음과 같이 설명한다. "옛날에 천자가 항상 섣달에 다음해 12개월의 달력을 제후들에게 반포하면 제후들은 이것을 받아서 조상의 사당에 보관하였다가 매월 초하룻날 되면 희생양을 가지고 사당에 告由하고 청하여 시행하였다.(告朔之禮, 古者天子常以季冬, 頒來歲十二月之朔于諸侯, 諸侯受而藏之祖廟. 月朔, 則以特羊告廟, 請而行之.)"

것이 이름과 실제가 모두 망하는 것보다는 낫다고 공자는 생각했다. 실로 그 이름이 보존된다면 어떻게 후세에 왕이 일어나 복구하지 않을 것이라고 장담할 수 있겠는가? 그러므로 기다림이 있다.[137]

[12-2-134]

秦繆公有功於周, 能遷善改過, 爲霸者之最. 晉文侯世世勤王, 遷平王於洛, 次之. 齊桓公九合諸侯不以兵車, 又次之. 楚莊强大, 又次之. 宋襄公雖霸而力微, 會諸侯而爲楚所執, 不足論也. 治春秋者, 不先定四國之功過, 則事無統理, 不得聖人之心矣. 春秋之間, 有功者未見大於四國者, 有過者亦未見大於四國者也. 故四國功之首, 罪之魁也.

진秦나라 목공繆公[138]은 주나라에 공이 있어서 허물을 고쳐서 선하게 될 수 있으니, 패자의 최고이다.[139] 진晉나라 문후文侯[140]는 대대로 왕의 일을 잘 모시고 평왕을 낙양에 옮겼으니, 그 다음이다. 제齊 환공桓公[141]은 제후를 9번 회합하게 했지만 무력을 쓰지 않았으니, 그 다음이다. 초楚나라 장왕莊王[142]은 강대했으니, 그 다음이다. 송宋나라 양공襄公[143]은 패도를 시행했지만 힘이 미력하여 제후를 모이게 했지만 초나라에 잡혔으니 논할 것이 못된다. 『춘추』를 공부하는 사람은 먼저 네 나라의 공과 과실을 먼저 정하지 못하면 그 일들을 통괄하는 이치가 없어서 성인의 마음을 얻지 못한다. 『춘추』 시대에 네 나라보다 공이 큰 것을 보지 못하고, 네 나라보다 과실이 큰 것을 보지 못한다. 그러므로 네 나라는 공의 으뜸이고 죄의 괴수이다.[144]

137 왕식, 『皇極經世書解』: "『春秋』를 지은 것은 왕과 제후의 이름을 보존하여 후세에 왕자가 나와 그 실제를 바르게 하기를 기다린 것이다.(補註, 春秋之作, 所以存王侯之名, 以待後世王者有作, 以正其實也.)" 왕식, 『皇極經世書解』: "생각건대, 희생양을 보존하여, 『春秋』의 뜻을 알았으니, 이것이 소강절의 독특한 견해이다. 내편 6장에 더욱 자세하다.(愚按, 以餼羊之存, 見春秋之意, 此邵子之特識也. 內篇之六言之尤詳.)"

138 진나라 목공: 진나라 목공은 成公의 동생으로 이름은 任好이다. 성공을 이어서 왕에 즉위했다.

139 패자의 최고이다: 왕식본 보충 주석에서는 이렇게 말한다. "과실을 고쳐서 선하게 될 수 있으면 왕도에 가깝다. 그러므로 패자의 최고이다.(補註, 能遷善改過, 則幾於王道故爲霸者之最.)"

140 진나라 문후: 성은 姬이고 이름은 仇이다. 진나라 穆侯 費王의 아들이며 曲沃桓叔의 형이다. 기원전 805에 태어나 기원전780~746년에 재위했다. 西周 말기에 진나라 역사상 걸출한 군주였다.

141 제나라 환공: 춘추 시기 제나라의 군주로서 기원전 685~643년 동안 재위했다. 성은 姜이고 呂氏이며 이름은 小白이다. 僖公의 세 번째 아들이며 襄公의 동생이다. 재위시기에 관중을 임용하여 개혁하여 현자들을 등용하여 부국강병과 생산을 발전시켰다.

142 초나라 장왕: 荊庄王이라고도 칭한다. 漢族으로 성은 芈이고 熊氏이며 이름은 侶이며 시호는 莊이다. 초나라 穆王의 아들이다. 춘추 시기 초나라에서 가장 큰 성취를 이룬 군주로서 춘추 오패의 한 사람이다.

143 송나라 양공: 춘추 五霸의 한 사람이다. 제나라 桓公에 이어 盟主가 되어 초나라와 더불어 覇를 다툴 때, 마음이 너무 착하여 도리어 패하여 죽었다. 宋襄之仁으로 유명하다.

144 왕식, 『皇極經世書解』: "진나라 문후 이하는 오패의 공을 차례로 서술하여 단지 네 나라만을 말했으니, 송나라 양공을 내친 것이다. 송나라 양공이 초나라에게 잡힌 것은 『春秋公羊傳』 희공 21년조에 나온다.(晉文侯以下, 歷序五霸之功而下止言四國, 黜宋襄公也. 襄公爲楚所執, 見公羊傳僖公二十一年.)"

人言春秋非性命書, 非也. 至于書郊牛之口傷, 改卜牛又死, 猶三望, 此因魯事而貶之也. 聖人何容心哉? 無我故也. 豈非由性命而發言也. 又曰, 春秋皆因事而褒貶, 豈容人特立私意哉? 人但知春秋聖人之筆削爲天下之至公, 不知聖人之所以爲公也. 如因牛傷則知魯之僭郊, 因初獻六羽則知舊僭八佾, 因新作雉門則知舊無雉門, 皆非聖人有意於其間. 故曰春秋盡性之書也.

사람들이 『춘추』는 성명性命의 책이 아니라고 하지만 잘못되었다. "교제 때 쓸 소의 입에서 상처가 났으므로, 다시 점을 쳐서 다른 소로 정하였는데 소가 죽자 교제는 지내지 않고 삼망제三望祭를 지냈다."[145]고 했는데, 이것은 노나라의 잘못된 일처리 때문에 폄하한 것이다. 성인이 어찌 자신의 마음을 사사롭게 용납했겠는가? 사사로운 자기가 없었기 때문이었다. 이것이 어찌 성명性命으로부터 말미암은 발언이 아니겠는가? 또 말하기를, 『춘추』는 모두 일을 따라서 포상하고 폄하했으니, 어찌 사람들이 사사로운 의견을 세우는 것을 용납하겠는가? 사람은 단지 『춘추』에 성인의 기록하고 삭제한 것이 천하의 지극히 공적인 것이라는 점만을 알고, 성인이 어떻게 공적인지의 이유를 알지 못한다. 마치 "소의 입에 상처가 났기" 때문에 노나라의 참람된 교제를 알게 되었고, "처음으로 6일법을 드렸기" 때문에 옛날에 참람된 팔일무를 알게 되었고, "새로 치문을 지었기"[146] 때문에 옛날에 치문이 없었음을 알게 되었으니, 모두 성인이 그 사이에 뜻을 두었던 것이 아니다. 그러므로 말하기를, 『춘추』는 성性을 다한 책이라고 한다.

[12-2-135]

春秋爲君弱臣强而作, 故謂之名分之書.

『춘추』는 군주는 약하고 신하는 강했기 때문에 지은 것이므로 명분名分의 글이라고 했다.[147]

[12-2-136]

聖人之難, 在不失仁義忠信而成事業. 何如則可? 在於絶四.

145 『春秋』「宣公 3年」: "3년 봄 주왕 정월에 교제에 쓸 소의 입에 상처가 났으므로 다시 점을 쳐서 다른 소로 정했는데, 또 그 소가 죽자 교제는 지내지 않고 오히려 삼망제를 지냈다.(三年春王正月, 郊牛之口傷, 改卜牛, 牛死, 乃不郊, 猶三望.)"

146 새로 치문을 지었기 : 이 단락에 대해서 왕식은 이렇게 말한다. "생각건대, '새로 치문과 양관을 지었다.'는 것은 주석에 '천자는 다섯 문을 두는데 치문은 다섯 문 가운데 가운데 문이다.'라고 했고, 하씨는 '천자의 바깥 대궐은 관이 둘이고, 제후의 바깥 대궐은 관이 하나이다.'라고 했고, 『胡傳』에서는 '치문은 象魏의 문이니, 그 밖은 庫門 밖에 있고, 그 안은 應門이 되고, 路門은 應門 안에 있으니, 이것은 천자의 다섯문이다.'라고 했다.(愚按, 新作雉門及兩觀, 註天子五門, 雉門者, 五門之中門, 何氏曰, 天子外闕, 兩觀, 諸侯外闕, 一觀, 胡傳曰, 雉門, 象魏之門, 其外爲庫門, 而皐門在庫門之外, 其內爲應門而路門, 在應門之內, 是天子之五門也.)"

147 왕식, 『皇極經世書解』에서 황기는 이렇게 말한다. "장자는 '『春秋』는 명분을 말한 것이다.'라고 했다.(莊子曰, 春秋以道名分.)" 왕식본 보충 주석에서는 이렇게 말한다. "『春秋』는 군주를 일으키고 신하를 억누른 것이다.(補註, 春秋所以扶君抑臣.)"

성인의 어려움은 인의仁義와 충신忠信을 잃지 않으면서도 사업을 완성하는 데에 있다. 어떻게 하면 좋은가? 네 가지를 끊는 데에 있다.[148]

[12-2-137]

有馬者借人乘之, 舍己以從人也.

말이 있는 사람이 남에게 말을 빌려주어 타게 하는 것은[149] 나를 버리고 남을 따르는 것이다.[150] [151]

[12-2-138]

或問: "才難何謂也?"

曰: "臨大事然後見才之難也."

曰: "何獨言才?"

曰: "才者, 天之良質也, 學者, 所以成其才也."

曰: "古人有不由學問而能立功業者, 何必曰學?"

曰: "周勃霍光能成大事, 唯其無學, 故未盡善也. 人而無學, 則不能燭理. 不能燭理, 則固執而不通."

人有出人之才, 必以剛克. 中剛則足以立事業, 處患難. 若用於他, 反爲邪惡. 故孔子以申棖爲焉得剛. 旣有慾心, 必無剛也.

어떤 사람이 물었다. "재능이 어렵다고 하는 것은 무슨 말입니까?

대답했다. "큰 일에 임한 후에야 재능이 어렵다는 것을 안다."

물었다. "어째서 유독 재능을 말합니까?"

148 왕식, 『皇極經世書解』: "주나라 무왕이 병사를 볼 때와 한나라 昭烈(유비)가 촉땅을 취했던 일이 있으니, 무왕의 일은 원래 이루려는 마음이 없었고, 소열의 일은 일을 이루려고 하는 것만을 기대하여 인의충신이 부족했던 것을 알 수 있다.(愚按, 如武王觀兵, 與昭烈取蜀之事, 可見一則原無成心, 一則但期成事而仁義忠信, 不足也.)"

149 말이 있는 … 것은: 『論語』「衛靈公」: "공자가 말했다. '내 오히려 사관들이 글을 빼놓고 기록하지 않음과 말을 소유한 자가 남에게 빌려주어 타게 함을 미쳐 보았는데, 지금에는 이것도 없어졌구나!(子曰, "吾猶及史之闕文也. 有馬者借人乘之, 今亡矣夫!")" 이 단락에 대해 『論語集註』에서 楊氏는 "시대가 더욱 야박해진 것을 서글퍼한 것이다.(悼時之益偸也)"라고 하지만, 胡氏는 억지로 해석할 수 없다고 한다.

150 나를 버리고 … 것이다: 『書經』「大禹謨」, "그렇다. 진실로 그렇게 하면 좋은 말이 숨겨질 리가 없고, 어진이가 초야에 묻혀 지내지 않게 되어 온 나라가 다 평안하게 될 것이다. 여러 사람에게 의논하여 나를 버리고 남을 좇으며, 의지할 곳 없는 이를 학대하지 않고 곤궁한 이들을 내버려 두지 않는 일들은 오직 임금된 사람만이 할 일이라 할 수 있는 것이다.(俞, 允若茲, 嘉言罔攸伏, 野無遺賢, 萬邦咸寧. 稽于衆, 舍己從人, 不虐無告, 不廢困窮, 惟帝時克.)"

151 왕식, 『皇極經世書解』: "생각건대, 『論語』의 말을 빌려서 舞典의 말을 풀이한 것이니 그 인색하지 않음을 비유한 것이다.(愚按, 借論語之言, 釋舜典之語, 喻其不吝也.)"

대답했다. "재능이란 하늘이 내려준 좋은 자질이고, 배움은 그 재능을 이루는 것이다."
물었다. "옛 사람들은 학문을 통하지 않고서도 공업을 이루었는데 왜 하필 배움을 말합니까?"
대답했다. "주발周勃[152]과 곽광霍光[153]은 큰 일을 이룰 수 있었으나, 배움이 없었기 때문에 최선의 결과를 이루지 못했다. 사람이 배움이 없으면 이치를 밝힐 수가 없다. 이치를 밝힐 수 없으면 한 가지를 고집하여 통하지 못한다.[154]"
사람에게 출중한 재능이 있더라도 반드시 강한 의지로 극복해야 한다. 마음이 강직하면 사업을 세울 수 있고 환난에 처할 수 있다. 만약 그 강한 의지를 다른 데에 쓰면 도리어 올바르지 못하고 악한 것이 된다. 그러므로 공자는 '신장申棖이 어찌 강함을 얻었겠는가'[155]라고 했으니, 욕심이 있으면 반드시 강직할 수가 없다.[156]

[12-2-139]

君子喩於義, 賢人也. 小人喩於利而已. 義利兼忘者, 唯聖人能之. 君子畏義而有所不爲, 小人直不畏耳. 聖人則動不踰矩, 何義之畏乎?

군자는 의義에 밝으니, 어진 사람이다. 소인은 이로움에 밝을 뿐이다.[157] 의와 이로움을 모두 잊는 것은

152 周勃: 처음에는 항우를 따랐으나 후에 유방을 섬겨 한나라 통일에 공을 세웠다. 좌승상이 되어, 여씨의 난 때에 周勃과 함께 이를 평정한 후 문제를 옹립하였다. 河南省 蘭考縣에서 태어났다.

153 霍光: 대부분의 역사 학자들은 기원전 88년경 부터 그가 권력을 잡기 시작했다고 보는데, 이는 전한 무제가 서거하기 거의 직전이다. 무제가 서거할 당시에는 奉車都尉와 光祿大夫를 역임하고 있었다. 그가 정말로 조정에서의 두각을 나타낸 것은 무제가 죽기전 소제를 부탁한다는 유언을 남기고 간 뒤부터였다. 무제가 서거한 뒤부터, 좌장군 上官桀과 함께 소제를 보좌 하였으나, 상관걸과는 권력 충돌이 잦았다. 그뒤 상관걸이 곽광을 죽이기 위해 계략을 꾸미자, 그것을 빌미로 그를 완전히 조정에서 축출해 낸다. 후에는 아무런 간섭 없이 大司馬大將軍이 되어, 최고의 권력가가 된다. 소제가 서거한 뒤에는 창읍왕 유하가 황제로 즉위한다. 그러나 유하는 제위 27일만에 곽광의 손에 의하여 황제의 자리에서 쫓겨난다. 기록에 따르면 창읍왕 유하가 소제의 제사 중에 무례를 범하여 폐위 되었다고 전해진다. 전한 선제가 즉위하고, 선제가 곽광의 딸을 황후로 맞아들이면서 그의 권력은 날이 갈수록 강해져 갔다. 그렇게 선제 때에 가장 강력한 권력자가 되었던 곽광은 기원전 68년에 사망한다. 그가 죽은 뒤에 선제는 곽 황후를 폐하고 곽씨 일족을 멸망시키는데, 선제의 이런 행동을 통해서 곽광의 권력이 왕권을 위협할 정도였다는 것을 알 수 있다.

154 왕식, 『皇極經世書解』: "생각건대, 「漁樵問對」에 '사람들이 할 수 없는 것을 한다면 어찌 재능이라고 이르지 않을 수 있겠는가? 그래서 성인이 재능이 어렵다고 애석해 한 것이니, 천하의 일을 이룬 뒤에 올바른 곳에 돌아가는 사람이 드물다는 점을 말한 것이다.'라고 했으니, 이것과 더불어 밝힌 것이다.(愚按, 漁樵問對曰, 人所不能而能之, 安得不謂之才? 聖人所以惜乎才之難者, 謂其能成天下之事而歸之正者寡也. 與此互相發.)"

155 『論語』「公冶長」: "'나는 아직 강한 자를 보지 못했다.'하니, 어떤 사람이 '신정이 있습니다.'라고 답했다. 공자가 말했다. '신정은 욕심이니, 어찌 강할 수 있겠는가?'(子曰, '吾未見剛者.' 或對曰, '申棖.' 子曰, '棖也慾, 焉得剛?')"

156 왕식, 『皇極經世書解』: "생각건대, 『書經』「洪範」에서 '강한 의지로 극복해야 한다'는 점을 말하고 『論語』에서 '어떻게 강함을 얻을 수 있는가?'라고 했으니, 합해서 말한 것이다.(愚按, 洪範言剛克, 論語言焉得剛, 此合而言之.)"

오직 성인만이 가능하다. 군자는 의를 두려워 하여 하지 않는 것이 있고, 인은 두려워하지 않을 뿐이다. 성인은 마음이 동하면 법도를 넘지 않으니[158] 어찌 의를 두려워하겠는가?[159]

[12-2-140]

顔子不貳過. 孔子曰, 有不善未嘗不知, 知之未嘗復行, 是也. 是一而不再也. 韓愈以爲將發於心而便能絶去, 是過於顔子也. 過與是爲私意, 焉能至於道哉? 或曰, 與善不亦愈於與惡乎? 曰, 聖人則不如是. 私心過與, 善惡同矣.

안연이 과실을 두 번 반복하지 않았다.[160] 공자가 '선하지 않음이 있으면 알지 못함이 없었으며, 알았다면 다시 행하지 않았다.'[161]고 한 것이 이것이다. 이것은 한 번은 과실을 저지르지만 두 번 반복하지 않는다는 말이다. 한유韓愈는 "마음에서 일어나려고 할 때 끊어 제거할 수 있다."[162]고 하였는데 이는 안자를 지나치게 허여한 것이다. 지나치게 허여한 것은 사사로운 의도가 될 것이니, 어떻게 도에 이를 수 있겠는가? 어떤 사람이 "선함에 과도한 것이 악함에 과도한 것보다 낫지 않습니까?"라고 물었다. 대답하겠다. "성인은 그렇지 않다. 사사로운 마음이 지나친 것은 선악의 경우에 모두 같다."[163]

[12-2-141]

爲學養心, 患在不由直道. 去利欲, 由直道, 任至誠, 則無所不通. 天地之道, 直而已. 當以直求之. 若用智數由逕以求之, 是屈天理而狗人欲也. 不亦難乎?

배움에서 마음을 기르는 데에 근심스러운 것은 직直의 도로 말미암지 않는다는 데에 있다. 이익과

157 『論語』「里仁」: "공자가 말했다. '군자는 의에 밝고 소인은 이익에 밝다.'(子曰, "君子喩於義, 小人喩於利.")"

158 『論語』「爲政」: "공자가 말했다. '나는 15살에 학문에 뜻을 두었고, 30살에 자립하였고, 40살에 의혹하지 않았고, 50에 천명을 알았고, 60에 귀로 들으면 그대로 이해되었고, 70에 마음에 하고자 하는 바랄 따라도 법도를 넘지 않았다.(子曰, "吾十有五而志于學, 三十而立, 四十而不惑, 五十而知天命, 六十而耳順, 七十而從心所欲, 不踰矩.")"

159 왕식, 『皇極經世書解』: "생각건대, 이것은 『論語』 '의에 밝다.'는 것과 '법도를 넘지 않는다.'라는 말을 합해서 성인과 군자를 나누었다.(愚按, 此合論語喻義不踰矩, 而分聖人君子之事.)"

160 『論語』「雍也」: "애공이 물었다. '제자 가운데 누가 배움을 좋아합니까?' 공자가 말했다. '안회가 배움을 좋아하여 노여움을 남에게 옮기지 않으며, 과실을 두 번 반복하지 않는데, 불행히도 명이 짧아 죽었습니다. 지금은 없으니, 아직 배움을 좋아한다는 자를 듣지 못하였습니다.(哀公問, "弟子孰爲好學?" 孔子對曰, "有顔回者好學, 不遷怒, 不貳過. 不幸短命死矣, 今也則亡, 未聞好學者也.)"

161 『周易』「繫辭傳」: 6장, "공자가 말했다. '안연은 거의 가까운 사람이구나! 불선이 있으면 알지 못함이 없었고, 알았다면 다시 행하지 않았다. 『易』에서 「멀지 않아 회복하니 후회가 없고 크게 길하다.」고 했다.(子曰, "顔氏之子, 其殆庶幾乎? 有不善, 未嘗不知, 知之, 未嘗復行也. 易曰, '不遠復, 无祇悔, 元吉.')"

162 한유, 「不貳過論」: "不貳者, 盖能止之于始萌, 絶之於未形, 不貳之於言行也."

163 왕식, 『皇極經世書解』: "생각건대, 위의 반절은 「繫辭傳」의 말로 '과실을 두 번 하지 않는다.'라는 뜻을 풀이했고, 아래의 반절은 창려의 '불이과론'으로 선함에 과도한 것을 생각했으니, '지나치다'는 뜻은 함께 말한 것이다.(愚按, 上半節, 以易繫釋, 不貳之義, 下半節, 以昌黎不貳過論爲過於與善也. 過與意, 祇帶言之.)"

욕심을 제거하고 직의 도로 말미암고 지극한 진실에 맡기면 통하지 않는 것이 없다. 천지의 도는 직直일 뿐이다. 마땅히 직으로 구해야만 한다. 만약 지혜와 술수를 써서 지름길을 경유하여 구하려고 한다면 이것은 천리를 굽히고 인욕을 따르는 것이다. 또한 어렵지 않겠는가?[164]

[12-2-142]

事無巨細, 皆有天人之理. 脩身, 人也, 遇不遇, 天也. 得失不動心, 所以順天也. 行險僥倖, 是逆天也. 求之者人也, 得之與否天也. 得失不動心, 所以順天也. 强取必得, 是逆天理也. 逆天理者患禍必至.

크고 작은 일이건 상관없이 모두 하늘과 삶의 이치가 있다. 몸을 수양하는 것은 인간이고, 만나고 못 만나는 것은 하늘이다. 득실 때문에 마음이 요동하지 않는 것은 하늘을 따랐기 때문이다. 위험한 일을 행하고 요행을 바라는 것은 하늘을 거역하는 것이다. 구하는 것은 사람이고, 얻느냐 얻지 못하느냐의 여부는 하늘이다. 득실 때문에 마음이 요동하지 않는 것은 하늘을 따르는 것이고 억지로 빼앗아 반드시 얻는 것은 천리를 거역하는 것이다. 천리를 거역하는 자는 환난이 반드시 이른다.[165]

[12-2-143]

魯之兩觀, 郊天, 大禘, 皆非禮也. 諸侯苟有四時之禘, 以爲常祭可也. 至於五年大禘, 不可爲也.

노나라의 양관兩觀[166]과 하늘에 드리는 교제郊祭와 대체大禘는 모두 예가 아니다. 제후는 사 계절의 체제가 있으니, 항시 지내는 제사로 여기는 것이 옳고, 5년에 한 번 지내는 대체는 할 수가 없다.[167]

164 왕식, 『皇極經世書解』: "생각건대, 공자는 '사람의 삶은 直이다.'라고 했고, 『中庸』에서도 '지극한 진실과 정성'을 말했고, 맹자도 마음을 기르는 것을 말했으니, 소강절이 합해서 말한 것이다. 지극한 진실과 정성이 곧 직의 길이니, 지혜와 술수에 맡기면 진실하지 못하고 욕망을 따르면 정직하지 못하다.(愚按, 夫子言人之生也直, 中庸言至誠, 孟子言養心, 邵子合而言之. 蓋至誠即直道, 任智數, 則不誠, 徇人欲, 則不直也.)"

165 왕식, 『皇極經世書解』: "생각건대, 이것은 하늘과 사람의 이치를 밝힌 것이다. 『中庸』에 '군자는 쉬운 곳에 자리하여 천명을 기다리고, 소인은 위험한 것을 행하여 요행을 바란다.'고 했다. 맹자는 '구하면 얻을 것이지만 얻음은 천명에 있다.'고 했다. 여기서 소강절은 합하여 말하기를 인간사의 일에 최선을 다하는 것이 하늘을 따르는 것이고 억지로 취하여 반드시 얻는 것은 하늘을 거역하는 것이라고 했다. 하늘을 거역한 자는 환난이 반드시 이르니, 요행을 바라지만 얻을 수 있겠는가?(愚按, 此明天人之理. 中庸言, 居易以俟命, 行險以僥倖, 孟子言, 求則得之, 得之有命. 此合而言之, 見盡人, 即所以順天, 而强取必得, 是逆天也. 逆天者, 禍患必至, 雖欲僥倖得乎哉.)"

166 130조목을 참조하라.

167 왕식, 『皇極經世書解』: "하나라와 상나라의 천자는 한해에 5번 제사를 지내니, 체 제사는 사 계절에 4번 지내고, 여기에 祫 제사를 합해서 다섯이다. 주나라는 체 제사를 고쳐서 禴 제사로 했으니, 천자는 6번 제사하고, 제후는 체를 지내지 않고 또 한해에 제사를 한 번 빼니, 4번 일뿐이다.(補註, 夏商, 天子歲乃五享, 禘列四祭, 並祫而五也. 周改禘, 爲禴, 則天子享六, 諸侯不禘, 又歲缺一祭, 則亦四而已矣.)" 황기는 이렇게 말한다. "大禘는 천자의 예법이다.(大禘, 天子之禮.)"

[12-2-144]

仲弓可使南面, 可使從政也.

중궁仲弓은 남면하게 할 수 있다[168]는 것은 정치에 힘쓰게 할 수 있다는 말이다.[169]

[12-2-145]

誰能出不由戶? 戶, 道也. 未有不由道而能濟者也. 不由戶者, 開穴隙之類是也.

누가 나가는 데 문을 거치지 않겠는가?[170] 문이란 도이다. 도를 거치지 않고서 건널 수 있는 사람은 없다. 문을 거치지 않는 것은 구멍의 틈을 만드는 부류[171]가 이것이다.[172]

168 仲弓은 남면하게 … 있다 : 『論語』「雍也」의 글이다. "공자가 말했다. '옹은 남면하게 할 수 있다.(子曰, 雍也可使南面.)" 주희는 남면에 대해서 이렇게 설명한다. "남면이란 군주가 정치를 듣는 자리이다. 중궁은 관대하고 넓으며 소탈하며 중후하니, 군주의 풍도가 있다는 말이다.(南面者, 人君聽治之位. 言仲弓寬洪簡重, 有人君之度也.)"

169 왕식, 『皇極經世書解』: "생각건대, 『論語』를 풀이해서 남면하게 할 수 있다는 것을 정치에 종사하게 할 만하다는 의미로 풀이한 것이니, 주자의 해석과 다르다.(愚按, 此釋論語, 以使南面爲從政, 與朱子異.)"

170 『論語』「雍也」: "공자가 말했다. '누가 나가는 데에 문을 거치지 않을 수 있겠는가? 그러니 어째서 이 도를 경유하지 않는단 말인가?(子曰, 誰能出不由戶? 何莫由斯道也?)"

171 구멍의 틈을 … 부류 : 『孟子』「滕文公下」, 주소가 물었다. '옛 군자는 벼슬을 하였습니까?' 맹자가 말했다. '벼슬을 했다. 전에 이르기를 「공자는 3개월 동안 섬길 군주가 없으면 황황한 듯이 여겨, 국경을 나갈 때에 반드시 폐백을 싣고 갔다.」고 했고, 공명의가 말하기를 「옛 사람은 3개월 동안 군주가 없으면 위문했다.」고 했다.' '3개월 동안 군주가 없으면 위문한다는 말은 너무 조급하지 않습니까?' 맹자가 대답했다. '사대부가 지위를 잃는 것은 제후왕이 나라를 잃는 것과 같다. 예에 이르기를 「제후왕이 밭을 갈면 백성들이 도와서 粢盛을 받치고, 부인이 누에를 치고 실을 켜서 의복을 만든다. 희생이 이루어지지 못하며, 자성이 정결하지 못하며, 의복이 구비되지 못하면 감히 제사 지내지 못하고, 사대부가 제전이 없으면 제사지내지 못한다.」고 하였다. 희생과 기구와 의복이 구비되지 못하여 감히 제사지내지 못하면 잔치하지 못하니, 위문할 만하지 않은가?' '국경에 나갈 때에 반드시 폐백을 싣고 가는 것은 어째서입니까?' 대답했다. '사대부가 벼슬하는 것은 농부가 밭가는 것과 같으니, 농부가 어찌 국경을 나가면서 쟁기와 보습을 놓고 가겠는가?' 주소가 말했다. '진나라가 또한 벼슬할 나라이지만, 벼슬하기를 이와 같이 급하게 하였다는 말을 듣지 못하였습니다. 벼슬하기를 이와 같이 급하게 한다면 군자가 벼슬하기를 여렵게 여기는 것은 어째서입니까?' 대답했다. '장부가 태어나면 그를 위해 아내가 있기를 원하며 여자가 태어나면 그를 위해 시가가 있기를 원하는 것은 부모의 마음이어서 사람마다 다 갖고 있지만, 부모의 명령과 중매쟁이의 말을 기다리지 않고 구멍 틈을 뚫고 서로 엿보며 담을 넘어 서로 따라다니면, 부모와 나라 사람들이 모두 천하게 여긴다. 옛 사람들이 일찍이 벼슬하고자 하지 않은 것은 아니었으나, 또 도를 따르지 않는 것을 미워하였으니, 도를 따르지 않고 찾아가는 것은 구멍의 틈을 뚫고 엿보는 것과 같다.'(周霄問曰 : '古之君子仕乎?' 孟子曰 : '仕. 傳曰 : 「孔子三月無君, 則皇皇如也, 出疆必載質.」 公明儀曰 : 「古之人三月無君則弔.」' '三月無君則弔, 不以急乎?' 曰 : '士之失位也, 猶諸侯之失國家也. 禮曰 : 「諸侯耕助, 以供粢盛; 夫人蠶繅, 以爲衣服. 犧牲不成, 粢盛不潔, 衣服不備, 不敢以祭. 惟士無田, 則亦不祭.」 牲殺器皿衣服不備, 不敢以祭, 則不敢以宴, 亦不足弔乎?' '出疆必載質, 何也?' 曰 : '士之仕也, 猶農夫之耕也, 農夫豈爲出疆舍其耒耜哉?' 曰 : '晉國亦仕國也, 未嘗聞仕如此其急. 仕如此其急也, 君子之難仕, 何也?' 曰 : '丈夫生而願爲之有室, 女子生而願爲之有家. 父母之心, 人皆有之. 不待父母之

[12-2-146]

多聞擇其善者而從之, 雖多聞, 必擇善而從之. 多見而識之, 識, 別也. 雖多見, 必有以別之.

많이 듣고서 그 좋은 것을 택하여 따른다[173]고 했으니, 많이 듣더라도 반드시 선한 것을 택하여 따른다. 많이 보고 안다[174]고 했으니, 안다는 것은 분별하는 것으로, 많이 보더라도 반드시 식별함이 있어야 한다.[175]

[12-2-147]

或問顯諸仁藏諸用. 曰, 若日月之照臨, 四時之成歲, 是顯諸仁也. 其度數之然而不知其所以然, 是藏諸用也.

어떤 사람이 '인으로 드러내고 작용으로 감춘다.'는 것을 물었다. 대답했다. "마치 해와 달이 만물을 비추고 사계절이 한 해를 이루는 것이 인으로 드러내는 것이다. 그 도수의 그러하지만 그렇게 된 이유를 알지 못하는 것이 작용으로 감추는 것이다.[176]

[12-2-148]

洛下閎改顓頊歷爲太初曆. 子雲準太初而作太玄, 凡八十一卦, 九分共二卦, 凡一五隔一四. 細分之, 則四分半當一卦. 氣起於中心, 故首中卦.

낙하굉洛下閎은 전욱력顓頊歷을 고쳐서 태초력太初曆을 만들었다. 자운은 태초력에 준하여 『태현경』을 지었으니, 모두 81괘이고, 9일[177]을 2괘에 함께 나누어서, 5와 4의 중간이 된다. 세분하면 4분의 반이

命·媒妁之言, 鑽穴隙相窺, 踰牆相從, 則父母國人皆賤之. 古之人未嘗不欲仕也, 又惡不由其道. 不由其道而往者, 與鑽穴隙之類也.')"

172 이 단락에 대해 황기는 이렇게 말한다. "공자의 말을 빌려서 맹자가 미워한 것이 길을 따라 가지 않는 것임을 밝혔다.(借孔子之言, 明孟子所惡不由其道.)"

173 『論語』「述而」: "공자가 말했다. '알지 못하는 것이 있는데 함부로 행동하는 것이 있는가? 나는 이런 것이 없다. 많이 듣고서 그 중에 좋은 것을 가려서 따르며, 많이 보고 기억하는 것이 아는 것의 다음이 된다.'(子曰, "蓋有不知而作之者, 我無是也. 多聞擇其善者而從之, 多見而識之, 知之次也.)"

174 『論語』「述而」: "공자가 말했다. '알지 못하는 것이 있는데 함부로 행동하는 것이 있는가? 나는 이런 것이 없다. 많이 듣고서 그 중에 좋은 것을 가려서 따르며, 많이 보고 기억하는 것이 아는 것의 다음이 된다.'(子曰, "蓋有不知而作之者, 我無是也. 多聞擇其善者而從之, 多見而識之, 知之次也.")" 여기서 주희는 '識'을 기억한다는 뜻인 '記'로 해석했다. "기억한다는 것은 선악을 마음속에 기억해 두고 참고해서 대비하는 것이니, 이와 같이 하는 자는 비록 실제로 그 이치를 알지 못한다 하더라도 아는 자의 다음이 될 수 있다.(識, 記也. 所從不可不擇, 記則善惡皆當存之, 以備參考. 如此者雖未能實知其理, 亦可以次於知之者也.)"

175 왕식, 『皇極經世書解』: "생각하건대, 『論語』를 해석하여, 넓은 것에 힘쓰고 정밀함을 구하지 않는 것을 위해 말한 것이다.(愚按, 釋論語爲務博而不求精者言.)"

176 왕식, 『皇極經世書解』에서 황기는 이렇게 말한다. "인과 작용을 서로 대비해서 말했다. 인은 그 체이지만 밖으로 드러나면 체가 곧 용이다. 용은 그 작용이지만 안에 감추어지면 작용이 곧 체가 된다.(仁與用, 相對而言, 仁, 其體也, 而顯於外, 則體即用矣. 用, 其用也, 而藏於内, 則用即體矣.)"

한 괘에 해당하고 기氣는 중앙에서 일어나기 때문에 중괘中卦가 먼저이다.[178]

[12-2-149]

叅天兩地而倚數, 非天地之正數也. 倚者, 擬也. 擬天地正數而生也.

'하늘은 3으로 땅은 2로 해서 본뜬 수이다.'[179]라고 한 것은 천지의 정수가 아니다. '의'倚란 본뜬다는

177 九分 : 왕식, 『皇極經世書解』, "九分은 9일이다. 태현경에서 '비교해서 살펴보면 「9일에 여분이 고르게 된다.」 고 했고, 범씨의 주석에 「1首에 4일하고 여분이 남으니, 2수에 9일이면 다 다스려지므로 「9일에 여분이 고르게 된다.」고 했다.(九分, 九日也. 經曰, 倪擬之, 九日平分, 范氏註, 鈎首一首四日, 分則有餘, 二首九日則平故, 曰九日平分也)"

178 왕식, 『皇極經世書解』 : "'전욱력'이라는 것은 전욱 왕이 연산의 艮을 첫머리로 하는 역을 근본으로 해서 지은 것이니, 진나라가 亥월을 정월로 삼았고, 한무제에 이르러 '태초력'으로 고쳤으니, 唐都의 낙하굉 등이 만든 것으로 寅월로 정월을 삼는다.(補註, 顓頊歷者, 顓帝, 本連山首艮之易而作也, 秦用之, 而建亥正, 至漢武帝, 改爲太初歷, 唐都洛下閎等所作也, 以建寅爲正.) '태현력'은 한나라 때 양웅이 지은 것이니, 태초력과 서로 호응된다. 태초력이 81로 日의 법칙으로 삼은 것은 9에 9를 곱한 것이고, 태현력이 72로 일의 법칙으로 삼은 것은 8에 9를 곱한 것이고, 태현력이 32로 初의 법칙으로 삼은 것은 8에 4를 곱한 것이고, 태현력이 36으로 秒의 법칙으로 삼은 것은 9에 4를 곱한 것이다. 태현으로 태초와 비교하면, 分은 9에서 하나를 빼고, 秒는 9에서 하나를 더하니, 똑같이 2,592초를 얻는다. 처음은 틀리지만 끝은 같다.(太玄歷者, 漢楊雄所作也, 與太初歷相應. 太初, 以八十一爲日法者, 九九也, 太玄, 以七十二爲日法者, 八九也, 太初, 以三十二爲秒法者, 八四也, 太玄, 以三十六爲秒法者, 九四也, 以玄比初, 分於九而減一, 秒, 於九而加一, 同得二千五百九十二秒, 始雖異而終則同.) 사마광의 「太玄經解說」에서는 다음과 같이 말한다. '역과 태현은 도는 같고 법만 다르다. 역의 획이 둘이 있으니, 양과 음이고, 태현의 획이 셋이 있으니, 1 · 2 · 3이며, 역의 자리가 여섯이 있고, 태현은 네 겹이 있으며, 역은 8괘가 서로 겹쳐서 64괘가 되지만 태현은 1 · 2 · 3으로 방 · 주 · 군 · 가에 섞여서 81수가 되며, 역은 매괘의 여섯효가 합해서 384효가 되지만 태현은 매수의 9찬이 합해서 729찬이 되어 한달이 되며, 역은 원형이정이 있지만 태현은 망 · 직 · 상 · 긍 · 명이 있으며, 역은 대연의 수가 50으로 그 쓰는 것은 49이지만, 태현은 천지의 책수가 각각 18로 합해서 32책이 되어 땅은 3을 비우고 33책을 쓰며, 역은 넷으로 세지만, 태현은 셋으로 세며, 역은 7 · 9 · 8 · 6이 있어서 사상이라고 하지만, 태현은 1 · 2 · 3이 있어 삼모라고 하며, 역은 단이 있지만, 태현은 수가 있으며, 역은 효가 있지만 태현은 찬이 있으며, 역은 상이 있지만 태현은 측이 있으며, 역은 문언이 있지만 태현은 문이 있으며,역은 계사가 있지만 태현은 리 · 영 · 예 · 도 · 고가 있으며, 역은 서괘전이 있지만 태현은 충이 있으며, 역은 잡괘전이 있지만 태현은 착이 있으니, 길은 다르지만 귀결점은 같아 모두가 태극을 근본으로 하였으며, 양의 · 삼재 · 사시 · 오행으로 해서 도덕과 인의로 돌아온다.(司馬說玄曰, 易與太玄道同而法異, 易畫有二, 曰陽曰陰, 玄畫有三, 曰一曰二曰三, 易有六位, 玄有四重, 易以八卦相重爲六十四, 玄以一二三, 錯於方州郡家, 爲八十一首, 易每卦六爻合爲三百八十四爻, 玄每首九贊合爲七百二十九贊, 皆當朞以月, 易有元亨利貞, 玄有罔直象肯冥, 易大衍之數五十其用四十有九, 玄天地之策, 各十八合爲三十有六策, 地則虛三用三十三策, 易揲之以四, 玄揲之以三, 易有七九八六, 謂之四象, 玄有一二三, 謂之三摹, 易有彖, 玄有首, 易有爻, 玄有贊, 易有象, 玄有測, 易有文言, 玄有文, 易有繫辭, 玄有攡瑩倪圖告, 易有說卦, 玄有數, 易有序, 卦玄有衝, 易有雜卦, 玄有錯, 殊途同歸, 皆本於太極. 兩儀三才四時五行而歸於道德仁義禮也.)"

179 "하늘은 3으로 … 세웠다." : 『易』「說卦傳」, "옛날에 성인이 역을 지을 때 신명을 그윽하게 도와서 시초를 내고 하늘은 3으로 땅은 2로 해서 수를 세웠다.(昔者聖人之作易也, 幽贊於神明而生蓍, 參天兩地而倚數.)"

뜻이다. 천지의 본수를 본떠서 나온 것이다.

[12-2-150]

元亨利貞, 變易不常, 天道之變也. 吉凶悔吝, 變易不定, 人道之應也.

원·형·이·정은 변하고 바뀌어 일정하지 않으니 천도의 변화이다. 길·흉·회·린은 변하고 바뀌어 고정되지 않으니, 사람의 도가 호응하는 것이다.[180]

[12-2-151]

鬼神者無形而有用, 其情狀可得而知也. 於用則可見之矣. 若人之耳目鼻口手足, 草木之枝葉華實顏色, 皆鬼神之所爲也. 福善禍淫, 主之者誰耶? 聰明正直, 有之者誰耶. 不疾而速, 不行而至, 任之者誰耶. 皆鬼神之情狀也.

귀신은 형체는 없지만 작용이 있어서 정상을 알 수가 있다. 작용에 대해서는 알 수가 있다. 사람의 귀·눈·코·입·손·발과 초목의 가지·잎·꽃·열매 색깔은 모두 귀신이 한 것이다. 선한 것에게 복을 주고 음탕한 것에게 재앙을 주는 일은 누가 주관하겠는가? 총명하고 정직함을 가지고 있는 자는 누구인가? 빠르게 하려 하지 않는데 빠르게 가고, 행하려고 하지 않았는데 이르는 것은 누구에게 맡긴 일인가? 모두 귀신의 정상이다.[181]

[12-2-152]

易有意象, 立意皆所以明象, 統下三者. 有言象, 不擬物而直言以明事. 有像象, 擬一物以明意. 有數象, 七日八月三年十年之類是也.

『역』에는 뜻의 형상[象]이 있으니, 뜻을 세운 것은 모두 형상을 밝히는 것이며, 아래 세 가지를 통괄한다. 또 말의 형상이 있으니, 사물에 견주지 않고 곧바로 말로 해서 인간사를 밝혔다. 또 모양의 형상이 있으니, 한 사물에 견주어 뜻을 밝혔다. 또 수의 형상이 있으니 7일, 8월, 3년, 10년 등의 종류가 이러하다.[182]

180 왕식, 『皇極經世書解』: "생각건대, 이 원형이정과 길흉회린을 함께 말해서, 사람들이 사람의 도로 하늘의 도와 대응하게 한 것이니, 뜻이 아래에 자세하다.(愚按, 此以元亨利貞, 與吉凶悔吝, 並言之, 欲人以人道應天道也. 義詳下文.)"

181 왕식, 『皇極經世書解』: "생각건대 『易』에 '귀신의 정상을 안다.'고 했으니, 여기서 작용으로 말한 것이다. '정상'은 정자가 말한 '조화의 자취'이고 주자가 말한 '음양의 영험이다.'라는 것과 같다. '귀눈코입' 이하는 사람과 사물로 말한 것이고, '선한 것에게 복을 주고 음탕한 것에게 재앙을 준다.'는 것 이하는 조화의 작용으로 말했다.(愚按, 易言知鬼神之情狀, 此以用言之. 情狀猶程子言造化之迹, 朱子言陰陽之靈也. 耳目鼻口以下, 即人物以言之, 福善禍淫以下, 以造化之用言之也.)"

182 왕식, 『皇極經世書解』: "말의 형상은 건괘에서 '원형이정'이라고 한 것이 그러하다. 모양의 형상이라는 것은 곤괘에서 '암말의 굳셈이 이롭다.'고 한 것이 그러하다. 수의 형상은 복괘엣 '7일에 와서 회복한다.'는 것과

[12-2-153]

易之數窮天地終始. 或曰, 天地亦有終始乎? 曰, 旣有消長,豈無終始. 天地雖大. 是亦形器, 乃二物也.

『역』의 수는 천지의 시작과 끝을 다하는 것이다. 어떤 사람이 "천지도 시작과 끝이 있습니까?"라고 물었다. "줄어듬과 늘어남이 있는데 어찌 시작과 끝이 없겠는가? 천지는 비록 크지만 이 또한 형체가 있는 기물이니, 두 개의 사물일 뿐이다."라고 답하겠다.[183]

[12-2-154]

易有內象, 理致是也. 有外象, 指定一物而不變者是也.

『역』에는 안의 상象이 있으니, 이치가 이것이다.[184] 밖의 상이 있으니, 한 사물을 지정하여 변하지 않는 것이 이것이다.[185]

임괘의 '8월에 가면 흉함이 있다.'라고 한 것이 그러하다.(補註, 言象, 若乾言元亨利貞是也. 像象, 若坤擬利牝馬之貞是也. 數象, 若復七日來復, 臨至於八月有凶之類是也.)" "'아래 세 가지를 통괄한다.'고 한 것은 말의 형상, 모양의 형상, 수의 형상이라는 세 가지이다. 3년이란 기제괘의 '3년에 이긴다.'는 것이고, 10년은 둔괘에 '10년만에 잉태한다.'는 말이다.(愚按, 統下三者, 即下言象像象數象之三者也. 三年, 如旣濟三年克之, 十年, 如屯十年乃字之類.)"

장행성, 『皇極經世觀物外篇衍義』: "『易』에는 意言象數가 있다. 뜻은 마음에서 싹트고, 말은 입에서 나온다. 氣가 있다면, 象이 있고, 名이 있다면 수가 있다. 이것은 세상 사람들이 다 아는 것이지만 마음에서 싹트는 것이 곧 상과 수가 있다는 것임을 알지 못하니 하물며 말에서 나오는 것임에랴? 그러므로 健(乾괘), 順(坤괘), 動(震괘), 止(艮괘), 陷(坎괘), 麗(離괘), 說(兌괘), 入(巽괘)이 모두 상과 수와 관련되니, 반드시 천, 지, 일, 월, 뢰, 풍, 산, 택의 형체에 이르고 그 후에 1, 2, 3, 4, 5, 6, 7, 8이라는 수가 있는 것이 아니다. 그래서 소강절은 모두 象이라고 했다. 만약 상이 없다면 천지를 보고 귀신을 어떻게 알 수 있겠는가?(易有意言象數. 意萌於心, 言出於口. 有氣則有象, 有名則有數. 此世之所知也, 而不知一萌於心, 即有象數, 況已出于言乎? 是故健順動止, 陷麗說入, 皆係象數, 不必至於天地日月雷風山澤之形, 而後有一二三四五六七八之數也. 所以雍皆謂之象. 若無象, 可見天地鬼神安得而知之耶?)"

183 왕식, 『皇極經世書解』: "『皇極經世』의 「天地始終之數」와 「一元消長之數圖」에 나타나 있다.(補註, 見經世天地始終之數, 及一元消長之數圖.)" 황기는 이렇게 말한다. "하루의 줄어듬과 늘어남은 곧 하루의 시작과 끝이다. 1년의 줄어듬과 늘어남은 1년의 시작과 끝이다. 앞에 있는 여섯 기한은 모두 늘어나는 것이고 뒤의 여섯 가한은 줄어드는 것이다. 복개에서 건괘까지가 늘어남이고, 구괘에서 곤괘까지가 줄어듬이다.(一日之消長, 即一日之始終也. 一歲之消長, 即一歲之始終也. 凡前六限皆爲長, 後六限皆爲消. 自復至乾長也, 自姤至坤消也.)" 왕식은 이렇게 말한다. "이것은 「天地始終之數」의 뜻을 밝힌 것이다. 윗 구절에서 천지도 수가 있다고 말했고, 이 구절에서 『易』의 수로 말했으니 도표를 보고서 구하면 그 뜻을 모두 안다.(愚按, 此明天地始終之數義. 上節, 言天地亦有數, 此節, 以易之數言之, 按圖求之乃悉其義.)"

184 이치가 이것이다 : 원문은 '理致是也'인데 왕식본에 따라면 '理數是也'로 되어 있다.

185 왕식, 『皇極經世書解』: "포운룡의 『天原發微』에서 '이치와 수는 健(건괘), 說(태괘), 順(곤괘), 動(진괘)의 종류가 그러하다. 사물을 지정한 것은 「땅 가운데 물이 있다.」와 「불이 하늘 위에 있다.」는 것과 같은 종류이다.(補註, 鮑氏發微曰, 理數者, 健說順動之類. 指定一物者. 地中有水, 火在天上之類.)" "생각건대, 이것은 앞의 구절을 넓혀서 안의 상과 바깥의 상을 거듭 밝힌 것이다.(愚按, 此申前節, 內象外象之義.)"

[12-2-155]

在人則乾道成男，坤道成女．在物則乾道成陽，坤道成陰．

사람에게서 건도乾道는 남성성을 이루고, 곤도坤道는 여성성을 이룬다. 사물에게서 건도는 양을 이루고 곤도는 음을 이룬다.[186]

[12-2-156]

神無方而易無體．滯於一方則不能變化，非神也．有定體則不能變通，非易也．易雖有體，體者象也．假象以見體而本無體也．

신神은 일정한 장소가 없고 역易은 일정한 형체가 없다. 한 가지 장소에 체류해 있으면 변화할 수 없으니 신이 아니다. 고정된 형체가 있으면 변통할 수가 없으니, 역이 아니다. 『역』에는 괘의 형체가 있지만 그 형체는 상象일 뿐이다. 상을 빌려서 형체를 드러내었으나, 본래 형체가 없다.[187]

[12-2-157]

一陰一陽之謂道．道無聲無形，不可得而見者也．故假道路之道而爲名．人之有行，必由乎道．一陰一陽，天地之道也．物由是而生，由是而成者也．

한 번 음이 되고, 한 번 양이 되는 것이 도이다. 도는 소리도 없고 형체도 없으니 볼 수가 없다. 그러므로 길이라는 뜻의 도道라는 글자를 빌려서 이름했다. 사람이 가면 반드시 길을 통해서 간다. 한 번 음이 되고, 한 번 양이 되는 것이 천지의 길이다. 사물은 이것을 통해서 생겨나고 이것을 통해서 완성된다.[188]

186 왕식, 『皇極經世書解』에서 황기는 이렇게 말한다. "사람은 음양과 강유를 합해서 모두 가지고 있다. 그러므로 온전한 것이고 또 귀한 것이다. 동물은 음양에 편중되어 있고, 식물은 강유에 편중되어 있다.(人合陰陽剛柔，而總有之．故全且貴．動物，偏於陰陽，植物偏於剛柔.)"

187 왕식, 『皇極經世書解』에서 황기는 이렇게 말한다. "변화하면 어떤 경우는 음에 있고 어떤 경우는 양에 있어서 일정한 장소가 없다. 변통하면 어떤 경우는 음이 되고 어떤 경우는 양이 되니 고정된 형체가 없다. 괘의 형체는 象으로 말한 것이다. 변화하지 않았다면 있지만 변화했다면 그 상은 없어질 뿐이다."(變化，則或在陰或在陽，無一定之方也．變通，則或爲陰或爲陽，無一定之體也．卦體以象言．未變，則有，旣變則無.) 왕식, 『皇極經世書解』, "생각건대, 『易』에는 형체가 있다는 것 이하의 말은 역에 형체가 없다는 것을 거듭 밝히고 상으로 말한 것이니, 정자가 말한 '한 가지 인간사에 집착하여 괘를 밝히면, 변화가 없는 것에 얽매인 것이니 역이 아니고, 하나의 사물에 집착하여 효의 말을 밝히면 막혀서 통하지 않으니, 또한 역이 아니다.'라는 것이다."(愚按，易雖有體以下，申明易無體而以象言之．程子所謂執一事以明卦，拘於無變，而非易，執一物以明爻，滯而不通，亦非易也.)

188 왕식, 『皇極經世書解』에서 이렇게 말했다. "천지의 기틀(機)은 한 번 양이 되는 것으로 인해서 나오고, 한 번 음이 되는 것으로 인하여 들어가니, 나가고 들어가는 것이 하늘의 길이 되는 것이다."(天地之機，由一陽而出，由一陰而入，有出有入，所以爲天地之道.)

[12-2-158]

事無大小, 皆有道在其間. 能安分則謂之道. 不能安分謂之非道. 顯諸仁者, 天地生萬物之功, 則人可得而見也. 所以造萬物, 則人不可得而見, 是藏諸用也.

인간사에는 크고 작은 일이 있지만 모두 그 사이에 도가 있다. 자신의 몫[分]에 편안해 할 수 있다면 도라고 하고, 몫에 편안히 할 수 없다면 도가 아니다.[189] 인에서 드러내는 것은 천지가 만물을 낳는 공이니, 사람이 볼 수 있다. 그러나 만물을 만드는 까닭은 사람이 볼 수 없으니, 이것은 작용에서 감추는 것이다.[190]

[12-2-159]

正音律數行至于七而止者, 以夏至之日出於寅而入於戌亥子丑三時則日入于地而目無所見, 此三數不行者, 所以比於三時也. 故生物之數亦然. 非數之不行也, 有數而不見也.

정음正音의 율수律數가 행하여 7에 이르러 그치는 것은 하지夏至의 해가 인寅에서 나와 술戌에 들어가서, 해시·자시·축시·세 시진은 해가 땅에 들어가서 눈에 보이지 않으니, 이 세 수가 행해지지 않는 것은 세 시진에 비견한 것이다. 그러므로 사물을 낳는 수도 그러하다. 이는 수가 행해지지 않는 것이 아니라 수는 있는데 보이지 않는 것이다.[191]

189 인간사에는 크고 … 아니다 : 왕식, 『皇極經世書解』, "생각건대, 도라는 것은 分을 확정하는 것이니 분에 편안히 하면 도를 다하는 것이다.(愚按, 道者, 所以定分也, 安分, 即以盡道.)"
장행성, 『皇極經世觀物外篇衍義』: "分이라는 것은 이치의 당연한 것이므로 도라고 했다. 사람이 분에 편안해 할 수 있다면 오래도록 지속시키는 항구성을 알아서 스스로 변화한다. 이 항구성을 알면 명철하고, 명철하면 신묘하다.(分者, 理所當然, 故謂之道. 人能安分, 則知常久而自有變化, 知常, 則明, 明則神矣.)"

190 인에서 드러내는 … 것이다 : 왕식, 『皇極經世書解』에서 황기는 이렇게 말한다. "봄은 낳고 여름은 성장시키고, 가을은 이루는 것을 볼 수 있지만, 낳는 까닭과 이루는 까닭은 사람이 어떻게 볼 수 있겠는가?"(春生夏長秋, 成可見, 所以生所以成者, 人孰得而見之.)

191 왕식, 『皇極經世書解』에서 황기는 이렇게 말한다. "정음의 율수는 音을 말하고 聲은 말하지 않았으니, 성이 그 속에 있는 것이고, 律을 말하고 呂를 말하지 않았으니, 여는 그 속에 있는 것이다. 음이 곧 여이고, 율이 성이기 때문이다. 하늘의 10聲으로 말하면, 多良千刀妻宮心과 같은 것은 행하여 7에 이르러 그치고, 나머지 세 수는 성이 없고 글자가 없어서, 그치고 행해지지 않는다. 땅의 12音으로 말하자면, 古黑香花卜東乃走思와 같은 것은 행하여 9에 이르러 그치고, 나머지 세 수는 성이 없고 글자가 없어서, 그쳐서 행하지 않는다. 위에서 '행하여 7에 이르러 그쳤다.'고 말한 것은 성을 예로 들어서 음을 드러낸 것이고, 아래에서 '해가 인에서 나와 술에서 들어갔다.'고 말한 것은 음을 예로 들어서 성을 드러낸 것이다. 하늘의 10干은 반드시 땅의 12支를 타고서 낮과 밤에 운행한다. 甲寅으로부터 시작한 것은 반드시 壬戌에 이르러 마치고, 나머지 癸亥, 甲子, 乙丑은 행하지 않고 그치는 수에 속한다. 그러나 '행하여 0에 이른다.'고 말하지 않고, '7에 이르러 그친다.'고 말한 것은 하늘의 干數로 땅의 支數를 타면 항상 10이고 그 셋을 버리면 7이기 때문이다. 단지 7을 말하고 9를 말하지 않으니, 땅은 하늘을 따르는 것이다. 만약 만물을 낳는 수가 초목이 싹터 움직여서 땅이 처음 얼 때를 날수로 계산하면, 256을 얻고, 그 나머지 104일은 만물을 낳을 수 없는 것이니, 하루에 세 시진이 있는 것과 같다. 그 수는 행해지지 않는 것이 아니라 수는 행해지지만 사람이 보지 못하는 것이다.(正音律數者, 言音不言聲, 聲在其中也. 言律不言呂, 呂在其中也. 蓋音即呂, 律即聲也. 以天之十聲言之,

[12-2-160]

月體本黑, 受日之光而白.

달의 형체는 본래 검으나, 해의 빛을 받아서 희게 빛난다.[192]

[12-2-161]

水在人之身爲血. 土在人之身爲肉.

수水는 사람의 몸에서는 피이다. 토土는 사람의 몸에서는 살덩어리이다.[193]

[12-2-162]

經綸天地之謂才. 遠擧必至之謂志. 並包含容之謂量

천지를 경륜하는 것을 재능[才]이라고 한다. 먼 곳을 지향하여 반드시 그 지향점에 이르는 것을 의지[志]라고 한다. 모든 것을 아울러 포용하는 것을 도량[量]이라고 한다.[194]

如多良千刀妻宮心之類, 則行至於七而止, 其三數, 則無聲而無字, 是以止而不行也. 以地之十二音言之, 如古黑香花卜東乃走思之類, 則行至於九而止, 其三數, 則無音而無字, 是以止而不行也. 上言行至於七而止, 擧聲以見音也, 下言日出寅而入戌, 擧音以見聲也. 蓋天之十干必乘乎地之十二支而運於晝夜. 其自甲寅而始者, 必至壬戌而終, 其癸亥甲子乙丑, 則屬於不行而止之數也. 然不言行至於九, 顧曰行至於七而止者, 以天之干數, 乘地之支數, 每十而去其三, 則七. 但言七而不言九, 地從天也. 若夫生物之數, 自草木萌動, 至地始凍, 以日計之, 當得二百五十六, 其餘一百四日, 則物不能生, 猶之一日之有三時焉. 此其數非不行也, 數雖行而人不見也.)" "정음의 율수는 黃鐘이 宮이 되고, 太蔟가 商이 되고, 姑洗이 角이 되고, 蕤賓이 變徵가 되고, 林鍾이 徵가 되고, 南呂가 羽가되고, 應鍾은 變宮이 되는 것과 같다. 그래서 경세도에서 '일의 네 자리, 월의 네 자리, 성의 네 자리, 신의 네 자리는 모두 7聲이다.'라는 것이 이것이다. 천지의 수는 1에서 시작하여 10에서 끝나고 하지의 해는 寅에서 나와 戌에서 들어가니, 모두 60刻이고, 여분인 1을 합하면, 거의 10분의 7이 된다. 정자가 '堯夫는 맛에는 18,600가지가 있고, 색에는 18,600가지가 있음을 궁리했지만, 유독 聲의 수는 子의 반만을 얻었으니, 아마도 성은 陽으로 해가 땅위로 나올 때만 수를 얻고 땅 아래로 들어가면 수가 행해지지 않았기 때문이다.'라고 했다.(補註正音律數, 如黃鍾爲宮, 太蔟爲商, 姑洗爲角, 蕤賓爲變徵, 林鍾爲徵, 南呂爲羽, 應鍾爲變宮. 故經世圖, 日四位, 月四位, 星四位, 辰四位, 皆七聲是也. 蓋天地之數, 始於一, 終於十, 夏至之日, 出寅入戌, 凡六十刻, 兼餘分之一, 庶幾乎十之七也. 程子有言, 堯夫, 嘗窮味有一萬八千六百, 色有一萬八千六百, 獨聲之數, 只得子半, 蓋聲陽也, 只於日出地上, 得數, 到日入地下, 遂數不行也.)"

192 장행성, 『皇極經世外篇衍義』: "형체가 본래 검다는 것은 음이다. 행의 빛을 받아서 아주 희게 빛나는 것은 그 빛은 양을 얻은 기운이다. 성색취미의 아름다움도 모두 양에 속한다.(體本黑者, 陰也. 受日之光而白其甚, 則光者, 得陽之氣也. 凡聲色臭味之美處, 皆屬乎陽.)"

193 왕식, 『皇極經世書解』: "생각건대, 이것에 근거하면 앞 구절에서 艮괘가 살덩이라는 말은 잘못되었음을 알 수 있다. 이것으로부터 추측하면 石이 뼈이고 火는 정수이다.(愚按, 據此則前節, 艮爲肉之誤, 可知矣. 由此推之, 則石爲骨, 火爲髓也.)" 장행성은 『皇極經世觀物外篇衍義』에서 이렇게 설명한다. "수가 피이고 토가 살덩어리라면, 石은 뼈이고 火는 氣가 분명하다. 소강절은 또 '화는 정수.'라고 했으니, 陽이다.(水爲血, 土爲肉, 則石爲骨, 火爲氣明矣. 康節又曰火爲髓陽也.)"

194 왕식, 『皇極經世書解』에서 황기는 이렇게 말한다. "천지를 경륜하는 것은 성인의 재능이니, 광대하며 강직한

[12-2-163]

六虛者, 六位也. 虛以待變動之事也.

육허六虛[195]란 괘효의 여섯 자리를 말한다. 비워서 변동하는 일을 기다리는 것이다.[196]

[12-2-164]

有形則有體, 有性則有情.

형形이 있으면 체體가 있고, 성性이 있으면 정情이 있다.[197]

[12-2-165]

天主用, 地主體. 聖人主用, 百姓主體. 故日用而不知.

하늘은 용用을 주관하고 땅은 체體를 주관한다. 성인은 용을 주관하고, 백성은 체를 주관한다. 그러므로 날마다 그 체를 사용하면서도 알지 못한다.[198]

것은 성인을 희구하는 일이다.(經綸天地, 聖人之才也, 宏毅者, 希聖之事.)"

195 六虛 : 『周易』「繫辭傳」 : "『易』이라는 책은 멀리 할 수가 없다. 그 도는 여러 번 옮겨서 변하면서 움직이니 한 장소에 머물지 않는다. 여섯 자리에 두루 유행하여 위로 가고 아래로 가는 것에 일정함이 없고 강함과 유함이 서로 변화해서 모범으로 삼을 만한 표준이 없으니 오직 상황에 적합하게 변화할 뿐이다.(易之爲書也, 不可遠. 爲道也, 屢遷變動不居, 周流六虛, 上下无常, 剛柔相易, 不可爲典要, 惟變所適.)"

196 왕식, 『皇極經世書解』 : "생각건대, 육허는 본래 의도를 가지고 행하는 것이 없다. 움직임에 따라서 변화할 뿐이니, 마치 거울은 본래 텅 비어 빛나지만 사물이 비추는 것에 따라서 그 형체에 따라 비춰주는 것과 같다. 이것은 「繫辭傳」에 나온 '변하면서 움직이니 한 장소에 머물지 않는다. 여섯 자리에 두루 유행한다.'는 뜻을 밝힌 것인데, 그 뜻은 다르다. 여기서 육허는 괘의 여섯 효이다.(愚按, 六虛, 本無爲也. 因動而有變, 如鏡本空明, 因物之來, 而如其形以照之. 此釋大傳, 變動不居, 周流六虛之義, 而意則不同. 六虛, 卦之六爻也.)"

197 왕식, 『皇極經世書解』 : "형이 있으면 체가 있으니, 체는 형을 쪼갠 것일 뿐이고, 성이 있으면 정이 있으니, 정은 성을 나눈 것일 뿐이다.(有形則有體, 體者, 析乎形而已, 有性則有情, 情者, 分乎性而已.)"라고 되어 있다.

198 왕식, 『皇極經世書解』 : "땅의 만물은 모두 하늘이 낳은 것이니, 하늘이 용을 주관하고 땅은 체를 주관한다. 백성은 아버지와 아들, 군주와 신하, 남편과 아내, 어른과 아이, 친구들이 있지만, 성인은 아버지와 아들은 親이 있고, 군주와 신하는 義가 있으며, 어른과 아이에게는 序가 있고, 남편과 아내에게는 別이 있고, 친구들 사이에는 信이 있는 까닭을 아니, '성인이 용을 주관하고, 백성은 체를 주관한다.'는 말이다.(補註, 地之萬物, 皆天之所生. 是謂天主用, 地主體. 百姓雖有父子君臣夫婦長幼朋友, 惟聖人則知所以親義序別信, 是謂聖人主用, 百姓主體.)" "생각건대, 이것은 계사전 5장의 '백성은 날마다 쓰면서 알지 못한다.'는 말을 體用과 아울러 말했으나 별도로 하나의 학설이다. 체용이라는 말은 정자와 주자가 本體와 發用이라고 했으니, 인으로 말하자면 마음의 덕이 본체이고, 사랑의 이치가 발용이 그것이다. 소강절은 이 사물에서 드러난 것을 체라 하고 이 사물을 운용하는 것을 용이라고 했다. 「漁樵問對」에서 '하늘은 용을 근본으로 삼고, 체를 말단으로 삼으며, 땅은 체를 근본으로 삼고 용을 말단으로 삼는다.'고 했고, 水火를 말한 것에 이르러 '장작은 불의 체이고 불은 장작의 용이다.'라고 했으니, 그의 말이 대체로 이와 같다. 내편 2장에 '그 마음을 살피고, 그 행적을 관찰한다.'는 절에 드러나 있다.(愚按, 此釋上繫之五章百姓日用而不知, 因以體用並言, 別是一說. 蓋體用之

[12-2-166]

膽與腎同陰. 心與脾同陽. 心主目. 脾主鼻.

담膽과 신장은 모두 음이고, 심장과 비장은 모두 양이다. 심장은 눈을 주관하고 비장은 코를 주관한다.[199]

[12-2-167]

陽中陽, 日也, 陽中陰, 月也. 陰中陽, 星也, 陰中陰, 辰也. 柔中柔, 水也, 柔中剛, 火也. 剛中柔, 土也, 剛中剛, 石也.

양 가운데 양이 일日이고, 양 가운데 음이 월月이다. 음 가운데 양이 성星이고, 음 가운데 음이 신辰이다. 유 가운데 유는 수水이고, 유 가운데 강이 화火이다. 강 가운데 유가 토土이고, 강 가운데 강이 석石이다.[200]

[12-2-168]

法, 始乎伏羲, 成乎堯, 革於三王, 極于五霸, 絶于秦. 萬世治亂之迹, 無以逃此矣.

법法은 복희씨로부터 시작되어 요임금에서 이루어지고, 삼왕에서 혁신되었고, 오패에서 극에 달하여 진나라에서 끊어졌다. 만세의 질서와 혼란의 흔적은 여기서 벗어날 수 없다.[201]

云, 程朱謂本體與發用, 如仁, 以心之德, 爲體, 愛之理, 爲用, 是也. 邵子, 以現在此物, 爲體, 運用此物者, 爲用. 漁樵問對云, 天, 以用爲本, 以體爲末, 地, 以體爲本, 以用爲末, 其言水火云薪, 火之體也, 火, 薪之用也, 其說, 率皆如是. 詳見内篇之二察其心觀其迹節.)"

199 왕식, 『皇極經世書解』: "생각건대, 이것에 근거하면 앞절에서 중부는 코이고, 기제는 귀라는 것은 잘못이다.(愚按, 據此則前節, 中孚爲鼻, 旣濟爲耳, 亦誤矣.)"

200 왕식, 『皇極經世書解』: "음양은 기로 말한 것이고, 강유는 질로 말한 것이다.(補註, 陰陽以氣言, 剛柔以質言.)" 황기는 이렇게 말했다. "음 가운데 음은 태음과 같고, 강 가운데 강은 태강과 같으니, 내편과 조금 다르다.(陰中陰, 似太陰, 剛中剛, 似太剛, 與内篇小異.)"
장행성, 『皇極經世觀物外篇衍義』: "日月星辰은 乾兌離震이고, 水火土石은 坤艮坎巽이다. 섞어서 쓰면 성이 천의 강이고 신이 천의 유이고, 수는 지의 음이고, 화는 지의 양이다. 또 장부로 말하자면, 월은 담이니 離에 호응하고, 성은 비장이고 태에 호응하고, 토는 간이니 艮에 호응하여, 원회운세의 순서와는 다르다. 음 가운데 양, 양 가운데 음, 강 가운데 유, 유 가운데 강이므로 서로 변화할 수 있기 때문이다.(日月星辰也水火土石坤艮坎巽也若錯綜用之, 則星爲天之剛, 辰爲天之柔, 水爲地之陰, 火爲地之陽, 又在藏府, 則月爲膽, 應乎離, 星爲脾, 應乎兌, 土爲肝, 應乎艮, 火爲胃, 應乎坎, 與元會運世之序, 不同. 由乎陰中之陽, 陽中之陰, 剛中之柔, 柔中之剛, 可以互變故也.)"

201 왕식, 『皇極經世書解』에서 황기는 이렇게 말한다. "복희에서 시작했으니, 寅에서 사물이 열리고, 요임금에서 이루어지니, 양이 巳에서 순수해져서 건괘가 되고, 삼왕에서 혁신되었으니, 음이 午에서 나서 이것으로부터 가을을 이루고, 오패에서 극에 달하니, 양의 도가 극에 달하여, 닫히고 막혀서 겨울을 이루고, 진에서 끊어지니, 양이 막혀서 끊어졌다. 이는 나머지를 끝에 돌리는 윤수와 같다. 소강절의 시에서 '복희씨 황제씨 요임금 순임금 탕임금 무왕 제환공 진문공, 황, 제, 왕, 패와 부, 자, 군신의 네가지 도리가 진나라에서 끝났다.'고

[12-2-169]

日爲心, 月爲膽, 星爲脾, 辰爲腎, 藏也. 石爲肺, 土爲肝, 火爲胃, 水爲膀胱, 府也.

일日은 심장이고, 월月은 담이고, 성星은 비장이고, 신辰은 신장이니, 장藏이다. 석石은 폐장이고, 토土는 간이고, 화火는 위이고, 수水는 방광이니, 부府이다.[202]

[12-2-170]

易之生數一十二萬九千六百, 總爲四千三百二十世. 此消長之大數. 演三十年之辰數, 卽其數也. 歲三百六十日, 得四千三百二十辰. 以三十乘之, 得其數矣. 凡甲子甲午爲世首. 此爲經世之數, 始于日甲, 月子, 星甲, 辰子. 又云, 此經世日甲之數, 月子星甲辰子從之也.

『역』의 생수生數는 129,600이고 총 4,320세世이다. 이것은 줄어들고 늘어나는 큰 수이다. 30년의 신수辰數로 연역하면 그 수가 나온다. 1년 360일은 4,320시진을 얻는다. 30으로 곱하면 또 그 수를 얻는다. 갑자와 갑오는 세의 첫머리이다. 이것은 경세經世의 수이고, 일日은 갑甲으로, 월月은 자子로, 성星은 갑甲으로, 신辰은 자子로 시작한다. 또 이르기를, 이것은 경세의 일갑日甲의 수이니, 월자月子, 성신星辰, 신자辰子는 이를 따른다.[203]

했으니, 진나라에서 끝나고 끊어져 행할 수 없다는 말이다. 이는 혼란을 돌이켜 질서로 만들기가 어렵다는 말이다.(始乎伏羲, 開物於寅, 成乎堯, 陽純乎巳, 爲乾, 革於三王, 陰生於午, 自此成秋, 極於五霸, 陽道已極, 閉塞成冬, 絶於秦, 陽隔絶矣, 猶歸餘於終之閏也. 邵子又詩曰, 羲黃堯舜湯武桓文, 皇帝王霸, 父子君臣, 四者之道理, 限於秦, 言限絶於秦而不得行也. 反亂爲治難矣.)"

왕식, 『皇極經世書解』: "생각건대, 이것은 내편13장 '황은 봄이다.'라고 한 곳의 몇 구절의 뜻이다. 巳 이전의 6會는 자라나는 것이 되고, 午 이후는 줄어드는 시작이니, 진나라에 이르면 하나의 큰 경계이다. 내편에 '王伯'라고 하고, 여기서는 글자를 '霸'라고 한 것은, 『左傳』 성공 2년에 '오백이 패도를 행사했다.'고 했고, 주소에서 '伯'은 우두머리이라고 했고, 모씨는 '오백의 백자는 패로 읽는다.'고 했으니, 제후를 牧伯長했다는 뜻을 취한 것이다. 그러나 후대 사람들이 '侯伯'의 백과 혼동할 것을 걱정하여 '패'자를 써서 구별했다.(愚按, 此即內篇之十三, 皇, 春也, 數句之意. 蓋巳前六會爲長, 自午以後爲消之始, 至秦爲一大限矣. 內篇, 言王伯, 此變文爲霸者, 按左傳成公二年, 五伯之霸也, 疏云伯, 長也, 毛氏曰, 五伯之伯, 讀曰, 霸, 伯, 取牧伯長諸侯之義, 後人恐與侯伯字相溷故, 借用霸字, 以別之.)"

202 왕식, 『皇極經世書解』: "생각건대, 이전에 '체가 교류한 뒤에 낳는다.'고 한 절에 서로 바뀌어야 마땅한 곳을 여기서 보면 바르게 할 수 있다.(愚按, 前體交而後生節, 宜互易處, 此足正之.)"

203 왕식, 『皇極經世書解』에서 황기는 이렇게 말한다. "1, 2, 3, 4, 5는 역의 생수이니, 1은 元이고, 2는 會이고, 3은 運이고, 4는 世이며, 5는 129,600 년수에 해당하지만, 오직 세로 총괄하여 1원으로 돌아오니, 또한 奇數가 5를 제거하고 다시 1로 돌아오는 것과 같다. 1년의 줄어드는 것과 커지는 것은 6개월로 변하니, 이것이 줄어들고 늘어나는 小數이다. 1원의 줄어드는 것과 커지는 것은 6회로 변하니, 이것이 줄어들고 늘어나는 大數이다. 작은 것으로 큰 것을 보면, 1世의 시진의 수는 1원의 연수이고, 1세의 시진의 수는 실제로 1년으로부터 일어나며, 1년의 시진의 수를 연역하면, 4,320을 얻으니, 30으로 곱하면 129,600의 수를 볼 수 있다. 1세의 년이 반드시 갑자에서 시작하는 것은 본다. 癸亥의 이후에 일어나는 것이니, 陽이 小雪에서 줄어들고 冬至에서 늘어나는 것과 같고, 갑오에서 일으키는 것은 계해의 이전에서 일어나는 것이니, 陰이 小滿에서 줄어들고 夏至에서 자라나는 것과 같다. 그 시작하는 것을 찾아보면 일갑, 월자, 성갑, 신자에서 시작하고,

[12-2-171]

鼻之氣目見之, 口之言耳聞之, 以類應也.

코의 기는 눈이 보고, 입의 말은 귀가 들으니, 종류로서 호응하는 것이다.[204]

[12-2-172]

倚蓋之說, 崑崙四垂而爲海, 推之理則不然. 夫地直方而靜, 豈得如圓動之天乎.

기울어진 우산이라는 학설에서 '곤륜산이 사방으로 내려져 있어 바다가 된다.'고 하니, 이치로 미루어 보면 그렇지 않다. 땅은 곧고 네모나서 안정적이니 어찌 둥글어서 움직이는 하늘과 같은가?[205]

이로부터 干支로부터 돌아가면서 갑자가 되어, 만물이 닫힐 때가 된 후에 그치니, 건곤의 큰 것도 복괘를 元으로 삼는 것을 알 수 있다. 경세의 수가 日甲의 1로부터 시작하고, 月과 辰이 이에 따르니, 1은 도의 조상이 아닌가?(一二三四五. 易之生數也, 一爲元, 二爲會, 三爲運, 四爲世, 五當一十二萬九千六百年數, 而惟以世總之, 歸於一元焉, 亦猶奇之去五, 以復於一也. 一年之消長以六月而變, 此消長之小數也. 一元之消長, 以六會而變, 此消長之大數也. 以小而見大, 則一世之辰數, 即一元之年數也, 而一世之辰數, 實由一年而起, 衍一年辰數, 得四千三百二十, 以三十乘之, 則一十二萬九千六百之數, 可見矣. 一世之年, 必始於甲子者, 是起於癸亥之後, 猶陽消於小雪, 而長於冬至也, 其起於甲午者, 是起於癸亥之前, 猶陰消於小滿, 而長於夏至也. 原其所始, 始於日甲月子星甲辰子, 自是干支遞相甲子, 以至於閉物而後已, 則乾坤之大, 以復爲元, 可知矣. 夫經世之數, 始於日甲之一, 而月與星辰, 從之, 則一也者, 非道之宗乎?)"

왕식은 이렇게 설명한다. "살펴보건대, 이 구절은 1년으로 1원의 수를 밝히고, 아래는 元의 甲의 1로 世의 갑자가 일어난 것을 밝힌 것이다. 1원은 4,320세, 129,600년이고, 1년은 4,320시진이고, 30년은 129,600시진이다. 일의 갑과 월의 자와 성의 갑과 신의 자이면 월과 성과 신이 모두 일을 따르니, 곧 갑자년, 갑자월, 갑자일, 갑자시이다. 이상의 세 구절은 모두 천지시종의 수이니, 그 학설을 자세하게 보려면 내편의 10장을 참고하라.(愚按, 此節, 上以一年明一元之數, 下以元之甲一, 明世之甲子, 所由起也, 一元, 四千三百二十世, 十二萬九千六百年, 一年, 則四千三百二十時, 三十年, 則十二萬九千六百時也. 日之甲, 月之子, 星之甲, 辰之子, 月星辰, 皆從乎日, 即甲子年, 甲子月, 甲子日, 甲子時也. 以上三節, 皆爲天地始終之數, 詳其說也, 內篇之十叅看.)"

204 왕식, 『皇極經世書解』: "생각건대, 이것은 곧 담과 신장은 같은 음이고, 심장과 비장은 양이라는 뜻이다.(愚按, 此即膽腎同陰, 心脾同陽之義.)"

205 왕식, 『皇極經世書解』: "천문지를 보면 천체를 말한 것이 3가지 학파가 있다. 하나는 周髀이고, 두 번째는 宣夜이고, 세 번째는 渾天이다. 선야는 이전의 학설이 없어 그것이 어떤지를 알 수가 없고, 주비의 학설은 하늘이 동이를 엎어놓은 것 같아서, 북극을 중앙으로 삼고, 중앙은 높고, 네 변은 낮으며, 해와 달은 곁을 돌아가서, 해와 가까워지고 보이면 낮이 되고, 해에서 멀어져서 보이지 않으면 밤이 된다. 기울어진 양산과 같다는 학설은 주비의 학술이다.(補註, 按天文志, 言天體者, 三家. 一曰周髀, 二曰宣夜, 三曰渾天宣. 夜絶, 無師說, 不知其狀如何, 周髀之說, 以爲天似覆盆, 以斗極爲中, 中高四邊下, 日月旁行遶之, 日近而見之, 爲晝, 日遠而不見, 爲夜, 倚蓋之說, 即周髀之術也.)"

황기는 왕식본 『皇極經世書解』에서 이렇게 말한다. "하늘이 우산과 같다는 것의 오류를 밝혔다.(闢蓋天之謬.)"

[12-2-173]

海潮者, 地之喘息也, 所以應月者, 從其類也.

바다의 조수는 땅의 호흡이니, 달에 호응하는 것은 그 부류를 따르는 것이다.[206]

[12-2-174]

十干, 天也, 十二支, 地也. 支干配天地之用也.

십간十干은 하늘이고, 십이지十二支는 땅이다. 십이지와 십간은 천지의 작용에 배당한다.[207]

[12-2-175]

動物自首生. 植物自根生. 自首生, 命在首. 自根生, 命在根. 神者, 易之主也, 所以無方. 易者, 神之用也, 所以無體.

동물은 머리부터 생기고, 식물은 뿌리부터 생긴다. 머리부터 생기는 것은 명이 머리에 있고, 뿌리부터 생기는 것은 명이 뿌리에 있다.[208] 신神이란 변화[易]의 주인이라서 장소가 없다. 변화란 신의 작용이라

206 왕식, 『皇極經世書解』: "하루 안에서 子 시진 이후에 양이 생기는 때는 양이 음과 교류하여 밀물이 생기고, 午 시진 이후에 음이 생기는 때는 음이 양과 교류하여 썰물이 생기니, 이것은 사람이 호흡하는 모습과 같다. 한 달 안에서 삭3일의 밝음이 생기는 때는 양이 자라는 것이니, 하루의 자 시신 이후와 같으므로, 조수의 형세가 크고, 또 18일의 달 그림자가 생기는 때는 음이 자라는 것이니, 하루의 오 시진 이후와 같으므로 조수의 형세 또한 크다. 이것은 천지 사이 음양 조화의 묘유(妙)이고, 그렇게 되는 것을 알지 못하고 그렇게 된 것이다. 어떤 이가 余襄公의 뜻에 의해서 말하기를 '월은 양의 정수이니 군주의 모습이고, 월은 음의 정수이니 신하의 모습이다. 물은 달에 속하며 달은 항상 해를 향하고 물 또한 이를 따르니, 밀물과 썰물의 이름이 생겨난 것이다. 朔(이)에는 해와 달이 서로 모이고, 보름에는 해와 달이 서로 상대한다. 그러므로 조수의 형세가 크고, 달이 상현과 하현이 될 때, 해와 달이 서로 모이거나 마주보지 않으므로 조수의 형세가 작다.'고 했다.(補註, 一日之內, 自子後, 陽生之時, 陽交於陰而潮生, 午後, 陰生之時, 陰交於陽而汐生, 如人之喘息之象也. 一月之內, 朔三日明生之時, 則陽長, 猶一日之子後也, 故潮勢大, 十八日魄生之時, 則陰長, 猶一日之午後也, 故潮勢亦大. 此, 天地間陰陽造化之妙有, 莫知其然而然者. 或依余襄公之意, 而爲之說曰, 日爲陽精, 君之象也, 月爲陰精, 臣之象也. 水, 月之屬也, 月常向日而水亦從之, 此潮汐之所由名也. 朔則日月相會, 望則日月相對. 故潮勢大, 月弦之際, 日月不相會相對, 故潮勢小.)" 황기는 왕식, 『皇極經世書解』에서 이렇게 말한다. "사람의 기는 출입하니 입으로 하면 내쉬는 것이고, 코로 하면 들이마시는 것이니, 바다의 조수도 이와 같아서 기가 수와 토에서 출입하는 것이다. 水는 땅의 태유가 되고 月은 하늘의 태음이 되니 음과 유가 호응한다. 그러므로 월은 卯酉에 걸려 있으면, 조수가 동서쪽에 호응하고, 월이 子午에 걸려 있으면 조수가 남북쪽에 호응한다.(人氣出入, 由口爲喘, 由鼻爲息, 海潮如之, 以氣之出入於水土也. 水爲地之太柔, 月爲天之太陰, 陰與柔應. 故月麗於卯酉則潮應乎東西, 月麗於子午則潮應乎南北.)"

207 왕식, 『皇極經世書解』에서 황기는 이렇게 말한다. "하늘의 수는 1, 3, 5, 7, 9이고 가운데 5를 배하면 10이 된다. 땅의 수는 2, 4, 6, 8, 10이고 가운데 6을 배하면 12가 된다. 5와 6을 서로 곱하여 두 배하면 60이 되니, 천지의 작용이 연유하여 행하지는 것이다. 그러므로 일과 성은 간을 쓰고 월과 신은 지를 쓴다.(天數, 一三五七九, 而中於五, 倍之爲十. 地數, 二四六八十, 而中於六, 倍之爲十二. 五六倍自相乘, 爲六十, 天地之用, 所由行也. 故日星以干, 月辰以支.)"

서 본래 형체가 없다.[209]

[12-2-176]

循理則爲常. 理之外則爲異矣.

이치를 따르면 상도常道가 된다. 이치 이외의 것이라면 이상異象 현상이 된다.[210]

[12-2-177]

風類水類小大相反.

풍風의 종류와 수水의 종류는 작고 큰 것이 서로 반대된다.[211]

208 동물은 머리부터 … 있다 : 왕식, 『皇極經世書解』에서 황기는 이렇게 말한다. "기는 입을 따라 들어가니, 머리가 있는 것이 곧 명이고, 형체는 껍질로부터 나오니, 뿌리가 있는 곳이 곧 명이다.(氣從口入, 首之所在, 即命也, 形由甲出, 根之所在, 即命也.)" 왕식, 『皇極經世書解』 : "생각건대, 이 명이라는 글자는 기로 말한 것이다. 동물은 그 머리가 상하고, 식물은 뿌리가 상하면, 명이 기울어진다. 그 생으로 말하면 초목은 거꾸로 살고, 날짐승과 들짐승은 가로로 살며, 사람만이 하늘과 땅을 본받아 위에 관을 쓰고 아래로 신을 신으니, 만물의 영장이 된다. 또 廬陵 王道升이 말하기를 '식물의 껍질을 벗기면 모두 죽으니, 기가 바깥에 있는 것이고, 동물은 안이 상하면 죽으니, 신이 속에 있기 때문이다. 신과 기가 있는 곳을 상하면 살 수 있는 이치가 없다.'고 했으니, 그 말을 참고할 수 있다.(愚按, 此命字, 以氣言. 動物, 傷其首, 植物, 戕其根, 則命傾矣. 就其生言之, 草木倒生, 飛走橫生, 惟人象天地, 上冠下履, 所以爲萬物之靈, 又廬陵, 王道升云, 植物去皮, 皆死, 氣在外也, 動物傷內, 則死, 神在中也. 神與氣之所在, 一戕, 則無生理, 語亦可叅.)"

209 神이란 변화[易]의… 없다 : 왕식, 『皇極經世書解』에서 황기는 이렇게 말한다. "음양이 오묘하여 측정할 수 없는 것이 신이다. 9와 6이 변해서 때를 따르는 것이 易이다. 측정할 수 없기 때문에 역의 주체가 되고, 때를 따르기 때문에 신묘한 작용이다.(陰陽妙而不測者, 神也. 九六變而隨時者, 易也. 不測, 故爲易主, 隨時, 故爲神用.)" 왕식, 『皇極經世書解』 : "생각건대 「繫辭上」 4장에 '신은 장소가 없고 역은 형체가 없다.'고 했고, 5장에서 '낳고 낳는 것을 역이라 하고, 음양을 측정할 수 없는 것을 신이라고 한다.'고 했다. 소강절이 그것을 해석하여 신을 주체로 삼고 역을 작용으로 삼았다.(愚按, 上繫之四章曰, 神無方而易無體, 五章曰, 生生之謂易, 陰陽不測之謂神. 邵子釋之, 以神爲主而易爲用.)"

210 왕식, 『皇極經世書解』 : "생각건대, 이 말을 보면 소강절의 수를 배우는 학문은 이치가 아닌 것이 없으니, 어찌 이단을 행하려는 것이겠는가?(愚按, 觀此, 則邵子之學數, 無非理, 豈肯爲異乎?)"
장행성은 『皇極經世觀物外篇衍義』에서 이렇게 말한다. "자연의 이치를 따르지 않는 것은 하늘에서는 괴이한 기운이 되고, 사람에게서는 어그러진 행동이 된다. 六氣에는 淫이 있고, 八風에는 邪가 있고, 五行에는 沴(여)가 있으니 괴이한 기운을 천지는 면할 수가 없다. 대수는 본래 이치를 따르므로 결국에는 正으로 돌아온다.(不循自然之理者, 在天爲怪異之氣, 在人爲乖戾之行. 六氣有淫, 八風有邪, 五行有沴, 怪異之氣, 天地不能免. 大數本順, 故卒反于正.)"

211 왕식, 『皇極經世書解』 : "풍에서 날으는 것은 작고 달리는 것은 크다. 수에서 날으는 것은 크고 달리는 것은 작다.(補註, 在風者飛小而走大, 在水者飛大而走小.)"

[12-2-178]

震爲龍, 一陽動於二陰之下, 震也. 重淵之下有動物者, 豈非龍乎.

"진震괘는 용龍이다."[212] 하나의 양효가 두 음효의 아래에서 움직이니, 진동이다. 깊은 연못 아래에 있는 동물이니, 어찌 용이 아니겠는가?[213]

[12-2-179]

一十百千萬億爲奇, 天之數. 二十百二十千二百萬二千億二萬爲偶, 地之數也.

1, 10, 100, 1,000, 10,000, 1억은 홀수가 되니, 하늘의 수이다. 2, 12, 120, 1,200, 12,000, 1억 2만은 짝수가 되니, 땅의 수이다.[214]

[12-2-180]

天之陽在東南, 日月居之. 地之陰在西北, 火石處之.

하늘의 양은 동남쪽에 있으니, 해와 달이 자리한다. 땅의 음은 서북쪽에 있으니, 화火와 석石이 자리한다.[215]

[12-2-181]

火以性爲主, 體次之. 水以體爲主, 性次之.

화火는 성性을 주로 하고, 체體는 그 다음이다. 수水는 체體를 주로 하고, 성性은 그 다음이다.[216]

212 『易』「說卦傳」 8장: "건괘는 말이고, 곤괘는 소이고, 진괘는 용이고, 손괘는 닭이고, 감괘는 돼지이고, 이괘는 꿩이고, 간괘는 개이고, 태괘는 양이다.(乾爲馬, 坤爲牛, 震爲龍, 巽爲雞, 坎爲豕, 離爲雉, 艮爲狗, 兌爲羊.)"

213 왕식, 『皇極經世書解』에서 황기는 이렇게 말하다. "「說卦傳」의 말을 해석한 것이다. 진괘가 용의 모양을 상징하는 것은 용은 하나의 양효의 모습이고, 중첩된 연못은 두 음효의 모습이다."(釋說卦之辭. 震之所以象龍, 蓋龍一陽之象, 重淵二陰之象也.)

214 왕식, 『皇極經世書解』: "'二十' 아래에 마땅히 '二'가 있어야 한다. 어떤 판본에는 '이십'을 '十二'로 했는데 더 좋은 듯하다.(補註, 二十下, 當有二字, 一本, 二十作十二, 似優.)" 이에 대해 황기는 이렇게 말한다. "1에서 10, 100, 1,000, 10,000, 1억은 모두 하나가 나뉜 것이므로 홀수가 되어 하늘에 속한다. 1이 3으로 변하고 3이 9로 변하고, 9가 12로 변해서 여기서부터 100, 1,000, 10,000, 1억은 모두 12가 쌓인 것이므로, 짝수가 되어 땅에 속한다.(一至十百千萬億, 皆一所分也, 故爲奇而屬天. 一變三, 三變九, 九變十二, 由是而百千萬億, 皆十二所積也, 故爲偶而屬地.)"

215 왕식, 『皇極經世書解』: "생각건대, '경세천지사상도'에 日은 乾이고 月은 兌이니, 동에서 나와 남으로 오르고, 火는 艮이고 石은 巽이니, '경세천지사상도'에서 서쪽과 북쪽에 해당한다. 그런데 황기가 방도로 설명했으니, 본뜻과 거리가 멀다.(愚按, 經世天地四象圖, 日即乾, 月即兌, 出於東而升於南, 火即艮, 石即巽, 在圖之西與北. 黃氏以方圖言之, 則去之遠矣.)"

216 왕식, 『皇極經世書解』: "火는 밖이 양이고 안이 음이라서, 기는 있지만 질이 없으므로 성을 위주로 하고 체는 그 다음이다. 水는 밖은 음이고 안은 양이라서, 질은 있지만 기는 없는 것이므로, 체를 주로 하고, 성은 그 다음이다.(補註, 火外陽內陰, 有氣而無質者也, 故以性爲主, 體次之. 水外陰內陽, 有質而無氣者也,

[12-2-182]

陽性而陰情. 性神而情鬼.

양陽은 성性이고 음陰은 정情이다. 성性은 신神이고 정情은 귀鬼이다.[217]

[12-2-183]

起震終艮一節, 明文王八卦也. 天地定位一節, 明伏羲八卦也. 八卦相錯者, 明交錯而成六十四也.

'진震괘에서 일으켜서 간艮괘에서 그친다.'[218]는 한 구절은 문왕의 팔괘를 밝힌 것이다. '하늘과 땅이 자리를 정한다.'[219]는 한 구절은 복희의 8괘를 밝힌 것이다. '8괘가 서로 섞인다.'[220]는 것은 교대해서 64괘를 이룬다는 것을 밝힌 것이다.[221]

故以體爲主, 性次之.)" 왕식, 『皇極經世書解』, "생각건대, 「漁樵問對」에서 '水火는 작용이고, 초목은 체이니, 땔감은 화의 체이고, 화는 땔감의 작용이다. 火는 작용을 근본으로 삼고, 체는 말단으로 삼기 때문에 움직이고, 水는 체를 근본으로 삼고 작용을 말단으로 삼기 때문에 고요하다.'라고 했으니, 이것과 참고해 볼 수 있다.(愚按, 漁樵問對云, 水火用, 草木體也, 薪, 火之體也, 火, 薪之用也, 火以用爲本, 以體爲末, 故動, 水以體爲本, 以用爲末, 故靜. 可與此叅看.)"

217 왕식, 『皇極經世書解』: "성은 하늘에 근본하므로 양에 속하고 정은 사람에게서 발현되므로 음에 속한다. 성으로 돌이키는 진짜가 신이고 정을 따르는 망령됨은 귀이다.(性本於天, 故屬陽, 情發於人, 故屬陰. 反性之眞, 則神, 狥情之妄, 則鬼.)"

218 『易』「說卦傳」 5장: "帝가 진괘에서 나와, 손괘에서 가지런하게 되고, 이괘에서 서로 보고, 곤괘에서 실행이 이루어지고, 태괘에서 기뻐하여 말하고, 건괘에서 싸우고, 감괘에서 힘쓰고, 간괘에서 말을 이룬다."(帝出乎震, 齊乎巽, 相見乎離, 致役乎坤, 說言乎兌, 戰乎乾, 勞乎坎, 成言乎艮.)

219 『易』「說卦傳」 3장: "天地定位, 山澤通氣, 雷風相薄, 水火不相射, 八卦相錯.

220 『易』「說卦傳」 3장: "天地定位, … 八卦相錯. 數往者順, 知來者逆, 是故易逆數也."

221 왕식, 『皇極經世書解』에서 『易學啓蒙』에 나온 주자의 말을 인용하고 있다. "邵雍의 주장에 의거하면 '선천'은 복희가 그린 『易』이고, '후천'은 문왕이 연역한 『易』이다. 복희의 『易』은 애초에 문자가 없이 다만 하나의 그림으로 그 象數를 함유하고 있었는데, 천지만물의 理와 음양이 시작하고 끝나는 변화가 거기에 갖추어져 있다. 문왕의 『易』은 바로 오늘날의 『周易』이며, 공자가 『역전』을 지은 것이 이것이다. 공자가 이미 문왕의 『易』에 근거하여 『易傳』을 지었으니, 그가 논한 것들은 본디 오로지 문왕의 『易』을 위주로 했을 것이다. 그러나 복희가 처음 그린 『易』을 근본까지 미루어가지 않고 다만 중반에서 논의를 시작한다면, 그 위의 근원은 알 수 없게 될 것이다. 그러므로 「十翼」 가운데 예컨대 '8괘가 열을 이루니, … 그것에 따라서 거듭하니',라고 하고 '태극, 兩儀, 4상, 8괘'를 말한 것 및 '하늘과 땅, 산과 못, 우레와 바람, 물과 불'을 말한 것 따위는 모두 복희가 괘를 그린 뜻에 근본을 둔 것이다. 이제 『易學啓蒙』의 「原卦畫」편에서도 또한 두 가지로 의미를 구분하여 복희의 『易』을 앞에 두고 문왕의 『易』을 뒤에 두었다. 성인이 『易』을 만든 근본을 반드시 알려고 하면 마땅히 복희가 8괘를 그은 것을 고찰해야겠지만, 만약 다만 오늘날의 『易』이라는 책속에 담긴 글의 뜻만을 알려고 한다면, 단지 문왕의 『易經』과 공자의 『易傳』만으로도 충분할 것이다. (복희의 『易』과 문왕의 『易』) 둘은 애초에 서로 방해되지 않지만, 그렇다고 또한 서로 뒤섞어서도 안 된다.(朱子曰, "據邵氏說, 先天者, 伏羲所畫之易也, 後天者, 文王所演之易也. 伏羲之易初無文字, 只有一圖以寓其象數, 而天地萬物之理, 陰陽始終之變具焉. 文王之易卽今之周易, 而孔子所爲作傳者是也. 孔子旣因文王之易以作傳,

[12-2-184]

數往者順, 若順天而行, 是左旋也, 皆已生之卦也, 故云數往也. 知來者逆. 若逆天而行, 是右行也, 皆未生之卦也, 故云知來也. 夫易之數, 由逆而成矣. 此一節直解圖意, 若逆知四時之謂也.

'지나간 것을 세는 것은 순행順行이다.'라는 것은 하늘을 따라 간다는 것과 같으니 왼쪽으로 도는 것으로서, 모두 이미 나온 괘이므로 지나간 것을 센다고 했다. '다가올 것을 아는 것은 역행逆行이다.'라는 것은 하늘을 거슬러 가는 것과 같으니 오른쪽으로 가는 것으로서, 모두 아직 생겨나지 않은 괘이므로 다가올 것을 안다고 했다. 역의 수는 역행으로부터 이루어진다. 이 한 구절은 선천도의 뜻을 직접 해석한 것이니 마치 사계절을 거슬러 안다고 하는 것과 같다.[222]

則其所論固當專以文王之易爲主. 然不推本伏義始畫之易, 只從中半說起, 不識向上根原矣. 故十翼之中, 如'八卦成列, 因而重之', '太極兩儀四象八卦', 而'天地山澤雷風水火'之類, 皆本伏羲畫卦之意. 而今啓蒙原卦畫一篇, 亦分兩義, 伏羲在前, 文王在後. 必欲知聖人作易之本, 則當考伏羲之畫, 若只欲知今易書文義, 則但求文王之經, 孔子之傳足矣. 兩者初不相妨, 而亦不可以相雜也.")"

왕식본 『皇極經世書解』에서 보충주석에서는 이렇게 말한다. "포운룡의 『天原發微』에서는 '복희씨의 괘는 선천이니 하늘의 기이고, 문왕의 괘는 후천이니 땅의 네모남이다. 선천 8괘는 하늘의 사계절에 대응하고, 후천 8괘는 땅의 8방에 대응되니, 어디에 간들 쓰이지 않겠는가?'라고 했다.(補註, 鮑氏發微曰, 伏羲之卦, 先天也, 天之氣也, 文王之卦, 後天也, 地之方也. 先天八卦, 應天四時, 後天八卦, 應地八方, 何往而非用者?)"

왕식, 『皇極經世書解』, "생각건대, 「說卦傳」 5장에 '帝가 진괘에서 나와, 손괘에서 가지런하게 되고, 이괘에서 서로 보고, 곤괘에서 실행이 이루어지고, 태괘에서 기뻐하여 말하고, 건괘에서 싸우고, 감괘에서 힘쓰고, 간괘에서 말을 이룬다.'고 했으니, 소강절이 이와 같이 해석한 것이다. 그러나 소강절이 여기에서 하나의 학설을 아랫글에서 말한 것과 같다.(愚按, 說卦第五章, 帝出乎震, 齊乎巽, 相見乎離, 致役乎坤, 說言乎兌, 戰乎乾, 勞乎坎, 成言乎艮, 邵子釋之如此. 然邵子於此, 亦自爲一說, 如下文所云也.)"

222 왕식, 『皇極經世書解』에서 주희의 『易學啓蒙』에 나온 구절을 인용하고 있다. "「횡도」로 보면 건1이 있은 다음에 태2가 있고, 태2가 있은 다음에 리3이 있으며, 리3이 있은 다음에 진4가 있고, 진4가 있고서 손5 · 감6 · 간7 · 곤8이 역시 차례대로 생겨난다. 이것이 『易』이 이루어지는 것이다. 그러나 「圓圖」의 왼쪽에서 진괘의 처음이 동지가 되는 것으로부터 리괘 · 태괘의 중간이 춘분이 되어 건괘의 끝에서 하지로 교체하는데 이르기까지는, 모두 나아가서 이미 생겨난 괘를 얻는 것이니 마치 오늘로부터 어제를 쫓아서 세는 것과 같다. 그러므로 '지나간 것을 세는 것은 순행하는 것이다.'라고 말했다. 그 오른쪽에서 손괘의 처음이 하지가 되는 것으로부터 감괘 · 간괘의 중간이 추분이 되어 곤괘의 끝에서 동지로 교체하는데 이르기까지는, 모두 나아가서 아직 생겨나지 않은 괘를 얻는 것이니 마치 오늘로부터 내일을 예측해서 헤아리는 것과 같다. 그러므로 '다가올 것을 아는 것은 역행하는 것이다.'라고 말했다. 그러나 본래 『易』이 이루어지는 것은 그 선후와 始終이 「橫圖」 전체의 순서 및 「圓圖」의 오른쪽의 순서와 같을 따름이다. 그러므로 '『易』은 역행하는 수이다.'라고 말했다.(以橫圖觀之, 有乾一而後有兌二, 有兌二而後有離三, 有離三而後有震四, 有震四而巽五坎六艮七坤八, 亦以次而生焉. 此易之所以成也. 而圓圖之左方, 自震之初爲冬至, 離兌之中爲春分, 以至於乾之末而交夏至焉, 皆進而得其已生之卦, 猶自今日而追數昨日也. 故曰'數往者順.' 其右方自巽之初爲夏至, 坎艮之中爲秋分, 以至於坤之末而交冬至焉, 皆進而得其未生之卦, 猶自今日而逆計來日也. 故曰'知來者逆.' 然本易之所以成, 則其先後始終, 如橫圖及圓圖右方之序而已. 故曰'易逆數也.')" 또 『語類』의 말을 인용하고 있다. "乾1로부터 횡으로 배열하여 坤8에 이르는 것은 모두 자연스러운 것이다. 그러므로 「說卦傳」에서 말하

[12-2-185]

堯典朞三百六旬有六日. 夫日之餘盈也六, 則月之餘縮也亦六. 若去日月之餘十二, 則有三

기를 '역은 역행하는 수이다.'라고 했으니, 모두 이미 생겨난 것에서 나오지 않은 괘를 얻은 것이고, 圓圖와 같은 것은 이와 같이 해야만 음양이 자라나고 줄어드는 순서를 볼 수 있으니, 震의 하나의 陽, 離와 兌의 두 개의 양, 乾의 세 양과 巽의 하나의 음, 坎과 艮의 두 개의 음, 坤의 세 개의 음이, 조금은 인위적으로 안배한 것 같지만 또한 자연의 이치가 아닌 것은 없다.(語類又曰, 若自乾一橫排至坤八, 此則全是自然. 故說卦云易逆數也, 皆自已生以得未生之卦, 若如圓圖, 則須如此, 方見陰陽消長次第, 震一陽, 離兌二陽, 乾三陽, 巽一陰, 坎艮二陰, 坤三陰, 雖似稍涉安排, 然亦莫非自然之理.)" 또 『周易折中』에서 章潢의 말을 인용하고 있다. "건의 純陽으로부터 兌와 離를 거쳐 하나의 양인 震에 이르고, 곤의 純陰으로부터 艮과 坎을 거쳐 하나의 음인 巽에 이르는 것이 '지나간 것을 세는 순행'이 아닌가? 震의 하나의 양으로부터 離와 兌를 거쳐서 坤의 純陰에 이르는 것이 '다가오는 것을 아는 역행'이 아닌가? 왼쪽으로 돌면 모두 오는 것을 아는 것이고, 오른쪽으로 돌면 지나간 것을 세는 것이다. 그러나 『易』은 다가오는 것을 아는 것을 주로 삼아 낳고 낳아 끝이 없으므로, '역행하는 수'라고 했다. 이것을 보면 소강절이 말하는 '왼쪽으로 돈다.'는 것은 왼쪽을 행해 도는 것과 같고, '오른쪽으로 간다.'는 것은 오른쪽으로 향해 간다는 것과 같으니, 책력가들이 말하는 '왼쪽으로 도는 것과 오른쪽으로 구르는 것'과는 다른 말이고, '이미 나온 것과 나오지 않은 것'은 모두 음양이 낳고 낳는 것을 가리켜 말한 것이니, 주희의 해석과는 분별해서 보아야 한다.(周易折中, 章氏潢曰, 自乾純陽, 歷兌離, 以至一陽之震, 自坤純陰, 歷艮坎, 以至一陰之巽, 非數往之順乎? 自震一陽, 歷離兌, 以至乾之純陽, 自巽一陰, 歷坎艮, 以至坤之純陰, 非知來之逆乎? 左旋, 則總爲知來, 右旋, 則總爲數往. 但易以知來爲主, 生生不窮, 是以逆而數之, 按此則邵子所謂左旋者, 猶言向左而旋, 所謂右行者猶言向右而行耳, 與歷家所謂左旋右轉, 各爲一說. 其所謂已生未生, 正指陰陽生生而言, 朱子之解分別觀之.)"

왕식, 『皇極經世書解』: "생각건대, 「說卦傳」 3장에서 '하늘과 땅이 자리를 정하는 데에 산과 못이 기운을 통하고, 우레와 바람이 서로 부딪치며, 물과 불이 서로 쏘지 않아서, 8괘가 서로 섞이니, 지나간 것을 세는 것은 순행하는 것이고, 다가올 것을 아는 것은 역행하는 것이다. 그러므로 역은 역행하는 수이다.'라고 했으니, 소강절이 이와 같이 해석한 것이고, 장씨의 설은 주희의 해석과 함께 둬야 한다. 그러나 단지 『周易折中』의 뜻이 '지나간 것을 세는 것은 순행이다.'라고 한 것으로 '하늘과 땅이 자리를 정한다.'는 구절을 가리키고, '다가오는 것을 아는 것은 역행이다.'라고 한 것으로 아래에 있는 '우레로 움직인다.' 등 여덟 구절을 가리키는 것으로 해석하려고 했으니, 지금 살펴보면 이 두 구절은 모두 선천의 역도로 말한 것이고, 또 모두 괘의 위치가 서로 마주하니, 두 가지 풀이로 삼기 힘들며, 이 절 중간 부분의 '다가오는 것을 아는 것은 역행이다.'라고 한 것으로 아래 문장을 가리키는 것으로 삼았으니, 뜻이 합당하지 않다. 나의 친구 宋子銳臣은 '건1, 태2, 이3, 진4를 거쳐 곤8까지 이르는 것에서, 진으로부터 왼쪽으로 돌아 건에 이르는 것은 4에서 3, 2, 1로 가는 것이니, 지나간 것을 세는 것이고, 손에서 오른쪽으로 가서 곤까지 세어 가는 것은 5에서 6, 7, 8로 가는 것이니, 오는 것을 아는 것이다. 그러나 『易』이 건의 1에서 수를 일으키니, 손감간곤이 역행하는 것이 될 뿐 아니라, 건태이진도 역행이 된다. 그러므로 「역은 역행하는 수이다.」라고 했다.'라고 했으니, 뜻이 가장 명석하다.(愚按, 說卦三章, 天地定位, 山澤通氣, 雷風相薄, 水火不相射, 八卦相錯, 數往者順, 知來者逆, 是故易逆數也. 邵子釋其義如此, 章氏一說似可與朱子之解並存. 但折中之意, 欲以數往者順指天地定位四句, 知來者逆, 指下文雷以動之八句, 今按此兩節, 俱以先天易圖言之, 又皆卦位相對難作兩解, 而於此節中割知來者逆爲指下文, 亦於義未安也. 予友宋子銳臣曰, 乾一兌二離三震四, 以至坤八, 自震左旋數至乾, 是從四數三數二數一, 所謂數往, 自巽右行數至坤, 是從五數六數七數八, 所謂知來. 然易從乾一數起, 不但巽坎艮坤, 是逆, 即乾兌離震, 亦是逆, 故又曰易逆數也, 意最明晰.)"

百五十四, 乃日行之數. 以十二除之, 則得二十九日.

「요전」에 '1년을 366일이다.'라고 했으니, 일日의 여분의 넘치는 수가 6이면 월月의 여분의 모자란 수도 6이다. 만약 일과 월의 여분 12를 버리면 354가 남으니, 이것이 일행日行[223]하는 수이다. 12로 나누면 29일이 된다.[224]

[12-2-186]

五十分之則爲十. 若三天兩之則爲六, 兩地又兩之則爲四, 此天地分太極之數也. 天之變六. 六其六得三十六爲乾一爻之數也. 積六爻之策共得二百一十有六爲乾之策. 六其四得二十四爲坤一爻之策. 積六爻之數共得一百四十有四爲坤之策. 積二篇之策. 乃萬有一千五百二十也.

50을 나누면 10이 된다. 하늘의 수 3을 두 배하면 6이 되고, 땅의 수 2를 또 두 배하면 4가 되는 것과 같으니, 이것은 하늘과 땅이 태극의 수를 나누는 것이다.[225] 하늘의 변화는 6이다. 6을 6배하면 36이

223 日行 : 왕식본 보충 주석에서는 '月行'이어야 한다고 한다.

224 왕식, 『皇極經世書解』: "12로 나누면 매월 29를 얻는다. 내가 이르기를 '이것은 또 큰 수만을 들은 것일 뿐이니, 만약 세말한 수를 논하면 日의 여분의 넘치는 수는 5일 235/940보다 조금 못되고, 월의 모자란 수는 또 5일 592/940보다 조금 약하니, 일과 월의 여분을 합하여 그 사이에 閏을 둔다. 3년에 한 번 윤을 두면, 32일 601/940이고, 5년에 두 번 閏을 두면 氣盈과 朔虛의 몫이 고르게 되니 이것이 1장이 된다.'고 했다. 김씨가 말하기를 '비록 章法에서 기영과 삭허가 고르게 되었다고 하지만 더한 것과 모자란 것의 누적이 아직도 分秒의 여분이 있다. 그래서 27章이 1會가 되고, 3회가 1統이 되고, 3統이 1元이 되어, 4,617년이 쌓이는 데에 이르러 日과 月이 모두 여분이 없다. 그래서 11월 甲子일 그믐밤 동지가 되면 또 달력의 元이 된다.'고 했다. 포운룡의 『天原發微』에서 말하기를 '소강절의 藏閏과 顯閏의 학설은 그 상세한 것을 쉽게 말하기가 어렵다. 눈 앞의 일로 말하자면, 1년은 360이고, 여분의 6일이 六甲 속에 숨겨져 있으니, 이것은 육갑의 두 달 속에 하루가 숨겨진 것이고, 6×60=360일 속에 6일이 숨겨진 것이다. 현윤은 만물이 생겨날 때로부터 만물이 없어지는 날까지 10분의 7을 쓰고 交數 5를 버리니, 360은 본래 240을 쓰는 것이지만, 252일을 얻는 것은 閏數 12로써 240의 밖을 드러낸 것이다.'라고 했다.(補註, 以十二除之, 每月得二十九日也. 愚謂, 此亦擧其大數耳, 若論其細數, 則日之餘盈也, 五日九百四十分日之二百三十五强, 月之餘縮也, 亦五日九百四十分日之五百九十二弱, 合日月之餘, 而置閏於其間. 三年一閏, 則三十二日, 九百四十分日之六百單一, 五歲再閏, 則五十四日, 九百四十分日之三百七十五, 十有九歲七閏, 則氣朔分齊, 是爲一章也. 金氏曰, 章法, 雖云氣朔齊, 然强弱之積, 猶有分秒之餘, 至二十七章爲會, 三會爲統, 三統爲元, 積四千六百一十七年, 則日月皆無餘分, 却得十一月甲子朔夜半冬至, 則又爲歷元矣. 鮑氏發微曰, 康節, 藏閏顯閏之說, 其詳未易言也. 姑以目前言之, 一年三百六十日, 而餘分六日, 藏於六甲之中, 是六甲兩月之中, 藏了一日, 六六三百六十日中, 藏了六日. 顯閏者, 自開物至閉物, 十分用七, 去交數者五, 三百六十, 本用二百四十, 得二百五十二日, 以閏數十二, 顯乎二百四十之外.)"

225 50을 나누면 … 것이다 : 왕식, 『皇極經世書解』에서 황기는 이렇게 설명한다. "태극은 곧 가운데가 비어있는 모습이다. 50은 태극의 수이다. 5는 이전의 수가 1, 2, 3, 4이고, 뒤의 수가 9, 8, 7, 6이니, 합하여 10이 안 되는 것이 없으니, 만약 10으로 말하자면, 하늘의 3을 배로 하면 6이 되고, 땅의 2를 배로 하면 4가 된다. 그렇다면 10이 5로부터 나뉘었음을 알 수 있다.(太極, 卽虛中之象也. 五十, 卽太極之數也. 五前一二三

되어 건괘 한 효의 책수가 된다. 여섯 효의 책수를 누적하면 216이니 건괘의 책수이다. 6을 4배하면 24가 되어 곤괘 한 효의 책수가 된다. 여섯 효의 책수를 누적하면 144이니 곤괘의 책수가 된다. 두 편의 책수를 누적하면 11, 520이다.[226]

[12-2-187]

素問肺主皮毛, 心脉脾肉, 肝筋腎骨, 上而下, 外而內也. 心血腎骨, 交法也. 交即用也.

『소문素問』에 '폐는 살갗과 털을 주관하고, 심장은 맥, 비장은 살, 간은 힘줄, 신장은 뼈를 주관한다.'고 하니, 위에서 아래로 하고 밖에서 안으로 하는 것이다. '심장은 피, 신장은 뼈를 주관한다'는 것은 교류하는 법이다. 교류란 작용이다.[227]

[12-2-188]

易始于三皇. 書始于二帝. 詩始于三王. 春秋始于五霸.

『역』은 삼황三皇에서 비롯되었고, 『서』는 이제二帝에서 비롯되었고, 『시』는 삼왕에서 비롯되었고, 『춘추』는 오패에서 비롯되었다.[228]

[12-2-189]

乾爲天之類, 本象也, 爲金之類, 列象也.

건이 하늘의 종류가 되는 것은 본래 모습이고, 금의 종류가 되는 것은 배열된 모습이다.[229]

四, 後九八七六, 分之無往非十. 若以十言, 參天之三倍, 則爲六, 兩地之二倍, 則爲四, 然則十分自五, 益可見矣.)" 왕식, 『皇極經世書解』, "3과 2를 합하면 5가 되고, 6과 4를 합하면 10이 된다. 이것은 하도와 낙서 가운데 수로 모두 5가 늘어난 것이며, 그 수를 합하면 10에 이르는 것이다.(補註, 合三與兩則爲五, 合六與四則爲十. 此河圖洛書之中數, 皆五衍, 之而合其數以至於十也.)"

226 왕식, 『皇極經世書解』, "'六其四'앞에 '地之變四' 한 구절이 있어야만 한다."(補註, 六其四上, 當有地之變四一句.) 왕식, 『皇極經世書解』, "생각건대, 이것은 시초를 센 숫자를 말한 것이니, 자세한 것은 '陽九陰六用數圖'에 자세하다."(愚按, 此言揲蓍之數, 詳見陽九陰六用數圖.)

227 왕식, 『皇極經世書解』에서 황기는 이렇게 말한다. "폐는 위에 있고 심장은 그 밑에 자리하며, 신장 아래 간은 그 위에 자리하며, 비장이 그들 가운데 있으니, 이것이 '위에서 아래로 한다.'는 것이다. 살갗과 털은 바깥에 맥은 그 안에 자리하고, 뼈는 안에 있고 힘줄은 그 다음에 있고, 살이 그 가운데 있으니, '밖에서 안으로 한다.'는 것이다. '심장이 피를 주관한다.'는 것은 양이 음을 제어하는 것이고, '신장이 뼈를 주관한다.'는 것은 음이 양을 도우는 것이니, 그 교류하는 법이 이와 같은 것이다. 교류하면 작용하고, 교류하지 않으면 형체가 된다."(肺上, 心次之, 腎下, 肝次之, 脾居中, 此上而下之謂也. 皮毛外, 脉次之, 骨居內, 筋次之, 肉居中, 此外而內之謂也. 心之主血, 陽御陰也, 腎之主骨, 陰輔陽也. 其交法若. 此交, 則爲用, 不交爲體.)

228 왕식, 『皇極經世書解』, "생각건대, 이것은 내편의 六贊에서 『易』은 복희와 헌원씨로부터 비롯되었다는 4구절의 뜻이다.(愚按, 此即內篇之六贊, 易自羲軒而下四句之意.)"

229 왕식, 『皇極經世書解』에서 황기는 이렇게 말한다. "본래 모습이 있고 별도의 모습이 있다. 8괘는 모두 그러하니 건괘만 들어서 나머지도 예를 든 것이다.(有本象, 有別象, 八卦, 皆然, 舉乾以例其餘.)"

[12-2-190]

易之首于乾坤, 中于坎離, 終于水火之交不交, 皆至理也.

『역』의 머리는 건괘와 곤괘이고, 가운데는 물을 상징하는 감坎괘와 불을 상징하는 이離괘이며, 끝은 수水와 화火가 교류하거나 교류하지 않는 기제既濟괘와 미제未濟괘이니, 모두 지극한 이치이다.

[12-2-191]

天地並行則藏府配, 四藏天, 四府地也.

하늘과 땅이 함께 운행하니, 장藏과 부府가 짝이 되는데, 4개의 장이 하늘에 속하고 4개의 부가 땅에 속한다.

[12-2-192]

自乾坤至坎離, 以天道也. 自咸恒至旣濟未濟, 以人事也.

건괘와 곤괘에서 감괘와 이괘에 이르는 것은 하늘의 도를 쓴 것이고, 함괘와 항괘로부터 기제괘와 미제괘는 인간사로 쓴 것이다.[230]

[12-2-193]

太極一也, 不動. 生二, 二則神也.

태극은 1이니 움직이니 않는다. 2를 낳으니 2면 신묘하다.[231]

230 왕식, 『皇極經世書解』에서 황기는 이렇게 말한다. “교류하는 것은 만물을 낳는 시작이고, 교류하지 않는 것은 만물을 낳는 것의 끝이다.(交爲生物之始, 不交爲生物之終.)” 왕식은 이렇게 말한다. “생각건대, 정자의 『伊川易傳』「上下篇義」에서 ‘건괘와 곤괘는 천지의 도이고, 음양의 근본이므로 상편의 머리가 되고, 감괘와 이괘는 음양의 형질을 이루므로 상편의 끝이 되며, 함괘와 항괘는 부부의 도이고 생육의 근본이므로 상편의 머리이고 미제괘는 감괘와 이괘의 합이고 기제괘는 감괘와 이괘의 교류이니, 합하여 교류하면 만물을 낳아 음양의 공을 이루므로 하편의 끝이다.’라고 했다. 항안세가 말하기를 ‘상편은 하늘과 땅의 기로 만물을 낳아 형체로 흘러가는 것을 말했으므로, 건괘와 곤괘에서 시작하여 감괘와 이괘에서 끝나니, 기로 화하는 근본을 말한 것이고, 하경은 만물이 형체로 서로 낳아 기를 전하는 것을 말한 것이므로, 함괘와 항괘에서 시작하여 기제괘와 미제괘에서 끝난 것이니, 부부의 도를 말한 것이다.(愚按, 程子上下篇義曰, 乾坤天地之道, 陰陽之本, 故爲上篇之首, 坎離, 陰陽之成質, 故爲上篇之終, 咸恒, 夫婦之道, 生育之本, 故爲下篇之首, 未濟, 坎離之合, 旣濟, 坎離之交, 合而交, 則生物, 陰陽之成功也, 故爲下篇之終. 項氏安世曰, 上篇言天地生萬物, 以氣而流形, 故始於乾坤, 終於坎離, 言氣化之本也. 下經言, 萬物之相生, 以形而傳氣, 故始於咸恒, 終於旣濟未濟, 言夫婦之道也.)”

231 왕식, 『皇極經世書解』, “생각건대, 이것은 6편의 태극은 움직이지 않는다는 절의 뜻과 거의 같다. 황기가 ‘신묘함은 1이기 때문이라고 했는데 다시 신묘함은 2라고 하니 어째서인가? 움직이지 않음이 2를 낳으니 2이면 신과 태극이 2가 된 것이고, 이로부터 수가 생기는 것이니, 어찌 1이 있으면 2가 있는 것이 아니겠는가?’라고 했다.(愚按, 此與六篇太極不動節, 意大同. 黃氏曰, 旣以神爲一矣, 復以神爲二, 何也. 不動, 生二, 二則神與太極爲二, 而數自此生矣, 豈有一則有二歟?)”

[12-2-194]

火生濕. 水生燥.

화火는 축축함을 낳고, 수水는 건조함을 낳는다.[232]

[12-2-195]

神生數, 數生象, 象生器.

신神이 수數를 낳고, 수는 상象을 낳고, 상은 기器를 낳는다.[233]

[12-2-196]

太極不動, 性也. 發則神. 神則數. 數則象. 象則器. 器之變, 復歸於神也.

태극이 움직이지 않는 것이 성性이다. 발현하면 신묘하다. 신묘하면 수數가 생긴다. 수가 생기면 상象이 생긴다. 상이 생기면 기물[器]이 생긴다. 기물이 변하여 다시 신神으로 돌아간다.[234]

232 왕식, 『皇極經世書解』에서 황기는 이렇게 말한다. "여름날 흙과 숯이 무거워지니 화가 축축한 것을 낳는 것이고, 겨울날 흙과 숯이 가벼워지니 수가 건조함을 낳는 것이다.(夏日至, 土炭重, 火生濕也, 冬日至, 土炭輕, 水生燥也.)" 왕식은 이렇게 말한다. "생각건대, 건괘 구오효 「文言傳」에 보면 '물은 축축한 데로 흐르고 불은 건조한 데로 나간다.'고 했으니, 여기에 그 말을 가져온 것이다. 여름은 火에 속한 것인데 찌고 습기가 있고, 겨울은 水에 속한 것인데 건조하니, 金이 火를 핍박하여 땀이 나고, 木은 水를 통해 끓이면 쉽게 마르는 것이 그 한 가지 단서이고, 또 한 밤중이 밝아지려면 먼저 어두워지는 것을 여명이라고 하고, 겨울이 추워지려면 먼저 따스해지는 것을 小春이라 하는 것이 그런 종류이다. 『天原發微』에 '화는 움직이는 데서 나오고, 수는 고요한 데서 나오니, 움직이고 고요함이 서로 생하는 것은 수와 화가 서로 늘어나는 것이다.'라고 했다.(愚按, 乾九五文言, 水流濕, 火就燥, 此借用其辭. 夏屬火, 而蒸濕, 冬屬水, 而乾燥, 金爲火偪, 而汗出, 木經水煮, 而易乾, 其一端也, 又夜將明, 而先暗, 謂之黎明, 冬欲寒, 而先暖, 謂之小春, 亦其類也. 漁樵問對云, 火生於動, 水生於靜, 動靜之相生, 水火之相息.)"

233 장행성, 『皇極經世觀物外篇衍義』: "태극은 一元이다. 일원은 건원과 곤원이 본래 합쳐져서 떨어지지 않은 것이다. 寂然不動하여 텅 비면 性이고, 감하여 통하여 발현되면 神이다. 성이란 신의 몸체이고 신은 성의 작용이다. 그러므로 태극이 1이고 움직이지 않다가 2를 낳으니 2가 곧 신이다. 태극이 움직여 양을 낳으니 양은 홀수로서 1이고, 움직임이 극한에 이르면 다시 고요하게 되고, 고요하여 음이 생기니 음은 짝으로 2이다. 양의 짝수의 1과 사물이 있는 1은 太一이 아니다. 태일이란 태극의 1이니, 虛도 아니고, 氣도 아니다. 기가 되고 허가 되면 진짜로 지극한 이치가 저절로 신을 낳는다. 신은 그 다음에 2에 응하니 움직임이 있고 고요함이 있어서 이에 수를 낳으니 짝수와 홀수가 수이다. 수는 상을 낳으니 건과 곤이 상이다. 상은 器를 낳으니 天地가 기이다. 낳아서 기를 이루니 신이 그 가운데 깃들여 인으로 드러내고 작용에서 감춘다. 그러므로 기물이 변하여 다시 신으로 돌아오니, 근본으로 돌아오는 것이다.(太極者, 一元, 一元者, 乾元坤元之本合而未離者也. 寂然不動, 虛則性也, 感而遂通, 發則神也. 性者, 神之體, 神者, 性之用. 故太極爲一, 不動, 生二, 二即是神. 夫太極動而生陽, 陽爲奇, 一也, 動極復靜, 靜而生陰, 陰爲偶, 二也. 陽奇之一, 有物之一, 非太一也. 太一者, 太極之一, 非虛非氣, 即氣, 即虛, 眞至之理, 自然生神. 神應次二, 有動有靜, 于是生數, 奇偶者, 數也. 數生象, 乾坤者, 象也. 象生器, 天地者, 器也. 生而成器, 神乃寓乎其中. 以顯諸仁, 以藏諸用. 故器之變復歸於神者, 返乎本也.)"

[12-2-197]

復至乾凡百有二十陽, 姤至坤凡八十陽. 姤至坤凡百有二十陰, 復至乾凡八十陰.

복復괘에서 건乾괘에 이르는 것이 모두 112 양효이고, 구姤괘에서 곤坤괘에 이르는 것이 모두 80 양효이다. 구괘에서 곤괘에 이르는 것이 모두 112[235] 음효이고, 복괘에서 건괘에 이르는 것이 모두 80 음효이다.[236]

[12-2-198]

乾奇也, 健也, 故天下之健莫如天. 坤耦也, 陰也, 順也. 故天下之順若如地, 所以順天也. 震起也. 一陽起也. 起, 動也. 故天下之動莫如雷. 坎, 陷也. 一陽陷於二陰. 陷, 下也. 故天下之下莫如水. 艮, 止也. 一陽於是而止也. 故天下之止莫如山. 巽, 入也. 一陰入二陽之下.

234 왕식, 『皇極經世書解』에서 황기는 다음과 같이 말한다. "수가 생기면 상이 생긴다는 것은 乾이 되고 坤이 되는 것이다. 상이 생기면 기물이 생긴다는 것은 건을 하늘이라고 하고 곤을 땅이라고 하는 것이다. 기물이 생기면 변한다는 것은 하늘과 땅의 變化와 形化가 氣의 변화에서 생기는 것이다.(數則象, 爲乾爲坤. 象則器, 乾曰天, 坤曰地. 器則變, 天地變化形化, 出於氣變也.)" 왕식은 이렇게 말한다. "생각건대, 태극이 움직이지 않는 것이 천지의 성이다. 고요함이 극한에 이르러 움직이면 신묘함을 헤아릴 수 없다. 신은 음양의 신묘함이다. 양은 1이고 음이 2이니, 수이다. 상과 기는 모두 천지로 말한 것이므로 변화하면 다시 신으로 돌아간다.(愚按, 太極不動, 天地之性也. 靜極而動, 則神妙不測矣. 神者, 陰陽之妙, 陽一陰二, 數也. 象與氣, 皆以天地言之, 故變則復歸於神也.)"

235 112 : 왕식본 보충 주석에서는 "二十"이 "十二"로 되어야 한다고 주장한다.

236 왕식, 『皇極經世書解』에서 주희의 『易學啓蒙』에 나온 玉齋胡氏(胡方平)의 말을 인용하고 있다. "「원도」에서의 음효와 양효의 갯수는 그 오른쪽과 왼쪽 양쪽에서 서로 꼭 같다. 復괘에서 乾괘까지는 「원도」의 왼쪽에 자리 잡고 있으며 양의 영역이다. 그러므로 양효가 많고 음효가 적다. 姤괘에서 坤괘까지는 「원도」의 오른쪽에 자리 잡고 있으며 음의 영역이다. 그러므로 음효가 많고 양효가 적다. 왼쪽의 양효 1획은 곧 오른쪽의 음효 1획과 짝하고, 왼쪽의 음효 1획은 곧 오른쪽의 양효 1획과 짝한다. 待對하면서 본체를 정립하는데, 음효와 양효가 각각 그 절반을 차지하고 있다. 이를 통해 살펴보면, 하늘과 땅 사이에는 음과 양이 각각 그 절반을 차지하니 본디 딱 자른 듯이 양이 되거나 딱 자른 듯이 음이 되는 이치는 없다. 그러나 造化에서는 양을 중시하고 음을 천시하며 성인은 양을 떠받치고 음을 억누르므로, 사그라질 때와 자라날 때, 선함과 악함이 나누어지는 것은 또 그 구별을 하지 않을 수 없으니, 어찌 대충 논할 수 있겠는가!(圖之陰陽, 在兩邊正相等. 自復至乾居圖之左, 陽方也, 故陽多而陰少. 自姤至坤居圖之右, 陰方也, 故陰多而陽少. 左邊一畫陽, 便對右邊一畫陰, 左邊一畫陰, 便對右邊一畫陽, 對待以立體, 而陰陽各居其半也. 由此觀之, 天地間陰陽各居其半, 本無截然爲陽截然爲陰之理. 但造化貴陽賤陰, 聖人扶陽抑陰, 故于消長之際, 淑慝之分, 又不能不致其區別爾, 豈容以槩論哉!)" 황기는 왕식본 『皇極經世書解』에서 이렇게 말한다. "兌·離·震은 乾이 아니나 모두 하늘의 네 괘가 되니, 오른쪽 보다 많은 32양효는 모두 건의 첫 획인 하나의 양이다. 그러므로 복괘부터 세어 건괘까지 이르는 것에 오직 80 음효뿐이다. 艮·坎·巽은 곤괘가 아니지만 모두가 땅의 네 괘가 되니, 왼쪽보다 많은 32음효는 모두 곤괘의 첫 획인 하나의 음이다. 그러므로 구괘부터 세어 곤괘에 이르는 것에 오직 80 양효뿐이다.(兌離震, 雖非乾也, 總爲天之四卦, 其多三十二陽, 皆乾初畫之一陽也. 故自復數之至乾, 惟八十陰. 艮坎巽, 雖非坤也, 總爲地之四卦, 其多三十二陰, 皆坤初畫之一陰也. 故自姤數之至坤, 惟八十陽.)"

故天下之入莫如風. 離, 麗也. 一陰離於二陽, 其卦錯然成文而華麗也. 天下之麗莫如火, 故又爲附麗之麗. 兌, 說也. 一陰出於外而說於物. 故天下之說莫如澤.

건乾은 홀수이며, 강건하므로 세상에서 강건한 것이 하늘만한 것이 없다. 곤坤은 짝수이며 음이고, 순하므로 세상에서 순종적인 것이 땅만한 것이 없으니, 그래서 하늘에 순종한다. 진震은 일어나는 것이며 하나의 양이 일어나는 것이다. 일어나는 것은 움직이는 것이다. 그러므로 세상의 움직임은 우레만한 것이 없다. 감坎은 위험에 빠지는 것이다. 하나의 양이 두 음 사이에 빠지는 것이다. 빠지는 것은 내려가는 것이다. 그러므로 세상에서 내려가는 것이 물만한 것이 없다. 간艮은 멈춤이다. 하나의 양이 여기에서 멈추는 것이다. 그러므로 세상에서 멈추는 것이 산만한 것이 없다. 손巽은 들어가는 것이다. 하나의 음이 두 양 사이로 들어가는 것이다. 그러므로 세상에 들어가는 것이 바람만한 것이 없다. 이離는 부착된 것이다. 하나의 음이 두 양에 부착되어 그 괘가 섞여 무늬를 이루어 화려하고 아름다운 것이다. 세상에 빛나는 것이 불만한 것이 없으므로 또 부착되었다는 리麗가 된다. 태兌는 기뻐하는 것이다. 하나의 음이 밖으로 나와 사물들을 즐겁게 하는 것이다. 그러므로 세상에서 기쁨이 연못만한 것이 없다.[237]

[12-2-199]

火內暗而外明, 故離陽在外. 火之用, 用外也. 水外暗而內明, 故坎陽在內. 水之用, 用內也. 人謀, 人也. 鬼謀, 天也. 天人同謀而皆可, 則事成而吉也.

화火는 안이 어둡고 밖이 밝으므로 이離괘는 양이 밖에 있다. 화火의 작용은 밖을 쓴다. 수水는 밖이 어둡고 안이 밝으므로 감坎괘는 양이 안에 있다. 수水의 작용은 안을 쓴다.[238] 사람이 도모하는 것은

237 왕식, 『皇極經世書解』에서 황기는 다음과 같이 말한다. "홀수와 짝수는 수이고 음과 양은 기이며 강건함과 순종함은 성이다. 세 가지는 건곤을 통괄하는 것이므로 모두 하나의 양이 일어나고 빠지고 그치는 것은 모두 건의 홀수 하나를 얻은 것이고, 하나의 음이 들어가고, 부착되고, 기뻐하는 것은 모두 곤의 짝수 하나를 얻은 것이다. 홀수와 짝수가 나눠지고 음과 양이 갈라지면 性 또한 다르니. 震・坎・艮은 세 남자 괘로 아버지를 따르고, 巽・離・兌는 세 여자의 괘로 어머니를 복종한다. 그러나 건곤을 멀리 말한 것은 위와 아래가 나누어진 것이고, 다음에 진과 손을 말한 것은 좌우로 오르고 내리는 것이니, 움직임은 반드시 굳세어진 뒤에 결단하고, 들어가는 것은 순한 뒤에 따르는 것이다. 다음으로 감과 이를 말한 것은 오르고 내리는 중간이니, 빠지는 것은 반드시 강건해야 곤란해지지 않고, 부착되는 것은 반드시 순종해야 쓰러지지 않는다. 간과 태는 올라가고 내려오는 끝이니, 멈춤은 강건하되 고집스럽지 않다. 나감은 순종한 후에 기뻐한다. 이것으로 말하면 건곤이 하늘과 땅의 근본이 아니겠는가? 선천의 체에 처음부터 후천의 용이 없었던 것이 아니다.(奇偶, 數也, 陰陽, 氣也, 健順, 性也. 三者, 乾坤統之, 故凡一陽之或起, 或陷, 或止, 皆有得於乾之一奇, 凡一陰之或入, 或麗, 或說, 皆有得於坤之一偶. 奇偶分, 而陰陽判, 性亦殊矣. 震坎艮, 以三男從父也, 巽離兌, 以三女從母也. 抑先言乾坤, 則上下之分辨也, 次言震巽, 則左右之升降也, 動必健而後决, 入必順而後隨. 次言坎離, 升降之中也, 陷必健而不困, 麗必順而不靡. 艮兌, 升降之極也, 止以健而不固, 出以順而後說. 以此言之, 乾坤, 非天地之本乎? 先天之體, 未始無後天之用也.)"

238 왕식, 『皇極經世書解』: "이괘의 두 양은 밖에 있고 하나의 음은 안에 있으므로 화의 작용은 밖을 쓴다. 안은 어둡고 밖은 밝으므로 사물을 비출 수 있지만 거울은 되지 못한다. 坎은 하나의 양이 안에 있고 두

사람이다. 귀신이 도모하는 것은 하늘이다. 하늘과 사람이 함께 도모하여 모두 옳으면 일이 이루어지고 길하다.

[12-2-200]

湯放桀武王伐紂而不以爲弑者, 若孟子言男女授受不親禮也, 嫂溺則援之以手權也. 故孔子旣尊夷齊, 亦與湯武. 夷齊仁也. 湯武義也. 唯湯武則可, 非湯武是簒也.

탕왕이 걸桀을 방벌하고, 무왕武王이 주紂를 정벌한 것을 시해했다고 여기지 않는 것은 맹자孟子가 "남자와 여자는 직접 주고 받지 않는 것이 예이지만, 형수가 물에 빠졌을 때는 손으로 구하는 것이 권도이다."[239] 라고 한 것과 같다. 그러므로 공자는 백이와 숙제를 존중했고 탕왕과 무왕을 허여했다. 백이와 숙제는 인仁이고 탕왕과 무왕은 의義이니 오직 탕왕과 무왕만이 할 수 있고, 탕왕과 무왕이 아니라면 이는 찬탈이다.[240]

[12-2-201]

諸卦不交於乾坤者, 則生於否泰. 否泰, 乾坤之交也. 乾坤起自奇偶. 奇偶生自太極.

모든 괘 가운데 건괘, 곤괘와 교류하지 않는 것은 곧 비否괘, 태泰괘에서 나온 것이다. 비괘와 태괘는 건괘와 곤괘의 교류이다.[241] 건괘와 곤괘는 짝수와 홀수에서 본래 일어난다. 짝수와 홀수는 본래 태극

음이 밖에 있으므로 물의 작용은 안을 쓴다. 밖은 어둡고 안은 밝으므로 거울은 될 수 있지만 사물을 비추지는 못한다.(補註, 離, 二陽在外, 一陰在內, 故火之用, 用外, 內暗外明, 可以照物而不可鑑物也. 坎, 一陽在內, 二陰在外, 故水之用, 用內. 外暗內明, 可以鑑物而不可照物也.)"

황기는 왕식본 『皇極經世書解』에서 이렇게 말한다. "모두 양을 작용으로 하고 음을 체로 삼는다.(皆以陽爲用, 以陰爲體.)"

239 『孟子』「離婁上」

240 왕식, 『皇極經世書解』: "생각건대, 『論語大全』의 「未可與權」 절에서 진씨가 말한 한 조항이 소강절의 뜻이다. 그 말에 '經에 미치지 못하면 반드시 권도를 사용하여 통하게 한다.'고 했고, 유종원이 '권도는 경을 통달하게 하는 것이다.'라고 했다. 대체로 經이 그곳에서 행해질 수 없으면 권도를 사용하지 않으면 구제할 수 없다. 예를 들어 군주와 신하의 자리가 정해져 있는 것은 기본적 원칙[經]이지만, 걸왕이나 주왕이 횡포하여 세상 사람들이 못난 놈으로 보니, 이때는 임금과 신하의 의리가 다 없어진 것이다. 그러므로 탕왕과 무왕이 정벌하여 통하게 했다. 남자와 여자가 서로 주고받지 않는 것은 기본적 원칙이지만, 형수가 물에 빠졌는데 구해주지 않는 것은 이리나 승냥이와 같은 것이니, 구해주는 것이 기본적인 원칙을 통하게 하는 것이다. 그러나 권도를 쓰는 것은 반드시 지위가 높아야 옳은 것이고, 항상 행할 수가 있는 것이 아니다.(愚按, 論語大全, 未可與權節, 陳氏一條, 即邵子之意. 其言曰. 經所不及, 須用權以通之. 柳宗元謂, 權者所以達經者也. 蓋經到那裏, 行不去, 非用權, 不可濟. 如君臣定位經也, 桀紂暴橫, 天下視爲獨夫, 此時君臣之義, 已窮. 故湯武征伐以通之. 男女授受不親, 此經也, 嫂溺不援, 便是豺狼. 故援之者, 所以通乎經也. 用權, 須是地位高, 方可, 但非可以常行.)"

241 모든 괘 … 교류이다 : 황기는 왕식, 『皇極經世書解』에서 다음과 같이 말한다. "하늘과 땅의 기는 교류한 후에 생기니, 方圖를 나누어 보면 서북쪽 16괘는 하늘괘가 하늘괘 자신과 교류한 것이고, 동남쪽 16괘는

에서 나온다.[242]

땅의 괘가 땅의 괘 자신과 교류한 것이며, 사선으로 가는 것은 乾, 兌, 離, 震, 巽, 坎, 艮, 坤괘이니, 서북쪽에서 동남쪽으로 가는 것은 모두 음양의 순수한 괘이다. 서남쪽 16괘는 하늘이 가서 땅과 교류한 것이니, 하늘의 괘가 모두 위에 있고, 생하는 기운이 머리에 있으므로, 동물을 낳아 머리가 위로 향하며, 동북쪽 16괘는 땅이 가서 하늘과 교류하는 것이니, 하늘의 괘가 모두 아래에 있고, 생하는 기운이 뿌리에 있으므로, 식물을 낳아 머리가 아래로 향하며, 사선으로 가는 것은 泰, 損, 旣濟, 益, 恒, 未濟, 咸, 否괘이니, 동북쪽에서 서남쪽으로 가는 것은 모두 음양이 서로 짝을 얻은 괘이다. 그러므로 '모든 괘가 건괘와 곤괘와 교류하지 않은 것은 비괘와 태괘에서 나온다.'라고 했다. 교류하여 사물을 내는 것이 모두 비괘와 태괘로부터 나오기 때문에 '비괘와 태괘는 건괘와 곤괘가 사귄 것이다.'라고 했다. 소강절의 시에 '하늘과 땅이 자리를 정하니, 비괘와 태괘가 종류가 반대이고, 산과 못이 기운을 통하니, 함괘와 손괘가 뜻을 나타내며, 우레와 바람이 서로 부딪히니, 항괘와 익괘가 뜻을 일으키고, 물과 불이 서로 쏘니, 기제괘와 미제괘가 된다. 사상이 서로 교류하고 16개를 이루고, 8괘가 서로 섞여 64괘가 된다.'고 했으니, 이것은 방도가 둘로 나뉘고, 교류하여 커지고 늘어나는 모습을 풀이한 것이다. 서북쪽의 건괘와 동남쪽의 곤괘는 하늘과 땅이 자리를 정해서 둘로 나뉜 것이고, 동북쪽의 태괘와 서남쪽의 비괘는 서로 짝이 되는 것이다. 건괘와 곤괘는 큰 부모이니 교류하여 커지고 늘어나면 여섯 자식도 따라서 커지고 늘어난다. 태괘가 건괘의 다음에 자리하고, 간괘가 곤괘의 다음에 자리해서, 산과 연못이 기운이 통하면, 비괘 다음의 함괘와 태괘 다음의 손괘가 짝이 된다. 이괘는 태괘의 다음에 자리하고, 감괘는 간괘의 다음에 자리하여 물과 불이 서로 쏘면, 손괘 다음의 기제괘와 함괘 다음의 미제괘가 짝이 된다. 진괘는 이괘의 다음에 자리하고 손괘는 감괘의 다음에 자리해서 우레와 바람이 서로 부딪치면, 기제괘 다음의 익괘와 미제괘 다음의 항괘가 짝이 된다. 종횡으로 세면 건괘와 곤괘가 아래에 있는 것이 각각 8이고, 종으로는 건괘와 곤괘가 위에 있는 것이 또한 각각 8개이다. 운행하는 것은 횡의 수를 쓰고, 만물을 낳는 것은 종의 수를 써서, 건괘와 곤괘가 네 방향에 두루하여 그 속에서 6 자식괘를 포함하니, 이것이 하늘과 땅의 신묘함이다.(天地之氣, 交而後生, 分方圖而觀, 西北十六卦, 天卦自相交, 東南十六卦, 地卦自相交, 其斜行, 則乾兌離震巽坎艮坤, 自西北而東南, 皆陰陽之純卦也. 西南十六卦, 天去交地, 天卦, 皆在上, 而生氣在首, 故能生動物而頭向上, 東北十六卦, 地去交天, 天卦, 皆在下, 而生氣在根, 故能生植物而頭向下, 其斜行, 則泰損旣濟益恒未濟咸否, 自東北而西南, 皆陰陽得偶之卦也, 故曰諸卦不交於乾坤者, 則生於否泰, 交而生物者, 皆自否泰始, 故曰否泰乾坤之交也. 邵子詩曰, 天地定位否泰反類, 山澤通氣咸損見義, 雷風相薄恒益起意, 水火相射旣濟未濟, 四象相交, 成十六事, 八卦相盪, 爲六十四. 此釋方圖分兩交泰之象也. 西北維乾, 東南維坤, 天地定位, 分而兩矣, 東北維泰, 西南維否, 則相對焉. 乾坤, 大父母也, 交泰而六子從之, 兌次乾艮次坤, 山澤通氣, 則對次否之咸次泰之損, 離次兌坎次艮, 水火相射, 則對次損之旣濟次咸之未濟, 震次離巽次坎, 雷風相薄, 則對次旣濟之益次未濟之恒. 縱橫數之, 橫則乾坤在下者, 各八, 縱則乾坤在上者, 亦各八. 運行, 用橫數, 生物, 用縱數, 乾坤, 周於四維, 而包六子於其中, 此天地自然之妙也.)"

242 왕식, 『皇極經世書解』에서 황기는 이렇게 설명한다. "원도 왼쪽은 건괘로 주관하지만, 오른쪽과 교류하게 되면 손괘로 소멸시킨다. 그러므로 건괘 초효가 변해서 손괘가 되고, 구괘의 음이 쌓여 올라가서 否괘가 되며, 비괘의 음이 쌓여 올라가서 곤괘가 되니, 곤괘는 홀수가 짝수로 변하는 데서 일어난다. 방도 왼쪽의 坤, 艮, 坎, 巽괘는 음이 양 가운데 있어서 모두 거꾸로 가고, 손괘는 건괘의 초효의 홀수가 변해 짝수가 되는 데서 일어나니, 태괘가 감괘에서, 이괘가 간괘에서, 진괘가 곤괘에서 일어나는 것도 이와 같다. 원도 오른쪽은 곤괘로 감추지만, 왼쪽과 교류하면, 진괘로 자라난다. 그러므로 곤괘의 초효가 변해서 진괘가 되고 복괘의 양이 쌓여서 태괘가 되며, 태괘의 양이 쌓여서 건괘가 되니, 건괘는 짝수가 변해서 홀수가 되는 데서 일어난다. 방도의 오른쪽의 乾, 兌, 離, 震괘는 양이 음 가운데 있어서 모두 거꾸로 가니, 진은 곤의 초효의 짝수가 홀수로 변하는 데서 일어나고, 간괘는 이괘에서, 감괘는 태괘에서, 손괘는 건괘에서 일어나는

[12-2-202]

自泰至否, 其間則有蠱矣, 自否至泰, 其間則有隨矣.

태泰괘에서 비否괘에 이르면 그 사이에 고蠱괘가 있고, 비괘에서 태괘에 이르면 그 사이에 수隨괘가 있다.[243]

것도 이와 같다. 그러므로 '건곤이 홀수와 짝수에서 일어난다.'고 했다. 원도에서 건과 교류한 괘가 곤으로 뿌리를 삼으나, 건1과 곤8이 서로 만나지 않고, 25번 변화를 거쳐 비괘가 이루어지면 건괘와 곤괘가 처음으로 한번 교류하게 된다. 방도의 건괘는 서북쪽에 있어 가로로 있는 8괘는 건이 아래에서 종류별로 모은 것이니, 기의 변화이며, 세로로 있는 8괘는 건이 종류별로 위에서 모은 것으로 형체가 되어가는 것이니, 서로 교류하여 비괘를 이룬다. 원도에서 괘가 곤괘에 교류한 것은 건을 뿌리로 삼지만, 곤과 건1이 서로 만나지 않고 25번 변화를 거쳐 태괘를 이루면, 곤괘와 건괘가 처음으로 한 번 교류하게 된다. 방도에서 곤괘는 동남쪽에 있으니, 가로로 있는 8괘는 곤괘가 아래에서 종류별로 모은 것으로 기의 변화이고, 세로로 있는 8괘는 곤괘가 종류별로 위에서 모은 것이니, 형체가 되어가는 것이다. 그러므로 스스로 서로 교류하여 태괘를 이룬다.(圓圖, 左方, 乾以君之, 交於右, 則巽以消之, 故乾初變爲巽, 姤積而否, 否積而坤, 坤起於奇之變偶也. 方圖, 左邊, 坤艮坎巽陰在陽中, 皆逆行, 巽起於乾初奇變爲偶, 兌於坎, 離於艮, 震於坤, 亦如之. 圓圖右方, 坤以藏之, 交於左, 則震以長之, 故坤初變爲震, 復積而泰, 泰積而乾, 乾起於偶之變奇也. 方圖右邊, 乾兌離震, 陽在陰中, 皆逆行, 震起於坤初偶變爲奇, 艮於離, 坎於兌, 巽於乾, 亦如之. 故曰乾坤起自奇偶. 圓圖, 卦交於乾者, 以爲坤基, 然乾一坤八, 不相邂逅, 歷二十五變而成否, 乾坤始一交焉. 方圖, 則乾居西北, 橫數者, 八, 乾卦類聚於下, 氣之變也, 縱數者, 八, 乾卦類聚於上, 形之化也, 自相交而成否矣. 圓圖卦交於坤者, 以爲乾本, 然坤八乾一, 不相邂逅, 歷二十五變而成泰, 坤乾始一交焉. 方圖, 則坤居東南, 橫數者, 八, 坤卦類聚於下, 氣之變也, 縱數者, 八, 坤卦類聚於上, 形之化也, 自相交而成泰矣.)"

243 왕식, 『皇極經世書解』: "이것은 선천도에 근거해서 말한 것이다. 태괘로부터 비괘에 이르면 그 사이에 고괘가 있고, 고괘는 파괴되는 의미이니, 먼저 이루어진 법이 파괴되고 난 후에 막히는 시대인 비괘에 이른다. 비괘로부터 태괘에 이르면, 그 사이에 수괘가 있고, 수괘는 따르는 의미이니, 옛것을 버리고 새 것을 따라서 점차로 태평성대를 의미하는 태괘에 이른다. 포운룡의 『天原發微』에서 '태괘와 비괘는 서로 짝이 되고, 고괘와 수괘는 서로 짝이 된다.'고 했다.(補註, 此據先天圖言之. 自泰至否, 其間則有蠱, 蠱, 壞也, 先壞亂成法, 而漸至於否也. 自否至泰, 其間則有隨, 隨, 從也, 能舍舊從新, 而漸至於泰也. 鮑氏發微曰, 泰與否相對, 蠱與隨相對.)" 황기는 왕식, 『皇極經世書解』에서 이렇게 말한다. "태괘에서 고괘에 이르는 것은 손괘의 소멸을 통해서이니, 소멸되고 자라나지 않아 18번 변화가 누적되어 비괘가 되고, 비괘로부터 수괘에 이르는 것은 진괘의 자라남이 있으니, 자라나기만 하고 소멸되지 않아 18번의 변화를 누적항 태괘가 된다. 양이 위에서 소멸되고 아래에서 움직이는 것이 수괘이다. 음이 양을 따르는 것이 이롭고, 양이 음을 따르는 것은 이롭지 않으니, 임금이 신하를 제어하는 모습이다. 하물며 또한 무망괘 다음에 있어서랴? 음이 위에서 소멸하고 아래에서 움직이는 것이 고괘이고, 양이 음을 파괴하는 것은 이롭고, 음이 양을 파괴하는 것은 이롭지 않으니, 신하가 임금을 제어하는 모습이다. 하물며 승괘 다음에 있어서랴? 이것은 하늘과 땅 사이에 질서와 혼란의 큰 기틀이다. 唐堯 元年은 甲辰 年卦는 隨괘이다. 『皇極經世』에 平陽에서 처음 제위에 오르고, 여러 가지 정사가 모두 빛났다.'고 자세하게 쓴 것은 태괘의 시작이고, 한 고조가 乙未년 關中에서 왕노릇을 했다.' 고 했으니 그 괘가 또한 隨괘이다. 周平王 2년 壬申은 年卦가 蠱괘이고, 秦나라가 岐西를 얻어 여섯 나라를 병탄하는 것에 이르렀다고 했으니 비괘의 시작이고, 周世宗이 己未년에 崇訓에서 임금이 되었다고 했으니, 년괘가 고괘이다.(自泰至蠱, 以有巽之消也, 消而不長, 積十有八變, 則爲否, 自否至隨, 以有震之長也, 長而不消, 積十有八變, 則爲泰. 蓋陽消於上, 而動於下者, 隨也, 利陰隨陽, 不利陽隨陰, 君能制臣之象也. 况又次之

[12-2-203]

天使我有是之謂命. 命之在我之謂性. 性之在物之謂理. 變從時而便天下之事, 不失禮之大經, 變從時而順天下之理, 不失義之大權者, 君子之道也.

하늘이 나에게 소유하게 한 것을 명命이라 한다. 그 명이 나에게 있는 것을 성性이라 한다. 그 성이 사물에 있는 것을 이理라 한다.[244] 때를 따라서 변하면서 세상의 일을 순조롭게 하여, 예의 큰 원칙[大經]을 잃지 않으며, 때에 따라 변하면서 세상의 이치에 순응하여 의義의 큰 권도를 잃지 않으니, 이것이 군자의 도이다.[245]

[12-2-204]

朔易, 以陽氣自北方而生, 至北方而盡, 謂變易循環也.

삭역朔易은 양의 기운이 북쪽으로부터 생기고, 북쪽에 이르러 다하는 것이니, 변하고 바뀌어 순환하는 것을 말한다.[246]

[12-2-205]

春陽得權, 故多旱. 秋陰得權, 故多雨.

以旡妄乎? 陰消於上而動於下者, 蠱也, 利陽蠱陰, 不利陰蠱陽, 臣能制君之象也. 况又次之以升乎? 此天地間治亂之大幾也. 唐堯, 元年, 甲辰, 年卦, 隨也. 經世, 詳書肇位平陽, 以至庶績咸熙, 泰之始也, 漢高帝, 乙未王關中, 其年卦, 亦爲隨焉. 周平王, 二年, 壬申, 年卦, 蠱也, 秦得岐西, 以至呑滅六國, 否之始也, 周世宗, 己未, 宗訓立, 其年卦, 亦爲蠱焉.)"

244 하늘이 나에게 … 한다 : 왕식, 『皇極經世書解』에서 황기는 이렇게 설명한다. "나에게 있는 것이 性이니, 성은 마땅히 완전히 실현해야만 하는 것이고, 사물에 있는 것이 理이니 이치를 마땅히 궁리해야 한다. 아는 것이 앞에 있고, 그것에 이르는 것이 뒤에 있으므로 '앎의 경지에 이를 줄 알아서 그곳에 이른다.'고 했다.(在我爲性, 性則當盡, 在物爲理, 理則當窮. 知之在前, 至之在後, 故曰知至至之.)" "생각건대, 이는 「說卦傳」 1장 '이치를 궁리하고 성을 다 실현하여서 명에 이른다.'는 말을 해석한 것이니, 뜻의 중점은 아는 것에 있다.(愚按, 此釋說卦窮理盡性以至於命, 意重在知.)"

245 때를 따라서 … 도이다 : 왕식, 『皇極經世書解』에서 황기는 이렇게 말한다. "때에 따라 변하고 바뀌어 예와 의를 잃지 않는 것을 도라고 하니, 『易』에서 군자의 도라고 한 것은 이것이다.(隨時變易, 不失禮義, 則謂之道, 易言君子之道以此耳.)" 왕식, 『皇極經世書解』, "생각건대, 「繫辭上」 5장에 '군자의 도가 드물다.'고 만했지, 그 장 전체에 때에 따라 변한다는 것과 예와 의에 대한 뜻은 없고, 「繫辭下」 1장에 '변통하여 때에 따라 가는 것'을 말한 것이 있으니, 소강절은 예와 의로 그 뜻을 보충한 것이다.(愚按, 上繫之五章, 君子之道鮮矣, 通章, 無變從時及禮義意, 而下繫之一章, 有曰, 變通者, 趣時者也, 邵子或以禮義補足其意歟.)"

246 왕식, 『皇極經世書解』 : "생각건대, 이는 『書經』「堯典」의 '平在朔易'이라는 글을 해석한 것이다. 채침의 전에 '1년의 일을 마치고, 옛것을 제거하며 새로운 것으로 갱신해야 할 것이니, 새롭게 바꾸는 일이다.'라고 했으니, 인간사로 말한 것이다. 그러나 소강절은 하나의 학설을 만들어 양기의 순환하고 변역하는 것으로 말했다. 곤은 양이 다한 것이고, 복은 양 하나가 처음 생겨난 것이니, 모두 子의 중간에 해당한다.(愚按, 此釋堯典平在朔易之文, 蔡傳云歲事已畢, 除舊更新所當, 改易之事也, 以人事言. 邵子自爲一說, 以陽氣循環變易言之. 坤陽盡, 復一陽初生, 皆當子中也.)"

봄은 양이 권세를 얻으므로 가뭄이 많다. 가을에는 음이 권세를 얻으므로 비가 많다.[247]

[12-2-206]

元有二. 有生天地之始, 太極也. 有萬物之中各有始者, 生之本也.

원元에는 두 가지 뜻이 있다. 천지의 처음을 낳는 것이 있으니, 태극이다. 만물의 가운데 각각 시작점이 있으니, 낳는 것은 근본이다.[248]

[12-2-207]

五星之說, 自甘公石公始也.

오성五星의 학설은 감공甘公과 석공石公으로부터 시작했다.[249]

[12-2-208]

天地之心者, 生萬物之本也. 天地之情者, 情狀也. 與鬼神之情狀同.

천지의 마음은 만물을 낳는 근본이다. 천지의 정情은 정상情狀이다. 귀신의 정상과 같다.[250]

247 왕식, 『皇極經世書解』: "생각건대, 북쪽 지방은 봄에 가뭄이 많고 남쪽 지방은 봄에도 비가 많다. 그러나 또 땅도 북쪽을 양으로 삼고 남쪽을 음으로 삼으니, 비와 가뭄이 서로 같지 않다.(愚按, 北方春多旱, 南方春亦多雨, 然地又以北爲陽, 南爲陰, 所以雨旱, 不相同.)"

248 왕식, 『皇極經世書解』: "'원'은 시작하는 것이다. '천지의 시작을 낳는 것이 있다.'고 한 것은 전체를 통괄하는 하나의 태극이고, '만물 가운데 각각 시작점이 있는 것'은 하나의 사물에 하나의 태극이 있는 것이다.(補註, 元, 始也. 有生天地之始者, 統體一太極也, 有萬物之中各有始者, 一物一太極也.)" 왕식, 『皇極經世書解』, "생각건대, 태극을 만물의 시작점으로 여기는 것은 통체의 元이니, 곧 곤괘와 복괘의 사이이다. 하나의 사물에서 각각 시작점이 있다는 것은 사람의 일생에서 처음 태어난 날을 元으로 삼는 것과 같으니, 연월일시에서는 연을 원으로 삼고, 천지의 시작하고 끝나는 수는 또 건으로 원을 삼는 것과 같다. 그러나 건이 원이 되면, 쾌괘가 會가 되고, 履괘가 또 원이 될 수 있어, 兌괘가 회가 되며, 쾌가 또 원이 되어 大有괘가 회가 되니, 자세한 것은 「천지시종수」에 나타나 있다. 보충 주석에서 '하나의 사물에 하나의 태극이 있다.'고 한 것은 주희와 정자의 설이고, 소강절의 뜻은 아니다.(愚按, 以太極爲萬物之始者, 乃統體之元, 即坤復之間也. 就一物而言, 又各有始者, 如人之一生, 以始生之日爲元, 如年日月時, 則以年爲元, 如天地始終之數, 又以乾爲元也. 然以乾爲元, 則夬爲會, 亦可以履爲元, 兌爲會, 又可以夬爲元, 大有爲會, 詳見天地始終之數. 補註一物一太極, 蓋周程之說, 非邵子之意也.)"

249 왕식, 『皇極經世書解』: "포운룡의 『天原發微』에서 '石申은 魏나라 사람으로 『星經』을 썼고, 甘德도 같은 시대 사람이다. 별의 총수는 384개의 별자리 이름이 있고, 누적된 수는 783개의 별이다. 그러나 그것이 渾象에 펼쳐진 것은 오직 북극성과 북두 28舍이니, 점치는 중요한 것이고, 나머지는 上象의 전체를 갖추고 있을 뿐이다.(補註, 鮑氏發微曰, 石申, 魏人, 著星經, 甘德亦同時. 星之總數, 三百八十三名, 積數七百八十三星. 其施於渾象者, 惟天極北斗二十八舍, 爲占侯之要, 其餘, 備上象之全體而已.)"

250 왕식, 『皇極經世書解』에서 황기는 이렇게 말한다. "복괘의 「彖傳」에서 '천지의 마음'이라고 말했으니, 순전히 만물을 낳는 인이고, 대장괘에서 '천지의 정'이라고 했으니, 순전히 이치를 따르는 올바름이다. 인은 마음의 덕이고 올바름이란 情의 실상이니 귀신이라도 올바른 것을 주된 것으로 삼는다.(彖傳於復, 言天地之心,

[12-2-209]

天有五辰, 日月星辰與天而爲五. 地有五行, 金木水火與土而爲五.

하늘에는 오신五辰이 있으니 일·월·성·신이 하늘과 더불어 5가 된다. 땅에는 오생五行이 있으니 금·목·수·화가 땅과 더불어 5가 된다.[251]

[12-2-210]

有溫泉而無寒火, 陰能從陽而陽不能從陰也.

따뜻한 샘물은 있지만 차가운 불은 없으니, 음이 양을 좇을 수 있는 것이지 양이 음을 좇을 수 있는 것은 아니기 때문이다.[252]

[12-2-211]

有雷則有電, 有電則有風.

우레가 있으면 번개가 있고 번개가 있으면 바람이 있다.

[12-2-212]

木之堅, 非雷不能震. 草之柔, 非露不能潤.

나무의 견고함은 우레가 아니면 진동시킬 수 없다. 풀의 부드러움은 이슬이 아니면 축축하게 할 수 없다.[253]

以純乎生物之仁, 於大壯言, 天地之情, 以純乎循理之正. 仁者, 心之德, 正者, 情之狀, 雖鬼神亦主乎正也.)" 왕식, 『皇極經世書解』: "생각건대, 「繫辭上」 4장에서 '귀신의 정상을 안다.'고 했으니, 소강절이 '천지의 정'이라는 것은 또한 정상을 말한 것이라고 했는데 이는 귀신을 중시한 것이 아니라 올바름을 주된 것으로 삼는다는 뜻이다.(愚按, 上傳之四章, 知鬼神之情狀, 邵子以爲天地之情, 亦情狀之謂也, 不重鬼神, 亦主乎正之意.)"

251 왕식, 『皇極經世書解』: "생각건대, 하늘의 四象과 땅의 四象을 짝으로 하는 것이 소강절의 본래 뜻이다. 오행을 또 4로 말하였으므로 첫장에 '일월성신이 함께 하늘이 되고, 수화토석이 함께 땅이 된다.'고 했는데, 이 구절에서는 오신과 오행을 짝으로 했으니, 하나의 뜻이다. 『書經』「皐陶謨」장에 '오신을 어루만진다.'라고 했고, 「洪範」에서 '첫번째는 오행이다.'라고 했으니, 소강절이 여기에 근본하여 말했다.(愚按, 天四象, 對地四象, 邵子本義也. 即五行, 亦以四言之, 故首篇云, 日月星辰共爲天, 水火土石共爲地, 此節以五辰五行對擧, 又是一義. 尚書, 皐陶謨, 撫于五辰, 洪範, 一五行, 邵子蓋本此, 立言.)"

252 왕식, 『皇極經世書解』: "음의 체질은 實하므로 양을 좇을 수 있고, 양의 체질은 虛하므로 음을 좇을 수 없다.(補註, 陰體實, 故能從陽, 陽體虛, 故不能從陰.)" 왕식, 『皇極經世書解』, "생각건대, 깊은 바다의 물을 배로 밤에 부딪치면, 불이 나는 것과 같고, 돌에 부딪치던가 비에 부딪치면 불이 흩어지고 별이 흩어지는 것과 같으니, 『해부』에서 '陰火가 속으로 타는 것이다.'라는 것이니, 음양의 이치는 헤아릴 수 없음이 이와 같다.(愚按, 粤海之水, 舟夜觸之, 則如火之然, 激石, 或激雨, 則如碎火, 如亂星, 蓋海賦所云, 陰火潛然者也, 陰陽之理, 測之難盡如此.)"

253 왕식, 『皇極經世書解』: "생각건대, 황극경세의 四象에서 우레와 나무는 동일하게 巽괘에 속하고, 이슬과

[12-2-213]

人智强則物智弱.

사람의 지혜는 강하니 사물의 지혜는 약하다.[254]

[12-2-214]

陽數於三百六十上盈. 陰數於三百六十上縮.

양수는 360에서 가득 차고, 음수는 360에서 모자란다.[255]

풀은 坎괘에 속한다.(愚按, 經世四象, 雷與木, 同屬巽, 露與草, 同屬坎.)"

254 왕식, 『皇極經世書解』: "생각건대, 사물에 앎이 있는 것이 있지만, 지혜를 가진 사람이 사물의 성을 알 수 있어서 그것을 제어하면 사물의 지혜는 약해진다.(愚按物之有知者, 皆有, 智人能知物之性, 而以道御之, 則物之智弱矣.)"

255 왕식, 『皇極經世書解』: "'남는 것'과 '모자란 것'은 모두 5일과 남짓이 있다.(補註, 盈縮, 皆五日有奇.)" 이에 대해 황기는 다음과 같이 말한다. "양수는 해가 하늘과 만나는 것이다. 하늘의 형체는 매우 둥글어 365와 1/4을 돌아 땅을 감싸며 왼쪽으로 돌아 하루에 항상 한 번 돌고 1도를 더 간다. 해는 하늘에 걸려 있으면서 조금 늦으므로 하루에 또한 땅을 빙 둘러서 한 번 돌지만 하늘에 1도 모자란다. 日法에서는 하루를 940분에 해당시키는데, 이것이 쌓여서 365일과 235/940가 되면 해가 하늘과 만나니 成數로 말하면 하늘이 6일 많으므로 양수가 넘친다는 것이다. 음수는 달이 해와 만나는 것이다. 달은 하늘에 걸려서 더욱 느려서 하루에 항상 하늘에 13일과 7/19도를 미치지 못하니, 이것이 쌓여 29일과 499/940이 되면, 해와 만나니, 12번 만나면 348일과 여분이 쌓인 것이 또한 5,988이니, 일법에서 하루를 940도로 계산하면, 6일과 나머지 348/940일이다. 이를 총괄하면 354일과 348/940일이다. 성수로 말하면 달은 6일이 적은 것이다. 그러므로 음수는 모자라는 것이다. 선천학은 60괘 360효로 1년의 일수에 배당하니, 본래 부족함도 없고 남음도 없지만, 양이 음을 침범하고 낮은 밤을 침범한다. 그러므로 해와 달이 교류하고 만나는 때에 음양의 어그러지고 가득 참으로 구하는 것이다.(陽數, 日與天會也. 天體, 至圓, 周圍三百六十五度四分度之一, 繞地, 左旋, 常一日一周, 而過一度. 日麗天而少遲, 故一日, 亦繞地一周而不及天一度. 日法, 九百四十分, 積三百六十五日九百四十分日之二百三十五, 而日與天會以成數言, 天多六日, 故陽數盈也. 陰數, 月與日會也. 月麗天而尤遲, 一日常不及天, 十三度十九分度之七, 積二十九日九百四十分日之四百九十九, 而與日會, 十二會得全日三百四十八餘分之積, 又五千九百八十八, 如日法, 九百四十而一, 得六, 不盡三百四十八. 通計得日三百五十四九百四十分日之三百四十八, 以成數言, 月少六日, 故陰數縮也. 先天之學, 以六十卦三百六十爻, 當朞之日, 本無不足, 亦無有餘, 然陽侵陰晝侵夜, 故於日月交感之際, 以陰陽虧盈求之.)" 또 말하기를, "廖應淮가 말하기를 '낮과 밤은 모두 100각이니, 열 두 시진에 각 8각이면 여분이 4각이고, 4일을 누적하면 384각이 되어, 60괘의 효에 대응하니, 나머지 16각은 윤괘에 배당하여, 매일 4각을 6으로 곱해서 나아가고 물러나는 건곤감리의 24효에 대응한다. 나머지는 60괘로 360일에 나누어주면 아직도 5와 1/4일이 남으니, 윤수에 배당해서, 29각 남짓 모이면 29일이 되어 윤수가 다 없어진다. 여섯 음과 여섯 양이 360이 누적되어 여덟 번 윤을 둔다는 것과 같은 말은 잘못이다.(又曰廖氏應淮曰, 晝夜百刻, 十二時各八刻, 仍有餘分者四, 積四日三百八十四刻, 以應爻, 餘十六刻, 以當閏, 每日四各六之, 以應進退乾坤坎離二十四爻, 餘六十卦爻, 分三百六十日, 尚餘五日四分日之一, 當閏數, 得二十九刻有奇, 伸爲二十九日則閏必小盡, 積三十刻, 伸爲三十日則閏乃大盡, 若六陰六陽積三百六十而爲八閏則疏矣.)" 왕식, 『皇極經世書解』, "생각건대, 해와 달이 차고 모자란 것은 모두 氣盈과 朔虛로 인해서 閏을 두는 본법이지만 소강절은 60괘로 역법을 만들고 四正卦로 윤법으 만들었으니, 또한 해와 달의 운행이 본래 이와 같기 때문에 그것을 따라 법을 세운 것이다.(愚按, 此日月盈縮, 因以有氣盈朔虛而置閏之本法也,

[12-2-215]

人爲萬物之靈, 寄類於走, 走陰也. 故百有二十.

사람은 만물의 영장류이나 달리는 종류에 속하고, 달리는 것은 음에 속하니, 그래서 120세이다.[256]

[12-2-216]

雨生於水, 露生於土, 雷生於石, 電生於火. 電與風同爲陽之極, 故有電必有風.

비는 수水에서 나오고, 이슬은 토土에서 나오고, 우레는 석石에서 나오고, 번개는 화火에서 나온다. 번개와 바람은 함께 양의 극한이므로 번개가 있으면 반드시 바람이 있다.[257]

[12-2-217]

莊子與惠子遊於濠梁之上. 莊子曰. 儵魚出遊從容, 是魚樂也. 此盡已之性能盡物之性也. 非魚則然, 天下之物皆然. 若莊子者, 可謂善通物矣.

장자와 혜시가 호수濠水 다리 위에서 노닐었다. 장자가 말했다. 빠른 고기가 조용히 노니니, 물고기가 즐거운 것이다. 이것은 자신의 성性을 완전히 실현하여 사물의 성을 완전히 이해할 수 있는 것이다. 물고기만 그러한 것이 아니고 세상의 모든 것이 다 그러하다. 장자와 같은 자는 사물을 잘 이해했다고 할 수 있다.[258]

邵子, 以六十卦爲歷法, 四正卦爲閏法, 亦以日月之行, 本然如此故, 因以立法耳.)"

256 왕식, 『皇極經世書解』에서 황기는 이렇게 말한다. "사람은 빠르게 달릴 수 있지만 가볍게 날 수는 없으니 달리는 종류이다. 음의 수는 6이니, 배를 하면 12이고 10배를 하면 120세로 2갑자이다.(人能疾行, 不能輕擧, 走之類也, 陰數, 六倍之, 而十二, 十之而百二十歲, 兼兩甲子.)"

257 왕식, 『皇極經世書解』: "장행성은 『皇極經世觀物外篇衍義』에서 '우레는 震괘의 기운이고 번개는 離괘의 기운이고, 바람은 巽괘의 기운이다. 양이 중첩된 음에 의해 제재를 받으니, 노한 기운이 발하여 우레가 되니, 분노한 것이 도리어 격해져서 번개가 되면, 음이 제어할 수 없고, 흩어져 바람이 되면 반대로 음을 제어한다. 그러므로 바람과 번개는 모두 양의 극한이 된다. 비는 水의 기운이니, 증류하면 구름이 되고, 응집하면 눈이 되며, 이슬은 土의 기운이니, 위로 오르면 안개가 되고 맺히면 서리가 된다. 우레는 石에서 나오고 번개는 火에서 나오니, 우레가 있으면 번개가 있는 것은 화가 석에서 나오는 것이고, 음의 기운이 모이면 구름이 되고, 내려오면 비가 되니, 구름과 비는 음의 종류이다. 양기가 피어나서 빛이 있고, 진동하여 소리가 있는 것은 우레와 번개이니 양의 종류이다.'라고 했다.(補註, 張氏衍義曰, 雷者, 震之氣也, 電者, 離之氣也, 風者, 巽之氣也. 陽爲重陰所制, 怒氣發而爲雷, 怒而反激而爲電, 陰已不能制矣, 散而爲風, 則反制陰也. 故風與電皆爲陽之極. 雨者, 水之氣, 蒸則爲雲, 凝則爲雪, 露者, 土之氣, 升則爲霧, 結則爲霜. 雷出於石, 電生於火, 有雷則有電, 火出於石也, 陰氣聚而爲雲, 降而爲雨, 雲也, 雨也, 陰之類也. 陽氣, 發而有光, 震而有聲, 電也, 雷也, 陽之類也.)"

258 이왕식, 『皇極經世書解』: "생각건대, 주희가 '장자가 천지 만물의 이치에 대해서 깨달은 바가 있었기 때문에 소강절은 그 글을 즐겨 읽었다.'라고 했다. 그러나 이 구절은 곧 장자를 빌려서 자신의 성을 완전히 실현하여 사물의 성을 완전히 이해한다는 뜻을 밝힌 것이지, 장자를 지나치게 허여한 것은 아니다.(愚按, 朱子曰, 莊子於天地萬物之理, 頗有所見, 故邵子樂道其書. 竊謂此節, 乃借莊子以明盡已性, 盡物性之意, 非過與莊子

[12-2-218]

莊子著盜跖篇, 所以明至惡雖至聖亦莫能化. 蓋上智與下愚不移故也.

장자가 「도척편」을 쓴 것은 지극히 악한 사람은 지극한 성인일지라도 교화시킬 수 없음을 밝힌 것이다. 왜냐하면 상지上智와 하우下愚는 바꿀 수 없기 때문이다.[259]

[12-2-219]

魯國之儒一人者, 謂孔子也.

"노나라의 유학자 한 사람이다."[260]라는 것은 공자를 말한다.[261]

[12-2-220]

老子, 知易之體者也.

노자는 역의 체體를 안 사람이다.[262]

[12-2-221]

天下之事始過於重, 猶卒於輕. 始過於厚, 猶卒於薄. 況始以輕始以薄者乎? 故鮮失之重, 多失之輕, 鮮失之厚, 多失之薄. 是以君子不患過乎重, 常患過乎輕, 不患過乎厚, 常患過乎薄也.

세상의 일은 처음에는 지나치게 중대한데 도리어 끝에는 가벼워지고, 처음에는 지나치게 두터운데 도리어 끝에는 얇아지는데 하물며 처음부터 가볍고 얇은 것은 어떠하겠는가? 그러므로 중대하게 해서 실수하는 경우는 드물고 가볍게 해서 실수하는 경우는 많으며, 두텁게 해서 실수하는 경우는 드물고

也.)" 장행성, 『皇極經世觀物外篇衍義』, "장자는 물고기의 즐거움을 알았던 것은 만물이 각각 뜻을 얻은 곳이 있는 것이 곧 진짜 즐거움이기 때문이다. 성인은 사물의 이치를 체득하여 지위를 얻어 도를 행해서 세상의 사물들 각각이 그 즐거움을 얻도록 한다.(莊子知魚樂者, 蓋萬物各有得意處, 即是真樂. 聖人體物, 苟居位行道焉, 使天下物物自得.)"

259 왕식, 『皇極經世書解』에서 황기는 이렇게 말했다. "장자는 문장으로 도를 드러낸 것이고, 도척을 빌려서 공자를 업신여긴 것이 아니니, 공자의 말을 밝혔을 뿐이다.(莊子, 因文見道, 非借盜跖以侮孔子, 乃發明孔子之言耳.)"

260 『莊子』「전자방」: "以魯國而儒者一人耳, 可謂多乎?"

261 왕식, 『皇極經世書解』: "장자의 말을 인용해서 장자가 공자를 모르는 것이 아님을 나타낸 것이다.(愚按, 引莊子語, 見莊子非不知孔子者.)"

262 왕식, 『皇極經世書解』: "주자가 말하기를 '소강절이 노자는 역의 체를 얻었고, 맹자는 역의 用을 얻었다.'라고 했으나, 잘못된 말이다. 노자는 노자의 체와 용이 있고, 맹자는 맹자의 체와 용이 있다. '장차 취하려면 반드시 먼저 주라.'는 말은 노자의 체와 용이고, '마음을 보존하고 성을 길러 사단을 확충하라'는 것은 맹자의 체와 용이다.(補註, 朱子曰, 康節言, 老子, 得易之體, 孟子, 得易之用, 非也. 老子, 自有老子之體用, 孟子自有孟子之體用, 將欲取之, 必姑與之, 此老子之體用也, 存心養性擴充四端, 此孟子之體用也.)"

얇게 해서 실수하는 경우는 많다. 그래서 군자는 지나치게 중대하게 하는 것을 근심하지 않고 항상 가볍게 하는 것을 근심하고, 두텁게 하는 것을 근심하지 않고 항상 얇게 하는 것을 근심한다.[263]

[12-2-222]

莊子齊物, 未免乎較量. 較量則爭. 爭則不平. 不平則不和. 無思無爲者, 神妙致一之地也, 所謂一以貫之. 聖人以此洗心, 退藏於密.

장자의 '제물齊物'은 비교하고 헤아리는 것을 면하지 못하였다. 비교하고 헤아리면 다투고, 다투면 고르지 못하며 고르지 못하면 조화롭지 못하다.[264] 사려함도 없고 인위적으로 하는 것도 없는 것은 신묘하여 하나로 합치하는 것이니, "하나로 꿰뚫었다."는 것이다. 성인이 이것으로 마음을 닦아서 은밀한 곳에 물러나 감춘다.[265]

[12-2-223]

當仁不讓於師者, 進人之道也.

인에 있어서는 스승에게 양보하지 않는 사람은 사람의 도로 나아간다.[266]

[12-2-224]

秦穆公伐鄭敗而有悔過自誓之言, 此非止霸者之事, 幾於王道. 能悔則無過矣. 此聖人所以錄於書末也.

263 왕식, 『皇極經世書解』에서 황기는 이렇게 말한다. "일을 제어하고 권도로 변화시키는 것은 마땅히 인을 지나치게 해야 한다."(制事權變, 當過於仁.)

264 장자의 '齊物'은 … 못하다 : 왕식, 『皇極經世書解』에서 황기는 이렇게 말한다. "사물이 고르지 못한 것이 사물의 실정이니, 사물을 각각 사물에 맡기면 조화롭고 고르게 된다.(物之不齊, 物之情也, 物各付物, 則和平.)"

265 사려함도 없고 … 감춘다 : 왕식, 『皇極經世書解』: "사려함이 없고 억지로 함이 없는 것은 세상에 생각하고 행위하는 것이 그것으로부터 나오는 것이므로, 신묘해서 하나로 합치하는 것이라고 했다. 고요해서 움직이지 않기 때문에 감동하여 세상의 이치를 통할 수 있는 것이니, '하나로 꿰뚫는다.'는 것이다. 성인은 이것으로 마음을 닦아서 물러나 은밀한 곳에 감추면 사람들이 엿볼 수 없는 것이니, 곧 『易』에서 사려함도 없고 인위적으로 행하는 것도 없어 신묘함이 하나로 합치된다는 말이다.(補註, 易無思無爲, 乃天下有思有爲之所自出, 故以爲神妙致一之地. 蓋寂然不動, 故能感而遂通天下之故, 所謂一以貫之是也. 聖人以此洗心, 退藏於密, 人莫能窺, 即易無思無爲神妙致一者也.)" 왕식, 『皇極經世書解』, "생각건대, 이것은 「繫辭上」 10장 '사려함도 없고 인위적으로 행하는 것도 없다.'는 네 구절을 해석하여 11장 '마음을 닦고 은밀하게 감춘다.'는 뜻으로 서로 밝혔다. '하나로 합치한다.'는 것은 「繫辭下」 5장에 '하나로 합치하는데 백가지로 사려한다.'는 말과 '하나로 합치한다.'라고 했으니, '하나로 꿰뚫는다.'는 의미이다.(愚按, 此釋上繫十章, 無思無爲四語, 而以十一章洗心藏密, 互明之. 致一云者, 下繫之五章, 一致而百慮, 又云言致一也, 亦一以貫之之意.)"

266 왕식, 『皇極經世書解』, "생각건대, 9편에서 '오직 인자라야 사람이라고 할 수 있으므로 스승이라도 이 인을 양보하지 않는다.'고 했다.(愚按, 九篇云, 惟仁者, 可以謂之人, 故雖師不讓也.)"

진秦 목공穆公이 정鄭나라를 치다가 패하여 허물을 후회하고 스스로 맹서한 말이 있으니, 이것은 패자霸者의 일에 그칠 뿐이 아니고, 왕도에 가깝다. 후회하면 허물이 없다. 이것이 성인이 『서경』의 끝에 진목공의 일을 기록한 이유이다.[267]

[12-2-225]

劉絢問無爲. 對曰. 時然後言, 人不厭其言. 樂然後笑, 人不厭其笑. 義然後取, 人不厭其取. 此所謂無爲也.

유순劉絢이 인위적으로 행하지 않는 것에 대해서 물었다. 대답했다. 때가 된 후에 말하면, 사람들이 그 말을 싫어하지 않는다. 즐거운 뒤에 웃으면 사람들이 그 웃음을 싫어하지 않는다. 의로운 뒤에 취하면 사람들이 그 취함을 싫어하지 않는다. 이것이 인위적으로 행하지 않는 것이다.[268]

[12-2-226]

瞽瞍殺人, 舜視棄天下猶棄敝屣也. 竊負而逃遵海濱而處, 終身訢然樂而忘天下. 聖人雖天下之大, 不能易天性之愛.

고수瞽瞍가 사람을 죽였다면, 순舜임금은 세상을 버리는 것을 마치 헌 신발을 버리는 것처럼 보았다. 고수를 몰래 업고 바닷가 근처로 도망해서 살더라도 죽을 때까지 흔연히 즐거워해서 천하를 잊는다. 성인이 천하의 위대한 사람일지라도 천성天性의 사랑과 바꿀 수는 없다.[269]

[12-2-227]

文中子曰 : "易樂者必多哀. 輕施者必好奪." 或曰 : "天下皆爭利棄義, 吾獨若之何?" 子曰 : "舍其所爭, 取其所棄, 不亦君子乎?" 若此之類, 禮義之言也. 心迹之判久矣. 若此之類, 造化之言也.

문중자가 말했다. "쉽게 즐거워한 사람들이 쉽게 슬퍼하고 가볍게 시혜를 베푸는 사람은 반드시 뺏기를 좋아한다." 어떤 사람이 말했다. "세상은 모두 이익을 다투고 의義를 버리는데 나 홀로 어떻게 하겠는가?" 공자가 말했다. "다투는 것을 내버려두고, 그 버리는 바를 취하면 군자가 아닌가?" 이와 같은

267 왕식, 『皇極經世書解』, "괘에 붙은 말에서 '멀지 않아 회복한다. 후회에 이르지 않는다. 크게 길하다.'고 했으니, 『易』은 후회가 없음을 중히 여겼지만, 『書』에서는 후회하는 마음의 회복을 중히 여긴 것이다. 소강절은 진 목공으로 패자의 으뜸으로 삼았고, 또 왕도에 가깝다고 했으니, 어찌 사람 마음의 회복함으로써 크게 착하고 길함을 삼는 것이 아니겠는가?(繫辭曰, 不遠復, 無祇悔, 元吉. 易重無悔, 書重有悔心之復也. 邵子既以秦繆爲霸者之最, 又以爲近王道, 豈非人心當以復爲元耶?)"

268 왕식, 『皇極經世書解』에서 황기는 이렇게 말했다. "『論語』 公明賈의 말로 '인위적으로 행함이 없는 것'을 말했으니, 인위적으로 행함이 없는 것이 성인의 도이다.(借論語公明賈之言, 以言無爲, 無爲者, 聖人之道也.)"

269 왕식, 『皇極經世書解』에서 황기는 이렇게 말했다. "권도로 中을 얻는 것이 곧 經이다. 하물며 부자간의 큰 경에 있어서랴? 아래에는 또 군주와 신하로 말했다.(權而得中, 即經也. 況父子之大經乎? 下又以君臣言.)"

종류는 예禮와 의義에 관한 말이다. 마음과 흔적이 구별된 것은 오래되었다. 이러한 종류는 조화造化의 말이다.

[12-2-228]

莊子氣豪. 若呂梁之事, 言之至者也. 盗跖, 言事之無可奈何者雖聖人亦莫如之何. 漁父, 言事之不可强者雖聖人亦不可强. 此言有爲無爲之理, 順理則無爲, 强則有爲也. 金須百鍊然後精, 人亦如此.

장자는 기운이 호탕하니, 여량呂梁과 같은 것은 지극히 잘 말한 것이다. 「도척」편은 일이 어찌할 수 없는 것은 성인일지라도 어찌할 수 없다는 것을 말한다. 「어부」편은 억지로 할 수 없는 일은 성인일지라도 억지로 할 수 없다는 점을 말했다. 이것은 인위적인 행위와 인위적이지 않는 행위의 이치를 말한 것이니, 이치에 순종하면 인위적으로 하지 않고, 억지로 하면 인위적으로 행위하게 된다.[270] 쇠는 백 번을 단련해야만 정밀해지니, 사람 역시 그러하다.

[12-2-229]

佛氏棄君臣父子夫婦之道, 豈自然之理哉!

불교는 군주와 신하, 아버지와 아들, 남편과 아내의 도를 버리니 어찌 자연스러운 이치이겠는가![271]

[12-2-230]

志於道者, 統而言之. 志者潛心之謂也. 德者, 得於己, 有形故可據. 德主於仁, 故曰依.

"도에 뜻을 둔다."[272]는 말은 통괄하여 말한 것이다. 뜻이란 감추어진 마음을 말한다. 덕德은 자신에게서 얻은 것이니 형체가 있어서 의거할 수 있다. 덕은 인仁을 주로 하므로 의거한다고 했다.[273]

270 왕식, 『皇極經世書解』에서 황기는 이렇게 말했다. "文은 氣에서 나오니, 기가 호탕하면 문장이 호탕하다. 「盜跖」과 「漁父」편은 후대 사람들이 덧붙인 것이다. 그러나 그 의리를 밝힐 수 있으니 어찌 여량의 일뿐이겠는가?(文出於氣, 氣豪, 則文豪, 盜跖漁父, 乃後人所附益. 然猶能發明義理, 豈獨呂梁之事乎.)"

271 왕식, 『皇極經世書解』에서 황기는 이렇게 말한다. "인륜은 天敍의 자연이다.(人倫, 天叙之自然也.)"

272 『論語』「里仁」, "志於道, 據於德, 依於仁, 遊於藝."

273 왕식, 『皇極經世書解』, "공자의 '도에 뜻을 두었다.' 장의 뜻을 풀이한 것이다. 주소에서 '도는 형체가 없으니 뜻을 둘 뿐이고, 무에서 유로 들어가는 것을 德業이라고 하고, 넓게 베풀어 사람들을 구제하는 것을 인의 은혜라고 한다.'라고 했다. 그러나 소강절은 '도는 덕과 인을 총괄해서 말한 것이고, 덕은 도를 자기에서 얻은 것으로, 인을 주로 한다.'고 했다. 일관해서 말하니, 주소보다 낫다.(愚按, 釋孔子志道章意, 註疏, 謂道無形, 志之而已, 離無入有, 是謂德業, 博施濟衆, 謂之仁恩. 邵子以道爲統言, 德仁德, 即道之得於己, 而主於仁, 方說得一貫, 遠勝註疏矣.)"

[12-2-231]

莊子曰. 庖人雖不治庖, 尸祝不越樽俎而代之. 此君子思不出其位, 素位而行之意也. 晉狐射姑殺陽處父, 春秋書晉殺其大夫陽處父上漏言也. 君不密則失臣, 故書國殺.

장자가 말했다. "주방장은 주방을 다스리지 않더라도, 시축尸祝이 술잔과 도마를 넘어 대신하지 않는다."[274] 이것은 군자가 지위를 벗어나서 생각하지 않으며[275] 본래 지위에 따라서 행한다[276]는 뜻이다. 진晉나라 호사고狐射姑가 양처보陽處父를 죽이니, 『춘추春秋』에 "진나라가 대부 양처보를 죽였다."라고 기록한 것은 윗사람이 말을 누설한 것이다. "군주가 기밀에 대해서 주도면밀하지 못하면 신하를 잃으므로"[277] "그 나라가 죽였다."고 기록한 것이다.[278]

[12-2-232]

人得中和之氣則剛柔均. 陽多則偏剛. 陰多則偏柔.

사람이 중화中和의 기를 얻으면 강함과 부드러움이 고르게 된다. 양이 많으면 강함에 치우치고, 음이 많으면 부드러움에 치우친다.[279]

[12-2-233]

人之爲道, 當至於鬼神不能窺處, 是爲至矣.

사람됨의 도는 마땅히 귀신이 엿볼 수 없는 곳에 이르러야 하니 이것이 지극함이다.[280]

274 주방장은 주방을 … 않는다: 『莊子』「逍遙游」
275 군자가 지위를 … 않으며: 『論語』「憲問」
276 본래 지위에 … 행한다: 『中庸』 13장, "君子素其位而行, 不願乎其外."
277 군주가 기밀에 … 잃으므로: 『易』「繫辭上」 8장.
278 왕식, 『皇極經世書解』: "『春州公羊傳』과 『春秋穀梁傳』을 보면, '진 양공이 狄과 전쟁을 하려고 하는데, 호사고로 중군을 거느리고 조순이 돕도록 했다. 대부 양처보가 간언했다. 「호사고는 사람들이 좋아하지 않으니, 장수로 삼을 수 없습니다.」고 했다. 그래서 장수를 폐하였다. 양처보가 나가고 호사고가 들어오니, 임금이 호사고에게 「양처보가 호사고는 사람들이 좋아하지 않으니 장수로 삼을 수 없다고 한다.」고 했으니, 호사고가 화를 내고 나가 양처보를 조정에서 찔러 죽이고 달아났다.' 소강절은 『易』을 인용하여 진나라 군주가 말을 누설하였으니, 이는 '군주가 기밀에 대해서 주도면밀하지 못하면 신하를 잃는다.'는 것이라고 했다. 그래서 '진나라가 죽였다.'고 기록했다.(補註, 按公羊穀梁二傳, 晉襄公, 將與狄戰, 使狐射姑將中軍, 趙盾佐之, 大夫陽處父諫曰, 射姑氏, 衆不說, 不可使將, 於是廢. 將陽處父, 出射姑入, 君謂射姑曰, 陽處父言曰, 射姑氏, 衆不說, 不可使將, 射姑怒出刺陽處父於朝而走. 邵子引易以見晉君漏言, 是君不密則失臣, 故以國殺書之也.)" 왕식, 『皇極經世書解』, "생각건대, '진나라가 그 대부 양처보를 죽였다.'는 것은 文公 6년에 보이고, '군자가 기밀에 주도면밀하지 못하면 신하를 잃는다.'는 것은 「繫辭上」 8장의 공자의 말이다.(愚按, 晉殺其大夫陽處父, 見文公六年, 君不密, 則失臣上繫八章, 夫子之言也.)"
279 왕식, 『皇極經世書解』: "생각건데, 중도로 행하는 것과 狂狷을 구별한 것이다. 강하게 하고 부드럽게 하는 것은 사람에게 달려 있다.(愚按, 此中行, 狂狷之別也. 剛克柔克, 則在乎人.)"
280 왕식, 『皇極經世書解』: "생각건대, 이것은 소강절의 시에서 '사려가 일어나지 않아 귀신이 알지 못한다.'는

[12-2-234]

作易者其知盜乎, 聖人知天下萬物之理而一以貫之.

『역』을 지은 사람은 도둑을 아는 것인가? 성인은 세상 만물의 이치를 알아서 하나로 꿰뚫었다.[281]

[12-2-235]

大羹可和, 玄酒可漓, 則是造化亦可和可漓也.

태갱太羹에 간을 할 수 있고, 현주玄酒에 다른 맛을 탈 수 있으면, 이는 조화造化에 대해서도 다른 것을 섞고 탈 수 있다는 것이다.[282]

[12-2-236]

有一日之物. 有一月之物. 有一時之物. 有一歲之物. 有十歲之物. 至於百千萬皆有之. 天地亦物也, 亦有數焉.(雀三年之物. 馬三十年之物. 凡飛走之物皆可以數推. 人百有二十年之物.)

하루에 해당하는 사물이 있고, 한 달에 해당하는 사물이 있고, 한계절에 해당하는 사물이 있고, 1년에 해당하는 사물이 있고 10년에 해당하는 사물이 있다. 100, 1,000, 10,000에 해당하는 것도 모두 있다. 천지 역시 사물이니 또한 수가 있다.[283](참새는 3년에 해당하는 것이고, 말은 30년에 해당하는 것이다.

뜻이다.(愚按, 此即邵子詩, 思慮未起, 鬼神莫知之意.)"

281 왕식, 『皇極經世書解』에서 황기는 이렇게 말했다. "숨기는 것을 게을리 하면 도적을 자초한다는 점을 알면, 미리 예방을 해야 한다. 일이 번잡하지만 이치는 하나로 꿰뚫는 것이다.(知慢藏招盜, 則防之以豫. 事雖猥而理一貫者也.)" 왕식, 『皇極經世書解』, "생각건대, 「繫辭傳上」 8장의 글을 해석한 것이지만 어찌 도적을 예방하는 한 가지 일일 뿐이겠는가? 세상 모든 것의 이치가 다 그러하지 않는 것이 없다.(愚按, 此釋上繫八章之文, 豈惟防盜一事? 蓋天下萬物之理, 莫不皆然.)"

282 장행성, 『皇極經世觀物外篇衍義』, "색은 바탕에서 시작하고, 맛은 담담한 것에서 시작하니, 국과 물이 맛의 근본이다. 이는 조화의 시초는 담백하고 자연스럽다. 어울릴 수 없고 스며들게 할 수 없으면 어떤 아름다운 것에는 반드시 어떤 추한 것이 있다. 만약 어울릴 수 있다면 스며들게 할 수 있다.(色始於素, 味始於淡, 大羹玄酒, 味之本也. 以比造化之初恬淡自然. 既不可和亦不可漓, 甚美必有甚惡. 若可和則可漓矣.)"
왕식, 『皇極經世書解』: "생각건대, 태갱과 현주는 『樂記』에 나타난다. '태갱'은 고기를 물에 축축하게 한 것으로, 소금과 야채로 어울려 간하지 않은 것이다. '현주'는 맑은 물이니, 『周禮』에서 '秋官' 司烜氏(사훤씨)가 鑒으로 달밤에 맑은 물을 취해 제사에 바치니, 그 맛이 담담하여 맛이 없는 것이다. 두 가지는 모두 자연의 맛이니 원래 다른 맛과 섞을 수 없다. '造化'는 자연의 진짜 이치이니 사람이 섞을 수 없다. 소강절의 동지음에서 '현주는 맛이 담담하고 太陰은 소리가 없다.'라는 것이 이 뜻이다.(愚按, 太羹玄酒, 見樂記. 太羹, 肉湆也, 不以鹽菜調和之. 元酒, 明水也, 周禮, 秋官, 司烜氏, 以鑒取明水於月, 以共祭祀, 取其淡而無味也. 二者, 皆自然之味, 原不可以他味雜之. 造化, 自然之眞理, 不以人爲雜之. 亦猶是耳. 邵子, 玄酒味方淡, 太音聲正希, 正此意也.)"

283 왕식, 『皇極經世書解』: "『列子』에서 '형 땅의 남쪽에 冥靈이란 것이 있는데 500년을 봄으로 삼고, 500년을 가을로 삼고, 옛날에 大椿이라는 것이 있는데, 8,000년을 봄으로 삼고 8,000년을 가을로 삼으며, 썩은 흙속에

나는 것과 달리는 것은 모두 수로 유추할 수 있다. 사람은 120년에 해당하는 사물이다.)

[12-2-237]

太極, 道之極也. 太玄, 道之玄也. 太素, 色之本也. 太一, 數之始也. 太初, 事之初也. 其成功則一也.

태극太極은 도의 극한이다. 태현太玄은 도의 시작元이다. 태소太素는 색의 본바탕이다. 태일太一은 수의 시작이다. 태초太初는 일의 시초이다. 그러나 공을 이루는 것은 하나이다.[284]

[12-2-238]

易地而處, 則無我也.

입장을 바꿔서 처하면 내가 없다.[285]

[12-2-239]

陰者陽之影, 鬼者, 人之影也.

음陰은 양陽의 그림자이고, 귀鬼는 사람의 그림자이다.[286]

菌芝라는 것이 있는데 아침에 생겼다가 저녁에 죽으며, 봄 여름에 蠓蚋가 있는데 비를 따라서 생겨났다가 햇볕을 보면 죽은다.'고 하니, 사물의 수가 오래 살고 빨리 죽는 것이 있다는 것을 알 수 있다.(補註, 列子曰, 荊之南有冥靈者, 以五百歲爲春, 五百歲爲秋, 上古有大椿者, 以八千歲爲春, 八千歲爲秋, 朽壤之上有菌芝者, 生於朝, 死於晦, 春夏之月有蠓蚋者, 因雨而生, 見陽而死, 可見物之數有久有速也.)" 황기는 왕식, 『皇極經世書解』에서 이렇게 말한다. "수많은 사람 가운데 사람은 요순과 같은 사람이니, 그 수명이 120년에 가까웠다. 그러나 또한 어려운 것이다.(兆人之人, 如堯舜, 其壽乃近百二十年. 然亦難矣.)"

284 왕식본 『皇極經世書解』: "양자는 『太玄經』을 지었고, 『한서』「예문지」에 '황제 때에 태소 20편이 있었다.'가 있고, 日家에는 『太乙統紀』라는 책이 있고, 낙하굉은 太初曆을 만들었으니, 모두 『易』의 태극을 근본으로 했다.(補註, 楊子有太玄經, 漢藝文志, 黃帝有太素二十篇, 日家, 有太乙統紀之書, 洛下閎, 有太初曆, 皆本易太極而言也.)"
왕식은 또 이렇게 말한다. "생각건대, 그 말은 다르지만 이치는 하나이다. '玄'이라고 말한 것은 극이라고 말한 것만 못하고, 색으로 말하고 수로 말하고 일로 말한 것에 이르러서는 그 다음이다.(愚按, 謂其言異而理一也. 然言玄, 不如言極, 至於以色以數以事, 又其次也.)"

285 장행성, 『皇極經世觀物外篇衍義』: "입장을 바꿔서 처하면 내가 없고 사물에 응하여 움직이면 인위적인 개입이 없다.(易地而處, 則無我, 應物而動, 則無爲.)"

286 왕식본 『皇極經世書解』: "생각건대, 형체가 있으면 그림자가 있고 형체가 사라지만 그림자도 사라진다. 그러나 소강절의 말은 이와 같은 것이 아닌 듯하다. 「漁樵問對」에 '어떤 사람이 죽어도 지각이 있다고 하니, 이런 경우가 있습니까?' 대답했다. '있다. 신과 혼은 하늘에서 유행하고, 정과 백은 땅으로 돌아오니, 하늘에서 유행하는 것을 양이 운행한다라고 하고, 땅으로 돌아오는 것을 음이 돌아온다라고 한다. 양의 운행은 낮에 나타나고 밤에 숨고, 음의 돌아옴은 밤에 나타나고 낮에 숨는다. 그래서 해는 달의 형체이고 달은 해의 그림자이며, 양은 음의 형체이고, 음은 양의 그림자이며, 사람은 귀의 형체이고, 귀는 사람의 그림자라

[12-2-240]

氣以六變, 體以四分.

기는 여섯 번 변하고, 형체는 넷으로 나뉜다.

[12-2-241]

以尊降卑曰臨. 以上觀下曰觀.

존귀한 신분으로 비천한 사람에게 내려가는 것을 임臨한다고 하고, 위에서 아래를 내려다보는 것을 관觀한다고 한다.[287]

[12-2-242]

毋意毋必毋固毋我, 合而言之則一, 分而言之則二, 合而言之則二, 分而言之則四. 始於有意. 成於有我. 有意然後有必, 必生於意. 有固然後有我, 我生於固. 意有心, 必先期, 固不化, 我有己也.

의도하지 말고, 기필하지 말고, 고집하지 말고, 나를 내세우지 말라고 했으니 합하여 말하면 하나이고 나누어 말하면 둘이며, 합하여 말하면 둘이고 나누어 말하면 넷이다. 의도가 있는 데에서 시작하여 내가 있는 데에서 이루어진다. 의도가 있은 뒤에 기필함이 있으니 기필함은 의도에서 나온다. 고집한 후에 내가 있으니, 나는 고집에서 나온다. 의도는 마음이 있음이고, 기필은 먼저 기약함이고, 고집은 변화하지 않음이고, 나는 사사로운 자기가 있음이다.[288]

[12-2-243]

記問之學, 未足以爲事業.

암기하고 질문하는 학문은 사업이 되기에는 부족하다.[289]

는 것을 알 수 있다. 사람들이 귀는 형체가 없고 지각도 없다는 것을 나는 믿지 않는다.'라고 했으니, 소강절의 견해가 이와 같다. 정자와 주희의 말을 보면 또 스스로 하나의 학설을 만든 것이다. 愚按, 有形方有影, 形消影亦盡矣. 然邵子之說, 似不如此. 漁樵問對云. 人謂死而有知, 有諸? 曰, 有之. 神魂行於天, 精魄返於地, 行於天, 則謂之曰陽行, 返於地, 則謂之曰陰返. 陽行則晝見而夜伏者也, 陰返, 則夜見而晝伏者也. 是知日者, 月之形也, 月者, 日之影也, 陽者, 陰之形也, 陰者, 陽之影也, 人者, 鬼之形也, 鬼者, 人之影也. 人謂鬼無形而無知者, 吾不信也. 邵子之所見, 如此. 視程朱所言, 又自爲一說.)"

287 왕식, 『皇極經世書解』: "생각건대, 『易』「雜卦傳」에서 임괘와 관괘의 뜻을 어떤 경우는 주는 것으로 어떤 경우는 구하는 것으로 했으니, 두 괘를 합하여 해석하였으므로 소강절도 합해서 해석했으나 본래 하나의 말이다.(愚按, 易雜卦傳, 臨觀之義, 或與或求, 合二卦釋之, 故邵子亦合釋之, 而自爲一說.)"

288 왕식, 『皇極經世書解』: "생각건대, 성인은 내가 없으니, 공자가 『易』을 칭찬하는 말이다. 『論語』에서 '아'라는 글자 가운데에서 4단계로 다시 나누어 말했고, 소강절의 견해는 가일배법의 한 측면이다.(愚按, 聖人無我, 夫子贊易之言也, 論語於我字中, 更分四層言之, 邵子所見, 又加一倍法之一端也.)"

289 왕식, 『皇極經世書解』: "배움에는 실제적인 얻음이 있어야 사업을 하기에 족하다. 앞 절에서 '학문은 인간사

[12-2-244]

智哉! 留侯! 善藏其用.

지혜롭구나! 유후여! 그 작용을 잘 숨겼다.[290]

[12-2-245]

思慮一萌, 鬼神得而知之矣. 故君子不可不愼獨.

사려가 한번 싹트면 귀신이 그것을 안다. 그러므로 군자는 혼자만 아는 것을 삼가지 않을 수 없다.

[12-2-246]

時然後言, 言不在我也.

때가 된 후에 말을 하니, 말은 나에게 있지 않다.

[12-2-247]

學在不止. 故王通云, 沒身而已.

배움은 그치지 않는 데에 달려있다. 그래서 왕통王通은 죽을 때까지 할 뿐이라고 했다.[291]

[12-2-248]

誠者主性之具, 無端無方者也.

성誠이란 성性을 주관하는 도구이니 단서도 없고 장소도 없다.[292]

를 가장 중요한 일로 삼는다.'고 했으니, 뜻이 서로 밝혀준다.(愚按, 學有實得, 方足措之事業. 與前節學以人事爲大意相發明.)"

290 왕식, 『皇極經世書解』: "어떤 사람이 묻기를 '유후가 그 작용을 잘 숨겼다는 것은 무슨 말입니까?' 주자가 말했다. '단지 棧道를 끊었던 것은 그 뜻이 韓나라에 있고 漢나라에 있지 않는 것이고, 韓나라가 망해서 돌아갈 곳이 없자, 비로소 漢나라로 돌아왔으니, 그 일을 알 수 있다.(補註, 或問留侯善藏其用, 如何? 朱子曰, 只燒絶棧道, 其意自在韓而不在漢, 及韓滅, 無所歸, 乃始歸漢, 則其事可見矣.)"

291 왕식, 『皇極經世書解』에서 황기는 이렇게 말한다. "『論語』에 '때때로 익힌다.'고 했는데 『禮記』에서는 '마음을 다해 날마다 힘쓰고 힘쓰다가 죽은 뒤에 그만둔다.'고 했다. 왕통이 터득한 바가 있었으므로 인용하여 '지극한 성실함은 그침이 없다.'는 뜻으로 마쳤다.(語所謂時習, 記所謂俛焉日有孶孶, 斃而後已. 王通氏, 蓋有得焉, 故引之以終至誠無息之意.)"

292 왕식, 『皇極經世書解』: "誠이란 오상의 근본이고 모든 행위의 원천이므로 性을 주관하는 도구이다.(補註, 誠者, 五常之本, 百行之源, 故爲主性之具.)"

皇極經世書七 황극경세서 7

外書 외서 … 223
漁樵問對 어부와 나무꾼의 대화 … 223
無名公傳 무명공전 … 246
附錄 부록 … 251

皇極經世書七
황극경세서 7

外書 외서

漁樵問對 어부와 나무꾼의 대화

[13-0-0-1]

嵩山晁氏曰, 邵雍堯夫設爲問答以論陰陽化育之端, 性命道德之奧云

숭산조씨嵩山晁氏[조열지晁說之][1]가 말했다. "소옹요부邵雍堯夫[邵雍]가 문답법을 써서 음양陰陽 · 화육化育의 단서와 성명性命 · 도덕道德의 심오한 이치를 논하였다."

[13-1-1]

漁者垂鈎于伊水之上. 樵者過之, 弛檐[2]息肩, 坐于磐石之上, 而問于漁者曰, "魚可鈎取乎?"

曰 : "然."

曰 : "鈎非餌可乎?"

曰 : "否."

曰 : "非鈎也, 餌也. 魚利食而見害, 人利魚而蒙利. 其利同也, 其害異也. 敢問何故?" 漁者

1 嵩山晁氏(晁說之) : 자는 以道 · 伯以이며 호는 景迂 · 迂叟이며, 澶州(하남성) 사람이다. 晁宗慤의 증손으로, 1082년 진사가 되어 知成州 · 秘書少監 등을 역임했다. 학문이 뛰어나 소식, 范祖禹, 曾肇의 천거를 받기도 했다. 사마광에게 『太玄經』을 전수 받았으며, 소옹의 제자 楊賢寶에게 역학을 배웠다. 육경에 불가, 도가, 법가의 설들을 섞어 순전하지 않다는 견해를 가지고 있었으며, 이에 근거하여 육경을 연구할 때 회의적인 관점으로 문헌비평이 필요하다고 주장하였다. 왕안석의 『三經新義』를 비판했다.

2 檐 : 의미상 멘다는 의미의 '擔'이어야 한다.

曰, “子樵者也, 與吾異治. 安得侵吾事乎? 然亦可以爲子試言之. 彼之利, 猶此之利也, 彼之害, 亦猶此之害也. 子知其小, 未知其大. 魚之利食, 吾亦利乎食也, 魚之害食, 吾亦害乎食也. 子知魚終日得食爲利, 又安知魚終日不得食不爲害? 如是, 則食之害也重, 而鉤之害也輕. 子知吾終日得魚爲利, 又安知吾終日不得魚不爲害也? 如是, 則吾之害也重, 魚之害也輕. 以魚之一身當人之一食, 則魚之害多矣. 以人之一身當魚之一食, 則人之害亦多矣. 又安知鉤乎? 大江大海則無易地之患焉? 魚利乎水, 人利乎陸. 水與陸異, 其利一也. 魚害乎餌. 人害乎財. 餌與財異, 其害一也. 又何必分乎彼此哉? 子之言體也, 獨不知用爾.”

어부가 이수伊水[3] 가에서 낚싯대를 드리우고 있었다. 나무꾼이 지나가다가, 짐을 풀고 어깨를 쉬며, 반석磐石 위에 앉아, 어부에게 물었다. “낚시 바늘로 물고기를 낚을 수 있습니까?”

어부가 말했다. “예.”

나무꾼이 물었다. “낚시 바늘에 미끼를 끼지 않아도 괜찮습니까?”[4]

어부가 말했다. “아니요.”

나무꾼이 물었다. “낚시 바늘이 아니라, 미끼의 문제군요. 물고기는 먹이를 이롭게 여기다가 해를 입지만, 사람은 물고기를 이롭게 해서 이익을 봅니다. 그 이로움은 같지만 그 해는 다릅니다. 감히 그 이유를 묻고자 합니다.”

어부가 말했다. “당신은 나무꾼이니, 나와 하는 일이 다릅니다. 그러니 어떻게 나의 일에 간섭할 수 있겠습니까? 그러나 또 당신을 위해 말해보겠습니다. 물고기에게 이로운 것은 사람에게 이로운 것과 같고, 물고기에게 해로운 것은 또한 사람에게 해로운 것과 같습니다. 당신은 작은 것만 알고 큰 것을 모릅니다. 물고기가 먹이를 이롭게 여기면, 나 또한 먹는 데에 이롭고, 물고기가 먹이를 해롭게 여기면, 나 또한 먹는 데에 해롭습니다. 당신은 물고기가 하루 종일 먹을 수 있다는 것이 이롭다는 점을 알지만, 또한 물고기가 하루 종일 미끼를 먹지 못해도 해가 되지는 않다는 점을 또한 어찌 알겠습니까? 이와 같으면 먹을 것인 미끼의 해로움은 중대하고, 낚시 바늘의 해로움은 가볍습니다. 당신은 내가 하루 종일 물고기를 잡는 것이 이롭다는 점을 알지만, 또한 내가 하루 종일 물고기를 잡지 못해도 해가 되지 않는다는 점을 어찌 알겠습니까? 이와 같다면 나의 해로움은 크지만, 물고기의 해로움은 가볍습니다. 물고기 한 마리를 나의 한 끼 식사에 해당시킨다면, 물고기의 해로움은 큽니다. 그러나 나의 한 몸을 물고기의 한 끼 식사에 해당시킨다면, 나의 해로움 역시 많습니다. 또 큰 강이나 큰 바다에서 낚시질을 한다면 입장을 바꾸어 생각하는 근심은 없다는 점을 어찌 알겠습니까? 물고기는 물에서 이롭지만, 사람은 육지에서 이롭습니다. 물과 육지는 다르지만, 그 이로움은 마찬가지입니다. 물고기는 미끼로부터 해를 입지만 사람은 재물로부터 해를 입습니다. 미끼와 재물이 다르지만 그 해로움은 마찬가지입니다. 그러니 어찌 이것과 저것을 꼭 나눌 필요가 있겠습니까? 당신은 체體를 말하지만 다만

3 伊水 : 伊尹이 태어난 곳이다. 이 어머니는 有莘국의 이수가에 살고 있었는데 이윤은 그곳에서 태어났기 때문에 이윤이라고 불렸다. 이윤은 탕왕을 도와 은나라를 개국했던 공신이다.

4 낚시에 미끼를 … 괜찮습니까?: 강태공, 즉 呂尙은 낚시를 하는 데에 미끼를 끼지 않고 낚시를 했다고 한다.

용用을 알지 못할 뿐입니다."

樵者又問曰 : "魚可生食乎?"
曰 : "烹之可也."
曰 : "必吾薪濟子之魚乎!"
曰 : "然."
曰 : "吾知有用乎子矣."
曰 : "然則子知子之薪能濟吾之魚, 不知子之薪所以能濟吾之魚也. 薪之能濟魚久矣, 不待子而後知. 苟世未知火之能用薪, 則子之薪雖積丘山, 獨且奈何哉?"
樵者曰 : "願聞其方."
曰 : "火生于動, 水生于靜. 動靜之相生, 水火之相息. 水火, 用, 草木, 體也. 用生于利, 體生于害. 利害見乎情, 體用隱乎性. 一性一情, 聖人成能. 子之薪, 猶吾之魚. 微火, 則皆爲腐臭朽壤[5]而無所用矣. 又安能養人七尺之軀哉?"
나무꾼이 또 물었다. "물고기는 날로 먹을 수 있습니까?"
어부가 대답했다. "익혀야 만이 먹을 수 있습니다."
나무꾼이 물었다. "그렇다면 반드시 저의 땔나무가 물고기를 먹을 수 있게 합니다!"
어부가 대답했다. "그렇습니다."
나무꾼이 물었다. "저는 저의 땔나무가 당신의 물고기에게 쓸모가 있음을 알겠습니다."
어부가 대답했다. "그렇다면 당신은 당신의 땔나무가 나의 물고기를 먹을 수 있게 할 수 있다는 점을 알지만, 당신의 땔나무가 나의 물고기를 요리할 수 있는 까닭을 알지는 못합니다. 땔나무로 물고기를 먹을 수 있게 하는 일은 오래 되었지만, 당신을 기다린 후에 그 방법을 알 수 있는 것은 아닙니다. 세상 사람들이 불이 땔나무를 쓰고 있다는 점을 알지 못하였다면, 당신의 땔나무가 저 산더미처럼 쌓여있더라도 그것만으로 어찌하겠습니까?"
나무꾼이 물었다. "그 도리를 들려주시기 바랍니다."
어부가 대답했다. "불은 움직임에서 생겨나고, 물은 고요함에서 생겨납니다. 움직임과 고요함이 서로 생성하고, 물과 불이 서로 다투어 변화가 생성됩니다 : 動靜의 相生은 水火의 相息이다[6] 물과 불은 용用이고

5 『性理大全』에는 '壤'으로 되어 있으나 '壞'가 옳다.

6 相息 : 『易』 革괘, "「象傳」에서 말했다. 변혁이니, 물과 불이 서로 다투어 변화가 생성되며, 두 여자가 함께 살되 그 뜻을 서로 얻지 못하는 것이 변혁이다.(象曰, 革, 水火相息, 二女同居, 其志不相得, 曰革.)" 왕필은 다음과 같이 설명한다. "息이란 변화가 생겨나는 것을 말한다. 불은 올라가려고 하고 연못의 물은 내려가려고 한다. 물과 불이 서로 다투고 난 후에 변화가 생겨난다.(息者, 生變之謂也. 火欲上而澤欲下, 水火相戰, 而後生變者也.)" 공영달도 왕필과 동일하게 해석하고 있으면서 이런 말을 덧붙인다. "변화가 생겨나면 본래의 성질이 개혁된다. 물이 뜨거워져서 끓게 되고(물의 찬 기운이 더워진다.), 불의 뜨거운 성질은 없어져서 기는

풀과 나무는 체體입니다. 작용은 이로움에서 생겨나고, 형체는 해로움에서 생겨납니다. 이로움과 해로움은 정情[실정]에서 나타나고, 형체와 작용은 성性에 감추어져 있습니다. 한 번 성性이 되고 한 번 정情이 되는 것은 성인이라야 잘 해낼 것입니다. 당신의 땔나무는 나의 물고기와 마찬가지입니다. 불이 아니면 모두 썩어서 냄새나고 삭아서 부서져 아무 쓸모가 없을 것입니다. 그러니 또 어찌 사람의 7척의 몸을 기를 수 있겠습니까?"

樵者曰: "火之功大於薪, 固已知之矣. 敢問善灼物何必待薪而後傳."
漁者曰: "薪, 火之體也, 火, 薪之用也. 火無體, 待薪然後爲體. 薪無用, 待火而後爲用. 是故凡有體之物皆可焚之矣."
曰: "水有體乎?"
曰: "然."
曰: "火能焚水乎?"
曰: "火之性能迎而不能隨, 故滅. 水之體能隨而不能迎, 故熱. 是故有温泉而無寒火, 相息之謂也." 曰, "火之道生於用, 亦有體乎?"
曰: "火以用爲本, 以體爲末, 故動. 水以體爲本, 以用爲末, 故靜. 是火亦有體, 水亦有用也. 故能相濟, 又能相息. 非獨水火則然, 天下之事皆然. 在乎用之何如爾." 樵者曰, "用可得聞乎?"
曰: "可以意得者, 物之性也. 可以言傳者, 物之情也. 可以象求者, 物之形也. 可以數取者, 物之體也. 用也者, 妙萬物爲言者也. 可以意得而不可以言傳."
曰: "不可以言傳, 則子惡得而知之乎?"
曰: "吾所以得而知之者, 固不能言傳. 非獨吾不能傳之以言, 聖人亦不能傳之以言也."
曰: "聖人旣不能傳之以言, 則六經非言也邪?"
曰: "時然後言, 何言之有?" 樵者賛曰, "天地之道備於人, 萬物之道備於身, 衆妙之道備於神. 天下之能事畢矣. 又何思何慮? 吾而今而後知事心踐形之爲大. 不及子之門, 幾至於殆矣. 乃析薪烹魚而食之, 飫而論易."
나무꾼이 물었다. "불의 공로가 땔나무보다 큰 점을 분명히 알겠습니다. 그렇다면 사물을 잘 태우는 데에 왜 하필 땔나무를 기다린 후에야 불이 전해지는지를 묻고자 합니다."
어부가 대답했다. "땔나무는 불의 체體이고, 불은 땔나무의 용用입니다. 불은 체가 본래 없으니, 땔나무

차게 된다. 이것을 변혁이라고 한다.(變生, 則本性改矣. 水熱而成湯, 火滅而氣冷, 是謂革也.)" 정이천은 멈춤과 번식이라는 두 가지 뜻을 가지고 설명하면서 멈춘다는 의미를 취한다. "'息이란 멈춘다는 뜻이고 또 식은 낳는다는 뜻이 있다. 사물은 멈춘 후에 생겨난다. 그러므로 낳는다는 뜻이 있다. 변혁의 相息은 멈춘다는 것을 말한다.(息爲止息, 又爲生息. 物止而後有生, 故爲生義. 革之相息, 謂止息.)"

를 기다린 후에 그것을 체로 삼습니다. 땔나무는 불이 없다면 아무 소용이 없으니, 불을 기다린 후에 용이 일어납니다. 그래서 체를 가진 사물은 모두 태울 수가 있습니다."

나무꾼이 물었다. "물은 체가 있습니까?"

어부가 대답했다. "그렇습니다."

나무꾼이 물었다. "불은 물을 태울 수 있습니까?"

어부가 대답했다. "불의 성性은 물을 거스를 수는 있지만 물을 따라갈 수는 없으므로[7] 소멸되고, 물의 체는 불을 따라갈 수는 있지만 불을 거스를 수 없으므로 가열됩니다. 그러므로 따뜻한 물은 있지만 차가운 불은 없으니, '서로 다투어 변화가 생성됨[相息]'을 말합니다."

나무꾼이 물었다. "불의 도는 용用에서 생겨나는데, 또한 체體가 있습니까?"

어부가 대답했다. "불은 용을 근본으로 삼고 체를 말단으로 삼으므로 움직입니다. 물은 체를 근본으로 삼고 용을 말단으로 삼으므로 고요합니다. 그래서 불에도 체가 있고, 물에도 용이 있습니다. 그러므로 서로 도우면서도 또 서로 다툴 수 있는 것[相息]입니다. 단지 물과 불만이 그러한 것이 아니라, 세상의 모든 일들이 다 그러합니다. 그러므로 용이 어떠하느냐에 달려 있을 뿐입니다."

나무꾼이 물었다. "용에 대해서 들을 수가 있겠습니까?"

어부가 대답했다. "뜻으로 얻을 수 있는 것은 사물의 성性이고, 말로 전할 수 있는 것은 사물의 정情이며, 상象으로 구할 수 있는 것이 사물의 형形이고, 수數로 취할 수 있는 것이 사물의 체體입니다. 용이란 만물을 신묘하게 하는 것을 말합니다.[8] 그래서 뜻으로 얻을 수 있지만 말로 전할 수는 없습니다."

나무꾼이 물었다. "말로 전할 수 없다면 당신은 어떻게 해서 알 수 있습니까?"

어부가 대답했다. "내가 알 수 있었던 것은 분명 말로 전할 수 없습니다. 나만이 말로 전할 수 없을 뿐만 아니라, 성인도 말로 전할 수 없습니다."

나무꾼이 물었다. "성인이 말로 전할 수 없다면 육경六經은 언어가 아닙니까?"

어부가 대답했다. "때가 되고 나서 말하였으니[9], 무슨 말이 있겠습니까?"

나무꾼이 찬미하며 말했다. "천지의 도가 사람에게 구비되고, 만물의 도가 나의 몸에 구비되었으며, 여러 오묘한 도가 신神에 갖추어져서, 세상의 가능한 모든 일이 망라되어 끝났습니다.[10] 그러니, 또

---

7 물을 거스를 … 없으므로 : "'迎'은 거스른다는 뜻이고, '隨'는 따른다는 의미이다.(迎有逆之義, 隨即順之意.)"(「외편」에 나온 말에 대해 『皇極經世書解』에서 왕식이 설명한 것이다.)

8 만물을 신묘하게 … 말합니다 : 『易』「說卦傳」, "神이란 만물을 미묘하게 하는 것을 말한다.(神也者, 妙萬物而爲言者也.)" 소강절은 用을 神과 유사하게 생각하고 있음을 볼 수 있다. 「外篇」 175에서 "神이란 변화[易]의 주인이라서 장소가 없다. 변화란 신의 작용이라서 본래 형체가 없다.(神者, 易之主也, 所以無方. 易者, 神之用也, 所以無體.)"고 말하고 있다. 또 「外篇」 196에서 "태극이 움직이지 않는 것이 性이다. 발현하면 신묘하다. 신묘하면 數가 생긴다. 수가 생기면 象이 생긴다. 상이 생기면 기물[器]이 생긴다. 기물이 변하여 다시 神으로 돌아간다.(太極不動, 性也. 發則神. 神則數. 數則象. 象則器. 器之變, 復歸於神也.)"고 한다.

9 때가 되고 … 말하였으니 : 『論語』「憲問」, "公明賈對曰, '以告者過也. 夫子時然後言, 人不厭其言, 樂然後笑, 人不厭其笑, 義然後取, 人不厭其取.' 子曰, '其然, 豈其然乎?'"

10 세상의 가능한 … 끝났습니다 : 『易』「繫辭上」, "이끌어 거듭 펴며, 종류끼리 접촉해서 키우니, 세상의 일이

무엇을 생각하고 무엇을 근심하겠습니까? 나는 지금 이후로 마음을 섬기고[11] 형形을 실천하는 일[12]이 위대함을 알겠습니다. 당신의 문하에 오지 않았다면 거의 잘못될 뻔 했습니다."
이에 땔나무를 쪼개어 물고기를 삶아 먹고, 배가 불러서 역易에 대해서 의논하였다.

[13-1-2]

漁者與樵者遊於伊水之上, 漁者歎曰 : "熙熙乎! 萬物之多, 未始有雜. 吾知遊乎天地之間, 萬物皆可以無心而致之矣. 非子則吾孰與歸焉?"
樵者曰 : "敢問無心致天地萬物之方."
漁者曰 : "無心者, 無意之謂也. 無意之意, 不我物也. 不我物, 然後能物物."
曰 : "何謂我? 何謂物?"
曰 : "以我徇物, 則我亦物也, 以物徇我, 則物亦我也. 我物皆致, 意由是明. 天地亦萬物也, 何天地之有焉? 萬物亦天地也, 何萬物之有焉? 萬物亦我也, 何萬物之有焉? 我亦萬物也, 何我之有焉? 何物不我? 何我不物? 如是, 則可以宰天地, 可以司鬼神. 而况於人乎? 况於物乎?"

어부가 나무꾼과 이수 가에서 놀 때 어부가 탄식하며 말했다. "화락하구나![13] 만물이 많더라도, 애초에 복잡한 적이 없었습니다. 나는 하늘과 땅 사이에서 노닐면서, 만물에 모두 무심無心으로 이를 수 있음을 알았습니다. 당신이 아니라면 내가 누구와 더불어 돌아가겠습니까?"
나무꾼이 물었다. "무심無心으로 천지와 만물에 이르는 방도를 묻겠습니다."
어부가 말했다. "무심이란 의도가 없는 것을 말합니다. 의도가 없는 의도는 사물을 나의 기준에 따라 대하는 것이 아닙니다. 사물을 나의 기준에 따라 대하지 않은 후에 사물을 사물로 대할 수 있습니다.[14]"

망라되어 끝났습니다.(引而伸之, 觸類而長之, 天下之能事畢矣.)"

11 마음을 섬기고 : 事心에 대한 해석이다. 이것은 맹자가 말한 "그 마음을 보존하고, 그 본성을 배양하여 하늘을 섬긴다.(存其心, 養其性, 所以事天也.)"는 말과 관련시켜 이해한다고 본다.

12 形을 실천하는 일 : 『孟子』「盡心上」 "형체와 안색은 타고난 본성이지만, 오직 성인만이 그 형체의 이치를 온전하게 실천할 수 있다.(形色, 天性也, 惟聖人, 然後可以踐形.)"

13 화락하구나! : 熙熙에 대한 해석이다. 『老子』 20장에는 "뭇 사람들은 희희낙락 하여 큰 소를 잡아 큰 잔치를 벌리는 것 같고 화사한 봄날에 누각에 오르는 것 같네.(衆人熙熙, 如享太牢, 如春登臺.)"라고 하고, 『逸周書』「太子晋」에서는 "만물이 조화하여 성대하니 순이 아니라면 누가 능히 다스리겠는가?(萬物熙熙, 非舜而誰能?)"라고 했는데, 孔晁는 "熙熙는 조화하여 성대한 모습이다.(熙熙, 和盛.)"라고 주석하고 있다.

14 사물을 사물처럼 … 있다 : 『莊子』「在宥」, "토지를 소유한 자는 큰 것을 소유한 자이다. 큰 것을 소유한 자는 하나의 사물이어서는 안 된다. 하나의 사물이면서 동시에 사물이 아니다. 그러므로 사물을 사물로 대할 수 있다. 사물을 사물로 대할 수 있는 것이 하나의 사물이 아님을 밝게 깨닫는다면 어찌 천하 백성을 다스릴 뿐이겠는가! 천지사방을 자유롭게 출입하면서 九州의 세계를 마음껏 노닐되, 홀로 가서 홀로 오는 것이니, 이런 경지를 홀로 존재하는 것이라 한다. 이 홀로 존재하는 경지를 지극히 귀한 것이라고 한다.(夫有土者, 有大物也. 有大物者, 不可以物. 物而不物. 故能物物. 明乎物物者之非物也, 豈獨治天下百姓而已哉! 出入六合,

나무꾼이 물었다. “무엇을 나라고 하고, 무엇을 사물이라고 합니까?”
어부가 말했다. “내가 사물을 따라가면 나 또한 사물이고, 사물이 나를 따르면, 사물 또한 나입니다. 나와 사물이 모두 이르러야, 의도[의도가 없는 의도]가 이로부터 밝아집니다. 그러면 천지 역시 만물이니, 무슨 천지가 있을 것이며, 만물 역시 천지이니 무슨 만물이 있겠습니까? 그러면 만물 역시 나이니, 무슨 만물이 있겠으며, 나 역시 만물이니, 무슨 내가 있겠습니까? 그러하니, 어찌 사물이 내가 아니며 어찌 내가 사물이 아니겠습니까? 이러하면 천지를 주재할 수 있고 귀신을 다스릴 수 있습니다. 하물며 사람은 어떻겠습니까? 하물며 만물은 어떻겠습니까?

[13-1-3]
樵者問漁者曰 : “天何依?”
曰 : “依乎地.”
“地何附?”
曰 : “附乎天.”
曰 : “然則天地何依何附?”
曰 : “自相依附. 天依形, 地附氣. 其形也有涯, 其氣也無涯. 有無之相生, 形氣之相息, 終則有始. 終始之間, 天地之所存乎! 天以用爲本, 以體爲末. 地以體爲本, 以用爲末. 利用出入之謂神, 名體有無之謂聖. 唯神與聖, 能叅乎天地者也. 小人則日用而不知, 故有害生實喪之患也. 夫名也者, 實之客也. 利也者, 害之主也. 名生於不足, 利喪於有餘, 害生於有餘, 實喪於不足. 此理之常也. 養身者必以利, 貪夫則以身徇利, 故有害生焉. 立身必以名, 衆人則以身徇名, 故有實喪焉. 竊人之財謂之盗. 其始取之也, 唯恐其不多也, 及其敗露也, 唯恐其多矣. 夫賄之與贓一物也, 而兩名者, 利與害故也. 竊人之美謂之徼. 其始取之, 唯恐其不多也. 及其敗露也, 唯恐其多矣. 夫譽與毁一事也, 而兩名者, 名與實故也. 凡言朝者, 萃名之所也. 市者, 聚利之地也. 能不以爭處乎其間? 雖一日九遷, 一貨十倍, 何害生實喪之有耶? 是知爭也者, 取利之端也, 讓也者, 趨名之本也. 利至則害生, 名興則實喪. 利至名興而無害生實喪之患, 唯有德者能之. 天依地, 地附天, 豈相遠哉?”
나무꾼이 어부에게 물었다. “하늘은 무엇에 의지합니까?”
어부가 말했다. “땅에 의지합니다.”
나무꾼이 물었다. “땅은 무엇에 붙어 있습니까?”
어부가 말했다. “하늘에 붙어 있습니다.”
나무꾼이 말했다. “그렇다면 하늘과 땅은 무엇에 의지하고 무엇에 붙어 있습니까?”
어부가 말했다. “본래 서로 의지하고 서로 붙어 있습니다. 하늘은 땅의 형체에 의지하고, 땅은 하늘의

遊乎九州, 獨往獨來, 是謂獨有. 獨有之人, 是謂至貴.)”

기에 붙어 있습니다. 그 형체는 한계가 있고[有], 그 기는 한계가 없습니다[無]. (한계가) 있는 것[有]과 (한계가) 없는 것[無]은 상생相生하고, 형체와 기는 서로 생성하니[相息], 끝이 나면 새로 시작합니다. 시작과 끝 사이에 하늘과 땅이 보존됩니다! 하늘은 용用을 근본으로 하고, 체體를 말단으로 하지만, 땅은 체體를 근본으로 하고 용用을 말단으로 합니다. 용用을 이롭게 하는 데 나아가는 듯 들어가는 듯 하는 것을 신神이라고 하고,[15] 체體를 이름 짓는 데에 있는 듯 없는 하는 것을 성聖이라 합니다. 오직 신과 성 만이 천지에 참여할 수 있습니다. 소인은 매일 사용하면서도 알지 못하므로, 해로움이 생겨나고 실제[實]를 잃어버리는 근심이 있습니다. 이름이란 실질에 깃든 나그네입니다. 이로움이란 해로움이 생겨나는 주인입니다. 이름은 부족하다고 여기는 곳에서 생겨나고, 이로움은 여유있다고 여기는 곳에서 상실되며, 해로움은 여유있다고 여기는 곳에서 생겨나고, 실질은 부족하다고 여기는 곳에서 상실됩니다. 이것이 이치의 상도常道입니다. 몸을 배양하는 것은 반드시 이익을 통해서 하는데, 탐욕스런 사람은 몸으로 이익만을 따르므로, 해로움이 생겨납니다. 입신立身은 반드시 이름을 통해서 하는데, 일반 사람들은 몸으로 명예만을 추구하므로, 실질을 상실합니다. 남의 재물을 훔치는 자를 도적이라고 합니다. 처음에 그것을 훔칠 때는 오직 많이 훔치지 못할까를 근심하지만, 그 나쁜 일이 발각되어 드러나면 오직 너무 많을까를 두려워합니다. 뇌물과 장물[16]은 한 가지인데 두 가지 이름이 있는 것은 이로움과 해로움이 있기 때문입니다. 남의 아름다움을 훔치는 것을 표절[徼]라고 합니다. 처음에 그것을 훔칠 때에는 오직 그것이 많지 않을까를 근심하지만, 그것이 발각되어 드러나면 오직 그것이 많을까를 두려워합니다. 칭찬과 비방은 한 가지 일이지만 두 가지 이름이 있는 것은 이름과 실질이 있기 때문입니다. 조정을 말하자면, 이름이 모이는 장소입니다. 시장을 말하자면, 이익이 모이는 곳입니다. 그 사이에 다투지 않을 수 있으면, 하루에 9번 승진하고 한번 장사를 해서 10배하더라도 어찌하여 해로움이 생겨나고 실제가 상실되겠습니까? 그래서 다툼은 이익을 취하는 단서이고, 양보는 이름을 좇는 근본임을 알 수 있습니다. 이익이 되면 해로움이 생기고, 이름이 나면 실질이 상실됩니다. 이익이 되고 이름이 나더라도 해로움이 생겨나고 실질이 상실되는 근심이 없을 수 있는 것은 오직 덕을 가진 사람만이 가능합니다. 하늘이 땅에 의존하고 땅이 하늘에 붙어있는 것이 어찌 서로 멀기만 하겠습니까?"

[13-1-4]

漁者謂樵者曰 : "天下將治, 則人必尚行也, 天下將亂, 則人必尚言也. 尚行, 則篤實之風行焉. 尚言, 則詭譎之風行焉. 天下將治, 則人必尚義也, 天下將亂, 則人必尚利也. 尚義, 則謙讓之風行焉. 尚利, 則攘奪之風行焉. 三王尚行者也. 五霸尚言者也. 尚行者必入於義,

15 用을 이롭게 … 하고 : 『易』「繫辭上」 "用을 이롭게 해서 출입하여, 백성들이 모두 사용하는 것을 신이라고 한다.(利用出入, 民咸用之謂之神.)" 그러나 공영달은 이렇게 설명한다. "성인은 이로움을 작용으로 삼아 나아가고 들어오니 백성들이 모두 사용하게 하여 성인의 덕이 미묘하므로 신이라고 한다.(言聖人以利爲用, 或出或入, 使民咸用之, 是聖德微妙, 故云謂之神.)"

16 뇌물과 장물 : 뇌물은 주는 것이고 장물은 불법적인 방식으로 사물을 취하는 것이다.

尙言者必入於利也. 義利之相去, 一何如是之遠耶? 是知言之于口, 不若行之于身, 行之于身, 不若盡之于心. 言之于口, 人得而聞之, 行之于身, 人得而見之, 盡之于心, 神得而知之. 人之聰明猶不可欺, 況神之聰明乎? 是知無愧于口, 不若無愧于身, 無愧于身, 不若無愧于心. 無口過易, 無身過難. 無身過易, 無心過難. 旣無心過, 何難之有? 吁! 安得無心過之人與之語心哉?"

어부가 나무꾼에게 말했다. "세상이 다스려지려고 하면 사람은 반드시 행위를 숭상하고, 세상이 혼란해지려고 하면 사람은 반드시 말을 숭상합니다. 행위를 숭상하면 돈독하고 견실한 풍속이 행해집니다. 말을 숭상하면 거짓과 아첨의 풍속이 행해집니다. 세상이 다스려지려고 하면 사람들은 반드시 의義를 숭상하고, 세상이 혼란해 지려고 하면 사람들은 반드시 이익[利]을 숭상합니다. 의를 숭상하면 겸손하고 양보하는 풍속이 행해집니다. 이익을 숭상하면 수탈과 약탈의 풍속이 행해집니다. 삼왕三王은 행위를 숭상한 자들이고, 오패五霸는 말을 숭상한 자들입니다. 행위를 숭상하는 자는 의에 나아가고, 말을 숭상하는 자는 이익에 빠집니다. 의와 이익이 떨어진 차이가 어떻게 이렇게 멉니까? 이로부터 입에서 말하는 것이 몸에서 행하는 것보다 못하고, 몸에서 행하는 것이 마음에서 진실을 다하는 것보다 못함을 알 수 있습니다. 입에서 말하는 것을 사람들은 들을 수 있고, 몸에서 행하는 것을 사람들은 볼 수 있고, 마음에서 진실을 다하는 것을 신神은 알 수가 있습니다. 사람의 총명함도 속일 수가 없는데 하물며 신神의 총명함을 어떻게 속일 수가 있겠습니까? 이로부터 입에서 말하는 것에 부끄러움이 없는 것은 몸에서 행하는 것에 부끄러움이 없는 것보다 못하며, 몸에서 행하는 것에 부끄러움이 없는 것이 마음에서 진실을 다함에 부끄러움이 없는 것보다 못함을 알 수 있습니다. 입에서 허물이 없는 것은 쉽지만, 몸에서 허물이 없는 것은 어렵습니다. 몸에서 허물이 없는 것은 쉽지만, 마음에서 허물이 없는 것은 어렵습니다. 마음에 허물이 없다면 어떤 어려움이 있겠습니까? 아! 어찌하면 마음에 허물이 없는 사람과 함께 마음을 이야기할 수 있을까요?"

[13-1-5]

漁者謂樵者曰 : "子知觀天地萬物之道乎?"

樵者曰 : "未也, 願聞其方."

漁者曰 : "夫所以謂之觀物者, 非以目觀之也. 非觀之以目而觀之以心也. 非觀之以心而觀之以理也. 天下之物, 莫不有理焉, 莫不有性焉, 莫不有命焉. 所以謂之理者, 窮之而後可知也. 所以謂之性者, 盡之而後可知也. 所以謂之命者, 至之而後可知也. 此三知者, 天下之眞知也. 雖聖人無以過之也. 而過之者, 非所以謂之聖人也.

夫鑑之所以能爲明者, 謂其能不隱萬物之形也. 雖然, 鑑之能不隱萬物之形, 未若水之能一萬物之形也. 雖然, 水之能一萬物之形, 又未若聖人之能一萬物之情也. 聖人之所以能一萬物之情者, 謂其聖人之能反觀也.

所以謂之反觀者, 不以我觀物也. 不以我觀物者, 以物觀物之謂也. 旣能以物觀物, 又安有我於其間哉? 是知我亦人也, 人亦我也, 我與人皆物也. 此所以能用天下之目爲己之目, 其目無所不觀矣, 用天下之耳爲己之耳, 其耳無所不聽矣, 用天下之口爲己之口, 其口無所不言矣. 用天下之心爲己之心, 其心無所不謀矣. 夫天下之觀, 其于見也不亦廣乎? 天下之聽, 其于聞也不亦遠乎? 天下之言, 其于論也不亦高乎? 天下之謀, 其于樂也不亦大乎? 夫其見至廣. 其聞至遠. 其論至高. 其樂至大.

能爲至廣至遠至高至大之事, 而中無一爲焉, 豈不謂至神至聖者乎? 非唯吾謂之至神至聖者乎, 而天下謂之至神至聖者乎! 非唯一時之天下謂之至神至聖者乎, 而千萬世之天下謂之至神至聖者乎! 過此以往, 未之或知也已."

어부가 나무꾼에게 말했다. "당신은 천지 만물을 보는 방도를 아십니까?"

나무꾼이 말했다. "알지 못합니다. 그 방도를 듣고 싶습니다."

어부가 말했다. "대저 사물을 본다는 것은 눈으로 보는 것이 아닙니다. 눈으로 보는 것이 아니라 마음으로 보는 것입니다. 마음으로 보는 것이 아니라 이理로 보는 것입니다. 세상의 만물은 이理가 없는 것이 없고, 성性이 없는 것이 없고, 명命이 없는 것이 없습니다. 이理라고 하는 것은 그것을 궁구한 후에 알 수 있습니다. 성性이라고 하는 것은 온전히 실현한 후에 알 수 있습니다. 명命이라고 하는 것은 이른 후에 알 수 있습니다. 이 세 가지의 아는 것이 세상의 진지眞知(진정한 앎)[17]입니다. 성인일지라도 이를 넘어서지 않으니, 이를 넘어서는 자는 성인이라고 말할 수가 없습니다.

거울이 밝은 것은 만물의 형체를 숨기지 않을 수 있음을 말합니다. 거울이 그러할지라도, 거울이 만물의 형체를 숨기지 않을 수 있는 것은 마치 물이 만물의 형체에 합일하게 할 수 있는 것[18]만 못합니다. 그러할지라도, 물이 만물의 형체에 합일하게 할 수 있는 것은 또 성인이 만물의 실정에 합일할 수 있는것만 못합니다. 성인이 만물의 실정에 합일할 수 있는 것은 성인이 '반관'反觀을 할 수 있음을 말합니다.

'반관'反觀은 나로써 사물을 관찰하지 않는 것입니다. 나로써 사물을 관찰하지 않는 것은 사물로써 사물

17 세상의 眞知[진정한 앎]: 정이천은 眞知에 대해서 이렇게 말하고 있다. 참조할 만한 내용이다. "진정한 앎과 상식적인 앎은 다르다. 일전에 한 농부를 보았는데 호랑이에게 물렸던 적이 있었다. 어떤 사람이 호랑이가 사람을 해친다고 말하였는데 사람들 가운데 놀라지 않았던 사람은 없다. 그러나 오직 농부만이 안색이 변하는 것이 사람들과는 전혀 달랐다. 만약 호랑이가 사람을 해칠 수 있다면 그것은 삼척동자라고 모르는 사람이 없지만, 그것은 진정한 앎이 아니다. 진정한 앎은 농부와 같아야만 한다. 그러므로 사람들은 불선을 알지만 불선을 행하니, 이것은 진정한 앎이 아니다. 진정한 앎을 가졌다면 결코 행하지 않는다."(眞知與常知異. 常見一田夫, 曾被虎傷, 有人說虎傷人, 衆莫不驚, 獨田夫色動異於衆. 若虎能傷人, 雖三尺童子莫不知之, 然未嘗眞知. 眞知須如田夫乃是. 故人知不善而猶爲不善, 是亦未嘗眞知. 若眞知, 決不爲矣.)

18 물이 만물의 … 것: "물이 만물의 형체를 한결같이 비추는 것만 못합니다."라고 번역하는 경우가 있는데, 이렇게 비추는 것은 거울의 능력과 차이가 없다. 그러므로 비추는 것이 아니라 물이 만물의 형체, 즉 어떠한 그릇일지라도 그 그릇의 형체에 꼭 맞게 들어갈 수 있다는 말로 이해해야 한다. 즉 만물의 형체에 따라서 물은 자유자재로 변통할 수 있다는 의미이다.

을 관찰하는 것을 말합니다. 사물로써 사물을 관찰할 수 있게 되면 또 어떻게 그 사이에 내가 있겠습니까? 이것으로 나 또한 타인이고, 타인 역시 나이며, 나와 타인은 모두 사물임을 알 수 있습니다. 이것이 세상 사람의 눈을 자신의 눈으로 삼아 그 눈이 관찰하지 않는 바가 없게 되는 까닭이고, 세상 사람의 귀를 자신의 귀를 삼아, 그 귀가 듣지 못하는 바가 없게 되는 까닭이며, 세상 사람의 입을 자신의 입으로 삼아 그 입이 말하지 않는 바가 없게 되는 까닭이고, 세상 사람의 마음을 자신의 마음으로 삼아 그 마음이 도모하지 못하는 것이 없게 되는 까닭입니다. 세상 사람의 눈으로 관찰하니, 그 보는 것이 또한 넓지 않겠습니까? 세상 사람의 귀로 들으니, 그 듣는 것이 또한 멀지 않겠습니까? 세상 사람의 입으로 말하니, 그 논의가 또한 높지 않겠습니까? 세상 사람의 마음으로 도모하니, 그 즐거움이 또한 매우 크지 않겠습니까? 보는 것이 지극히 넓고, 듣는 것이 지극히 멀고, 그 논하는 것이 지극히 높고, 그 즐거움이 지극히 큽니다.
지극히 넓고 지극히 멀며 지극히 높고 지극히 큰 일을 할 수 있으면서, 마음속에서는 하나도 인위적으로 하는 것이 없으니, 어찌 지극히 신묘하고 지극히 성스러운 자라고 하지 않을 수 있겠습니까? 오직 나만이 지극히 신묘하고 지극히 성스러운 자라고 말할 뿐만 아니라, 세상 사람들도 지극히 신묘하고 지극히 성스러운 자라고 말할 것입니다! 오직 한 시대의 사람들이 지극히 신묘하고 지극히 성스러운 자라고 말할 뿐만이 아니라, 천만 세대의 사람들도 지극히 신묘하고 지극히 성스러운 자라고 말할 것입니다! 이것보다 더 나아간 것은 알 수 없을 뿐입니다."[19]

[13-1-6]

樵者問漁者曰 : "子以何道而得魚?"

曰 : "吾以六物具而得魚."

曰 : "六物具也, 豈由天乎?"

曰 : "具六物而得魚者, 人也. 具六物而所以得魚者, 非人也."

樵者未達, 請問其方.

漁者曰 : 六物者, 竿也, 綸也, 浮也, 沉也, 鈎也, 餌也. 一不具, 則魚不可得. 然而六物具而不得魚者, 非人也. 六物具而不得魚者有焉, 未有六物不具而得魚者也. 是知具六物者, 人也, 得魚與不得魚者, 天也, 六物不具而不得魚者, 非天也, 人也.

나무꾼이 어부에게 물었다. "당신은 어떤 방도로 물고기를 낚습니까?"
어부가 대답했다. "나는 여섯 가지 도구를 갖추고서 물고기를 낚습니다."
나무꾼이 물었다. "여섯 가지 도구를 갖춘 것이 어찌 하늘로부터 말미암은 것이 아니겠습니까?"
어부가 대답했다. "여섯 가지 도구를 갖추어 물고기를 낚는 것은 사람이 하는 일이지만, 여섯 가지 도구를 갖추어 물고기를 낚게 하는 것은 사람이 하는 일이 아닙니다."
나무꾼이 깨닫지 못하고서 그 방도를 청해 물었다.

19 이상 어부가 한 말은 『皇極經世書』 내편 12장 끝부분에 나온 내용과 동일하다.

어부가 대답했다. “여섯 가지 도구란 낚싯대, 낚싯줄, 찌, 낚싯봉, 낚싯바늘, 미끼입니다. 하나라도 갖추지 못하면 물고기를 낚을 수 없습니다. 그러나 이 여섯 가지 도구를 모두 갖추었더라도 물고기 한 마리 낚을 수 없는 것은 사람이 하는 것이 아닙니다. 여섯 가지 도구를 모두 갖추고서 물고기 한 마리 낚지 못하는 경우는 있지만, 여섯 가지 도구를 모두 갖추지 못하고서 물고기를 낚는 경우는 없습니다. 그러니 여섯 가지 도구를 모두 갖추는 것은 사람이 할 일이지만, 물고기를 낚느냐 낚지 못하느냐 하는 문제는 하늘에 달렸고, 여섯 가지 도구를 갖추지 못해서 물고기를 잡지 못한 것은 하늘이 아니라 사람의 책임인 것을 알겠습니다.”

[13-1-7]

樵者曰 : “人有禱鬼神而求福者, 福可禱而求耶? 求之而可得耶? 敢問其所以.”

曰 : “語善惡者, 人也. 禍福者, 天也. 天道福善而禍淫, 鬼神其能違天乎? 自作之咎, 固難逃已, 天降之災, 禳之奚益? 修德積善, 君子常分, 安有餘事於其間哉?”

樵者曰 : “有爲善而遇禍, 有爲惡而獲福者, 何也?”

漁者曰 : “有幸與不幸也. 幸不幸, 命也, 當不當, 分也. 一命一分, 人其逃乎?”

曰 : “何謂分, 何謂命?”

曰 : “小人之遇福, 非分也, 有命也, 當禍, 分也, 非命也. 君子之遇禍, 非分也, 有命也, 當福, 分也, 非命也.”

나무꾼이 물었다. “사람들은 귀신에게 기도하여 복을 비는 경우가 있는데 복은 기도하여 구할 수 있습니까? 구한다고 얻을 수 있는 것입니까? 감히 그 이유를 묻겠습니다.”

어부가 대답했다. “선과 악을 말하는 것은 사람이고, 재앙을 주고 복을 주는 것은 하늘입니다. 천도天道는 선을 행한 사람에게 복을 주고, 사악한 일을 한 사람에게 재앙을 주는데, 귀신이 천도를 어길 수가 있겠습니까? 스스로 자초한 허물도 실로 피하기 어려울 뿐인데, 하늘이 내린 재앙을 기도한들 무슨 보탬이 있겠습니까? 덕을 수양하고 선행을 쌓는 것이 군자의 정해진 분수니 어찌 그 사이에 다른 일들이 있겠습니까?”

나무꾼이 물었다. “선을 행하고도 재앙을 만나고, 악행을 하고도 복을 얻는 사람이 있는 경우는 왜 그러합니까?”

어부가 대답했다. “요행과 불행이 있을 뿐입니다. 요행과 불행은 천명[命]이지만, 마땅함과 마땅하지 않음은 분수[分]입니다. 하나의 천명과 하나의 분수를 사람이 피할 수 있겠습니까?”

나무꾼이 물었다. “무엇을 분수라 하고, 무엇을 천명이라 합니까?”

어부가 대답했다. “소인이 요행히 복을 만나는 것은 분수가 아니라 천명이지만, 마땅히 재앙을 받는 것은 분수지 천명이 아닙니다. 군자가 재앙을 만나는 것은 분수가 아니라 천명이고, 마땅히 복을 받는 것은 분수지 천명이 아닙니다.”

[13-1-8]

漁者謂樵者曰 : "人之所謂親, 莫如父子也. 人之所謂疎, 莫如路人也. 利害在心, 則父子過路人遠矣. 父子之道天性也, 利害猶或奪之, 况非天性者乎? 夫利害之移人如是之深也, 可不愼乎? 路人之相逢則過之, 固無相害之心焉. 無利害在前故也. 有利害在前, 則路人與父子又奚擇焉? 路人之能相交以義, 又何况父子之親乎? 夫義者讓之本也, 利者爭之端也. 讓則有仁, 爭則有害. 仁與害, 何相去之遠也? 堯舜亦人也, 桀紂亦人也. 人與人同而仁與害異爾. 仁因義而起, 害因利而生. 利不以義, 則臣弑其君者有焉, 子弑其父者有焉, 豈若路人之相逢一日而交袂于中逵者哉?"

어부가 나무꾼에게 말했다. "사람에게서 이른바 친한 것은 아버지와 아들 사이만한 것이 없습니다. 사람에게서 이른바 소원한 관계는 길가는 사람만한 것이 없습니다. 이로움과 해로움이 마음속에 있으면, 아버지와 자식 사이가 길가는 사람보다 더 멀어집니다. 아버지와 아들의 도리는 천성天性이지만, 이로움과 해로움이 오히려 그 천성의 관계를 빼앗을 수도 있는데, 하물며 천성의 관계가 아닌 것은 어떻겠습니까? 이로움과 해로움이 사람의 관계를 변질시키는 것이 이렇게도 심하니, 신중하지 않을 수 있겠습니까? 길가는 사람은 길거리에서 만나면 그냥 지나치니 실로 서로 해치려는 마음이 없는 것입니다. 이로움과 해로움이 눈앞에 없기 때문입니다. 이로움과 해로움이 눈앞에 있다면 길가는 사람과 아버지 아들을 또 어찌 가리겠습니까? 길가는 사람은 의義로 서로 교제할 수 있는데, 하물며 아버지 아들의 친한 관계는 어떻겠습니까? 의義란 양보의 근본입니다. 이로움은 다툼의 단서입니다. 양보하면 인仁하게 되고, 다투면 해침이 있습니다. 인仁과 해침은 얼마나 그 거리가 멉니까? 요순堯舜도 사람이고, 걸주桀紂도 사람입니다. 사람과 사람이 동일한데 인과 해침이 다를 뿐입니다. 인仁은 의義로부터 일어나고, 해침은 이로움으로부터 생겨납니다. 이로움을 의義를 바탕으로 행하지 않으면, 신하가 군주를 시해하는 경우도 있고, 자식이 아버지를 시해하는 경우도 있으니, 어찌 길가는 사람을 어느 날 만나서 길거리에서 소매를 스쳐지나가는 것만 같겠습니까?"

[13-1-9]

樵者謂漁者曰 : "吾嘗負薪矣, 擧百斤而無傷吾之身, 加十斤則遂傷吾之身, 敢問何故?"

漁者曰 : "樵則吾不知之矣. 以吾之事觀之, 則易地皆然. 吾嘗鈎而得大魚, 與吾交戰. 欲棄之則不能捨, 欲取之則未能勝. 終日而後獲. 幾有没溺之患矣, 非直有身傷之患耶? 魚與薪則異也, 其貪而爲傷則一也. 百斤, 力分之内者也, 十斤, 力分之外者也. 力分之外, 雖一毫猶且爲害, 而况十斤乎? 吾之貪魚, 亦何以異子之貪薪乎!"

樵者歎曰 : "吾而今而後, 知量力而動者智矣哉!"

나무꾼이 어부에게 물었다. "저는 전에 땔나무를 짊어졌을 때에 백 근斤을 들고도 몸을 상하지 않았는데, 거기에 열 근을 더 짊어지자 저의 몸을 상했으니, 감히 묻건대 무슨 까닭입니까?"

어부가 대답했다. "나무하는 일은 제가 잘 모릅니다. 저의 일을 가지고 살펴보면 처지를 바꾸어도 모두 마찬가지 일 것입니다. 제가 낚시를 하여 큰 고기를 잡았는데 제가 그 물고기와 한참을 씨름하였습니다. 포기하자니 버릴 수가 없었고, 잡아 올리자니 감당할 수가 없어서, 종일토록 씨름하여 결국에 낚아 올렸습니다. 거의 물에 빠져 죽을 뻔한 우려가 있었으니, 그저 몸을 상하는 근심 정도가 아니었습니다. 물고기와 땔나무는 다르지만 그 탐욕으로 인하여 상하게 되는 것은 마찬가지입니다. 백 근은 역량 안에 있지만, 열 근은 역량 밖에 있으니, 역량을 벗어나면 아주 조금일지라도 또한 해를 입는데, 하물며 열 근은 어떠하겠습니까? 제가 물고기를 욕심냈던 것 또한 당신이 땔나무를 욕심냈던 것과 어떻게 다르겠습니까?"

나무꾼이 탄식하며 말했다. "저는 이제서야 저의 역량을 헤아리고서 움직이는 것이 지혜롭다는 것을 알겠습니다!"

[13-1-10]

樵者謂漁者曰 : "子可謂知易之道矣. 吾敢問易有太極, 太極何物也?"

曰 : "無爲之本也."

"太極生兩儀, 兩儀, 天地之謂乎?"

曰 : "兩儀天地之祖也, 非止爲天地而已也. 太極分而爲二. 先得一爲一, 後得一爲二. 一二, 謂兩儀."

曰 : "兩儀生四象, 四象, 何物也?"

曰 : "大象謂陰陽剛柔. 有陰陽然後可以生天, 有剛柔然後可以生地. 立功之本, 於斯爲極."

曰 : "四象生八卦, 八卦, 何謂也?"

曰 : "謂乾, 坤, 離, 坎, 兑, 艮, 震, 巽之謂也. 迭相盛衰, 終始於其間矣. 因而重之, 則六十四由是而生也, 而易之道始備矣."

나무꾼이 어부에게 물었다. "당신은 역易의 도를 안다고 할 수 있겠습니다. 제가 감히 묻건대 '역에는 태극이 있다.'는 말에서 태극은 어떤 것입니까?"

어부가 대답했다. "무위無爲의 근본입니다."

나무꾼이 물었다. "태극이 양의兩儀를 낳는다고 하는데, 양의는 천지天地를 말합니까?"

어부가 대답했다. "양의는 천지의 조상이니, 단지 천지 자체는 아닙니다. 태극이 나뉘어 둘이 됩니다. 먼저 하나를 얻어 하나가 되고, 뒤에 하나를 얻어 둘이 됩니다. 하나와 둘이 양의를 말합니다."

나무꾼이 물었다. "양의가 사상四象을 낳는다고 하는데, 사상은 어떤 것입니까?"

어부가 대답했다. "대상大象은 음양陰陽과 강유剛柔입니다. 음양이 있고 난 후에 하늘이 생겨날 수 있고, 강유가 있고 난 후 땅이 생겨날 수가 있습니다. 공을 세우는 근본이 바로 여기에서 지극합니다."

나무꾼이 물었다. "사상이 8괘를 낳는다고 하는데 8괘는 어떤 것입니까?"

어부가 대답했다. "건乾, 곤坤, 이離, 감坎, 태兌, 간艮, 진震, 손巽을 말한다. 그 사이에서 서로 갈마들어 성하고 쇠하며 시작하고 끝납니다. 그것을 바탕으로 거듭해서 중첩하면 64괘가 이로부터 생겨나니, 역의 도가 비로소 갖추어집니다."

[13-1-11]

樵者問漁者曰 : "復何以見天地之心乎?"

曰 : "先陽已盡, 後陽始生, 則天地始生之際. 中則當日月始周之際. 末則當星辰終始之際. 萬物死生, 寒暑代謝, 晝夜遷變, 非此無以見之. 當天地窮極之所必變. 變則通, 通則久. 故象言先王以至日閉關, 商旅不行, 后不省方, 順天故也."

나무꾼이 어부에게 물었다. "복復에서 천지의 마음을 어떻게 볼 수 있습니까?"

어부가 대답했다. "앞서 있던 양이 다 없어진 나중의 양이 처음 생겨나는 때가 천지가 비로소 생겨나는 때입니다. 그 중간이 해와 달이 비로소 한 바퀴 도는 때에 해당합니다. 그 끝이 성신星辰의 시작과 끝의 때에 해당합니다.[20] 만물이 태어나고 죽고, 추위와 더위가 번갈아 교체하고, 낮과 밤이 번갈아 변하니, 이것이 아니라면 천지의 마음을 볼 수 없습니다. 하늘과 땅은 궁극에 이르면 반드시 변합니다. 변하면 통하고, 통하면 오래 지속합니다. 그러므로 복괘 「상전」에서는 '선왕은 이것을 본받아 동짓날에 모든 문을 걸어 잠그고, 상인과 여행자들이 다니지 못하게 하였으며, 군주는 사방을 시찰하지 않는다.' 고 하였으니, 하늘의 이치를 따르기 때문입니다."

[13-1-12]

樵者謂漁者曰 : "无妄災也, 敢問其故."

曰 : "妄則欺也, 得之必有禍. 欺, 有妄也. 順天而動, 有禍及者, 非禍也, 災也. 猶農有思豊而不勤稼穡者, 其荒也, 不亦禍乎? 農有勤稼穡而復敗諸水旱者, 其荒也, 不亦災乎? 故象言先王以茂對時育萬物, 貴不妄也."

나무꾼이 어부에게 물었다. "「잡괘전」에서 망령됨이 없는 것이 재앙[災]이라고 하는데 그 이유를 묻겠습니다."

어부가 대답했다. "망령되면 속이는 것이니, 망령됨을 얻으면 반드시 재앙이 있습니다. 속임에는 망령됨이 있습니다. 하늘의 이치를 따라서 움직였는데 재앙이 미친 경우는 재앙[禍]이 아니라 천재[災]입니다. 만약 농부가 풍년만을 생각하고 농사짓는 일을 열심히 하지 않은 경우에는, 그 황폐하게 된 것이 또한 재앙이 아니겠습니까? 농부가 열심히 농사를 지었는데 홍수나 가뭄이 들어서 다시 농사를 망친 경우에 그 황폐하게 된 것은 또한 천재가 아니겠습니까? 그러므로 무망괘 「상전」에서는 '선왕이 이를 본받아 성대하게 천시天時에 맞추어, 만물을 양육한다.'[21]고 하였으니 망령되지 않는 것을 귀하게 여긴 것입니다."

[13-1-13]

樵者問曰 : "姤, 何也?"

20 그 끝이 … 해당합니다 : 星辰이란 별자리가 한 바퀴 도는 것을 말한다.

21 『易』「无妄卦·象傳」

曰 : "姤, 遇也. 柔遇剛也. 與夬正反. 夬始逼壯, 姤始遇壯, 陰始遇陽, 故稱姤焉. 觀其姤, 天地之心亦可見矣. 聖人以德化及此, 罔有不昌. 故象言施命誥四方. 履霜之愼, 其在此也."

나무꾼이 물었다. "구姤괘는 어떠합니까?"

어부가 대답했다. "구란 만난다는 뜻입니다. 유柔함이 강剛함을 만나는 것입니다.[22] 쾌夬괘와는 정반대입니다.[23] 쾌괘는 처음에 장성한 힘을 핍박하지만, 구괘는 처음에 장성한 힘을 만납니다. 음이 처음으로 양을 만나므로 '만남'을 뜻하는 구姤라고 합니다. 그 만남을 살펴보면 천지의 마음 역시 볼 수 있습니다. 성인이 덕으로 교화하는 것이 여기에까지 미쳤으니, 번창하지 않는 것이 없습니다. 그러므로 구괘 「상전」에서는 '명령을 시행하여 사방四方에게 알린다.'고 했습니다. 서리를 밟았을 때의 신중함[24]이 바로 여기에 있습니다."

[13-1-14]

漁者謂樵者曰 : "春爲陽始, 夏爲陽極, 秋爲陰始, 冬爲陰極. 陽始則溫, 陽極則熱, 陰始則凉, 陰極則寒. 溫則生物, 熱則長物, 凉則收物, 寒則殺物. 皆一氣, 其別而爲四焉. 其生萬物也亦然."

어부가 나무꾼에게 말했다. "봄은 양의 시작이고, 여름은 양의 극한이며, 가을은 음의 시작이고, 겨울은 음의 극한입니다. 양이 시작되면 따뜻하고, 양이 극한에 이르면 뜨겁고, 음이 시작하면 서늘하고, 음이 극한에 이르면 춥습니다. 따뜻하면 만물을 생하고, 뜨거우면 만물을 자라나게 하고, 서늘하면 만물을 거두고, 추우면 만물을 죽입니다. 모두 하나의 기氣이지만, 나뉘어져 4가지입니다. 만물을 생성하는 것 또한 그러합니다."

[13-1-15]

樵者問漁者曰 : "人之所以能靈于萬物者, 何以知其然耶?"

漁者對曰 : "謂其目能收萬物之色, 耳能收萬物之聲, 鼻能收萬物之氣, 口能收萬物之味. 聲色氣味者萬物之體也. 目耳鼻口者萬人之用也. 體無定用, 惟變是用. 用無定體, 惟化是體. 體用交, 而人物之道於是乎備矣. 然則人亦物也, 聖人亦人也. 有一物之物. 有十物之物. 有百物之物. 有千物之物. 有萬物之物. 有億物之物. 有兆物之物. 生一一之物, 當兆物之物者, 豈非人乎? 有一人之人. 有十人之人. 有百人之人. 有千人之人. 有萬人之人. 有億人之人. 有兆人之人. 生一一之人, 當兆人之人者, 豈非聖乎?

是知人也者, 物之至者也, 聖也者, 人之至者也, 物之至者, 始得謂之物之物也, 人之至者,

22 『易』「姤卦 · 彖傳」

23 정반대입니다 : 姤괘의 모습은 ䷫이고 夬괘의 모습은 ䷪이다.

24 『易』「坤卦 · 初六」.

始得謂之人之人也. 夫物之至者, 至物之謂也, 而人之至者, 至人之謂也. 以一至物而當一至人, 則非聖而何? 人謂之不聖, 則吾不信也. 何哉? 謂其能以一心觀萬心, 一身觀萬身, 一物觀萬物, 一世觀萬世者焉. 又謂其能以心代天意, 口代天言, 手代天工, 身代天事者焉. 又謂其能以上識天時, 下盡地理, 中盡物情, 通照人事者焉. 又謂其能以彌綸天地, 出入造化, 進退今古, 表裏人物者焉.

噫! 聖人者, 非世世而效聖焉, 吾不得而目見之也. 雖然, 吾不得而目見之, 察其心, 觀其迹, 探其體, 潛其用, 雖億萬年亦可以理知之也. 人或告我曰, 天地之外別有天地萬物, 異乎此天地萬物, 則吾不得而知己. 非唯吾不得而知己也, 聖人亦不得而知之也. 凡言知者, 謂其心得而知之也, 言言者, 謂其口得而言之也. 旣心尙不得而知之, 口又惡得而言之乎? 以心不可得知而知之, 是謂妄知也, 以口不可得言而言之, 是謂妄言也. 吾又安能從妄人而行妄知妄言者乎?

나무꾼이 어부에게 물었다. "사람이 만물보다 영특할 수 있는 것이 어째서 그러한지를 알 수 있습니까?"

어부가 대답했다. "사람의 눈은 만물의 색을 볼 수 있고, 귀는 만물의 소리를 들을 수 있고, 코는 만물의 냄새를 맡을 수 있고, 입은 만물의 맛을 느낄 수 있습니다. 소리 · 색 · 냄새 · 맛은 만물의 형체[體]입니다. 눈 · 귀 · 코 · 입은 만물의 작용[用]입니다. 체는 정해진 용이 없이 오직 변變이 그 용입니다. 용은 정해진 체가 없으니, 오직 그 화化가 그 체입니다. 체와 용은 교류하니 사람과 사물의 도는 여기에서 구비됩니다. 그렇다면 사람도 사물이고, 성인도 사람입니다. 일물一物에 불과한 물이 있고, 십물十物 가운데 빼어난 사물이 있고, 백물百物 가운데 빼어난 사물이 있고, 천물千物 가운데 빼어난 사물이 있고, 만물萬物 가운데 빼어난 사물이 있고, 억물億物 가운데 빼어난 사물이 있고, 조물兆物 가운데 빼어난 사물이 있습니다. 하나의 일물一物로 태어나서 1조 가지 사물 가운데 사물에 해당하는 것이 어찌 사람이 아니겠습니까? 일인一人에 불과한 사람이 있고, 십인十人 가운데 빼어난 사람이 있고, 백인百人 가운데 빼어난 사람이 있고, 천인千人 가운데 빼어난 사람이 있고, 만인萬人 가운데 빼어난 사람이 있고, 억인億人 가운데 빼어난 사람이 있고, 조인兆人 가운데 빼어난 사람이 있습니다. 하나의 일인一人으로 태어나서 조인兆人 가운데 빼어난 사람에 해당하는 것이 어찌 성인이 아니겠습니까?

이로써 사람은 사물 가운데 지극히 영특한 것이고, 성인이란 사람 가운데 가장 영특한 자임을 알 수 있으니, 사물 가운데 지극히 영특한 것을 비로소 사물 가운데 빼어난 사물이라고 말하고, 사람 가운데 가장 영특한 자를 비로소 사람 가운데 빼어난 사람이라고 말할 수 있습니다. 사물 가운데 사물은 지극히 영특한 사물을 말하고, 사람 가운데 사람은 지극히 영특한 사람을 말합니다. 하나의 지극히 영특한 사물로서 하나의 지극히 영특한 사람에 해당하니 성인이 아니고 무엇이겠습니까! 사람들이 성인이 아니라고 말한다면, 나는 믿지 않을 것입니다. 무슨 말인가? 한 사람의 마음으로써 만 사람의 마음을 볼 수 있고, 한 사람 몸으로써 만 사람의 몸을 볼 수 있으며, 한 가지 사물로써 만 가지 사물을 볼 수 있고, 한 세대로써 만 세대를 볼 수 있는 자를 말합니다. 또 마음으로 천의天意(하늘의 뜻)를 대신할 수 있고, 입으로 천언天言(하늘의 말)을 대신할 수 있고, 손으로 천공天工(하늘의 기술)을 대신할 수 있고 몸으로 천사天事(하늘의 일)을 대신할 수 있는 자를 말합니다. 또 위로 천시天時를 알 수 있고, 아래로 지리地理를 모두 파악할 수 있으며, 그 사이에 만물의 실정을 모두 다 헤아리고, 인간사에 두루 알 수 있는 자를 말합니다. 또 천지의 도를 모두 다 포괄하여 조리를 세우고,[25] 조화造化를 들이기도 하고 내기도 하고, 고금을 왔다갔다 하고,[26] 사람과 만물의 도를 모두 다할 수 있는 자를 말합니다.[27] 아! 성인은 시대마다 성인다움을 본받을 수 있는 것이 아니니 내가 직접 볼 수가 없기 때문입니다. 그러나 내가 직접 볼 수는 없지만, 그 마음을 살피고, 그 행적을 관찰하며, 그 체體를 탐구하고, 그가 행한 용用을 깊이 생각한다면, 억만년 천만년이 떨어져 있을지라도 이치[理]로써 알 수 있습니다. 어떤 사람이 나에게 말하기를 '천지 밖에 따로 천지 만물이 있어서 지금 여기의 천지만물과 다르다.'고 말한다면, 나는 그것을 알 수가 없습니다. 오직 나만 알 수 없을 뿐만 아니라, 성인도 알 수 없을 것입니다. '안다'라고 말하는 것은 그 마음으로 알 수 있는 것을 말하고, '말한다'는 것은 그 입으로 말할 수 있는 것을 말합니다. 마음으로 알 수가 없는데, 입으로 어떻게 또 말할 수 있겠습니까? 마음으로 알지 못하는데도 안다는 것은 거짓된 앎이라고 하고, 입으로 말할 수 없는데도 말하는 것을 거짓된 말이라고 말합니다. 내가 또 어떻게 거짓된 사람을 쫓아서 거짓된 앎과 거짓된 말을 행할 수 있겠습니까!"[28]

[13-1-16]

漁者謂樵者曰 : "仲尼有言曰, '殷因於夏禮, 所損益可知也, 周因於殷禮, 所損益可知也. 其或繼周者, 雖百世可知也.' 夫如是, 則何止千百世而已哉? 億千萬世皆可得而知之也. 人皆知仲尼之爲仲尼, 不知仲尼之所以爲仲尼. 不欲知仲尼之所以爲仲尼則已, 如其必欲知仲尼之所以爲仲尼, 則捨天地將奚之焉? 人皆知天地之爲天地, 不知天地之所以爲天地. 不欲知天地之所以爲天地則已, 如其必欲知天地之所以爲天地, 則捨動靜將奚之焉?. 夫一動一靜者, 天地之至妙者與! 夫一動一靜之間者, 天地人之至妙至妙者與! 是知仲尼之所以盡三才之道者, 謂其行無轍跡也. 故有言曰, '予欲無言,' 又曰, '天何言哉? 四時行焉, 百物生焉,' 其此之謂與!"

어부가 나무꾼에게 말했다. "공자가 말하길, '은나라는 하나라 예를 이었으니 그 덜고 덧붙인 것을 알 수 있고, 주나라는 은나라 예를 이었으니 그 덜고 덧붙인 것을 알 수 있다. 그 다음 주나라를 계승한 나라는 백 왕조가 지났을 지라도 알 수가 있다.'[29]고 했습니다. 이와 같으면, 어찌 천 왕조 백 왕조에

25 다 포괄하여 … 세우고 : '彌綸'을 번역한 말이다. 『周易』「繫辭上」 4, "易與天地準, 故能彌綸天地之道."

26 고금을 왔다갔다 하고 : 『性理群書句解』, "지금의 마땅함을 참작하여 옛날의 도를 행하니 진퇴에 올바름을 잃지 않는다.(酌今之宜, 行古之道, 進退不失其正.)"

27 사람과 만물의 … 말합니다. : '表裏人物者焉'을 번역한 것이다. 『性理群書句解』, "자신을 완성하고 사물을 완성하니 안과 밖이 합일된 도이다.(成己成物, 合內外之道.)" 『中庸』 : "誠者非自成己而已也. 所以成物也, 成己仁也, 成物知也, 性之德也, 合內外之道也, 故時措之宜也."

28 이상의 어부의 대답은 「內篇」 2장에 나오는 내용이다.

그칠 뿐이겠습니까? 억 왕조 천만 왕조일지라도 할 수가 있습니다. 사람들은 모두 공자가 공자됨을 알고 있지만 공자가 왜 공자가 되는지를 알지 못합니다. 공자가 왜 공자되는지를 알려고 하지 않는다면 그만이지만, 반드시 공자가 왜 공자가 되는지를 알려고 한다면 천지를 버리고 어디로 가겠습니까? 사람이 천지가 천지됨을 모두 알지만, 천지가 왜 천지가 되는지를 알지 못합니다. 천지가 왜 천지가 되는지를 알려고 하지 않는다면 그만이지만, 반드시 천지가 왜 천지가 되는지를 알려고 한다면 동정動靜을 버리고 어디로 가겠습니까? 한번 움직이고 한번 고요한 것이 천지의 지극한 오묘함입니다! 한번 움직이고 한번 고요한 것 사이는 하늘과 땅과 사람의 지극히 오묘하고 지극히 오묘한 것입니다! 이것을 통해서 공자가 삼재三才의 도를 다한 까닭을 알 수 있으니 그 행적에 흔적이 없다고 하는 것입니다. 그러므로 공자는 '나는 말을 하지 않으려 한다.'고 했고, 또 '하늘이 무슨 말을 하겠는가? 그럼에도 사계절이 운행하고 만물이 생겨난다.'[30]고 한 것은, 이것을 말하는 것입니다!"

[13-1-17]

漁者謂樵者曰:"大哉, 權之與變乎! 非聖人無以盡之. 變然後知天地之消長, 權然後知天地之輕重. 消長, 時也, 輕重, 事也. 時有否泰, 事有損益. 聖人不知隨時否泰之道, 奚由知變之所爲乎? 聖人不知隨時損益之道, 奚由知權之所爲乎? 運消長者變也, 處輕重者權也. 是知權之與變, 聖人之一道耳."

어부가 나무꾼에게 말했다. "위대하구나, 헤아림[權]과 변화함[變]이여! 성인이 아니라면 온전히 다할 수 없습니다. 천지가 변화한 다음에야 천지의 줄어듦과 자라남을 알고, 천지를 헤아린 다음에야 천지 속에서 경중輕重을 압니다. 줄어듦과 자라남은 천시天時이고 경중은 인간사입니다. 천시에는 막힘과 소통이 있고, 인간사에는 덜어냄과 덧붙임이 있습니다. 때에 따라 막히거나 소통하는 도를 성인이 알지 못하면, 무엇으로부터 변화가 일어나는 것을 알 수 있겠습니까? 때에 따라 덜어내고 덧붙이는 도를 성인이 알지 못하면, 무엇으로부터 헤아림이 행해지는 것을 알 수 있겠습니까? 줄어듦과 자라남을 운행하는 것이 변화함이고 경중에 대처하는 것이 헤아림입니다. 이것으로부터 헤아림과 변화함이 성인의 하나로 일관된 도일뿐이라는 점을 알 수 있습니다."

[13-1-18]

樵者謂漁者曰:"人謂死而有知, 有諸?"

曰:"有之."

曰:"何以知其然?."

29 『論語』「爲政」:"子張問, '十世可知也?' 子曰, '殷因於夏禮, 所損益可知也, 周因於殷禮, 所損益可知也, 其或繼周者, 雖百世可知也.'"

30 『論語』「陽貨」:"子曰, '予欲無言.' 子貢曰, '子如不言, 則小子何述焉?' 子曰, '天何言哉? 四時行焉, 百物生焉, 天何言哉?'"

曰："以人知之."
曰："何者謂之人?"
曰："目耳鼻口心膽脾脹[31]之氣全，謂之人．心之靈曰神，膽之靈曰魄，脾之靈曰魂，脹之靈曰精．心之神發乎目，則謂之視，脹之精發乎耳，則謂之聽，脾之魂發乎鼻，則謂之臭，膽之魄發乎口，則謂之言．八者具備，然後謂之人．夫人者，天地萬物之秀氣也．然而亦有不中者，各求其類也．若全得人類，則謂之曰全人之人．夫全類者，天地萬物之中氣也．謂之曰全德之人也．全德之人者，人之人者也．夫人之人者，仁人之謂也．唯全人然後能當之．
人之生也，謂其氣行，人之死也，謂其形返．氣行則神魂交，形返則精魄存．神魂行于天，精魄返于地．行于天，則謂之曰陽行，返于地，則謂之曰陰返．陽行則晝見而夜伏者也，陰返則夜見而晝伏者也．是故知日者，月之形也，月者，日之影也，陽者，陰之形也，陰者，陽之影也．人者，鬼之形也，鬼者，人之影也．人謂鬼無形而無知者，吾不信也."
나무꾼이 어부에 물었다. "사람들이 죽어서도 지각이 있다고 하는데 그런 것이 있습니까?"
어부가 대답했다. "있습니다."
나무꾼이 물었다. "어떻게 그렇다는 점을 압니까?"
어부가 대답했다. "사람으로써 압니다."
나무꾼이 물었다. "무엇을 사람이라고 합니까?"
어부가 대답했다. "눈 · 귀 · 코 · 입과 심장 · 쓸개 · 비장 · 신장心膽脾脹의 기운이 온전한 것을 사람이라고 합니다. 심장의 영험한 것[靈]을 신神이라 하고, 쓸개의 영험한 것을 백魄이라 하고, 비장의 영험한 것을 혼魂이라 하고, 신장의 영험한 것을 정精이라 합니다. 심장의 신은 눈에서 발하니 보는 것이라 하고, 신장의 정은 귀에서 발하니 듣는 것이라고 하고, 비장의 혼은 코에서 발하니 냄새 맡는 것이라 하고, 쓸개의 백은 입에서 발하니 말이라고 합니다. 이 8가지가 갖추어진 후에 사람이라고 합니다. 사람이란 천지 만물 가운데 빼어난 기입니다. 그러나 그 중中을 이루지 못한 것이 있으니 각각 그 종류를 구한 것입니다. 만약 8가지 부류를 온전하게 얻으면 사람의 조건을 온전하게 갖춘 사람이라고 할 수 있습니다. 만물의 부류가 온전한 것은 천지 만물의 중기中氣이니 덕을 온전히 갖춘 사람이라고 합니다. 덕을 온전히 갖춘 사람은 사람 가운데 사람입니다. 사람 가운데 사람을 인仁한 사람이라고 합니다. 오직 사람의 조건을 온전히 갖춘 다음에야 그것에 해당할 수 있습니다.
사람의 생명은 그 기가 운행하는 것이라고 합니다. 사람의 죽음은 그 형체가 되돌아가는 것이라고 합니다. 기가 운행되면 신神과 혼魂이 교류하고, 형체가 되돌아가면 정精과 백魄이 보존됩니다. 신과 혼이 하늘에서 유행하고, 정과 백은 땅으로 되돌아갑니다. 하늘에서 유행하는 것을 일컬어 양이 유행한다고 하고, 땅으로 돌아가는 것을 일컬어 음이 되돌아간다고 합니다. 양의 유행은 낮에 드러나고 밤에 숨는 것이고, 음의 되돌아감은 밤에 드러나고 낮에 숨는 것입니다. 그러므로 해는 달의 형체이고, 달은

31 脹: 腎의 오자이다. 아래도 같다.

해의 그림자이며, 양은 음의 형체이고 음은 양의 그림자임을 알 수 있습니다. 사람은 귀鬼의 형체이고 귀는 사람의 그림자입니다. 사람들이 귀鬼는 형체가 없고 지각이 없다고 하는데 나는 그런 말을 믿지 않습니다."

[13-1-19]

漁者問樵者曰: "小人可絶乎?"

曰: "不可. 君子稟陽正氣而生, 小人稟陰邪氣而生. 無陰則陽不成. 無小人則君子亦不成. 唯以盛衰乎其間也. 陽六分, 則陰四分, 陰六分, 則陽四分. 陰陽相半, 則各五分矣. 由是知君子小人之時有盛衰也. 治世則君子六分. 君子六分, 則小人四分, 小人固不勝君子矣. 亂世則反是. 君君臣臣, 父父子子, 兄兄弟弟, 夫夫婦婦, 謂各安其分也. 君不君, 臣不臣, 父不父, 子不子, 兄不兄, 弟不弟, 夫不夫, 婦不婦, 謂各失其分也. 此則由世治世亂使之然也. 君子常行勝言. 小人常言勝行. 故世治則篤實之士多, 世亂則緣飾之士衆. 篤實鮮不成事. 緣飾鮮不敗事. 成多國興, 敗多國亡. 家亦由是而興亡也. 夫興家興國之人, 與亡國亡家之人, 相去一何遠哉?"

어부가 나무꾼에게 물었다. "소인을 단절시킬 수 있습니까?"

나무꾼이 대답했다. "안 됩니다. 군자는 양陽인 정기正氣를 품수받아 생겨났고, 소인은 음陰인 사기邪氣를 품수받아 생겨났습니다. 그러나 음이 없다면 양은 이루어지지 않듯이, 소인이 없다면 군자도 이루어지지 않습니다. 오직 성대함과 쇠락함이 그 사이에 있을 뿐입니다. 양이 6분이라면 음은 4분이고, 음이 6분이라면 양은 4분이며, 음양이 반반이라면 각각 5분입니다. 이것으로부터 군자와 소인은 때에 따라 성대함과 쇠락이 있음을 알 수 있습니다. 다스려진 세상에서는 군자가 6분입니다. 군자가 6분이면 소인은 4분이니, 소인은 분명 군자를 이기지 못합니다. 혼란한 세상에서는 그 반대입니다. 군주는 군주답고 신하는 신하다우며, 아버지는 아버지답고 자식은 자식다우며, 형은 형답고 동생은 동생다우며, 남편은 남편답고 아내는 아내다우니, 이것은 각각 그 본분을 편안하게 여기는 것을 말합니다. 군주가 군주답지 못하고, 신하가 신하답지 못하며, 아버지가 아버지답지 못하고, 자식이 자식답지 못하며, 형이 형답지 못하고, 동생이 동생답지 못하고, 남편이 남편답지 못하고, 아내가 아내답지 못하니, 이것은 그 본분을 잃은 것을 말합니다. 이것은 세상이 다스려지고 세상이 혼란함을 통해서 그렇게 되는 것입니다. 군자는 항상 행동이 말을 이기고, 소인은 항상 말이 행동을 이깁니다. 그러므로 세상이 다스려지면 돈독하고 견실한 선비가 많고, 세상이 혼란하면 꾸미는 선비가 많습니다. 독실한 사람은 일을 이루지 못하는 경우가 드물고, 겉치레하는 사람은 일을 실패하지 않는 경우가 드뭅니다. 일을 이루는 경우가 많으면 나라가 흥성하고, 실패하는 경우가 많으면 나라가 망합니다. 가정 역시 이 때문에 흥하고 망합니다. 가정을 흥하게 하고 나라를 흥하게 하는 사람과 나라를 망하게 하고 가정을 망하게 하는 사람은 그 차이가 어찌 이리 멉니까?

[13-1-20]

樵者問漁者曰 : “人所謂才者, 有利焉, 有害焉者, 何也?”

漁者曰 : “才一也, 利害二也. 有才之正者, 有才之不正者. 才之正者, 利乎人而及乎身者也, 才之不正者, 利乎身而害乎人者也.”

曰 : “不正則安得謂之才?”

曰 : “人所不能而能之, 安得不謂之才. 聖人所以惜乎才之難者, 謂其能成天下之事而歸之正者寡也. 若不能歸之以正, 才則才矣, 難乎語其仁也. 譬猶藥之療疾也, 毒藥亦有時而用也, 可一而不可再也. 疾愈則速已, 不已則殺人矣. 平藥則常日而用之可也, 重疾非所以能治也. 能驅重疾而無害人之毒者, 古今人所謂良藥也. 易曰, ‘大君有命, 開國承家, 小人勿用.’ 如是則小人亦有時而用之. 時平治定, 用之則否. 詩云‘它山之石, 可以攻玉.’ 其小人之才乎!”

나무꾼이 어부에게 말했다. “사람들이 말하는 재능은 어떤 경우는 이로운데 어떤 경우는 해로운 것은 무엇 때문입니까?”

어부가 대답했다. “재능은 동일하지만 이로움과 해로움은 두 가지입니다. 재능이 올바른 경우가 있고, 재능이 올바르지 않은 경우가 있습니다. 재능이 올바른 경우는 타인에게 이롭고 그 이로움이 자신에게 미치는 경우이고, 재능이 올바르지 않은 경우는 자신에게만 이롭고 타인에게는 해로운 경우입니다.”

나무꾼이 물었다. “올바르지 않은데 어떻게 그것을 재능이라고 합니까?”

어부가 대답했다. “사람이 할 수 없는 것을 할 수 있는데 어찌 재능이라고 말하지 않겠습니까? 성인이 인재를 얻기 어려움[32]을 안타깝게 여긴 것은 그 재능이 천하의 일을 이루어 그 일을 올바름에 귀결되게 하는 것이 드물기 때문이라고 합니다. 만약 그 일을 올바름에 귀결되게 할 수 있지 못하면, 재능은 재능일 뿐이지 인이라고 말하기 어렵습니다. 비유하자면 약이 병을 치료하는 데에 독약도 어떨 때에는 사용되지만 한번 사용할 수는 있어도 두 번은 사용할 수가 없습니다. 병이 나으면 속히 그만 두어야 하는데, 그만두지 않는다면 사람을 죽이는 것입니다. 평상시의 약은 매일 사용해도 좋지만, 중병은 치료할 수가 있는 것이 아닙니다. 중병을 치료할 수 있으면서도 사람들에게 해를 주지 않는 것을 예나 지금이나 양약良藥이라고 합니다. 『역』에서 말하기를 ‘대군이 명을 내리는 것이니, 제후를 봉하고 경대부를 삼을 때에, 소인은 쓰지 말라.’[33]고 했습니다. 이러하니, 소인도 어떤 때에는 사용합니다. 때가 평화롭고 다스림이 안정되었는데 소인을 쓴다면 세상의 도가 막혀버립니다. 『시』에서 ‘다른 산의 돌은 옥을 다듬을 수 있다.’[34]고 했으니, 소인들의 재능일 것입니다!”

32 『論語』「泰伯」: “인재를 얻기가 어렵다고 했는데 참으로 그렇지가 않느냐? 唐虞의 때에는 인재가 많았다. 무왕에게 있었던 열 명의 신하 중에 하나는 무왕의 아내가 있었으니, 나머지는 아홉 명인 셈이다.(孔子曰, ‘才難, 不其然乎? 唐虞之際, 於斯爲盛. 有婦人焉, 九人而已.)”

33 『易』「師卦 · 上六爻」: “上六, 大君有命, 開國承家, 小人勿用.”

34 『詩』「小雅 · 鶴鳴」

[13-1-21]

樵者謂漁者曰: "國家之興亡, 與夫才之邪正, 則固得聞命矣. 然則何不擇其人而用之?"

漁者曰: "擇臣者君也, 擇君者臣也. 賢愚各從其類而爲奈何? 有堯舜之君, 必有堯舜之臣. 有桀紂之君, 必有桀紂之臣. 堯舜之臣生乎桀紂之世, 猶桀紂之臣生乎堯舜之世, 必非其所用也. 雖欲爲禍爲福, 其能行乎? 夫上之所好, 下必好之, 其若影響, 豈待驅率而然耶? 上好義, 則下必好義, 而不義者遠矣. 上好利, 則下必好利, 而不利者遠矣. 好利者衆, 則天下日削矣, 好義者衆, 則天下日盛矣. 日盛則昌. 日削則亡. 盛之與削, 昌之與亡, 豈其遠乎? 在上之所好耳. 夫治世何嘗無小人, 亂世何嘗無君子. 不用則善惡何由而行也?"

樵者曰: "善人常寡而不善人常衆, 治世常少而亂世常多, 何以知其然耶?"

曰: "觀之於物, 何物不然? 譬諸五穀, 耘之而不苗者有矣, 蓬莠不耘而猶生, 耘之而求其盡也, 亦末如之何矣. 由是知君子小人之道有自來矣. 君子見善則喜之, 見不善則遠之. 小人見善則疾之, 見不善則喜之. 善惡各從其類也. 君子見善則就之, 見不善則違之. 小人見善則違之, 見不善則就之. 君子見義則遷, 見利則止. 小人見義則止, 見利則遷. 遷義則利人, 遷利則害人. 利人與害人, 相去一何遠耶! 家與國一也. 其興也, 君子常多而小人常鮮. 其亡也, 小人常多而君子常鮮. 君子多而去之者小人也, 小人多而去之者君子也. 君子好生, 小人好殺. 好生則世治, 好殺則世亂. 君子好義, 小人好利. 治世則好義, 亂世則好利. 其理一也."

釣者談已, 樵者曰: "吾聞古有伏羲, 今日如覩其面焉." 拜而謝之, 及旦而去.

나무꾼이 어부에게 말했다. "나라와 가정이 흥하고 망하는 것과 재능이 올바르지 않고 올바른 것에 대해서는 분명 그 가르침을 들었습니다. 그렇다면 어찌 그에 걸맞는 사람을 택하여 쓰지 않는 것입니까?"

어부가 대답했다. "신하를 택하는 것은 군주이고, 군주를 택하는 것은 신하입니다. 현명한 사람과 어리석은 사람은 각각 그 부류를 따르는데 어찌하겠습니까? 요순과 같은 군주가 있다면 반드시 요순에 걸맞는 신하가 있고, 걸주와 같은 군주가 있다면 반드시 걸주에 걸맞는 신하가 있습니다. 요순에 걸맞는 신하가 걸주의 세상에 태어나는 것은 걸주에 걸맞는 신하가 요순의 시대에 태어나는 것과 같으니, 반드시 등용되는 것은 아닙니다. 화를 만들고 복을 만들려고 해도 행해질 수 있겠습니까? 윗사람이 좋아하는 것을 아랫사람도 반드시 좋아하는 것이 마치 그림자와 메아리 같으니, 어떻게 억지로 이끌어서 그렇게 된 것이겠습니까? 윗사람이 의義를 좋아하면 아랫사람도 반드시 의를 좋아하고 의롭지 않은 사람들이 멀어집니다. 윗사람이 이로움을 좋아하면, 아랫사람도 반드시 이로움을 좋아하여, 이로움을 좋아하지 않는 사람들이 멀어집니다. 이로움을 좋아하는 사람이 많아지면, 천하는 날로 쇠락하고, 의를 좋아하는 사람들이 많아지면, 천하는 날로 성대해집니다. 날로 성대해지면 번창하고, 날로 쇠락하면 망합니다. 성대함과 쇠락, 번창함과 망함이 어찌 멀겠습니까? 윗사람이 좋아하는 것에 달려 있을 뿐입니다. 잘 다스려진 세상인들 어찌 소인이 없었겠으며, 혼란한 세상에도 군자가 없었겠습니까? 쓰지 않으면 선악을 어떻게 행하겠습니까?"
나무꾼이 말했다. "선한 사람이 항상 드물고 불선한 사람이 항상 많으며, 잘 다스려진 세상이 항상 적고 혼란한 세상이 항상 많은데 어떻게 그 원인을 알 수 있습니까?"
어부가 대답했다. "사물에서 그것을 관찰해보면 어떤 사물이건 그렇지 않겠습니까? 오곡을 비유하자면, 오곡은 김매어 주어도 싹이 나지 않는 것도 있고, 잡초들은 김을 매지 않아도 잘 자라니, 김매어주고 그것이 온전히 다 잘 자라기를 구하지만 또한 어찌할 수 없습니다. 이로부터 군자와 소인의 도에도 본래 그 유래가 있음을 알 수 있습니다. 군자는 선함을 보면 기뻐하고 불선함을 보면 멀리합니다. 소인은 선함을 보면 싫어하고 불선함을 보면 기뻐합니다. 선과 악은 각각 그 부류를 따릅니다. 군자는 선함을 보면 나아가고 불선함을 보면 떠납니다. 소인은 선함을 보면 떠나고 불선함을 보면 나아갑니다. 군자는 의로움을 보면 향해 가고 이로움을 보면 멈춥니다. 소인은 의로움을 보면 멈추고 이로움을 보면 향해 갑니다. 의로움으로 향해 가면 사람들을 이롭게 하고, 이로움으로 향해 가면 사람들을 해롭게 합니다. 사람들을 이롭게 하고 해롭게 하는 것이 서로 그 차이가 얼마나 큽니까! 가정과 나라는 하나입니다. 흥할 때에는 군자가 항상 많고 소인은 항상 적습니다. 망할 때에는 소인이 항상 많고 군자는 항상 적습니다. 군자가 많을 때 떠나는 것은 소인이고, 소인이 많았을 때 떠나는 것은 군자입니다. 군자는 살리는 것을 좋아하고, 소인은 죽이는 것을 좋아합니다. 살리는 것을 좋아하면 세상이 다스려지고, 죽이는 것을 좋아하면 세상이 혼란해집니다. 군자는 의로움를 좋아하고 소인은 이로움을 좋아합니다. 잘 다스려진 세상에는 의로움을 좋아하고 혼란한 세상에는 이로움을 좋아합니다. 그러나 그 이치는 한가지입니다."
낚시하던 어부가 말을 마치자, 나무꾼이 말했다. "저는 옛날에 복희씨가 있다는 것을 알았는데 오늘 직접 뵙는 같습니다."
나무꾼이 절을 하고 이별을 고하고서, 아침이 되자 떠났다.

無名公傳 무명공전

[13-2-1]

無名公, 生于冀方, 長于冀方, 老于豫方, 終于豫方. 年十歲, 求學于里人, 遂盡里人之情, 己之滓十去其一二矣. 年二十, 求學于鄉人, 遂盡鄉人之情, 己之滓十去其三四矣. 年三十, 求學于國人, 遂盡國人之情, 己之滓十去其五六矣. 年四十, 求學于古人, 遂盡古人一作今**之情, 己之滓十去其七八矣. 年五十, 求學于天地, 遂盡天地之情, 欲求己之滓無得而去矣.**

무명공無名公은 기冀 지방[35]에서 태어나 기 지방에서 자라, 예豫 지방에서 늙고 예 지방에서 죽었다.

35 冀 지방 : 河南省을 간단하게 지칭하는 말이다. 고대에 冀州땅을 말한다. 『爾雅』「释地」에 "兩河 사이를 冀州

10세에 동네 사람[里人][36] 속에서 배움을 구하여 비로소 동네 사람의 정情[37]을 다하고, 자신의 결점 10분의 2,3할을 제거하였다. 20세에 향인鄕人 속에서 배움을 구하여 비로소 향인鄕人의 정을 다하고, 자신의 결점 10분의 3,4를 제거했다. 30세에 나라 사람[國人] 속에서 배움을 구하여 나라 사람의 정을 다하고, 자신의 결점 10분의 5,6을 제거했다. 40세에 고인古人 속에서 배움을 구하여 고인어떤 판본은 고금이라고 한다.의 실정을 다하고, 자신의 결점 10분의 7,8을 제거했다. 50세에 배움을 천지天地에서 구하여 천지의 정을 다하고, 자신의 찌꺼기를 찾으려 해도 제거할 것이 없었다.

始則里人疑其僻, 問于鄕人, 鄕人曰, "斯人善與人群, 安得謂之僻?" 旣而鄕人疑其泛, 問于國人, 國人曰, "斯人不妄與人交, 安得謂之泛?" 旣而國人疑其陋, 問于四方之人, 四方之人曰, "斯人不一有能字器, 安得謂之陋?" 旣而四方之人又疑之, 質之于古今之人, 古今之人終始無可與同者. 又問之于天地, 天地不對. 當是之時, 四方之人迷亂不復得知, 因號爲無名公. 夫無名者, 不可得而名也.

처음에 동네 사람이 그 편벽됨을 의심하여 향인에게 물으니, 향인이 "이 사람은 사람들과 잘 어울리니 어찌 편벽되다고 말할 수 있는가?"라고 하였다. 이윽고 향인이 그 두루뭉실함을 의심하여 국인에게 물으니, 국인이 "이 사람은 사람들과 교제하는 데에 망령스럽지 않은데 어찌 두루뭉실하다고 말하는가?"라고 하였다. 이윽고 국인이 그 좀스러움을 의심하여 사방의 사람들에게 물으니, 사방의 사람들이 "이 사람은 융통성이 없지 않은데[38]어떤 판본은 能자가 있다. 어찌 좀스럽다고 말하는가?"라고 하였다. 이윽고 사방 사람들이 또 의심하여 고금의 사람들에게 질정해 보니, 고금의 사람들 가운데에서 모두 그와 같은 사람이 없었다. 또 천지에 물으니 천지는 대답하지 않았다. 이 당시에 사방 사람들은 혼란스러워 더 알 수 없었으니, 이 때문에 그를 무명공無名公이라고 이름 하였다. 무명無名이란 이름 지을 수 없다는 것이다.

凡物有形則可器, 可器斯可名. 然則斯人無體乎? 曰, "有體. 有體而無迹者也." 斯人無用乎? 曰, "有用. 有用而無心者也." 夫有迹有心者, 斯可得而知也, 無心無迹者, 雖鬼神亦不可得而知, 不可得而名, 况於人乎? 故其詩曰, "思慮未起, 鬼神莫知. 不由乎我, 更由乎誰?" 能造

라고 한다.(兩河間曰冀州)"고 하니, 漳河와 옛 黃河가 교차하는 구역을 말한다. 고대에 冀州는 九州 가운데 하나로 지금 하남성과 호북성 북부를 포괄한다.

36 동네 사람[里人]: 고대 지방 행정은 里, 鄕, 國으로 구획되었다. 주나라부터 시작되어 그 후대에는 그 제도가 일정하지는 않지만 25家 정도가 一里이다. 『周禮』「地官 · 遂人」: "오가가 鄰이고 오인이 里이다.(五家爲鄰, 五鄰爲里)" 『舊唐書』「食貨志」: "百戶가 里이고, 오리가 鄕이다.(百戶爲里, 五里爲鄕.)"

37 情: 人情과 人事를 모두 포괄해서 말한다.

38 융통성이 없지 않은데: 不器를 해석한 말이다. 주희는 "덕을 이룬 선비는 체가 구비되지 않음이 없으므로 두루두루 쓰이지 않으니, 하나의 재주나 하나의 기예에 특정할 수 없을 뿐이다.(成德之士, 體無不具, 故用無不周, 非特爲一才一藝而已.)"라고 하였다.

萬物者, 天地也, 能造天地者, 太極也. 太極者, 其可得而名乎, 可得而知乎? 故強名之曰太極.

무릇 사물은 형체가 있으면 그릇을 삼을 수 있고, 기물이 될 수 있으면 이름 지을 수 있다. 그렇다면 이 사람은 체體가 없는가? 대답하기를, "체가 있다. 그러나 체는 있지만 자취는 없는 자이다."라고 했다. 이 사람은 용用이 없는가? 대답하기를, "용이 있다. 그러나 용은 있지만 마음은 없는 자이다."라고 했다. 흔적이 있고 마음이 있는 것은 알 수 있지만, 마음이 없고 흔적이 없는 것은 귀신일지라도 알 수도, 이름 지을 수도 없는데 하물며 사람은 어찌하겠는가? 그래서 그의 시에서 말하기를 "사려가 일어나지 않으면 귀신이 알지 못한다. 나로부터 말미암지 않는데 다시 누구로부터 말미암겠는가?"[39]라고 했다. 만물을 만들 수 있는 것은 천지이고, 천지를 만들 수 있는 것은 태극이다. 그러나 태극을 이름 지을 수 있겠으며, 알 수 있겠는가? 그러므로 억지로 이름 지어 태극이라고 했다.

太極者, 其無名之謂乎! 故嘗自爲之贊曰, "借爾面貌, 假爾形骸, 弄丸餘暇,丸謂太極 閒往閒來." 人告之以脩福, 對曰, "未嘗爲不善." 人告之以禳災, 對曰, "未嘗妄祭." 故其詩曰, "禍如許免人須諂[40], 福若待求天可量." 又曰, "中孚起信寧須禱? 无妄生災未易禳."

태극은 이름 없는 것인가! 그러므로 일찍이 스스로 찬탄하며 말하기를 "너의 면모를 빌리고, 너의 형체를 빌려서, 구슬을 여유 있게 지니니, 환丸이란 태극을 말한다. 가지고 놀며, 한가롭게 지낸다."[41]고 했다. 사람들이 복을 닦으라고 충고하면, 대답하기를 "불선을 행한 적이 없다."고 했고, 사람들이 재앙을 푸닥거리하라고 충고하면, 대답하기를 "망령스럽게 제사지낸 적이 없다."고 했다. 그러므로 그 시에서 "재앙을 면할 수 있다면 사람들은 반드시 아첨을 할 것이고, 복을 구할 수 있다면 하늘도 헤아릴 수 있다."[42]고 했고, 또 말하기를 "마음속의 믿음에서 신뢰를 일으키니 어찌 기도할 필요가 있겠는가? 망령됨이 없는 마음에서 재앙을 만드니 재앙을 없애기도 쉽지 않다."[43]고 하였다.

性喜飮酒, 嘗命之曰太和湯. 所飮不多, 微醺而罷, 不喜過醉. 故其詩曰, "性喜飮酒, 飮喜微酡. 飮未微酡, 口先吟哦. 吟哦不足, 遂及浩歌. 浩歌不足, 無可奈何!" 所寢之室謂之安樂窩. 不求過美, 惟求冬煐夏涼. 遇有睡思則就枕. 故其詩曰, "墻高于肩, 室大于斗. 布被暖餘, 藜羹飽後. 氣吐胷中, 充塞宇宙." 其與人交, 雖賤必洽, 終身無甘壞, 未嘗作皺眉事, 故

39 『擊壤集』, '思慮吟' "思慮未起, 鬼神莫知, 不由乎我, 更由乎誰." 『朱子語類』 권100, 61조목, "康節曰, '思慮未起, 鬼神莫知, 不由乎我, 更由乎誰?' 此間有術者, 人來問事, 心下黙念, 則他說相應. 有人故意思別事, 不念及此, 則其說便不應. 問姓幾畫, 口中黙數, 則他說便著; 不數者, 說不著.'"

40 諂: 諂이 되어야 한다.

41 『擊壤集』「自作眞贊」

42 『擊壤集』「安樂窩中一炷香」

43 『擊壤集』「安樂窩中一炷香」

人皆得其歡心.

본성이 술 마시기를 좋아하여 일찍이 이름 지어 그 술을 태화탕太和湯이라 했다. 술을 많이 마시지 않고, 조금 취하면 그만두었으며, 지나치게 취한 것을 좋아하지 않았다. 그러므로 그 시에서 "본성이 술 마시기를 좋아하고, 마시면 조금 취하기를 좋아했다. 마셔서 아직 조금 취하지 않으면 입이 먼저 시를 읊조린다. 시를 읊조리다 부족하면 크게 노래를 부른다. 크게 노래 부르다 부족하면 어찌할 수 없구나![44]"[45]라고 했다. 잠자는 방을 안락와安樂窩라 하였다. 과도한 아름다움을 구하지 않고, 오직 겨울에는 따뜻하고 여름에는 시원하기를 구했다. 문득 졸음이 오면 잠을 잤다. 그러므로 그의 시에서 "담장은 어깨보다 높고, 방은 말[斗]보다 컸다. 베로 만든 이불은 따뜻했고, 나물로 만든 국[46]으로 배불렀다. 기를 가슴 속에서 토하니 우주에 가득하다."[47]고 했다. 그가 사람과 교제하는 데에 천한 사람일지라도 넉넉하게 융합했고, 죽을 때까지 달면 삼키고 쓰면 뱉는 일[48]이 없었고, 빈축을 살 일을 만들지 않았으므로, 사람들에게 모두 환심을 얻었다.

見貴人, 未嘗曲奉, 見不善人, 未嘗急去, 見善人, 未之知也, 未嘗急合. 故其詩曰, "風月情懷, 江湖性氣. 色斯其擧, 翔而後至. 無賤無貧, 無富無貴. 無將無迎. 無拘無忌." 聞人之謗未嘗怒, 聞人之譽未嘗喜, 聞人言人之惡未嘗和, 聞人言人之善則就而和之, 又從而喜之. 故其詩曰, "樂見善人, 樂聞善事. 樂道善言. 樂行善意. 聞人之惡, 如負芒刺. 聞人之善, 如佩蘭蕙."

귀한 사람을 만나면 비굴하게 받든 적이 없고, 불선한 사람을 만나면 황급하게 떠난 적도 없으며, 선한 사람을 만났을 때 모르는 사람이면 황급하게 친해지려 하지 않았다. 그러므로 그 시에서 "바람과 달과 같은 마음이고, 강과 호수의 성품이다. 기색을 살펴 날아오르고 빙 돌다가 내려앉는 듯이 하였다.[49] 천함도 없고 가난함도 없으며, 부유함도 없고 귀함도 없다. 보내는 것도 없고 맞이하는 것도 없으며, 구애됨도 없고 기탄도 없다."[50]라고 했다. 남의 비방을 듣고도 성낸 적이 없고, 남의 칭찬을

44 『人譜類記』에서 "어찌할 수 없다는 글자는 안으로 다하지 못한 미묘함을 형용한 말이다. 독자는 마땅히 뜻으로 이해해야 한다.(無可奈何四字, 內有形容不盡之妙. 讀者, 當意會之.)"라고 주를 달고 있다.

45 『擊壤集』「小車吟」

46 나물로 만든 국: 藜羹을 말한다. 나물로 만든 국이다. 『莊子』「讓王」, "孔子窮於陳蔡之間, 七日不火食, 藜羹不糝."

47 『擊壤集』「甕牖吟」의 한 구절이다.

48 달면 삼키고 … 일: '甘壞'를 해석한 말이다. 이는 호들갑스럽게 서로 좋아하다가 언제 그랬느냐는 듯 멀어지는 것을 말한다.

49 기색을 살펴 … 하였다.: 『論語』「鄕黨」, "色斯擧矣, 翔而後集." 이는 세상의 위험을 보고 피하는 것을 말한다. 주희는 이렇게 주하고 있다. "새가 사람의 안색이 좋지 못한 것을 보면 날아가 빙빙 돌면서 관찰한 다음 내려앉으니, 사람이 기미를 보고 일어나 거처할 곳을 잘 살펴 선택하기를 마땅히 이와 같이 해야 함을 말한 것이다.(言鳥見人之顔色不善, 則飛去, 回翔審視而後下止. 人之見幾而作, 審擇所處, 亦當如此.)"

50 『擊壤集』「安樂吟」

듣고도 기뻐한 일이 없으며 사람들이 타인의 악함을 말하는 것을 들었을 때 호응한 적이 없고, 사람들이 타인의 선함을 말하는 것을 들으면, 나아가 호응하고, 또 따라서 기뻐했다. 그러므로 그의 시에서 말하기를 "선한 사람을 보는 것을 즐기고 좋은 일을 듣는 것을 좋아한다. 좋은 말을 하기를 좋아했고, 좋은 의도를 행하기를 좋아했다. 남의 악행을 들으면 마치 가시덩굴을 지는 듯하고, 남의 선행을 들으면 마치 난초와 혜초를 찬 듯이 했다."[51]

家貧未嘗求于人. 人饋之, 雖寡必受. 故其詩曰, "窘未嘗憂, 飮不至醉. 収天下春, 歸之肝肺." 朝廷授之官, 雖不強免, 亦不強起. 晩有二子, 教之以仁義, 授之以六經. 擧世尙虛談, 未嘗掛一言, 擧世尙奇事, 未嘗立異行. 故其詩曰, "不佞禪伯. 不諛方士. 不出戶庭, 直游天地." 家素業儒, 口未嘗不道儒言, 身未嘗不行儒行. 故其詩曰, "心無妄思, 足無妄走. 人無妄交, 物無妄受. 炎炎論之, 甘處其陋. 綽綽言之, 無出其右. 羲軒之書, 未嘗去手. 堯舜之談, 未嘗離口. 當中和天, 同樂易友. 吟自在詩, 飮歡喜酒. 百年升平, 不爲不偶. 七十康強. 不爲不壽." 此其無名公之行乎!
집안이 가난해도 타인에게 구한 적이 없고, 사람들이 물건을 보내오면 적을 지라도 반드시 받았다. 그러므로 그 시에서 "궁색하더라도 근심한 적이 없고, 술을 마시더라도 취하는 데에 이르지 않았다. 세상의 봄기운을 거두어, 가슴 속에 담았다."[52]라고 했다. 조정에서 관직을 주어도 억지로 피하지 않았지만 또한 억지로 나아가려 하지도 않았다. 만년에 두 아들을 두고, 인의仁義로 가르치고 육경六經을 가르쳐 주었다. 온 세상이 헛된 말들을 숭상해도 한 마디도 담은 적이 없고, 온 세상이 기이한 일을 숭상해도 기이한 행동을 한 적이 없었다. 그러므로 그 시에서 "선사들에게 아첨하지 않았고, 방사方士들에게 비위 맞추지 않았다. 문밖을 나가지 않고서도, 천지를 곧장 노닐었다."[53] 집안은 본래 유학에 종사하여 유자들의 말을 내뱉지 않은 적이 없었고, 몸으로 유자들의 행위를 행하지 않은 적이 없었다. 그러므로 그 시에서 "마음에는 함부로 생각하지 않았고, 발걸음은 함부로 간 적이 없었다. 사람들과 함부로 교제하지 않았고, 사물들은 함부로 받은 적이 없었다. 치열하게 논하지만[54], 이 누추함에 달게 처했으며, 여유롭게 말했지만, 그 뛰어남을 능가할 자 없었다.[55] 복희와 헌원의 책을 손에서 놓은 적이

51 『擊壤集』「安樂吟」

52 『擊壤集』「安樂吟」

53 『擊壤集』「安樂吟」

54 치열하게 논하지만 : 『性理羣書句解』에 "한 세대의 뜨거운 세로써 논했다.(以一世炎炎之勢而論)" 말이 아름답고 성대한 모습을 말한다. 『莊子』「齊物論」에 "大言炎炎, 小言詹詹."이라는 말이 나오는데, 陸德明의 『釋文』에서 梁簡文帝의 말을 인용하여 "아름답고 성대한 모습이다.(美盛貌)"라고 했다. 그러나 성현영은 "맹렬하다.(猛烈)"고 설명한다.

55 그 뛰어남을 … 없었다 : 無出其右를 해석한 말이다. 그를 능가할 사람이 없다는 말이다. 『漢書』「高帝紀」의 "賢趙臣田叔·孟舒等十人, 召見與語, 漢廷臣無能出其右者." 顔師古는 이렇게 주를 달았다. "古者以右爲尊, 言材用無能過之者, 故云不出其右也."

없었고, 요와 순의 말이 입에서 떠난 적이 없었다. 중화中和를 이룬 때에서, 즐겁고 평이한 친구와 함께 하니, 편안하고 한가롭게 자득한 시[56]를 읊조리며, 기쁜 술을 마셨다. 평생이 태평하니, 불우하다 여기지 않고, 칠십년이 건강하니, 장수하지 않았다고 여기지 않는다."[57]고 했다. 이것이 무명공의 행적이 아니겠는가!

附錄 부록

[13-3-1]

程子曰: "昔七十子學於仲尼, 其傳可見者, 惟曾子所以告子思, 而子思所以授孟子者耳. 其餘門人, 各以其材之所宜者爲學. 雖同尊聖人, 所因而入者, 門戶則衆矣. 況後此千餘歲, 師道不立, 學者莫知適從[58]! 獨康節先生之學爲有傳也. 先生得之李挺之, 挺之得之穆伯長. 推其源流, 遠有端緒. 今穆李之言及其行事, 槩可見矣. 而先生淳一不雜, 汪洋浩大, 乃其所自得多矣. 然而名其學者, 豈所謂門戶之衆, 各有所因而入者歟? 語成德者, 昔難其居. 若先生之道, 就其至而論之, 可謂安且成矣. 先生有書六十卷, 命曰皇極經世."[59]

정자程子[程顥]가 말했다. "옛날 70여명이 공자에게서 배웠지만, 그것이 전함을 볼 수 있는 것은 오직 증자가 자사에게 말한 것과 자사가 맹자에게 전수한 것일 뿐이다. 그 나머지 문인들은 각각 그 자질에 마땅한 것으로 학문을 하였다. 모두 성인을 존숭하였을지라도 성인을 따라서 도에 입문한 사람 중에는[60] 문호門戶가 많았다. 하물며 이 뒤로 천 여 년이 지난 후에 사도師道가 설 수가 없어서 배우는 자들이 소종래를 알지 못한 경우는 어찌하겠는가! 오직 강절 선생의 학문만이 전해진 것을 얻었다. 선생은 이정지李挺之[61]에게서 얻었고, 이정지는 목백장穆伯長[62]에게서 얻었다. 그 원류를 탐구하면 멀리 단서가

56 편안하고 한가롭게 자득한 시 : 自在詩를 해석한 말이다. 自在라는 말이 편안하고 한가로우며 자득한 경지를 말한다.

57 『擊壤集』「甕牖吟」의 한 구절이다.

58 適從은 『二程集』에 따르면 從來로 되어 있다.

59 이는 程顥의 글이다. 『二程文集』「邵堯夫先生墓誌銘」 권4 『二程集』, 502쪽

60 성인을 따라서 … 중에는 : 『性理羣書句解』 권22 「行實 · 康節先生墓誌銘」에는 "因此而入道者"라고 주석하고 있다.

61 李挺之 : 李之才(980~1045)는 자가 挺之이고 青州 사람이다. 하남의 穆修로부터 역을 배웠다. 1030년 진사가 되었다가 처음으로 孟州司戶參軍 共城令이 되었고 후에 殿中丞 澤州簽署判官으로 올랐다. 그때 택주 사람인 劉羲叟가 그로부터 曆法을 배웠는데 세상에서는 그것을 '羲叟曆法'이라고 부른다. 이지재의 역학은 유실되어 지금 볼 수 있는 것은 朱震의 『漢上易傳』, 黃宗羲의 『易學象數論』, 胡渭의 『易圖明辨』에서의 괘변도들이다. 『宋史』「李之才傳」을 참조할 수 이다.

62 穆伯長 : 穆修(979~1032)는 자가 伯長으로 북송 시대의 산문가로 유명하다. 鄆州 汶陽 사람으로 나중에 蔡州

있다. 지금 목백장과 이정지의 말과 행적에서 대체로 볼 수 있다. 그렇지만 선생이 순일무잡하고, 심도가 깊고 규모가 장대한 것은 스스로 터득한 것이 많은 것이다. 그러나 그 학문을 일컫는 것이 이른바 수많은 문호들이 각각 성인을 따라서 도에 입문한 것이겠는가? 덕을 완성했다고 말하는 자는 옛날에 자처하기를 어려워했다. 선생의 도는 그 지극함에 대하여 논하자면 편안하면서 또 완성되었다고 말할 수 있을 것이다. 선생은 저서 60권이 있으니 이름하여 『황극경세』라고 한다."

[13-3-2]

上蔡謝氏曰 : "堯夫易數甚精. 自來推長曆者至久必差, 惟堯夫不然, 指一二近事當面可驗. 明道云'欲要傳與某兄弟, 某兄弟那得功夫, 要學須是二十年功夫.' 明道聞說甚熟. 一日因監試無事, 以其說推筭之皆合. 出謂堯夫曰, '堯夫之數只是加一倍法. 以此知太玄都不濟事.' 堯夫驚撫其背曰, '大哥你恁聰明!'

伊川謂'堯夫知易數爲知天, 知易理爲知天?' 堯夫云, '須還知易理爲知天.' 因說今年雷起甚處, 伊川云, '堯夫怎知, 某便知.' 又問'甚處起.' 伊川云, '起處起.' 堯夫愕然. 它日伊川問明道曰, '加倍之數如何.' 曰. 都忘之矣. 因歎其心無偏繫如此."[63]

상채 사씨上蔡謝氏[謝良佐][64]가 말했다. "요부堯夫의 역수易數는 매우 정밀하다. 옛날부터 오랜 역수曆數를 계산하는 자는 오래 지나면 반드시 오차가 있었지만, 오직 요부만은 그렇지 않았으니, 한 두 가지 일상적인 일을 가리키며 눈앞에서 증험할 수 있었다. 명도明道는 '요부는 우리 형제에게 그의 수학을 전하려고 했지만 우리 형제가 어떻게 공부할 수 있었겠는가? 배우려고 한다면 반드시 20년을 공부해야만 한다.'고 했다.[65] 명도는 요부의 수數를 오랫동안 듣고 매우 숙달했다. 어느 날 시험을 감독하면서

로 옮겼다. 陳摶에게 사사받고 역학을 전수받았으며 진단의 문인인 種放에게 수학하였다고 한다. 또 춘추학에 능통하였다. 1009년 진사에 급제하여 泰州司理參軍을 지냈다. 마음이 장대하고 예민하여 세속과 어울리지 못했는데 후에 무고를 받고 池州參軍으로 좌천되었다. 五代 시대의 화려한 西昆體 문풍에 불만을 품고 古文의 전통을 회복하려 했고, 유종원과 한유의 문집을 간행하여 開封府 相國寺에 팔기도 했다. 1016년 정월 지주에 부임되어 사면을 받고서 모친이 계신 京師로 갔는데 모친이 돌아가셨다. 그가 직접 장례를 치루고 佛僧들에게 장례를 맡기지 않았다. 후에 蔡州로 옮겼으나 오래지 않아 병사했다. 세상에서는 그를 '穆參軍'이라고 한다.

63 『상채어록』 권3. 그러나 이 글 전체가 『二程外書』 권12 「傳聞雜記」에도 실려 있다. 전체가 정명도의 글일 수도 있다.

64 上蔡謝氏(謝良佐) : 謝良佐(1050~1103)의 자는 顯道이고 蔡州의 上蔡 사람이다. 程顥와 程頤의 학문을 배웠고 游酢와 呂大臨, 楊時와 더불어 程門四先生이라고 불린다. 1085년 진사가 되어 知應城縣을 지냈다. 사량좌는 上蔡學派를 창시하여 심학의 터를 닦은 인물이며 湖湘學派의 鼻祖이다. 仁을 覺이나 生意로 해석하고, 誠을 實理로, 敬을 常惺惺으로, 窮理를 求是로 해석했다. 그의 주장은 선불교적 색채가 강하여 주희로부터 비판을 받았다.

65 明道는 '요부는 … 했다 : 『宋元學案』「百源學案下」 권10 附錄, "명도가 말했다. 요부가 수학을 우리 형제에 전하려고 했지만 우리 형제가 어떻게 공부했겠는가? 배우려고 한다면 반드시 10년은 공부해야만 한다. 요부

한가할 적에, 그 수학에 관한 학설을 추론하여 계산해보니 모두 부합했다. 나와서 요부에게 말하기를 '요부의 수는 가일배법加一倍法뿐입니다. 이로써 양웅의 『태현경』[66]이 전혀 해결하지 못했음을 알 수 있습니다.'라고 했다.[67] 요부는 놀라서 그의 등을 어루만지며 말했다. '학형, 당신은 이렇게 총명하시다니!'

이천伊川이 '요부는 역수易數를 아는 것을 하늘을 아는 것이라고 여기십니까, 아니면 역리易理를 아는 것을 하늘을 아는 것이라고 여기십니까?'라고 하자, 요부는 '반드시 역리를 아는 것이 하늘을 아는 것입니다.'라고 했다. 이어서 올해 우레는 언제쯤 일어날 것 같냐고 묻자, 이천은 '요부께서는 어떻게 알겠습니까? 저는 압니다.'라고 하자, 또 '언제쯤 일어나겠습니까?'하고 물었다. 이천은 '일어날 만할 때 일어납니다.'라고 했다. 요부는 깜짝 놀랐다.[68] 훗날 이천은 명도에게 물었다. '가일배법의 수는 어떠합니까?' 명도가 말했다. '모두 잊어버렸다.' 이어서 그 마음이 이렇게 치우치거나 얽매이는 점이 없음을 감탄했다."

[13-3-3]

張氏崏曰: "康節先生, 治易書詩春秋之學, 窮意言象數之蘊, 皇帝王霸之道, 著書十餘萬言, 研精極思三十年. 觀天地之消長, 推日月之盈縮, 考陰陽之度數, 察剛柔之形體. 故經之以元, 紀之以會, 始之以運, 終之以世. 又斷自唐虞訖于五代, 本諸天道, 質以人事, 興廢

는 처음에 이정지로부터 배웠는데, 스승에 대한 예가 매우 엄격해서 야외의 식당에서도 밥을 먹으면 반드시 襴衫옷을 입었고 앉으면 반드시 절을 했다. 요부를 배우려고 한다면 또한 반드시 이와 같아야 한다.(明道云, 堯夫欲傳數學於某兄弟, 某兄弟那得工夫. 要學. 須是二十年工夫. 堯夫初學於李挺之, 師禮其嚴, 雖在野店, 飯必襴, 坐必拜. 欲學堯夫, 亦必如此.)"

66 양웅의 『太玄經』: 양한시대의 揚雄(기원전53~기원후18)이 발명한 태현의 수는 3진법에 해당하는데 정호가 생각한 소옹의 2진법의 체계가 태현의 수보다 더 훌륭하다는 것이다.

67 명도는 요부의 … 했다: 『宋元學案』「百源學案下」 권10 附錄, "明道聞先生之數既久, 甚熟. 一日, 因監試無事, 以其說推算之, 皆合. 出謂先生曰, '堯夫之數, 只是加一倍法。以此知太玄都不濟事!'"

68 이어서 올해 … 놀랐다: 『河南程氏遺書』 권25, "소요부가 정자에게 말했다. '당신은 총명하지만 세상의 일 또한 많습니다. 당신은 세상의 일을 모두 다 알 수 있습니까?' 이천이 말했다. '세상의 일에서 내가 알지 못하는 것은 분명 많습니다. 그러나 요부가 모른다고 하는 일은 어떤 일입니까?' 그때 마침 우레가 쳤다. 요부가 말했다. '당신은 우레가 일어나는 때를 압니까?' 이천이 말했다. '나는 알지만 요부는 알지 못할 것입니다.' 요부가 놀라서 말했다. '무슨 말씀이십니까?' 이천이 말했다. '이미 알고 있다면 어째서 수를 사용하여 추론하겠습니까? 모르기 때문에 수를 계산한 후에 알 것입니다.' 요부가 말했다. '당신은 언제 일어난다고 생각하십니까?' 이천이 말했다. '일어날 만한 때에 일어납니다.' 요부가 놀라서 훌륭하다고 칭찬했다.(邵堯夫謂程子曰, '子雖聰明, 然天下之事亦衆矣. 子能盡知邪?' 子曰, '天下之事, 某所不知者固多. 然堯夫所謂不知者何事?' 是時適雷起, 堯夫曰, '子知雷起處乎?' 子曰, '某知之, 堯夫不知也.' 堯夫愕然曰, '何謂也?' 子曰, '旣知之, 安用數推也? 以其不知, 故待推而後知.' 堯夫曰, '子以爲起於何處?' 子曰, '起於起處.' 堯夫瞿然稱善.)" 또 『宋元學案』「百源學案下」 권10 附錄, "一日雷起, 先生謂伊川曰, '子知雷起處乎?' 伊川曰, '某知之, 堯夫不知也.' 先生愕然曰, '何謂也?' 曰, '既知之, 安用數推之. 以其不知, 故待推而知.' 先生曰, '子雲知, 以爲何處起?' 曰, '起於起處.' 先生咥然."

治亂, 靡所不載, 其辭約, 其義廣, 其書著, 其旨隱. 嗚呼! 美矣至矣, 天下之能事畢矣!"[69]
장씨張氏[張峋][70]가 말했다. "강절 선생은 역易·서書·시詩·춘추春秋의 학문을 연구했고, 의意·언言·상象·수數의 함의와 황皇·제帝·왕王·패霸의 도를 궁리하여, 10여 만여 글의 책을 저술했으니, 30년 동안 정밀하게 연구하고 지극하게 생각했다. 천지의 운행의 줄어듦과 늘어남을 관찰했고, 해와 달의 가득참과 기울어짐을 추론했으며, 음양陰陽의 도수度數를 고찰했고, 강유剛柔의 형체形體를 고찰했다. 그러므로 원元으로써 기준을 잡고, 회會로써 종극으로 삼고, 운運으로써 시작하고, 세世로써 끝마쳤다. 또 당우唐虞로부터 오대五代에 이르기까지 천도天道에 근본하고 인사人事를 질정하여, 흥함·망함과 다스림·혼란이 기재되지 않는 것이 없었으니, 그 말은 간략하나 그 뜻은 광대하고, 그 글은 드러났으나, 그 뜻은 감추어져 있다. 오호라! 아름답고 지극하도다, 세상의 모든 일들이 다 갖추어졌구나!"

[13-3-4]

龜山楊氏曰: "皇極之書, 皆孔子之所未言者. 然其論古今治亂成敗之變, 若合符節. 故不敢略之, 恨未得其門而入耳."[71]

구산 양씨龜山楊氏[楊時][72]가 말했다. "『황극경세』라는 책은 모두 공자가 말하지 않은 것이다. 그러나 거기서 고금의 다스림과 혼란·성공과 패배의 변화를 논한 것은 부절처럼 딱 맞는다. 그러므로 감히 소략하게 여길 수 없으니, 그 문하로 들어가 입문하지 못한 것을 한스럽게 여길 뿐이다."

[13-3-5]

"康節先天之學不傳於世, 非妙契天地之心, 不足以知此. 某蓋嘗翫之, 而陋識淺聞未足以

69 張峋의 「行狀略」 가운데 구절이다.
70 張氏(張峋): 『宋儒學案』 권33 「王張諸儒學案」에서는 常簿張先生峋이라 하여 다음과 같이 기록하고 있다. "장민은 자가 子望이고, 滎陽 사람이다. 진사에 급제하여 관직이 太常寺簿에까지 이르렀다. 「觀物外篇」 권2이 그가 저술한 것이다.(張峋, 字子望, 滎陽人也. 登進士弟, 官至太常寺簿. 「觀物外篇」 二卷乃其所述.)"
71 『龜山集』 권19 「答陳瑩中其四」
72 龜山楊氏(楊時): 『宋元學案』 권25 「龜山學案」에서 祖望謹은 이렇게 말하고 있다. "명도는 구산을 좋아했고, 이천은 상채를 좋아했으니 그 기상이 유사했기 때문이다. 구산은 홀로 오랫동안 장수하여 남쪽으로 가서 낙학의 대종이 되었는데, 회옹, 남헌, 동래 등이 모두 그의 문하에서 나왔다. 그러나 구산이 이단의 학문과 섞인 것은 상채보다 못하지 않았다.(明道喜龜山, 伊川喜上蔡, 蓋其氣象相似也. 龜山獨邀耆壽, 遂爲南渡洛學大宗, 晦翁·南軒·東萊皆其所自出. 然龜山之夾雜異學, 亦不下於上蔡.)"
楊時(1053~1135)는 자가 中立으로 南劍 將樂 사람이다. 1076년 진사가 되었으나, 관직을 선발했을 때 부임하지 않고 潁昌에서 명도를 스승으로 섬겼다. 명도가 매우 기뻐하였다. 그가 돌아갈 때 명도는 전송하면서 '나의 도가 남쪽으로 간다.'고 했다. 명도가 죽자 또 낙양에서 이천을 만났다. 이천은 40세였는데, 이천을 더욱더 공손하게 섬겼다. 장횡거가 「서명」을 지었을 때 그 내용이 兼愛와 유사하다고 의심하여 이천과 논쟁하였다. 紹興 5년 4월 24일 죽었으니, 83세였다. 그의 학문은 羅從彦, 李侗을 거쳐 주희에게 이어졌다. 그는 불교와 노장의 영향을 받았다. 『二程粹言』과 『龜山語錄』 등이 있다.

叩其關鍵. 八卦有定位, 而先天以乾巽居南, 坤震居北, 離兑居東, 坎艮居西. 又以十數分配八卦, 獨艮坎同爲三數, 此必有說也. 以爻當期, 其原出於繫辭. 而以星日氣候分布諸爻, 易未有也. 其流詳於緯書, 世傳稽覽圖是也. 揚子草玄, 蓋用此耳.
卦氣起於中孚, 冬至卦也. 太玄以中準之. 其次復卦, 太玄以周準之. 升, 大寒卦也, 太玄以干準之. 今之曆書亦然, 則自漢迄今, 同用此說也. 而先生以復爲冬至, 噬嗑爲大寒, 又謂八卦與文王異, 若此類皆莫能曉也. 康節之學, 究極天人之蘊. 翫味之久, 未能窺其端倪, 况敢議其是非耶!"[73]

(구산 양씨가 말했다.) "강절 선생의 선천 학문이 세상에 전해지지 않았으니, 천지의 마음과 신묘하게 부합하지 않는다면, 이것을 알기에 족하지 않다. 내가 일찍이 그것을 완상했으나, 비루한 식견과 천박한 견문으로는 그 관건을 깨닫기에는 부족하였다. 8괘는 정해진 위치가 있어서 선천도에서는 건乾괘와 손巽괘가 남쪽에 자리하고, 곤坤괘와 진震괘가 북쪽에 자리하며, 이離괘와 태兌괘가 동쪽에 자리하고, 감坎괘와 간艮괘가 서쪽에 자리한다. 또 10의 수로 8괘를 배분한 것은 오직 간괘와 감괘가 모두 3의 수이니, 이것은 반드시 그 학설이 있다. 효爻로써 1년에 해당시킨 것은 그 근원이 「계사전」에서 나왔다. 그러나 날짜와 기후를 각 효에 분포시킨 것은 『역』에 이런 내용은 없다. 그런 흐름은 참위서讖緯書에 상세하니, 세상에 전해진 『역위계람도易緯稽覽圖』[74]가 이것이다. 양자揚子가 『태현경太玄經』을 쓸 때 이것을 사용했을 뿐이다.
(『역위계람도易緯稽覽圖』에 나온) 괘기설卦氣說은 중부中孚괘로부터 시작하니 동지의 괘이다.[75] 『태현경』은 첫 번째 수首인 중中으로 해당시켰다. 그 다음은 복復괘인데 『태현경』은 두 번째 수인 주周로 해당시켰다. 승升괘는 대한大寒의 괘인데 『태현경』은 간干으로 해당시켰다. 지금 역서曆書 또한 그러하니, 한漢나라부터 지금까지 모두 이 학설을 사용하였다. 그러나 선생은 복괘를 동지로 생각했고, 서합괘를 대한

73 『龜山集』 권19 「答陳瑩中其二」
74 『易緯稽覽圖』: 『易緯』는 漢代에 유행했던 위서 가운데 하나이다. 이것은 지금 모두 일실되어 많은 부분이 없다. 그 내용은 『易緯乾坤鑿度』, 『易緯乾鑿度』, 『易緯稽覽圖』, 『易緯辨終略』, 『易緯通卦驗』, 『易緯乾之序制記』, 『易緯是類謀』, 『易緯靈坤圖』 등이 있다.
75 괘기설은 중부괘로부터 … 괘이다: 卦氣가 중부괘에서 시작한다고 주장한 사람은 京房이다. 경방은 괘기설을 1년 운행과 연관하여 64괘를 설명한 사람이다. 이런 주장은 초연수로부터 시작되었다고도 한다. 경방은 1년 24절기 가운데 2분과 2지, 즉 춘분·추분과 하지·동지를 후천 8괘의 震괘, 離괘, 坎괘, 兌에 해당시킨다. 이 괘는 24효인데, 24효가 24절기에 해당한다. 60괘로 1년 12달의 날수를 계산했다. 1년인 365와 1/4을 분배하면 각 괘는 6일 7분의 숫자에 해당하게 된다. 역의 64괘에서 震괘, 離괘, 坎괘, 兌를 제외한 나머지 60괘를 365와 1/4로 분배하면 먼저 5와 1/4을 나머지로 한 360일에 5개의 괘가 필요하다. 왜냐하면 1년은 360일이고 360이라는 숫자는 주역 60괘의 전체 효의 숫자에 해당하기 때문이다. 그럴 때 효 하나가 하루에 해당한다. 그런데 나머지 5와 1/4를 어떻게 분배하느냐가 문제이다. 이를 역의 설시법에서는 윤달로 구분하여 해결하는데, 경방처럼 64괘로 1년 365와 1/4의 운행도수를 배당시키고자 하면 나머지도 반드시 효에 포함시켜 계산해야만 한다. 이러한 설명방식은 다소 무리가 있다. 12벽괘의 괘기설에서도 중부괘로부터 시작하여 복괘로 이어진다고 보는 것이다.

으로 생각했고, 또 8괘는 문왕과는 다르다고 했으니, 이러한 부류는 모두 알 수가 없다. 강절의 학문은 하늘과 사람의 함의를 궁구하였다. 오래도록 완미하여도 그 단서를 엿볼 수가 없었는데, 하물며 감히 그 시비를 논의할 수 있겠는가!"

[13-3-6]

朱子曰: "皇極經世之書, 乃一元統十二會, 一會統三十運, 一運統十二世, 一世統三十年, 一年統十二月, 一月統三十日, 一日統十二辰, 是十二與三十迭爲用也. 故季通以十二萬九千六百之數爲日分."[76]

주자가 말했다. "『황극경세』라는 책은 1원元이 12회會를 통괄하고, 1회가 30운運을 통괄하고, 1운이 12세世를 통괄하고 1세가 30년年을 통괄하고, 1년이 12월月을 통괄하고, 1월이 30일日을 통괄하고, 1일이 12진辰을 통괄하니, 12와 30이 번갈아 작용한다. 그러므로 채계통蔡季通[77]은 129,600이라는 수를 일분日分으로 삼았다.[78]"

76 『朱子語類』 권100 「邵子之書」: "論皇極經世, 乃一元統十二會, 十二會統三十運, 三十運統十二世, 一世統三十年, 一年統十二月, 一月統三十日, 一日統十二辰, 是十二與三十迭爲用也."(因云季通以十二萬九千六百之數爲日分)

77 蔡季通: 蔡元定(1135~1198)은 자는 季通이고, 세칭 西山先生이라 하였다. 송대 建陽(현 복건성 건양) 사람으로 주희를 경모하여 스승으로 받들었으나, 주희가 도리어 제자가 아닌 친구로 대우하였다. 그의 학문은 신유학뿐 아니라 천문·지리·樂律·歷數·兵陣 등에 뛰어났다. 특히 象數學에 조예가 깊어 주희의 『易學啓蒙』 저술에 참여한 것으로 알려진다. 말년에 주희와 함께 慶元黨禁의 표적이 되어 귀양을 가서 생을 마쳤다. 저서는 『律呂新書』·『八陣圖說』·『洪範解』 등이 있다.

78 129,600이라는 수를 … 삼았다: 서산 채씨는 1元인 129,600년을 중시한다. 1년이 360일이듯이 우주의 1년에 해당하는 1원은 129,600년이고, 이것이 모든 것에 적용할 수 있고, 반복한다고 본다. 다음과 같이 표시할 수 있다.

	1원(元)	1회(會)	1운(運)	1세(世)
회	12회			
운	360운	30운		
세	4,320세	360세	12세	
년	129,600년	10,800년	360년	30년
월	1,555,200월	129,600월	4,320월	360월
일	46,656,000일	388,080일	129,600일	10,800일
시진	559,872,000시진	46,656,000시진	1,555,200시진	129,600시진

년	1년(歲)	1월(月)	1일(日)	1시진(辰)
월	12월			
일	360일	30일		
시진	4,320시진	360시진	12시진	
분	129,600분	10,800분	360분	30분
리	1,555,200리	129,600리	4,320리	360리
호	46,656,000호	388,080호	129,600호	10,800호
사	559,872,000사	46,656,000사	1,555,200사	129,600사

[13-3-7]

問 : "易與經世書同異?"

曰 : "易是卜筮, 經世是推步, 是一分爲二, 二分爲四, 四分爲八, 八分爲十六, 十六分爲三十二, 又從裏面細推去."[79]

물었다 : "역과 경세서의 차이점이 무엇입니까?"

(주자가) 대답했다 : "역은 복서卜筮이고 황극경세서는 역법曆法을 추산推算해 나가는 것이니, 1이 나뉘어 2가 되고, 2가 나뉘어 4가 되고, 4가 나뉘어 8이 되고, 8이 나뉘어 16이 되고, 16이 나뉘어 32가 되고, 또 여기서 세분하여 추산해 나간다."

[13-3-8]

問 : "經世書水火土石, 石是金否?"

曰 : "它分天地間物事皆是四, 如日月星辰, 水火土石, 雨風露雷, 皆是相配."

又問 : "金生水, 如石中出水是否?"

曰 : "金是堅凝之物, 到這裏堅實後, 自拶得水出來."

又問 : "伯温解經世書如何?"[80]

曰 : "它也只是說將去, 那裏面曲折精微, 也未必曉得. 康節當時只說與王某, 不曾說與伯温模樣."

물었다 : "『황극경세서』에서 말하는 수·화·토·석水火土石에서 석은 금金 입니까?"

(주자가) 답했다 : "그 책에는 하늘과 땅 사이의 것들을 나눈 것이 모두 4이니, 예를 들어 일·월·성·신日月星辰, 수·화·토·석水火土石, 우·풍·로·뢰雨風露雷인데 모두 서로 배합된다."

또 물었다 : "금金이 수水를 생하는데, 예컨데 석石에서 수水가 나온다는 말입니까?"

(주자가) 답했다 : "금은 견고하게 응축된 것이니 이렇게 견고하고 단단한 후에야 저절로 수水가 새어 나온다."

또 물었다 : "백온伯温[81]이 경세서를 해석한 것은 어떠합니까?"

(주자가) 답했다 : "그도 설명하고 있지만 그 이면의 곡진하고 정미精微한 것을 깨닫지는 못했다. 강절은 당시에 왕 모씨[82]와 말했을 뿐 백온에게 규모를 말하지 않았다."

79 『朱子語類』 권100 「邵子之書」

80 『朱子語類』 권100 「邵子之書」. 마지막 구절은 『朱子語類』와는 차이가 있다. "他也只是說將去, 那裏面曲折精微, 也未必曉得. 康節當時只說與王某, 不曾說與伯溫. 模樣也知得那伯溫不是好人."

81 伯温 : 소강절의 아들이다.

82 왕 모씨 : 王豫를 말한다. 왕예는 자는 悅之·天悅이고 大名 사람이다. 소옹에게 나아가 수학하였다. 知伊闕縣을 지냈으나, 나중엔 벼슬을 버리고 은거하였다. 사물의 이치에 널리 통달하였으며, 『易』에 통달하였다.

[13-3-9]

皇極經世紀年甚有法. 史家多言秦廢太后逐穰侯, 經世書只言秦奪宣太后權. 伯恭極取之, 蓋實不曾廢.

(주자가 말했다.)『황극경세서』의 기년紀年에는 엄격한 법칙이 있다. 사가史家들은 진나라는 태후太后[83]를 폐하였고, 양후穰侯[84]를 축출했다고 많이들 얘기하지만,『경세서』는 단지 진나라가 선태후의 권력을 박탈하였다라고 말한다. 백공伯恭[85]은 적극적으로 이를 취하였는데 실제로 폐하지는 않았기 때문이다.[86]

[13-3-10]

"康節之書固自是好, 而季通推得來又甚縝密. 若見於用不知果如何, 恐當絕勝諸家也.

(주자가 말했다.) "강절의 책은 분명 매우 좋지만 계통이 계산해 보니 또 매우 정밀하다. 만약 실생활에 써졌다면 과연 어떠했는지 알지 못하지만, 아마 여러 사람의 학설보다 월등했을 것이다."

[13-3-11]

問 : "康節數學"

曰 : "且未須理會數, 自是有此理. 有生便有死, 有盛必有衰. 且如一朵花, 含蘂時是將開, 略放時是正盛, 爛熳時是衰謝. 又如看人, 即其氣之盛衰, 便可以知其生死. 蓋其學本於明理, 故明道謂'其觀天地之運化, 然後頹乎其順, 浩然其歸.' 若曰渠能知未來事, 則與世間占覆之術何異? 其去道遠矣, 其知康節者末矣. 蓋他玩得此理熟了. 事物到面前便見, 更不待

83 太后 : 진나라 宣太后(?~기원전265)을 말한다. 초나라 출신으로 진나라 재상인 穰侯 魏冉의 누이이며, 나중에 진나라 惠文王의 妃이고, 昭襄王을 낳았다. 혜문왕이 죽은 후에 혜문왕의 소생인 秦武王이 즉위했다. 무왕은 3년 동안 재위하고 秦昭襄王이 즉위했다. 그 후로 41년간의 친정 정치가 시작되다. 그러나 진소양왕은 기원전 266년 范雎를 재상으로 등용하고 선태후의 동생인 위염과 그 일당을 축출하여 선태후는 세력을 잃게 된다. 심지어 범수에 의해서 왕태후의 지위에서 폐위되기까지 했다. 그 다음해 10월 선태후는 세상을 떠났다.

84 穰侯 : 魏冉을 말한다. 穰侯 魏冉은 秦昭王의 모친인 宣太后의 동생이다. 양후의 선조는 초나라 사람으로 성은 羋氏다. 秦武王이 23세에 鼎을 들어올리다가 죽었는데, 자식이 없었기 때문에 자리 다툼이 일어났다. 그 동생이 뒤를 이어 왕위에 오르니 이가 昭王이다. 원래 소왕의 모친은 羋八子라고 불렀으나, 소왕이 즉위하자 미팔자는 宣太后라고 바꿔 부르게 되었다. 무왕의 모친은 선태후가 아니고 惠文后다. 선태후에게는 2명의 동생이 있었다. 異父 소생으로 큰 동생은 穰侯 위염이고 작은 동생은 同父 소생 羋戎으로 후에 華陽君이다.『史記』 권12,「穰侯列傳」을 참조하라.

85 伯恭 : 呂祖謙(1137~1181)을 말한다. 자가 伯恭이며 原籍은 壽州이나 婺州에서 태어났다. 세칭 東萊先生이다. 훌륭한 스승과 친구들을 만나 朱子 · 張南軒 · 陸象山 등과 더불어 講學에 힘썼다. 주자와 육상산 두 사람의 鵝湖寺에서의 회합을 주선하기도 하였다. 그 뒤에 주자와 함께 北宋 도학자의 語錄을 편집하여『近思錄』을 편찬하였고, 저서로는『東萊左氏博議』,『呂氏家塾讀持記』등이 있다.

86『朱子語類』 권100「邵子之書」

思量."[87]

물었다 : "강절 수학에 대해서 묻겠습니다."

(주자가) 답했다 : "반드시 수를 이해하지 않더라도, 본래 이 이치는 있다. 생이 있으면 죽음이 있고, 성대함이 있으면 반드시 쇠락함이 있다. 하나의 꽃송이가 꽃술을 머금고 있을 때가 막 개화하려하는 때이고, 조금 피어날 때가 한창 성대한 것이고, 활짝 피었을 때가 쇠락하는 것이다. 또 예를 들어 사람을 보면 그 기의 성쇠에서 그 생사를 알 수 있다. 소강절의 학문은 이치를 밝히는 것에 근본하므로 명도明道는 '천지의 운행과 변화를 관찰한 연후에 공손하게 물러나 따를 뿐이며[88], 결연히 그곳에 돌아간다.'[89]고 했다. 만약 그대가 미래의 일을 알 수 있다고 한다면, 이는 세상에서 말하는 점복의 술수와 무엇이 다르겠는가? 그것은 도와 매우 동떨어진 것이니, 강절을 아는 것이 매우 천박하다. 강절은 이러한 이치를 완숙하게 터득했다. 그래서 어떤 일이 닥치면 바로 알아서 다시 생각하고 헤아릴 필요가 없었다."

[13-3-12]

"康節以四起數, 疊疊推去. 自易以後無人做得一物如此整齊, 包括得盡. 想它每見一物, 便成四片了. 但才到二分以上便怕. 乾卦方終, 便知有箇垢卦來. 蓋緣它於起處推將來, 至交接處看得分曉."

輔廣云, "先生前日說康節之學與周子程子少異處, 莫正在此否? 若是聖人, 則處乾時自有箇處乾底道理, 處姤時自有箇處姤底道理否?"

曰 : "然."

又問 : "先生說卲堯夫看天下物皆成四片. 如此, 則聖人看天下物皆成兩片也."

曰 : "也是如此, 只是陰陽而已."[90]

(주자가 말했다.) "강절은 4로 수를 시작하여 겹겹이 미루어 갔다. 『역』 이후로 어떤 것이던 이렇게 가지런하게 하여 모든 것을 전부다 포괄한 사람은 없었다. 생각건대, 그는 어떤 것을 보던지 4가지로 한다. 겨우 두 번 이상 나누게 되면 바로 성대함이 극한에 이르러 쇠락함을 걱정하였다.[91] 그래서 건乾괘가 끝나면 구姤괘로 이어져 있다는 것을 알 수 있다. 왜냐하면 그것은 첫 부분에서 미루어 계산해 나가서 교체하는 부분에 이르면 분명하게 볼 수 있기 때문이다."

87 『朱子語類』 권100 「邵子之書」

88 공손하게 물러나 … 뿐이며 : 공손한 모습을 말한다. 『禮記』「檀弓上」, "공자가 말했다. '절한 후에 이마를 조아리고, 공손하게 그 일을 따른다.'(孔子曰, '拜而后稽顙, 頹乎其順也.')"

89 결연히 그곳에 돌아간다 : 막힘이 없는 모습을 말한다. 『孟子』「公孫丑下」 "내가 주읍을 나섰는데도 왕이 나를 쫓아오지 않는다. 나는 그런 후에야 막힘없이 돌아갈 뜻을 가졌다.(夫出晝, 而王不予追也. 予然後浩然有歸志.)" 주희는 이 구절에 나온 '浩然'을 물이 흘러 그치지 않는 모습이라고 설명한다.

90 이 단락은 『朱子語類』 권100 「邵子之書」에서는 앞의 5-5의 문장과 하나로 연결되어 있다.

91 성대함이 극한에 … 걱정하였다. : 『朱子語類考文解義』에서는 "畏其盛極將衰"라고 주를 달았다.

보광輔廣[92]이 말했다. "선생은 이전에 강절의 학문은 주자周子와 정자程子의 학문과는 조금 다르다[93]고 했는데 바로 이러한 점이 아닙니까? 성인이라면 건乾괘의 때에 처하면 건의 때에 대처하는 도리가 있고, 구姤괘의 때에 처하면 구괘의 때에 대처하는 도리가 있는 것입니까?"
(주자가) 답했다. "그렇다."
또 물었다. "선생님은 소요부邵堯夫는 세상의 사물은 모두 4가지로 이루어졌다고 본다고 했습니다. 이러하다면 성인은 세상의 사물은 두 가지로 이루어졌다고 봅니다."
(주자가) 답했다. "그러하다. 단지 음과 양일 뿐이다."

[13-3-13]

問: "康節云道爲太極, 又云心爲太極. 道指天地萬物自然之理而言, 心指人得是理以爲一身之主而言."

曰: "固是. 但太極只是箇一而無對者."[94]

물었다. "강절은 '도道가 태극이 된다.'라고 했고, 또 '마음이 태극이 된다.'라고 했습니다. 도는 천지만물의 저절로 그러한 이치를 가리켜 말하는 것이고, 마음은 사람이 이 이치를 얻어 몸의 주인이 된 것을 가리켜서 말한 것입니다."
(주자가) 답했다. "그러하다. 단 태극은 단지 하나이며 상대되는 것이 없을 뿐이다."

[13-3-14]

"康節云'一動一靜者天地之妙也, 一動一靜之間者天地人之妙也.' 蓋天只是動, 地只是靜. 到得人, 便兼動靜, 是妙於天地處. 故曰'人者天地之心.' 論人之形, 雖只是器, 言其運用處, 却是道理."[95]

92 輔廣: 輔廣은 자는 漢卿이고 호는 號潛庵이다. 그 선대는 趙州 慶源 사람이다. 부친 逵는 자가 彦達인데 南渡한 후에 隸楊和와 王沂中의 휘하에서 戰功을 세워 左武大夫邵州防禦使와 知泰州에 이르렀다. 늙어서 崇德으로 옮겨왔으니 숭덕 사람이다. 선생은 軍中에서 태어나 아버지의 은덕으로 保義郞과 轉忠訓郞에 제수되었다. 과거시험에는 네 번 응시했으나 급제하지 못했다. 처음에는 여조겸에게서 배웠고 후에 주희에게서 배운 후에 3개월 동안 머물고 돌아왔다. 嘉定 초년에 조정에 글을 올려 시비성패에 대해 반복해서 말했으나 정부는 기뻐하지 않았다. 정부는 더욱더 그를 미워하여 탄핵을 받고 물러났다. 고향으로 돌아와 傳貽書院을 세워 가르치니 사람들이 傳貽先生이라고 불렀다. 저술로는 『語孟學庸答問』「四書纂疏』, 『六經集解』, 『詩童子問』 등이 있다.(『宋元學案』 권56 「潛庵學案」)

93 강절의 학문은 … 다르다: "問: "康節所謂'一陽初動後, 萬物未生時', 這箇時節, 莫是程子所謂'有善無惡, 有是無非, 有吉無凶'之時否?" 先生良久曰: "也是如此. 是那怵惕惻隱方動而未發於外之時." 正淳云: "此正康節所謂'一動一靜之間'也." 曰: "然. 某嘗謂康節之學與周子程子所說小有不同. 康節於那陰陽相接處看得分曉, 故多舉此處爲說; 不似周子說'無極而太極', 與'五行一陰陽, 陰陽一太極', 如此周遍. 若如周子程子之說, 則康節所說在其中矣. 康節是指貞·元之間言之, 不似周子程子說得活, '體用一源, 顯微無間'."(『朱子語類』 71권 「易七」)

94 『朱子語類』 권100 「邵子之書」

(주자가 말했다.) "강절은 '한번 움직이고 한번 고요한 것이 천지天地의 신묘함이며, 한번 움직이고 한번 고요한 사이가 천지인天地人의 신묘함이다.'라고 했다. 하늘은 움직임이고, 땅은 고요함일 뿐이다. 사람이 있게 되면 움직임과 고요함을 겸하고 있어서 천지天地에서 신묘한 것이다. 그러므로 '사람은 천지의 마음이다.'라고 했다. 인간의 형체를 논하면 단지 기물일지라도, 그 운용運用하는 곳을 말하면 도리이다."

[13-3-15]

"康節云'無極之前, 陰含陽也, 有象之後, 陽分陰也.' 陽占却陰分數."[96]

(주자가 말했다.) "강절은 '무극 이전에는 음이 양을 함유하고 있지만, 상象이 있은 뒤에는 양이 음을 나눈다.'[97]라고 하니, 양은 도리어 음의 분수分數를 점유하고 있다."

[13-3-16]

"康節云'思慮未起, 鬼神莫知. 不由乎我, 更由乎誰?' 此間有術者, 人來問事, 心下黙念則它說相應, 有人故意思別事不念及此, 則其說便不應. 問姓幾畫, 口中黙數則它說便著, 不數者說不著."[98]

(주자가 말했다.) "강절이 말했다. '사려가 일어나지 않으면, 귀신이 알지 못한다. 나로부터 말미암지 않는데 다시 누구로부터 말미암겠는가?'[99] 이 술수를 아는 자라도, 어떤 사람이 와서 어떤 일을 물을 때 마음속으로 조용히 생각하면 그가 말하는 것과 서로 호응했지만, 어떤 사람이 고의로 다른 일을 생각하며 생각이 이에 미치지 않으면 그 말이 호응하지 않았다. 성이 몇 획인가를 물었을 때 입속으로 조용히 세면 그는 말하여 맞추었지만, 세지 않으면 말하여 맞추지 못했다."

[13-3-17]

問: "康節學到不惑處否?"

曰: "康節又別是一般. 聖人知天命以理, 它只是以術. 然到得術之精處, 亦非術之所能盡. 然其初只術耳."[100]

95 『朱子語類』 권100 「邵子之書」

96 『朱子語類』 권100 「邵子之書」에서 이 단락은 '康節云'이라는 말이 생략된 채로 기록되어 있다.

97 '무극 이전에는 … 나눈다.': 「觀物外篇」에 나온다.

98 『朱子語類』 권100 「邵子之書」

99 『擊壤集』「思慮吟」: "思慮未起, 鬼神莫知, 不由乎我, 更由乎誰."

100 『朱子語類』 권100 「邵子之書」. 왕식은 『皇極經世書解』에서 소강절이 "사물을 관찰한다고 말한 까닭은 눈으로 관찰하는 것이 아니며, 눈으로 관찰하는 것이 아니라 마음으로 관찰하는 것이며, 마음으로 관찰하는 것이 아니라 이치로 관찰하는 것이다. 세상의 사물에는 理가 없는 것이 없고 性이 없는 것이 없으며 命이 없는 것이 없다. 理라고 하는 것은 궁구한 뒤에야 알 수 있다. 性이라고 하는 것은 모두 다 실현한 뒤에야

물었다. "강절의 학문은 의혹되지 않는 곳에 이르지 않았습니까?"
(주자가) 답했다. "강절은 또 다른 방식으로 이르렀다. 성인은 천명을 이치로써 알았지만 그는 단지 술수術數로 알았을 뿐이다. 그러나 술수의 정밀한 곳에 이르는 것은 술수로써 완전하게 다 알 수 있는 것이 아니다. 그러나 그 처음에는 단지 술수일 뿐이다."

[13-3-18]

"康節數學源流於陳希夷. 康節天資極高, 其學只是術數學. 後人有聰明能算, 亦可以推. 建陽舊有一村僧宗元, 一日走上徑山, 住得七八十日, 悟禪而歸. 其人聰明能算法, 看經世書皆略略領會得."[101]

(주자가 말했다.) "강절의 수학은 진희이陳希夷[102]에 근원한다. 강절은 타고난 자질이 매우 고명하지만, 그 학문은 단지 술수학術數學[103]이다. 후대사람 가운데 총명하여 산학算學에 능한 사람도 강절의 수학을

알 수 있다. 命이라고 하는 것은 그것에 이른 뒤에야 알 수 있다. 이 세 가지를 아는 것이 세상의 참된 앎이다. 성인도 이것을 넘어서지 않으나, 이것을 넘어가는 자라도 성인이라고 할 수 없다.(夫所以謂之觀物者, 非以目觀之也, 非觀之以目而觀之以心也, 非觀之以心而觀之以理也. 天下之物莫不有理焉, 莫不有性焉, 莫不有命焉. 所以謂之理者, 窮之而後可知也. 所以謂之性者, 盡之而後可知也. 所以謂之命者, 至之而後可知也. 此三知者, 天下之眞知也. 雖聖人無以過之也, 而過之者非所以謂之聖人也.)"라고 한 곳에서 주희의 이 말을 인용하면서 설명하고 있다. 그리고 왕식은 이렇게 말하고 있다. "소강절이 이치로 관찰한다는 것이 세상의 참된 앎이 된다라고 한 것은 곧 사물을 관찰하는 실제이고 미래를 아는 근거를 아는 것 역시 여기서 벗어나지 않는다.(邵子所謂觀之以理爲天下之眞知者, 即其觀物之實, 而其前知之由來亦不出乎此矣.)"

101 『朱子語類』 권100 「邵子之書」

102 陳希夷 : 陳摶(?~989)을 말한다. 자는 圖南이고 호는 扶搖子이며 眞源 사람이다. 後唐 長興 연간에 진사시에 응시했다가 낙방한 뒤로 출사를 단념하고, 武當山에 은거했다. 이후 華山 雲臺觀으로 옮겼는데, 한번 잠들면 백일 동안 일어나지 않았다고 한다. 宋代에 太平興國 연간(976~983)에 조정에 나가 태종을 알현했는데, 태종이 후하게 대접하고 '希夷先生'이라고 賜號했다. 그 때 재상이었던 宋琪는 그를 獨善其身하는 方外之士라 평했다. 저술로는 『指元篇』, 『正易心法』, 『三峰寓言』, 『高陽集』 등이 있다.

103 術數學 : 주희가 말하는 術數學이란 數學을 의미한다. 『欽定四庫全書總目』 권108 「子部」 18 術數類에서는 "술수학은 진한 이후에 많이 흥성하였다. 그 요지는 음양오행이 상생상극하고 制化하는 것에서 벗어나지 않으니, 실은 역학의 지류로써 잡설로 전해졌을 뿐이다. 사물이 생겨나면 象이 있고, 상이 생겨나면 數가 있어서, 그 수를 곱하고 나누면서 계산해 나가서, 조화의 근원을 추구하는 것이니, 이는 數學이다.(術數之興多在秦漢以後. 要其旨不出乎陰陽五行, 生尅制化, 實皆易之支流, 傳以雜說耳. 物生有象, 象生有數, 乘除推闡, 務究造化之源者, 是爲數學.)"라고 하면서, 『太元本旨』 권9, 『元包』 권5, 『潛虛』 권1, 『皇極經世書』 권12, 『皇極經世索隱』 권2, 『皇極經世觀物外篇衍義』 권9, 『易通變』 권40, 『觀物篇解』 권5, 『皇極經世解』 권14, 『易學』 권1, 『洪範皇極内外篇』 권5, 『天原發微』 권5, 『大衍索隱』 권3, 『易象圖說』 内篇 권3 外篇 권3, 『三易洞璣』 권16을 나열하고, 이를 術數類라고 하고서 數學에 속한다고 했다. 또 『靈臺秘苑』 권15, 『唐開元占經』 권120을 나열하고, 이를 占候에 속한다고 했다. 『欽定四庫全書總目』에 따르면 술수류에는 數學과 占候로 구별되는데, 『皇極經世書』는 수학에 속하는 것이다. 그러나 術數라는 말은 일반적으로 여러 가지의 方術로 자연현상을 관찰하여 사람의 氣數와 운명을 예측하는 것을 의미한다. 數術이라고도 칭한다. 이러한 의미는

미루어 계산할 수 있었다. 건양建陽에서 옛날 한 시골 승려종원[104]가 있었는데, 어느 날 경산徑山에 올라 70~80일을 머물렀는데, 선의 이치를 깨닫고는 돌아왔다. 그 사람은 총명하여 산법算法에 능해서 『황극경세서』를 보고 모두 낱낱이 깨달았던 것이다."

[13-3-19]

"康節, 看這人須極會處置事. 被它神閒氣定, 不動聲氣, 須處置得精明. 它氣質本來淸明, 又養得來純厚, 又不曾枉用了心. 它用那心時, 都在緊要上用. 被它靜極了, 看得天下之事理精明. 嘗於百原深山中闢書齋, 獨處其中. 王勝之常乘月訪之, 必見其燈下正襟危坐, 雖夜深亦如之. 若不是養得至靜之極, 如何見得道理如此精明?

只是它做得出來須差異. 季通嘗云, '康節若做, 定是四公, 八辟, 十六侯, 三十二卿, 六十四大夫, 都是加倍法.' 想得是如此. 想見它看見天下之事, 才上手來, 便成四截了. 其先後緩急莫不有定, 動中機會. 事到面前, 便處置得下矣. 康節甚喜張子房, 以爲子房善藏其用, 以老子爲得易之體, 以孟子爲得易之用. 合二者而用之, 想見善處事."

問: "不知眞箇用時如何"

曰: "先時說了, 須差異, 須有些機權術數也."[105]

(주자가 말했다.) "강절, 그 사람을 보는데 처치處置한 것을 잘 보아야 한다. 그의 신神을 여유롭게 하고 기氣를 안정시켜서, 소리조차 일으키지 않게 하니, 반드시 처치處置를 정명精明하게 안배한다. 그의 기질은 본래 청명淸明하고 또 순수하고 도탑게 수양하고, 또 마음을 헛되이 낭비하지 않는다. 그가 마음을 쓸 때에는 긴요한 일에서만 마음을 썼다. 그 마음을 매우 고요하게 해서 세상 일들의 이치를 본 것이 정명精明하였다. 일찍이 그는 백원百原의 깊은 산중에 서재書齋를 열고 홀로 그곳에 거주했다. 왕승지王勝之가 항상 밤에 찾아 방문했는데, 반드시 그가 등불 아래에서 의복을 단정하게 하고 무릎 꿇고 앉아 있는 모습을 보았으니, 아무리 깊은 밤일지라도 그러했다. 지극히 고요한 경지에 이를 정도로 수양하지 않았다면, 어떻게 도리를 이렇게 정명精明하게 볼 수가 있겠는가?

단지 그가 해낸 것에는 차이가 있을 수밖에 없을 것이다. 계통季通이 '강절이 집정자가 되어 세상을 위해 일을 했다면[106], 분명 사공四公, 팔벽八辟, 십육후十六侯, 삼십이경三十二卿, 육십사대부六十四大夫일

『漢書』「藝文志」에 나타나 있다. 「藝文志」에서는 天文, 曆譜, 五行, 蓍龜, 雜占, 形法 등 여섯 가지 종류를 나열하고, 또 "수술이란 모두 明堂, 羲和, 史, 卜의 직책이다.(數術者, 皆明堂羲和史卜之職也.)"라고 한다. 그러나 나중에 사관이 없어지자 天文, 曆譜 이외에 후세에는 수술을 일반적으로 星占, 卜筮, 六壬, 奇門遁甲, 命相, 堪輿, 占候 등을 일컫는 말이 되었다.

104 종원: 宗元(1100~1176) 송대 臨濟宗 大慧派의 승려이다. 福建 建陽 사람이다. 俗姓은 連이다. 어려서는 儒林秀傑이라 칭송되었고, 28세에 출가했다.

105 『朱子語類』 권100 「邵子之書」

106 세상을 위해 … 했다면: 『朱子語類考文解義』에서는 "세상의 일을 위해 사업을 했다면(謂爲世用而做事業也)"라고 주를 달았다.

것이니, 모두 가배법加培法이다.'라고 하였으니, 생각건대 이와 같았을 것이다. 생각해보면 그가 세상의 일을 보고 손을 대면 4가지로 나누었을 것이다. 그 선후완급이 정해지지 않음이 없어서, 움직임이 기회에 적중하였다. 일이 눈앞에 닥치면 곧 처치處置하였다. 강절은 장자방張子房[107]을 매우 좋아했는데, 장자방은 마음의 작용을 잘 감추었다고 생각했다. 노자는 역易의 체體를 얻었고, 맹자는 역의 용用을 얻었다[108]고 하여, 두 가지를 합하여 사용하였으니, 생각건대 잘 처리할 수 있었을 것이다."

물었다. "실제로 사용할 때에는 어떠했는지 알지 못하겠습니다."

(주자가) 답했다. "이전에 말했듯이 차이가 있을 수밖에 없으니, 얼마간 기지機智와 권모權謀의 술수가 있었을 것이다."

[13-3-20]

"康節之學似揚子雲. 太玄擬易, 方·州·部·家皆自三數推之. 玄爲之首, 一以生三爲三方, 三生九爲九州, 九生二十七爲二十七部. 九九乘之, 斯爲八十一家. 首之以八十一, 所以準六十四卦, 贊之以七百二十有九, 所以準三百八十四爻, 無非以三數推之. 康節之數則是加倍之法."[109]

(주자가 말했다.) "강절의 학문은 양자운揚子雲과 유사하다. 『태현경』은 역易을 본떠서, 방·주·부·가方州部家[110]는 모두 3의 수로 미루어 계산한다. 태현이 수首가 되니, 1이 3을 낳아, 3방方이 되고, 3이 9를 낳아 9주州가 되며, 9가 27을 낳아, 27부部가 된다. 9와 9를 곱하면, 81가家가 된다. 81로 수首를 삼은 것은 64괘에 준하고, 729로 찬贊을 삼은 것은 384효에 준하니, 3이라는 수로 미루어 계산하지 않은 것이 없다. 강절의 수는 가배법加倍法이다."

107 張子房 : 張良을 말한다. 張良(?~기원전 189년)은 중국 한나라의 정치가이자 책략가이다. 유방을 도와 한나라를 건국한 공신으로 자는 子房이고, 시호는 文成이다. 장량은 소하·한신과 함께 한나라 건국의 3걸로 불린다. 한신은 결국 한 고조에게 죽임을 당했고, 소하는 죄를 받았으나, 장량만은 모든 것을 버리고 은거하여 화를 당하지 않았다.

108 노자는 易의 … 얻었다고 : 소강절은 「觀物外篇」에서 "노자는 역의 체를 알았다."(老子, 知易之體)라는 말이 있고, 또 "'인을 드러내고 용을 감춘다.'고 했는데 맹자가 그 용을 잘 감추는구나!(顯諸仁, 藏諸用, 孟子善藏其用乎.)"라고 했고, "『易』을 아는 사람은 반드시 『易』을 인용하여 강설하고 해설하지 않았으니, 이것이 『易』을 아는 사람이다. 맹자의 말에는 『易』이 언급되지 않았으나 그 말들 사이에는 역의 도리가 있다. 단지 사람들이 그것을 보고 아는 자가 드물 뿐이다. 사람이 『易』을 사용할 수 있다면 이것이 역을 아는 것이다. 맹자와 같은 사람이 『易』을 잘 사용했던 사람이라고 할 수 있다.(知易者不可引用講解, 是爲知易. 孟子之言未嘗及易, 其間易道存焉. 但人見之者鮮耳. 人能用易, 是爲知易. 如孟子, 可謂善用易者也.)"라고 했다.

109 『朱子語類』 권100 「邵子之書」

110 方州部家 : 揚雄의 『太玄經』「首」, "方州部家, 三位疏成." 范望은 이렇게 주를 달고 있다. "음양이 삼통을 타서 方州部家의 大數를 이루면, 삼통의 지위가 크게 이루어진다.(陰陽乘三統爲方州部家大數, 則三統之位乃大成也.)" 즉 각 首에는 음양이 착종된 象이 있는데, 첫 번째 수인 中을 一方一州一部一家라고 설명하고 있다.

[13-3-21]

"康節其初想只是看得太極生兩儀, 兩儀生四象. 心只管在那上面轉, 久之理透, 想得一舉眼便成四片. 其法四之外又有四焉. 凡物才過到二之半時便煩惱了, 蓋已漸趨於衰也. 謂如見花方蓓蕾, 則知其將盛, 旣開, 則知其將衰, 其理不過如此. 謂如今日戌時, 從此推上去, 至未有天地之始, 從此推下去, 至人消物盡之時. 蓋理在數內, 數又在理內. 康節是它見得一箇盛衰消長之理, 故能知之.

若只說它知得甚事, 如歐陽叔弼定謚之類, 此知康節之淺陋者也. 程先生有一柬說先天圖甚有理, 可試往聽它說看. 觀其意, 甚不把當事. 然自有易以來, 只有康節說一箇物事如此齊整. 如揚子雲太玄, 便令星補凑得可笑! 若不補, 又却欠四分之一, 補得來, 又却多四分之三. 如潛虛之數用五, 只似如今筭位一般. 其直一畫則五也, 下横一畫則爲六, 横二畫則爲七, 蓋亦補凑之書也."[111]

(주자가 말했다.) "강절은 처음에 아마도 태극이 양의를 낳고 양의가 사상을 낳는다는 점을 보았을 뿐이다. 마음이 오로지 거기에 궁리하자, 오래 지나 이치가 투철해져, 한 눈에 4가지가 이루어졌다고 생각했다. 그 방법은 4로 구분하는 것 이외에 또 4로 구분하는 것이 있다. 모든 사물은 4에서 2인 반을 지날 때면 곧 혼란스럽게 되니, 이미 점차로 쇠락으로 빠져들기 때문이다. 예를 들어 꽃봉오리가 맺어진 것을 보면 장차 피어날 것을 알고, 꽃이 피었으면 곧 쇠락할 것을 안다고 하니, 그 이치[理]는 이러한 것에 불과할 뿐이다. 예를 들어 오늘 술戌 시에 여기에서부터 미루어 올라가면 천지의 시작이 있기 전에까지 이르고, 여기에서 미루어 내려가면 사람이 사라지고 만물이 소진되는 때에 이른다. 이치는 수數 안에 있고 수 또한 이치 안에 있다. 강절은 성쇠盛衰와 소장消長의 이치를 보고서 이것을 알 수 있었다.

만약 그가 미래의 어떤 일을 안다고 말한다면, 구양숙필歐陽叔弼[구양비][112]이 시호를 정한 것[113]과 같은

111 『朱子語類』 권100 「邵子之書」

112 歐陽叔弼(구양비) : 歐陽棐(1047~1113)는 송나라 吉州 廬陵 사람이다. 자는 叔弼이고, 歐陽脩의 아들이며 歐陽發의 동생이다. 널리 읽고 기억력이 좋았으며, 문장도 아버지를 닮았다. 蔭補로 秘書省正字가 되었다가 나중에 進士 乙科에 급제했다. 복상을 마치고 벼슬에 나가 審官院主簿가 되었다가 職方과 禮部員外郎을 거쳐 襄州知州를 지냈다. 曾布의 처남 魏泰의 눈밖에 나서 潞州知州로 좌천되고, 얼마 뒤 파직되어 귀향했다. 哲宗 元符 말에 還朝하여 吏部와 右司의 郎中을 지냈는데, 秘閣을 맡으면서 蔡州를 다스렸다. 얼마 안 있어 黨禍에 말려 籍廢되었다. 저서에 『堯曆』과 『合朔圖』, 『歷代年表』, 『三十國年紀』, 『集古總目』 등이 있다.

113 시호를 정한 것 : 『朱子語類考文解義』, "강절이 구양수과 더불어 자신의 일을 말한 후에 구양비가 禮官이 되어 그 시호를 정했다. 이것은 강절의 학문이 단지 미래의 일을 아는 것에 그치는 것은 아니라는 점을 말하는 것이다.(康節與歐陽自說已事後, 歐爲禮官定其諡. 此言康節之學, 不止於知來而已.)" 구양비가 강절의 시호를 쓴 내용은 구양비가 쓴 「謚議」에 나와 있다. "雍少篤學, 有大志, 久而后知道德之歸. 且以爲學者之患, 在于好惡, 惡先成于心, 而挾其私智以求于道, 則弊于所好, 而不得其眞. 故求之至于四方萬里之遠, 天地陰陽屈伸消長之變, 无所折衷于聖人. 雖深于象數, 先見默識未嘗以自名也. 其學纯一不染, 居之而安, 行之能成, 平

종류는 강절을 아는 것이 천박하고 비루한 것이다. 정 선생程先生은 '어느 편지에서 선천도先天圖에는 어떤 이치가 있냐고 말하고 가서 그가 말한 것을 시험 삼아 들어 보자'[114]고 했다. 그 의도를 보면 그것을 중요한 일로 보지 않았다. 그러나 역易이 있은 이래로 오직 강절만이 사물을 말한 것이 이와 같이 가지런하게 말했을 뿐이다. 예컨대 양자운의 『태현경』 같은 것은 엉성해서[115] 조금 땜질했으나 가소롭다! 만약 보충하지 않으면 4분의 1이 모자라고, 보충하면 4분의 3이 많다.[116] 예컨대, 『잠허潛虛』[117]의 수에서 5를 사용한 것은 지금의 수판의 자리와 마찬가지이다. 세로로 한 획을 그으면 5이고 그 아래로 가로로 한 획을 그으면 6이고, 가로로 2획을 그으면 7이니[118], 또한 땜질한 책이다."

[13-3-22]

鶴山魏氏曰 : "邵子平生之書, 其心術之精微, 在『皇極經世』, 其宣寄情意, 在『擊壤集』. 凡歷乎吾前, 皇王帝霸之興替, 春秋冬夏之代謝, 陰陽五行之運化, 風雲月露之霽曀, 山川草木之榮悴, 惟意所驅, 周流貫徹, 融液擺落. 蓋左右逢源, 略無毫髮凝滯倚著之意, 嗚呼, 眞所謂風流人豪者與!

或曰, '挨以聖人之中, 若弗合也. 天何言哉! 四時行焉, 百物生焉, 聖人之動靜語默, 無非至

夷渾大不見圭角, 其自得深矣. 按謚法, 溫良好樂曰康, 能固所守曰節, 謚曰康节先生." "按謚法, 溫良好樂曰康, 能固所守曰節"이란 구절은 『宋名臣言行錄』 外集 권5 「邵雍 · 康節先生」에도 나와 있다.

114 그가 말한 … 보자 : 聽它說看을 해석한 말이다. 『朱子語類考文解義』, "그가 말한 것을 들어보자는 말로 稟看, 問看의 看과 같다.(謂聽其所說看之, 如稟看問看之看)" 『朱子語類』 권100 「邵子之書」의 다른 조목에 보면 이러한 내용이 있다. "'이천의 학문은 大體에서는 분명한데 작은 절목에서는 소략하다. 강절은 사물의 변화를 모두 다할 수 있었지만 대체에서는 분명하지 못하다.' 용지가 말했다. '강절은 역을 잘 말하였는데 분명하게 보았습니다.' 대답했다. '그렇다. 이천은 또 그것을 가볍게 보았다. 이천은 횡거에게 편지를 써서 요부가 역을 말하고 잘 듣는다고 하니, 오늘 밤에 가서 그가 말하는 것을 들어보자(聽他說看)고 했다. 내가 일찍이 말했듯이 이것이 이천이 공자에게 미치지 못하는 곳이다. 공자를 보면 이렇지가 않다.'('伊川之學, 於大體上瑩徹, 於小小節目上猶有疎處. 康節能盡得事物之變, 却於大體上有未瑩處.' 用之云, '康節善談易, 見得透徹.' 曰, '然. 伊川又輕之, 嘗有簡與橫渠云, 堯夫說易好聽. 今夜試來聽它說看.' 某嘗說, 此便是伊川不及孔子處, 只觀孔子便不如此.)"

115 엉성해서 : 『朱子語類考文解義』에서는 零星으로 되어 있다.

116 4분의 1이 … 많다 : 『太玄』은 『周易』의 64괘에 비겨 81首로 구성되어 있고 1首는 모두 4爻로 구성되어 있으며 1수마다 『周易』의 爻辭라 할 수 있는 贊이 9개가 있다. 따라서 81수의 찬은 729개이다. 그리고 2찬을 하루의 낮과 밤에 배당시켰다. 365일에 필요한 찬은 730개이다. 그래서 모자란 찬을 채우기 위해 踦贊[부족한 찬]과 贏贊[남은 찬] 2개의 찬을 늘렸다. 곧 365일에 모자란 1개를 채우는 기찬과, 천체의 둥글기 365도 4분의 1에 해당하는 남는 4분의 1을 채우기 위한 영찬을 둔 것이다.

117 『潛虛』 : 북송 시대 司馬光의 저작이다. 한나라 때 양웅의 『太玄經』을 모방하여 쓴 것이다. 그는 '虛'를 만물의 근원이라고 보고서 제목으로 삼았다. 이는 은밀한 근원을 탐색한다는 뜻이다. 전체 내용은 義理, 圖式, 術数 3분으로 되어 있으나 서로 통하여 일체를 이룬다.

118 세로로 한 … 7이니 : ㅣ, ㅏ, ㅑ로 이해하면 좋다.

教. 雖常以示人, 而平易坦明, 不若是之多言也. 老者安之, 朋友信之, 少者懷之, 聖人之心量直與天地萬物上下同流. 雖無時不樂, 而寬舒和平, 不若是之多言也.'

曰, '是則然矣, 宇宙之間, 飛潛動植, 晦明流峙, 夫孰非吾事? 若有以察之, 參前倚衡, 造次顚沛, 觸處呈露, 凡皆精義妙道之發焉者. 脫斯須之不在, 則芸芸並驅, 日夜雜糅, 相代乎前, 顧於吾何有焉? 若邵子者, 使猶得從游於舞雩之下, 浴沂詠歸, 毋寧使曾晳獨見稱於聖人也與? 洙泗已矣, 秦漢以來諸儒無此氣象. 讀者當自得之.'"[119]

학산 위씨鶴山魏氏[魏了翁][120]가 말했다. "소자邵子 평생의 글에서 그의 심술心術[心法]의 정미함은 『황극경세서』에 있고, 심정心情을 펼쳐 담은 것은 『격양집擊壤集』에 있다. 내 앞에 펼쳐져온, 황·왕·제·패皇王帝霸의 흥망성쇠, 춘·추·동·하春秋冬夏의 교체, 음양오행의 운행과 변화, 풍·운·월·로風雲月露의 변화, 산·천·초·목山川草木의 번영과 쇠락을 오직 뜻대로 구사한 것이 두루두루 꿰뚫었으며, 융합하여 초탈했다. 어디에서든지 핵심을 얻어서[121] 조금도 막히거나 한쪽으로 치우친 뜻이 없었으니, 오호라! 진정으로 풍류風流(초탈하고 자유스런)가 있는 호걸이라고 할 수 있다!

어떤 사람은 이렇게 말한다. '성인의 중도中道로 살피면 합치하지 않는 듯하다. 「하늘이 무슨 말을 하는가! 그래도 사 계절은 운행하고, 만물은 생겨나니」[122], 성인이 움직이던 고요하던 말하던 침묵하던, 모두 지극한 가르침이 아닌 것이 없다. 항상 사람들에게 보였지만 평이하고 분명하니, 이렇게 많은 말을 하지 않았다. 「늙은 사람은 편안하게 해주고, 친구는 미덥게 해주고, 젊은이는 은혜로 품으니」,[123] 성인의 마음은 바로 천지 만물과 함께 위아래로 함께 흐른다. 즐겁지 않은 적이 없었으나 관대하고 화평하니, 이렇게 많은 말을 하지 않았다.'

나는 이렇게 말하겠다. '그것은 그러하지만 우주 사이에 새와 물고기 그리고 동물과 식물, 달과 해 그리고 강물과 산, 이 모든 것 가운데 어느 것이 나의 일이 아니겠는가? 만약 그것을 관찰하면, 모든 경우에서나,[124] 모든 순간에서,[125] 접촉하는 곳마다 드러나니, 모두 정밀한 의리와 미묘한 도가 발현한

119 『鶴山集』 권52 「邵氏擊壤集序」

120 鶴山魏氏(魏了翁) : 魏了翁(1178~1237)의 자는 華父이고 호는 鶴山이며, 邛州蒲江(현 사천성 소속) 사람이다. 시호는 文靖이다. 벼슬은 知漢州·知眉州 등 사천성 지역에서 17년간의 지방관을 거쳐 同簽書樞密院事와 資政殿大學士에 이르렀다. 그는 소옹의 선천역학을 신봉하여 「河圖」와 「洛書」의 존재를 믿었으며 소옹이 말한 선천도도 옛날부터 있었을 것이라고 굳게 믿었다. 저술은 『周易要義』를 비롯한 『九經要義』가 있다.

121 어디서든지 핵심을 얻어서 : 『孟子』「離婁下」, "資之深, 則取之左右逢其原." 원래는 학문의 공부가 일가를 이룬 후 모든 것에 유익함을 얻는다는 뜻이지만 후대에 능수능란하게 되었다는 말로 쓰인다.

122 하늘이 무슨 … 생겨나니 : 『論語』「陽貨」, "子曰, '天何言哉? 四時行焉, 百物生焉, 天何言哉?'" 주희는 이렇게 주석하고 있다. "사계절이 운행하고 만물이 생겨나는 것은 天理가 발현하여 유행하는 실제가 아님이 없으니 말로 해서 보여줄 필요가 없다. 성인의 모든 행동과 마음 가짐은 미묘한 도이며 정밀한 의리가 발현된 것이 아님이 없어서 또한 하늘과 같으니 어찌 말로 드러낼 필요가 있겠는가?(四時行, 百物生, 莫非天理發見流行之實, 不待言而可見. 聖人一動一靜, 莫非妙道精義之發, 亦天而已, 豈待言而顯哉?)"

123 늙은 사람은 … 품으니 : 『論語』「公冶長」

124 모든 경우에서나 : '參前倚衡'을 번역한 말이다. 『論語』「衛靈公」, "자장이 행실에 대해 묻자, 공자가 말했다.

것이다. 만일 잠시라도 벗어나 이것이 없다면, 수많은 것이 함께 펼쳐지고, 밤낮으로 혼잡하게 뒤섞여, 눈앞에서 서로 교대하는데, 도리어 나와 무슨 관계가 있겠는가? 그러나 소자邵子도 만일 무우대舞雩臺에서 노닐고, 기수에서 목욕하고 노래하면서 돌아올 수 있었다면, 어찌 증석만이 성인에게 칭찬받아질 수 있었겠는가? 수사洙泗[126]의 학통이 끝나서, 진한秦漢 이래의 유학자들 가운데 이러한 기상이 없었다. 독자들은 마땅히 스스로 터득해야 한다.'"

[13-3-23]

黃氏瑞節曰: "邵子於揚氏太玄, 嘗謂其見天地之心, 而其書遠過太玄之上. 究而言之, 皆原於易, 書中引而不發. 邵伯温云, 古今之數皆始於一, 而皇極之數實本於伏羲之先天, 得之矣. 西山先生始終以易疏其說, 於是微顯闡幽, 其說大著. 學者由蔡氏而知經世, 由經世而知易, 黙而通之可也."

황씨黃氏[黃瑞節]이 말했다. "소자邵子[소강절]는 양웅의 『태현경』에 대해서 '그것은 천지의 마음을 보았다.'[127]고 했는데, 그의 책은 『태현경』보다는 훨씬 뛰어나다. 그러나 결론적으로 말하자면 모두 역易에 근원하고 있으니, 책 가운데에 단서만 보여주고 명시적으로 밝히지 않았다. 소백온이 '고금의 수는 1로부터 시작하지만, 황극의 수는 실제로 복희의 선천에 근본한다.'[128]고 했는데 옳은 말이다. 서산西山 선생은 시종일관 역易으로 그의 학설을 주석하니, 이에 은미한 것이 드러나고 그윽한 것이 밝혀져, 소옹의 학설이 크게 드러났다. 배우는 사람은 채씨蔡氏[蔡元定][129]를 통해서 『황극경세서』를 알고, 『황극경세서』를 통해 역易을 알아야 하니, 묵묵히 통해야 좋을 것이다."

'말에 충심과 신뢰가 있고, 행실에 돈독함과 경건함이 있으면 오랑캐의 나라라 해도 시행할 수 있지만, 말에 충심과 신뢰가 없고, 행실에 돈독함과 경건함이 없으면 자신의 마을에서도 행해질 수 있겠는가? 일어서면 그것이 앞에 있음을 볼 수 있고, 수레에 있으면 그것이 멍에에 기대고 있을 때 볼 수 있어야 하니, 이와 같이 한 뒤에야 행해진다.' 자장이 그것을 띠에 썼다.(子張問行, 子曰, '言忠信, 行篤敬. 雖蠻貊之邦, 行矣. 言不忠信, 行不篤敬, 雖州里, 行乎哉? 立則見其參於前也, 在輿則見其倚於衡也, 夫然後行.' 子張書諸紳.)" 이 말은 충심과 신뢰, 돈독함과 경건함이 모든 경우에 있어야 한다는 뜻이다. 그래서 '모든 경우에서'나라고 해석했다.

125 모든 순간에서: '造次顚沛'를 번역한 말이다. 『論語』「里仁」, "군자는 밥을 먹는 동안에도 인을 떠나지 않으니, 경황 중에도 이 인에 반드시 하며, 위급한 상황에도 이 인을 반드시 한다."(君子無終食之間違仁, 造次必於是, 顚沛必於是.) 그래서 '모든 순간에서'라고 해석했다.

126 洙泗: 洙水와 泗水를 말하는데 공자는 이 수수와 사수 사이에서 사람들을 모아 강학했다고 한다.

127 그것은 천지의 … 보았다: 「觀物外篇」 95, "양웅은 『太玄經』을 지었으니, 천지의 마음을 보았다고 할 수 있다.(楊雄作玄, 可謂見天地之心者也.)"

128 고금의 수는 … 근본한다: 『圖書編』 권8 「諸儒圖書總敍」에 나온다.

129 蔡氏(蔡元定): 蔡元定(1135~1198)의 자는 季通이고, 세칭 西山先生이라 하였다. 송대 建陽(현 복건성 건양) 사람으로 주희를 경모하여 스승으로 받들었으나, 주희가 도리어 제자가 아닌 친구로 대우하였다. 그의 학문은 신유학뿐 아니라 천문·지리·樂律·歷數·兵陣 등에 뛰어났다. 특히 象數學에 조예가 깊어 주희의 『易學啓蒙』 저술에 참여한 것으로 알려진다. 말년에 주희와 함께 慶元黨禁의 표적이 되어 귀양을 가서 생을 마쳤다. 저서는 『律呂新書』·『八陣圖說』·『洪範解』 등이 있다.

易學啓蒙一 역학계몽 1

易學啓蒙序 역학계몽서 … 271
本圖書 第一 제1장 본도서 … 275

易學啓蒙一
역학계몽 1

易學啓蒙序 역학계몽서[1]

[14-0-1]

聖人觀象以畫卦, 揲蓍以命爻, 使天下後世之人, 皆有以決嫌疑, 定猶豫, 而不迷於吉凶悔吝之塗, 其功可謂盛矣. 然其爲卦也, 自本而榦, 自榦而支, 其勢若有所迫而自不能已; 其爲蓍也, 分合進退, 從橫逆順, 亦無往而不相値焉. 是豈聖人心思智慮之所得爲也哉! 特氣數之自然形於法象, 見於「圖」·「書」者, 有以啓於其心而假手焉耳.

近世學者類喜談易而不察乎此. 其專於文義者, 旣支離散漫而無所根著; 其涉於象數者, 又皆牽合傅會, 而或以爲出於聖人心思智慮之所爲也. 若是者予竊病焉. 因與同志頗輯舊聞, 爲書四篇以示初學, 使毋疑於其說云.

淳熙丙午莫春旣望, 雲臺眞逸手記.

성인이 상象을 보아 괘卦를 긋고 시초蓍草를 헤아려 효爻를 명명한 것은, 천하의 후세 사람들이 모두 그것을 가지고 의심스러운 일을 결단하고 머뭇거리는 일을 결정해서 길·흉·회·린의 길을 헷갈리지 않도록 한 것이니, 그 공로가 성대하다고 할 수 있겠다. 그러나 그 괘를 그은 것은 뿌리에서 줄기로, 줄기에서 가지까지 그 추세가 마치 핍박을 받아서 스스로 어쩔 수 없는 듯하였고, 그 시초를 헤아린 것이 나누고 합치며 나아가고 물러서며, 가로로 하고 세로로 하며 거꾸로 하고 순조롭게 한 것은 그 어떤 경우에도 서로 걸맞지 않은 것이 없었다. 이 어찌 성인이 심사숙고해서 그렇게 할 수 있었던 것이겠는가! 다만 '기의 운행도수[氣數]'의 저절로 그러함이 법法과 상象에 나타나고 「하도」와 「낙서」에 드러난 것이, 그 마음을 열어서 그 손을 빌렸을 뿐이다.

1 易學啓蒙序 : 이 제목은 『性理大全』에 없지만, 『朱文公文集』 권76 「序」에서 「易學啓蒙序」라고 한 것에 따랐다.

근세의 학자들은 대부분 『역』을 즐겨 담론하지만 이 점을 살피지 못했다. 그 가운데 문장의 의미[義理]에 전념하는 사람은 이미 지리멸렬하고 산만하여 뿌리를 붙일 곳이 없었고, 상수象數를 손 댄 사람은 또 모두 견강부회하여 간혹 (괘를 그은 것과 시초를 헤아린 것이) 성인이 심사숙고해서 만든 것으로 여겼다. 나는 이와 같은 것을 문제점으로 생각했다. 그 때문에 동지[2]와 예전에 들었던 것을 조금 모아 4편의 책을 만들어 초학자들에게 보여주어서, 근세 학자들의 주장에 현혹되지 않도록 하려고 한다. 순희淳熙 병오년丙午年[1186년] 3월 16일에, 운대진일雲臺眞逸[朱熹][3]이 직접 쓰다.

[14-0-1-1]

朱子曰："『易』之一書，最不易讀．某作『啓蒙』，正爲見人說得支離，竊謂『易』中所說象數，聖人所已言者不過如此．今學者但曉得此數條，則於『易』略通大體而象數亦皆有用．此外紛紛，皆不須理會矣．其第二篇，論太極·兩儀·四象之屬尤精，誠得其說，則知聖人畫卦不假纖毫思慮計度，而所謂畫前有『易』者，信非虛語也．"[4]

주자朱子[朱熹]가 말했다. "『역』은 가장 읽기 어렵다. 내가 『역학계몽』을 지은 까닭은, 바로 사람들이 『역』에 대해 설명하는 것이 지리멸렬한 것을 보고, 나는 『역』에서 설명한 상수가 성인이 이미 말한 것이 이와 같은 것에 지나지 않는다고 생각했기 때문이다. 지금 배우는 사람들이 다만 이 몇 조목을 분명히 이해하면, 『역』에 대해서 그 대체大體를 어느 정도 알게 되고 상수도 모두 쓸모가 있을 것이다. 이것 외에 잡다한 것은 모두 이해할 필요가 없다. 『역학계몽』 제2장에서 태극 · 양의兩儀 · 4상을 논한 것들은 더욱 정밀하니, 참으로 그 설명을 이해하면 성인이 그은 괘가 조금도 사려하거나 계산을

2 동지 : 『易』과 관련한 주희의 동지는 주로 蔡元定을 가리킨다. 특히 『易學啓蒙』에 대해서 주희와 채원정이 서로 의견을 교환한 내용은 『朱文公文集』 권44 「答蔡元定書」 등에서 볼 수 있다.

3 朱熹(1130~1200) : 자는 元晦 · 仲晦이고, 호는 晦庵 · 晦翁 · 考亭 · 紫陽 · 遯翁 등이다. 송대 婺源(현 강서성 무원현) 사람으로 建陽(현 복건성 건양현)에서 살았다. 1148년에 진사에 급제하여 同安主簿 · 秘書郎 · 知南康軍 · 江西提刑 · 寶文閣待制 · 侍講 등을 역임하였다. 스승 李侗을 통해 二程의 신유학을 전수받고, 북송 유학자들의 철학사상을 집대성하여 신유학의 체계를 정립하였다. 저서는 『程氏遺書』, 『程氏外書』, 『伊洛淵源錄』, 『古今家祭禮』, 『近思錄』 등의 편찬과 『四書集注』, 『西銘解』, 『太極圖說解』, 『通書解』, 『四書或問』, 『詩集傳』, 『周易本義』, 『易學啓蒙』, 『孝經刊誤』, 『小學書』, 『楚辭集注』, 『資治通鑑綱目』, 『八朝名臣言行錄』 등이 있다. 막내아들 朱在가 편찬한 『朱文公文集』(권100, 속집 권11, 별집 권10)과 黎靖德이 편찬한 『朱子語類』(권140)가 있다.

주희는 1135년 4월, 섬서성 華州에 소재한 雲臺觀을 주관하는 祠官으로 임명되었다. 하지만 당시 운대관이 있는 섬서성 화주는 金나라에 점령되었기 때문에, 실제로 부임하지 않았다. 그 관직이 비록 적은 녹봉을 받지만 실제로 부임도 할 수 없는 虛名이기 때문에, 주희는 '眞逸'이라고 하였다. 주희는 이와 유사한 自號로 '雲臺隱吏', '雲臺外史' 등도 썼다. 高令印, 『朱熹事迹考』 323~324쪽 참조

4 『朱文公文集』 권56 「答方賓王」에는, "大抵『易』之一書, 最不易讀. … 熹向來作『啓蒙』, 正爲見人說得支離, 因竊以謂『易』中所說象數, 聖人所已言者不過如此. 今學『易』者但曉得此數條, 則於『易』略通大體而象數亦皆有用. 此外紛紛, 皆不須理會矣. … 其第二篇, 論太極 · 兩儀 · 四象之屬尤精, 誠得其說, 則知聖人畫卦不假纖毫思慮計度, 而所謂畫前有『易』者, 信非虛語也."라고 되어 있다.

할 필요가 없었고, 이른바 괘를 긋기 전에도 『역』이 있었다[5]는 것이 진실로 헛된 말이 아님을 알 것이다."

[14-0-1-2]

"某一生只看得『大學』·『啓蒙』兩件文字透, 見得前賢所未到處."[6]

(주자가 말했다.) "나는 평생토록 다만 『대학』과 『역학계몽』 두 책을 투철하게 읽어서, 이전의 현자가 도달하지 못한 경지를 알았다."

[14-0-1-3]

"『啓蒙』, 初間只因看『歐陽公集』內或問『易』大衍, 遂將來考算得出."[7]

(주자가 말했다.) "『역학계몽』은 처음에 다만 구양수歐陽脩[8]의 『구양문충공집歐陽文忠公集』 속에서 어떤 사람이 『역』의 '대연大衍'에 대해 묻는 것을[9] 보고, 곧바로 그것을 계획하게 되었다."

5 괘를 긋기 … 있었다 : 『二程遺書』 권2上에서 "또 문자로 나타난 것(즉 소옹의 아래 글을 말함)으로 말하면, 堯夫(邵雍)의 글은 모두 매우 공손하지 않았다. (소옹은) '(복희가) 괘를 긋기 전에 원래 『易』이 있었음이 틀림없고, (공자가) 산정한 뒤에 다시는 『詩』가 없어졌다.'라고 하였는데, 이러한 내용은 옛날부터 이런 말을 한 사람이 없었다.(又如言文字呈上, 堯夫皆不恭之甚. '須信畫前元有『易』, 自從刪後更無『詩』'. 這箇意思, 古元未有人道來.)"라고 하였으니, "괘를 긋기 전에도 『易』이 있었다."는 말은 소옹이 처음으로 주장했음을 알 수 있다. 주희는 『朱子語類』 권62, 98조목에서, "복희가 괘를 그은 것은 다만 음양에서 아래로 내려간 것이고(즉 4상, 8괘 등을 말함), 공자는 또 음양에서 위로 태극을 드러내었다. 康節(邵雍)은 또 (복희가) 괘를 긋기 전에 원래 『易』이 있었음이 틀림없다고 말했다. 濂溪(周惇頤)의 『太極圖說』은 또 많은 것들을 상세히 갖추었다.(伏羲畫卦, 只就陰陽以下, 孔子又就陰陽上發出太極. 康節又道須信畫前元有『易』. 濂溪『太極圖』, 又有許多詳備.)"라고 하였다.

6 『朱子語類』 권14, 54조목

7 『朱子語類』 권67, 46조목

8 歐陽脩(1007~1072) : 자는 永叔이고 호는 醉翁 · 六一居士이며, 시호는 文忠이다. 송대 吉安 永豐(현 강서성 영풍현) 사람이다. 북송시대 정치가 · 문학가 · 사학가로 유명하고 금석학의 창시자이며, 특히 문학 방면으로 韓愈 · 柳宗元 · 王安石 · 蘇洵 · 蘇軾 · 蘇轍 · 曾鞏과 함께 '唐宋八大家'로 불린다. 벼슬은 翰林學士를 거쳐 樞密副使 · 參知政事에까지 이르렀다. 저술은 經學 방면으로 『詩』, 『易』, 『春秋』에 관한 글이 있고, 금석학 방면으로는 『集古錄跋尾』가 있으며, 사학 방면으로는 『五代史記』가 있고, 『新唐書』 권250 편찬에 참가하였다. 그의 저술은 周必大에 의해 『歐陽文忠公集』으로 정리되었다. 『易』에 대한 그의 주장은 王弼을 계승한 義理易을 중심으로 하여, 十翼이 모두 다 공자의 저술은 아니라는 등의 독특한 견해를 보인다.

9 『歐陽文忠公集』 권18 「居士集」에서, 或問 : "大衍之數, 易之緼乎? 學者莫不盡心焉." 曰 : "大衍, 易之末也, 何必盡心焉也. … 凡欲爲君子者, 學聖人之言, 欲爲占者, 學大衍之數, 惟所擇之焉耳." … 或問 : "大衍, 筮占之事也, 其於筮占之說, 無所非乎?" 曰 : "其法是也, 其言非也. 用蓍四十有九, 分而爲二掛一揲四歸奇再扐, 其法是也. 象兩象三, 至於乾坤之策, 以當萬物之數者, 其言皆非也. 傳曰, '知者創物.' 又曰, '百工之事, 皆聖人之作也.' 筮者, 上古聖人之法也. 其爲數也, 出於自然而不測, 四十有九是也. 其爲用也, 通於變而無窮, 七 · 八 · 九 · 六是也. 惟不測與無窮, 故謂之神, 惟神, 故可以占. 今爲大衍者, 取物合數以配蓍, 是可測也, 以九六定乾坤之策, 是有限而可窮也, 矧占之而不効乎! 夫奇耦, 陰陽之數也, 陰陽, 天地之正氣也. 二氣升降, 有進退而無老少. 且聖

[14-0-1-4]

“看『啓蒙』, 方見得聖人一部『易』皆是假借虛設之辭. 蓋緣天下之理, 若正說出, 便只作一件用. 唯以象言, 則當卜筮之時, 看是甚事都來應得.”[10]

(반시거潘時擧 주희 만년의 문인가 말했다.) “『역학계몽』을 보고서야 비로소 성인이 지은 『역』이 모두 ‘비유와 상징[假借 · 虛設]’이라는 것을 알았다. 대개 천하의 이치를 직설적으로 말하면, 그것은 다만 한 가지 일에만 적용되기 때문이다. 오직 상象으로 말하면 점을 칠 때에 어떤 일을 보더라도 모두 대응할 수 있을 것이다.” (이 말에 대해서 주희가 승인했다.)

[14-0-1-5]

鶴山魏氏曰 : “朱文公『易』, 得於邵子爲多. 蓋不讀邵『易』, 則茫不知『啓蒙』·『本義』之所以作.”[11]

학산 위씨鶴山魏氏[魏了翁][12]가 말했다. “주문공朱文公[朱熹]의 『역』에 대한 이해는 소자邵子[邵雍][13]에게 얻은 것이 많다. 소옹의 『역』을 읽지 않으면, 아득하여 주희가 『역학계몽』과 『주역본의周易本義』를 지은 까닭을 알지 못한다.”

人未嘗言, 故雖繫辭之厖雜, 亦不道也.” 問者曰 : “然則九六何爲而變?” 曰 : “夫蓍四十有九, 無不用也. 昔之言大衍者, 取四揲之策, 而捨掛扐之數, 兼知掛扐之多少, 則九六之變可知矣. 蓍數無所配合, 陰陽無老少, 乾坤無定策, 知此, 然後知筮占矣. 嗚呼! 文王無孔子, 易其淪於卜筮乎. 易無王弼, 其淪於異端之說乎. 因孔子而求文王之用心, 因弼而求孔子之意, 因予言而求弼之得失, 可也.”라고 하였다. 의리역을 중시하는 구양수에게 점치는 일과 연관된 대연의 수는 말단적인 것이지만, 대연의 수와 관련한 점치는 법에 대한 긍정 및 구체적인 방법에 대한 그의 진술은 주희의 학구열을 충분히 자극했을 것이다.

10 『朱子語類』 권67, 46조목에는, “時擧曰 : ‘向者看程『易』, 只就注解上生議論, 卻不曾靠得『易』看, 所以不見得聖人作『易』之本意. 今日看『啓蒙』, 方見得聖人一部『易』, 皆是假借虛設之辭. 蓋緣天下之理若正說出, 便只作一件用. 唯以象言, 則當卜筮之時, 看是甚事, 都來應得.’ 先生頷之.”라고 되어 있다. 따라서 이 글은 潘時擧가 말한 것에 대하여 주희가 동의한 것이다.

11 『鶴山集』 권35 「答劉司令」

12 魏了翁(1178~1237) : 자는 華父이고 호는 鶴山이며, 邛州 蒲江(현 사천성 소속) 사람이다. 시호는 文靖이다. 벼슬은 知漢州 · 知眉州 등 사천성 지역에서 17년간 지방관을 거쳐 同簽書樞密院事와 資政殿大學士에 이르렀다. 그는 소옹의 선천역학을 신봉하여 「河圖」와 「洛書」의 존재를 믿었으며 소옹이 말한 선천도도 옛날부터 있었을 것이라고 굳게 믿었다. 저술은 『周易要義』를 비롯한 『九經要義』가 있다.

13 邵雍(1011~1077) : 자는 堯夫이고, 호는 安樂先生이며, 蘇文山 百源 가에 은거하여 百源先生으로도 불리었다. 시호는 康節이다. 송대 范陽(현 하북성 涿縣) 사람으로 만년에는 洛陽에 거주하였는데, 이때 司馬光 · 呂公著 · 富弼 등이 그를 존경하여 함께 교류하면서 대저택을 증여하였다. 李之才에게 圖書先天象數學을 배웠다고 한다. 그는 도가사상의 영향을 받고 유가의 易哲學을 발전시켜 독특한 數理哲學을 완성하였다. 그의 易學은 朱熹에게 큰 영향을 주었다. 저서는 『皇極經世』, 『伊川擊壤集』, 『漁樵問對』 등이 있다.

本圖書 第一 제1장 본도서(「하도」와 「낙서」를 근거로 함)

「河圖 하도」

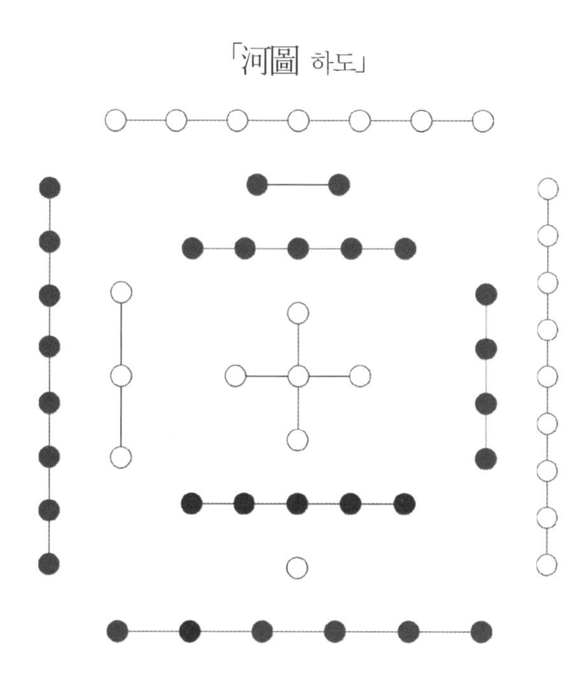

「洛書 낙서」

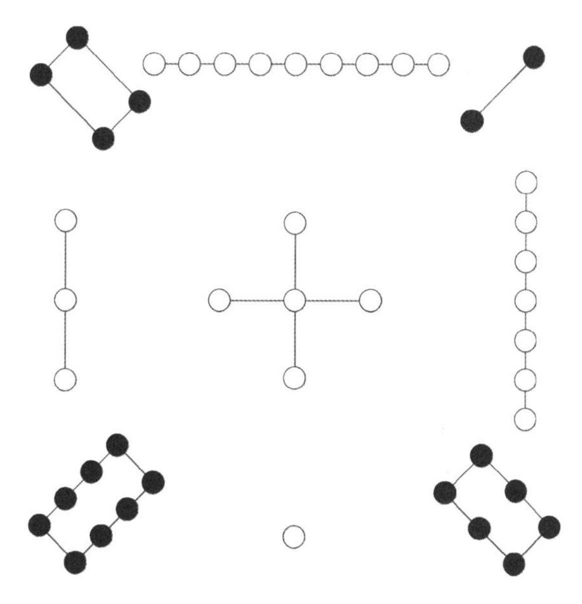

[14-1]

『易大傳』曰: "河出圖, 洛出書, 聖人則之."[14]

『역대전』에서 말했다. "황하에서 그림이 나오고 낙수에서 글이 나오니, 성인이 그것을 본받았다."

[14-1-1]

孔安國云: "「河圖」者, 伏羲氏王天下, 龍馬出河, 遂則其文以畫八卦. 「洛書」者, 禹治水時, 神龜負文而列於背, 有數至九, 禹遂因而第之以成九類."[15]

공안국[16]이 말했다. "「하도」는 복희씨가 천하에 왕 노릇할 때에 황하에서 용마가 출현하니, 마침내 그 문양을 본받아 8괘를 그은 것이다. 「낙서」는 우임금이 치수治水할 때에 신령한 거북이 문양을 지고 나왔는데, 등에 배열한 것이 그 수가 1에서 9까지여서, 우임금이 마침내 그것에 따라서 차례대로 9부류를 만들었다."

[14-1-1-1]

程子曰: "孔子感麟而作『春秋』, 麟不出, 『春秋』豈不作! 大抵須有發端處, 如畫八卦, 因見「河圖」·「洛書」, 果無「圖」·「書」, 八卦亦須作."[17]

因見賣兎者, 曰: "聖人見「河圖」·「洛書」而畫八卦, 然何必「圖」·「書」! 只看此兎亦可作八卦, 數便在中可起. 古聖人只取神物之至者耳."[18]

정자程子[程頤][19]가 말했다.[20] "공자는 기린의 출현에 감응하여 『춘추』를 지었지만, 기린이 출현하지

14 『易』「繫辭上」 11장

15 孔穎達의 『尙書注疏』 권11에는, "洛出書, 神龜負文而出, 列於背, 有數至于九, 禹遂因而第之以成九類."라고 되어 있다.

16 孔安國: 자는 子國이고, 西漢 魯나라 사람으로 공자 11대손이다. 생졸연대는 불분명하다. 申公에게 『詩』를 배우고 伏生에게 『尙書』를 배웠다. 武帝 때에 博士를 지내고 벼슬은 臨淮太守에 이르렀다. 특히 당시 공자 고택의 벽속에서 발굴된 고문 『尙書』를 연구하여 '尙書古文學'의 시조가 되었다. 저술은 『尙書孔氏傳』이 있다.

17 『二程遺書』 권15에는, "孔子感麟而作春秋, 或謂不然, 如何? 曰. '春秋不害感麟而作, 然麟不出, 春秋豈不作? 孔子之意, 蓋亦有素, 因此一事乃作, 故其書之成, 復以此終. 大抵須有發端處, 如畫八卦, 因見「河圖」·「洛書」, 果無「河圖」·「洛書」, 八卦亦須作.'"이라고 되어 있다.

18 『二程遺書』 권18에는, "因見賣兎者, 曰. '聖人見「河圖」·「洛書」而畫八卦, 然何必圖·書! 只看此兎亦可作八卦, 數便此中可起. 古聖人只取神物之至著者耳.'"라고 되어 있다.

19 程頤(1033~1107): 자는 正叔이고, 호는 伊川이다. 송대 洛陽(현 하남성 낙양) 사람으로 형 程顥와 함께 二程이라 불리운다. 15세 무렵 형과 함께 주돈이에게 배운 적이 있으며, 18세에는 태학에 유학하면서 「顔子好學論」을 지어 胡瑗(호는 安定)이 경이롭게 여겼다고 한다. 秘書省校書郞·崇政殿說書 등을 역임하였으나, 거의 30년을 강학에 힘 쏟아 북송 신유학의 기반을 정초하였다. 이정의 학문은 '洛學'이라고 하며, 특히 정이의 학문은 주희에게 결정적인 영향을 끼쳐 세칭 '程朱學'이라고 하면 정이와 주희의 학문을 지칭한다. 저서는 『易傳』, 『經說』, 『文集』 등이 있다.

20 전통적으로 '程子'라고 하면 程頤·程顥 형제 두 사람을 구분하지 않은 호칭이다. 그런데 여기서 '程子(程頤)'

않았다고 해도 어찌 『춘추』를 짓지 않았겠는가! 대개 계기가 있어야 하니, 예컨대 8괘를 그은 것은 「하도」와 「낙서」를 보았기 때문이다. 만약 「하도」와 「낙서」가 없었더라도 역시 8괘는 반드시 만들었을 것이다."

마침 토끼 파는 사람을 보고서, 말했다. "성인이 「하도」와 「낙서」를 보고 8괘를 그었지만 어찌 꼭 「하도」와 「낙서」만이겠는가! 다만 이 토끼를 보고도 역시 8괘를 그을 수 있으니, 수數는 여기에서도 찾을 수 있다. 옛 성인은 다만 지극히 신령한 물건을 취했을 뿐이다."

[14-1-1-2]

朱子曰："其以「河圖」·「洛書」爲不足信，自歐陽公以來已有此說，然終無奈.「顧命」·「繫辭」·『論語』皆有此言，而諸儒所傳二圖之數，雖有交互而無乖戾. 順數逆推，縱橫曲直，皆有明法，不可得而破除也."[21]

주자가 말했다. "구양공歐陽公[歐陽脩] 이후로 「하도」와 「낙서」를 신뢰할 수 없다는 주장이 이미 있었지만, 끝내 어쩔 수 없다. 『서경書經』의 「고명」과 『역』「계사전」과 『논어』에 모두 「하도」와 「낙서」에 대한 말이 있고 여러 유학자들이 전한 「하도」와 「낙서」의 수數는 비록 서로 뒤바뀌었지만[22] 이치에 어긋나지 않는다. 순조롭게 세어보거나 거슬러 미루어보거나,[23] 가로로 하거나 세로로 하거나, 굽게 보거나 바르게 보아도 모두 분명한 법칙이 있으니, 타파할 수 없다."

[14-1-1-3]

"「河圖」與『易』之天一地十者合，而載天地五十有五之數，則固『易』之所自出也.「洛書」與「洪範」之初一至次九者合，而具九疇之數，則固「範」之所自出也.「繫辭」雖不言伏羲受「河圖」以作『易』，然所謂'仰觀俯察，遠求近取'，安知「河圖」非其中一事耶！大抵聖人制作所由，初非一端，然其法象之規模，必有最親切處. 如洪荒之世，天地之間陰陽之氣，雖各有象，然初未嘗有數也. 至於「河圖」之出，然後有五十有五之數，奇偶生成粲然可見. 此其所以深發聖人之獨智，又非泛然氣象之所可得而擬也. 是以'仰觀俯察，遠求近取'，至此而後兩儀·四象·八卦之陰陽·奇偶可得而言. 雖「繫辭」所論聖人作『易』之由者非一，而不害其得此而後決之也."[24]

라고 밝힌 것은 현행 『二程集』 편찬자의 분류에 의거한다.

21 『朱文公文集』 권38 「答袁機仲」

22 「河圖」와 「洛書」 … 뒤바뀌었지만 : 뒤의 [14-1-4]에서 "오직 劉牧만이 9를 「河圖」로 하고 10을 「洛書」로 하는 의견을 내어, 그것이 希夷(陳摶)에서 나왔다고 기탁해서 말했다."라고 한 것을 말한다.

23 순조롭게 세어보거나 … 미루어보거나 : 이 말은 원래 『易』「說卦傳」 3장에서 "지나간 것을 헤아리는 것이 순조로운 것이고, 앞으로 올 것을 아는 것이 거스르는 것이니, 이 때문에 『易』은 거슬러서 헤아리는 것이다.(數往者順, 知來者逆, 是故『易』逆數也.)"라는 말을 염두에 두고 한 말이겠지만, 이 말을 「河圖」와 「洛書」에 있는 數의 법칙을 설명하는 표현으로 그대로 적용하기에는 무리가 있는 것 같다.

24 『朱文公文集』 권38 「답원기중」

(주자가 말했다.) "「하도」는 『역』의 천1天一부터 지10地十까지와 부합하지만, 천지의 55라는 수를 싣고 있는 것[25]은 본디 『역』에서부터 나온 것이다. 「낙서」는 「홍범」의 첫 번째부터 아홉 번째까지와 부합하지만, 9주九疇의 수를 갖춘 것[26]은 본디 「홍범」에서부터 나온 것이다. 「계사」에는 비록 복희가 「하도」를 받고서 『역』을 지었다는 말이 없지만, 이른바 '위로 우러러 살펴보고 아래로 굽어 살펴보며, 멀리에서 구하고 가까운 곳에서 취했다.'[27]는 말에서, 어찌 「하도」가 그렇게 하는 가운데의 한 가지 일이 아니라고 하겠는가! 대개 성인이 『역』을 지은 까닭은 애초에 단서가 한 가지만은 아니지만, 그 법法과 상象의 규모는 반드시 가장 친밀하고 절실한 것이 있었을 것이다. 예컨대 천지가 혼돈한 시대에 천지간에 존재하는 음과 양의 기氣는 비록 각각 상象이 있었겠지만, 애초에 수數가 있지는 않았을 것이다. 「하도」가 출현한 다음에야 55라는 수가 있게 되어, 홀과 짝이 생성되는 것을 또렷이[粲然] 알 수 있게 되었다. 이것은 성인만이 가진 지혜를 충분히 발휘한 것이지 평범한 기상으로 헤아릴 수 있는 것이 아니다. 그러므로 '위로 우러러 살펴보고 아래로 굽어 살펴보았으며, 멀리에서 구하고 가까운 곳에서 취한' 다음에야 양의 · 4상 · 8괘의 음 · 양과 홀 · 짝을 말할 수 있게 되었다. 비록 「계사」에서 성인이 『역』을 지은 이유를 논한 것이 한 가지가 아니지만, 「하도」를 얻은 다음에 8개를 긋기로 결정했다고 해도 문제가 되지 않을 것이다."

[14-1-1-4]

玉齋胡氏曰 : "龍馬, 『周禮』「夏官」, '馬八尺以上爲龍', 言馬之特異如龍也. 漢武帝元狩三年得神馬於渥洼水中, 亦此之類. 神龜, 『大戴禮』曰, '甲蟲三百六十而神龜爲之長.'"[28]

옥재 호씨玉齋胡氏[胡方平][29]가 말했다. "'용마'에 대해서는 『주례』「하관」에 '말이 8척 이상 되는 것을 용이라고 한다.'[30]라고 하였으니, 말이 특이하여 용과 같은 것을 말한다. 한 무제 원수 3년(B.C.120년)에 악와수에서 신령한 말을 얻었다[31]고 한 것도 이러한 부류이다. '신귀神龜'에 대해서는 『대대례기』에서 '갑각류는 360종류인데 신령스런 거북이 그 가운데 으뜸이다.'[32]라고 하였다."

25 『易』「繫辭上」 9장에서, "天一, 地二, 天三, 地四, 天五, 地六, 天七, 地八, 天九, 地十. 天數二十有五, 地數三十, 凡天地之數五十有五."라고 하였다.

26 『書經』「洪範」에서, "初一曰五行, 次二曰敬用五事, 次三曰農用八政, 次四曰協用五紀, 次五曰建用皇極, 次六曰乂用三德, 次七曰明用稽疑, 次八曰念用庶徵, 次九曰嚮用五福威用六極."이라고 하였다.

27 『易』「繫辭上」 4장에서, "仰以觀於天文, 俯以察於地理."라고 하였고, 『易』「繫辭下」 2장에서, "古者包犧氏之王天下也, 仰則觀象於天, 俯則觀法於地, 觀鳥獸之文與地之宜, 近取諸身, 遠取諸物, 於是始作八卦, 以通神明之德, 以類萬物之情."이라고 하였다.

28 胡方平, 『易學啟蒙通釋』 권上 「本圖書」 제1

29 胡方平 : 자는 師魯이고 호는 玉齋이다. 송대 婺源(현 강서성 무원현) 사람이다. 董夢程에게 배웠는데, 동몽정은 주희의 고족제자이자 사위인 黃榦의 제자이다. 따라서 그는 아들 胡一桂와 함께 주희의 학설을 독실하게 신봉하였다. 저술은 필생의 역작인 『易學啟蒙通釋』이 있다.

30 『周禮』「夏官 司馬」 제4에서, "馬八尺以上爲龍, 七尺以上爲騋, 六尺以上爲馬."라고 하였다.

31 『史記』 권24 「樂書」 제2에서, "又嘗得神馬渥洼水中, 復次以爲太一之歌."라고 하였다. 여기에서 '악와수'는 渥洼海라고도 하는데, 현 감숙성 安西縣 변경에 있는 큰 호수이다.

[14-1-2]

劉歆云 : “伏羲氏繼天而王, 受「河圖」而畫之, 八卦是也. 禹治洪水, 賜「洛書」法而陳之, 九疇是也. 「河圖」·「洛書」, 相爲經緯, 八卦 · 九章, 相爲表裏.”[33]

유흠劉歆[34]이 말했다. “복희씨가 하늘을 계승하여 왕 노릇을 할 때에 「하도」를 받아서 그것을 본받아 획을 그으니 8괘가 이것이다. 우임금이 홍수를 다스릴 때에 「낙서」를 하사받아서 그것을 본받아 펼치니 9주九疇가 이것이다. 「하도」와 「낙서」는 서로 씨줄과 날줄이 되고, 8괘와 9장九章[九疇]은 서로 겉과 속이 된다.”

[14-1-2-1]

潛室陳氏曰 : “經緯之說, 非是以上下爲經, 左右爲緯. 大抵經言其正, 緯言其變, 而二圖互爲正變. 主「河圖」而言, 則「河圖」爲正, 「洛書」爲變; 主「洛書」而言, 則「洛書」爲正, 而「河圖」又爲變. 要之天地間, 不過一陰一陽以兩其五行, 而太極常居其中. 二圖雖縱橫變動, 要只是參互呈見, 此所以謂之‘相爲經緯’也.

表裏之說亦然. 蓋「河圖」不但可以畫卦, 亦可以明疇, 「洛書」不特可以明疇, 亦可以畫卦. 但當時聖人各因一事以垂法後世. 伏羲但據「河圖」而畫卦, 大禹但據「洛書」而明疇. 要之伏羲之畫卦, 其表爲八卦而其裏固可以爲疇; 大禹之叙疇, 其表爲九疇而其裏固可以爲卦, 此所以謂之‘相爲表裏’也.”[35]

잠실 진씨潛室陳氏[陳埴][36]가 말했다. “씨줄과 날줄이라는 말은 상하를 날줄이라 하고 좌우를 씨줄이라고 하는 것이 아니다. 대체로 날줄은 그 ‘바로 갖춤[正]’을 말하고 씨줄은 그 ‘변화함[變]’을 말하는데, 「하도」와 「낙서」가 서로 ‘바로 갖춤’과 ‘변화함’이 된다는 것이다. 「하도」를 위주로 말하면, 「하도」가 ‘바로 갖춤’이 되고 「낙서」는 ‘변화함’이 되며, 「낙서」를 위주로 말하면, 「낙서」가 ‘바로 갖춤’이 되고

32 『大戴禮記』「易本命」에서, “有甲之蟲三百六十, 而神龜爲之長.”이라고 하였다.

33 『前漢書』 권27 「五行志」 上에는, “劉歆以爲虙羲氏繼天而王, 受「河圖」則而畫之, 八卦是也. 禹治洪水, 賜「雒書」法而陳之, 「洪範」是也. … 「河圖」·「雒書」, 相爲經緯, 八卦 · 九章, 相爲表裏.”라고 되어 있다.

34 劉歆(B.C.53~23) : 자는 子駿이며, 나중에 이름을 秀, 자를 穎叔으로 고쳤다. 중국 서한 말기의 학자이다. 아버지 劉向과 궁정의 藏書를 정리하고 六藝의 群書를 7종으로 분류하여 『七略』이라 하였다. 이것은 중국 최초의 체계적인 書籍目錄으로 현존하지는 않지만, 『漢書』「藝文志」는 대체로 그에 의해서 엮어졌다. 『左氏春秋』, 『毛詩』, 『逸禮』, 『古文尙書』를 특히 존숭하여 學官에 이에 대한 專門博士를 설치하기 위하여 당시의 학관 박사들과 일대 논쟁을 벌였으나 성사되지 못하고 河內太守로 전출되었다. 그 뒤 王莽이 漢王朝를 찬탈하고 나서 國師로 초빙되어 그의 국정에 협력하였다. 만년에는 왕망의 暴逆에 반대하여 모반을 기도하였으나 실패하여 자살하였다.

35 陳埴 『木鍾集』 권3 「六經總論」

36 陳埴(1176~1232) : 자는 器之이고, 호는 木鍾이다. 송대 永嘉(현 절강성 溫州) 사람이다. 어려서는 葉適에게 배우고 나중에는 주희에게서 배웠다. 송 寧宗 嘉定 7년(1214)에 진사에 급제하여 通直郞을 역임하였다. 嘉定 연간(1208~1224)에 明道書院의 講席을 주재했으며, 그를 따르는 많은 학자들이 潛室先生이라고 불렀다. 저술은 『木鍾集』, 『禹貢辨』, 『洪範解』 등이 있다.

「하도」는 또 '변화함'이 된다. 요컨대 천지간에는 한 번은 음이 되고 한 번은 양이 되어 오행을 둘로 하지만, 태극은 항상 그 가운데 자리하고 있는 것에 지나지 않는다. 「하도」와 「낙서」는 비록 가로 세로로 변동하지만 그 관건은 다만 서로 드러내는 것이니, 이것을 '서로 씨줄과 날줄이 된다.'고 하는 것이다.

겉과 속이라는 말도 역시 그러하다. 대개 「하도」는 다만 8괘를 그을 수 있을 뿐 아니라 또한 9주를 밝힐 수 있고, 「낙서」도 다만 9주를 밝힐 수 있을 뿐 아니라 또한 8괘를 그을 수 있다. 단지 당시에 성인이 각기 한 가지 일을 가지고 후세에 본보기를 드리웠을 뿐이다. 복희는 단지 「하도」에 의거해서 8괘를 그었고, 우임금은 단지 「낙서」에 의거해서 9주를 밝혔을 뿐이다. 요컨대 복희가 8괘를 그은 것은 그 겉이 8괘가 되고 그 속은 본디 9주가 될 수 있으며, 우임금이 9주를 서술한 것은 그 겉이 9주가 되고 그 속은 본디 8괘가 될 수 있으니, 이것을 '서로 겉과 속이 된다.'고 하는 것이다."

[14-1-3]

關子明云 : "「河圖」之文, 七前 · 六後 · 八左 · 九右. 「洛書」之文, 九前 · 一後 · 三左 · 七右 · 四前左 · 二前右 · 八後左 · 六後右."

관자명關子明[關朗][37]이 말했다. "「하도」의 문양은 7이 앞, 6이 뒤, 8이 왼쪽, 9가 오른쪽에 있다. 「낙서」의 문양은 9가 앞, 1이 뒤, 3이 왼쪽, 7이 오른쪽, 4는 앞의 왼쪽, 2는 앞의 오른쪽, 8은 뒤의 왼쪽, 6은 뒤의 오른쪽에 있다."

[14-1-3-1]

朱子曰 : "讀『大戴禮』書, 又得一證甚明. 其「明堂」篇有'二九四·七五三·六一八'之語, 而鄭氏注云, '法龜文也.' 然則漢人固以九數者爲「洛書」矣."[38]

주자가 말했다. "『대대례기』를 읽고 또 하나의 매우 분명한 증거를 얻었다. 그 「명당明堂」 편에 '2 · 9 · 4, 7 · 5 · 3, 6 · 1 · 8'[39]이라는 말이 있는데, 정씨鄭氏[鄭玄][40]가 주석에서 '거북의 문양을 본받은

37 關朗 : 자는 子明이다. 北魏 解州(현 산서성 소속) 사람이다. 孝文帝(재위기간 471~499)에게 천거되었으나, 효문제가 죽어서 벼슬에 나가지 못했다. 저술로는 『關氏易傳』이 있다.

38 『朱文公文集』 권84 「書「河圖」 · 「洛書」後」에는, "讀『大戴禮』書, 又得一證. 其「明堂」篇有'二九四 · 七五三 · 六一八'之語, 而鄭氏注云, '法龜文也.' 然則漢人固以此九數者爲「洛書」矣."라고 되어 있다.

39 『대대례기』 권67 「明堂」에서, "明堂者, 所以明諸侯尊卑. 外水曰, 辟雍, 南蠻東夷北狄西戎. 明堂月令, 赤綴戶也, 白綴牖也. 二九四七五三六一八."이라고 하였다. 여기에서 '二九四七五三六一八'을 세 글자마다 끊어서 읽은 것은 李滉의 『啓蒙傳疑』에 따랐다. 이황이 그렇게 한 이유는, 이것은 「洛書」를 가로로 잘라서 셋으로 나누어 말한 것이니, 9궁을 명당으로 만든 제도를 본떠서 州를 나누고 전답을 井자로 나눈 것과 같기 때문이라고 하였다. 李滉 『啓蒙傳疑』 「本圖書」 제1에서, "二九四, 七五三, 六一八. 此語當以每三字聯讀, 蓋橫截「洛書」爲三而言之, 謂法九宮爲明堂之制, 如畫州井地之爲也."라고 하였다.

40 鄭玄(127~200) : 자는 康成이며, 北海(현 산동성 高密) 사람이다. 중국 後漢 말기의 대표적 유학자로서, 평생 在野의 학자로 지냈으며, 제자들에게는 물론 일반인들에게도 訓詁學 · 經學의 시조로 깊은 존경을 받았다.

것이다.'라고 하였다.[41] 그렇다면 한대 사람도 본래 이 9수를 「낙서」로 여겼던 것이다."

[14-1-4]

邵子曰 : "圓者, 星也; 歷紀之數, 其肇於此乎! 曆法合二始以定剛柔, 二中以定律曆, 二終以紀閏餘, 是所謂曆紀也. **方者, 土也; 畫州井地之法, 其放於此乎!** 州有九, 井九百畝, 是所謂畫州井地也. **蓋圓者, 「河圖」之數, 方者, 「洛書」之文. 故羲 · 文因之而造『易』, 禹 · 箕叙之而作「範」也."**[42]

소자邵子[邵雍]가 말했다. "둥근 것은 별이니, 역법曆法 규율의 수는 아마 여기에서 시작되었을 것이다! 역법에서는 천지의 시작하는 두 개의 수(1 · 2)를 결합하여 강 · 유를 정하고, 중간의 두 개의 수(5 · 6)를 결합하여 율력을 정하며, 끝나는 두 개의 수(9 · 10)를 결합하여 윤달을 정하는 규율로 하였으니, 이것이 이른바 '역법의 규율'이다. 모난 것은 땅이니, 주州를 나누고 전답을 정井자로 나누는 법이 아마 이것을 모방했을 것이다! 주州는 9개가 있고 900무畝를 정井자로 나누니, 이것이 이른바 '주州를 나누고 전답을 정井자로 나누는 것'이다. 대개 둥근 것은 「하도」의 수이고, 모난 것은 「낙서」의 문양이다. 그러므로 복희와 문왕은 그것에 따라서 『역』을 지었고, 우임금과 기자箕子는 그것을 서술하여 「홍범洪範」을 만들었다."

<蔡元定曰 : "古今傳記, 自孔安國 · 劉向父子 · 班固, 皆以爲「河圖」授羲, 「洛書」錫禹. 關子明 · 邵康節, 皆以十爲「河圖」, 九爲「洛書」. 蓋「大傳」旣陳'天地五十有五之數', 「洪範」又明言'天乃錫禹洪範九疇', 而九宮之數, 戴九履一, 左三右七, 二四爲肩, 六八爲足, 正龜背之象也.

惟劉牧意見以九爲「河圖」, 十爲「洛書」, 託言出於希夷. 旣與諸儒舊說不合, 又引「大傳」以爲二者皆出於伏羲之世. 其易置「圖」·「書」, 並無明驗. 但謂伏羲兼取「圖」·「書」, 則『易』·「範」之數誠相表裏爲可疑耳.

其實天地之理一而已矣. 雖時有古今先後之不同, 而其理則不容於有二也. 故伏羲但據「河圖」以作『易』, 則不必預見「洛書」, 而已逆與之合矣; 大禹但據「洛書」以作「範」, 則亦不必追考「河

젊었을 때부터 학문에 뜻을 두었고, 경학의 今文과 古文 외에 天文 · 曆數에 이르기까지 광범한 지식을 갖추었다. 처음에 鄕嗇夫라는 지방의 말단관리가 되었으나 그만두고, 洛陽에 올라가 太學에 입학하여, 馬融 등에게 배웠다. 그가 낙양을 떠날 때, 마융이 "나의 학문이 정현과 함께 동쪽으로 떠나는구나!" 하고 탄식하였을 만큼 학문에 힘을 쏟았다. 그는 고문 · 금문에 다 정통하였으며, 가장 옳다고 믿는 설을 취하여 『周易』, 『尙書』, 『毛詩』, 『周禮』, 『儀禮』, 『禮記』, 『論語』, 『孝經』 등 경서에 주석을 하였고, 『儀禮』, 『論語』 교과서의 定本을 만들었다. 그의 저서 가운데 완전하게 현존하는 것은 『毛詩』의 箋과 『周禮』, 『儀禮』, 『禮記』의 주해뿐이고, 그 밖의 것은 단편적으로 남아 있다.

41 『대대예기』를 읽고 … 하였다 : 朱彝尊의 『經義考』 권138에 의하면, 『大戴禮記』에 대한 정현의 주석이 없는데 주희가 이렇게 정현의 주석을 인용한 것은 고증할 수 없다고 했다.(王應麟曰 : "『大戴禮』盧辨注非鄭氏, 朱文公引「明堂」篇鄭氏注云, '法龜文', 未考北史也.")

42 邵雍 『皇極經世書』 권13 「觀物外篇」 上

圖」, 而已暗與之符矣. 其所以然者何哉? 誠以此理之外, 無復它理故也. 然不特此耳, 律呂有五聲·十二律, 而其相乘之數究於六十. 日名有十幹·十二支, 而其相乘之數亦究於六十. 二者皆出於『易』之後, 其起數又各不同, 然與『易』之陰陽策數多少, 自相配合, 皆爲六十者, 無不若合符契也. 下至運氣·參同·太一之屬, 雖不足道, 然亦無不相通, 蓋自然之理也. 假令今世復有「圖」·「書」者出, 其數亦必相符, 可謂伏羲有取於今日而作『易』乎! 「大傳」所謂'河出圖·洛出書, 聖人則之'者, 亦汎言聖人作『易』·作「範」, 其原皆出於天之意. 如言'以卜筮者尙其占', 與'莫大乎蓍龜'之類, 『易』之書, 豈有龜與卜之法乎! 亦言其理無二而已爾.">

〈채원정蔡元定[43]이 말했다. "예로부터 지금까지의 전기에 공안국孔安國, 유향劉向[44] 부자와 반고班固[45] 이래로 모두 하늘이 복희에게 「하도」를 주었고, 우임금에게 「낙서」를 하사했다고 하였다. 관자명關子明[關朗]과 소강절邵康節[邵雍]은 모두 10을 「하도」라고 하였고, 9를 「낙서」라고 하였다. 『역』「계사전」에서 이미 '천지의 수 55'를 서술했을 뿐 아니라, 『서경』「홍범」에서 또한 '하늘이 우임금에게 「홍범구주」를 하사하였다.'고 분명하게 말했고, 9궁[46]의 수에 9를 머리에 이고 1을 발로 밟고 있으며, 왼쪽이

43 蔡元定(1135~1198) : 자는 季通이고, 세칭 西山先生이라 하였다. 송대 建陽(현 복건성 건양) 사람으로 주희를 경모하여 스승으로 받들었으나, 주희가 도리어 제자가 아닌 친구로 대우하였다. 그의 학문은 신유학뿐 아니라 천문·지리·樂律·歷數·兵陣 등에 뛰어났다. 특히 象數學에 조예가 깊어 주희의 『易學啓蒙』 저술에 참여한 것으로 알려진다. 말년에 주희와 함께 慶元黨禁의 표적이 되어 귀양을 가서 생을 마쳤다. 저서는 『律呂新書』, 『八陣圖說』, 『洪範解』 등이 있다.

44 劉向(B.C.79?~B.C.8?) : 자는 子政이며, 西漢의 경학자이고 목록학자이며 문학자이다. 劉歆의 부친이다. 한나라 高祖의 배다른 동생 劉交(楚元王)의 4세손이다. 젊었을 때부터 재능을 인정받아 宣帝에게 기용되어 諫大夫가 되었으며, 수십 편의 賦頌을 지었다. 神仙方術에도 관심이 많았으며, 황금 주조를 진언하고 이를 추진하다가 실패하여 투옥되었으나, 부모형제의 도움으로 죽음을 면하였다. 재차 선제에게 기용되어 石渠閣(궁중도서관)에서 五經을 강의하였다. 다음 황제인 元帝·成帝 때에는 劉氏의 족장으로서 외척과 宦官의 횡포를 막으려고 노력하였다. 성제 때에 이름을 向으로 고쳤으며, 이 무렵 외척의 횡포를 견제하고 天子의 鑑戒가 되게 하기 위해 上古로부터 秦·漢에 이르는 符瑞災異의 기록을 집성하여 『洪範五行傳論』 11편을 저술하였다. 그 밖의 편서·저서에는 『說苑』, 『新序』, 『烈女傳』, 『戰國策』과 궁중도서를 정리할 때 지은 『別錄』이 있다. 그의 아들 歆은 이 책을 이용하여 『七略』을 저술하였으며, 『漢書』「藝文志」에 거의 그대로 수록되어 전한다.

45 班固(32~92) : 자는 孟堅이며, 산서성 咸陽 사람이다. 중국 후한 초기의 역사가이며 문학가이다. 아버지 彪의 유지를 받들어 고향에서 기전체 역사서인 『漢書』의 편집에 종사하였으나, 62년경 국사를 改作한다는 중상모략으로 투옥되었다. 그의 형인 超의 노력으로 明帝의 용서를 받아, 20여 년에 걸쳐 『漢書』를 저술하였다. 79년 여러 학자들이 白虎觀에서 五經의 異同을 토론할 때, 황제의 명을 받아 『白虎通義』를 편집하였다. 和帝 때 竇憲의 中護軍이 되어 흉노 원정을 수행하고, 92년 두헌의 반란사건에 연좌되어 옥사하였다. 저서로는 『漢書』, 『白虎通義』, 『兩都賦』 등이 있다.

46 9宮 : 坎 1궁, 坤 2궁, 震 3궁, 巽 4궁, 中 5궁, 乾 6궁, 兌 7궁, 艮 8궁, 離 9궁을 가리킨다. 9궁은 하늘에서는 9星과 서로 대응하여 분별되고, 땅에서는 9州와 서로 대응하여 분별된다. 그 기본적인 배열법은 「洛書」의 9數에 의거하여, 坎 1궁은 白水에 속하고 정북방에 자리하며, 坤 2궁은 黑土에 속하고 서남방에 자리하며, 震 3궁은 碧木에 속하고 정동방에 자리하며, 中 5궁은 黃土에 속하고 중앙에 자리하며, 乾 6궁은 白金에

3, 오른쪽이 7이며, 2와 4는 어깨가 되고, 6과 8은 발이 된다는 것은[47] 바로 거북 등의 형상이다. 오직 유목劉牧[48]의 의견만이 9를 「하도」로 하고 10을 「낙서」로 하여, 그것이 희이希夷[陳摶][49]에서 나왔다고 기탁해서 말했다. 하지만 그것은 이미 여러 학자들의 옛 학설과 합치되지 않는데, 또 『역』「계사전」을 인용하여 「하도」와 「낙서」가 모두 복희 시대에 나왔다고 하였다. 그는 「하도」와 「낙서」를 바꿔놓았는데 결코 분명한 증거가 없다. 그러나 복희가 「하도」와 「낙서」를 함께 취했다고 하는 것은 『역』과 「홍범」의 수가 참으로 서로 겉과 속이 되니, 의심할 만하다.

사실 천지의 리理는 하나일 뿐이다. 비록 시기에 옛날과 지금의 선후가 다름이 있지만 그 리는 둘이 될 수 없다. 그러므로 복희가 단지 「하도」에 의거해서 『역』을 지었으니, 굳이 「낙서」를 예견하지 않아도 이미 미리 「낙서」와 합치했으며, 우임금이 단지 「낙서」에 의거하여 「홍범」을 지었으니, 또한 굳이 「하도」를 추고追考하지 않아도 이미 암암리에 「하도」와 부합하였다. 그런 까닭은 무엇인가? 진실로 이 리 외에 또다시 다른 리가 없기 때문이다. 그러나 이것 뿐 만 아니라, 율려에 5성과 12율이 있는데 그 서로 곱한 수가 60에서 끝맺으며, 날짜의 이름에 10간과 12지가 있는데 그 서로 곱한 수가 역시 60에서 끝맺는다. 이 둘은 모두 『역』보다 나중에 나왔고 그 수가 발생한 것도 각각 다르지만, 『역』의 음과 양의 책수策數의 많고 적음과 저절로 서로 배합하여 모두 60이 되는 것은 부절과 같이 꼭 들어맞지 않음이 없다. 그 밑으로 운기運氣[50]・참동參同[51]・태일太一[52]과 같은 것들은 말할

속하고, 서북방에 자리하며, 兌 7궁은 赤金에 속하고 정서방에 자리하며, 艮 8궁은 白土에 속하고 동북방에 자리하며, 離 9궁은 紫火에 속하고, 정남방에 자리한다. 그 특징은 가로, 세로, 대각선으로도 3개의 궁의 수의 합계가 모두 15이다.

47 劉牧은 『易數鈎隱圖遺論九事』「太皞氏授龍馬負圖」 1에서 "昔虙犧氏之有天下, 感龍馬之瑞, 負天地之數出於河, 是謂龍圖者也. 戴九履一, 左三右七, 二與四爲肩, 六與八爲足, 五爲腹心. 縱橫數之, 皆十五. 蓋『易』「繫」所謂參伍以變, 錯綜其數者也."라고 하였다.

48 劉牧(1011~1064) : 자는 先之 혹은 牧之이고 호는 長民이다. 원래는 杭州 臨安 사람이었는데, 조부의 공적으로 인해 西安(현 절강성 衢縣) 사람이 되었다. 范仲淹을 스승으로 모시고, 孫復에게서 『春秋』를 배웠으며, 石介와도 친분이 두터웠다. 역학 방면으로는 范諤昌의 역학을 이어받아 陳摶의 「河圖」·「洛書」 상수학을 전승하였다. 벼슬은 범중엄과 富弼 등의 추천으로 兗州觀察使를 거쳐 太常博士까지 역임하였다. 역학 방면의 저술에는 『卦德通論』, 『新注周易』, 『周易先儒遺論九事』, 『易數鈎隱圖』 등이 있다.

49 陳摶(?~989) : 자는 圖南이고, 자호는 扶搖子이다. 황제가 하사한 호는 希夷先生이고, 세칭 白雲先生이라 하였다. 송대 亳州 眞源(현 하남성 鹿邑) 사람으로 武當山·居華山에 은거하여 수도하였다. 『易』에 대한 연구에 몰두하였으며, 「無極圖」와 「先天圖」를 그린 것이 소옹과 주렴계 등에게 전수되었다. 저서는 『指玄篇』, 『三峰寓言』, 『高陽篇』, 『釣潭集』 등이 있다.

50 運氣 : '五運'과 '六氣' 및 그 둘의 상호 관계를 말한다. '五運'은 木運·火運·土運·金運·水運을 말한다. 목·화·토·금·수 5행을 天干, 즉 갑·을·병·정·무·기·경·신·임·계에 배합하여 운용함으로써 기후변화의 정상과 이상을 분석하는 것이다. 오운은 또한 大運·主運·客運으로 나뉜다. 대운은 주로 매해의 歲運(12해의 운)을 총괄하여 1년 중의 五運季의 기후변화의 규칙을 설명하는 것이며, 각 운계는 매년 고정불변하고 각 운계 중의 기후변화도 매년 같으므로 주운이라 한다. 大寒에서 13일 五刻까지를 1운으로 하여 五行相生의 순으로 정한다. 즉 목은 初運(風), 화는 2暑, 토는 3濕, 금은 4燥, 수는 終運(寒)으로 매년 고정되어 있다. 객운은 1년 중의 오운계의 이상 기후를 말한다. 이는 매년 달라지고 각 季에도 차이가 있어서 객이 왔다갔다

것도 없지만, 또한 서로 통하지 않음이 없으니, 저절로 그러한 리이기 때문이다.

가령 현세에 다시 「도圖」와 「서書」가 나왔고 그 수가 또한 서로 꼭 부합한다면 복희가 현세를 취해서 『역』을 지었다고 할 수 있겠는가! 『역』「계사전」의 이른바 '황하에서 그림이 나오고 낙수에서 글이 나오니, 성인이 그것을 본받았다.'[53]고 한 것도 역시 성인이 『역』을 짓고 「홍범」을 만든 것이 그 근원은 모두 하늘에서 나왔다는 의미를 일반화시켜 말한 것이다. 이를테면 '(『역』의 원리를) 복서卜筮로 하려는 사람들은 그 점占을 숭상한다.'[54]고 말하고, '시초점과 거북점보다 나은 것이 없다.'[55]고

하는 것과 같다 하여 객운이라 한다. 천간의 갑과 기가 배합되어 토운이 되고, 을과 경이 배합되어 금운이 되며, 병과 신이 배합되어 수운이 되며, 정과 임이 배합되어 목운이 되며, 무와 계가 배합되어 화운이 된다. 갑·병·무·경·임은 陽干에 속하고 을·정·기·신·계는 陰干에 속한다.

'六氣'는 風·熱·火·濕·燥·寒을 말한다. 육기를 地支, 즉 자·축·인·묘·진·사·오·미·신·유·술·해에 배합시켜 歲氣(그해의 기)를 추측하여 연중 각 계절의 정상기후와 이상변화를 분석한다. 육기는 또한 주기와 객기로 나뉜다. 주기는 일정한 방향으로 돌아가는 계절의 순서를 말한다. 초기는 厥陰風木, 2기는 少陰君火, 3기는 少陽相火, 4기는 太陰濕土, 5기는 陽明燥金, 終氣는 太陽寒水이다. 이 순서는 해가 바뀌어도 변하지 않는다. 객기는 厥陰·少陰·太陰·少陽·陽明·太陽의 순서로 순환하는데 司天과 在泉, 그리고 좌우 四間氣로 갈라진다. 사천은 上半年(초기에서 3기까지)을 주재하고, 재천은 下半年을 주재하는 것으로, 사천은 3기이고 재천은 종기이며 나머지 4기는 간기가 된다. 12지의 사와 해가 배합되어 궐음풍목이 되고, 자와 오가 배합되어 소음군화가 되며, 인과 신이 배합되어 소양상화가 되고, 축과 미가 배합되어 태음습토가 되며, 묘와 유가 배합되어 양명조금이 되고, 진과 술이 배합되어 태양한수가 된다. 자·오·인·신·진·술은 陽年이라서 太過하고 축·미·묘·유·사·해는 陰年이라서 不及이다.

그 둘의 상호 관계는 年干에 따라서 오운을 추산하고, 연지를 따라서 육기를 추산하며 겸하여 운기 상호간의 상생상극 관계를 관찰해서 그 해의 기후변화 및 질병의 발생과 예후를 예측한다. 운기학설이 의학에 적용될 때에는 매년 기후변화의 상태에 따라서 六淫(風·熱·火·濕·燥·寒)이 인체에 미치는 영향이 다르므로 운기를 파악해서 질병의 예방과 치료 방향을 설정하고자 했다.

『易學啟蒙通釋』 권上에는 '運氣'에 대하여 다음과 같이 설명하였다. "'運氣'는 『黃帝內徑素問』에 보인다. … 운기의 相乘관계를 말하면, 갑·병·무·경·임이 양이 되어 자·오·인·신·진·술에 덧붙이면 합계가 30일이고, 을·정·기·신·계가 음이 되어 축·미·묘·유·사·해에 덧붙이면 합계가 30일이 되어, 음양과 간지를 총계하면 60이 된다.(運氣, 見黃帝素問. … 以運氣相乘言之, 甲·丙·戊·庚·壬爲陽, 加于子·午·寅·申·辰·戌, 計三十日, 乙·丁·己·辛·癸爲陰, 加于丑·未·卯·酉·巳·亥, 計三十日, 總陰陽支幹是爲六十也.)"

51 參同: 胡方平의 『易學啟蒙通釋』 권上에는 '參同'에 대하여 다음과 같이 설명하였다. "『參同契』는 수양하는 책인데, 後漢의 魏伯陽이 지었다. 건·곤으로 화로와 솥을 삼고, 감·리로 金刀를 삼으며, 외단大藥에 쓰이는 것을 '화력의 강약과 시간의 장단火候'으로 삼는 것이 60괘이다.(『參同』乃修養之書, 後漢魏伯陽所作. 以乾·坤爲爐鼎, 坎·離爲金刀, 大藥所用以爲火候者, 六十卦也.)"

52 太一: 호방평의 『易學啟蒙通釋』 권上에는 '太一'에 대하여 다음과 같이 설명하였다. "太乙日家에 『太乙統紀』라는 책이 있는데, 그 내용이 또한 대체로 60을 위주로 한다.(太乙日家有『太乙統紀』之書, 其說蓋亦主於六十也.)"

53 『易』「繫辭上」 11에서, "河出圖·洛出書, 聖人則之."라고 하였다.

54 『易』「繫辭上」 10에서, "『易』有聖人之道四焉, 以言者尙其辭, 以動者尙其變, 以制器者尙其象, 以卜筮者尙其占."이라고 하였다.

말하지만, 『역』이라는 책에 어찌 거북과 점치는 방법이 있겠는가! 역시 그 리가 둘이 없음을 말하는 것일 뿐이다.〉

[14-1-4-1]

朱子曰 : "二始者, 一·二也. 一奇故爲剛, 二偶故爲柔. 二中者, 五·六也. 五者十干, 六者十二辰也. 二終者九與十也. 閏餘之法, 以一十九歲爲一章, 姑借其說以明十數之爲「河圖」耳."[56]

又曰 : "'圓者星也', '圓者「河圖」之數', 言無那四角底, 其形便圓."[57]

又曰 : "「河圖」旣無那四隅, 則比之「洛書」固亦爲圓矣. '方者, 土也', '方者, 「洛書」之文', 言畫州·井地之所依倣而作者也. 『書』「禹貢」, '禹別九州', 冀北, 揚南, 青東, 梁西, 兗東北, 雍西北, 徐東南, 荊西南, 豫中也. 孟子言周家井地之制, '井九百畝, 其中爲公田, 八家各私百畝, 同養公田'. 是皆法「洛書」之九數也."[58]

주자朱子[朱熹]가 말했다. "(천지의) 두 개의 시작하는 수는 1과 2이다. 1은 홀수이므로 강剛이 되고, 2는 짝수이므로 유柔가 된다. 두 개의 중간 수는 5와 6이다. 5는 10간이고 6은 12진이다. 두 개의 끝나는 수는 9와 10이다. 윤달을 정하는 방법은 19년을 1장章으로 하는데, 임시로 그 설명을 빌려서 10의 수가 「하도」임을 밝혔을 뿐이다."

또 말했다. "'둥근 것은 별자리이다.'라고 하고, '둥근 것은 「하도」의 수이다.'라고 한 것은, 사각인 곳이 없으니 그 형태가 둥글다는 것을 말한다."

또 말했다. "「하도」는 이미 네 모퉁이가 없으니, 「낙서」에 비해서 본디 둥글다. (소옹이) '모난 것은 땅이다.'라고 하고 '모난 것은 「낙서」의 문양이다.'라고 말한 것은 주州를 나누고 전답을 정井자로 나누는 것이 이것을 모방하여 만들었다는 것을 말한다. 『서書』「하서夏書」「우공禹貢」편에서 '우임금이 9주九州를 나누었다.'[59]고 하였는데, 기주冀州는 북쪽, 양주揚州는 남쪽, 청주青州는 동쪽, 양주梁州는 서쪽, 연주兗州는 동북쪽, 옹주雍州는 서북쪽, 서주徐州는 동남쪽, 형주荊州는 서남쪽, 예주豫州는 중앙이다. 맹자가 주周나라의 정전법을 말하면서, '매 정井은 900무인데 정井의 가운데를 공전公田으로 하고, 8가구가 각각 100무를 사유私有하며, 공동으로 공전을 경작한다.'[60]고 하였다. 이들은 모두

55 『易』「繫辭上」 11에서, "探賾索隱, 鉤深致遠, 以定天下之吉凶, 成天下之亹亹者, 莫大乎蓍龜."라고 하였다.

56 『朱文公文集』 권45 「答寥子晦」에는, "二始者, 一·二也. 一奇故爲剛, 二耦故爲柔. 二中者, 五·六也. 五者, 十日, 六者, 十二辰也. 二終者, 十與九也. 閏餘之法, 以十九歲爲一章, 故其言如此. 然一章之數, 似亦附會, 當時姑借其說以明十數之爲「河圖」耳."라고 되어 있다.

57 『朱子語類』 권65, 48조목

58 호방평의 『易學啓蒙通釋』 권上에 주자의 말로 실려 있다. 하지만 첫머리인 '「河圖」旣無那四隅, 則比之「洛書」固亦爲圓矣.'까지는 『朱文公文集』「答寥子晦」 권45에 있고, 그 나머지는 현행 『朱子語類』나 『朱文公文集』 등에서 찾아볼 수 없다.

59 『書』「夏書·禹貢」 제1에서, "禹別九州, 隨山濬川, 任土作貢."이라고 하였다.

60 『孟子』「滕文公上」에는, "井九百畝, 其中爲公田, 八家皆私百畝, 同養公田."이라고 되어 있다.

「낙서」의 9의 수를 본받은 것이다."

[14-1-4-2]

西山蔡氏曰："天下之萬聲，出於一闔一闢；天下之萬理，出於一動一靜；天下之萬數，出於一奇一偶；天下之萬象，出於一方一圓."[61]

서산 채씨西山蔡氏[蔡元定]가 말했다. "천하의 온갖 소리는 한 번 열리고 한 번 닫히는 데에서 나오고, 천하의 온갖 리는 한 번 움직이고 한 번 고요한 데에서 나오며, 천하의 온갖 수는 한 번 홀수가 되고 한 번 짝수가 되는 데에서 나오고, 천하의 온갖 상象은 한 번 네모나고 한 번 둥근 데에서 나온다."

[14-1-4-3]

平庵項氏曰："'戴九履一'，乃『乾鑿度』九宮之法. 自有『易』以來，諸『易』師未有以爲「河圖」者，至宋劉牧方兩易之. 關子明『洞極經』亦然. 按唐李鼎祚『集解』易，盡備前世諸儒之說，獨無所謂關子明者，蓋宋阮逸僞作也. 其說見後山陳氏『談叢』."[62]

평암 항씨平庵項氏[項安世][63]가 말했다. "'9를 머리에 이고 1을 발로 밟고 있다.'는 것은 곧 『주역건착도周易乾鑿度』의 9궁의 법식이다.[64] 『역』이 있은 이래로 여러 『역』 전문가들이 그것을 「하도」로 생각하지 못하였는데, 송대 유목劉牧이 비로소 그 둘을 바꾸었다.[65] 관자명關郞의 『통극경』도 역시 그러하

61 『朱子語類』 권65, 35조목에 채원정의 말로 수록되어 있다.

62 項安世의 『周易玩辭』 권13 「河圖」·「洛書」에는, "姚小彭氏曰：'今所傳戴九履一之圖, 乃『易乾鑿度』九宮之法. 自有『易』以來, 諸『易』師未有以此爲「河圖」者. 至本朝劉牧長民, 方以此爲「河圖」, 而又以生數就成數, 依五方圖之以爲「洛書」. 其言未足深據也. 竊意「圖」者必有八卦之象, 「書」者必有古文字之形, 而今不傳爾. 又世所傳關子明『洞極經』, 亦言「河圖」·「洛書」, 如劉氏說而兩易之, 以五方者爲「圖」, 九宮者爲「書」. 按唐李鼎祚『易集解』, 盡備前世諸儒之說, 獨无所謂關氏者, 至本朝阮逸始僞作『洞極經』, 見於后山陳氏『談叢』之書, 則關氏亦不足爲證矣.'"라고 되어 있다. 따라서 이 글은 姚小彭의 말을 항안세가 인용한 것이라고 할 수 있다.

63 項安世(1129~1208)：자는 平甫이고 호는 平庵이다. 송대 括蒼(현 절강성 麗水) 사람인데 나중에 江陵(현 호북성 소재)에 살았다. 7살에 賦와 詩에 능숙하였고, 송 효종 淳熙 2년(1175)에 進士에 급제하고, 紹興府敎授에 임명되었다. 당시에 주희가 浙東提擧로 있어서 서로 학문을 강론하였고, 주희의 추천으로 諫官이 되었으며, 校書郎兼實錄院檢討官을 거쳐 通判重慶儲가 되었다가 '慶元禁黨' 때에 주희를 변론하는 상소문으로 인하여 파직되었다. 금당이 해제되고 다시 벼슬이 戶部員外郎, 湖廣總領에 이르렀다. 저서로는 『周易玩辭』, 『項氏家說』, 『平庵悔稿』 등이 있다.

64 '9를 머리에 … 법식이다：『周易乾鑿度』 권下에서 "太一取其數以行九宮, 四正四維皆合於十五."라고 하였는데, 『周易乾鑿度』의 九宮의 숫자 배열 방식이 「洛書」의 숫자 배열 방식과 같기 때문에 이렇게 말했다. 즉 九宮 '一北, 九南, 三東, 七西, 四東南, 六西北, 二西南, 八東北, 五居中.'을 배열한 방위가 「洛書」의 숫자 배열 방식과 같다.

65 송대 劉牧이 … 바꾸었다：이 문장은 그 자체로는 문맥을 이해하기 어려운데, 본문 원문의 전거인 姚小彭의 말(세 번째 위의 각주)을 살펴보면, 유목은 『周易乾鑿度』의 9궁의 수를 「河圖」로 이해하였고, 관자명이 비로

다. 생각건대, 당唐대 이정조李鼎祚[66]의 『주역집해』에서 이전의 여러 학자들의 주장을 모두 다 갖추었는데, 유독 관자명을 구체적으로 말하지 않은 것은 아마 송대 완일阮逸[67]의 위작이기 때문일 것이다. 그 설명은 후산 진씨後山陳氏[陳師道][68]의 『후산담총後山談叢』에 보인다."

[14-1-4-4]

黃氏瑞節曰 : "楊鼎卿彙六經爲『圖』, 唐仲友輯『經世圖譜』, 並守劉牧之說, 猶未是正云."[69]

황씨 서절黃氏瑞節[黃瑞節][70]이 말했다. "양정경楊鼎卿[楊甲][71]이 육경을 모아 만든 『육경도六經圖』와 당중우唐仲友[72]가 편집한 『제왕경세도보帝王經世圖譜』는 모두 유목의 주장을 고수하여 여전히 잘못된 것을 바로잡지 못했다.[73]"

소 「河圖」와 「洛書」 그 둘을 바꾸어 『周易乾鑿度』의 9궁의 수를 「洛書」로 이해했다는 것이다.

66 李鼎祚 : 唐代 경학가로서 資州 盤石縣(현 사천성 소재) 사람이다. 당대에 漢代易인 상수학을 제창한 대표자이고, 당시 의리학과 상수학을 집대성한 학자가 되었다. 벼슬은 秘書省著作郎을 거쳐 殿中侍御史에 이르렀다. 저술로는 『周易集解』와 『連珠明鏡式經』과 『平湖論』 등이 있다. 특히 그의 대표작이라고 할 수 있는 『주역집해』는 역학사에서 멀리 王弼 · 韓康伯의 注와 孔穎達의 疏를 비판적으로 전승하고, 뒤로는 송명대의 역학을 열어주었으며, 청대에 漢代 역학을 연구하는 증빙자료가 된 중요한 지위를 차지하였다.

67 阮逸 : 阮逸女라고도 일컬어지며 자는 天隱이다. 북송대 건주 건양(현 복건성 건양) 사람으로, 天聖 5년(1027)에 진사에 급제하였다. 벼슬은 知杭州와 典樂事 등을 지냈다. 『樂論』 12편과 律管을 만들어 올려, 胡瑗과 함께 鍾管十三律을 교정하는 명을 받들었다. 康定 원년(1040)에는 『鍾律制議』와 『鍾律制議圖』를 진상하였으며, 호원과 『皇右新樂圖記』를 공동으로 저술하였다.

68 陳師道(1053~1102) : 자는 履常 또는 無己이고, 호는 後山이다. 송대 彭城(현 강소성 徐州) 사람이다. 16세 때부터 曾鞏을 스승으로 섬겼으나 왕안석의 신법에 반대하여 과거에 응시하지 않았다. 元祐 2년(1087), 한림학사인 蘇軾 · 傅堯俞 · 孫覺 등의 천거로 徐州州學敎授를 거쳐 秘書省正字를 역임하였다. 저술은 『後山集』, 『後山談叢』, 『後山詩話』 등이 있다.

69 朱彝尊은 『經義考』 권16에서 이 구절을 황서절의 말이라고 했다.

70 黃瑞節 : 자는 觀樂이다. 송 · 원대 安福 사람으로 송대에 泰和州學을 역임했으나, 원대에서는 은거하여 학문에 힘썼다. 주희가 편찬한 『太極解義』 · 『通書解』 · 『正蒙解』 · 『易學啓蒙』 · 『家禮』 · 『律呂新書』 · 『皇極經世』에 주석을 가하여 『朱子成書』라는 책을 지었다.

71 楊甲(1110~1184) : 자는 嗣淸이고 송대 遂寧(현 사천성 수녕) 사람이다. 乾道 2년(1166)에 진사에 급제하였으나, 그가 올린 책문이 효종을 불쾌하게 하여 벼슬은 文林郎에 그쳤다. 그 일생의 최대 성취는 『六經圖』 309圖를 지어 육경을 도식화한 것이고, 시문으로는 『棣華館小集』이 있다.

72 唐仲友(1136~1188) : 자는 與政이고 또 說齋先生이라고 불렸다. 송대 金華(현 절강성 금화) 사람이다. 고종 紹興 21년(1151)에 진사에 급제하여 知台州를 거쳐, 淳熙 8년(1181)에 江西提刑에 발탁되었으나, 주희의 6회에 걸친 탄핵을 받아 奉祠 직으로 좌천되었다. 경세치용에 대한 주희와의 견해 차이 및 주희와 친밀한 呂祖謙 · 陳亮과의 불화로 인하여 주희와 관계가 좋지 않았다. 저술로는 『六經解』, 『帝王經世圖譜』, 『說齋文集』 등이 있다.

73 유목의 주장을 … 못했다 : 이것은 『周易乾鑿度』의 9궁의 숫자 배열 방식이 「河圖」의 숫자 배열 방식과 같다고 하는 유목의 잘못된 주장을 시정하지 못했다는 것을 말한다.

[14-1-4-5]

玉齋胡氏曰 : “『唐』「律曆志」僧一行作『曆本議』云, ‘天數始於一, 地數始於二, 合二始以定剛柔. 天數中於五, 地數中於六, 合二中以定律曆. 天數終於九, 地數終於十, 合二終以紀閏餘. 天有五音, 所以司日也; 地有六律, 所以司辰也. ’[74]”[75]

옥재 호씨玉齋胡氏[胡方平]가 말했다. “『당서唐書』「율력지律曆志」에 승려 일행一行[76]이 『역본의曆本議』를 지어 말하기를, ‘하늘의 수는 1에서 시작하고 땅의 수는 2에서 시작하는데, 이 두 개의 시작하는 수를 결합하여 강유剛柔를 정하였다. 하늘의 수는 5를 한가운데로 하고 땅의 수는 6을 한가운데로 하는데, 이 두 개의 가운데 수를 결합하여 율력을 정했다. 하늘의 수는 9에서 끝나고 땅의 수는 10에서 끝나는데, 이 두 개의 끝나는 수를 결합하여 윤달의 기준으로 삼았다. 하늘에 있는 5음은 때의 천간天干을 담당하고 땅에 있는 6율은 때의 지지地支를 담당한다.’고 하였다.”

[14-1-4-6]

“『前漢』「律曆志」云, ‘天之中數五, 五爲聲; 地之中數六, 六爲律.’ 聲者, 宮·商·角·徵·羽也. 律有二, 陽律爲律, 陰律爲呂. 律以統氣類物, 曰, 黃鍾·太簇·姑洗·蕤賓·夷則·無射, 是也. 其制截竹爲筒, 陰陽各六, 以節五聲之上下. 每律呂以五聲加之, 則以五乘十二, 以十二乘五, 是爲六十. 十干, 自甲至癸; 十二支, 自子至亥. 支幹相乘, 亦爲六十. 陰陽老少策數配合爲六十者, 老陽策數三十六, 老陰策數二十四, 合爲六十. 少陽策數二十八, 少陰策數三十二, 亦合爲六十也.

運氣見『黃帝』「素問」. 五運者, 甲己化土, 乙庚化金, 丙辛化水, 丁壬化木, 戊癸化火, 是也. 六氣者, 子午少陰君火司天爲主氣, 寅申少陽相火司天爲主氣, 丑未太陰濕土司天爲主氣, 卯酉陽明燥金司天爲主氣, 辰戌太陽寒水司天爲主氣, 巳亥厥陰風木司天爲主氣, 是也. 以運氣相乘言之, 甲·丙·戊·庚·壬爲陽, 加於子·午·寅·申·辰·戌計三十日, 乙·丁·己·辛·癸爲陰, 加於丑·未·卯·酉·巳·亥計三十日, 總陰陽支幹是爲六十也.

『參同』乃修養之書, 後漢魏伯陽所陽作, 以乾·坤爲爐鼎, 坎·離爲金刀·大藥, 所用以爲火候者六十卦也.

---

74 『新唐書』 권27 「曆志」 上에서, “天數始於一, 地數始於二, 合二始以位剛柔. 天數終於九, 地數終於十, 合二終以紀閏餘. 天數中於五, 地數中於六, 合二中以通律曆. 天有五音, 所以司日也, 地有六律, 所以司辰也.”라고 하였다.

75 호방평, 『易學啟蒙通釋』 권上 「本圖書」 제1

76 一行(683~727) : 본명은 張遂이다. 唐代 천문학자 승려로서 邢州 巨鹿(현 하북성 邢台) 사람이다. 그는 청년 시절에 이미 천문과 역법 및 수학에 정통하여 開元 5년(717)에는 唐玄宗의 고문이 되었다. 그 뒤 10년 동안 천문에 대한 연구와 曆法의 개혁에 매진하였고, 역사상 최초로 子午線을 측량하였다. 이러한 과정에서 그는 대형의 천문관측 기구를 제작하여 천문학 연구의 기반을 마련하였고, 그 성과로 『開元大衍曆』을 편찬하였다. 그 외의 저술로는 『七政長曆』, 『易論』, 『心機算術』 등이 있다.

『太乙』，日家有太一統紀之書，其說蓋亦主於六十也.”

(호방평이 말했다.) “『전한서』「율력지」에서 ‘하늘의 가운데 수는 5인데 5는 성聲이 되며, 땅의 가운데 수는 6인데 6은 율律이 된다.’라고 하였다. 성은 궁·상·각·치·우이다. 율에는 두 가지가 있으니, 양율陽律은 율이고 음율陰律은 여呂가 된다. 율은 기氣를 다스려서 사물을 분류하는 것으로서 황종·태주·고선·유빈·이칙·무역이 이것이다. 그것의 체제는 대나무를 잘라서 통을 만들고, 음과 양 각기 6개로써 5성의 상하를 조절하는 것이다. 매 율려에 5성을 붙이면 5로써 12를 곱하거나, 12로써 5를 곱하여 60이 된다. 10간은 갑甲부터 계癸까지이고, 12지는 자子부터 해亥까지이다. 10간과 12지를 서로 배합하면 역시 60이 된다. 음양 노소의 책수策數를 배합하여 60이 된다는 것은, 노양의 책수 36과 노음의 책수 24를 합하면 60이 되고, 소양의 책수 28과 소음의 책수 32를 합해도 역시 60이 된다는 것이다.

운기는 『황제내경黃帝內經』「소문素問」에 보인다. 5운은, 갑甲과 기己가 토土로 변화하고, 을乙과 경庚이 금金으로 변화하며, 병丙과 신辛이 수水로 변화하고, 정丁과 임壬이 목木으로 변화하며, 무戊와 계癸가 화火로 변화하는 것이 이것이다. 6기는 자子와 오午가 소음 군화君火로서 하늘을 주관하여 주기主氣가 되고, 인寅과 신申은 소양 상화相火로서 하늘을 주관하여 주기가 되며, 축丑과 미未는 태음 습토濕土로서 하늘을 주관하여 주기가 되고, 묘卯와 유酉는 양명陽明 조금燥金으로서 하늘을 주관하여 주기가 되며, 진辰과 술戌은 태양 한수寒水로서 하늘을 주관하여 주기가 되고, 사巳와 해亥는 궐음厥陰 풍목風木으로서 하늘을 주관하여 주기가 되는 것이 이것이다. 5운과 6기가 서로 배합하는 것으로 말하면, 갑·병·무·경·임이 양이 되어 자·오·인·신·진·술과 배합하여 합계가 30일이고, 을·정·기·신·계가 음이 되어 축·미·묘·유·사·해와 배합하여 합계가 30일이니, 간지의 음양을 총계하면 60이 된다.

『참동계參同契』는 수양하는 책으로서 후한의 위백양魏伯陽[魏翔][77]이 지은 것인데, 건과 곤을 화로와 솥으로 삼고 감과 리를 쇠칼과 중요한 약으로 삼아, 그것들이 운용되어 화후火候(불의 세기와 시간)로 삼는 것이 60괘이다.

『태을경太乙經』은 일가日家(기상 상태를 살펴서 점을 치는 사람)들이 태일로 기준을 세우는 책이니, 그 내용이 또한 60을 위주로 한다.”

[14-2]

天一·地二·天三·地四·天五·地六·天七·地八·天九·地十. 天數五, 地數五, 五位相得而各有合. 天數二十有五, 地數三十, 凡天地之數五十有五, 此所以成變化而行鬼神也.[78]

77 魏翔(151~221) : 자는 伯陽이고 호는 雲牙子 혹은 雲霞子라고 하며, 일설에 이름이 篤이라고도 한다. 東漢시대 저명한 煉丹家로서 會稽 上虞(현 절강성 상우현) 사람이다. 漢靈帝 5년(176)에 黨禍로 가족 전체가 연루되어 산림에 은둔하여 도를 닦으면서, 부친인 魏郎의 유고인 『魏子』를 정리하여 편집하였다. 저술로는 『參同契』와 『五相類』 및 『抱樸子內篇·遐覽』이 실려 있는 『魏伯陽內經』이 있다.

하늘은 1, 땅은 2, 하늘은 3, 땅은 4, 하늘은 5, 땅은 6, 하늘은 7, 땅은 8, 하늘은 9, 땅은 10이다. 하늘의 수 5개와 땅의 수 5개가 5개의 자리에서 서로를 얻어서 각기 결합함이 있다.[79] 하늘의 수는 25이고 땅의 수는 30이며, 하늘과 땅의 수는 55이니, 이것으로써 변화를 이루고 귀신을 행한다.[80]

[14-2-1]

此一節夫子所以發明「河圖」之說也. 天地之間, 一氣而已, 分而爲二則爲陰陽, 而五行造化·萬物始終無不管於是焉. 故「河圖」之位, 一與六共宗而居乎北, 二與七爲朋而居乎南, 三與八同道而居乎東, 四與九爲友而居乎西, 五與十相守而居乎中. 蓋其所以爲數者, 不過一陰一陽, 一奇一偶, 以兩其五行而已.

所謂天者, 陽之輕淸而位乎上者也. 所謂地者, 陰之重濁而位乎下者也. 陽數奇, 故一·三·五·七·九皆屬乎天, 所謂'天數五'也. 陰數偶, 故二·四·六·八·十皆屬乎地, 所謂'地數五'也. 天數地數各以類而相求, 所謂'五位之相得'者然也. 天以一生水, 而地以六成之, 地以二生火, 而天以七成之, 天以三生木, 而地以八成之; 地以四生金, 而天以九成之; 天以五生土, 而地以十成之.[81] 此又其所謂'各有合焉'者也.

積五奇而爲二十五, 積五偶而爲三十, 合是二者而爲五十有五, 此「河圖」之全數; 皆夫子之

78 『易』「繫辭上」 9장

79 5개의 자리에서 … 있다 : 이 구절에 대하여 주자는 『朱子語類』 권75, 22조목에서 다음과 같이 풀이하고 있다. "여기에는 두 가지 의미가 있다. 1과 2, 3과 4, 5와 6, 7과 8, 9와 10은 홀수와 짝수가 무리를 이루어 '서로를 얻는 것'이다. 1과 6이 결합하고, 2와 7이 결합하고, 3과 8이 결합하고, 4와 9가 결합하고, 5와 10이 결합하는 것은 '각기 결합함이 있다.'는 것이다. 十干에서 갑과 을이 목이 되고, 병과 정이 화가 되며, 무와 기가 토가 되고, 경과 신이 금이 되며, 임과 계가 수가 되는 것이 바로 '서로를 얻는 것'이다. 갑과 기가 결합하고, 을과 경이 결합하며, 병과 신이 결합하고, 정과 임이 결합하며, 무와 계가 결합하는 것은 '각기 결합함이 있다.'는 것이다.('五位相得而各有合', 是兩箇意. 一與二, 三與四, 五與六, 七與八, 九與十, 是奇耦以類'相得'. 一與六合, 二與七合, 三與八合, 四與九合, 五與十合, 是'各有合'. 在十干, 甲乙木, 丙丁火, 戊己土, 庚辛金, 壬癸水, 便是'相得'. 甲與己合, 乙與庚合, 丙與辛合, 丁與壬合, 戊與癸合, 是'各有合'.)"

80 이것으로써 변화를 … 행한다 : 이 구절에 대하여 주자는 『朱子語類』 권75, 23조목에서 다음과 같이 풀이하고 있다. "先生(朱熹)이 다음과 같은 말을 열거하였다. 程子(程頤)는 '변화는 공효를 말하고, 귀신은 작용을 말한다.'라고 하였다. 張子(張載)는 말했다. '「이룬다.」와 「행한다.」는 것은 귀신의 기일 뿐이다.', '수는 다만 기이고, 변화와 귀신도 역시 기일 뿐이다. 하늘과 땅의 수 55에 변화와 귀신이 모두 그 사이를 벗어나지 않는다.'라고 말했다.("所以成變化而行鬼神也." 先生擧程子云 : "變化言功, 鬼神言用." 張子曰 : "成行, 鬼神之氣而已." "數只是氣, 變化鬼神亦只是氣. '天地之數五十有五', 變化鬼神皆不越於其間.")"

81 『前漢書』 권27 上 「五行志」 제7 上에는, "天以一生水, 地以二生火, 天以三生木, 地以四生金, 天以五生土. … 水之大數六, 火七, 木八, 金九, 土十."이라고 되어 있으며, 劉牧의 『易數鉤隱圖』「論中」 권中에는, "天一生水, 地二生火, 天三生木, 地四生金, 天五生土, 此其生數也. 如此, 則陽无匹陰无偶, 故地六成水, 天七成火, 地八成木, 天九成金, 地十成土. 於是陰陽各有匹偶, 而物得成矣, 故謂之成數也."라고 되어 있다.

意，而諸儒之說也.

이 한 구절은 공자가 「하도」를 밝혀 드러낸 설명이다. 하늘과 땅 사이에 있는 것은 하나의 기氣일 뿐인데, 나누어서 둘이 되면 음과 양이 되니, 오행이 조화造化하고 만물이 생겨나고 없어지는 것은 여기에서 주관하지 않는 것이 없다. 그러므로 「하도」의 자리는 1과 6이 함께 으뜸이 되어 북쪽에 자리 잡고, 2와 7이 동문(朋)이 되어 남쪽에 자리 잡으며, 3과 8이 도를 같이하여 동쪽에 자리 잡고, 4와 9가 동지(友)가 되어 서쪽에 자리 잡으며, 5와 10이 서로 지켜주어서 중앙에 자리 잡는다.[82] 그렇게 수가 배치되는 것은 다만 한 번은 음이 되고 한 번은 양이 되며, 한 번은 짝수가 되고 한 번은 홀수가 되어 오행을 둘씩 하는 것일 뿐이다.

이른바 하늘이란, 양기의 가볍고 맑은 것이 위에 자리 잡고 있는 것이다. 이른바 땅이란 음의 무겁고 탁한 것이 아래에 자리 잡은 것이다. 양의 수는 홀수이므로 1·3·5·7·9가 모두 하늘에 속하니, 이른바 '하늘의 수 5개'이다. 음의 수는 짝수이므로 2·4·6·8·10이 모두 땅에 속하니, 이른바 '땅의 수 5개'이다. 하늘의 수와 땅의 수가 각기 무리를 이루어 서로 구하는 것은, 이른바 '5개의 자리에서 서로를 얻는다.'는 것이 그러하다. 하늘이 1로서 수水를 낳고 땅이 6으로 그것을 이루며, 땅이 2로서 화火를 낳고 하늘은 7로서 그것을 이루며, 하늘이 3으로서 목木을 낳고 땅이 8로서 그것을 이루며, 땅이 4로서 금金을 낳고 하늘은 9로서 그것을 이루며, 하늘이 5로서 토土를 낳고 땅이 10으로 그것을 이룬다. 이것이 또 그 이른바 '각기 결합함이 있다.'는 것이다.

5개의 홀수를 모으면 25가 되고 5개의 짝수를 모으면 30이 되며, 이 둘을 합하면 55가 되고 이것이 「하도」 전체의 수이니, 이 모든 것이 공자의 생각이고 여러 학자들의 설명이다.

[14-2-1-1]

朱子曰："五行，有以質而語其生之序者，則曰'水·火·木·金·土'；有以氣而語其行之序者，則曰'木·火·土·金·水'. '水陰根陽，火陽根陰'，錯綜而生. 其端是'天一生水，地二生火，天三生木，地四生金'；到得運行處，便水生木，木生火，火生土，土生金，金又生水，水又生木，循環相生."[83]

又曰："陽變陰合，初生水·火，水·火，氣也. 流動閃爍，其體尙虛，其成形猶未定. 次生木·金，則確然有定形矣."[84]

又曰："大抵天地生物，先其輕淸以及重濁. '天一生水，地二生火'，二物在五行中最輕淸.

82 「河圖」의 자리는 … 잡는다 : 揚雄의 『太玄經』 권10 「玄圖」 제14에는, "一與六共宗(在北方也), 二與七共朋(在南方也), 三與八成友(在東方也), 四與九同道(在西方也), 五與五相守(在中央也)."라고 하였다.

83 『朱子語類』 권94, 20조목에는, 又問 : "'以質而語其生之序', 不是相生否? 只是陽變而助陰, 故生水; 陰合而陽盛, 故生火; 木·金各從其類, 故在左右." 曰: "'水陰根陽, 火陽根陰.' 錯綜而生其端, 是'天一生水, 地二生火, 天三生木, 地四生金'; 到得運行處, 便水生木, 木生火, 火生土, 土生金, 金又生水, 水又生木, 循環相生."이라고 되어 있다.

84 『朱子語類』 권94, 57조목

金·木復重於水·火，土又重於金·木."[85]

或曰："土寄旺於四季各十八日，何獨火生土，而土生金也?"

曰："夏季十八日，土氣爲最旺，故能生秋金也."[86]

주자가 말했다. "오행에 대해서는 질質로서 그 생성하는 순서를 말하는 경우가 있으니, '수 · 화 · 목 · 금 · 토'라고 하는 것이 그것이고, 기氣로서 유행하는 순서를 말하는 경우가 있으니, '목 · 화 · 토 · 금 · 수'라고 하는 것이 그것이다. '수는 음이지만 양에 뿌리를 두고, 화는 양이지만 음에 뿌리를 두니', 뒤섞여 교차해서 생겨난다. 그 발단은 '하늘의 수 1이 수를 낳고, 땅의 수 2가 화를 낳으며, 하늘의 수 3이 목을 낳고, 땅의 수 4가 금을 낳는다.'는 것이지만, 운행하는 곳에 이르러서는 곧 수는 목을 낳고, 목은 화를 낳으며, 화는 토를 낳고, 토는 금을 낳으며, 금은 또 수를 낳고 수는 또 목을 낳아서 순환하며 서로를 낳는다."

또 말했다. "양이 변하고[變] 음이 합쳐져서[合][87] 처음에 수와 화를 낳는데, 수와 화는 기이다. 흘러 다니고 번쩍이는데 그 본체는 아직 비어 있고, 형체도 아직 고정되지 않았다. 다음으로 목과 금을 낳으면 확연하게 고정된 형체가 있다."

또 말했다. "대개 천지가 만물을 낳을 때 가볍고 맑은 것을 먼저 낳고 나서 무겁고 탁한 것에 이른다. '하늘의 수 1이 수를 낳고, 땅의 수 2가 화를 낳는다.'고 하였는데, 이 둘은 오행 가운데 가장 가볍고 맑은 것이다. 금과 목은 수와 화보다 더 무겁고, 토는 또 금과 목보다 무겁다."

어떤 사람이 물었다. "토는 각각 18일씩 네 계절의 끝에 붙어서 왕성한데, 어찌 유독 화만이 토를 낳고 토는 금을 낳습니까?"

(주자가) 대답했다. "여름 끝의 18일은 토의 기운이 가장 왕성한 때이므로 가을 금을 낳을 수 있다."

[14-2-1-2]

勉齋黃氏曰："自一至十，特言奇偶之多寡爾，初非以次序而言. 天得奇而爲水，故曰'一生水'. 一之極而爲三，故曰'三生木'. 地得偶而爲火，故曰'二生火'. 二之極而爲四，故曰'四生金'. 何也? 一極爲三，以一運之圓而成三，故一而三也. 二極爲四，以二周之方而成四，故二而四也.

如果以次序言，則一生水而未成水，必至五行俱足，猶待第六而後成水；二生火而未成火，必待五行俱足，然後第七而成火耶? 如此，則全不成造化，亦不成義理矣. 六之成水也，猶坎之爲卦也，一陽居中，天一生水也；地六包於外，陽少陰多而水始盛成. 七之成火也，猶離之

85 『朱子語類』 권94, 83조목

86 『朱子語類』 권94, 16조목에 질문은 없고 답변만 있다.

87 양이 변하고[變] … 합쳐져서[合]: 주희는 이를 '양이 운동[變]하고 음이 따라서[合]'로 풀이한다. 『朱文公文集』 권49 「答林子玉」에서, "물었다. '양은 왜 「변한다.」라고 말하고, 음은 왜 「합한다.」라고 말합니까? 대답했다. '양이 운동하고 음이 따르기 때문에 「변한다, 합한다.」라고 말한다.(問：陽何以言'變', 陰何以言'合'? 曰：陽動而陰隨之, 故言'變合'.)"라고 하였다.

爲卦也，一陰居中，地二生火也；天七包於外，陰少陽多而火始盛成．坎屬陽而離屬陰，以其內者爲主而在外者成之也．"[88]

면재 황씨勉齋黃氏[黃榦][89]가 말했다. "1부터 10까지의 수는 다만 홀수와 짝수의 많고 적음을 말할 뿐 애초에 순서로서 말한 것이 아니다. 하늘은 홀수를 얻어서 수水가 되므로 '1이 수를 낳는다.'고 한다. 1이 극에 이르러 3이 되므로 '3이 목木을 낳는다.'고 한다. 땅은 짝수를 얻어서 화火가 되므로 '2가 화를 낳는다.'고 한다. 2가 극에 이르러 4가 되므로 '4가 금金을 낳는다.'고 한다. 왜 그러한가? 1이 극에 이르러 3이 된다는 것은 1로써 운행하면 원圓이 되어 3을 이루기 때문에 1이 3이 되는 것이다. 2가 극에 이르러 4가 된다는 것은 2로써 주위를 돌면 네모[方]가 되어 4를 이루기 때문에 2가 4가 되는 것이다.

만약 순서로서 말하면, 1이 수水를 낳지만 아직 수를 이루지 못하니, 반드시 오행이 다 갖추어지고도 여전히 여섯 번째를 기다린 뒤에 수를 이루게 될 것이며, 2가 화火를 낳지만 아직 화를 이루지 못하니, 반드시 오행이 다 갖추어진 다음에 일곱 번째를 기다린 뒤에 화를 이루게 될 것인가? 이와 같다면 전혀 조화를 이룰 수 없고 또한 이치에 닿지도 않을 것이다. 6이 수를 이루는 것은 마치 감괘☵에서 하나의 양이 가운데에 자리 잡는 것과 같으니, 하늘의 수 1이 수를 낳고 땅의 수 6이 밖에서 둘러싸, 양이 적고 음이 많아야 수가 비로소 성대하게 이루어진다. 7이 화火를 이루는 것은 마치 이離[☲괘]에서 하나의 음이 가운데에 자리 잡는 것과 같으니, 땅의 수 2가 화를 낳고 하늘의 수 7이 밖에서 둘러싸, 음이 적고 양이 많아야 화가 비로소 성대하게 이루어진다. 감괘가 양에 속하고 이괘가 음에 속하는 것은 그 안에 있는 것이 중심이 되고, 밖에 있는 것이 그것을 이루기 때문이다."

又曰："只以造化本原及人物之初生驗之，便自可合．天一生水，水便有形．人生精血湊合成體，亦若造化之有水也．地二生火，火便有氣．人有此體，便能爲聲．聲者，氣之所爲，亦若造化之有火也．水陰而火陽，貌亦屬陰而言亦屬陽也．水·火雖有形質，然乃造化之初，故水但能潤，火但能炎，其形質終是輕淸．至若天三生木，地四生金，則形質已全具矣．亦如人身耳目旣具，則人之形成矣．木陽而金陰，亦猶視陽而聽陰也．"[90]

---

88 『勉齋集』 권13 「復甘吉甫」에는, "自一至十之數, 特言奇耦多寡爾, 非謂次第如此也. 蓋積實之數, 非次第之數也. 天得奇而爲水, 故曰'一生水'. 一之極而爲三, 故曰'三生木'(一極爲三, 以一運之圓而成三, 故一而三也.) 地得耦而爲火, 故曰'二生火'. 二之極而爲四, 故曰'四生金'.(二極爲四, 以二周之方而爲四, 故二而四也. 一能爲三, 二不爲六而爲四者, 地屬於天, 陰屬於陽, 故其方也止於四不爲六.) … 果以次序而言, 則一生水而未成水, 必至五行俱足, 猶待第六而後成水; 二生火而未成火, 必待五行俱足, 然後第七而成火耶? 如此, 則全不成造化, 亦不成義理矣. 六之成水也, 猶坎之爲卦也, 一陽居中, 天一生水也; 地六包於外, 陽少陰多而水始盛成. 七之成火也, 猶離之爲卦也, 一陰居中, 地二生火也; 天七包於外, 陰少陽多而火始盛成. 坎屬陽而離屬陰, 以其內者爲主而在外者成之也."라고 되어 있다. 『勉齋集』의 원주를 『性理大全』에서는 문답식으로 처리하였다.

89 黃榦(1152~1221) : 자는 直卿이고, 호는 勉齋이다. 송대 福州 閩縣(현 복건성 福州) 사람으로 주희의 고족제자인 동시에 사위이다. 주희의 蔭補로 知漢陽軍 · 知安慶府 등을 역임하였다. 저서는 『書說』, 『六經講義』, 『勉齋集』 등이 있고, 『朱子行狀』을 집필했다.

또 말했다. "다만 조화造化의 본원 및 사람과 만물이 처음 생겨나는 것으로 징험하면 저절로 합치될 수 있다. 하늘의 수 1이 수水를 낳으면 수는 곧 형체가 있다. 사람이 생겨날 때에 정精과 혈血이 함께 모여 형체를 이루는 것이니 또한 천지의 조화에서 수水가 있는 것과 같다. 땅의 수 2가 화火를 낳으면 화는 곧 기가 있다. 사람이 이 형체가 있으면 곧 소리를 낼 수 있다. 소리란 기氣가 하는 것이니, 또한 조화에서 화火가 있는 것과 같다. 수는 음이고 화는 양이니, 외모는 또한 음에 속하고 말은 또한 양에 속한다. 수와 화가 비록 형질이 있지만 여전히 조화의 시초이므로, 수는 단지 적실 수만 있을 뿐이고 화는 단지 불탈 수만 있을 뿐이니, 그 형질은 끝내 가볍고 맑다. 하늘의 수 3이 목木을 낳고 땅의 수 4가 금金을 낳는 경우에는 형질이 이미 완전하게 갖추어지게 된다. 또한 마치 사람의 몸에서 눈과 귀가 이미 갖추어지면 사람의 형체가 이루어지는 것과 같다. 목은 양이고 금은 음이니, 또한 마치 보는 것이 양이고 듣는 것이 음인 것과 같다."

又曰: "「洪範」五行·五事, 皆以造化之初及人物始生言之也. 造化之初, 天一生水而三生木, 地二生火而四生金, 蓋以陰陽之氣, 一濕一燥而爲水·火, 濕極燥極而爲木與金也. 人物始生, 精與氣耳. 「大傳」曰, '精氣爲物', 子産曰, '物生始化曰魄, 旣生魄陽曰魂', 此皆精妙之語. 精濕而氣燥, 精實而氣虛, 精沉而氣浮, 故精爲貌而氣爲言. 精之盛者濕之極, 故爲木爲肝爲視. 氣之盛者燥之極, 故爲金爲肺爲聽. 大抵貌與視屬精, 故精衰而目暗. 言與聽屬氣, 故氣塞而耳聾. 此曉然易見者也."[91]

또 말했다. "『서書』「홍범」의 5행五行과 5사五事[92]는 모두 조화의 시초 및 사람과 만물이 처음 생겨나는 때로 말한 것이다. 조화의 시초에는 하늘의 수 1이 수水를 낳고 하늘의 수 3이 목木을 낳으며, 땅의 수 2가 화火를 낳고 땅의 수 4가 금金을 낳으니, 음과 양의 기가 한 번 젖고 한 번 말라서 수와 화가 되고, 젖고 마른 것이 극단에 이르러 목과 금이 되기 때문이다. 사람과 만물이 처음 생겨날 때에는 정精과 기氣일 뿐이다. 『역』「계사전」에 '정과 기가 만물이 된다.'[93]라고 하였고, 자산子産[公孫

90 『면재집』 권13 「復楊志仁書」
91 『면재집』 권13 「復甘吉甫」
92 『書』「洪範」의 … 五事 : 『書經』「周書」의 「洪範」 편에, "(홍범9주의) 첫째 五行은 하나는 수이고 둘은 화이며 셋은 목이고 넷은 금이며 다섯은 토이다. 수는 적시고 내려가며, 화는 태우고 올라가며, 목은 굽고 바르며, 금은 따르고 고치며, 토는 심고 거둔다. 적시고 내려가는 것은 짠맛을 내고, 태우고 올라가는 것은 쓴맛을 내며, 굽고 바른 것은 신맛을 내고, 따르고 고치는 것은 매운맛을 내며, 심고 거두는 것은 단맛을 낸다. 둘째 五事는 하나는 외모이고 둘은 말하는 것이며 셋은 보는 것이고 넷은 듣는 것이며 다섯은 생각하는 것이다. 외모는 공손하려고 하고, 말하는 것은 정당하려고 하며, 보는 것은 밝게 보려고 하고, 듣는 것은 총명하게 들으려 하며, 생각하는 것은 통달하려 한다. 공손함은 엄숙함을 만들고, 정당함은 다스림을 만들며, 밝음은 명석함을 만들고, 총명함은 도모함을 만들며, 통달함은 성인을 만든다.(一, 五行, 一曰水, 二曰火, 三曰木, 四曰金, 五曰土. 水曰潤下, 火曰炎上, 木曰曲直, 金曰從革, 土爰稼穡. 潤下作鹹, 炎上作苦, 曲直作酸, 從革作辛, 稼穡作甘. 二, 五事, 一曰貌, 二曰言, 三曰視, 四曰聽, 五曰思. 貌曰恭, 言曰從, 視曰明, 聽曰聰, 思曰睿. 恭作肅, 從作乂, 明作哲, 聰作謀, 睿作聖.)"라고 하였다.

僑[94]은 '만물이 생겨나서 처음 변화한 것을 백魄이라 하고, 이미 백이 생겨나면 양의 기운을 혼魂이라고 한다.'[95]고 하였으니, 이는 모두 정묘한 말이다. 정精은 습하고 기氣는 건조하며, 정은 차있고[實] 기는 비어있으며[虛], 정은 가라앉고 기는 뜨므로, 정은 외모가 되고 기는 말하는 것이 된다. 정의 성대한 것이 지극하게 적시므로, 목木이 되고 간肝이 되며 보는 것이 된다. 기의 성대한 것이 지극하게 말리므로, 금金이 되고 폐肺가 되며 듣는 것이 된다. 대개 외모와 보는 것은 정에 속하므로 정이 쇠퇴하면 눈이 어두워지고, 말하는 것과 듣는 것은 기에 속하므로 기가 막히면 귀가 어두워진다. 이것은 매우 분명하여 쉽게 알 수 있는 것이다."[96]

又曰 : "耳屬金, 是誠可疑. 醫家以耳屬腎, 以肺屬金, 然配與屬不同. 屬者, 管屬之謂, 配者, 比並之謂. 論其管屬, 則耳屬於腎; 取其比並, 則聽比於金也."[97]

---

93 『易』「繫辭上」 4장

94 公孫僑(?~B.C.522) : 자는 子産 · 子美이고, 일명 國僑라고도 한다. 춘추시대 鄭나라 대부였으므로 세칭 鄭子産이라고도 한다. 그는 40여 년간 약소국인 정나라를 다스리면서 세금제도와 부역의 개선 등으로 나라를 안정시키고, 이웃한 강대국과도 슬기롭게 대처하여 공자에게 칭송을 받았다. 『春秋左傳』 襄公 22년, 昭公 원년 · 4년 · 6년 · 7년 등에 그에 관한 기록이 보인다.

95 子産 : 公孫僑 … 한다 : 『春秋左傳』「召公」 7년 참조. 여기의 '혼'과 '백'에 대하여, 황간은 『면재집』 권13 「復甘吉甫」에서, "백은 精 가운데 영험한 것이고, 혼은 氣 가운데 영험한 것이다.(魄便是精之靈, 魂便是氣之靈.)"라고 하였다. 한편 황간의 스승인 주희는 『楚辭集注』「楚辭辯證」 권上에서 이에 대해, "일찍이 미루어 보건대, '만물이 생겨나서 처음 변화한다.'라고 한 것은, 형체를 받은 처음에 정과 혈이 모이는데 그것들 중에 영험한 것을 일러 '백'이라고 부른다는 것이다. '이미 백이 생겨나면 양의 기운을 魂이라고 한다.'는 것은, 이미 이 백이 생겨나면 바로 따뜻한 기운이 있는데 그것들 가운데 신묘한 것을 일러 '혼'이라고 부른다는 것이다. 혼과 백 두 가지가 결합한 다음에 만물이 있게 된다. 『易』에서 이른바 '정과 기가 만물이 된다.'라고 한 것이 이것이다.(蓋嘗推之, '物生始化'云者, 謂受形之初, 精血之聚, 其間有靈者, 名之曰魄也. '旣生魄陽曰魂'者, 旣生此魄, 便有煖氣, 其間有神者, 名之曰魂也. 二者旣合, 然後有物. 『易』所謂'精氣爲物'者是也.)"라고 하였다.

96 『書』「洪範」의 五行과 … 것이다 : 李滉은 이 구절에 대해 황간의 앞의 두 구절과 비교하여 5행과 음양의 분속에 일관성이 없다고 이의를 제기하였다. 이황은 『啓蒙傳疑』「本圖書」 제1에서 다음과 같이 말했다. "勉齋(黃榦)가 5행을 음 · 양에 분속시킨 것은 앞뒤의 설명이 다르다. … 내 생각에, 5행 가운데 양에서 생겨난 것은 음이 그것을 이루고 음에서 생겨난 것은 양이 그것을 이룬다. 그러므로 5행을 음 · 양에 분속시키는 것은 모두 서로 바꿀 수 있을 것 같다. 그러나 수와 화가 기를 떠나가지 않는 것으로부터 말하면 서로 바꿔도 모두 합당하지만, 목과 금 같은 것은 이미 일정한 형질이 있으니, 목은 단지 양이 되고 금은 단지 음이 될 뿐이다. 그러므로 周子(周惇頤)의 『太極圖解』 및 이곳의 면재의 다른 설명은 모두 목은 양이고 금은 음이라고 하였다. 雲莊(劉爚)도 역시 목과 금은 서로 번갈아 드는 것으로 말할 수 없다고 하였다. 면재는 다만 이 구절에서만 유독 목이 음이 되고 금이 양이 된다고 여겼으니, 나는 확정된 이론이 아닐 것이라고 의심한다.(勉齋五行分屬陰陽, 前後說, 有不同. … 按五行, 生於陽者陰成之, 生於陰者陽成之. 故其分屬陰陽, 皆可似互易也. 然自水 · 火未離乎氣者言之, 互易而皆當矣, 若木若金已有定質, 則木但爲陽, 金但爲陰. 故周子『太極圖解』及此處勉齋他說, 皆以爲木陽金陰. 雲莊亦謂木 · 金不可以互言也. 勉齋第爲三說, 獨竊木爲陰, 金爲陽, 竊疑未得爲確論也.)"

97 『勉齋集』 권13 「復甘吉甫」에는, "以耳屬金, 是誠可疑. 醫家以耳屬腎, 以肺屬金, 誠不應如此分配. 吉父兄亦有

또 말했다. "귀가 금에 속한다는 것은 참으로 의심스럽다. 의학에서는 귀를 신장에 소속시키고 폐를 금에 소속시키지만 짝 지우는 것과 소속시키는 것은 다르다. 소속시킨다는 것은 관할하여 소속시키는 것을 말하고, 짝 지운다는 것은 비견하여 병렬시키는 것을 말한다. 관할하여 소속시키는 것으로 논하면 귀는 신장에 소속되고, 비견하여 병렬시키는 것을 취하면 듣는 것은 금에 비견된다."[98]

又曰: "水·火·木·金有兩項看. 如作行之序看, 則木·火是陽, 金·水是陰. 行於春·夏爲陽, 行於秋·冬爲陰. 如作生之序看, 則水·木是陽, 火·金是陰. 生於天一天三爲陽, 生於地二地四爲陰."[99]

또 말했다. "수 · 화 · 목 · 금은 두 가지로 볼 수 있다. 만약 유행하는 순서로 보면, 목 · 화는 양이고 금 · 수는 음이다. 봄 · 여름에 유행하는 것[목 · 화]은 양이 되고 가을 · 겨울에 운행하는 것[금 · 수]은 음이다. 만약 생성하는 순서로 보면, 수 · 목은 양이고 화 · 금은 음이다. 하늘의 수 1과 3에서 생기는 것은 양이고, 땅의 수 2와 4에서 생기는 것은 음이다."

因云 : "『太極圖解』自一處可疑, 「圖」以'水陰盛, 故居右. 火陽盛, 故居左. 金陰穉, 故次水. 木陽穉, 故次火.' 此是說生之序. 下文却說'水·木, 陽也; 火·金, 陰也.' 却以水爲陽, 火爲陰. 論來物之初生, 自是幼嫩. 如陽始生爲水尙柔弱, 到生木已強盛, 陰始生爲火尙微, 到生金已成質. 如此, 則水爲陽穉, 木爲陽盛. 火爲陰穉, 金爲陰盛也."[100]

此疑. 然配與屬不同. 屬者, 管屬之謂, 配者, 比並之謂. 論其管屬, 則耳屬於腎; 取其比並, 則聽比於金. 且何爲其聽比於金也."라고 되어 있다.

98 귀가 금에 … 비견된다 : 이황은 이와 같은 황간의 견해에 대해 달리 생각하고 있다. 이황은 『啓蒙傳疑』「本圖書」 제1에서 다음과 같이 말했다. "귀가 금에 속한다는 것이 의심스럽다는 것은, 귀가 소속되는 것을 논하면 마땅히 수에 소속되어야지 금에 소속되어서는 안 되므로 의심스럽다고 말한 것이다. 듣는 것이 짝 지어지는 것을 논하면 본디 금에 짝 지어져야 하니 의심스러울 것이 없다. 위의 글에서 금이 되고, 폐가 되며, 듣는 것이 된다고 운운한 것은 곧 듣는 것이 짝 지어지는 것을 논한 것이지 귀가 소속되는 것을 논한 것이 아니다.(耳屬金可疑, 此謂以耳而論所屬, 則當屬水, 而不當屬金, 故可疑. 以聽而論所配, 則固當配金, 無可疑者. 上文爲金爲肺爲聽云云, 乃以聽論配, 非以耳論屬之謂也.)"

99 이 글은 『四庫全書』 판본 『勉齋集』에 보이지 않는다. 하지만 鮑雲龍의 『天原發微』 권2 上 「衍五」에 실려 있는 다음과 같은 주자의 말에 대해 황간이 자신의 견해를 추가 설명한 것으로 보인다. "주자가 말했다. '이것은 두 가지로 볼 수 있다. 建寅(夏代는 建寅, 즉 寅月[1월]을 정월로 삼았다.)으로 보면 목과 화가 양이고 금과 수는 음이니, 이는 유행의 순서로 논한 것이다. 建子(周代는 建子, 즉 子月[11월]을 정월로 삼았다.)로 보면 수와 목이 양이고 화와 금이 음이니, 이는 생성의 순서로 논한 것이다. 대개 겨울에서 봄 · 여름으로는 양이라고 할 수 있고, 여름에서 가을 · 겨울로는 음이라고 할 수 있다. 내 생각에 기타의 의론들이 비록 많지만 대의는 이것에서 벗어나지 않으니, 배우는 사람들이 자세히 알아야 할 것이다.'(朱子云, '這裏有兩項看. 如作建寅看時, 則木 · 火是陽, 金 · 水是陰, 此以行之序論. 如作建子看時, 則水 · 木是陽, 火 · 金是陰, 此以生之序論. 大槩冬 · 春 · 夏可以謂之陽, 夏 · 秋 · 冬可以謂之陰也. 竊謂其他議論雖多, 大意不出乎此, 學者詳之.')"

100 鮑雲龍, 『天原發微』 권2 上 「衍五」

이어서 말했다. "『태극도해太極圖解』에는 원래 한 가지 의심스러운 곳이 있으니, 「태극도」는 '수水는 음이 왕성하므로 오른쪽에 자리 잡고, 화火는 양이 왕성하므로 왼쪽에 자리하며, 금金은 음이 어리므로 수 다음에 두었고, 목木은 양이 어리므로 화 다음에 두었다.'[101]고 하였는데, 이것은 생성하는 순서를 말한 것이다. 그러나 아래 글에는 또한 '수와 목은 양이고 화와 금은 음이다.'[102]라고 말하였으니, 도리어 수를 양이라 하고 화를 음이라고 하였다. 따져보면 만물이 처음 생길 때에는 본래 연약하다. 예컨대 양이 처음 생겨서 수가 될 때에는 아직 유약하지만 목을 낳게 되면 이미 강성해지며, 음이 처음 생겨서 화가 될 때에는 아직 미약하지만 금을 낳게 되면 이미 질質을 이룬다. 이와 같다면 수는 양이 어린 것이 되고 목은 양이 왕성한 것이 되며, 화는 음이 어린 것이 되고 금은 음이 왕성한 것이 된다."

[14-2-1-3]

雲莊劉氏曰："水，陰也，生於天一．火，陽也，生於地二．是其方生之始，陰陽互根．故其運行，水居子位極陰之方，而陽已生於子，火居午位極陽之方，而陰已生於午．若木生於天三專屬陽，故其行於春亦屬陽，金生於地四專屬陰，故其行於秋亦屬陰，不可以陰陽互言矣．蓋水·火未離乎氣．陰陽交合之初，其氣自有互根之妙．木則陽之發達，金則陰之收斂，而有定質矣．此其所以與水·火不同也．"[103]

운장 유씨雲莊劉氏[劉爚][104]가 말했다. "수水는 음이지만 하늘의 수 1에서 생겨난다. 화火는 양이지만 땅의 수 2에서 생겨난다. 이것은 막 생겨날 때에 음이 양에 양이 음에 서로 뿌리를 둔다는 것이다. 그러므로 그 운행은 수水가 자子의 위치인 극음極陰의 방위에 자리 잡지만 양이 이미 자에서 생겨나며, 화火가 오午의 위치인 극양極陽의 방위에 자리 잡지만 음이 이미 오에서 생겨난다. 그런데 목木은 하늘의 수 3에서 생겨나서 오로지 양에 속하므로 그것이 봄에 유행하는 것도 역시 양에 속하며,

101 주희 『太極圖解』의 '陽變陰合，而生水・火・木・金・土也.'에 대한 도해에서, "'㊌'陰盛，故居右，'㊋'陽盛，故居左，'㊍'陽穉，故次火，'㊎'陰穉，故次水."라고 하였는데, 황간은 목과 금의 순서를 바꾸어 말했다.

102 주희 『太極圖說解』의 '陽變陰合，而生水・火・木・金・土也.'에 대한 도설해에서, "以質而語其生之序，則曰'水・火・木・金・土'，而水・木，陽也；火・金，陰也."라고 하였다.

103 포운용 『天原發微』 권2 上 「衍五」에는 앞부분의 '水，陰也，生於天一．火，陽也，生於地二．是其方生之始，陰陽互根．故其運行'이 '陰陽互爲其根.'으로 되어 있다.

104 劉爚(1144~1216)：자는 晦伯이고 자호는 雲莊居士이다. 송대 建陽(현 복건성 건양) 사람으로, 효종 乾道 8년(1172)에 진사에 급제하였다. 건도 6년(1170)부터 아우 劉炳과 함께 건양에 있는 寒泉精舍에서 주희에게 배웠다. 나중에는 주희의 추천으로 呂祖謙에게 배우기도 하였다. 慶元 2년(1196)에 慶元黨禁 기간에는 주희를 따라 武夷山에서 독서와 강학을 하면서, 雲莊山房을 세워 노년에 은거할 계획을 세웠다. 당금이 느슨해지자 다시 출사하여 提擧廣東常平과 國子司業을 역임하고, 나중에 工部尙書가 되어서는 경원당금을 철회하고 주희의 『四書集注』를 간행할 것을 주청하였다. 후대 사람들에 의해 주희의 '四大弟子' 및 '建陽七賢' 가운데 한 사람으로 추숭되었다. 저술은 『奏議史稿』, 『雲莊外稿』, 『經筵故事』, 『易經說』, 『禮記解』, 『四書集成』 등이 있다.

금金은 땅의 수 4에서 생겨나서 오로지 음에 속하므로 그것이 가을에 유행하는 것도 역시 음에 속하니, 음과 양이 서로 뿌리를 둔다고 말할 수 없다. 대개 수와 화는 기를 떠나지 않는다. 음과 양이 교합交合하는 처음에는 그 기가 본래 서로에게 뿌리를 두는 오묘함이 있다. 목은 양이 발달한 것이고 금은 음이 수렴한 것이니 고정된 형질이 있다. 이 점이 바로 목·금이 수·화와 다른 까닭이다."

[14-2-1-4]

思齋翁氏曰 : "水·火·木·金不得土不能各成一器, 何以見之? 且天一生水, 一得五便爲水之成. 地二生火, 二得五便爲火之成. 天三生木, 三得五便爲木之成. 地四生金, 四得五便爲金之成. 皆本於中五之土也."[105]

사재 옹씨思齋翁氏[翁泳][106]가 말했다. "수·화·목·금은 토를 얻지 못하면 각기 하나의 기器를 이룰 수 없는데, 이것을 어떻게 알 수 있는가? 무릇 하늘의 수 1은 수水를 낳지만 1이 5를 얻어야 수水가 이루어진다. 땅의 수 2는 화火를 낳지만 2가 5를 얻어야 화火가 이루어진다. 하늘의 수 3은 목을 낳지만 3이 5를 얻어야 목이 이루어진다. 땅의 수 4는 금을 낳지만 4가 5를 얻어야 금이 이루어진다. 이들은 모두 가운데의 수 5인 토에 근본을 두고 있다."

又曰 : "「河圖」陰陽之位, 生數爲主而成數配之. 東·北陽方, 則主之以奇而與合者偶, 西·南陰方, 則主之以偶而與合者奇也."[107]

또 말했다. "「하도」의 음·양의 위치는 생수生數가 주가 되고 성수成數가 그것에 짝 짓는다. 동쪽과 북쪽은 양의 방위이니 홀수를 주로 하고 짝수를 결합하였으며, 서쪽과 남쪽은 음의 방위이니 짝수를 주로 하고 홀수를 결합하였다."

[14-2-1-5]

玉齋胡氏曰 : "'一陰一陽', 以生成言也. '一奇一偶', '一·三·五·七·九'爲奇, '二·四·六·八·十'爲偶也. 陰陽奇偶之合, 則一·六爲水, 二·七爲火, 三·八爲木, 四·九爲金, 五·十爲土. 故其在十干, 則木有甲·乙, 火有丙·丁, 土有戊·己, 金有庚·辛, 水有壬·癸, 所謂'兩其五行'也. '五位相得', 謂一與二, 三與四, 五與六, 七與八, 九與十, 各以奇偶爲類而相得. '各有合', 謂一與六, 二與七, 三與八, 四與九, 五與十, 皆兩相合也.

105 포운룡의 『天原發微』 권2 上 「衍五」에는, "翁氏謂, 五行離土, 則不能各成一器. 一得五便成水. 二得五便成火. 三得五便成木. 四得五便成金. 五得五便成土. 五者土居中央, 一·二·三·四·五, 纔得五便成水·火·木·金·土, 謂之六·七·八·九·十也."라고 되어 있다.

106 翁泳 : 자는 永叔, 思齋이다. 송대 建陽(현 복건성 건양) 사람으로 채원정의 아들 蔡淵의 제자이다. 저술은 『注釋河洛講義』, 『河洛運行講義』, 『易解』, 『小學集解』 등이 있다.

107 張宇初 『峴泉集』 권1 「河圖原」

朱子云, '相得如兄弟, 有合如夫婦. 蓋以相得, 則取其奇偶之相爲次第, 辨其類而不容紊也. 有合, 則取其奇偶之相爲生成, 合其類而不容間也. 「相得有合」四字, 該盡「河圖」之數.'[108] 又云, '「相得有合」在十干, 甲乙木, 丙丁火, 戊己土, 庚辛金, 壬癸水, 便是相得. 甲與己合, 乙與庚合, 丙與辛合, 丁與壬合, 戊與癸合, 便是各有合也.'[109]"[110]

옥재 호씨玉齋胡氏[胡方平]가 말했다. "'한 번은 음이 되고 한 번은 양이 된다.'는 것은 생성으로 말한 것이다. '한 번은 홀수가 되고 한 번은 짝수가 된다.'는 것은 '1·3·5·7·9'가 홀수가 되고, '2·4·6·8·10'이 짝수가 된다는 것이다. 음과 양, 홀수와 짝수가 결합하면, 1과 6이 수가 되고, 2와 7이 화가 되며, 3과 8이 목이 되고, 4와 9가 금이 되며, 5와 10이 토가 된다. 그러므로 그것이 10간에 있으면, 목에는 갑과 을이 있고, 화에는 병과 정이 있으며, 토에는 무와 기가 있고, 금에는 경과 신이 있으며, 수에는 임과 계가 있으니, 이른바 '5행을 둘씩 한다.'는 것이다.

'5개의 자리에서 서로를 얻는다.'는 것은 1과 2, 3과 4, 5와 6, 7과 8, 9와 10이 각기 짝수와 홀수를 무리로 하여 서로 얻는 것을 말한다. '각기 결합함이 있다.'는 것은 1과 6, 2와7, 3과8, 4와 9, 5와 10이 모두 둘씩 서로 결합한다는 것을 말한다.

주자는 '서로를 얻는다는 것은 형제 사이와 같고 결합함이 있다는 것은 부부사이와 같다. 왜냐하면 서로를 얻으면, 홀수와 짝수가 서로 순서 짓는 데에서 그 무리를 변별하여 문란하지 않도록 하는 것을 취하기 때문이다. 또 결합함이 있으면, 홀수와 짝수가 서로 생성하는 데에서 그 무리를 결합하여 틈이 벌어지지 않도록 하는 것을 취하기 때문이다. 「서로 얻음과 결합함이 있다.」는 말은 「하도」의 수를 모두 다 갖추었다.'라고 하였다.

(주자는) 또 '「서로 얻음과 결합함이 있다.」는 것이 10간에 있으면, 갑과 을은 목이 되고, 병과 정은 화가 되며, 무와 기는 토가 되고, 경과 신은 금이 되며, 임과 계는 수가 되는 것이 바로 서로를 얻는 것이다. 갑과 기가 결합하고, 을과 경이 결합하며, 병과 신이 결합하고, 정과 임이 결합하며, 무와 계가 결합하는 것이 바로 각기 결합함이 있다는 것이다.'라고 하였다."

[14-2-2]

至於「洛書」, 則雖夫子之所未言, 然其象·其說已具於前, 有以通之, 則劉歆所謂"經緯表裏"者可見矣.

「낙서」에 대해서는 비록 공자가 말하지 않았지만 그 상象과 설명이 이미 앞에서 갖추어졌으니, 그것

108 현행 『朱子語類』나 『朱文公文集』 등에는 보이지 않고, 薛瑄의 『讀書錄』 권5 「續錄」 등에서 주자의 말로 인용하고 있다.

109 『朱子語類』 권75, 22조목에는, "'五位相得而各有合', 是兩箇意. 一與二, 三與四, 五與六, 七與八, 九與十, 是奇耦以類'相得'. 一與六合, 二與七合, 三與八合, 四與九合, 五與十合, 是'各有合'. 在十干, 甲乙木, 丙丁火, 戊己土, 庚辛金, 壬癸水, 便是'相得'. 甲與己合, 乙與庚合, 丙與辛合, 丁與壬合, 戊與癸合, 是'各有合'."이라고 되어 있다.

110 호방평, 『易學啓蒙通釋』 권上 「本圖書」 제1

으로 통달하면 유흠의 이른바 "(「하도」와 「낙서」는 서로) 씨줄과 날줄이 되고, (8괘와 9장은 서로) 겉과 속이 된다."는 말을 이해할 수 있을 것이다.

[14-2-3]

或曰 : "「河圖」·「洛書」之位與數, 其所以不同何也?"

曰 : "「河圖」以五生數統五成數, 而同處其方, 蓋揭其全以示人而道其常, 數之體也. 「洛書」以五奇數統四偶數, 而各居其所, 蓋主於陽以統陰而肇其變, 數之用也."

어떤 사람이 물었다. "「하도」와 「낙서」의 자리와 수數가 다른 까닭은 무엇 때문입니까?"
대답했다. "「하도」가 5개의 생수生數로 5개의 성수成數를 통괄하면서 함께 제 방위에 있는 것은, 전체를 들어서 사람들에게 그 항상됨을 말하기 때문이니, 수數의 본체이다. 「낙서」가 5개의 홀수로 4개의 짝수를 통괄하여 각기 제 자리에 있는 것은, 양을 위주로 해서 음을 통괄하여 그 변화를 시작하기 때문이니, 수數의 작용이다."

[14-2-3-1]

節齋蔡氏曰 : "「河圖」數偶. 偶者靜, 靜以動爲用. 故「河圖」之行合皆奇, 一合六, 二合七, 三合八, 四合九, 五合十. 是故『易』之吉凶生乎動, 蓋靜者必動而後生也. 「洛書」數奇. 奇者動, 動以靜爲用. 故「洛書」之位合皆偶, 一合九, 二合八, 三合七, 四合六. 是故「範」之吉凶見乎靜, 蓋動者必靜而後成也."[111]

절재 채씨節齋蔡氏[蔡淵][112]가 말했다. "「하도」는 수가 짝수(1~10)이다. 짝수는 고요함이니, 고요함은 움직임을 작용으로 삼는다. 그러므로 「하도」의 유행에서 합은 모두 홀수이니, 1은 6과 합하고, 2는 7과 합하며, 3은 8과 합하고, 4는 9를 합하며, 5는 10을 합한다. 이 때문에 『역』의 길흉은 움직임에서 생겨나니, 고요한 것은 반드시 움직인 뒤에 생겨나기 때문이다. 「낙서」는 수가 홀수(1~9)이다. 홀수는 움직임이니, 움직임은 고요함을 작용으로 삼는다. 그러므로 「낙서」의 자리에서 합은 모두 짝수이니, 1은 9와 합하고, 2는 8과 합하며, 3은 7과 합하고, 4는 6과 합한다. 이 때문에 「홍범」의 길흉은 고요함에서 나타나니, 움직이는 것은 반드시 고요한 뒤에 이루어지기 때문이다."

[14-2-3-2]

九峯蔡氏曰 : "「河圖」體圓而用方, 聖人以之而畫卦. 「洛書」體方而用圓, 聖人以之而敘疇. 卦者, 陰陽之象也, 疇者, 五行之數也. 象非偶不立, 數非奇不行, 奇偶之分, 象數之始也.

111 호방평의 『易學啟蒙通釋』 권上 「本圖書」 제1에는 蔡淵의 말로 되어 있다.
112 蔡淵(1156~1236) : 자는 伯靜이고, 호는 節齋이다. 송대 建陽(현 복건성 건양) 사람으로 채원정의 맏아들이다. 부친의 뜻을 이어 주경야독하여, 특히 『易』에 조예가 깊었고 그에 관한 저술이 많다. 저서는 『周易訓解』·『易象意言』·『卦爻辭旨』 등이 있다.

陰陽五行, 固非二體, 八卦·九疇, 亦非二致, '理一分殊', 非深於造化者, 安能識之!"[113]

구봉 채씨九峯蔡氏[蔡沈][114]가 말했다. "「하도」는 모양이 둥글지만 운용은 모가 나니 성인이 그것을 가지고 괘를 그었다. 「낙서」는 모양이 모가 나지만 운용은 둥그니 성인이 그것을 가지고 9주九疇를 서술하였다. 괘는 음양의 상象이고, 주疇는 5행의 수數이다. 상은 짝수가 아니면 정립되지 않고 수는 홀수가 아니면 유행하지 않으니, 홀수와 짝수의 구분은 상과 수의 시작이다. 음양과 5행은 본래 두개의 몸체가 아니고 8괘와 9주도 두 가지 이치가 아니니, '리는 하나이지만 나누어진 것은 달라진다.'[115]라는 것은 조화造化를 깊이 이해한 자가 아니면 어찌 그것을 알 수 있겠는가!"

又曰 : "「河圖」非無奇也, 而用則存乎偶, 「洛書」非無偶也, 而用則存乎奇. 偶者, 陰陽之對待乎, 奇者, 五行之迭運乎! 對待者不能孤, 迭運者不可窮. 天地之形, 四時之行, 人物之生, 萬化之凝, 其妙矣乎!"[116]

또 말했다. "「하도」에 홀수가 없는 것은 아니지만, 작용은 짝수에 보존되어 있으며, 「낙서」에 짝수가 없는 것은 아니지만 작용은 홀수에 보존되어 있다. 짝수는 음 · 양이 대대對待[117]하는 것이며, 홀수는 5행이 번갈아 운행하는 것이다! 대대하는 것은 홀로일 수 없고, 번갈아 운행하는 것은 끝이 있을 수 없다. 하늘과 땅이 형체가 있고, 4계절이 운행하며, 사람과 사물이 생겨나고, 온갖 조화가 이루어지니 오묘하지 않은가!"

[14-2-3-3]

潛室陳氏曰 : "「河圖」以生數統成數, 「洛書」以奇數統偶數, 若不相似也. 然一必配六, 二必配七, 三必配八, 四必配九, 五必居中而配十, 「圖」·「書」未嘗不相似. 「河圖」之生成同方, 「洛書」之奇偶異位, 若不相似也. 然同方者有內外之分, 是「河圖」猶「洛書」也, 異位者有比肩之

113 蔡沈의 『洪範皇極內篇』 권2 「皇極內篇中」에는, "「河圖」體圓而用方, 聖人以之而畫卦. 「洛書」體方而用圓, 聖人以之而敍疇. 卦者, 陰陽之象也, 疇者, 五行之數也. 象非耦不立, 數非奇不行, 奇耦之分, 象數之始也. 是故以數爲象, 則奇零(太元, 是也.)而無用, 以象爲數, 則多耦而難通(經世書, 是也). 陰陽五行, 固非二體, 八卦九疇, 亦非二致, 理一用殊, 非深於造化者, 孰能識之!"라고 되어 있다.

114 蔡沈(1176~1230) : 자는 仲默이고, 호는 九峰이다. 송대 建陽(현 복건성 건양) 사람으로 채원정의 둘째 아들이다. 어려서부터 가학을 이으면서 주희에게 배웠다. 慶元黨禁으로 부친과 스승이 화를 당하자 구봉에 은거하여, 스승과 부친의 유지를 받들어 『書經集傳』과 『洪範皇極』을 저술하였다.

115 리는 하나이지만 … 달라진다 : 程頤가 張載의 「西銘」을 평가하면서 처음 사용한 말로서 송명리학의 본체론을 설명하는 중요한 명제가 되었다. 그 의미는 대체로 리는 하나이지만 그 작용은 무수하다는 것을 뜻한다. 『二程粹言』 「論書篇」 권上에서, "「西銘」理一而分殊, 墨氏則愛合而無分. 分殊之蔽, 私勝而失仁, 無分之罪, 兼愛而無義. 分立而推理一, 以止私勝之流, 仁之方也. 無別而迷兼愛, 至於無父之極, 義斯亡也."라고 하였다.

116 채침, 『洪范皇極內篇』 권2 「皇極內篇中」

117 對待 : 『易』에서 주로 많이 사용되는 개념으로서, 서로가 동시 공존하며 서로를 자기존재의 근거로 삼는 양자 간의 관계를 말한다.

義，是「洛書」亦猶「河圖」也.

又如「河圖」則備數之全，「洛書」則缺數之十，此疑若相戾也. 然「河圖」之全數，乃皆自五而來. 一得五而爲六，二得五而爲七，三得五而爲八，四得五而爲九. 至其所謂十者，乃五得五而爲十，其實未嘗有十也. 八卦全不用十，「洛書」雖曰缺十，而皆有含十之義. 一對九而含十，二對八而含十，三對七而含十，四對六而含十. 十常夾居五之兩端，與「河圖」頗相類，是亦未嘗無十也."[118]

잠실 진씨潛室陳氏[陳埴]가 말했다. "「하도」는 생수生數로서 성수成數를 통괄하고, 「낙서」는 홀수로서 짝수를 통괄하니, 마치 서로 비슷하지 않은 것 같다. 그러나 1은 반드시 6과 짝을 짓고, 2는 반드시 7과 짝을 지으며, 3은 반드시 8과 짝을 짓고, 4는 반드시 9와 짝을 지으며, 5는 반드시 중앙에 자리 잡고 10과 짝을 지으니, 「하도」와 「낙서」는 서로 비슷하지 않은 적이 없다. 「하도」의 생수와 성수는 같은 방위이고 「낙서」의 홀수와 짝수는 자리가 달라서 마치 서로 비슷하지 않은 것 같다. 그러나 같은 방위에는 안과 밖의 구분이 있으니[119] 「하도」는 「낙서」와 같고, 자리가 다르다는 것에는 어깨를 나란히 한다는 의미가 있으니[120] 「낙서」도 역시 「하도」와 같다.

또 예컨대 「하도」는 수의 전체를 갖추었지만 「낙서」는 10이라는 수가 결핍되었으니, 이는 마치 서로 다른 것이 아닌지 의심된다. 그렇지만 「하도」의 전체 수는 곧 모두 5로부터 나왔다. 1은 5를 얻어서 6이 되고, 2는 5를 얻어서 7이 되며, 3은 5를 얻어서 8이 되고, 4는 5를 얻어서 9가 된다. 이른바 10이라는 것도 5가 5를 얻어서 10이 되니, 사실 10은 있은 적이 없었다. 8괘에서는 전혀 10을 쓰지 않고[121] 「낙서」에는 비록 10이 결핍되었지만 모두 10을 함유하는 의미를 가지고 있다. 1은 9를 마주하여 10을 함유하고, 2는 8을 마주하여 10을 함유하며, 3은 7을 마주하여 10을 함유하고, 4는 6을 마주하여 10을 함유한다. 10이 항상 5의 양쪽 끝에 끼여서 자리 잡고 있는 것은 「하도」와 상당히 유사하니, 이 또한 10이 없은 적이 없다."

[14-2-3-4]

雲莊劉氏曰："「河圖」者，陰陽·生成之合，「洛書」者，陰陽·奇偶之分. 以質而論，則分而各居其所，是對待之定體也. 以氣而論，則合而同處其方，是流行之妙用也. 然氣質二者初不相離，有分則必有合，有合則必有分. 所謂'推之於前不見其始之合，引之於後不見其終之

118 陳埴, 『木鍾集』 권3 「河圖洛書」

119 같은 방위에는 … 있으니 : 진식은 『木鍾集』 권3 「河圖洛書」에서, "1은 안에 자리 잡고 6은 밖에 자리 잡는 부류이다.(一居內六居外之類.)"라고 原註를 붙였다.

120 자리가 다르다는 … 있으니 : 진식은 『木鍾集』「河圖洛書」 권3에서, "1은 왼쪽에 자리 잡고 6은 오른쪽에 자리 잡는 부류이다.(一居左 · 六居右之類.)"라고 원주(原註)를 붙였다.

121 사실 10은 있은 적이 없었다. 8괘에서는 전혀 10을 쓰지 않고 : 진식은 『木鍾集』 권3 「河圖洛書」에서 「洛書」는 '사실 10은 있은 적이 없다.'에 대하여, "8괘에서는 전혀 10을 쓰지 않는다.(八卦全不用十.)"라고 原註를 붙였다.

離', 又不可以拘泥而觀之也."[122]

운장 유씨雲莊劉氏[劉爚]가 말했다. "「하도」는 음과 양, 생수生數와 성수成數가 합쳐진 것이고, 「낙서」는 음과 양, 홀수와 짝수가 나누어진 것이다. 질質로서 논하면, 나누어져 각각 제 자리에 자리 잡고 있는 것은 대대對待의 정해진 본체이다. 기氣로서 논하면, 합쳐서 제 방위에 함께 자리 잡고 있는 것은 유행流行의 오묘한 작용이다. 그러나 기와 질 둘은 애초에 서로 분리되지 않아, 나뉨이 있으면 반드시 합쳐짐이 있고, 합쳐짐이 있으면 반드시 나뉨이 있다. 이른바 '앞을 미루어보아도 그 처음에 합쳐짐을 보지 못하고, 뒤를 당겨보아도 그 끝에서 분리됨을 보지 못한다.'[123]는 것이니, 또 집착해서 변통할 줄 모른다면 볼 수도 없다는 것이다."[124]

[14-2-3-5]

黃氏瑞節曰："九峯蔡氏譔『皇極內篇數』爲一書, 以爲'『易』更四聖而象已著, 「範」錫神禹而數不傳.' 於是有「範數圖」, 有八十一章, 六千五百六十一變.[125] 西山眞氏云, '蔡氏「範數」與三聖之『易』同功'[126]者, 是也."[127]

황씨 서절黃氏瑞節[黃瑞節]이 말했다. "구봉 채씨九峯蔡氏[蔡沈]가 「황극내편수皇極內篇數」[128]를 지으면서,

122 호방평의 『易學啟蒙通釋』 권上 「本圖書」 제1에는 劉爚의 말로 되어 있다.

123 앞을 미루어보아도 … 못한다 : 주희는 『太極圖說解』에서, "태극이란 본연의 오묘함이고, 움직임과 고요함이란 (태극이) 타는 틀이다. 태극은 형이상의 도이고 음양은 형이하의 器이다. 그러므로 그 현저함의 관점에서 보면, 움직임과 고요함이 때가 같지 않고 음과 양이 위치가 같지 않지만 태극이 있지 않음이 없다. 그 은미함의 관점에서 보면 텅 비고 고요하여 아무런 조짐이 없는 가운데 움직임과 고요함, 음과 양의 리가 이미 모두 그 가운데 구비되어 있다. 그렇지만 앞으로 미루어보아도 그 처음에 (태극과 음양이) 합쳐짐을 보지 못하고, 뒤를 당겨보아도 그 끝에서 분리됨을 보지 못한다. 그러므로 程子(程頤)는 이렇게 말했다. '움직임과 고요함에는 단서가 없고, 음과 양에는 시초가 없으니, 도를 아는 사람이 아니면 누가 그것을 식별할 수 있겠는가!'(蓋太極者, 本然之妙也, 動靜者, 所乘之機也. 太極, 形而上之道也, 陰陽, 形而下之器也. 是以自其著者而觀之, 則動靜不同時, 陰陽不同位, 而太極無不在焉. 自其微者而觀之, 則沖漠無朕, 而動靜陰陽之理已悉具於其中矣. 雖然, 推之於前而不見其始之合, 引之於後而不見其終之離也. 故程子曰 : "動靜無端, 陰陽無始, 非知道者, 孰能識之!)"라고 하였다. 주희는 원래 태극과 음양과의 합쳐지고 분리되는 관계를 위와 같이 표현하였는데, 유약은 기와 질의 관계에 이를 끌어다 썼다.

124 「河圖」는 음과 … 것이다 : 이황은 『啓蒙傳疑』「本圖書」 제1에서, "雲莊(劉爚)이 본체와 작용을 나눈 것은 주자와 같지 않다. 주자는 「河圖」가 짝수이면서 고요한 것임을 가지고 본체로 삼고, 「洛書」가 홀수이면서 움직이는 것임을 가지고 작용을 삼았다. 劉氏(劉爚)는 「洛書」가 나뉘어져서 각각 그 자리에 자리 잡은 것을 가지고 본체로 삼고, 「河圖」가 합쳐져서 그 방위에 함께 있는 것을 가지고 작용으로 삼았다. 유약의 설명도 의의가 있는 것이니, 「河圖」와 「洛書」가 서로 본체와 작용이 된다는 것이 바로 그것이다.(雲莊分體用, 與朱子不同. 朱子以「圖」之偶而靜爲體, 「書」之奇而動爲用; 劉氏以「書」之分而各居其所爲體, 「圖」之合而同處其方爲用. 蓋劉說亦是一義, 乃「圖」·「書」相爲體用者然也.)"라고 평가하였다.

125 여기까지는 陳師凱의 『書蔡氏傳旁通』 권4中에 황서절의 말로 실려 있다.

126 朱彝尊의 『經義考』 권273에 진덕수의 말로 되어 있다.

127 陳師凱의 『書蔡氏傳旁通』 권4中에 황서절의 말로 실려 있다.

'『역』은 4명의 성인[129]을 거치면서 상象이 이미 드러났는데, 「홍범」은 우임금에게 하사되었지만 수數가 전해지지 않았다.'[130]고 하였다. 이에 「범수도範數圖」가 있게 되고,[131] 81장 6,561변이 있게 되었다.[132] 서산 진씨西山眞氏[眞德秀][133]는 '채씨蔡氏[蔡沈]의 「범수範數」는 3명의 성인[134]의 『역』과 공로가 같다.'고 말한 것이 이것이다."

[14-2-3-6]

玉齋胡氏曰 : "「河圖」以生成分陰·陽, 以五生數之陽, 統五成數之陰, 而同處其方. 陽內陰外, 生成相合, 交泰之義也. 「洛書」以奇·偶分陰·陽, 以五奇數之陽, 統四偶數之陰, 而各居其所. 陽正陰偏, 奇偶旣分, 尊卑之位也.

「河圖」數十, 十者對待以立其體, 故爲常. 「洛書」數九, 九者流行以致其用, 故爲變也. 常變之說, 朱子特各擧所重爲言, 非謂「河圖」專於常, 有體而無用, 「洛書」專於變, 有用而無體也.

옥재 호씨玉齋胡氏[胡方平]가 말했다. "「하도」는 생수生數와 성수成數를 음과 양으로 나누고, 5개의 생수의 양(1 · 2 · 3 · 4 · 5)으로써 5개의 성수의 음(6 · 7 · 8 · 9 · 10)을 통괄하되, 그 방위를 같게 자리 잡았다. 양은 안에 두고 음을 밖에 두어 생수와 성수가 서로 합한 것은 '융통하여 크게 화합한다.[交泰]'는 의미이다. 「낙서」는 홀수와 짝수를 음과 양으로 나누고, 5개의 홀수의 양(1 · 3 · 5 · 7 · 9)으로써 4개의 짝수의 음(2 · 4 · 6 · 8)을 통괄하되, 각기 그 제 자리에 자리 잡았다. 양은 정방위에 두고 음은 간방위에 두어 홀수와 짝수가 이미 나누어졌으니, 이것은 존귀함과 비천함의 지위이다.

「하도」의 수는 10이니, 10은 대대對待하여 그 체體를 정립하므로 항상됨[常]이 된다. 「낙서」의 수는 9이니, 9는 유행流行하여 그 용用을 이루므로 변화함[變]이 된다. 항상됨[常]과 변화함[變]이라는 말은 주자가 다만 각각 중점을 들어서 말한 것이지, 「하도」는 항상됨에만 전일하여 체만 있고 용이 없으며, 「낙서」는 변화함에만 전일하여 용만 있고 체가 없다는 것을 일컫는 것이 아니다.

自「河圖」四象之合者觀之, 象之列於四方者, 各當其所處之位, 此其體之常. 象之處於西·南者, 不協夫所生之卦, 又爲用之變矣. 伏羲則其變者以作『易』, 卽「橫圖」卦畫之成而究「圓圖」

128 「皇極內篇數」: 채침의 저작인 『洪範皇極內篇』 권3에서 권5에 걸쳐 「皇極內篇數總名」, 「八十一數圖」로 실려 있다.

129 4명의 성인: 복희, 문왕, 주공, 공자를 지칭한다.

130 『洪範皇極內篇』「原序」

131 「範數圖」가 있게 되고: 「範數圖」는 『洪範皇極內篇』의 마지막 권 즉 5권의 끝에 「易象圖」와 함께 실려 있다.

132 81장 6,561변이 … 되었다: 81장 6,561변은 『洪範皇極內篇』 3권~5권의 「八十一數圖」의 전체 내용을 가리킨다.

133 眞德秀(1178~1235): 자는 希元 · 景元 · 景希이고, 호는 西山이다. 송대 浦城(복건성 蒲城) 사람으로 1199년에 진사에 급제하여 太學正 · 參知政事에 이르렀다. 어려서는 주희의 문인인 詹體仁에게 배우고, 스스로 '주희를 사숙하여 얻은 것이 있다.'라고 하였다. 특히 『대학』을 중시하여 '窮理 · 持敬'을 강조하였다. 저서는 『大學衍義』 · 『四書集編』 · 『西山文集』 등이 있다.

134 3명의 성인: 위의 '4명의 성인'에서 복희를 뺀 나머지 3명의 성인을 가리킨다.

卦氣之運，則知四象分爲八卦，陰之老少不動而陽之老少迭遷，此主變也，豈拘於常者乎！自「洛書」四象之分者觀之，象之居于西·南者，不當其所處之位，此其用之變. 象之列於四方者，悉協夫所生之卦，又爲體之常矣. 大禹則其常者以作「範」，因武王彝倫攸叙之問以究箕子天錫禹疇之對，則知四象分爲九疇，陽居四正，則配四陽之卦以爲陰之宰，陰居四隅，則配四陰之卦以爲陽之輔，此主常也，豈撓於變者乎！”[135]

「하도」에서 4상四象이 합쳐진 것으로부터 살펴보면, 상象이 사방에 배열된 것은 각기 그 제 자리를 잡은 것이니 이것이 그 체體의 항상됨이다. 서쪽太陽(4 · 9)과 남쪽少陽(2 · 7)에 자리 잡은 상은 생겨나는 괘에 조화롭지 않으니 또한 용用의 변화함이 된다. 복희는 그 변화하는 것을 본받아서 『역』을 만들었으니, 「횡도「橫圖」」[136]에서 괘의 획이 이루어지는 것에 인하여 「원도「圓圖」」[137]에서 괘의 기氣가 운행하는 것을 궁구하면, 4상이 나뉘어 8괘가 되는 데에 노음과 소음은 움직이지 않지만 노양과 소양은 갈마들며 옮기는 것을 알 수 있는데, 이것은 변화함을 위주로 하는 것이니 어찌 항상됨에 구애된 것이겠는가!

「낙서」에서 4상四象이 나누어진 것으로부터 살펴보면, 서쪽少陽(2 · 7)과 남쪽太陽(4 · 9)에 자리 잡은 상은 제 자리를 잡지 않은 것이니 이것이 그 용用의 변화됨이다. 사방에 배열된 상은 모두 다 생겨나는 괘에 조화로우니 또한 체體의 항상됨이 된다. 우임금은 그 항상됨을 본받아서 「홍범」을 만들었으니, 무왕武王이 불변하는 인륜을 펼칠 방도에 대해 묻자 기자箕子가 하늘이 우임금에게 9주를 하사하였다고 하는 대답[138]을 궁구하면, 4상이 나뉘어 9주가 되는데에서, 양이 4개의 정방위에 자리 잡으면

135 호방평, 『易學啟蒙通釋』 권上 「本圖書」 제1

136 「橫圖」: 「伏羲八卦次序圖」를 가리킨다.

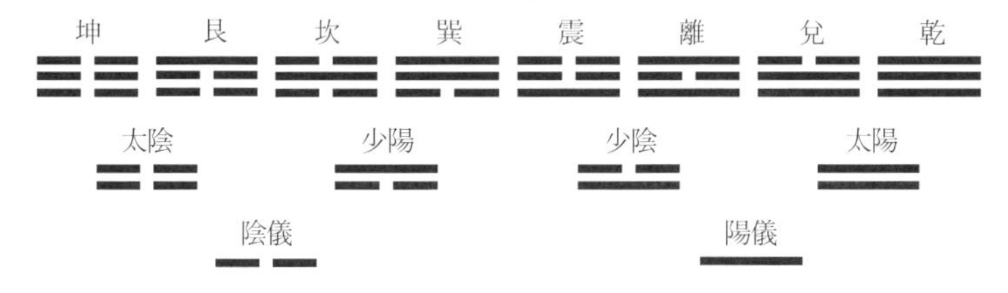

太極

137 「圓圖」: 「伏羲八卦方位圖」를 가리킨다.

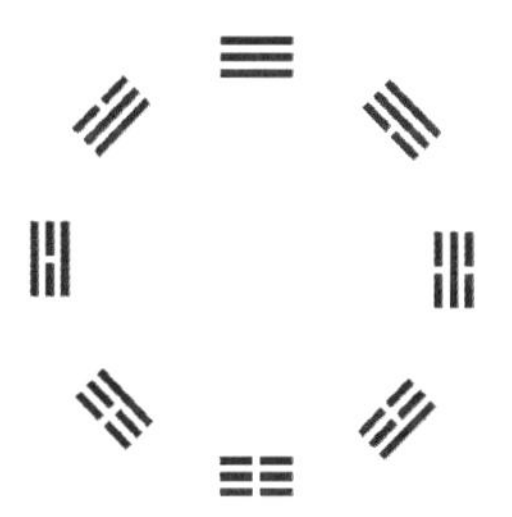

138 武王이 불변하는 … 대답: 이에 대해 『書』「周書 · 洪範」에서, “惟十有三祀，王訪于箕子. 王乃言曰: ‘嗚呼,

4개의 양괘를 짝하여 음의 주재가 되고, 음이 4개의 모퉁이에 자리 잡으면 4개의 음괘를 짝하여 양의 보좌가 된다는 것을 알 수 있는데, 이것은 항상됨을 위주로 하는 것이니 어찌 변화함에 어지럽혀지겠는가!"

[14-2-4]

曰 : "其皆以五居中者, 何也?"

曰 : "凡數之始, 一陰一陽而已矣. 陽之象圓, 圓者徑一而圍三. 陰之象方, 方者徑一而圍四. 圍三者以一爲一, 故參其一陽而爲三. 圍四者以二爲一, 故兩其一陰而爲二. 是所謂'參天 · 兩地'者也. 三 · 二之合, 則爲五矣. 此「河圖」·「洛書」之數, 所以皆以五爲中也."

물었다. "「하도」와 「낙서」가 모두 5를 중앙에 둔 것은 무엇 때문인가?"

대답했다. "무릇 수의 시작은 1음陰과 1양陽일 뿐이다. 양의 상象은 둥글고, 둥근 것은 지름이 1일 때 둘레가 3이다. 음의 상象은 네모나고, 네모난 것은 한 변이 1일 때 둘레는 4이다. 둘레가 3인 것은 1天1을 하나로 셈하므로 그 1양陽을 세 배하여 3이 된다. 둘레가 4인 것은 2地2를 하나로 셈하므로 그 1음陰을 두 배하여 2가 된다. 이것이 이른바 '삼천參天 · 양지兩地'[139]라는 것이다. 3과 2를 합하면 5가 된다. 이것이 「하도」와 「낙서」의 수에서 모두 5를 중앙으로 하는 까닭이다."

[14-2-4-1]

節齋蔡氏曰 : "天數奇, 以一爲一故三. 地數偶, 以二爲一故兩. 卦畫亦然, 陽奇爲一, 而陰偶爲二也."[140]

절재 채씨節齋蔡氏[蔡淵]가 말했다. "하늘의 수는 홀수이니 1을 하나로 하므로 3이다. 땅의 수는 짝수이니 2를 하나로 하므로 2이다. 괘의 획도 그러하니, 홀수인 양은 1(⚊)이 되고, 짝수인 음은 2(⚋)가 된다."

[14-2-4-2]

玉齋胡氏曰 : "陽之數奇而屬乎天, 其象爲圓. 圓者, 取其動也. 凡物之圓者, 其直徑則一, 而橫圍則三. 若陽則其數以一爲一而用其全. 擬之於象實圍三, 而三各一奇皆在所用, 故曰'參天'.

陰之數偶而屬乎地, 其象爲方. 方者, 取其靜也. 凡物之方者, 其直徑則一, 而橫圍則四. 若陰則其數以二爲一而用其半. 擬之於象實圍四, 而四合二偶半在所用, 故曰'兩地'.

箕子! 惟天陰騭下民, 相協厥居, 我不知其彝倫攸敍.' 箕子乃言曰 : '我聞, 在昔, 鯀陻洪水, 汩陳其五行, 帝乃震怒, 不畀洪範九疇, 彝倫攸斁. 鯀則殛死, 禹乃嗣興, 天乃錫禹洪範九疇, 彝倫攸敍.'"라고 하였다.

139 '參天 · 兩地' : 하늘의 수는 3배하고 땅의 수는 2배한다는 의미이다.

140 호방평의 『易學啓蒙通釋』 上 「本圖書」 제1에, 蔡淵의 말로 되어 있다.

夫數始於陰·陽，倚於參·兩.[141] 參·兩之合則爲五，此「圖」·「書」之數所以皆以五居中也. 陽大陰小，陽饒陰乏，故陽得用全而陰惟用半. 其尊陽之義實昉於此矣.

옥재 호씨玉齋胡氏[胡方平]가 말했다. "양의 수는 홀수이고 하늘에 속하니, 그 상象은 둥글다. 둥근 것은 움직임을 취한 것이다. 무릇 사물 가운데 둥근 것은 그 지름이 1일 때 원주를 가로로 펼치면 3이다. 만약 양이라면 그 수는 1을 하나로 하고 그 전체를 사용한다. 상象에서 헤아려 보면 실제로 둘레가 3이고, 3은 각각 하나의 홀수로서 모두 쓰이고 있기 때문에 '삼천參天'이라고 말한다.

음의 수는 짝수이고 땅에 속하니, 그 상象은 네모이다. 네모난 것은 고요함을 취한 것이다. 무릇 만물 가운데 네모난 것은 그 한 변이 1일 때 둘레를 가로로 펼치면 4이다. 만약 음이라면 그 수는 2를 하나로 하고 그 절반을 사용한다. 상象에서 헤아려 보면 실제로 둘레가 4이고, 4는 2개의 짝수를 합한 것으로서 절반이 쓰이고 있기 때문에 '양지兩地'라고 말한다.

무릇 수는 음·양에서 시작하고 삼參·양兩에 의지한다. 삼參·양兩의 합이 5가 되니, 이것이 「하도」와 「낙서」의 수가 모두 5를 중앙에 둔 까닭이다. 양은 크고 음은 작으며, 양은 넉넉하고 음은 결핍되기 때문에 양은 전체를 사용할 수 있지만 음은 절반만을 사용한다. 양을 높이는 의미가 실로 여기에서 비롯되었다.

或問，'參天·兩地，舊說以爲五生數中，天參·地兩，不知其說如何?'

朱子云，'如此，却是三天·二地，不見參·兩之意. 參天者，參之以三，兩地者，兩之以二也.'[142]

又云，'一箇天，參之而爲三，一箇地，兩之而爲二. 三·三爲九，三·二爲六，兩其三·一其二爲八，兩其二·一其三爲七. 此又七·八·九·六之數所由起也.'[143]"[144]

어떤 사람이 '삼천參天·양지兩地에 대하여 예전의 설명에서는 5개의 생수生數 가운데 하늘의 수 3개(1·3·5)와 땅의 수 2개(2·4)라고 하였는데, 그 설명은 어떻습니까?'라고 물었다.

주자가 '그렇게 말하면 도리어 하늘의 수를 3개, 땅의 수를 2개라고 하는 것이니, 삼·양參·兩의 의미를 알지 못한다. 「삼천參天」이란 세 배하여 3이 되는 것이고, 「양지兩地」란 두 배하여 2가 되는 것이다.'라고 대답했다.

(주자는) 또 '하나의 하늘을 3배하여 3이 되고, 하나의 땅을 2배하여 2가 된다. 3×3=9가 되고, 3×2=6이 되며, (3×2)+(1×2)=8이 되고, (2×2)+(3×1)=7이 된다. 이것이 또 7·8·9·6이라는 수가 생겨나는

141 夫數始於陰·陽，倚於參·兩：『易』「說卦傳」1에는, "昔者聖人之作『易』也, 幽贊於神明而生蓍, 參天兩地而倚數, 觀變於陰陽而立卦, 發揮於剛柔而生爻, 和順於道德而理於義, 窮理盡性以至於命."이라고 하였다.

142 『朱子語類』 권77, 4조목에는, 問: "'參天·兩地', 舊說以爲五生數中, 天參·地兩, 不知其說如何?" 曰: "如此只是三天兩地, 不見參·兩之意. '參天'者, 參而三之; '兩地'者, 兩之以二也. 以方員而言, 則七·八·九·六之數, 都自此而起."라고 되어 있다.

143 『朱子語類』 권77, 6조목에는, "一箇天, 參之爲三; 一箇地, 兩之爲二. 三三爲九, 三二爲六. 兩其三, 一其二, 爲八. 兩其二, 一其三, 爲七."이라고 되어 있다.

144 호방평, 『易學啟蒙通釋』 권上 「本圖書」 제1

유래이다.'라고 말했다."

[14-2-5]

然「河圖」以生數爲主, 故其中之所以爲五者, 亦具五生數之象焉. 其下一點, 天一之象也, 其上一點, 地二之象也, 其左一點, 天三之象也, 其右一點, 地四之象也, 其中一點, 天五之象也.

「洛書」以奇數爲主, 故其中之所以爲五者, 亦具五奇數之象焉. 其下一點, 亦天一之象也, 其左一點, 亦天三之象也, 其中一點, 亦天五之象也, 其右一點, 則天七之象也, 其上一點, 則天九之象也.

그러나 「하도」는 생수生數를 위주로 하므로, 그 중앙이 5가 되는 것 또한 생수 5개의 상象을 갖추고 있다. 중앙 5개의 점 가운데, 아래의 한 점은 하늘 1의 상이고, 위의 한 점은 땅 2의 상이며, 왼쪽 한 점은 하늘 3의 상이고, 오른쪽 한 점은 땅 4의 상이며, 중앙의 한 점은 하늘 5의 상이다.

「낙서」는 홀수를 위주로 하므로, 그 중앙이 5가 되는 것 또한 홀수 5개의 상象을 갖추고 있다. 중앙 5개의 점 가운데, 아래의 한 점은 역시 하늘 1의 상이고, 왼쪽 한 점은 역시 하늘 3의 상이며, 중앙의 한 점은 역시 하늘 5의 상이고, 오른쪽 한 점은 하늘 7의 상이며, 위의 한 점은 하늘 9의 상이다.

[14-2-5-1]

玉齋胡氏曰 : "「圖」之五, 具五生數之象, 「書」之五, 具五奇數之象, 蓋皆以其所主者言之. 有主必有賓, 而「圖」之成數與「書」之偶數, 亦各具於中央之五數矣. 「圖」之中五下一點旣具天一之象, 則一與六合, 而地六之成數自不能離乎天之一矣. 以至二·三·四·五皆然. 如是, 則「河圖」由一與六, 以至五與十, 生成相合, 而五十五之全數盡具於中央五數之中.

「書」之中五下一點旣具天一之象, 以至上一點旣具天九之象, 則一與二, 三與四, 七與六, 九與八, 奇偶亦相爲胳合, 而四十五之全數亦盡具於中央之五數矣. 豈可惟以五數拘之哉!"[145]

옥재 호씨玉齋胡氏[胡方平]가 말했다. "「하도」의 5는 5개의 생수生數의 상象을 갖추고, 「낙서」의 5는 5개의 홀수의 상을 갖추고 있다는 것은, 모두 그 주인이 된 것으로서 말한 것이다. 주인이 있으면 반드시 손님이 있을 것이니, 「하도」의 성수成數와 「낙서」의 짝수도 역시 각기 중앙 5의 수에 갖추어져 있다. 「하도」에서 중앙의 5개의 점 가운데 아래 한 점이 이미 하늘 1의 상을 갖추었으니, 1은 6과 합하고 땅 6의 성수는 저절로 하늘의 1에서 떨어질 수 없다. 2·3·4·5도 모두 그러하다. 이와 같다면 「하도」는 1과 6에서부터 5와 10에 이르기까지 생수와 성수가 서로 합하며, 55라는 전체의 수도 전부 중앙 5의 수 가운데 갖추어져 있다.

「낙서」에서 중앙의 5개의 점 가운데 아래 한 점이 이미 하늘 1의 상을 갖추고, 위의 한 점이 이미 하늘 9의 상을 갖추기에 이르렀으니, 1과 2, 3과 4, 7과 6, 9와 8은 홀수와 짝수가 또한 서로 꼭

145 호방평, 『易學啟蒙通釋』 권上 「本圖書」 제1

들어맞고, 45라는 전체의 수도 역시 전부 중앙의 수 5 가운데 갖추어져 있다. 어찌 오직 그것을 5의 수 만으로 국한할 수 있겠는가!"

[14-2-6]

其數與位, 皆三同而二異, 蓋陽不可易而陰可易. 成數雖陽, 固亦生之陰也.

「하도」·「낙서」의 수와 자리가 모두 3개는 같고 2개가 다른 것은 양은 바뀔 수 없지만 음은 바뀔 수 있기 때문이다. 성수成數는 비록 양이지만 본디 또한 생수生數의 음이다.

[14-2-6-1]

雲莊劉氏曰 : "「圖」之一·三·五·七·九皆奇數, 陽也. 而一·三·五之位不易, 七·九之位易者, 亦以天地之間陽動主變故也. 然陽於北·東則不動, 於西·南則互遷者, 蓋北·東陽始生之方, 西·南陽極盛之方. 陽主進, 數又必進於極而後變也."[146]

운장 유씨雲莊劉氏[劉爚]가 말했다. "「하도」의 1·3·5·7·9는 모두 홀수이고 양이다. 그런데 1·3·5의 자리는 바뀌지 않고 7·9의 자리가 바뀌는 것은, 또한 하늘과 땅 사이에서 양이 움직여 변화를 주관하기 때문이다. 그러나 양이 북쪽과 동쪽에서는 움직이지 않고 서쪽과 남쪽에서 서로 옮겨가는 것은, 북쪽과 동쪽은 양이 처음 생겨나는 방위이지만, 서쪽과 남쪽은 양이 지극히 성대한 방위이기 때문이다. 양은 나아가는 것을 위주로 하니, 그 수도 반드시 극한까지 나아간 뒤에는 변한다."

[14-2-6-2]

玉齋胡氏曰 : "'數', 則「河圖」自一至十, 「洛書」自一至九之數. '位', 則東·西·南·北·中央之位. '皆三同而二異'者, 「圖」·「書」之一·六皆在北, 三·八皆在東, 五皆在中, 三者之位數皆同也, 「圖」之二·七在南, 而「書」則二·七在西, 「圖」之四·九在西, 而「書」則四·九在南, 二者之位數皆異也. '陽不可易', 專指一·三·五, '陰可易', 統指二·七·四·九. '成數雖陽', 指七·九. '固亦生之陰', 指七爲二生數之陰, 九爲四生數之陰也. 二·四以生數言雖屬陽, 然以偶數言則屬陰, 不得謂之陽矣, 故可易. 七·九以奇數言雖屬陽, 然以成數言只可謂之陰矣, 故可易. 其曰, '成數雖陽, 固亦生之陰', 不曰, '生數雖陰, 固亦成之陽'者, 蓋但主陰可易而言也."[147]

옥재 호씨玉齋胡氏[胡方平]가 말했다. "'수數'는 「하도」의 1부터 10까지와 「낙서」의 1부터 9까지의 수이다. '자리'는 동·서·남·북·중앙의 자리이다. '모두 3개는 같고 2개가 다르다.'는 것은 「하도」와 「낙서」에서 1·6은 모두 북쪽에 있고, 3·8은 모두 동쪽에 있고, 5는 모두 중앙에 있어서 3개의 자리와 수가 모두 같다는 것이며, 「하도」에서 2·7은 남쪽에 있는데 「낙서」에서는 2·7이 서쪽에 있고, 「하도」에서 4·9는 서쪽에 있는데 「낙서」에서는 4·9가 남쪽에 있어서 2개의 자리와 수가

146 호방평, 『易學啟蒙通釋』 권上 「本圖書」 제1에, 劉爚의 말로 되어 있다.
147 호방평, 『易學啟蒙通釋』 권上 「本圖書」 제1

모두 다르다는 것이다. '양은 바뀔 수 없다.'는 것은 오로지 1·3·5를 가리키고, '음은 바뀔 수 있다.'는 것은 2·7과 4·9를 통괄하여 가리킨다. '성수成數는 비록 양이지만'이라고 한 것은 7과 9를 가리킨다. '본디 또한 생수生數의 음이다.'는 것은, 7은 생수 2의 음이 되고, 9는 생수 4의 음이 된다는 것을 가리킨다. 2와 4는 생수라는 측면으로 말하면 비록 양에 속하지만, 짝수라는 측면으로 말하면 음에 속하여 양이라고 할 수 없으므로 바뀔 수 있다. 7과 9는 홀수라는 측면으로 말하면 비록 양에 속하지만, 성수라는 측면으로 말하면 다만 음이라고 할 수 있으므로 바뀔 수 있다. (주자가) '성수成數는 비록 양이지만 본디 또한 생수生數의 음이다.'라고 말했을 뿐, '생수生數는 비록 음이지만 본디 또한 성수成數의 양이다.'라고 말하지 않은 것은 단지 음이 바뀔 수 있다는 것을 위주로 말했기 때문이다."

[14-2-7]

曰：“中央之五, 旣爲五數之象矣, 然其爲數也奈何?”

曰：“以數言之, 通乎一圖, 由內及外, 固各有積實可紀之數矣. 然「河圖」之一·二·三·四各居其五象本方之外, 而六·七·八·九·十者又各因五而得數以附於其生數之外.「洛書」之一·三·七·九亦各居其五象本方之外, 而二·四·六·八者又各因其類以附於奇數之側. 蓋中者爲主而外者爲客, 正者爲君而側者爲臣, 亦各有條而不紊也.”

물었다. "중앙의 5가 이미 5라는 수의 상象이 되었지만, 그 수의 역할은 어떠한가?"

대답했다. "수로서 말하면 하나의 도圖를 관통하여 안에서부터 밖으로 본디 각각 더해서 계산할 수 있는 수數가 있다.[148] 그러나 「하도」의 1·2·3·4는 각각 그 5의 상의 본래 방위(중앙)의 바깥에 자리 잡고, 6·7·8·9·10은 또 각각 5를 더해 수를 얻어서 그 생수의 바깥에 붙어 있다. 「낙서」의 1·3·7·9도 역시 각각 그 5의 상의 본래 방위(중앙)의 바깥에 자리 잡고, 2·4·6·8은 또 각각 그 부류에 따라서 홀수의 옆에 붙어있다. 가운데에 있는 것이 주인이 되고 바깥에 있는 것이 손님이 되며, 정방위에 있는 것이 군주가 되고 그 옆에 있는 것이 신하가 되니, 또한 각각 조리가 있어 문란하지 않다."

[14-2-7-1]

董銖問曰：“夫「河圖」之數，不過一奇一偶相錯而已. 故太陽之位，卽太陰之數，太陰之位，卽太陽之數，見其迭陰迭陽，陰陽相錯，所以爲生成也. 天五·地十居中，地十亦天五之成數. 蓋一·二·三·四已含六·七·八·九者，以五乘之故也，蓋數不過五也. 「洛書」之用一·二·三·四以對九·八·七·六，其數亦不過十. 蓋太陽占第一位，已含太陽之數，少陰占第二位，已含少陰之數，少陽占第三位，已含少陽之數，太陰占第四位，已含太陰之數. 雖其陰陽各自爲數，然

148 본디 각각 … 있다：『性理群書句解』 권9 「圖」편에서 熊剛大는, 권9에서 이 구절에 대하여 “各各有所積之實數可計算也.”라고 주석을 붙였다.

五數居中，太陽居一得五而成六，少陰居二得五而成七，少陽居三得五而成八，太陰居四得五而成九，則與「河圖」一陰一陽相錯而爲生成之數者，亦無以異也．不知可如此看否?"
朱子答曰："所論甚當，「河圖」相錯之說尤佳．"[149]

동수董銖[150]가 물었다. "「하도」의 수는 하나의 홀수와 하나의 짝수가 서로 섞여 있는 것에 지나지 않습니다. 그러므로 태양太陽의 자리에 곧 태음太陰의 수가 있고 태음의 자리에 곧 태양의 수가 있어서, 그것들이 음으로 양으로 갈마들며 음과 양이 서로 섞이기 때문에 생수와 성수가 되는 것을 압니다. 하늘 5와 땅 10이 중앙에 자리 잡는데, 땅 10은 또한 하늘 5의 성수입니다. 대개 1·2·3·4가 이미 6·7·8·9를 함유하고 있다는 것은 5를 타고 있기 때문이니, 수는 5에 지나지 않습니다. 「낙서」에서 1·2·3·4를 가지고 9·8·7·6에 대응하는 것도 그 수는 역시 10에 지나지 않습니다. 대개 태양이 제1의 자리를 차지해서 이미 태양의 수를 함유하고, 소음이 제2의 자리를 차지해서 이미 소음의 수를 함유하며, 소양이 제3의 자리를 차지해서 이미 소양의 수를 함유하고, 태음이 제4의 자리를 차지해서 이미 태음의 수를 함유하고 있습니다. 비록 그 음과 양이 각각 스스로 수가 되지만 5의 수가 중앙에 자리 잡고 있어서, 태양은 1에 자리 잡고 5를 얻어 6을 이루며, 소음은 2에 자리 잡고 5를 얻어 7을 이루며, 소양은 3에 자리 잡고 5를 얻어 8을 이루며, 태음은 4에 자리 잡고 5를 얻어 9를 이루니, 「하도」에서 하나의 홀수와 하나의 짝수가 서로 섞여 생수와 성수가 되는 것과 또한 다름이 없습니다. 이와 같이 보아도 괜찮을지 모르겠습니다?"
주자가 대답했다. "논한 것이 아주 합당하고, 특히 「하도」의 수가 서로 섞여 있다는 설명은 훌륭하다."

[14-2-7-2]

覺軒蔡氏曰："一·二·三·四爲四象之位，六·七·八·九爲四象之數．「河圖」位與數常相錯．然五數居中，一得五而爲六，二得五而爲七，三得五而爲八，四得五而爲九，各居其方，雖相錯而未嘗不相對也．「洛書」位與數常相對．然五數居中，一得五而爲後右之六，二得五而爲右之七，三得五而爲後左之八，四得五而爲前之九，縱橫交綜，雖相對而未嘗不相錯也．"[151]

각헌 채씨覺軒蔡氏[蔡模][152]가 말했다. "1·2·3·4는 4상象의 자리가 되고, 6·7·8·9는 4상의 수가

149 『朱文公文集』 권51 「答董叔重」에는, "「河圖」之數, 不過一奇一偶相錯而已. 故太陽之位, 卽太陰之數, 少陰之位, 卽少陽之數, 少陽之位, 卽少陰之數, 太陰之位, 卽太陽之數, 見其迭陰迭陽, 陰陽相錯, 所以爲生成也. … 「河圖」相錯之說尤佳."라고 되어 있다.

150 董銖(1152~1214) : 자는 叔重이고, 학자들에게 槃澗 선생이라 불렸다. 饒州 德興(현 강서성 소속) 사람으로 嘉定연간에 진사에 급제하여 벼슬은 婺州 金華縣尉를 역임하였다. 처음에는 程洵에게 배우다가 주희의 문인이 되어 주희에게 깊이 신임을 얻었다. 심지어 학자들이 찾아오면 먼저 동수와 논변을 하게하고 주희가 나중에 그것을 절충할 정도였다. 덕흥에서 강학을 하고 槃澗書院을 세웠다. 저술은 『性理注解』, 『易書注』 등이 있다.

151 호방평, 『易學啟蒙通釋』 「本圖書」 권上 제1에, 蔡模의 말로 되어 있다.

152 蔡模(1188~1246) : 자는 仲覺이고 호는 覺軒으로 채침의 맏아들이다. 과거공부를 버리고 평생토록 독실하게

된다. 「하도」의 자리와 수는 항상 서로 섞인다. 그렇지만 5의 수가 중앙에 자리 잡고 있으므로, 1은 5를 얻어서 6이 되고, 2는 5를 얻어서 7이 되며, 3은 5를 얻어서 8이 되고, 4는 5를 얻어서 9가 되어 각각 그 방위에 자리 잡고 있으니, 비록 서로 섞여있지만 서로 마주하고 있지 않은 적이 없다. 「낙서」의 자리와 수는 항상 서로 마주하고 있다. 그렇지만 5의 수가 중앙에 자리 잡고 있으므로, 1은 5를 얻어서 뒤(아래)의 오른쪽 6이 되고, 2는 5를 얻어서 오른쪽의 7이 되며, 3은 5를 얻어서 뒤(아래)의 왼쪽 8이 되고, 4는 5를 얻어서 앞(위)의 9가 되어 가로 세로로 교차하여 합쳐지고 있으니, 비록 서로 마주하고 있지만 서로 섞여 있지 않은 적이 없다."

[14-2-7-3]

玉齋胡氏曰："在「圖」者陽生陰成，在「書」者陽奇陰偶，而皆以陽爲尊也. 「圖」之數十，積之爲五十有五，「書」之數九，積之爲四十有五，皆可以紀其實也. 然以中五計之，「圖」之一·二·三·四者，生數之陽也，各居其中五本來方位之外，六·七·八·九·十者，成數之陰也，又各因五而得數，以附於五生數之外. 中者爲主，則外者爲客矣. 「書」之一·三·七·九者，四奇數之陽也，各居其中五本來方位之外，而二·四·六·八者，四偶數之陰也，又各從其類，以附于四奇數之側. 正者爲君，則側者爲臣矣. 造化貴陽而賤陰，假「圖」·「書」以顯其理，出於自然之妙，非可容一毫智力抑揚於其間也."[153]

옥재 호씨玉齋胡氏[胡方平]가 말했다. "「하도」에서는 양이 생수이고 음이 성수이며, 「낙서」에서는 양이 홀수이고 음이 짝수이지만, 모두 양을 존중한다. 「하도」의 수 10개를 누적하면 55가 되고, 「낙서」의 수 9개를 누적하면 45가 되니, 모두 그 실제를 기록할 수 있다. 그러나 중앙의 5로서 계산하면 「하도」의 1 · 2 · 3 · 4는 생수의 양으로서 각각 그 중앙 5의 본래 방위의 바깥에 자리 잡고, 6 · 7 · 8 · 9 · 10은 성수의 음으로서 또 각각 5를 따라 수를 얻어서 5개의 생수의 바깥에 붙어 있다. 가운데가 주인이 되니 바깥은 손님이 된다. 「낙서」의 1 · 3 · 7 · 9는 4개의 홀수의 양으로서 각각 그 중앙 5의 본래 방위의 바깥에 자리 잡고, 2 · 4 · 6 · 8은 4개의 짝수의 음으로서 또 각각 그 부류를 좇아서 4개의 홀수의 곁에 붙어 있다. 정방위에 있는 것이 군주가 되니 그 곁에 있는 것이 신하가 된다. 조화造化에서 양을 귀하게 여기고 음을 천하게 여긴다는 것을 「하도」와 「낙서」를 빌어 그 이치를 드러내었으니, 이는 저절로 그러한 오묘함에서 나오는 것이지, 조금이라도 그 사이에 지능[智力]으로 낮추거나 높일 수 없다."

[14-2-8]

曰："其多寡之不同，何也?"

성현의 학문에 몰두하였다. 淳佑 3년(1243)에 建寧知府 王遂가 조정에 천거하고 이듬해에는 승상 范鍾이 등용을 상주하여 迪功郎, 建寧府學教授를 제수하였으나 부임하지 않고 죽었다. 저술은 『易傳集解』, 『大學衍說』, 『河洛探賾』, 『續近思錄』, 『論孟集疏』 등이 있다.

153 호방평, 『易學啟蒙通釋』 권9 「本圖書」 제1

曰 : "「河圖」主全, 故極於十而奇偶之位均. 論其積實, 然後見其偶贏而奇乏也. 「洛書」主變, 故極於九而其位與實皆奇贏而偶乏也. 必皆虛其中也, 然後陰陽之數均於二十而無偏耳."

물었다. "「하도」와 「낙서」의 수가 많고 적음이 다른 것은 무엇 때문인가?"

대답했다. "「하도」는 완전함을 위주로 하기 때문에 10에서 끝나고 홀수와 짝수의 자리가 균등하다. 그 실수實數의 누적을 따져본 다음에야 짝수의 합계가 많고 홀수의 합계가 적다는 것을 안다. 「낙서」는 변화를 위주로 하기 때문에 9에서 끝나고 그 자리와 실수가 모두 홀수의 합계가 많고 짝수의 합계가 적다. 반드시 모두 그 중앙의 수를 비운 다음에야 음과 양의 수가 균등하게 20이 되어 치우침이 없다."

[14-2-8-1]

玉齋胡氏曰 : "「河圖」'偶贏而奇乏'者, 地三十, 天二十五也. 「洛書」'奇贏而偶乏'者, 天二十五, 地二十也. 「河圖」虛其中之十·五, 「洛書」虛其中之五, 則陰陽之數均於二十矣."[154]

옥재 호씨玉齋胡氏[胡方平]가 말했다. "「하도」에서 '짝수의 합계가 많고 홀수의 합계가 적다.'는 것은 땅의 수의 합계가 30이고 하늘의 수의 합계가 25라는 것이다. 「낙서」에서 '홀수의 합계가 많고 짝수의 합계가 적다.'는 것은 하늘의 수의 합계가 25이고 땅의 수의 합계가 20이라는 것이다. 「하도」에서 그 중앙의 10과 5를 비우고, 「낙서」에서 그 중앙의 5를 비우면 음과 양의 수는 균등하게 20이 된다."

[14-2-9]

曰 : "其序之不同, 何也?"

曰 : "「河圖」以生出之次言之, 則始下, 次上, 次左, 次右, 以復于中, 而又始于下也. 以運行之次言之, 則始東, 次南, 次中, 次西, 次北, 左旋一周而又始于東也. 其生數之在內者, 則陽居下左而陰居上右也, 其成數之在外者, 則陰居下左而陽居上右也.

「洛書」之次, 其陽數, 則首北, 次東, 次中, 次西, 次南. 其陰數, 則首西南, 次東南, 次西北, 次東北也. 合而言之, 則首北, 次西南, 次東, 次東南, 次中, 次西北, 次西, 次東北, 而究于南也. 其運行, 則水克火, 火克金, 金克木, 木克土, 右旋一周而土復克水也. 是亦各有說矣."

물었다. "「하도」와 「낙서」의 수 배열의 순서가 다른 것은 무엇 때문인가?"

대답했다. "「하도」는 생겨나오는 차례로 말하면, 아래(1 · 6, 水)에서 시작하여 다음이 위(2 · 7, 火)이고, 그 다음이 왼쪽(3 · 8, 木)이며, 그 다음이 오른쪽(4 · 9, 金)이고, 중앙(5 · 10, 土)으로 돌아가서 다시 아래(1 · 6, 水)에서 시작한다. 운행하는 차례로 말하면, 동쪽(3 · 8, 木)에서 시작하여, 다음이

154 호방평, 『易學啟蒙通釋』 권上 「本圖書」 제1

남쪽(2 · 7, 火)이고, 그 다음이 중앙(5 · 10, 土)이며, 그 다음이 서쪽(4 · 9, 金)이고, 그 다음이 북쪽(1 · 6, 水)이며, 왼쪽으로 한 바퀴를 돌아서 다시 동쪽(3 · 8, 木)에서 시작한다. 그 안쪽에 있는 생수生數는 양이 아래(1)와 왼쪽(3)에 자리 잡고, 음이 위(2)와 오른쪽(4)에 자리 잡으며, 그 바깥쪽에 있는 성수成數는 음이 아래(6)와 왼쪽(8)에 자리 잡고, 양이 위(7)와 오른쪽(9)에 자리 잡는다. 「낙서」의 차례는, 그 양의 수는 북쪽(1)에서 시작하여 다음이 동쪽(3)이고 그 다음이 중앙(5)이며, 그 다음이 서쪽(7)이고, 그 다음이 남쪽(9)이다. 음의 수는 서남쪽(2)에서 시작하여 다음이 동남쪽(4)이고, 그 다음이 서북쪽(6)이며, 그 다음이 동북쪽(8)이다. 음의 수와 양의 수를 합쳐서 말하면, 북쪽(1)에서 시작하여 다음이 서남쪽(2)이고, 그 다음이 동쪽(3)이며, 그 다음이 동남쪽(4)이고, 그 다음이 중앙(5)이며, 그 다음이 서북쪽(6)이고, 그 다음이 서쪽(7)이며, 그 다음이 동북쪽(8)이고, 남쪽(9)에서 끝맺는다. 그 운행은 수水가 화火를 이기고, 화가 금金을 이기며, 금이 목木을 이기고, 목이 토土를 이기며, 오른쪽으로 한 바퀴를 돌아서 토가 다시 수를 이긴다. 이것 또한 각각 설명이 있다.[155]"

[14-2-9-1]

思齋翁氏曰 : "「河圖」運行之序, 自北而東左旋相生, 固也. 然對待之位, 則北方一·六水克南方二·七火, 西方四·九金克東方三·八木, 而相克者已寓於相生之中. 「洛書」運行之序, 自北而西右轉相克, 固也. 然對待之位, 則東南方四·九金生西北方一·六水, 東北方三·八木生西南方二·七火, 其相生者已寓於相克之中. 蓋造化之運, 生而不克, 則生者無從而裁制, 克而不生, 則克者亦有時而間斷. 此「圖」·「書」生成之妙, 未嘗不各自全備也."[156]

사재 옹씨思齋翁氏[翁泳]가 말했다. "「하도」는 운행하는 순서가 북쪽(1 · 6, 水)에서부터 왼쪽편인 동쪽(3 · 8, 木)으로 돌아서 상생相生하니, 본래 그러하다. 그렇지만 대대對待하는 자리는 북쪽의 1 · 6 수는 남쪽의 2 · 7 화를 이기고, 서쪽의 4 · 9 금은 동쪽의 3 · 8 목을 이기니, 상극相克함이 이미 상생 가운데에 깃들어 있다. 「낙서」는 운행하는 순서가 북쪽(1 · 6, 水)에서부터 오른쪽인 서쪽(2 · 7, 火)으로 돌아서 상극相克하니, 본래 그러하다. 그렇지만 대대對待하는 자리는 동남쪽의 4 · 9 금은 서북쪽의 1 · 6 수를 낳고, 동북쪽의 3 · 8 목은 서남쪽의 2 · 7 화를 낳으니, 상생相生하는 것이 이미 상극 가운데에 깃들어 있다. 대개 조화造化의 운행이 낳기만[生] 하고 이기지[克] 않으면 낳은 것은 좇아서 재제裁制할 수 없고, 이기기만 하고 낳지 않으면 이기는 것은 또한 때때로 틈이 벌어지고 끊김이 있다. 이것이 「하도」와 「낙서」의 생수와 성수의 오묘함이니, 각자 완전하게 갖추지 않은 적이 없다."

[14-2-9-2]

玉齋胡氏曰 : "「河圖」生出生成之序, 與「洛書」奇偶次序, 皆錯雜取義. 唯運行次序, 「河圖」則左旋相生, 「洛書」則右轉相克. 一·六爲水, 二·七爲火, 三·八爲木, 四·九爲金, 五十爲土.

155 이것 또한 … 있다 : 웅절 편, 웅강대 注의 『性理群書句解』 권9 「圖」에서, 이 구절에 대하여 "各各皆有意義." 라고 주석을 붙였다.

156 호방평의 『易學啟蒙通釋』 권上 「本圖書」 제1에, 翁泳의 말로 되어 있다.

「河圖」則水生木，木生火，火生土，土生金，左旋一周而金復生水也. 「洛書」則水克火，火克金，金克木，木克土，右轉一周而土復克水也. ”[157]

옥재 호씨玉齋胡氏[胡方平]가 말했다. “「하도」의 생수와 성수가 생겨나오는 순서와 「낙서」의 홀수와 짝수의 순서는 모두 서로 뒤섞여 있다는 의미를 가지고 있다. 오직 운행의 순서만이 「하도」는 왼쪽으로 돌아서 상생하고, 「낙서」는 오른쪽으로 돌아서 상극한다. 1 · 6이 수가 되고, 2 · 7이 화가 되며, 3 · 8이 목이 되고, 4 · 9가 금이 되며, 5 · 10이 토가 된다. 「하도」는 수가 목을 낳고, 목이 화를 낳으며, 화가 토를 낳고, 토가 금을 낳으며, 왼쪽으로 한 바퀴 돌아서 금이 다시 수를 낳는다. 「낙서」는 수가 화를 이기고, 화가 금을 이기며, 금은 목을 이기고, 목은 토를 이기며, 오른쪽으로 한 바퀴 돌아서 토가 다시 수를 이긴다.”

[14-2-10]

曰 : “其七八 · 九六之數不同, 何也?”

曰 : “「河圖」六 · 七 · 八 · 九, 旣附于生數之外矣. 此陰陽老少 · 進退饒乏之正也. 其九者, 生數一 · 三 · 五之積也, 故自北而東, 自東而西, 以成於四之外. 其六者, 生數二 · 四之積也, 故自南而西, 自西而北, 以成於一之外. 七則九之自西而南者也. 八則六之自北而東者也. 此又陰陽老少互藏其宅之變也.

「洛書」之縱橫十五, 而七八 · 九六迭爲消長, 虛五分十, 而一含九, 二含八, 三含七, 四含六, 則參伍錯綜, 無適而不遇其合焉. 此變化無窮之所以爲妙也.”

물었다. “「하도」와 「낙서」의 7 · 8과 9 · 6의 수가 다른 것은 무엇 때문인가?”

대답했다. “「하도」의 6 · 7 · 8 · 9는 이미 생수의 바깥에 붙어 있다. 이것은 음 · 양의 노老 · 소少와 나아감[進] · 물러남[退]의 넉넉함[饒] · 부족함[乏]의 관계에서 ‘바른 자리[正]’이다. 그 중에 9는 생수인 1 · 3 · 5를 누적한 것이므로 북쪽에서 동쪽으로 가고, 동쪽에서 서쪽으로 가서 4의 바깥에서 이루어진다. 그 가운데 6은 생수인 2 · 4를 누적한 것이므로 남쪽에서 서쪽으로 가고, 서쪽에서 북쪽으로 가서 1의 바깥에서 이루어진다. 7은 9가 서쪽에서 남쪽으로 간 것이다. 8은 6이 북쪽에서 동쪽으로 간 것이다. 이것은 또 음 · 양의 노 · 소가 제 집을 서로 상대방 속에 감춰두고 있는 변화이다.

「낙서」의 수는 가로 세로로 합계가 15인데, 7 · 8과 9 · 6이 갈마들며 줄어들고 불어나서 5를 비워두고 10을 분할하여, 1은 9를 함유하고 2는 8을 함유하며 3은 7을 함유하고 4는 6을 함유하니, ‘이리저리 뒤섞이고 가로 세로로 엇갈려도[參伍錯綜]’[158] 그 어느 경우라도 그 합이 되지 않는 경우가 없다. 이것

157 호방평, 『易學啓蒙通釋』 권上 「本圖書」 제1

158 ‘이리저리 뒤섞이고 … 엇갈려도[參伍錯綜]’ : 『易』「繫辭上」 10장에서, “參伍以變, 錯綜其數. 通其變, 遂成天地之文, 極其數, 遂定天下之象. 非天下之至變, 其孰能與於此.”라고 하였으며, 주희는 『周易本義』 주에서, “此尙象之事. 變則象之未定者也. 參者, 三數之也. 伍者, 五數之也. 旣參以變, 又伍以變, 一先一後, 更相考覈, 以審其多寡之實也. 錯者, 交而互之. 一左一右之謂也. 綜者, 總而挈之. 一低一昂之謂也. 此亦皆謂揲蓍求卦之事. 蓋通三揲兩手之策, 以成陰陽老少之畫. 究七 · 八 · 九 · 六之數, 以定卦爻動靜之象也. 參伍錯綜皆古語,

이 변화가 무궁하여 오묘하게 되는 까닭이다.”

[14-2-10-1]

玉齋胡氏曰 : “此一節專言「圖」·「書」七八·九六之數, 以分陰陽之老少也. 七·九爲陽, 陽主進, 由少陽七而進七之上爲八, 故踰八而進於九. 九則進之極更無去處了, 故九爲老陽. 六·八爲陰, 陰主退, 由少陰八而退八之下爲七, 故踰七而退於六. 六則退之極更無轉處了, 故六爲老陰. 進則饒, 故老陽饒於八, 少陽饒於六. 退則乏, 故老陰乏於七, 少陰乏於九. 進而饒者陽之常, 退而乏者陰之常, 此所謂‘正’也.

옥재 호씨玉齋胡氏[胡方平]가 말했다. “이 한 단락은 「하도」와 「낙서」에서 7 · 8, 9 · 6의 수만을 언급하여, 음 · 양의 노 · 소를 나누었다. 7과 9는 양인데 양은 나아감을 주로 하니, 소양 7로부터 7의 위로 나아가면 8이 되므로 8을 넘어서 9로 나아간다. 9는 극한까지 나아가서 다시 더 갈 곳이 없어졌으므로 9가 노양이 된다. 6과 8은 음인데 음은 물러남을 주로 하니, 소음 8로부터 8의 아래로 물러나면 7이 되므로 7을 넘어서 6으로 물러난다. 6은 극한까지 물러나서 다시 더 물러날 곳이 없어졌으므로 6이 노음이 된다. 나아가면 넉넉해지므로 노양은 8보다 넉넉하고 소양은 6보다 넉넉하다. 물러나면 부족해지므로 노음은 7보다 부족하고, 소음은 9보다 부족하다. 나아가서 넉넉해지는 것이 양의 불변하는 성질이고, 물러나서 부족해지는 것이 음의 불변하는 성질이니, 이것이 이른바 ‘바른 자리[正]’이다.

以言其變, 老陽數九, 由一·三·五積而成於四之外, 四, 老陰之位也. 老陰數六, 由二·四積而成於一之外, 一, 老陽之位也. 此二老互藏其宅之變也. 七·八則非由積數而成. 七與九皆陽, 故少陽七自九來而居於二之上, 二, 少陰之位也. 八與六皆陰, 故少陰八自六來而居於三之上, 三, 少陽之位也. 此二少互藏其宅之變也.

그 변화를 말하면, 노양의 수 9는 1 · 3 · 5가 누적된 것으로부터 4의 바깥에서 이루어지는데, 4는 노음의 자리이다. 노음의 수 6은 2 · 4가 누적된 것으로부터 1의 바깥에서 이루어지는데, 1은 노양의 자리이다. 이것이 노양과 노음이 제 집을 서로 상대방 속에 감춰두고 있는 변화이다. 7과 8은 누적된 수로부터 이루어진 것이 아니다. 7과 9는 모두 양이므로 소양 7은 9로부터 와서 2의 위에 자리 잡은 것이니, 2는 소음의 자리이다. 8과 6은 모두 음이므로 소음 8은 6으로부터 와서 3의 위에 자리 잡은 것이니, 3은 소양의 자리이다. 이것이 소양과 소음이 제 집을 서로 상대방 속에 감춰두고 있는 변화이다.

而參伍尤難曉. 按荀子云, 窺敵制變, 欲伍以參. 韓非曰, 省同異之言, 以知朋黨之分, 偶參伍之驗, 以責陳言之實. 又曰, 參之以比物, 伍之以合參. 『史記』曰, 必參而伍之. 又曰, 參伍不失. 『漢書』曰, 參伍其實, 以類相準. 此足以相發明矣.”라고 하였다.

其在「洛書」, 雖縱橫有十五之數, 實皆七八·九六之迭爲消長. 一得五爲六, 而與南方之九迭爲消長. 四得五爲九, 而與西北之六迭爲消長. 三得五爲八, 而與西方之七迭爲消長. 二得五爲七, 而與東北之八迭爲消長. 大抵數之進者爲長, 退者爲消. 長者退則又消, 消者進則又長. 六進爲九, 則九長而六消, 九退爲六, 則九反消而六又長矣. 七進爲八, 則八長而七消, 八退爲七, 則八反消而七又長矣.
「낙서」에서는 비록 가로세로로 합계하여 15가 되지만, 사실은 모두 7과 8, 9와 6이 갈마들며 줄어들고 불어난 것이다. 1은 5를 얻어서 6이 되고, 남쪽의 9와 갈마들며 줄어들고 불어난다. 4는 5를 얻어 9가 되고, 서북쪽의 6과 갈마들며 줄어들고 불어난다. 3은 5를 얻어 8이 되고, 서쪽의 7과 갈마들며 줄어들고 불어난다. 2는 5를 얻어 7이 되고, 동북쪽의 8과 갈마들며 줄어들고 불어난다. 대개 수가 나아간 것은 불어나고, 물러난 것은 줄어든다. 불어난 것이 물러나면 또 줄어들고, 줄어든 것이 나아가면 또 불어난다. 6이 나아가서 9가 되면 9는 불어나고 6은 줄어들며, 9가 물러나서 6이 되면 9는 도리어 줄어들고 6은 또 불어난다. 7이 나아가 8이 되면 8은 불어나고 7은 줄어들며, 8이 물러나서 7이 되면 8은 도리어 줄어들고 7은 또 불어난다.

'虛五分十'者, 虛中五之外, 則縱橫皆十, 以其十者分之, 則九者十分一之餘, 八者十分二之餘, 七者十分三之餘, 六者十分四之餘也. 參伍錯綜, 無適而不遇七八·九六之合焉, 此所謂變化無窮之妙也.
'5를 비워두고 10을 분할한다.'는 것은 중앙의 5를 비운 바깥은 가로세로로 모두 10이니, 그 10을 분할하면, 9는 10에서 1을 분할한 나머지이고, 8은 10에서 2를 분할한 나머지이고, 7은 10에서 3을 분할한 나머지이고, 6은 10에서 4를 분할한 나머지이다. '이리저리 뒤섞이고 가로세로로 엇갈려도[參伍錯綜]' 그 어느 경우라도 7과 8, 9와 6의 합이 되지 않음이 없으니, 이것이 이른바 변화가 무궁하여 오묘하다는 것이다.

又因是推之, 「圖」·「書」之文, 七與八, 九與六, 每相聯屬. 「河圖」, 則二少位東·南, 二老位西·北. 二居南, 內含東外之八, 三居東, 內含南外之七, 一居北, 內含西外之九, 四居西, 內含北外之六. 「洛書」, 則一得五成六而合九, 四得五成九而合六, 二得五成七而合八, 三得五成八而合七. 又如二·四成六而九居中, 一·八成九而六在旁, 二·六成八而七處內, 三·四成七而八在下, 是亦九六·七八無適而不遇其合也."[159]
또 이것을 따라서 미루어보면, 「하도」와 「낙서」의 문양은 7과 8, 9와 6이 매번 서로 연계되어 이어진다. 「하도」는 동쪽에 소음(8) 남쪽에 소양(7)이 자리 잡고, 서쪽에 노양(9) 북쪽에 노음(6)이 자리 잡고 있다. 2는 남쪽에 자리 잡고 있으면서 그 안에 동쪽 바깥의 8을 함유하고, 3은 동쪽에 자리 잡고 있으면서 그 안에 남쪽 바깥의 7을 함유하며, 1은 북쪽에 자리 잡고 있으면서 그 안에 서쪽

159 호방평, 『易學啟蒙通釋』 권上 「本圖書」 제1

바깥의 9를 함유하고, 4는 서쪽에 자리 잡고 있으면서 그 안에 북쪽 바깥의 6을 함유하고 있다. 「낙서」는 1이 5를 얻어서 6을 이루고 9와 합하며, 4는 5를 얻어서 9를 이루고 6과 합하며, 2는 5를 얻어서 7을 이루고 8과 합하며, 3은 5를 얻어서 8을 이루고 7과 합한다. 또 이를테면 2와 4는 6을 이루고 9가 그 가운데에 자리 잡으며, 1과 8은 9를 이루고 6이 그 곁에 있으며, 2와 6은 8을 이루고 7이 그 안에 자리 잡으며, 3과 4는 7을 이루고 8이 그 아래에 있는 것도 9와 6, 7과 8이 그 어느 경우라도 그 합이 되지 않는 경우가 없다."

[14-2-11]

曰 : "然則聖人之則之也奈何?"

曰 : "則「河圖」者, 虛其中, 則「洛書」者, 總其實也. 「河圖」之虛五與十者, 太極也. 奇數二十, 偶數二十者, 兩儀也. 以一·二·三·四爲六·七·八·九者, 四象也. 析四方之合以爲乾坤離坎, 補四偶之空以爲兌震巽艮者, 八卦也. 「洛書」之實, 其一爲五行, 其二爲五事, 其三爲八政, 其四爲五紀, 其五爲皇極, 其六爲三德, 其七爲稽疑, 其八爲庶徵, 其九爲福極. 其位與數, 尤曉然矣."

물었다. "그렇다면 성인이 본받았다는 것은 어떤 것인가?"
대답했다. "「하도」에서 본받은 것은 그 중앙을 비운 것이고, 「낙서」에서 본받은 것은 그 실용實用을 총괄한 것이다.[160] 「하도」에서 5와 10을 비운 것은 태극太極이다. 홀수의 합계 20과 짝수의 합계 20은 양의兩儀[음양]이다. 1·2·3·4로서 6·7·8·9를 만든 것은 4상四象이다. 4개의 방위에 합쳐 있는 것을 갈라서 건☰·곤☷·리☲·감☵으로 하고, 4개의 모퉁이에 비어있는 것을 보충하여 태☱·진☳·손☴·간☶으로 한 것은 8괘八卦이다. 「낙서」의 실용은 그 첫째는 5행五行이고, 그 둘째는 5사五事이며, 그 셋째는 8정八政이고, 그 넷째는 5기五紀이며, 그 다섯째는 황극皇極이고, 그 여섯째는 3덕三德이며, 그 일곱째는 계의稽疑이고, 그 여덟째는 서징庶徵이며, 그 아홉째는 복극福極이다.[161] 그 자리와 수가 더욱 분명하다."

[14-2-11-1]

朱子曰 : "「洛書」本文只有四十五點. 班固云, '六十五字, 皆「洛書」本文.' 古字畫少, 恐或有模樣, 但今無所考. 漢儒此說未是, 恐只是以義起之, 不是數如此. 蓋皆以天道人事參互言之. 五行最急, 故第一. 五事又參之, 故第二. 身旣修, 可推之於政, 故八政次之. 政旣成,

160 「洛書」에서 본받은 … 것이다 : 웅절 편, 웅강대 注의 『性理群書句解』 권9 「圖」에서, 이 구절에 대하여 '法「洛書」, 則皆總其實用.'이라고 주석을 붙였다.

161 그 첫째는 … 福極이다 : 『書』「洪範」 제6에서, "初一曰五行, 次二曰敬用五事, 次三曰農用八政, 次四曰協用五紀, 次五曰建用皇極, 次六曰乂用三德, 次七曰明用稽疑, 次八曰念用庶徵, 次九曰嚮用五福威用六極."이라고 하였다.

又驗之於天道，故五紀次之．又繼之皇極居五，蓋能推五行，正五事，用八政，修五紀，乃可以建極也．六三德，乃是權衡此皇極者也．德旣修矣，稽疑庶徵繼之者，著其驗也．又繼之以福極，則善惡之效，至是不可加矣．皇極非大中也，皇乃天子，極乃極至，言皇建此極也．”[162]

주자가 말했다. “「낙서」의 본문은 다만 45개의 점이 있을 따름이다. 반고班固는 ‘65개 글자[163]가 모두 「낙서」의 본문이다.’[164]라고 하였는데, 옛 글자는 획이 적어서 혹시 어떤 모양이 있었는지 모르겠지만, 지금은 상고할 것이 없다. 한대 학자의 이러한 주장은 옳지 않으니, 아마 의미로써 그렇게 했을 뿐 수가 이와 같은 것은 아닌 듯하다. 대개 모두 천도天道와 인간사를 서로 뒤섞어서 말한 것이다. 5행五行이 가장 긴요하므로 첫째이다. 5사五事는 또 (몸에) 헤아려보기 때문에 둘째이다. 몸이 수양되었으면 정사政事에 미루어 볼 수 있으니 8정八政을 그 다음으로 했다. 정사가 이미 이루어지면 또 천도에 증험하기 때문에 5기五紀를 그 다음으로 했다. 또 계속해서 황극皇極을 다섯째로 자리 잡은 것은, 5행을 미루어 5사를 바로 잡고 8정을 쓰고 5기를 수양하여 이에 표준[極]을 세울 수 있기 때문이다. 3덕을 여섯째로 한 것은 곧 이 황극을 재는 것이다. 덕이 이미 수양되었으니, 계의稽疑와 서징庶徵으로 계속한 것은 그 징험을 드러내는 것이다. 또 복극福極으로 계속하였으니 선과 악의 효험이 여기에 이르러 더 보탤 것이 없다. 황극은 대중大中이 아니라, ‘황’은 곧 천자이고 ‘극’은 곧 지극함이니, 황제가 이 지극함을 세운다는 것을 말한다.”

[14-2-11-2]

九峯蔡氏曰：“五行不言用，无適而非用也．皇極不言數，非可以數明也．苟明乎此，則大禹敍疇之旨得矣．”[165]

구봉 채씨九峯蔡氏[蔡沈]가 말했다. “5행에서 작용을 말하지 않은 것은 어떤 경우라도 작용이 아닌 것이 없기 때문이다. 황극에서 수를 말하지 않은 것은 수로써 밝힐 수 있는 것이 아니기 때문이다. 만일 이 점에 대해 분명하게 이해하면 우임금이 9주를 서술한 취지를 알 수 있을 것이다.”

[14-2-11-3]

玉齋胡氏曰：“伏羲則「河圖」以作『易』也．「圖」之數十，積之爲五十有五，虛其中十與五者象

---

162 『朱子語類』 권79, 78조목에는, “洛書本文只有四十五點. 班固云, ‘十五字, 皆洛書本文.’ 古字畫少, 恐或有模樣, 但今無所考. 漢儒說此未是, 恐只是以義起之, 不是數如此. 蓋皆以天道人事參互言之. 五行最急, 故第一. 五事又參之於身, 故第二. 身旣修, 可推之於政, 故八政次之. 政旣成, 又驗之於天道, 故五紀次之. 又繼之皇極居五, 蓋能推五行, 正五事, 用八政, 修五紀, 乃可以建極也. 六三德, 乃是權衡此皇極者也. 德旣修矣, 稽疑庶徵繼之者, 著其驗也. 又繼之以福極, 則善惡之效, 至是不可加矣. 皇極非大中, 皇乃天子, 極乃極至, 言皇建此極也.”라고 되어 있다.

163 65개 글자 : 두 번째 위의 각주 내용인 『書』「洪範」 제6의 65개 글자를 가리킨다.

164 65개 글자가 … 본문이다 : 『前漢書』 권27상, 「五行志」 제7上에서, “凡此六十五字, 皆「洛書」本文.”이라고 하였다.

165 채침의 『書經集傳』 권4 「周書」에는, “五行不言用, 无適而非用也. 皇極不言數, 非可以數明也.”라고 되어 있다.

太極也. 而其散布於外者凡四十, 以一·三·七·九爲陽儀者二十, 以二·四·六·八爲陰儀者二十, 此則之以生兩儀也. 以一·二·三·四之位而爲六·七·八·九之象, 此則之以生四象也. 析二·七之合, 則七居南爲乾而二補東南隅之空以爲兌, 析三·八之合, 則八居東爲離而三補東北隅之空以爲震, 析四·九之合, 則九居西爲坎而四補西南隅之空以爲巽, 析一·六之合, 則六居北爲坤而一補西北隅之空以爲艮者, 此則之以成八卦也.

옥재 호씨玉齋胡氏[胡方平]가 말했다. "복희가 「하도」를 본받아서 『易』을 지은 내용은 다음과 같다. 「하도」의 수는 10개이고 그것을 누적한 것은 55인데, 그 중앙의 10과 5를 비워서 '태극'을 상징하였다. 그리고 바깥에 흩어서 펴 놓은 것이 40인데, 1·3·7·9로 양의陽儀를 삼은 것이 (그 합계가) 20이고, 2·4·6·8로 음의陰儀를 삼은 것이 (그 합계가) 20이니, 이것은 「하도」를 본받아서 양의를 낳은 것이다. 1·2·3·4의 자리로 6·7·8·9의 상징을 삼았으니, 이것은 「하도」를 본받아서 4상四象을 낳은 것이다. 2·7이 합쳐진 것을 가르면 7은 남쪽에 자리 잡아 '건☰'이 되고 2는 동남쪽 모퉁이의 빈 곳을 보충하여 '태☱'가 되며, 3·8이 합쳐진 것을 가르면 8은 동쪽에 자리 잡아 '리☲'가 되고 3은 동북쪽 모퉁이의 빈 곳을 보충하여 '진☳'이 되며, 4·9가 합쳐진 것을 가르면 9는 서쪽에 자리 잡아 '감☵'이 되고 3은 서남쪽 모퉁이의 빈 곳을 보충하여 '손☴'이 되며, 1·6이 합쳐진 것을 가르면 6은 북쪽에 자리 잡아 '곤☷'이 되고 1은 서북쪽 모퉁이의 빈 곳을 보충하여 '간☶'이 되니, 이것은 「하도」를 본받아서 8괘八卦를 이룬 것이다.

然聖人之則「河圖」也, 亦因「橫圖」卦畫之成以發「圓圖」卦氣之運耳. 本「河圖」以爲「先天「橫圖」」, 則畫卦之成者, 老陽居一分之爲乾·兌, 少陰居二分之爲離·震, 少陽居三分之爲巽·坎, 老陰居四分之爲艮·坤. 本「河圖」以爲「先天「圓圖」」, 則卦氣之運者, 老陰居北, 少陰居東, 所以分而爲艮·坤·離·震者, 此四卦固无以異於「橫圖」也. 少陽居南, 宜爲巽·坎而乃爲乾·兌, 老陽居西, 宜爲乾·兌而乃爲巽·坎, 此四卦實有異於「橫圖」矣. 其故何哉?

그러나 성인이 「하도」를 본받은 것은 또한 「횡도「橫圖」」에서 괘와 획이 이루어진 것을 따라서 「원도「圓圖」」의 괘기卦氣의 운행을 일으킨 것일 뿐이다. 「하도」를 근본으로 「선천횡도」를 만들면, 괘를 그어서 이루어지는 것은 노양은 1에 자리 잡고 나뉘어 건과 태가 되며, 소음은 2에 자리 잡고 나뉘어 리와 진이 되며, 소양은 3에 자리 잡고 나뉘어 손과 감이 되며, 노음은 4에 자리 잡고 나뉘어 간과 곤이 된다. 「하도」를 근본으로 「선천원도」를 만들면, 괘기卦氣의 운행은 노음이 북쪽에 자리 잡고 소음이 동쪽에 자리 잡아서, 나뉘어 간과 곤과 리와 진이 되니, 이 4개의 괘는 본디 「횡도」와 다름이 없다. 소양은 남쪽에 자리 잡아서 손과 감이 되어야 하지만 건과 태가 되고, 노양은 서쪽에 자리 잡아서 건과 태가 되어야 하지만 손과 감이 되니, 이 4개의 괘가 실로 「횡도」와 다르다. 그 까닭은 무엇인가?

蓋「河圖」二象之居於東·北者, 陰之老·少也. 陰主靜而守其常, 故水·木各一其象, 不能他有所兼. 一·六居北爲水, 其於卦也爲艮·坤, 不得爲離·震矣. 三·八居東爲木, 其於卦也爲離·

震，不得爲艮·坤矣．陰所以小也，所以居窮冬相錯而爲冬與春之卦也．
대개 「하도」에서 동쪽과 북쪽에 자리 잡은 2개의 상象은 노음과 소음이다. 음은 고요함을 주로 하고 그 불변함을 지키기 때문에 수水와 목木은 각기 그 상을 하나씩 가지지 달리 겸하는 것이 있을 수 없다. 1·6은 북쪽에 자리 잡아서 수水가 되고 괘에서도 간과 곤이 되지 리와 진이 될 수 없다. 3·8은 동쪽에 자리 잡아서 목木이 되고 괘에서도 리와 진이 되지 간과 곤이 될 수 없다. 음은 작기 때문에 한겨울에 자리 잡고 서로 뒤섞여서 겨울과 봄의 괘가 된다.

「河圖」二象之居於西·南者，陽之老·少也．陽主動而通其變，故金·火互通其象，實能兩有所兼．乾居南方火位，說卦曰，'乾爲金'，坎居西方金位，而說卦曰，'坎爲赤'，故四·九居西爲金，其於卦也本爲乾·兌，而亦得爲巽·坎矣；二·七居南爲火，其於卦也本爲巽·坎，而亦得爲乾·兌矣．陽所以爲大也，所以居大夏相錯而爲夏與秋之卦也．體「河圖」以爲「先天「圓圖」」，其卦氣之運，分陰分陽有如此者．聖人所以作『易』者，寧不可見也哉!
「하도」에서 서쪽과 남쪽에 자리 잡은 2개의 상象은 노양과 소양이다. 양은 움직임을 주로 하고 그 변화를 소통하기 때문에 금金과 화火는 그 상을 서로 소통하니 실로 두 가지로 겸하는 것이 있을 수 있다. 건은 남쪽 화火의 위치에 자리 잡지만 「說卦傳」에서는 '건乾은 금金이다.'[166]라고 하였고, 감은 서쪽 금金의 위치에 자리 잡지만 「설괘전」에서는 '감坎은 붉다.'[167]라고 하였다. 그러므로 4·9는 서쪽에 자리 잡아서 금이고 괘에서도 본래 건과 태이지만 또한 손과 감이 될 수 있으며, 2·7은 남쪽에 자리 잡아서 화이고 괘에서도 본래 손과 감이지만 또한 건과 태가 될 수 있다. 양은 크기 때문에 한여름에 자리 잡고 서로 뒤섞여서 여름과 가을의 괘가 된다. 「하도」를 본체로 하여 「선천원도」를 만들면 그 괘기의 운행에서 음으로 나누고 양으로 나누는 것이 이와 같은 점이 있다. 성인이 그것으로서 『역』을 지었는데, 어찌 몰랐을 리가 있겠는가!

大禹之則「洛書」以作「範」也，未必拘拘於書之位次以定疇之先後．然自一至九之數，實有以默啓聖人作「範」之心．故自初一之五行，包天地自然之數．餘八法，則是大禹參酌天時人事而類之，不必盡協於火·木·金·土之位也．"[168]
우임금이 「낙서」를 본받아서 「홍범」을 지을 때에, 꼭 「낙서」의 방위와 순서에 구애받아서 '구주'의 선후를 정하지는 않았을 것이다. 그러나 1에서 9까지의 수는 실로 성인이 「홍범」을 지은 마음을 은연중에 일러주었다. 그러므로 ('구주'의) 첫째인 '5행五行'에서부터 천지자연의 수를 포괄하였다.

166 '乾은 金이다.' : 『易』「說卦傳」 제11장에서, "乾爲天, 爲圜, 爲君, 爲父, 爲玉, 爲金, 爲寒, 爲冰, 爲大赤, 爲良馬, 爲老馬, 爲瘠馬, 爲駁馬, 爲木果."라고 하였다.
167 '坎은 붉다.' : 『易』「說卦傳」 제11장에서, "坎爲水, 爲溝瀆, 爲隱伏, 爲矯輮, 爲弓輪, 其於人也爲加憂, 爲心病, 爲耳痛, 爲血卦, 爲赤, 其於馬也爲美脊, 爲亟心, 爲下首, 爲薄蹄, 爲曳, 其於輿也爲多眚, 爲通, 爲月, 爲盜, 其於木也爲堅多心."라고 하였다.
168 호방평, 『易學啓蒙通釋』 권上 「本圖書」 제1

나머지 8가지는 우임금이 천시天時와 인간사를 참작해서 분류한 것이니, 화 · 목 · 금 · 토의 위치에[169] 꼭 다 맞을 필요는 없다."

[14-2-12]

曰 : "「洛書」而虛其中, 則亦太極也. 奇偶各居二十, 則亦兩儀也. 一 · 二 · 三 · 四而含九 · 八 · 七 · 六, 縱橫十五而互爲七八 · 九六, 則亦四象也. 四方之正以爲乾 · 坤 · 離 · 坎, 四隅之偏以爲兌 · 震 · 巽 · 艮, 則亦八卦也. 「河圖」之一 · 六爲水, 二 · 七爲火, 三 · 八爲木, 四 · 九爲金, 五十爲土, 則固「洪範」之五行, 而五十有五者, 又九疇之子目也. 是則「洛書」固可以爲『易』, 而「河圖」亦可以爲「範」矣. 且又安知「圖」之不爲「書」, 「書」之不爲「圖」也耶!"

말했다. "「낙서」에서 그 중앙을 비우면 또한 태극이다. 홀수와 짝수가 각각 20씩 자리 잡으면 또한 양의兩儀이다. 1 · 2 · 3 · 4가 9 · 8 · 7 · 6을 함유하고 가로세로로 합계 15가 서로 7 · 8과 9 · 6이 되면 또한 4상四象이다. 4개의 정방위를 건 · 곤 · 리 · 감으로 하고 4개의 치우친 모퉁이를 태 · 진 · 손 · 간으로 하면 또한 8괘八卦이다. 「하도」에서 1 · 6이 수水가 되고, 2 · 7이 화火가 되며, 3 · 8이 목木이 되고, 4 · 9가 금金이 되며, 5 · 10이 토土가 되면 본디 「홍범」의 5행이고, (그 합계인) 55는 또 9주九疇의 세목이다. 이렇다면 「낙서」는 본디 『역』이 될 수 있고, 「하도」도 역시 「홍범」이 될 수 있다. 또한 어찌 「하도」는 「낙서」가 되지 않고 「낙서」는 「하도」가 되지 않는다고 여기겠는가!"

[14-2-12-1]

玉齋胡氏曰 : "'四方爲乾·坤·離·坎, 四隅爲兌·震·巽·艮者', 蓋一·六老陰之數而畫卦爲艮·坤, 艮居六, 坤居一也. 三·八少陰之數而畫卦爲離·震, 離居三, 震居八也. 四·九老陽之數而畫卦爲乾·兌, 乾居九, 兌居四也. 二·七少陽之數而畫卦爲巽·坎, 巽居二, 坎居七也. 此「洛書」亦可以爲八卦也. '九疇子目'者, 五行五, 五事五, 八政八, 五紀五, 皇極一, 三德三, 稽疑七, 庶徵十, 福·極十一, 總五十五也."[170]

옥재 호씨玉齋胡氏[胡方平]가 말했다. "'4개의 정방위가 건 · 곤 · 리 · 감이 되고 4개의 모퉁이가 태 · 진 · 손 · 간이 된다.'는 것은, 1 · 6은 노음의 수이고 괘를 그으면 간과 곤이 되며 간은 6에 자리 잡고 곤은 1에 자리 잡으며, 3 · 8은 소음의 수이고 괘를 그으면 리와 진이 되며 리는 3에 자리 잡고 진은 8에 자리 잡으며, 4 · 9는 노양의 수이고 괘를 그으면 건과 태가 되며 건은 9에 자리 잡고 태는 4에 자리 잡으며, 2 · 7은 소양의 수이고 괘를 그으면 손과 감이 되며 손은 2에 자리 잡고 감은 7에 자리 잡는다는 것이다. 이것이 「낙서」도 또한 8괘가 될 수 있는 것이다. '9주의 세목'은 5행의 5와 5사의 5와 8정의 8과 5기의 5와 황극 1과 3덕의 3과 계의 7과 서징 10과 5복 · 6극 11로서

169 화 · 목 · 금 · 토의 위치에: 여기에서 水의 위치를 뺀 것은 水1인 '五行'을 앞에서 언급하였기 때문이다.
170 호방평, 『易學啟蒙通釋』 권上 「本圖書」 제1

총계 55이다."

[14-2-13]

曰: "是其時雖有先後, 數有多寡, 然其爲理則一而已. 但『易』乃伏羲之所先得乎「圖」, 而初無所待於「書」, 「範」則大禹之所獨得乎「書」, 而未必追考於「圖」耳. 且以「河圖」而虛十, 則「洛書」四十有五之數也; 虛五, 則大衍五十之數也. 積五與十, 則「洛書」縱橫十五之數也, 以五乘十, 以十乘五, 則又皆大衍之數也. 「洛書」之五, 又自含五而得十而通爲大衍之數矣. 積五與十, 則得十五而通爲「河圖」之數矣. 苟明乎此, 則橫斜曲直無所不通, 而「河圖」·「洛書」又豈有先後彼此之間哉!"

말했다. "「하도」가 복희 때에 나오고 「낙서」가 우임금 때에 나온 것이 비록 선후가 있고 수에 많고 적음이 있지만, 그 이치는 하나일 따름이다. 단지 『역』은 복희가 「하도」에서 먼저 터득한 것이니 애초에 「낙서」를 기다릴 것이 없으며, 「홍범」은 우임금이 「낙서」에서 홀로 터득한 것이니 꼭 「하도」를 거슬러 상고할 필요가 없었을 뿐이다. 또한 「하도」의 수 55에서 10을 비우면 「낙서」의 수 45이고, 5를 비우면 대연大衍의 수 50이다. 5와 10을 누적하면 「낙서」의 가로세로의 합계인 15이고, 5를 10에 곱하거나 10을 5에 곱하면 또한 모두 대연의 수(50)이다. 「낙서」의 5는 또 본래 5를 함유하여 10을 얻으니, 통틀어서 대연의 수가 된다. 5와 10을 누적하면 15를 얻으니, 통틀어서 「하도」의 수가 된다. 진실로 이것을 분명히 알 수 있으면 가로로 보거나 비스듬히 보거나, 굽게 보거나 바르게 보아도 통하지 않는 것이 없으니, 「하도」와 「낙서」가 또 어찌 선후와 피차의 다름이 있겠는가!"

[14-2-13-1]

玉齋胡氏曰: "'「洛書」之五又自含五而得十'者, 下一點含天一之象, 上一點含地二之象, 左一點含天三之象, 右一點含地四之象, 中一點含天五之象. 所謂'五自含五而得十', 通在外四十爲大衍之數. '積五與十而得十五'者, 以其所含之五積之, 則含[171]五與十而爲十五, 通在外四十而爲「河圖」五十五也."[172]

옥재 호씨玉齋胡氏[胡方平]가 말했다. "'「낙서」의 5는 또 본래 5를 함유하여 10을 얻는다.'는 것에서, (「낙서」의 중앙의 5개의 점 가운데) 아래의 한 점은 하늘 1의 상象을 함유하고, 위의 한 점은 땅 2의 상을 함유하며, 왼쪽 한 점은 하늘 3의 상을 함유하고, 오른쪽 한 점은 땅 4의 상을 함유하며, 중앙 한 점은 하늘 5의 상을 함유한다. 이른바 '5가 본래 5를 함유하여 10을 얻는다.'는 것은 바깥에 있는 40을 통틀어서 대연의 수가 된다는 것이다. '5와 10을 누적하여 15를 얻는다.'는 것은 그것이 함유하고 있는 5를 누적하면 5와 10을 합하여 15가 되니, 바깥에 있는 40을 통틀어서 「하도」의 수 55가 된다는 것이다."

171 含: 호방평의 『易學啓蒙通釋』 권上 「本圖書」 제1에는 '合'으로 되어 있다. 문맥상 '含'보다 '合'으로 보는 것이 적절하여, 역문에서는 '合'으로 번역하였다.

172 호방평, 『易學啓蒙通釋』 권上 「本圖書」 제1

性理大全書卷之十五
성리대전서 권15

易學啓蒙二 역학계몽 2

原卦畫 第二 제2 원괘획 … 327

易學啓蒙二
역학계몽 2

原卦畫 第二 제2 원괘획 괘와 획의 근원을 추구함

[15-1]

古者包羲氏之王天下也, 仰則觀象於天, 俯則觀法於地, 觀鳥獸之文, 與地之宜, 近取諸身, 遠取諸物. 於是始作八卦, 以通神明之德, 以類萬物之情.[1]

옛날 복희씨가 세상을 다스릴 때 우러러보아 하늘에서 형상을 살피고, 굽어보아 땅에서 법칙을 살폈으며, 날짐승과 길짐승의 문양과 지세에 맞는 것들을 살폈으며, 가까이는 (자신의) 몸에서 찾아서 얻고 멀리는 만물에서 찾아서 얻었다. 이에 비로소 8괘를 지어 신명한 덕을 통달하고,[2] 만물의 실정을 분류하였다.

[15-2]

易有太極, 是生兩儀, 兩儀生四象, 四象生八卦.[3]

역에는 태극이 있으니, 이것이 양의를 낳고, 양의는 4상을 낳으며, 4상은 8괘를 낳는다.

[15-2-1]

「大傳」又言包羲畫卦所取如此, 則『易』非獨以「河圖」而作也. 蓋盈天地之間, 莫非太極·陰陽之妙, 聖人於此, 仰觀俯察, 遠求近取, 固有以超然而默契於其心矣. 故自兩儀之未分也, 渾然太極, 而兩儀·四象·六十四卦之理已粲然於其中. 自太極而分兩儀, 則太極固太

1 『易』「繫辭下」 2
2 신명한 덕을 통달하고 : 공영달은 『周易疏』에서, "通達神明之德也."라고 하였다.
3 『易』「繫辭上」 12

極也, 兩儀固兩儀也. 自兩儀而分四象, 則兩儀又爲太極, 而四象又爲兩儀矣.

「계사전」에서 또 복희가 괘를 그을 때 찾아서 얻은 것이 이와 같다고 말했으니, 『역』은 단지 「하도」에만 근거해서 지은 것이 아니다. 천지 사이에 가득 찬 것이 태극과 음 · 양의 오묘함 아닌 것이 없는데, 성인은 여기에서 우러러보고 굽어 살피며 멀리에서 구하고 가까이에서 찾아 얻을 때, 본래 초연히 그 마음에 묵묵히 깨달은 것이 있었다. 그러므로 양의兩儀가 아직 나뉘지 않았을 때는 혼연히 태극이지만, 양의와 4상과 64괘의 리가 이미 그 가운데 또렷하다. 태극으로부터 양의가 나뉘면 태극은 본디 태극이고 양의는 본디 양의이다. 양의로부터 4상이 나뉘면 양의는 또 태극이 되고, 4상은 또 양의가 된다.

自是而推之, 由四而八, 由八而十六, 由十六而三十二, 由三十二而六十四, 以至於百 · 千 · 萬 · 億之無窮, 雖其見於摹畫者, 若有先後而出於人爲, 然其已定之形, 已成之勢, 則固已具於渾然之中, 而不容毫髮思慮作爲於其間也.

이것으로부터 미루어 나가 4에서 8이 되고, 8에서 16이 되며, 16에서 32가 되고, 32에서 64가 되어 백 · 천 · 만 · 억의 끝이 없는 수에 이르니, 비록 모사한 획에 나타난 것이 선후가 있어 인위에서 나온 것 같지만, 그 이미 정해진 형체와 이미 이루어진 추세는 본래 이미 혼연한 가운데 갖추어졌으니, 그 사이에는 털끝만한 사려와 작위도 용납하지 않는다.

程子所謂'加一倍法'者, 可謂一言以蔽之, 而邵子所謂'畫前有『易』'者, 又可見其眞不妄矣. 世儒於此或不之察, 往往以爲聖人作『易』, 蓋極其心思探索之巧而得之. 甚者至謂凡卦之畫, 必由蓍而後得, 其誤益以甚矣.

정자程子[程顥]의 이른바 '배로 늘려가는 방법[加一倍法]'[4]이라는 것은 한 마디 말로 이를 포괄한 것이고, 소자邵子[邵雍]의 이른바 '획을 긋기 전에 『역』이 있었다.'[5]라는 것은 또 그것이 진정 함부로 한 것이 아님을 알 수 있는 것이다. 세상의 학자들이 간혹 이 점을 살피지 못하고, 종종 성인이 『역』을 지은 것은 그 심사숙고하는 빼어난 능력을 끝까지 발휘하여 그렇게 할 수 있었다고 여긴다. 심한 사람은 괘의 획이 반드시 점을 친 뒤에 얻은 것이라고까지 하니, 그 오해는 더욱 심각하다.

[15-2-1-1]

朱子曰 : "伏羲'觀鳥獸之文與地之宜', 那時未有文字, 只是仰觀俯察而已. 想聖人心細, 雖以鳥獸羽毛之微, 也盡察得有陰陽. 今人心粗, 如何見得?"

或曰 : "伊川見兎, 曰'察此亦可以畫卦', 便是此義."

曰 : "就這一端上, 亦可以見凡草木鳥獸無不有陰陽."[6]

4 정호 · 정이, 『河南程氏外書』 권12

5 소옹, 『皇極經世書』「觀物外篇」

주자朱子[朱熹]가 말했다. "복희가 '날짐승과 길짐승의 문양과 지세에 맞는 것들을 살폈다.'고 하는데, 그때는 문자가 없었으니 다만 우러러보고 굽어 살폈을 뿐이다. 생각건대 성인의 마음은 섬세하니 비록 날짐승의 깃털과 길짐승의 털처럼 미세한 것으로도 (거기에) 음·양이 있다는 것을 전부 살필 수 있었다. 요즘 사람들은 마음이 거치니 어떻게 알 수 있겠는가?"

어떤 사람이 물었다. "이천伊川[程頤]이 토끼를 보면서 '이것을 살피는 것으로도 괘를 그을 수 있다.'라고 말한 것이[7] 바로 이 뜻이군요."

대답했다. "이 한 가지 일에서도 초목과 금수에 음·양이 있지 않음이 없다는 것을 알 수 있다."

[15-2-1-2]

"王昭素云, '「與」「地」之間, 諸本多有「天」字.' 俯仰遠近, 所取不一, 然不過以驗陰陽消息兩端而已."[8]

(주자가 말했다.) "왕소소[9]는 '(「날짐승과 길짐승의 모습과 지세에 맞는 것들[鳥獸之文與地之宜]」에서) 「여與」자와 「지地」자 사이에 여러 판본들은 대부분 「천天」자가 있다.'고 말했다. 우러러보고 굽어 살피며 멀리에서 가까이에서 찾아 얻은 것이 한 가지가 아니지만, 음과 양이 줄어들고 불어나는 두 가지 단서를 증험하는 데에 지나지 않을 뿐이다."

[15-2-1-3]

"太極·兩儀·四象·八卦, 此乃『易』學綱領, 開卷第一義, 孔子發明伏羲畫卦自然之形體. 孔子而後, 千載不傳, 惟康節·明道二先生知之. 蓋康節始傳先天之學而得其說, 且以此爲伏羲之『易』也. 「說卦」天地定位一章, 「先天圖」乾一至坤八之序, 皆本於此. 然康節猶不肯大段說破. 『易』之心髓, 全在此處, 不敢容易輕說, 其意非偶然也. 明道以爲加一倍法, 其發明孔子之言又可謂最切要矣."[10]

6 『朱子語類』 권76, 22조목

7 伊川(程頤)이 토끼를 … 것이 : 정호·정이의 『이정유서』 권18에서, "因見賣兎者, 曰 : '聖人見「河圖」·「洛書」而畫八卦, 然何必「圖」·「書」! 只看此兎亦可作八卦, 數便此中可起. 古聖人只取神物之至著者耳.'"라고 하였다.

8 주희, 『周易本義』「繫辭下」 제2장

9 王昭素(904~982) : 송대 開封 酸棗(현 하남성 延津) 사람이다. 어려서부터 독실하게 학업을 연마하고 실천을 중시하여 고향에서 명망이 높았다. 항상 문인들을 모아 가르쳤는데, 李穆과 그의 아우 李肅 및 李惲 등이 오랫동안 그를 사사하였다. 동네 사람들 사이에 訟事가 일어나면 관청에 가지 않고 그를 찾아가서 해결하였다고 한다. 九經에 박식하고 노장사상도 연구하였는데 특히 『詩』와 『易』에 정통하였다고 한다. 저술은 『易論』 23편이 있다.

10 이 글은 다음의 글들에서 모아 편집한 것이다. 즉 『朱文公文集』 권37 「與郭沖晦」에서, "'易有太極, 是生兩儀, 兩儀生四象, 四象生八卦.' 熹竊謂此一節乃孔子發明伏羲畫卦自然之形體次第, 最爲切要. 古今說者惟康節·明道二先生爲能知之. 故康節之言曰, '一分爲二, 二分爲四, 四分爲八, 八分爲十六, 十六分爲三十二, 三十二分爲六十四, 猶根之有榦, 榦之有枝, 愈大則愈小, 愈細則愈繁.' 而明道先生以爲加一倍法, 其發明孔子之言又可謂最

(주자가 말했다.) "태극 · 양의 · 4상 · 8괘는 『역』을 배우는 강령이고 책에서 가장 중요한 의미이니, 공자는 복희가 괘를 그은 것이 저절로 그러한 형체라는 것을 드러내 밝혔다. 공자 이후 천년동안 전해지지 않다가, 오직 강절康節[邵雍]과 명도明道[程顥] 두 선생이 그것을 알았다. 강절이 처음 '선천의 학문[先天之學]'을 전수하면서 그 이론을 터득하고, 이것을 복희의 '역'이라고 하였다. 『역』「설괘전」(3장)의 '하늘과 땅이 자리를 정했다.[天地定位]'는 장章과 「선천도」의 건1에서 곤8까지의 순서는 모두 이것에 근본을 두고 있다. 그러나 강절은 오히려 (그것을) 거창하게 설파하려 하지 않았다. 『역』의 핵심이 전부 이곳에 있기 때문에 쉽사리 가볍게 설명할 수 없었으니, 그 의도가 우연이 아닐 것이다. 명도는 '배로 늘려가는 방법[加一倍法]'이라고 하였으니, 공자의 말을 밝힌 것이 또 가장 적절하다고 할 수 있을 것이다."

[15-2-1-4]

節齋蔡氏曰 : "聖人之卦, 精可以'通神明之德', 粗可以'類萬物之情.' '神明之德'不可見者也, 故曰'通.' '萬物之情'可見者也, 故曰'類.'"11

절재 채씨節齋蔡氏[蔡淵]가 말했다. "성인의 괘는 정밀하게는 '신명한 덕을 통달할' 수 있고, 대략적으로는 '만물의 실정을 분류할' 수 있다. '신명한 덕'은 볼 수 없는 것이므로 '통달한다.[通]'고 말했고, '만물의 실정'은 볼 수 있으므로 '분류한다.[類]'고 말했다."

[15-2-1-5]

雲莊劉氏曰 : "『易』畫生於太極, 故其理爲天下之至精, 『易』畫原於「圖」·「書」, 故其數爲天下之至變. 太極, 理也, 形而上者也, 必有所依而後立. 故雖不雜乎「圖」·「書」之數, 而亦不離乎「圖」·「書」之數, 則「圖」·「書」之數以作『易』, 而太極之理行乎其中矣. 「繫辭」論聖人作『易』之由, 又有及於'觀察求取', 則雖'非獨以「圖」·「書」而作', 其實因「圖」·「書」之數而後決之耳. 太極爲理之原, 「圖」·「書」爲數之祖, 理之與數, 本非有二致也. 合而觀之斯可矣."12

운장 유씨雲莊劉氏[劉爚]가 말했다. "『역』의 획은 태극에서 생겨나기 때문에 그 리理가 세상에서 가장 정밀하며, 『역』의 획은 「하도」 · 「낙서」에 근원하기 때문에 그 수數가 세상에서 가장 변화무상하다.

切要矣."라고 한 것과, 『朱文公文集』 권38 「答袁機仲」에서, "孔子而後, 千載不傳, 至康節先生始得其說. 然猶不肯大段說破, 蓋『易』之心髓全在此處, 不敢容易輕說, 其意非偶然也."라고 한 것, 그리고 『朱文公文集』 권45 「答虞士朋」에서, "'易有太極, 是生兩儀'者, 一理之判, 始生一奇一偶, 而爲一畫者二也. '兩儀生四象'者, 兩儀之上, 各生一奇一偶, 而爲二畫者四也. '四象生八卦'者, 四象之上, 各生一奇一偶, 而爲三畫者八也. 爻之所以有奇有偶, 卦之所以三畫而成者, 以此而已. 是皆自然流出, 不假安排. 聖人又已分明說破, 亦不待更著言語, 別立議論而後明也. 此乃易學綱領, 開卷第一義, 然古今未見有識之者. 至康節先生, 始傳先天之學而得其說, 且以此爲伏羲氏之易也. 「說卦」'天地定位'一章, 「先天圖」乾一 · 兌二 · 離三 · 震四 · 巽五 · 坎六 · 艮七 · 坤八之序, 皆本於此. 若自八卦之上, 又放此而生之, 至於六畫, 則八卦相重而成六十四卦矣."라고 말한 것이다.

11 호방평, 『易學啟蒙通釋』 권上 「本圖書」 제1에, 蔡淵의 말로 되어 있다.

12 호방평, 『易學啟蒙通釋』 권上 「本圖書」 제1에, 劉爚의 말로 되어 있다.

태극은 리로서 형이상자이니 반드시 의거하는 것이 있은 뒤에 정립된다. 그러므로 비록 「하도」·「낙서」의 수와 섞여 있지 않지만 또한 「하도」·「낙서」의 수와 떨어져 있지도 않으니, 「하도」·「낙서」의 수로 『역』을 지었으나 태극의 리는 그 가운데 유행한다. 「계사」는 성인이 『역』을 지은 이유를 설명하고, 또 '보고 살피며[觀察] 찾아서 얻음[求取]'을 언급하고 있으니, 비록 '단지 「하도」·「낙서」에만 근거해서 지은 것이 아니라고' 하지만, 실제로는 「하도」·「낙서」의 수에 근거한 뒤에 결정할 뿐이다. 태극은 리의 근원이고, 「하도」·「낙서」는 수의 시조이니, 리와 수는 본래 두 가지가 있는 것이 아니다. 합해서 봐야 한다."

[15-2-1-6]

玉齋胡氏曰 : "'仰則觀象於天', 卽所謂'仰以觀于天文', 日·月·星·辰皆是也. '俯則觀法于地', 卽所謂'俯以察于地理', 山·林·川·澤皆是也. '鳥獸之文', 羽毛之屬, '地之宜', 草木之屬. '神明之德', 如健順動止之性, '萬物之情', 如雷風山澤之象也.[13]

朱子云, '畫卦只是一分爲二, 節節如此以至於無窮.' 蓋以凡一爲極, 凡兩爲儀, 所謂一者, 非專指生兩儀之太極, 所爲兩者, 非專指太極所生之兩儀. 兩儀分爲四象, 則兩儀爲一而四象爲兩矣, 四象分爲八卦, 則四象爲一而八卦又爲兩矣. 自是推之以至于不窮, 皆此一之分爲兩爾."[14]

옥재 호씨玉齋胡氏[胡方平]가 말했다. "'우러러 하늘에서 형상을 본다.'는 것은 곧 이른바 '우러러 천문天文을 본다.'[15]는 것이니, 해와 달 · 별들이 모두 이것이다. '굽어 땅에서 법칙을 살핀다.'는 것은 곧 이른바 '굽어 지리地理를 살핀다.'[16]라는 것이니, 산과 숲 · 내와 못들이 모두 이것이다. '날짐승과 길짐승의 문양'은 깃털과 털이 있는 무리들이고, '지세에 맞는 것들'은 초목의 부류이다. '신명한 덕'은 굳세고 유순하며 움직이고 멈추는 성질 같은 것이고, '만물의 실정'은 우레와 바람 · 산과 못의 모습 같은 것이다.

주자朱子[朱熹]는 '괘를 긋는 것은 다만 하나가 나뉘어 둘이 되는 것이지만, 마디마디 이와 같이하여 끝이 없는 데까지 이른다.'[17]라고 말했다. 내 생각에 무릇 하나를 극極이라 하고 둘을 의儀라고 하지만, 이른바 하나란 오로지 양의兩儀를 낳는 태극만을 가리키는 것이 아니고, 이른바 둘이란 오로지 태극에서 생겨나는 양의만을 가리키는 것이 아니다. 양의가 나뉘어 4상이 되면 양의가 하나가 되고 4상이 둘이 되며, 4상이 나뉘어 8괘가 되면 4상이 하나가 되고 8괘가 또 둘이 된다. 이로부터 미루어서 끝이 없는 데까지 이르는 것이 모두 이 하나가 나뉘어 둘이 되는 것일 뿐이다."

13 '神明之德', 如健順動止之性, … 如雷風山澤之象 : 주희의 『周易本義』「繫辭下」 제2장에 王昭素의 말로 실려 있다.
14 호방평, 『易學啟蒙通釋』 권上 「本圖書」 제1
15 『易』「繫辭上」 4
16 『易』「繫辭上」 4
17 『朱子語類』 권67, 24조목

太極 태극

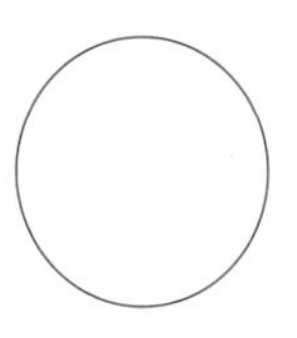

[15-3]

易有太極.

역에 태극이 있다.

[15-3-1]

太極者, 象數未形而其理已具之稱, 形器已具而其理无朕之目, 在「河圖」·「洛書」, 皆虛中之象也. 周子曰, '无極而太極', 邵子曰, '道爲太極', 又曰, '心爲太極', 此之謂也.

태극은 상과 수가 아직 나타나지 않았지만 그 리가 이미 갖추어진 것을 말하고, 형形과 기器가 이미 갖추어졌지만 그 리가 조짐이 없는 것을 가리키니, 「하도」와 「낙서」에서는 모두 중앙을 비운 모습이다. 주자周子[周惇頤]가 '무극이면서 태극이다.'[18]라고 하였으며, 소자邵子[邵雍]가 '도가 태극이다.'[19]라고 하고 또 '마음이 태극이다.'[20]라고 한 것이 이것을 말한다.

[15-3-1-1]

玉齋胡氏曰 : "畫前之『易』, 一太極耳. 「橫圖」所該儀·象·卦以至六十四者, 皆自此而生也. '象數未形'者, 言「圖」·「書」未出, 卦畫未立. '而其理已具'者, 言所以爲是兩儀·四象·八卦之理已渾然備具, 所謂不雜乎陰陽之太極也. '形器已具'者, 言「圖」·「書」旣出, 卦畫旣立. '而其理无朕'者, 言雖有是儀·象·卦之畫, 而其所以然之理又初无聲臭之可求, 所謂不離乎陰陽之太極也. 「圖」·「書」'虛中'見前篇."[21]

옥재 호씨玉齋胡氏[胡方平]가 말했다. "획을 긋기 이전의 『역』은 하나의 태극일 뿐이다. 「횡도「橫圖」」에 갖추어진 양의 · 4상 · 8괘에서 64괘까지는 모두 이것으로부터 생겨났다. '상과 수가 아직 나타나지 않았다.'는 것은 「하도」와 「낙서」가 아직 나오지 않아서 괘와 획이 아직 성립하지 않음을 말한다. '그렇지만 그 리가 이미 갖추어졌다.'는 것은 이 양의 · 4상 · 8괘가 되는 근거로서의 리가 이미 혼연

18 주돈이, 『太極圖說』
19 소옹, 『皇極經世書』 권14 「觀物外篇下」
20 소옹, 『皇極經世書』 권14 「觀物外篇下」
21 호방평, 『易學啟蒙通釋』 권上 「原卦畫」 제2

히 구비되었다는 것을 말하니, 이른바 음·양과 섞여 있지 않은 태극이다. '형과 기가 이미 갖추어졌다.'는 것은 「하도」와 「낙서」가 이미 나와서 괘와 획이 이미 성립되었음을 말한다. '그렇지만 그 리가 조짐이 없다.'는 것은 비록 이 양의·4상·8괘의 획이 있으나 그 근거로서의 리는 또 애초에 소리도 냄새도 없다는 것을 말하니, 이른바 음·양과 떨어져 있지 않은 태극이다. 「하도」와 「낙서」의 '중앙을 비운다.'는 것은 앞 편에 보인다."

兩儀 양의

陽儀 양의 ▬▬▬　　　陰儀 음의 ▬ ▬

[15-4]

是生兩儀

이것이 양의를 낳는다.

[15-4-1]

太極之判, 始生一奇一偶, 而爲一畫者二, 是爲兩儀. 其數則陽一而陰二. 在「河圖」·「洛書」, 則奇偶是也. 周子所謂"太極動而生陽, 動極而靜, 靜而生陰, 靜極復動, 一動一靜互爲其根, 分陰分陽, 兩儀立焉," 邵子所謂'一分爲二'者, 皆謂此也.

태극이 나뉨에 비로소 하나의 홀⚊과 하나의 짝⚋을 낳아서 한 획이 되는 것이 2개이니, 이것이 양의이다. 그 수는 양이 1이고 음이 2이다. 「하도」와 「낙서」에서는 홀수와 짝수라고 한 것이 이것이다. 주자周子[周惇頤]가 이른바 "태극이 움직여 양을 낳고, 움직임이 극단에 이르면 고요해진다. 고요하여 음을 낳고, 고요함이 극단에 이르면 다시 움직인다. 한 번 움직이고 한 번 고요함이 서로 그 뿌리가 된다. 음으로 나뉘고 양으로 나뉘어 양의兩儀가 정립된다."[22]는 것과 소자邵子[邵雍]가 이른바 '1이 나뉘어 2가 된다.'[23]는 것이 모두 이것을 말한다.

[15-4-1-1]

玉齋胡氏曰 : "朱子答程可久云, '如所論兩儀有曰, 「乾之畫奇, 坤之畫偶,」 只此「乾」·「坤」

22 주돈이 『太極圖說』
23 소옹 『皇極經世書』 권13 「觀物外篇上」

字便未穩當. 蓋儀, 匹也, 如俗語所謂「一雙」·「一對」云耳. 自此再變至第三畫八卦已成, 方有乾·坤之名. 當其爲一畫之時, 方有一奇一偶, 只可謂之陰·陽, 未得謂之乾·坤也.'"24

옥재 호씨玉齋胡氏[胡方平]가 말했다. "주자朱子[朱熹]는 「정가구에게 답함答程可久」에서 '(그대가) 양의를 논의하면서 「건의 획은: 수이고 곤의 획은 짝수」라고 하였으나, 다만 이 「건」과 「곤」이라는 글자가 온당하지 않다. 양의는 짝을 이루는 것이니, 예컨대 속어에서 이른바 「한 쌍」·「한 짝」이라고 하는 것과 같을 뿐이다. 이것으로부터 다시 변하여 제3획에 이르러 8괘가 이미 이루어져야 비로소 건과 곤이라는 명칭이 있게 된다. 한 획이 되었을 때는 이제 막 하나의: 수와 하나의 짝수가 있게 되니, 다만 음·양이라고 할 수 있지 아직 건·곤이라고 할 수 없다.'25라고 하였다."

四象 4상

太陽1 태양	少陰2 소음	少陽3 소양	太陰4 태음
⚌	⚍	⚎	⚏

[15-5]

兩儀生四象

양의兩儀가 4상을 낳는다.

[15-5-1]

兩儀之上各生一奇一偶, 而爲二畫者四, 是爲四象. 其位則太陽一, 少陰二, 少陽三, 太陰四. 其數則太陽九, 少陰八, 少陽七, 太陰六. 以「河圖」言之, 則六者, 一而得於五者也. 七者, 二而得於五者也. 八者, 三而得於五者也. 九者, 四而得於五者也. 以「洛書」言之, 則九者, 十分一之餘也. 八者, 十分二之餘也. 七者, 十分三之餘也. 六者, 十分四之餘也. 周子所謂'水·火·木·金', 邵子所謂'二分爲四'者, 皆謂此也.

양의兩儀 위에 각각 하나의 홀⚊과 하나의 짝⚋을 낳아서, 두 획이 되는 것이 4개이니, 이것이 4상이 된다. 그 위치는 태양이 1의 자리, 소음이 2의 자리, 소양이 3의 자리, 태음이 4의 자리이다. 그 수는

24 호방평, 『易學啟蒙通釋』 권上 「原卦畫」 제2

25 『朱文公文集』 권38 「答袁機仲」 玉齋胡氏(胡方平)는 이 글을 「答程可久」로 오인하고 있다.

태양이 9, 소음이 8, 소양이 7, 태음이 6이다. 「하도」로써 말하면, 6은 1이 5를 얻은 것이고, 7은 2가 5를 얻은 것이며, 8은 3이 5를 얻은 것이고, 9는 4가 5를 얻은 것이다. 「낙서」로써 말하면, 9는 10에서 1을 분할한 나머지이고, 8은 10에서 2를 분할한 나머지이며, 7은 10에서 3을 분할한 나머지이고, 6은 10에서 4를 분할한 나머지이다. 주자周子[周惇頤]가 이른바 '수 · 화 · 목 · 금'[26]이라는 것과 소자邵子[邵雍]가 이른바 '2가 나뉘어 4가 된다.'[27]는 것이 모두 이것을 말한다.

[15-5-1-1]

玉齋胡氏曰："'兩儀生四象'者，陽儀上生一畫陽，⚌謂之太陽一象．又生一畫陰，⚍謂之少陰一象．陰儀上生一畫陽，⚎謂之少陽一象．又生一畫陰，⚏謂之太陰一象．

朱子云，'一陰一陽，有各生一陰一陽之象.' 或問其義云，'一物上自各有陰陽．如人之男女陰陽已具，逐人身上又各有這陰陽，血是陰，氣是陽．如晝夜之間，晝爲陽，夜爲陰，而晝自午後又爲陰，夜自子後又屬陽．此便是陰陽有各生陰陽之象.' '陰陽各生陰陽，則是四象也.' 其此之謂矣．

옥재 호씨玉齋胡氏[胡方平]가 말했다. "'양의兩儀가 4상을 낳는다.'는 것은 양의陽儀위에 한 획의 양을 낳으니 ⚌을 태양의 상이라고 하고, (양의 위에) 한 획의 음을 낳으니 ⚍을 소음의 상이라고 하며, 음의陰儀 위에 한 획의 양을 낳으니 ⚎을 소양의 상이라고 하고, (음의 위에) 한 획의 음을 낳으니 ⚏을 태음의 상이라고 한다는 것이다.

주자朱子[朱熹]가 '하나의 음과 하나의 양은 각각 하나의 음과 하나의 양을 낳는 상이 있다.'라고 하였는데, 어떤 사람이 그 뜻을 묻자, '하나의 사물에는 본래 각각 음과 양이 있다. 예컨대 여자와 남자는 음과 양을 이미 갖추지만, 사람마다 몸에 또 각각 음과 양이 있으니, 혈血은 음이고 기氣는 양인 것과 같다. 예컨대 낮과 밤에서 낮은 양이고 밤은 음이지만, 낮에 정오 이후는 또 음이고, 밤에 자정 이후는 또 양인 것과 같다. 이것이 바로 음과 양이 각각 음과 양을 낳는 상이 있다는 것이다.'[28]라고 하였다. '음과 양이 각각 음과 양을 낳으니 4상이다.'라는 것이 이것을 말할 것이다.

四象旣立，太陽居一含九，少陰居二含八，少陽居三含七，太陰居四含六．朱子云，'因一·二·三·四，便見九·八·七·六最妙．蓋數不過十，無如此恰好．這皆是造化自然，都遏他不住．惟此義先儒未曾發.' 「圖」·「書」六·七·八·九之象見前篇．

「太極圖」，以水陰盛爲太陰，火陽盛爲太陽，木陽穉爲少陽，金陰穉爲少陰．其分太少陰陽，

26 주돈이, 『太極圖說』

27 소옹, 『皇極經世書』 권13 「觀物外篇上」

28 朱子(朱熹)가 … 것이다 : 『朱子語類』 권65, 17조목에서 問. "自一陰一陽, 見一陰一陽又各生一陰一陽之象. 以「圖」言之, '兩儀生四象, 四象生八卦', 節節推去, 固容易見. 就天地間著實處如何驗得?" 曰 : "一物上又自各有陰陽, 如人之男女, 陰陽也. 逐人身上, 又各有這血氣, 血陰而氣陽也. 如晝夜之間, 晝陽而夜陰也, 而晝陽自午後又屬陰, 夜陰自子後又屬陽, 便是陰陽各生陰陽之象."이라고 하였다.

雖與此不盡合，姑借其說以明水·火·木·金爲四象耳.”[29]

4상이 이미 정립되면, 태양은 1에 자리하여 9를 함유하고, 소음은 2에 자리하여 8을 함유하며, 소양은 3에 자리하여 7을 함유하고, 태음은 4에 자리하여 6을 함유한다. 주자朱子[朱熹]는 '1 · 2 · 3 · 4에 근거하여 9 · 8 · 7 · 6을 보는 것이 가장 미묘하다. 그 수는 10에 불과하지만 이처럼 꼭 알맞은 것이 없다. 이것은 모두 조화造化가 저절로 그러한 것이니 결코 그것을 막지 못한다. 오직 이 의미를 선대의 학자들이 아직 드러낸 적이 없다.'[30]라고 하였다. 「하도」와 「낙서」의 6 · 7 · 8 · 9의 상象은 앞 편에 보인다.

「태극도」에서는 수水는 음이 왕성하므로 태음이 되고, 화火는 양이 왕성하므로 태양이 되며, 목木은 양이 어리므로 소양이 되고, 금金은 음이 어리므로 소음이 된다.[31] 그렇게 음과 양을 태太와 소少로 나눈 것은 비록 이것(음과 양이 각각 음과 양을 낳으니 4상이다.)과 완전히 부합하지는 않지만, 우선 그 이론을 빌려서 수 · 화 · 목 · 금이 4상이 되는 것을 밝혔을 뿐이다."

[15-5-1-2]

"朱子答或問云. '所謂兩儀爲乾·坤初爻，四象爲乾·坤初二相錯而成，則恐立言有未瑩者. 蓋方其兩儀，則未有四象也，方其爲四象，則未有八卦也，安得先有乾·坤之名，初二之辨哉! 兩儀只可謂之陰陽，四象方有太少之別，其序以太陽·少陰·少陽·太陰爲次. 此序旣定，遞升而倍之，適得乾一·兌二·離三·震四·巽五·坎六·艮七·坤八之序也. '[32]"[33]

(옥재 호씨가 말했다.) "주자朱子[朱熹]가 어떤 사람(程可久를 가리킨다.)의 질문에 대하여, '(그대가) 이른바 양의兩儀는 건 · 곤의 초효初爻이고 4상은 건 · 곤의 초효와 2효가 서로 뒤섞여서 이루어졌다고 한 것은, 그 주장이 분명하지 못한 듯하다. 이제 막 양의兩儀일 때는 아직 4상이 있지 않고 이제 막 4상일 때는 아직 8괘가 있지 않은데, 어찌 먼저 건 · 곤이라는 명칭과 초효 · 2효라는 분별이 있을 수 있겠는가! 양의는 다만 음과 양이라고 할 수 있으며, 4상이 되어서야 비로소 태太와 소少의 구별이 있게 되고 그 순서는 태양 · 소음 · 소양 · 태음의 차례이다. 이 순서가 이미 정해지고 나서 교대로 올라가 배가倍加하여 꼭 맞게 건1 · 태2 · 리3 · 진4 · 손5 · 감6 · 간7 · 곤8의 순서를 얻는다.'라고 대답했다."

29 호방평, 『易學啟蒙通釋』 권上 「原卦畫」 제2

30 1 · 2 · 3 · 4에 근거하여 … 없다 : 『朱子語類』 권65, 31조목에서 "最是七 · 八 · 九 · 六與一 · 二 · 三 · 四極巧. 一是太陽, 餘得箇九在後面. 二是少陰, 後面便是八. 三是少陽, 後面便是七. 四是太陰, 後面便是六, 無如此恰好. 這皆是造化自然如此, 都遏他不住. 〈至錄云: "因一 · 二 · 三 · 四, 便見六 · 七 · 八 · 九在裏面. 老陽占了第一位, 便含箇九. 少陰占第二位, 便含箇八. 少陽占第三位, 便含箇七. 老陰占第四位, 便含箇六. 數不過十. 惟此一義, 先儒未曾發, 先儒但只說得他中間進退而已." 淵同.〉"이라고 하였다.

31 「太極圖」에서는 … 된다 : 주돈이는 『太極圖說』에서, "水陰盛, 故居右, 火陽盛, 故居左, 木陽穉, 故次火, 金陰穉, 故次水, 土沖氣, 故居中."이라고 하였다.

32 『朱文公文集』 권37 「答程可久」

33 호방평, 『易學啟蒙通釋』 권上 「原卦畫」 제2

八卦 8괘

乾1 건 兌2 태 離3 리 震4 진 巽5 손 坎6 감 艮7 간 坤8 곤

☰ ☱ ☲ ☳ ☴ ☵ ☶ ☷

[15-6]

四象生八卦.

4상은 8괘를 낳는다.

[15-6-1]

四象之上各生一奇一偶, 而爲三畫者八, 於是三才略具, 而有八卦之名矣. 其位則乾一·兌二·離三·震四·巽五·坎六·艮七·坤八.

在「河圖」, 則乾·坤·離·坎, 分居四實, 兌·震·巽·艮, 分居四虛. 在「洛書」, 則乾·坤·離·坎, 分居四方, 兌·震·巽·艮, 分居四隅. 『周禮』所謂'三『易』經卦皆八', 「大傳」所謂'八卦成列', 邵子所謂'四分爲八'者, 皆指此而言也.

4상 위에 각각 하나의 홀⚊과 하나의 짝⚋을 낳아서 세 획이 되는 것이 8개이니, 이에 삼재三才: 천·지·인가 대략 갖추어지고 8괘라는 이름이 있게 된다. 그 위치는 건1·태2·리3·진4·손5·감6·간7·곤8이다.

「하도」에서는 건·곤·리·감이 나뉘어 '네 곳의 실위實位'[34]에 자리 잡고, 태·진·손·간이 나뉘어 '네 곳의 허위虛位'[35]에 자리 잡는다. 「낙서」에서는 건·곤·리·감이 나뉘어 '네 정방[四方]'에 자리 잡고, 태·진·손·간이 나뉘어 '네 모퉁이[四隅]'에 자리 잡는다. 『주례』에서 이른바 '세 가지 『역』(『연산』·『귀장』·『주역』)의 경괘經卦[36]는 모두 여덟이다.'[37]라고 한 것과, 「계사전」에서 이른바 '8괘가 배열을 이룬다.'[38]라고 한 것 및 소자邵子[邵雍]가 이른바 '4가 나뉘어 8이 된다.'[39]라고 한 것이 모두 이것을 가리켜 말한 것이다.

34 네 곳의 實位: '네 곳의 數가 채워져 있는 자리[四實]'를 말한다.
35 네 곳의 虛位: '네 곳의 수가 없는 빈자리[四虛]'를 말한다.
36 經卦: 『易』의 기본이 되는 괘를 말한다.
37 세 가지 … 여덟이다: 『周禮』「春官宗伯」 제3, 「太卜」에는, "太卜, 掌三兆之法, 一曰玉兆, 二曰瓦兆, 三曰原兆. 其經兆之體皆百有二十, 其頌皆千有二百. 掌三『易』之法, 一曰『連山』, 二曰『歸藏』, 三曰『周易』. 其經卦皆八, 其別皆六十有四."라고 되어 있다.
38 『易』「繫辭下」 1
39 소옹, 『皇極經世書』 권13 「觀物外篇上」

[15-6-1-1]

玉齋胡氏曰："朱子云，'四象生八卦者，太陽之上生一陽，則爲☰而名乾，生一陰，則爲☱而名兌；少陰之上生一陽，則爲☲而名離，生一陰，則爲☳而名震；少陽之上生一陽，則爲☴而名巽，生一陰，則爲☵而名坎；太陰之上生一陽，則爲☶而名艮，生一陰，則爲☷而名坤. 所謂乾一·兌二·離三·震四·巽五·坎六·艮七·坤八者，蓋謂此也.'

「圖」·「書」分八卦，詳見前篇. 『周禮』太卜掌三『易』之法，夏曰『連山』，商曰『歸藏』，周曰『周易』，其經卦皆八也."[40]

옥재 호씨玉齋胡氏[胡方平]가 말했다. "주자朱子[朱熹]는 '4상이 8괘를 낳는다는 것은, 태양 위에 하나의 양을 낳으면 ☰이 되어 건괘라 하고, (태양 위에) 하나의 음을 낳으면 ☱가 되어 태괘라 하며, 소음 위에 하나의 양을 낳으면 ☲가 되어 리괘라 하고, (소음 위에) 하나의 음을 낳으면 ☳이 되어 진괘라 하며, 소양 위에 하나의 양을 낳으면 ☴이 되어 손괘라 하고, (소양 위에) 하나의 음을 낳으면 ☵이 되어 감괘라 하며, 태음 위에 하나의 양을 낳으면 ☶이 되어 간괘라 하고, (태음 위에) 하나의 음을 낳으면 ☷이 되어 곤괘라고 한다는 것이다. (소옹이) 이른바 건1 · 태2 · 리3 · 진4 · 손5 · 감6 · 간7 · 곤8이라고 한 것은[41] 이것을 말한다.'[42]라고 하였다.

「하도」와 「낙서」에서 8괘를 나눈 것은 앞 편에 자세하다. 『주례』에서는 태복太卜이 세 가지 역법을 관장하였으니, 하대夏代의 것은 『연산』이고, 상대商代의 것은 『귀장』이며, 주대周代의 것은 『주역』인데, 그 경괘經卦는 모두 여덟이라고 하였다."

[15-6-1-2]

"又按朱子云，'太陰·太陽交而生艮·兌，少陰·少陽交而生震·巽. 坎·離不交，各得本畫，坎·離之交，在第二畫兩儀生四象時交了. 老陽過去交陰，老陰過來交陽，便是兌·艮上第三畫. 少陰·少陽交，便是震·巽上第三畫. 所以知其如此者，他這位次相挨傍.'

(옥재 호씨가 말했다.) "주자朱子[朱熹]는 '태음⚏과 태양⚌이 교착交錯하여 간괘☶와 태괘☱를 낳고, 소음⚍과 소양⚎이 교착하여 진괘☳와 손괘☴를 낳는다. 감괘☵와 리괘☲는 교착하지 않아서 (제3획에서) 각각 본획本畫[제1획]을 얻었으니, 감괘와 리괘의 교착은 제2획에서 양의가 4상을 낳을 때 교착하였다. 노양이 음 쪽으로 가서 교착하고 노음이 양 쪽으로 와서 교착하는 것이 태괘와 간괘의 위 제3획이다. 소음과 소양이 교착하는 것이 진괘와 손괘의 위 제3획이다. 그러므로 이와 같은 것은 그 자리 순서가 서로 곁에 붙어있다는 것으로서 알 수 있다.'[43]고 하였는데, 나는 다음과 같이 생각한다.

---

40 호방평, 『易學啟蒙通釋』 권上 「原卦畫」 제2

41 (소옹이) 이른바 … 것은: 소옹의 『皇極經世書』「觀物外篇」 권13 상에서, "順數之, 乾一 · 兌二 · 離三 · 震四 · 巽五 · 坎六 · 艮七 · 坤八."이라고 하였다.

42 『朱文公文集』 권37 「與郭沖晦」에서, "八卦者, 太陽之上生一陽, 則爲☰而名乾, 生一陰, 則爲☱而名兌. 少陰之上生一陽, 則爲☲而爲離, 生一陰, 則爲☳而名震. 少陽之上生一陽, 則爲☴而名巽, 生一陰, 則爲☵而名坎. 太陰之上生一陽, 則爲☶而名艮, 生一陰, 則爲☷而名坤. 康節先天之說所謂乾一 · 兌二 · 離三 · 震四 · 巽五 · 坎六 · 艮七 · 坤八者, 蓋謂此也."라고 하였다.

蓋以太陽過去交太陰，則生艮上爻之陽；太陰過來交太陽，則生兌上爻之陰．乾·坤不言交而生者，以上爻陽生於太陽，陰生於太陰，於交之義無取也．少陰交少陽，則生震上爻之陰；少陽交少陰，則生巽上爻之陽．‘坎·離不交各得本畫’者，離之上得陽儀之陽，坎之上得陰儀之陰，亦非交而生也．‘坎·離之交在第二畫生四象時交’者，陽儀交陰儀而生坎中爻之陽，陰儀交陽儀而生離中爻之陰也．此所以四象生八卦，獨兌·艮·震·巽交而乾·坤·坎·離不交也．‘位次相挨傍’者，兌·乾，艮·坤，震·巽六卦位次皆相挨也．

태양이 태음 쪽으로 가서 교착하면 간괘☶ 상효의 양을 낳고, 태음이 태양 쪽으로 와서 교착하면 태괘☱ 상효의 음을 낳는다. 건괘☰와 곤괘☷가 교착하여 낳는다고 말하지 않은 것은 상효인 양이 태양에서 생기고 (상효인) 음이 태음에서 생겨나니, 교착의 의미에서 취하는 것이 없기 때문이다. 소음이 소양과 교착하면 진괘☳ 상효의 음을 낳고, 소양이 소음과 교착하면 손괘☴ 상효의 양을 낳는다. ‘감괘☵와 리괘☲는 교착하지 않아서 (제3획에서) 각각 본획本畫(제1획)을 얻는다.’는 것은 리괘의 상효는 양의陽儀의 양을 얻고, 감괘의 상효는 음의陰儀의 음을 얻어서, 또한 교착하여 낳는 것이 아니라는 것이다. ‘감괘와 리괘의 교착은 제2획에서 4상을 낳을 때 교착하였다.’는 것은 양의陽儀가 음의陰儀와 교착하여 감괘 중간 효의 양을 낳고, 음의陰儀가 양의陽儀와 교착하여 리괘 중간 효의 음을 낳았다는 것이다. 이것이 4상이 8괘를 낳을 때 다만 태 · 간 · 진 · 손괘는 교착하지만 건 · 곤 · 감 · 리괘는 교착하지 않는 까닭이다. ‘자리 순서가 서로 곁에 붙어 있다.’는 것은 태 · 건, 간 · 곤, 진 · 손 여섯 괘의 자리 순서가 서로 붙어있다는 것이다.

又盤澗董氏云，‘自兩儀生四象，則太陽·太陰不動而少陰·少陽則交．自四象生八卦，則乾·坤·震·巽不動而兌·離·坎·艮則交．’ 蓋‘二老不動’者，陽儀還生陽之象，陰儀還生陰之象．‘二少則交’者，陽儀乃生陰之象，陰儀乃生陽之象也．‘乾·坤·震·巽不動’者，陽象還生陽爻，陰象還生陰爻．‘兌·離·艮·坎則交’者，陽象乃生陰爻，陰象乃成陽爻也．

此與朱子前說不同，參互求之其義益備．要之此皆就四象·八卦已成者，推其相交之妙．若論其初畫時，一齊俱定，本非有俟於交而生也．”[44]

또 반간 동씨盤澗董氏[董銖]는 ‘양의兩儀로부터 4상을 낳을 경우에는 태양과 태음은 움직이지 않지만 소음과 소양은 교착한다. 4상으로부터 8괘를 낳을 경우에는 건 · 곤 · 진 · 손괘는 움직이지 않지만 태 · 리 · 감 · 간괘는 교착한다.’고 하였다.[45] ‘노양과 노음은 움직이지 않는다.’는 것은 양의陽儀는

43 『朱子語類』 권65, 64조목에서, “老陰 · 老陽交而生艮 · 兌，少陰 · 少陽交而生震 · 巽．離 · 坎不交，各得本畫．離 · 坎之交是第二畫，在生四象時交了．老陽過去交陰，老陰過來交陽，便是兌 · 艮第三畫．少陰 · 少陽交，便生震 · 巽上第三畫．所以知其如此時，他這位次相挨旁.”이라고 하였다.

44 호방평, 『易學啟蒙通釋』 권上 「原卦畫」 제2

45 盤澗董氏(董銖)는 ‘兩儀로부터 … 교착한다.’고 하였다 : 이 말은 董銖의 말이 아니라, 동수가 주희의 말을 기록한 것이다. 『朱子語類』 권74, 17조목에서, “問 : ‘「剛柔相摩，八卦相盪.」 竊謂六十四卦之初，剛柔兩畫而已．兩而四，四而八，八而十六，十六而三十二，三十二而六十四，皆是自然生生不已，而謂之‘摩盪’，何也?’ 曰

여전히 양의 상을 낳고 음의陰儀는 여전히 음의 상을 낳는다는 것이다. '소음과 소양은 교착한다.'는 것은 양의陽儀가 이에 음의 상을 낳고 음의陰儀가 이에 양의 상을 낳는다는 것이다. '건·곤·진·손괘는 움직이지 않는다.'는 것은 양의 상은 여전히 양효를 낳고 음의 상은 여전히 음효를 낳는다는 것이다. '태·리·감·간괘는 교착한다.'는 것은 양의 상이 이에 음효를 낳고 음의 상이 이에 양효를 이룬다는 것이다.

이것은 주자朱子[朱熹]의 앞의 말과 같지 않으나,[46] 서로 참조하여 탐구하면 그 의미가 더욱 갖추어진다. 요컨대 이것들은 모두 4상과 8괘가 이미 이루어진 것에서 서로 교착하는 오묘함을 추론한 것이다. 만약 그 첫 획 때를 논의하면 한꺼번에 모두 정해지지 본래 교착하여 낳기를 기다리는 것이 아니다."

十六卦 16괘

[15-7-1]

八卦之上各生一奇一偶, 而爲四畫者十六, 於『經』无見. 邵子所謂八分爲十六者, 是也. 又爲兩儀之上各加八卦, 又爲八卦之上各加兩儀也.

8괘 위에 각각 하나의 홀⚊과 하나의 짝⚋을 낳아서 네 획이 되는 것이 16개인데, 『경』에는 보이지 않는다. 소자邵子[邵雍]가 이른바 '8이 나뉘어 16이 된다.'[47]라고 한 것이 이것이다. (이것은) 또한 양의兩儀 위에 각각 8괘를 더한 것이고, 또한 8괘 위에 각각 양의를 더한 것이다.

[15-7-1-1]

玉齋胡氏曰 : "'兩儀之上各加八卦'者, 以八陽八陰爲兩儀, 是第一畫爲兩儀也; 兩儀之上, 各有八卦, 陽儀八卦, 陰儀八卦, 二八一十有六, 是爲上三畫皆八卦也. '八卦之上各加兩儀'者, 乾兌離震巽坎艮坤各二卦, 每二卦之上各有一奇一偶爲兩儀, 是自第三畫爲八卦; 八卦

: '摩如物在一物上面摩旋底意思, 亦是相交意思. 如今人磨子相似, 下面一片不動, 上面一片只管摩旋推盪不曾住. 自兩儀生四象, 則老陽·老陰不動, 而少陰·少陽則交. 自四象生八卦, 則乾·坤·震·巽不動, 而兌·離·坎·艮則交. 自八卦而生六十四卦, 皆是從上加去. 下體不動, 每一卦生八卦, 故謂之'摩盪'."이라고 하였다.

46 이것은 朱子(朱熹)의 … 않으나 : 주자는 앞에서, (건·곤과) 감·리가 교착하지 않고, 태·간·진·손은 교착한다고 하였다. 그러나 여기에서는 건·곤·진·손괘는 움직이지 않고 태·리·감·간괘는 교착한다고 하였다.

47 소옹, 『皇極經世書』 권13 「觀物外篇上」

之上各有兩儀，亦自八分爲十六，第四畫皆兩儀也."[48]

옥재 호씨玉齋胡氏[胡方平]가 말했다. "'양의兩儀 위에 각각 8괘를 더한다.'는 것은, 8개의 양과 8개의 음을 양의兩儀로 삼는 것이니 제1획이 양의兩儀가 되고, 양의兩儀 위에 각각 8괘가 있어서 양의陽儀의 8괘와 음의陰儀의 8괘가 (합쳐서) 2×8=16 이므로, 위의 3획으로 이루어진 것이 모두 8괘이다. '8괘 위에 각각 양의兩儀를 더한다.'라는 것은 건·태·리·진·손·감·간·곤괘가 각각 두 괘씩 있고, 매 두 괘 위에 각각 하나의 홀⚊과 하나의 짝⚋이 있는 것이 양의兩儀가 되니, 제3획이 되고부터 8괘가 되며, 8괘 위에 각각 양의兩儀가 있는 것도 또한 8개부터 나뉘어서 16개가 되므로, 제4획이 모두 양의兩儀이다."

三十二卦 32괘

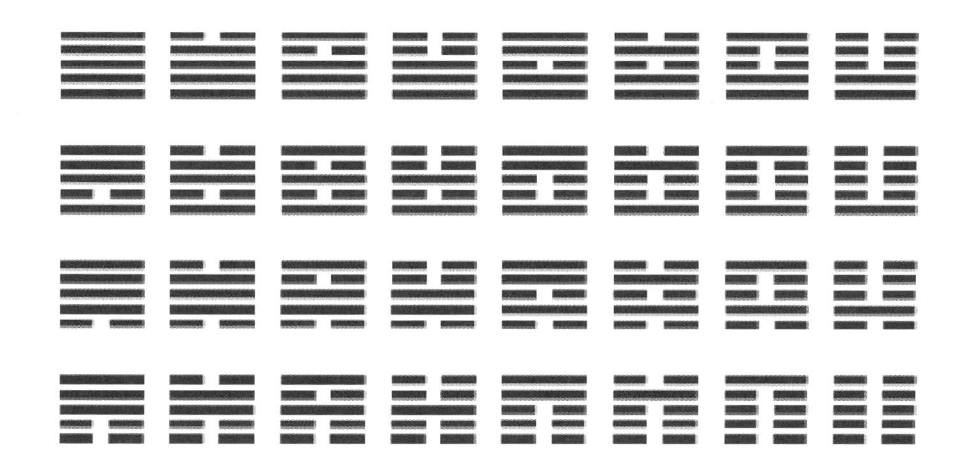

[15-7-2]

四畫之上各生一奇一偶，而爲五畫者三十二. 邵子所謂十六分爲三十二者，是也. 又爲四象之上各加八卦，又爲八卦之上各加四象也.

네 획 위에 각각 하나의 홀⚊과 하나의 짝⚋을 낳아서 다섯 획이 되는 것이 32개다. 소자邵子[邵雍]가 이른바 '16이 나뉘어 32가 된다.'[49]라고 한 것이 이것이다. 또한 4상 위에 각각 8괘를 더한 것이고, 또한 8괘 위에 각각 4상을 더한 것이다.

48 호방평, 『易學啟蒙通釋』 권上 「原卦畫」 제2
49 소옹, 『皇極經世書』 권13 「觀物外篇上」

[15-7-2-1]

玉齋胡氏曰："'四象之上各加八卦'者，第一畫十六陽十六陰爲兩儀，第二畫各八陽八陰爲四象，四象之上各有八卦，上三畫皆八卦也．'八卦之上各加四象'者，下三畫乾兌離震巽坎艮坤各四卦上各有兩奇兩偶，爲兩儀第四畫也；每兩儀之上各有一奇一偶，爲四象第五畫也．"[50]

옥재 호씨玉齋胡氏[胡方平]가 말했다. "'4상 위에 각각 8괘를 더한다.'는 것은, 제1획 16개의 양과 16개의 음이 양의兩儀가 되고, 제2획 각각 8개의 양과 8개의 음이 4상이 되어, 4상 위에 각각 8괘가 있는 것이니, 위의 세 획이 모두 8괘이다. '8괘 위에 각각 4상을 더한다.'는 것은, 아래의 세 획 즉 건·태·리·진·손·감·간·곤괘가 각각 네 괘씩 있는 것 위에 각각 두 개의 홀⚊과 두 개의 짝⚋이 있으니, 양의兩儀로 이루어진 것이 제4획이고, 매 양의兩儀 위에 각각 하나의 홀⚊과 하나의 짝⚋이 있으니, 4상으로 이루어진 것이 제5획이다."

[15-7-3]

五畫之上各生一奇一偶，而爲六畫者六十四，則兼三才而兩之，而八卦之乘八卦亦周．於是六十四卦之名立而『易』道大成矣．

『周禮』所謂三『易』之別皆六十有四，「大傳」所謂'因而重之爻在其中矣'，邵子所謂'三十二分爲六十四'者，是也．

다섯 획 위에 각각 하나의 홀⚊과 하나의 짝⚋을 낳아서 여섯 획이 되는 것이 64개이니, 삼재를 포함하여 두 개씩 하고[51] 8괘가 8괘를 탄 것도 두루 다했다. 이에 64괘의 명칭이 세워지고 『역』의 도가 크게 이루어졌다.

『주례』의 이른바 세 가지 『역』(『연산』·『귀장』·『주역』)의 별괘別卦[52]는 모두 64개라고[53] 한 것과,

50 호방평, 『易學啟蒙通釋』 권上 「原卦畫」 제2

51 삼재를 포함하여 … 하고：『易』「繫辭下」 10에서, "『易』之爲書也，廣大悉備，有天道焉，有人道焉，有地道焉．兼三才而兩之，故六."이라고 하였으며, 『易』「說卦」 2에서, "昔者聖人之作『易』也，將以順性命之理，是以立天之道曰陰與陽，立地之道曰柔與剛，立人之道曰仁與義．兼三才而兩之，故『易』六畫而成卦．分陰分陽，迭用柔剛，故『易』六位而成章."이라고 하였다. 또한 주희는 『朱子語類』 권77, 28조목에서, 問："'將以順性命之理'而下，言立天·地·人之道，乃繼之以'兼三才而兩之'，此恐言聖人作『易』之由，如'觀鳥獸之文，與地之宜，始作八卦'相似．蓋聖人見得三才之理，只是陰陽·剛柔·仁義，故爲兩儀·四象．八卦，也只是這道理；六畫而成卦，也只是這道理." 曰："聖人見得天下只是這兩箇物事，故作『易』只是模寫出這底." 問："模寫出來，便所謂'順性命之理'．'性命之理'，便是陰陽·剛柔·仁義否?" 曰："便是'順性命之理'." 問："'兼三才'如何分?" 曰："以一卦言之，上兩畫是天，中兩畫是人，下兩畫是地；兩卦各自看，則上與三是天，五與二爲人，四與初爲地." 問："'兼三才'如何分?" 曰："以一卦言之，上兩畫是天，中兩畫是人，下兩畫是地；兩卦各自看，則上與三是天，五與二爲人，四與初爲地."라고 하였고, 권77, 35조목에서, "'兼三才而兩之'，兼，貫通也．通貫是理本如此．'兩之'者，陰陽·剛柔·仁義也."라고 하였다.

52 別卦：겹친 괘의 수를 말함.(『周禮』 賈公彥 疏：別者，重之數.)

53 『주례』「春官宗伯」 제3, 太卜」에는, "太卜，掌三兆之法，一曰玉兆，二曰瓦兆，三曰原兆．其經兆之體，皆百有二十，其頌皆千有二百．掌三『易』之法，一曰『連山』，二曰『歸藏』，三曰『周易』．其經卦皆八，其別皆六十有四."라고 되어 있다.

「대전」에서 이른바 "(8괘를) 이어서 그것을 중첩하니, (6)효라고 하는 것이 그 가운데 있다."[54]라고 한 것 및 소자邵子[邵雍]가 이른바 '32가 나뉘어 64가 된다.'[55]라고 한 것이 이것이다.

六十四卦 64괘

乾	夬	大有	大壯	小畜	需	大畜	泰
履	兌	睽	歸妹	中孚	節	損	臨
同人	革	離	豊	家人	旣濟	賁	明夷
无妄	隨	噬嗑	震	益	屯	頤	復
姤	大過	鼎	恒	巽	井	蠱	升
訟	困	未濟	解	渙	坎	蒙	師
遯	咸	旅	小過	漸	蹇	艮	謙
否	萃	晉	豫	觀	比	剝	坤

54 『易』「繫辭下」 1

55 소옹, 『皇極經世書』 권13 「觀物外篇上」

若於其上各卦又生一奇一偶, 則爲七畫者百二十八矣; 七畫之上又各生一奇一偶, 則爲八畫者二百五十六矣; 八卦(畫)[56]之上又各生一奇一偶, 則爲九畫者五百十二矣; 九畫之上又各生一奇一偶, 則爲十畫者千二十四矣; 十畫之上又各生一奇一偶, 則爲十一畫者二千四十八矣; 十一畫之上又各生一奇一偶, 則爲十二畫者四千九十六矣. 此焦貢『易林』變卦之數, 蓋以六十四乘六十四也.

今不復爲圖於此而畧見第四篇中. 若自十二畫上又各生一奇一偶, 累至二十四畫, 則成千六百七十七萬七千二百一十六變. 以四千九十六自相乘, 其數亦與此合. 引而伸之, 蓋未知其所終極也. 雖未見其用處, 然亦足以見『易』道之無窮矣.

만약 그 위에 각각의 괘가 또 각각 하나의 홀━과 하나의 짝╍을 낳으면 일곱 획이 되는 것이 128개이고, 일곱 획 위에 또 각각 하나의 홀━과 하나의 짝╍을 낳으면 여덟 획이 되는 것이 256개이며, 여덟 획 위에 또 각각 하나의 홀━과 하나의 짝╍을 낳으면 아홉 획이 되는 것이 512개이고, 아홉 획 위에 또 각각 하나의 홀━과 하나의 짝╍을 낳으면 열 획이 되는 것이 1,024개이며, 열 획 위에 또 각각 하나의 홀━과 하나의 짝╍을 낳으면 열 한 획이 되는 것이 2,048개이고, 열 한 획 위에 또 각각 하나의 홀━과 하나의 짝╍을 낳으면 열 두 획이 되는 것이 4,096개이다. 이것이 초공焦貢[57]이 지은 『역림易林』의 변괘變卦의 수이니, 64에 64를 곱한 것이다.

지금 여기에 다시 그림을 그리지는 않겠지만 제4편「考變占」(변효로 점치는 것을 살핌)에서 대략 설명할 것이다. 만약 열 두 획 위로부터 또 각각 하나의 홀━과 하나의 짝╍을 낳아서 스물 네 획에 까지 쌓아 가면, 16,777,216개의 변화를 이룬다. 4,096을 제곱하면 그 수가 역시 이와 부합한다. 이것을 늘여서 확장하면 그 끝을 알 수 없다. 비록 아직 그것의 용도를 알 수 없지만, 또한 『역』의 도리가 끝이 없다는 것을 충분히 알 수 있다.

[15-7-3-1]

玉齋胡氏曰 : "朱子「答袁機仲」云, '第六畫者, 八卦之八卦也.' 又云, '聖人當初亦不恁地思量, 只是畫一個陽, 一箇陰, 只管恁地去. 自一而二, 二而四, 四而八, 八而十六, 十六而三十二, 三十二而六十四, 旣成箇物事, 自然如此齊整. 皆是天地本然之妙元如此, 但畧假聖人手畫出來.' 至哉言矣!"[58]

옥재 호씨玉齋胡氏[胡方平]가 말했다. "주자가 「원기중에게 답함答袁機仲」에서 '제6획은 8괘의 8괘이다.'[59]

56 『性理大全』에는 '八卦'로 되어 있지만, 문맥상 『朱子全書』 『易學啓蒙』 판본에 의거하여 '八畫'으로 번역한다.
57 焦貢 : 한대 사람으로 이름을 또한 焦贛이라고도 하며, 자는 延壽이다. 『漢書』「儒林傳」에서, "京房은 梁나라 사람 焦延壽에게서 『易』을 전수받았고, 초연수는 孟喜에게서 『易』을 배웠다."고 하였다. 저술에는 『易林』이 있는데, 일명 『焦氏易林』이라고 한다.
58 호방평, 『易學啓蒙通釋』 권上 「原卦畫」 제2
59 『朱文公文集』 권38 「答袁機仲」

라고 하고, 또 '성인도 처음에는 그렇게 생각하지 않고 다만 하나의 양과 하나의 음을 그어서 오로지 그렇게 (누적) 해갔을 따름이다. 1로부터 2가 되고, 2에서 4가 되며, 4에서 8이 되고, 8에서 16이 되며, 16에서 32가 되고, 32에서 64가 되어, 이미 이것을 이루고 나니 저절로 이와 같이 가지런하게 되었다. (이것은) 모두 천지의 본연의 오묘함이 원래 이와 같으나, 단지 대략 성인의 손을 빌려서 그었을 뿐이다.'[60]라고 하였다. 매우 훌륭한 말이다!"

[15-7-3-2]

朱子曰 : "凡此非某之說, 乃康節之說, 非康節之說, 乃希夷之說, 非希夷之說, 乃孔子之說. 但當日諸儒既失其傳, 而方外之流陰相付受以爲丹竈之術. 至於希夷康節乃反之於『易』, 而後其說始得復明於世. 然與今『周易』次第行列多不同者, 故聞者創見而不之信, 但據見行『周易』, 緣文生義, 穿鑿破碎, 有不勝其杜譔者. 此『啓蒙』之書所爲作也. 若能虛心遜志以求其通曉, 玩之久熟, 則天地變化之神, 陰陽消長之妙, 自將瞭然於心目之間, 而有以識其奧矣."[61]

주자朱子[朱熹]가 말했다. "이것은 내 학설이 아니라 바로 강절康節[邵雍]의 학설이고, 강절의 학설이 아니라 바로 희이希夷[陳摶]의 학설이며, 희이의 학설이 아니라 바로 공자의 학설이다. 그러나 그 당시 여러 유학자들은 전해진 그 학설을 이미 잃어버렸고, 도사 유파들이 서로 은밀하게 주고받아서 단약을 만드는 방법으로 삼았다. 희이와 강절에 이르러 그것을 『역』으로 돌이킨 뒤에 그 학설이 비로소 세상에 다시 밝혀질 수 있었다. 그러나 지금의 『주역』과는 순서와 배열이 많이 달랐기 때문에, 그것을 들은 사람은 독창적인 견해라고 해서 믿지 않고, 다만 현행 『주역』에 의거해서 글자에 매여 억지로 뜻을 풀이하고 천착해서 자잘하게 늘어놓으니, 그 근거 없는 저술을 이루다 감당할 수 없었다. 이에 『역학계몽』이라는 책을 짓게 되었다. 만약 마음을 비우고 뜻을 겸손히 하여 환히 깨우치기를 추구하고 오랫동안 깊이 탐구하면, 천지 변화의 신묘함과 음·양이 줄어들고 불어나는

60 『朱子語類』 권65, 21조목에는, 至之曰 : "『正義』謂 : '『易』者, 變化之總號, 代換之殊稱, 乃陰陽二氣生生不息之理.' 竊見此數語亦說得好." 曰 : "某以爲『易』字有二義, 有變易, 有交易. 「先天圖」一邊本都是陽, 一邊本都是陰, 陽中有陰, 陰中有陽, 便是陽往交易陰, 陰來交易陽, 兩邊各各相對. 其實非此往彼來, 只是其象如此. 然聖人當初亦不恁地思量, 只是畫一箇陽, 一箇陰, 每箇便生兩箇. 就一箇陽上, 又生一箇陽, 一箇陰. 就一箇陰上, 又生一箇陰, 一箇陽. 只管恁地去. 自一爲二, 二爲四, 四爲八, 八爲十六, 十六爲三十二, 三十二爲六十四. 既成箇物事, 便自然如此齊整. 皆是天地本然之妙元如此, 但略假聖人手畫出來. 如乾一索而得震, 再索而得坎, 三索而得艮, 坤一索而得巽, 再索而得離, 三索而得兌. 初間畫卦時, 也不是恁地. 只是畫成八箇卦後, 便見有此象耳."라고 되어 있다.

61 『朱文公文集』 권38 「答袁機仲」에는, "以上五條, 鄙意傾倒無復餘蘊矣. 然此非熹之說, 乃康節之說, 非康節之說, 乃希夷之說, 非希夷之說, 乃孔子之說. 但當日諸儒既失其傳, 而方外之流陰相付受以爲丹竈之術. 至於希夷康節乃反之於『易』, 而後其說始得復明於世. 然與見今『周易』次第行列多不同者, 故聞者創見多不能曉而不之信, 只據目今見行『周易』, 緣文生義, 穿鑿破碎, 有不勝其杜撰者. 此『啓蒙』之書所爲作也. 若其習聞易曉, 人人皆能領畧, 則又何必更著此書以爲屋下之屋牀上之牀哉! 更願高明毋以爲熹之說而忽之, 姑且虛心遜志以求其通曉, 未可好高立異而輕索其瑕疵也. 玩之久熟, 浹洽於心, 則天地變化之神, 陰陽消長之妙, 自將瞭於心目之間, 而其可驚可喜可笑可樂, 必有不自知其所以然而然者矣."라고 되어 있다.

오묘함이 저절로 마음속에 환해져 그 심오한 내용을 알게 될 것이다."

[15-7-3-3]

"『易』中七·八·九·六之數, 向來只從揲蓍處推起, 雖亦脗合, 然終覺曲折太多, 不甚簡易, 疑非所以得數之原. 因看四象次第, 偶得其說, 極爲捷徑.[62]

蓋因一·二·三·四, 便見六·七·八·九. 老陽位一便含九, 少陰位二便含八, 少陽位三便含七, 老陰位四便含六, 數不過十. 惟此一義先儒未曾發. 先儒但說中間進退而已."[63]

(주자가 말했다.) "『역』 가운데 7 · 8 · 9 · 6이라는 숫자는 그동안 다만 산가지를 세는 것에서부터 추론해 내었는데, 비록 꼭 들어맞았지만 끝내 곡절이 너무 심해 별로 간단명료하지 않다고 느껴서, 그 수數를 얻는 근원이 아니라고 의심했었다. 이에 4상의 순서를 보다가 우연히 그 이론을 터득하니 더없는 첩경이었다.

1 · 2 · 3 · 4에 따라서 6 · 7 · 8 · 9를 본다. 노양은 1의 자리에 위치하여 9를 머금고, 소음은 2의 자리에 위치하여 8을 머금으며, 소양은 3의 자리에 위치하여 7을 머금고, 노음은 4의 자리에 위치하여 6을 머금으니, 그 수는 10을 넘지 않는다. 오직 이 의미만은 선대 유학자들이 아직 드러낸 적이 없었다. 선대 유학자들은 다만 중간에서 나아가고 물러나는 것을[64] 말했을 따름이다."

[15-7-3-4]

"太極, 兩儀, 四象, 八卦, 生出次第, 位置行列, 不待安排而粲然有序. 以至於第四分而爲十六, 第五分而爲三十二, 第六分而爲六十四, 則其因而重之, 亦不待用意推排, 而與前之三分焉者, 未嘗不脗合也. 比之並累三陽以爲乾, 連疊三陰以爲坤, 然後以意交錯而成六子, 又先畫八卦於內, 復畫八卦於外, 以旋相加而爲六十四卦者, 其出於天理之自然, 與人爲之造作, 蓋不同矣."[65]

(주자가 말했다.) "태극, 양의, 4상, 8괘가 생겨 나오는 순서와 위치의 배열은 안배할 필요 없이 또렷

62 『朱文公文集』 권44 「答蔡季通」

63 『朱子語類』 권65, 31조목에는, "至錄云: '因一 · 二 · 三 · 四, 便見六 · 七 · 八 · 九在裏面. 老陽占了第一位, 便含箇九, 少陰占第二位, 便含箇八, 少陽占第三位, 便含箇七, 老陰占第四位, 便含箇六, 數不過十. 惟此一義先儒未曾發. 先儒但只說得他中間進退而已.'"라고 되어 있다.

64 중간에서 나아가고 … 것을: 이황은 『啓蒙傳疑』 「原卦畫」 제2에서, "중간에서 나아가고 물러난다는 것은, 노양과 노음 간에 손가락 사이에 걸고 끼운 산가지를 계산하는 과정에서 서로 나아가고 물러나서 소양과 소음이 되는 것을 말한다. 그 설명은 「明蓍策」(시초로 점치는 것을 밝힘)편에 있다.(中間進退謂二老之間, 掛扐過揲, 互爲進退, 而爲二少, 說見「明蓍策」篇.)"라고 하였다.

65 『朱文公文集』 권37 「答林黃中」에는, "太極, 兩儀, 四象, 八卦, 生出次第, 位置行列, 不待安排而粲然有序. 以至於第四分而爲十六, 第五分而爲三十二, 第六分而爲六十四, 則其因而重之, 亦不待用意推移, 而與前之三分焉者, 未嘗不脗合也. 比之並累三陽以爲乾, 連疊三陰以爲坤, 然後以意交錯而成六子, 又先畫八卦於內, 復畫八卦於外, 以旋相加而後得爲六十四卦者, 其出於天理之自然, 與人爲之造作, 蓋不同矣."라고 되어 있다.

이 질서가 있다. 네 번째 나뉘어져 16이 되고, 다섯 번째 나뉘어져 32가 되며, 여섯 번째 나뉘어져 64가 되는 경우에도, 그렇게 이어서 중첩한 것이 또한 의도적으로 헤아려 배열할 필요 없이 앞에서 세 번 나누어진 것과 꼭 들어맞지 않은 적이 없다. 세 개의 양을 함께 쌓아서 건괘☰로 하고 세 개의 음을 연이어 쌓아서 곤괘☷로 한 뒤에 의도적으로 교착交錯해서 육자六子(진 · 손 · 감 · 리 · 간 · 태의 6괘)를 이루고,[66] 또 먼저 안(아래)에 8괘를 긋고 다시 밖(위)에 8괘를 그어서 돌아가면서 서로 더하여 64괘를 만드는 것과 비교하면, 천리의 자연스러움에서 나온 것과 인위의 조작에서 나온 것은 같지 않다.[67]"

[15-7-3-5]

"四象之名, 所包甚廣. 大抵須以兩畫相重, 四位成列者爲正. 而一·二·三·四者, 其位之次也. 七·八·九·六者, 其數之實也. 其以陰陽·剛柔分之者, 合天地而言也. 其以陰·陽太少分之者, 專以天道而言也. 若專以地道言之, 則剛·柔又自有太少矣. 推而廣之, 縱橫錯綜, 凡是一物無不各有四者之象, 不但此數者而已矣."[68]

(주희가 말했다.) "4상의 명칭은 포괄하는 것이 매우 넓다. 대개 반드시 두 획이 서로 겹치고 네 자리가 배열을 이룬 것만이 바른 것이 된다. 1 · 2 · 3 · 4는 그 위치의 순서이고, 7 · 8 · 9 · 6은 그 수의 실제이다. 음 · 양과 강剛 · 유柔로써 그것을 나누는 것은 하늘과 땅을 합하여 하는 말이고, 음 · 양의 태太 · 소少로써 그것을 나누는 것은 오로지 하늘의 도로써 말하는 것이다. 만약 오로지 땅의 도로써 말하면, 강剛 · 유柔에는 또 본래 태太 · 소少가 있다. 그것을 미루어 넓혀가서 가로세로로 뒤섞으면 그 어떤 것도 각각 네 가지 상을 가지지 않음이 없으니, 이 몇 가지 경우뿐만이 아니다."

66 세 개의 … 이루고 : 『易』「說卦傳」 10에서, "乾, 天也, 故稱乎父, 坤, 地也, 故稱乎母, 震一索而得男, 故謂之長男, 巽一索而得女, 故謂之長女, 坎再索而得男, 故謂之中男, 離再索而得女, 故謂之中女, 艮三索而得男, 故謂之少男, 兌三索而得女, 故謂之少女."라고 하였다.

67 천리의 자연스러움에서 … 않다 : '천리의 자연스러움'은 가일배법을 통해 8괘에서 16괘 · 32괘를 거쳐 64괘가 되는 과정이고, '인위의 조작'은 설괘전의 표현에 따라 8괘에 8괘를 곧바로 중첩하여 64괘가 되는 과정을 말한다.

68 『朱文公文集』 권38 「答袁機仲」

伏羲八卦圖 복희8괘도

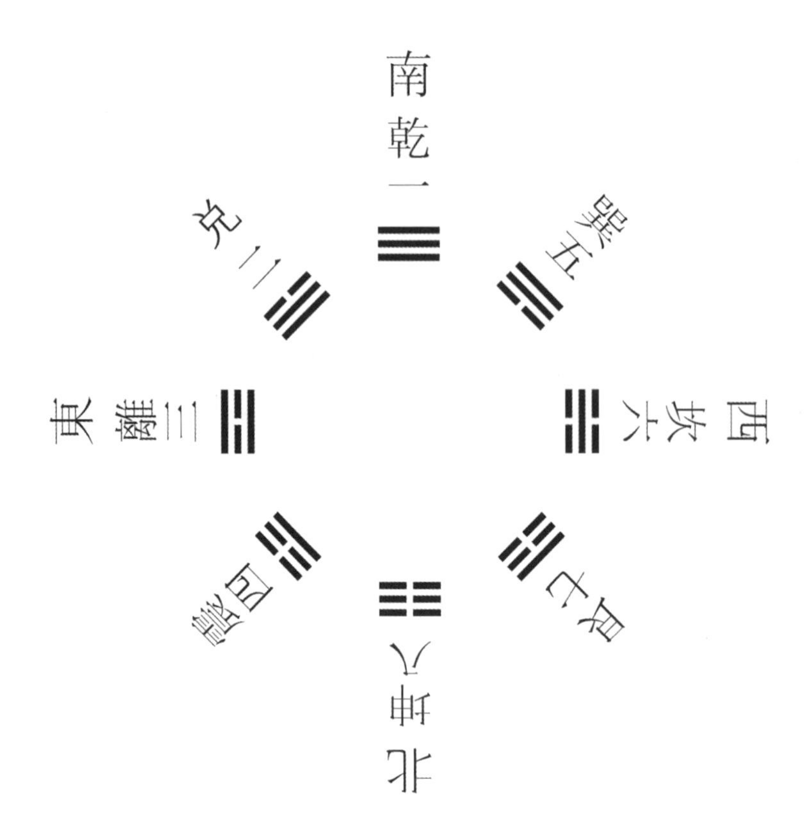

伏羲六十四卦圖 복희64괘도

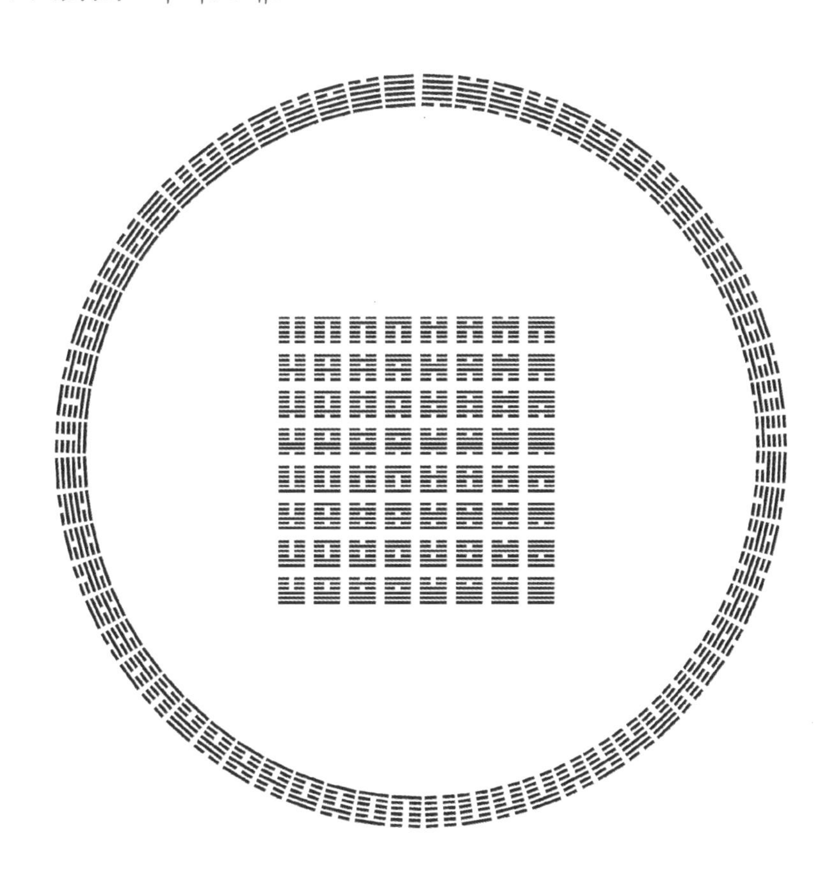

[15-8-0-1]

朱子曰："自有『易』以來，只有邵子說得此圖如此齊整．如揚雄『太玄』，便零星補湊得可笑．若不補，又却欠四分之一，補得來，又却多四分之三．如『潛虛』之數用五，只似如今算位一般．其直一畫則五也，下橫一畫則爲六，橫二畫則爲七，蓋亦補湊之書也．"[69]

주자朱子[朱熹]가 말했다. "『역』이 있은 이래로 오직 소자邵子[邵雍]만이 이처럼 가지런하게 이 그림을 설명하였다. 예컨대 양웅揚雄[70]의 『태현』[71]은 자질구레하게 보충하고 모은 것이 가소롭다. 만약 보충

69 『朱子語類』 권100, 16조목에는, "然自有『易』以來, 只有康節說一箇物事如此齊整. 如揚子雲『太玄』便零星補湊得可笑. 若不補, 又卻欠四分之一, 補得來, 又卻多四分之三. 如『潛虛』之數用五, 只似如今算位一般. 其直一畫則五也, 下橫一畫則爲六, 橫二畫則爲七, 蓋亦補湊之書也."라고 되어 있다.

70 揚雄(B.C.53~18) : 자는 子雲이다. 서한시대 城都(현 사천성 성도) 사람으로 成帝 때 給事黃門郎이 되고 王莽

하지 않으면 도리어 4분의 1이 부족하고, 보충하면 또 도리어 4분의 3이 많다.[72] 예컨대 (司馬光의) 『잠허』[73]의 수數는 5를 쓰는데 다만 요즘의 산가지 놓는 위치와 거의 마찬가지일 뿐이다. 곧은 한 획이 5인데, 그 아래에 수직으로 한 획을 놓으면 6이 되고, 그 아래에 수직으로 두 획을 놓으면 7이 되니, 역시 보충하고 모은 책이다."

[15-8-0-2]

"「先天圖」直是精微, 不起於邵子. 希夷以前元有, 只是秘而不傳. 次第是方士輩所相傳授. 『參同契』中所言亦有些意思."[74]

(주자가 말했다.) "「선천도」는 정말 정밀하고 자세하지만, 강절康節[邵雍]에게서 비롯하지 않았다. 희이希夷[陳摶] 이전에 원래 있었으나 비밀로 하여 전수되지 않았을 뿐이다. 그 차례는 방사方士들이 서로 전수하였다. 『참동계』 가운데서 한 말도 약간의 의미가 있다.[75]"

[15-8-0-3]

黃氏瑞節曰 : "「先天圖」, 與「太極圖」同時而出. 周·邵二子不相聞, 則二圖亦不相通, 此勿論也. 陳瑩中云, '司馬文正與康節同時友善, 而未嘗有一言及先天之學.' 邵伯溫云, '伊川在康節時, 於先天之學非不問, 不語之也.' 卽二先生之論, 則「先天圖」在當時豈猶未甚著耶! 陳

때는 校書天祿閣으로 대부의 반열에 올랐다. 초기에는 형식상 司馬相如를 모방하여 『甘泉』, 『河東』, 『羽獵』, 『長楊』 四賦를 지었으나, 후기에는 『易』을 본떠서 『太玄』을 짓고 『論語』를 본떠서 『法言』을 지었다. 사람의 본성에 대해서는 '性善惡混說'을 주장하였다.

71 『태현』: 서한의 양웅이 『周易』을 모방하여 만든 책이다. 역의 2진법이 아니라 3진법을 사용한다. 1玄, 3方, 9州, 81家, 729贊으로 나뉜다. 3(1·2·3)贊이 4차례 조합하여 81首(역의 64괘에 해당함)를 구성하고, 또한 9(1·1, 1·2, 1·3, 2·1, 2·2, 2·3, 3·1, 3·2, 3·3)贊을 두어 각 찬에 辭(역의 효사에 해당함)를 썼다. 북송 사마광의 『태현경집주』가 유명하다.

72 만약 보충하지 … 많다: 『太玄經』에서, 양웅은 2贊을 1일로 잡고 729찬을 둘로 나누면 364와 2분의 1일밖에 안 되므로, 踦贊(2분의 1일)과 嬴贊(4분의 1일)을 추가로 보태서 그가 생각한 1년 즉 365와 4분의 1일을 채웠다. 그러므로 '보태지 않으면 도리어 4분의 1이 부족하고'는 嬴贊(4분의 1일)을 가리키는 것으로 볼 수 있고, '보충하면 또 도리어 4분의 3이 많다.'는 踦贊(2분의 1일)과 嬴贊(4분의 1일)의 합계를 가리키는 것으로 볼 수 있겠다.

73 『潛虛』: 북송의 사마광이 양웅의 『太玄』을 모방하여 만든 책이다. 5행을 근본으로 하여 5의 제곱인 25로써 『太玄』의 9의 제곱인 81을 변경했다. 1~5(15)는 生數, 25(5×5)는 天數, 6~10(40)은 成數, 55(생수+성수)는 천지의 수, 천수 25×3才=75는 命數, 命數 75에서 虛5한 70을 筮數로 하였다. 역은 64괘, (태)현은 81首, (잠)허는 55名이라고 하며, 역은 6爻, 현은 9贊, 허는 7變이라 한다. 역의 괘는 內外가 있고, 현의 首는 4位가 있으며, 허의 體는 10等이 있다.

74 『朱子語類』 권65, 78조목에는, "「先天圖」直是精微, 不起於康節. 希夷以前元有, 只是秘而不傳. 次第是方士輩所相傳授底. 『參同契』中亦有些意思相似, 與曆不相應."이라고 되어 있다.

75 『參同契』 가운데서 … 있다: 특히 「水火匡郭圖」를 가리킨다.

瑩中云, '先天之學, 以心爲本. 其在『經世書』者, 康節之餘事耳.' 又云, '闡先聖之幽, 微先天之顯, 不在康節之書乎!' 然朱子以前, 表章尊敬此圖者, 了翁爲有見也."

황서절黃瑞節[76]이 말했다. "「선천도」는 「태극도」와 동시에 나왔다. 주돈이와 소옹 두 선생이 서로 만나지 않았으니, 두 그림이 서로 통하지 않는 것도 말할 필요가 없다. 진형중陳瑩中[陳瓘][77]은 '사마문정司馬文正[司馬光]은 강절康節[邵雍]과 동시대에 친근한 사이였으나, 선천학을 한 마디도 언급한 적이 없다.'고 하였다. 소백온邵伯溫[78]은 '이천伊川[程頤]이 소강절에게 머물렀을 때 선천학에 대해 질문하지 않은 것은 아니지만, (소옹은) 선천학을 알려주지 않았다.'[79]고 하였다. 이 두 사람의 주장으로 보면, 「선천도」가 당시에 어찌 그렇게도 저명하지 않았는가! 진형중은 '선천학은 마음을 근본으로 삼는다. 그 『황극경세서』에 있는 내용은 소강절이 부차적으로 한 일일 뿐이다.'고 하였다. (진관은) 또 '앞선 성인의 깊은 뜻을 밝히고, 선천의 두드러진 것을 자세하게 설명한 것이 소강절의 책에 있지 않은가!'[80]라고 하였다. 그렇다면 주자 이전에 이 「선천도」를 드높이고 존경한 사람으로는 요옹了翁[陳瓘]이 안목이 있었다."

[15-8-0-4]

"又按會稽嚴氏譔『先天圖義』, 蓋取先天之「圓圖」分爲二十四, 又取「方圖」分爲二十四. 其說曰, '乾一·兌二·離三·震四·巽五·坎六·艮七·坤八, 大分小分, 內分外分, 橫分直分, 左分右分, 正分斜分, 不差毫釐, 無往不合.' 已撮取入諸書圖類云."

(황서절이 말했다.) "또 내 생각에, 회계 엄씨會稽嚴氏[嚴養晦]는 『선천도의』를 지었는데 「선천원도先天圓圖」를 가지고 24로 나누고, 또 「선천방도先天方圖」를 가지고 24로 나누었다. 그 설명에서, '건1 · 태2 · 리3 · 진4 · 손5 · 감6 · 간7 · 곤8은 크고 작음으로 나누어도, 안 밖으로 나누어도, 가로 세로로 나누어도, 좌우로 나누어도, 곧게 비스듬하게 나누어도 조금도 어긋나지 않으니 어떤 경우에도 맞지 않음이 없다.'고 말했다. 이미 여러 책과 그림들에서 모아 넣었다."

76 黃瑞節 : 자는 觀樂이다. 송 · 원대 安福 사람으로 송대에 泰和州學을 역임했으나, 원대에서는 은거하여 학문에 힘썼다. 주희가 편찬한 『太極解義』, 『通書解』, 『正蒙解』, 『易學啓蒙』, 『가례』, 『律呂新書』, 『皇極經世』에 주석을 가하여 『朱子成書』라는 책을 지었다.

77 陳瓘(1057~1124) : 자는 瑩中이고 자호는 了翁이다. 송대 南劍州(복건성 沙縣) 사람이다. 북송 徽宗 때 左司諫으로 있으면서 직언을 한 것으로 유명하다. 젊어서는 불교를 연구하였고, 특히 화엄경을 좋아하여 자호를 華嚴居士라고 하기도 하였다. 나중에는 『易』을 깊이 연구하여 『了翁易說』 권1을 찬술하였다. 그 밖에 『了齋集』 권42과 『約論』 권17 등의 저술이 있었으나, 대부분 산실되었다.

78 邵伯溫(1057~1134) : 자는 子文이고 송대 洛陽(현 하남성 소속) 사람으로서, 소옹의 아들이다. 철종 때 천거로 특별히 大名府助教를 제수 받고 여러 지방 관직을 역임하였다. 저술로는 『易辨惑』, 『皇極系述』, 『皇極經世序』, 『觀物內外篇解』, 『邵氏聞見錄』, 『辨誣』 등이 있다.

79 邵博(소백온의 아들), 『聞見後錄』 권5

80 이 단락에 나오는 진관의 말은 모두 邵博의 『聞見後錄』 5권에 실려 있는데, 진관이 楊中立과 游定夫에 보낸 答書에 실려 있다고 한다.

[15-8]

天地定位, 山澤通氣, 雷風相薄, 水火不相射, 八卦相錯. 數往者順, 知來者逆. 是故易逆數也.[81]

하늘과 땅이 제 자리를 잡고, 산과 못이 기氣를 통하며, 우레와 바람이 서로 치고, 물과 불이 서로 해치지 않아,[82] 8괘가 서로 섞인다. 지나간 것을 헤아리는 것은 '순응하는 것[順]'이고 올 것을 아는 것은 '예측하는 것[逆]'이다. 그러므로 역은 예측해서 헤아리는 것이다.

[15-9]

雷以動之, 風以散之, 雨以潤之, 日以烜之, 艮以止之, 兌以說之, 乾以君之, 坤以藏之.[83]

우레로 만물을 진동시키고, 바람으로 만물을 흩트리며, 비로 만물을 적시게 하고, 해로 만물을 건조시키며, 간艮[산]으로 만물을 멈추게 하고, 태兌[못]로 만물을 기쁘게 하며, 건乾[하늘]으로 만물에 군림하고, 곤坤[땅]으로 만물을 저장한다.

[15-9-1]

邵子曰 : "此一節明伏義八卦也. '八卦相錯'者, 明交相錯而成六十四也. '數往者順', 若順天而行, 是左旋也. 皆已生之卦也, 故云'數往'也. '知來者逆', 若逆天而行, 是右行也. 皆未生之卦也, 故云'知來'也. 夫『易』之數, 由逆而成矣. 此一節直解「圖」意, 若逆知四時之謂也."[84]

소자邵子[邵雍]가 말했다. "이 구절은 복희의 8괘를 밝혔다. '8괘가 서로 교착한다.'는 것은 서로 교착해서 64괘를 이룸을 밝힌 것이다. '지나간 것을 세는 것은 순응하는 것이다.'라는 것은 하늘에 순응해서 운행하는 것과 같으니, 좌선左旋하는 것이다. 모두 이미 생겨난 괘이므로 '지나간 것을 헤아린다.'고 말했다. '올 것을 아는 것은 예측하는 것이다.'라는 것은 하늘에 거역해서 운행하는 것과 같으니, 우행右行하는 것이다. 모두 아직 생겨나지 않은 괘이므로 '올 것을 안다.'고 말했다. 『역』의 헤아림은 예측하는 것으로부터 이루어진다. 이 구절은 「선천도」의 의미를 직접 해석한 것이니, 사계절을 예측해서 아는 것과 같은 것을 말한다."

<以「橫圖」觀之, 有乾一而後有兌二, 有兌二而後有離三, 有離三而後有震四, 有震四而巽五·坎六·艮七·坤八, 亦以次而生焉. 此『易』之所以成也. 而「圓圖」之左方, 自震之初爲冬至,

81 『易』「說卦傳」 3장

82 물과 불이 … 않아 : 『朱子語類』 권77, 42조목에서, "問 : '射, 或音石, 或音亦, 孰是?' 曰 : '音石. 水火與風雷 · 山澤不相類, 本是相剋底物事, 今卻相應而不相害.' 問 : '若以不相厭射而言, 則與上文通氣 · 相薄之文相類, 不知如何?' 曰 : 不相射, 乃下文不相悖之意, 不相悖, 乃不相害也. 水火本相害之物, 便如未濟之水火, 亦是中間有物隔之; 若無物隔之, 則相害矣. 此乃以其不害, 而明其相應也."라고 하였다.

83 『易』「說卦傳」 4장

84 소옹, 『皇極經世書』 권13 「觀物外篇上」

離·兌之中爲春分，以至於乾之末而交夏至焉，皆進而得其已生之卦，猶自今日而追數昨日也. 故曰‘數往者順.’ 其右方自巽之初爲夏至，坎·艮之中爲秋分，以至於坤之末而交冬至焉，皆進而得其未生之卦，猶自今日而逆計來日也. 故曰‘知來者逆.’ 然本『易』之所以成，則其先後始終，如「橫圖」及「圓圖」右方之序而已. 故曰‘易逆數也.’>

〈「횡도」로 보면 건1이 있은 다음에 태2가 있고, 태2가 있은 다음에 리3이 있으며, 리3이 있은 다음에 진4가 있고, 진4가 있고서 손5 · 감6 · 간7 · 곤8이 역시 차례대로 생겨난다. 이것이 『역』이 이루어지는 것이다. 그러나 「원도」의 왼쪽에서 진괘의 처음이 동지가 되는 것으로부터 리괘 · 태괘의 중간이 춘분이 되어 건괘의 끝에서 하지로 교체하는데 이르기까지는, 모두 나아가서 이미 생겨난 괘를 얻는 것이니 마치 오늘로부터 어제를 좇아서 세는 것과 같다. 그러므로 ‘지나간 것을 세는 것은 순응하는 것이다.’라고 말했다. 그 오른쪽에서 손괘의 처음이 하지가 되는 것으로부터 감괘 · 간괘의 중간이 추분이 되어 곤괘의 끝에서 동지로 교체하는데 이르기까지는, 모두 나아가서 아직 생겨나지 않은 괘를 얻는 것이니 마치 오늘로부터 내일을 예측해서 헤아리는 것과 같다. 그러므로 ‘올 것을 아는 것은 예측하는 것이다.’라고 말했다. 그러나 본래 『역』이 이루어지는 것은 그 선후와 시종始終이 「횡도」 전체의 순서 및 「원도」의 오른쪽의 순서와 같을 따름이다. 그러므로 ‘역은 예측해서 헤아리는 것이다.’라고 말했다.〉

[15-9-1-1]

朱子曰：“若自乾一橫排至坤八，此則全是自然. 故「說卦」云，‘易逆數也.’ 皆自已生以得未生之卦. 若如「圓圖」則須如此，方見陰陽消長次第. 震一陽，離·兌二陽，乾三陽，巽一陰，坎·艮二陰，坤三陰. 雖似稍涉安排，然亦莫非自然之理. 自冬至至夏至爲順，蓋與前逆數者相反. 皆自未生而反得已生之卦.> 自夏至至冬至爲逆，蓋與前‘逆數’者同. 其左右與今天文說左右不同，蓋從中而分，其初若有左右之勢爾. 自北而東爲左，自南而西爲右.”[85]

주자가 말했다. “만약 건1로부터 가로로 배열하여 곤8에까지 이르면, 이것은 전적으로 자연스러운 것이다. 그러므로 「설괘전」에서 ‘역은 예측해서 헤아리는 것이다.’라고 하였다. 모두 이미 생겨난 괘로부터 아직 생겨나지 않은 괘를 얻는다. 「원도」같으면 반드시 이와 같아야만 비로소 음과 양의 줄어들고 불어남의 차례를 볼 수 있다. 진괘는 양이 하나이고 리괘와 태괘는 양이 두 개이며, 건괘는 양이 세 개이다. 손괘는 음이 하나이고 감괘와 간괘는 음이 두 개이며, 곤괘는 음이 세 개이다. 비록 조금 안배한 것 같지만 역시 자연스러운 이치가 아님이 없다. 동지에서부터 하지에 이르는 것은 순응하는 것이니, 앞의 예측해서 헤아리는 것과는 서로 반대이다. 모두 아직 생겨나지 않은 괘로부터 거꾸로 이미 생겨난 괘를 얻는다. 하지에서부터 동지에 이르는 것은 예측하는 것이니, 앞의 ‘예측해서 헤아리는 것’과 같다. 그 왼쪽 · 오른쪽은 지금 천문학자들이 말하는 왼쪽 · 오른쪽과 같지 않으니, 가운데로부터 나누어 애초에 마치 왼쪽 · 오른쪽의 형세가 있는 것 같을 따름이다. 북쪽에서부터 동쪽은 왼쪽이 되고, 남쪽에

85 『朱子語類』 권65, 61조목

서부터 서쪽은 오른쪽이 된다."

[15-9-1-2]

潛室陳氏曰 : "「卦圖」始生, 只如「橫圖」自乾一至坤八, 六十四卦皆用一倍法, 兩兩生去. 雖未生出, 數可逆加, 故曰, '『易』逆數也.' 若交一轉過而爲「圓圖」, 却從中間數去, 不從乾一數而從震四數, 自震至乾皆得其已生之卦. 卦本從乾生至震, 今却從震數至乾, 是數往也. 旣交乾後, 自巽至坤, 這一半是元生次序, 仍是未生之卦, 故言, '知來者逆.' 謂正合「圖」本生法, 可逆數而知也."[86]

잠실 진씨潛室陳氏[陳埴]가 말했다. "「괘도」가 처음 생길 때는 마치 「횡도」가 건1에서부터 곤8에 이르는 것 같을 뿐이니, 64괘는 모두 배로 하는 방법을 써서 두 배로 하고 두 배로 하여 생겨났다. 비록 아직 생겨나오지 않았지만 수數는 예측해서 보탤 수 있으므로 '『역』은 예측해서 헤아리는 것이다.'라고 하였다. 만약 교착하면서 한 바퀴 돌아서 「원도」가 되면 도리어 중간에서부터 세어가니, 건1로부터 세지 않고 진4로부터 세어서, 진괘로부터 건괘에 이르기까지는 모두 이미 생겨난 괘를 얻는다. 괘는 본래 건괘로부터 생겨나서 진괘에 이르는데, 지금은 도리어 진괘로부터 세어서 건괘에 이르니, 이것이 지나간 것을 헤아린다는 것이다. 이미 건괘와 교착한 다음에 손괘로부터 곤괘에 이르는 이 절반은 원래 생겨나는 차례이지만, 여전히 아직 생겨나지 않은 괘이므로 '올 것을 아는 것은 예측하는 것이다.'라고 말했다. 이것은 「횡도」가 본래 생겨나는 방법에 꼭 들어맞는 것을 예측해 헤아려서 알 수 있다는 것을 말한다."

[15-9-1-3]

玉齋胡氏曰 : "邵子云, '『易』之數由逆而成, 若逆知四時之謂也', 此論「橫圖」之序. 自乾至坤, 皆未生之卦也. 所謂未生者, 自卦之未畫者推之.

옥재 호씨玉齋胡氏[胡方平]가 말했다. "소자邵子[邵雍]는 '『역』의 헤아림은 예측하는 것으로부터 이루어지니, 사계절을 예측해서 아는 것과 같다는 것을 말한다.'라고 하였는데, 이것은 「횡도」의 순서를 논한 것이다. 건괘로부터 곤괘에 이르기까지는 모두 아직 생겨나지 않은 괘이다. 이른바 아직 생겨나지 않았다는 것은 괘가 아직 그어지지 않은 것으로부터 미루어보는 것이다.

蓋太陽未交以前, 乾未生也. 自其上生一奇則爲乾, 而兌猶未生也. 然其生之勢不容已, 不必太陽上生一偶, 方知其爲兌. 已可卽乾而逆推兌於未生之前, 知其必爲兌矣.

86 陳埴, 『木鍾集』 권4 「易」에는, "「卦圖」始生, 只如「橫圖」自乾一至坤八, 六十四卦皆用一倍法, 兩兩生去. 雖未生出, 數可逆加, 故曰, '『易』逆數也.' 若交一轉過而交爲「圓圖」, 却從中間數去, 不從乾一數而從震四數, 自震至乾皆得其已生之卦. 〈卦本從乾生至震, 今却從震數至乾, 是數往也.〉 旣交乾後, 自巽至坤, 這一半是元生次序, 仍是未生之卦, 故言, '知來者逆.' 謂正合「圖」本生法, 可逆數而知也. 〈先生嘗曰, '『易』有十義, 看卦象 · 卦德 · 卦位 · 卦時 · 卦義 · 卦變, 看爻比應承乘.'〉"이라고 되어 있다.

태양이 아직 교착交錯하기 전에 건괘는 아직 생겨나지 않았다. 그 위에 하나의 홀⚊이 생겨나면 건괘가 되지만, 태괘는 여전히 아직 생겨나지 않았다. 그러나 그 생겨나는 형세는 그치지 않으니, 반드시 태양 위에 하나의 짝⚋이 생겨나야 비로소 그것이 태괘가 된다는 것을 알게 되는 것이 아니다. 이미 건괘에서 아직 생겨나지 않은 태괘를 예측하여 그것이 반드시 태괘가 될 것임을 알 수 있다.

少陰未交以前，離猶未生也．自其上生一奇則爲離，而震猶未生也．然其生之勢亦不容已，不必少陰上生一偶，方知其爲震．已可卽離而逆推震於未生之前，知其必爲震矣．
소음이 아직 교착하기 전에 리괘는 아직 생겨나지 않았다. 그 위에 하나의 홀⚊이 생겨나면 리괘가 되지만, 진괘는 여전히 아직 생겨나지 않았다. 그러나 그 생겨나는 형세는 역시 그치지 않으니, 반드시 소음 위에 하나의 짝⚋이 생겨나야 비로소 그것이 진괘가 된다는 것을 알게 되는 것이 아니다. 이미 리괘에서 아직 생겨나지 않은 진괘를 예측하여 그것이 반드시 진괘가 될 것임을 알 수 있다.

自巽五至坤八，其所推者亦然．如自春而推夏，知春之後必爲夏，自夏而推秋，知夏之後必爲秋，自秋而推冬，知秋之後必爲冬．所謂‘若逆知四時之謂者’，此也．
손5부터 곤8까지 미루어 보는 것도 역시 그러하다. 예컨대 봄으로부터 여름을 미루어 보아서 봄 다음에 반드시 여름이 될 것임을 알고, 여름으로부터 가을을 미루어 보아서 여름 다음에 반드시 가을이 될 것임을 알며, 가을로부터 겨울을 미루어 보아서 가을 다음에 반드시 겨울이 될 것임을 안다. 이른바 ‘사계절을 예측하여 아는 것과 같다는 것을 말한다.’라는 것이 이것이다.

邵子據經文解釋，則先「圓圖」而後及于「橫圖」．朱子釋邵子之說，則先自「橫圖」而論者，誠以「橫圖」可以見卦畫之立，「圓圖」可以見卦氣之行．所謂「圓圖」者，其實卽「橫圖」規而圓之耳．
소자邵子[邵雍]가 경전의 글에 근거하여 해석한 것은 「원도」를 먼저 하고 나중에 「횡도」에 미친다. 그러나 주자가 소자의 이론을 해석한 것은 먼저 「횡도」로부터 논의하였으니, 진실로 「횡도」로써 괘의 획이 정립되는 것을 볼 수 있고, 「원도」로써 괘의 기운이 운행하는 것을 볼 수 있다. 이른바 「원도」란 사실 「횡도」를 둥글게 돌려서 원으로 한 것일 따름이다.

朱子嘗「答葉永卿」云，‘「先天圖」須先將六十四卦畫作一「橫圖」，則震·巽·復·姤正在中間，先自震·復而却行以至於乾，乃自巽·姤而順行以至於坤，便成「圓圖」．而春夏秋冬，晦朔弦望，晝夜昏旦，皆有次第，此作「圖」之大旨也．’
주자는 「섭영경(주자 문인)에게 답함」에서, ‘「선천도」는 반드시 64괘획을 가지고 먼저 「횡도」를 만들었으니, (8괘 가운데) 진괘☳ · 손괘☴와 (64괘 가운데) 복괘䷗ㆍ구괘䷫가 정중앙에 있다. 먼저 진괘와 복괘로부터 역행하여 건괘에 이르고, 이에 손괘와 구괘로부터 순행하여 곤괘에 이르러 「원도」

를 이룬다. (한 해의) 봄 · 여름 · 가을 · 겨울과 (한 달의) 그믐 · 초승 · 상하현 · 보름과 (하루의) 밤 · 낮 · 저녁 · 새벽이 모두 차례가 있으니, 이것이 「선천도」를 지은 요지이다.'[87]라고 하였다.

'數往'·'知來'之說, 大抵以卦畫之已生者爲往, 未生者爲來, 亦當先以「橫圖」觀之, 而後其義可見. 「橫圖」之前一截列於「圓圖」之左方者, 乾一·兌二·離三·震四, 而運行之序, 則始於震. 旣有震矣, 則乾·兌·離之已生者可見. 由是自震之初爲冬至, 離·兌之中爲春分, 以至乾之末而交夏至焉, 是皆進而得其已生之卦也. 天道左旋, 此四卦旋於方之左, 若順天而行, 所以數之者, 豈不如今日追數昨日之順而易乎!

'지나간 것을 헤아린다.'와 '올 것을 안다.'는 말에서, 대개 이미 생겨난 괘획을 지나간 것이라 하고 아직 생겨나지 않은 괘획을 올 것이라 하니, 또한 먼저 「횡도」로써 본 다음에야 그 뜻을 알 수 있다. 「횡도」의 앞 절반을 「원도」의 왼쪽에 배열된 것이 건1 · 태2 · 리3 · 진4이고 운행의 순서는 진괘에서 시작한다. 이미 진괘가 있으면 건괘 · 태괘 · 리괘가 이미 생겨났음을 알 수 있다. 이로 말미암아 진괘의 처음이 동지가 되는 것으로부터 리괘와 태괘의 중간이 춘분이 되어 건괘의 끝에 이르러 하지로 교체하는데, 이것은 모두 나아가서 그 이미 생겨난 괘를 얻는 것이다. 하늘의 운행궤도는 왼쪽으로 돌고 이 네 괘가 왼쪽에서 도는 것이 마치 하늘의 운행 궤도를 순응해서 운행하는 것 같으므로, 그것을 헤아리는 것이 어찌 오늘에서 어제를 미루어 헤아리는 것 같이 순조롭고 쉽지 않겠는가!

「橫圖」之後一截列於「圓圖」之右方者, 巽五·坎六·艮七·坤八, 而運行之序則始於巽. 方其有巽, 則坎·艮·坤之未生亦可見. 由是自巽之初爲夏至, 坎·艮之中爲秋分, 以至坤之末而交冬至焉, 是皆進而得其未生之卦也. 天道非右行, 此四卦行於方之右, 若逆天而行, 所以知之者, 豈不如今日逆計來日之難乎! 要之'數往'·'知來'之說, 以陰陽之節侯次第觀之, 皆自微而至著, 以人之推測言之, 亦因微而識著. 何則? 震·巽本同居「橫圖」之中.

「횡도」의 뒤 절반을 「원도」의 오른쪽에 배열된 것이 손5 · 감6 · 간7 · 곤8이고 운행의 순서는 손괘에서 시작한다. 이제 막 손괘가 있으면 감괘 · 간괘 · 곤괘가 아직 생겨나지 않았음도 알 수 있다. 이로 말미암아 손괘의 처음이 하지가 되는 것으로부터 감괘와 간괘의 중간이 추분이 되어 곤괘의 끝에 이르러 동지로 교체하는데, 이것은 모두 나아가서 그 아직 생겨나지 않은 괘를 얻는 것이다. 하늘의 운행궤도는 오른쪽으로 운행하는 것이 아닌데 이 네 괘가 오른쪽에서 운행하는 것은 마치 하늘의 운행궤도를 예측해서 운행하는 것 같으므로, 그것을 아는 것이 어찌 오늘에서 내일을 예측해서 헤아리는 것 같이 어렵지 않겠는가! 요컨대 '지나간 것을 헤아린다.'와 '올 것을 안다.'는 말은, 음양의 절후節侯차례로 살피면 모두 은미함으로부터 현저함에 이르며, 사람의 추측으로 말해도 역시 은미함에 근거해서 현저함을 안다는 것이다. 왜 그러한가? 진괘와 손괘가 본래 「횡도」의 가운데에 함께

87 『朱文公文集』 권52 「答葉永卿」

자리 잡고 있기 때문이다.

今以「橫圖」中分而爲「圓圖」, 則震乃居「圓圖」之北, 爲陽之始, 巽乃居「圓圖」之南, 爲陰之始. 各相對望而不復同處其中, 此陰陽之逆順, 自復·姤而始, 其勢已於微而判矣. 況曰數曰知, 皆是就人而言, 亦皆是各據震·巽地頭而論! 以此求之, 則往來·順逆之旨, 居然可見矣.
이제 「횡도」를 가운데에서 나누어 「원도」를 만들면, 진괘☳는 「원도」의 북쪽에 자리하여 양의 시작이 되고, 손괘☴는 「원도」의 남쪽에 자리하여 음의 시작이 된다. 각각 서로 마주 보고 있어서 다시는 그 가운데에 함께 자리하지 않으니, 이것은 양의 순응함과 음의 예측함이 복괘䷗와 구괘䷫로부터 시작하여 그 형세가 이미 미세한 곳에서조차 판연判然하다. 하물며 '헤아린다.'고 하고 '안다.'고 하는 것은 모두 사람의 입장에서 말하는 것이고, 또한 모두 각각 진괘와 손괘의 위치에 의거하여 논의하는 것이니 어떻겠는가! 이것으로 추구하면 지나간 것과 올 것, 예측함과 순응함의 의미는 확연히 알 수 있을 것이다.

若論其初, 則『易』畫之所以成, 其先後始終, 不過如「橫圖」之始乾終坤, 及「圓圖」右方自巽至坤之序而已, 是皆以逆而成也. 故曰, '此一節直解「圖」意, 若逆知四時之謂也.'"[88]
만약 그 처음을 논한다면, 『역』의 획이 이루어짐은 그 선후와 시종始終이 예컨대 「횡도」가 건괘로 시작하여 곤괘로 끝나는 것과 「원도」의 오른쪽이 손괘로부터 곤괘에 이르는 순서와 같은 것에 지나지 않을 뿐이니, 이것은 모두 예측해서 이루어졌다. 그러므로 '이 구절은 「선천도」의 의미를 직접 해석한 것이니, 사계절을 예측해 아는 것과 같다는 것을 말한다.'라고 하였다."

[15-9-1-4]

"嘗因卲子'子半之說'推之, 以卦分配節侯, 復爲冬至子之半; 頤·屯·益, 爲小寒丑之初; 震·噬嗑·隨, 爲大寒丑之半; 无妄·明夷, 爲立春寅之初; 賁·旣濟·家人, 爲雨水寅之半; 豊·離·革, 爲驚蟄卯之初; 同人·臨, 爲, 春分卯之半; 損·節·中孚, 爲淸明辰之初; 歸妹·睽·兌, 爲穀雨辰之半; 履·泰, 爲立夏巳之初; 大畜·需·小畜, 爲小滿巳之半; 大壯·大有·夬, 爲芒種午之初; 至乾之末交夏至午之半焉. 此三十二卦, 皆進而得夫震·離·兌·乾, 已生之卦也.
(옥재 호씨가 말했다.) "소자卲子[卲雍]의 '자반子半의 이론'에 따라 미루어서 괘를 절후節侯에 분배해 보았는데, 복괘䷗는 동지이면서 자子의 반半이 되고, 이괘䷚ · 둔괘䷂ · 익괘䷩는 소한이면서 축丑의 초初가 되며, 진괘䷲ · 서합괘䷔ · 수괘䷐는 대한이면서 축丑의 반半이 되고, 무망괘䷘ · 명이괘䷣는 입춘이면서 인寅의 초가 되며, 비괘䷕ · 기제괘䷾ · 가인괘䷤는 우수이면서 인寅의 반이 되고, 풍괘䷶ · 리괘䷝ · 혁괘䷰는 경칩이면서 묘卯의 초가 되며, 동인괘䷌ · 임괘䷒는 춘분이면서 묘卯의 반이 되며, 손괘䷨ · 절괘䷻ · 중부괘䷼는 청명이면서 진辰의 초가 되고, 귀매괘䷵ · 규괘䷥ · 태괘䷹는 곡우이면서

88 호방평, 『易學啟蒙通釋』 권上 「原卦畫」 제2

진辰의 반이 되며, 리괘 · 태괘는 입하이면서 사巳의 초가 되고, 대축괘 · 수괘 · 소축괘는 소만이면서 사巳의 반이 되며, 대장괘 · 대유괘 · 쾌괘는 망종이면서 오午의 초가 되고, 건괘의 끝에 이르러 하지로 교체하면서 오午의 반이 된다. 이 32괘는 모두 나아가 진괘 · 리괘 · 태괘 · 건괘를 얻으니 이미 생겨난 괘이다.

姤爲春分(夏至)[89]午之半; 大過·鼎·恒, 爲小暑未之初; 巽·井·蠱, 爲大暑未之半; 升·訟, 爲立秋申之初; 困·未濟·解, 爲處暑申之半; 渙·坎·蒙, 爲白露酉之初; 師·遯, 爲秋分酉之半; 咸·旅·小過, 爲寒露戌之初; 蹇·漸·艮, 爲霜降戌之半; 謙·否, 爲立冬亥之初; 萃·晉·豫, 爲小雪亥之半; 觀·比·剝, 爲大雪子之初; 至坤之末爲冬至子之半焉. 此三十二卦, 皆進而得夫巽·坎·艮·坤, 未生之卦也.

구괘는 하지이면서 오午의 반이 되고, 대과괘 · 정괘 · 항괘는 소서이면서 미未의 초가 되며, 손괘 · 정괘 · 고괘는 대서이면서 미未의 반이 되고, 승괘 · 송괘는 입추이면서 신申의 초가 되며, 곤괘 · 미제괘 · 해괘는 처서이면서 신申의 반이 되고, 환괘 · 감괘 · 몽괘는 백로이면서 유酉의 초가 되며, 사괘 · 둔괘는 추분이면서 유酉의 반이 되고, 함괘 · 여괘 · 소과괘는 한로이면서 술: 戌의 초가 되며, 건괘 · 점괘 · 간괘는 상강이면서 술戌의 반이 되고, 겸괘 · 비괘는 입동이면서 해亥의 초가 되고, 췌괘 · 진괘 · 예괘는 소설이면서 해亥의 반이 되며, 관괘 · 비괘 · 박괘는 대설이면서 자子의 초가 되고, 곤괘의 끝에 이르러 동지로 교체하면서 자子의 반이 된다. 이 32괘는 모두 나아가 손괘 · 감괘 · 간괘 · 곤괘를 얻으니 아직 생겨나지 않은 괘이다.

二分, 二至, 四立, 總爲八節, 每節各計兩卦. 如坤·復, 爲冬至, 无妄·明夷爲立春, 同人·臨, 爲春分之類是也. 如十六氣, 每氣各計三卦. 如頤·屯·益, 爲小寒, 至觀·比·剝, 爲大雪之類是也. 八節計十六卦, 十六氣計四十八卦, 合之爲六十四卦. 此以卦配氣者然也."[90]

2개의 분分(춘분 · 추분)과 2개의 지至(하지 · 동지)와 4개의 입立(입춘 · 입하 · 입추 · 입동)이 총계 8개의 절節[91]이 되고, 매 절은 각각 두 괘씩으로 계산한다. 예컨대 곤괘와 복괘가 동지가 되고, 무망괘와 명이괘가 입춘이 되며, 동인괘와 임괘가 춘분이 되는 따위가 이것이다. 16개의 기氣[92] 같으면, 매 기는 각각 세 괘 씩으로 계산한다. 예컨대 이괘 · 둔괘 · 익괘가 소한이 되고, 관괘 · 비괘 · 박괘에 이르러 대설이 되는 것 따위가 이것이다. 8개의 절은 16개의 괘로 계산되고, 16개의 기는 48개의 괘로 계산되어, 합계가 64괘가 된다. 이것은 괘를 기후[氣]에 배당한 것이 그렇다는

89 姤爲春分(夏至) : 『性理大全』에는 '春分'으로 되어 있지만, 호방평의 『易學啟蒙通釋』 권上 「原卦畫」 제2에 의거하여 '夏至'로 바로잡는다. 李滉의 『啓蒙傳疑』「原卦畫」 제2에서도 '春分'을 '夏至'로 바로잡았다.
90 호방평, 『易學啟蒙通釋』 권上 「原卦畫」 제2
91 節 : '節氣'의 '節'로서 '큰 마디'를 의미한다.
92 氣 : '節氣'의 '氣'로서 '기후 변화'를 의미한다.

것이다."

[15-9-1-5]

"又按周謨問, '先天卦氣相接皆是左旋, 蓋乾接以巽初, 姤卦便是一陰生; 坤接以巽(震)[93]初, 復卦便是一陽生. 自復卦一陽生十一月, 盡震四·離三一十六卦, 然後得臨卦十二月. 又盡兌二凡八卦, 然後得泰卦正月. 又隔四卦得大壯二月, 又隔大有一卦得夬三月. 夬接乾, 乾接姤, 自姤卦一陰生五月, 盡巽五·坎六一十六卦, 然後得遯卦六月. 又盡艮七凡八卦, 然後得否卦七月. 又隔四卦得觀八月, 又隔比一卦得剝九月. 剝接坤十月, 坤接復, 周而復始, 循環无端.

(옥재 호씨가 말했다.) "또 나는 다음과 같이 생각한다. 주모周謨[94]가 물었다. '선천의 괘기[95]는 서로 붙어서 모두 왼쪽으로 도니, 건괘☰가 손괘☴의 처음에 붙어서 구괘䷫에 곧 하나의 음이 생겨나고, 곤괘☷가 진괘☳의 처음에 붙어서 복괘䷗에 곧 하나의 양이 생겨납니다. 복괘의 하나의 양이 생기는 것11월에서부터 진4 · 리3의 16개 괘를 다한 다음에 임괘䷒12월를 얻습니다. 또 태2의 8개 괘를 다한 다음에 태괘䷊정월를 얻습니다. 또 4개의 괘를 사이를 두어서 대장괘䷡2월를 얻고, 또 대유괘䷍를 사이를 두어서 쾌괘䷪3월를 얻습니다. 쾌괘는 건괘에 붙어있고 건괘는 구괘에 붙어있으며, 구괘의 하나의 음이 생기는 것5월에서부터 손5 · 감6의 16개 괘를 다한 다음에 둔괘䷠6월를 얻습니다. 또 간7의 8개 괘를 다한 다음에 비괘䷋7월를 얻습니다. 또 4개의 괘를 사이를 두어서 관괘䷓8월를 얻고, 또 비괘䷇를 사이를 두어서 박괘䷖9월를 얻습니다. 박괘는 곤괘䷁10월에 붙어있고 곤괘는 복괘에 붙어있으며, 한 바퀴 돌아서 복괘가 시작하니 순환이 끝이 없습니다.

卦氣左旋, 而一歲十二月之卦皆得其序. 但陰陽初生, 各歷十六卦而後一月, 又歷八卦再得一月. 至陰陽將極處, 只歷四卦爲一月, 又歷一卦, 遂一併三卦相接. 其初如此之疎, 其末如此之密, 此陰陽盈縮當然之理歟!

괘기는 왼쪽으로 돌아서 한 해 12달의 괘가 모두 그 순서를 얻습니다. 그러나 음 · 양이 처음 생길 때는 각각 16개의 괘를 거친 다음에 한 달이 되고, 또 8개의 괘를 거친 다음에 다시 한 달을 얻습니

93 坤接以巽(震)初 : 『性理大全』에는 '巽'으로 되어 있지만, 호방평의 『易學啟蒙通釋』 권上 「原卦畫」 제2에 의거하여 '震'으로 바로잡는다. 『朱子語類』에는 '巽初'가 '震末'로 되어 있다. 이황의 『啓蒙傳疑』「原卦畫」 제2에서도 '巽'을 '震'으로 바로잡았다.

94 周謨(1141~1202) : 자는 舜弼이다. 송대 建陽(현 복건성 소속) 사람이다. 주희가 남강군 지사로 있을 때 제자가 되어, 武夷 · 臨漳 등 주희의 任所를 따라 다니며 열심히 학문을 익혔다. 주희가 죽었을 때 위학의 엄금이 심했는데도 장례식에 참여하였다.

95 卦氣 : 64괘를 四時 · 月令 · 氣候 등에 서로 배치하는 방법을 말한다. 文王이 易을 序하여 坎 · 離 · 震 · 兌를 四時卦로 하고, 復에서부터 乾에 이르고, 姤에서부터 坤에 이르는 12괘를 열두 달 消息卦로 했다. 한대 유학자 京房 등은 나머지 48괘를 열두 달에 배치하여 매월의 4괘와 消息卦 한 괘를 합쳐 5괘, 합계 30爻를 한 달의 날수에 배당하고, 다시 매월의 5괘를 군신들의 位階에 배치하였다.

다. 음·양의 교착이 정점에 달하는 곳에 이르러서는 다만 4개의 괘를 거쳐 한 달이 되고, 또 1개의 괘를 거쳐 (한 달이 되며) 마침내 다 같이 3개의 괘가 서로 붙어서 (한 달이) 됩니다. 그 처음은 이처럼 드문드문하고 그 끝은 이처럼 빽빽하니, 이것은 음·양이 가득차고 수축하는 당연한 이치입니다!

然此「圖」於復卦之下, 書曰, 「冬至子中」, 於姤卦之下, 書曰, 「夏至午中.」 此固无可疑者. 獨於臨卦之下, 書曰, 「春分卯中」, 則臨卦本爲十二月之卦, 而春分合在泰卦之下. 於遯卦之下, 書曰, 「秋分酉中」, 則遯卦本爲六月之卦, 而秋分合在否卦之下. 是固有不可曉者.'
그런데 이 「선천도」는 복괘䷗䷗ 아래에 「동지는 자子의 가운데이다.」라고 썼고, 구괘䷫ 아래에는 「하지는 오午의 가운데이다.」라고 썼으니, 이는 진실로 의심할 것이 없습니다. 다만 임괘䷒䷒ 아래에 「춘분은 묘卯의 가운데이다.」라고 썼는데, 임괘는 본래 12월의 괘이니 춘분은 마땅히 태괘䷊ 아래에 있어야 합니다. 그리고 둔괘䷠ 아래에 「추분은 유酉의 가운데이다.」라고 썼는데, 둔괘는 본래 6월의 괘이니 추분은 마땅히 비괘䷋ 아래에 있어야 합니다. 이것은 참으로 이해할 수 없는 점이 있습니다.'

朱子答云, '伏羲『易』, 自是伏儀說話; 文王『易』, 自是文王說話, 固不可交互求合. 所看先天卦氣盈縮極子細, 某亦嘗如此理會來而未得其說. 陰陽初生, 其氣中固緩. 然不應如此之疎, 其後又却如此之密. 大抵此「圖」布置, 皆出乎自然, 不應无說, 當更思之.'[96]
주자가 대답했다. '복희의 『역』은 당연히 복희의 말이고, 문왕의 『역』은 당연히 문왕의 말이니, 본래 서로 간에 합치됨을 추구할 수 없다. 그대가 선천 괘기의 가득 차고 수축함을 지극히 자세히 봤는데, 나도 이와 같이 이해해 왔으나 그 이론을 이해할 수 없었다. 음·양이 처음 생길 때 그 기는 본래

96 『朱子語類』 권65, 84조목 참조. 問: "「先天圖」卦位, 自乾一·兌二·離三右行, 至震四住; 揭起巽五作左行, 坎六·艮七至坤八住, 接震四. 觀卦氣相接, 皆是左旋. 蓋乾是老陽, 接巽末姤卦, 便是一陰生; 坤是老陰, 接震末復卦, 便是一陽生. 自復卦一陽生, 盡震四·離三, 一十六卦, 然後得臨卦; 又盡兌二, 凡八卦, 然後得泰卦; 又隔四卦得大壯; 又隔大有一卦, 得夬; 夬卦接乾, 乾卦接姤. 自姤卦一陰生, 盡巽五·坎六, 一十六卦, 然後得遯卦; 又盡艮七, 凡八卦, 然後得否; 又隔四卦得觀; 又隔比一卦得剝, 剝卦接坤, 坤接復. 周而復始, 循環無端. 卦氣左旋, 而一歲十二月之卦皆有其序. 但陰陽初生, 各歷十六卦而後爲一月, 又歷八卦, 再得一月. 至陰陽將極處, 只歷四卦爲一月, 又歷一卦, 遂一併三卦相接. 其初如此之疏, 其末如此之密, 此陰陽贏縮當然之理歟! 然此「圖」於復卦之下, 書曰, '冬至子中.' 於姤卦之下, 書曰, '夏至午中.' 此固無可疑者. 獨於臨卦之下, 書曰, '春分卯中', 則臨卦本爲十二月之卦, 而春分合在泰卦之下. 又於遯卦之下, 書曰, '秋分酉中', 則遯卦本爲六月之卦, 而秋分合在否卦之下. 昨侍坐復庵, 聞王講書所說卦氣之論, 皆世俗淺近之語, 初無義理可推. 竊意此「圖」'春分卯中'·'秋分酉中'字, 或恐後人誤隨世俗卦氣之論, 遂差其次, 卻與文王卦位相合矣. 不然, 則離·兌之間所以爲春, 坎·艮之間所以爲秋者, 必當別有其說?"
曰: "伏羲『易』自是伏羲說話, 文王『易』自是文王說話, 固不可以交互求合. 所看先天卦氣贏縮極仔細, 某亦嘗如此理會來, 尙未得其說. 陰陽初生, 其氣固緩, 然不應如此之疏, 其後又卻如此之密. 大抵此「圖」布置, 皆出乎自然, 不應無說, 當更共思之."

느슨하다. 그러나 이처럼 드문드문하다가 나중에는 또 도리어 이처럼 빽빽해서는 안 된다. 대개 이 「선천도」의 배치는 모두 저절로 그러한 것에서 나왔으나, 설명이 없어서는 안 되니 다시 생각해야 할 것이다.'

愚謂前說以復爲冬至子半推之, 凡二十四氣, 在諸卦皆各有所屬. 此朱子所謂'伏羲說話'也. 周謨所問十二月卦氣不同, 朱子所謂'自是文王說話', '不可交互求合也.'
又嘗曰, '「先天圖」八卦各自爲一節, 不論月氣先後.'[97] 斯言盡之矣, 尙何疑之有!
나胡方平는 다음과 같이 생각한다. 앞의 설명에서 복괘가 동지이면서 자子의 반半이 되는 것으로 미루어보면, 24절기는 모든 괘에 모두 각각 소속됨이 있다. 이것이 주자의 이른바 '복희의 말'이다. 주모周謨가 질문한 12월의 괘기가 같지 않은 것은 주자의 이른바 '당연히 문왕의 말'이니, '서로 간에 합치됨을 추구할 수 없다.'는 것이다.
또 (주자는) '「선천도」의 8개 괘는 각자 한 절節이 되니, 월기月氣의 선후를 논하지 않는다.'라고 말한 적이 있다. 이 말은 그 내용을 극진히 설명했으니 또 무슨 의문이 있겠는가!

但朱子謂卦氣盈縮不應无說, 愚嘗反覆思之, 竊謂先卽內八卦以推十二月之卦, 獨坎·離各八卦无預于月分者, 坎第三畫陰在陽上, 離第三畫陽在陰上, 非陰陽之以次第而生者, 故不可當月分. 若夫震·巽, 陰陽之初生者也, 一陽一陰在下, 故各八卦當十一月與五月. 艮·兌, 陰陽之浸長者也, 二陽二陰在下, 故各八卦當十二月與六月. 乾·坤, 陰陽之極盛者也, 三陽三陰之全, 故乾八卦當正月至四月, 坤八卦當七月至十月.
그러나 주자는 괘기가 가득 차고 수축하는 것을 설명하지 않을 수 없다고 하였으니, 나는 반복하여 생각한 나머지 다음과 같이 설명한다. 먼저 내괘 8개의 괘에서 12개월의 괘를 미루어보면, 다만 감괘와 리괘의 각각 8개의 괘가 월의 몫에 참여함이 없는 것은, 감괘☵의 제3획은 음이 양의 위에 있고 리괘☲의 제3획은 양이 음의 위에 있어서, 음·양이 차례대로 생긴 것이 아니기 때문에 월의 몫에 해당될 수 없는 것이다. 그런데 진괘☳와 손괘☴는 음·양이 처음 생긴 것으로서, 하나의 양과 하나의 음이 아래에 있기 때문에 각각의 8개 괘는 11월과 5월에 해당된다. 간괘☶와 태괘☱는 음·양이 점점 자라나는 것으로서, 두 개의 양과 두 개의 음이 아래에 있기 때문에 각각의 8개 괘는 12월과 6월에 해당된다. 건괘☰와 곤괘☷는 음·양이 지극히 왕성한 것으로서, 세 개의 양과 세 개의 음이 완전하기 때문에 건의 8개 괘는 정월에서 4월까지에 해당되고, 곤의 8개 괘는 7월에서 10월까지에 해당된다.

陰陽之初生者宜緩矣, 又以坎·離間之, 故不期疎而愈疎. 其浸長者宜稍速矣, 又踰於坎·離之間, 故視震·巽爲稍密. 至於三陽之乾, 陽氣方出地上, 溫厚之氣浸浸用事, 故四陽盛之月皆

97 『朱子語類』 권65, 80조목에는, "「先天圖」, 八卦爲一節, 不論月氣先後."라고 되어 있다.

聚於乾. 三陰之坤, 陰氣方入秋初, 嚴凝之氣浸浸用事, 故四陰盛之月皆聚於坤. 雖欲其疎, 亦不可得也. 此或可以見卦氣盈縮之由矣."[98]

음·양이 처음 생기는 것은 마땅히 느슨하고, 또 감괘와 리괘가 그것에 사이를 두기 때문에 드문드문하기를 기다리지 않아도 더욱 드문드문해진다. 점점 자라나는 것은 마땅히 조금 빠르고, 또 감괘와 리괘의 사이를 뛰어넘기 때문에 진괘와 손괘에 비해 조금 빽빽해진다. 세 개의 양인 건괘에 이르면 양기가 이제 막 땅 위로 나오니, 따뜻하고 두터운 기가 점점 일을 하는 것이 있기 때문에, 4개의 양이 왕성한 달은 모두 건괘에 모인다. 세 개의 음인 곤괘에 이르면 음기가 이제 막 초가을로 들어가니, 엄숙하고 응축하는 기가 점점 일을 하는 것이 있기 때문에, 4개의 음이 왕성한 달은 모두 곤괘에 모인다. 비록 드문드문 하려고 해도 그렇게 될 수 없다. 이것이 어쩌면 괘기가 가득차고 수축하는 이유를 알 수 있는 것인지도 모르겠다."

[15-9-2]

又曰 : "太極旣分, 兩儀立矣. 陽上交於陰, 陰下交於陽, 而四象生矣. 陽交於陰, 陰交於陽, 而生天之四象; 剛交於柔, 柔交於剛, 而生地之四象. 八卦相錯, 而後萬物生焉. 故一分爲二, 二分爲四, 四分爲八, 八分爲十六, 十六分爲三十二, 三十二分爲六十四, 猶根之有幹, 幹之有枝, 愈大則愈小, 愈細則愈繁."[99]

(소옹이) 또 말했다. "태극이 나누어지고 나서 양의가 확립된다. 양이 위로 음과 교착交錯하고 음이 아래로 양과 교착하여 4상四象이 생긴다. 양이 음과 교착하고 음이 양과 교착하여 하늘의 4상을 낳으며, 강剛이 유柔와 교착하고 유가 강과 교착하여 땅의 4상을 낳는다. 8괘가 서로 뒤섞인 뒤에 만물이 생긴다. 그러므로 1이 나뉘어 2가 되고, 2가 나뉘어 4가 되며, 4가 나뉘어 8이 되고, 8이 나뉘어 16이 되며, 16이 나뉘어 32가 되고, 32가 나뉘어 64가 되니, 마치 뿌리에 줄기가 있고 줄기에 가지가 있는 것과 같아서 커질수록 더욱 작아지고 가늘어질수록 더욱 번다해진다."

[15-9-2-1]

朱子曰 : "程子云, '聖人始畫八卦, 三才之道備矣. 因而重之, 以盡天下之變, 故六畫而成卦.' 或疑此說, 却是聖人始畫八卦, 每卦便是三畫, 聖人因而重之爲六畫, 似與邵子一分爲二而至六十四爲六畫, 其說不同.

曰. '程子之意, 只云三畫上疊成六畫, 八卦上疊成六十四耳, 與邵子說誠異. 蓋康節此意,

98 호방평, 『易學啓蒙通釋』 上권 「原卦畫」 제2

99 소옹, 『皇極經世書』 권13 「觀物外篇」 上에는, "太極旣分, 兩儀立矣. 陽上交於陰, 陰下交於陽, 而四象生矣. 陽交於陰, 陰交於陽, 而生天之四象; 剛交於柔, 柔交於剛, 而生地之四象. 於是八卦成矣. 八卦相錯, 然後萬物生焉. 是故一分爲二, 二分爲四, 四分爲八, 八分爲十六, 十六分爲三十二, 三十二分爲六十四. 故曰, '分陰分陽, 迭用柔剛, 『易』六位而成章也. 十分爲百, 百分爲千, 千分爲萬. 猶根之有幹, 幹之有枝, 枝之有葉, 愈大則愈小, 愈細則愈繁."이라고 되어 있다.

不曾說與程子，程子亦不曾問之，故一向只隨他所見去．但程子說「聖人始畫八卦」，不知聖人畫八卦時，先畫甚卦．此處便曉不得．'"[100]

주자가 말했다. "정자程子[程頤]는 '성인이 처음 8괘를 긋자 3재三才의 도道가 갖추어졌다. 그것을 따라서 중첩하여 천하의 변화를 극진히 표현했으므로, 6획으로 괘를 이루었다.'[101]고 말했다. 그런데 어떤 사람이, 성인이 처음 8괘를 그은 것은 매 괘가 3획인데 성인이 그것을 따라서 중첩하여 6획을 만들었다는 정자의 설명은, 1이 나뉘어 2가 되는 방식으로 64에 이르러 6획이 된다는 소자邵子[邵雍]의 설명과 다른 것 같다고 의심하였다.

이에 내(주자)가 말했다. '정자程子[程頤]의 뜻은 다만 3획 위에 (3획을) 겹쳐서 6획을 이루고 8괘 위에 (8괘를) 겹쳐서 64괘를 이루었다고 말한 것일 뿐이니, 소자邵子[邵雍]의 설명과는 진실로 다르다. 강절康節[邵雍]은 이 내용을 정자와 말한 적이 없고 정자도 이것을 물은 적이 없으므로, 한결 같이 그의 소견만을 따랐을 뿐이다. 다만 정자는 「성인이 처음 8괘를 그었다.」고 말했으니, 성인이 8괘를 그었을 때 무슨 괘를 먼저 그었는지 알 수 없다. 이 점은 분명하게 알 수 없다.'"

[15-9-2-2]

玉齋胡氏曰："此一節申明八卦相錯而爲六十四卦有此「圓圖」也．邵子「經世演易圖」，以一動一靜之間爲太極；以動靜分兩儀；以陰·陽·剛·柔分四象；以太陽·太陰·少陽·少陰，分乾·兌·離·震爲天四象；以少剛·少柔·太剛·太柔，分巽·坎·離·坤爲地四象；所謂八卦也．

옥재 호씨玉齋胡氏[胡方平]가 말했다. "이 단락은 8괘가 서로 뒤섞여서 64괘가 되고 이 「원도「圓圖」」가 있게 된 것을 거듭 밝혔다. 소자邵子[邵雍]의 「경세연역도經世演易圖」는 한 번의 움직임과 한 번의 고요함 사이를 태극으로 삼고, 그 움직임과 고요함으로 양의兩儀를 나누었으며, 음陰 · 양陽 · 강剛 · 유柔로 4상四象을 나누고, 태양 · 태음 · 소양 · 소음으로 건乾 · 태兌 · 리離 · 진震을 나누어 하늘의 4상을 삼았으며, 소강 · 소유 · 태강 · 태유로 손巽 · 감坎 · 리離 · 간艮을 나누어 땅의 4상을 삼았으니, 이른바 8괘이다.

動而陽，靜而陰，太極生兩儀也．一奇爲陽儀，居「圖」左方；一偶爲陰儀，居「圖」右方．左爲下，故自下而上交於陰而生陰·陽二象；右爲上，故自上而下於陽而生剛·柔二象．兩儀生四象也．陰交於陽而生乾一爲太陽，兌二爲太陰；陽交於陰而生離三爲少陽，震四爲少陰．此四

100 『朱子語類』 권67, 24조목에는, 問："『易傳』如何看?" 曰："且只恁地看." 又問："『程易』於『本義』如何?" 曰："『程易』不說『易』文義, 只說道理極處, 好看." 又問："乾繇辭下解云, '聖人始畫八卦, 三才之道備矣. 因而重之, 以盡天下之變, 故六畫而成卦.' 據此說, 卻是聖人始畫八卦, 每卦便是三畫, 聖人因而重之爲六畫, 似與邵子一生兩, 兩生四, 四生八, 八生十六, 十六生三十二, 三十二生六十四, 爲六畫, 不同." 曰: "程子之意, 只云三畫上疊成六畫, 八卦上疊成六十四卦, 與邵子說誠異. 蓋康節此意不曾說與程子, 程子亦不曾問之, 故一向只隨他所見去. 但他說'聖人始畫八卦', 不知聖人畫八卦時, 先畫甚卦? 此處便曉他不得."이라고 되어 있다.

101 『伊川易傳』 권1 「乾」

卦者皆自陽儀中來，故爲天之四象. 柔交於剛而生巽五爲少剛，坎六爲少柔；剛交於柔而生艮七爲太剛，坤八爲太柔. 此四卦者皆自陰儀中來，故爲地之四象. 四象生八卦也. 八卦相錯而後萬物生焉. 一卦之上各加八卦以相間錯，則六十四卦成矣.

움직여서 양이 되고 고요하여 음이 되는 것은 태극이 양의兩儀를 낳는 것이다. 하나의 홀⚊은 양의陽儀가 되어 「원도」의 왼쪽에 자리 잡고 하나의 짝⚋은 음의陰儀가 되어 「원도」의 오른쪽에 자리 잡는다. 왼쪽은 아래이므로 (양은) 아래에서 위로 음과 교착하여 음·양이라는 두 가지 상象을 낳고, 오른쪽은 위 이므로 (음은) 위에서 아래로 양과 교착하여 강·유라는 두 가지 상象을 낳는다. 이것이 양의兩儀가 4상四象을 낳는다는 것이다. 음이 양에 교착하면 건일乾一을 낳아 태양이 되고 태이兌二를 낳아 태음이 되며, 양이 음에 교착하면 리삼離三을 낳아 소양이 되고 진사震四를 낳아 소음이 된다. 이 4괘는 모두 양의陽儀로부터 왔기 때문에 하늘의 4상이 된다. 유柔가 강剛에 교착하면 손오巽五를 낳아 소강少剛이 되고 감육坎六을 낳아 소유少柔가 되며, 강이 유에 교착하면 간칠艮七을 낳아 태강太剛이 되고 곤팔坤八을 낳아 태유太柔가 된다. 이 4괘는 모두 음의陰儀로부터 왔기 때문에 땅의 4상이 된다. 이것이 4상이 8괘를 낳는다는 것이다. 8괘가 서로 뒤섞인 뒤에 만물이 생겨난다. 1개의 괘 위에 각각 8괘를 더하여 서로 사이를 두고 뒤섞으면 64괘가 이루어진다.

朱子云，'陰陽，是陽中之陰陽；剛柔，是陰中之剛柔. 剛柔以質言，是有箇物了，見得剛底·柔底. 陰陽以氣言.'[102]"[103]

주자는 '음양은 양 가운데의 음양이고, 강유는 음 가운데의 강유이다. 강유는 질質로서 말한 것이니, 이것은 어떤 사물이 있고나서야 강剛한 것과 유柔한 것을 알 수 있다. 음양은 기氣로서 말한 것이다.' 고 말했다."

[15-9-2-3]

"朱子又釋此以「答袁機仲」云，'此下四節通論「伏羲六十四卦圓圖」. 「太極既分，兩儀立矣.」此一節以第一爻而言；左一奇爲陽，右一偶爲陰，所謂兩儀者也. 今此一奇爲左三十二卦之初爻，一偶爲右三十二卦之初爻，乃以累變而分，非本卽有此六十四段也. 後倣此.

(옥재 호씨가 말했다.) "주자가 또 이것을 해석하여 「원기중袁樞[104]에게 답함」에서 말했다. '이 아래 4개 단락은 「복희64괘원도伏羲六十四卦圓圖」를 통틀어 논의하였다. 「태극이 나뉘고 나서 양의兩儀가 확립된다.」는 단락은, 제1효로 말한 것이다. 왼쪽 하나의 홀⚊이 양이 되고 오른쪽 하나의 짝⚋이 음이 되니, 이른바 양의兩儀라는 것이다. 지금 이 하나의 홀⚊이 왼쪽 32괘의 첫 효가 되고 하나의

102 『朱子語類』 권77, 31조목

103 호방평, 『易學啓蒙通釋』 권上 「原卦畫」 제2

104 袁樞(1131~1205) : 자는 機仲이다. 송대 建安(현 복건성 甌縣) 사람으로 1163년 禮部의 과거시험에서 詞賦에 장원급제하여 太府丞 · 工部侍郎 · 國子監祭酒 등을 역임하였다. 사마광의 『資治通鑑』을 특히 좋아하였다. 저서는 『通鑑紀事本末』, 『易傳解義 · 辯異』, 『童子問』 등이 있다.

짝⚋이 오른쪽 32괘의 첫 효가 되니, 거듭 포개고 변하여 나누어진 것이지 본래 바로 이 64개의 단계가 있는 것이 아니다. 뒤도 이와 같다.

「陽上交於陰, 陰下交於陽, 而四象生矣.」 此一節以第一爻生第二爻而言也. 陽下之半上交於陰上之半, 則生陰中第二爻之一奇一偶而爲少陽·太陰矣; 陰上之半下交於陽下之半, 則生陽中第二爻之一奇一偶而爲太陽·少陰矣; 所謂「兩儀生四象」也. 太陽一奇, 今分爲左上十六卦之第二爻; 少陰一偶, 今分爲右下十六卦之第二爻; 少陽·太陰其分放此, 而初爻之二亦分爲四矣.
「양이 위로 음에 교착交錯하고 음이 아래로 양에 교착하여 사상四象이 생긴다.」는 단락은, 제1효가 제2효를 낳는 것으로 말한 것이다. 양 아래의 절반이 위로 음 위의 절반에 교착하면 음 가운데 제2효의 하나의 홀⚊과 하나의 짝⚋을 낳아서 소양⚎과 태음⚏이 되고, 음 위의 절반이 아래로 양 아래의 절반에 교착하면 양 가운데 제2효의 하나의 홀⚊과 하나의 짝⚋을 낳아서 태양⚌과 소음⚍이 되니, 이른바 「양의兩儀가 4상을 낳는다.」는 것이다. 태양에서 하나의 홀⚊이 지금 나뉘어 왼쪽 위 16괘의 제2효가 되고, 소음에서 하나의 짝⚋이 지금 나뉘어 오른쪽 아래 16괘의 제2효가 되며, 소양과 태음도 그 나뉨이 이와 같은데 초효初爻의 2개가 또한 나뉘어 4개가 된다.

「陽交於陰, 陰交於陽, 而生天之四象; 剛交於柔, 柔交於剛, 而生地之四象.」 此一節以第二爻生第三爻言也. 陽, 謂太陽; 陰, 謂太陰; 剛, 謂少陽; 柔, 謂少陰. 太陽之下半交於太陰之上半, 則生太陰中第三爻之一奇一偶而爲艮爲坤矣. 太陰之上半交於太陽之下半, 則生太陽中第三爻之一奇一偶而爲乾爲兌矣. 少陽之上半交於少陰之下半, 則生少陰中第三爻之一奇一偶而爲離爲震矣. 少陰之下半交於少陽之上半, 則生少陽中第三爻之一奇一偶而爲巽爲坎矣. 此所謂「四象生八卦」也. 乾一奇, 今分爲八卦之第三爻; 坤一偶, 今分爲八卦之第三爻; 餘皆放此. 而初爻二爻之四今又分爲八矣. 乾·兌·艮·坤生於二太, 故爲天之四象; 離·震·巽·坎生於二少, 故爲地之四象.
「양이 음에 교착하고 음이 양에 교착하여 하늘의 4상을 낳고, 강이 유에 교착하고 유가 강에 교착하여 땅의 4상을 낳는다」는 단락은, 제2효가 제3효를 낳는 것으로 말한 것이다. 양은 태양⚌을 말하고 음은 태음⚏을 말하며, 강은 소양⚎을 말하고 유는 소음⚍을 말한다. 태양의 아래 절반이 태음의 위 절반에 교착하면, 태음 가운데 제3효의 하나의 홀⚊과 하나의 짝⚋을 낳아서 간괘☶가 되고 곤괘☷가 된다. 태음의 위 절반이 태양의 아래 절반에 교착하면, 태양 가운데 제3효의 하나의 홀⚊과 하나의 짝⚋을 낳아서 건괘☰가 되고 태괘☱가 된다. 소양의 위 절반이 소음의 아래 절반에 교착하면, 소음 가운데 제3효의 하나의 홀⚊과 하나의 짝⚋을 낳아서 리괘☲가 되고 진괘☳가 된다. 소음의 아래 절반이 소양의 위 절반에 교착하면 소양 가운데 제3효의 하나의 홀⚊과 하나의 짝⚋을 낳아서 손괘☴가 되고 감괘☵가 된다. 이것이 이른바 「4상이 8괘를 낳는다.」는 것이다. 건괘의 하나의 홀⚊이 지금 나뉘어 8괘의 제3효가 되고, 곤괘의 하나의 짝⚋이 지금 나뉘어 8괘의 제3효가 되며, 나머지도 모두 이와 같다. 초효 · 2효의 4개가 지금 또 나뉘어 8개가 된다. 건 · 태 · 간 · 곤은 태양과 태음에서 생기므로 하늘의 4상이 되고, 리 · 진 · 손 · 감은 소양과 소음에서 생기므로 땅의 4상이 된다.

「八卦相錯而後萬物生焉.」一卦之上各加八卦以相間錯, 則六十四卦成矣. 然第三爻之相交, 則生第四爻之一奇一偶. 於是一奇一偶各爲四卦之第四爻, 而下三爻亦分爲十六矣. 第四爻又相交, 則生第五爻之一奇一偶. 於是一奇一偶各爲二卦之第五爻, 而下四爻亦分爲三十二矣. 第五爻又相交, 則生第六爻之一奇一偶. 於是一奇一偶各爲二卦之第六爻, 而下五爻亦分爲六十四矣. 蓋八卦相乘爲六十四, 而自三畫以上, 三加一倍以至六畫, 則三畫者亦加一倍, 而卦體橫分亦爲六十四矣. 二數殊塗, 不約而會, 如合符節, 不差毫釐, 正是『易』之妙處.'[105]

「8괘가 서로 교착한 뒤에 만물이 생겨난다.」는 것은, 1개의 괘 위에 각각 8괘를 더하여 서로 갈마들게 뒤섞으면 64괘가 이루어진다는 것이다. 그러나 제3효가 서로 교착하면 제4효의 하나의 홀━과 하나의 짝╌을 낳는다. 이에 하나의 홀━과 하나의 짝╌은 각각 4개 괘의 제4효가 되고 아래 3개의 효도 역시 나뉘어 16개가 된다. 제4효가 또 서로 교착하면 제5효의 하나의 홀━과 하나의 짝╌을 낳는다. 이에 하나의 홀━과 하나의 짝╌은 각각 2개 괘의 제5효가 되고 아래 4개의 효도 역시 나뉘어 32개가 된다. 제5효가 또 서로 교착하면 제6효의 하나의 홀━과 하나의 짝╌을 낳는다. 이에 하나의 홀━과 하나의 짝╌은 각각 2개 괘의 제6효가 되고 아래 5개의 효도 역시 나뉘어 64개가 된다. 8괘가 서로 올라타서 64개가 되는데, 3획부터 그 위는 세 번 1배를 가하여 6획에 이르니, 3획도 역시 1배를 가한 것이고, 괘의 체體를 가로로 나눈 것도 역시 64개가 된다. 두 가지 수數가 방법이 다르지만 기약하지 않고도 회합하는 것은 부절을 합한 것 같이 조금도 차이나지 않으니,[106] 바로 『역』의 오묘한 점이다.'

又曰, '此段雖通論「圓圖」, 實先以「橫圖」自兩儀至六十四者明之. 所謂二數者, 指「橫圖」所生與「圓圖」所分而言. 二數相參, 皆不約而合也.'

105 『朱文公文集』 권38 「答袁機仲」에는, "此下四節 … 蓋八卦相乘爲六十四, 而自三畫以上, 三加一倍以至六畫, 則三畫者亦加二倍, 而卦體橫分亦爲六十四矣. 其數殊塗, 不約而會; 如合符節, 不差毫釐, 正是『易』之妙處."라고 되어 있다.

106 두 가지 … 않으니 : 이황은 『啓蒙傳疑』「原卦畫」 제2에서, "만약 내 생각으로 논하면, 「橫圖」에서 생긴 수는 곧 「圓圖」에서 나뉜 수이다. 다만 「橫圖」 중간의 震과 巽이 맞닿은 곳을 나누어 가지고 교차하여 한 번 돌리면, 震은 坤과 맞닿고 巽은 乾과 맞닿아 「圓圖」가 된다. 이것이 「橫圖」가 되고 「圓圖」가 되는 것이니, 비록 작은 차이가 있는 것 같지만 그 수는 애초에 둘이 아니니 어찌 방법이 다름이 있겠으며, 또한 어찌 기약하지 않고도 회합하는 것에 의미를 취하겠는가!(若以愚見論之, 「橫圖」所生之數, 卽「圓圖」所分之數. 但分取「橫圖」中間震 · 巽接處, 交一轉過, 則震接坤, 巽接乾, 而爲「圓圖」. 此其爲「橫」爲「圓」, 雖若小異, 其數則初非爲二, 安有殊塗, 亦安取義於不約而會哉!)"라고 풀이하였다.

(주자가) 또 말했다.[107] '이 단락은 비록 「원도」를 통틀어 논의하였으나, 사실 먼저 「횡도」의 양의兩儀에서 64괘까지를 가지고 「원도」를 밝혔다. 이른바 두 가지 수數라는 것은 「횡도」에서 생긴 것과 「원도」에서 나뉜 것을 가리켜 말한다. 두 가지 수가 서로 섞인 것들은 모두 약속하지 않고도 합치된다.'

嘗合邵子·朱子之說考之, 邵子以太陽爲陽, 少陰爲陰, 少陽爲剛, 太陰爲柔, 此四象也. 朱子釋之, 乃曰, '陽爲太陽, 陰爲太陰, 剛爲少陽, 柔爲少陰', 其言陽與剛同, 而言陰與柔異, 何也?

邵子以太陽爲乾, 太陰爲兌, 少陽爲離, 少陰爲震, 四卦天四象; 少剛爲巽, 少柔爲坎, 太剛爲艮, 太柔爲坤, 四卦地四象; 天地各四象, 此八卦也.

나胡方平는 소자邵子[邵雍]와 주자의 주장을 합하여 살펴보았는데, 소자는 태양⚌으로 양을 삼고 소음⚍으로 음을 삼고 소양⚎으로 강을 삼고 태음⚏으로 음을 삼았으니, 이것이 4상이다. 주자는 이를 해석하여 말하기를 '양은 태양이 되고 음은 태음이 되고 강은 소양이 되고 유는 소음이 된다.'고 하여, 그 양과 강을 말한 것은 같은데 그 음과 유를 말한 것이 다른 까닭은 무엇 때문인가?

소자는 태양으로 건괘☰를 삼고 태음으로 태괘☱를 삼고 소양으로 리괘☲를 삼고 소음으로 진괘☳를 삼아 이 4괘를 하늘의 4상으로 하였고, 소강으로 손괘☴를 삼고 소유로 감괘☵를 삼고 태강으로 간괘☶를 삼고 태유로 곤괘☷를 삼아 이 4괘를 땅의 4상으로 하였다. 하늘과 땅이 각각 4상이니, 이것이 8괘이다.

朱子釋之, 乃曰, '乾·兌·艮·坤生於二太, 故爲天四象; 離·震·坎·巽生於二少, 故爲地四象.' 其言乾·兌·巽·坎同, 而言離·震·艮·坤異, 何也?

蓋四象·八卦之位, 邵子以陰·陽·剛·柔四字分之, 朱子唯以陰·陽二字明之. 其論四象旣殊, 則論八卦亦異. 邵子以乾·兌·離·震爲天四象者, 以此四卦自陽儀中來; 以巽·坎·艮·坤爲地四象者, 以此四卦自陰儀中來. 朱子則以乾·兌·艮·坤生於太陽太陰, 故屬其象於天; 離·震·巽·坎生於少陰少陽, 故屬其象於地. 二者各有不同也.

주자는 이를 해석하여 말하기를 '건괘☰ · 태괘☱ · 간괘☶ · 곤괘☷는 태양⚌ · 태음⚏에서 나오므로 하늘의 4상이 되고, 리괘☲ · 진괘☳ · 손괘☴ · 감괘☵는 소음⚍ · 소양⚎에서 나오므로 땅의 4상이 된다.'고 하였으니, 그 건괘 · 태괘 · 손괘 · 감괘를 말한 것은 같은데 그 리괘 · 진괘 · 간괘 · 곤괘를 말한 것이 다른 까닭은 무엇 때문인가?

107 (주자가) 또 말했다 : 董眞卿의 『周易會通』 권1과 王植의 『皇極經世書解』 권10에서 주자의 말이라고 하였다. 그러나 이황은 『啓蒙傳疑』「原卦畫」 제2에서, 이를 호방평의 말로 보고 있다. 그리하여 '이른바 두 가지 數라는 것은 「橫圖」에서 생긴 것과 「圓圖」에서 나뉜 것을 가리켜 말한다.'라는 말을 호방평의 말로 보고, 그 의미가 불분명하다고 비평하고 있다.(胡氏謂二數者, 指「橫圖」所生與「圓圖」所分而言, 其義不可曉.)

4상과 8괘의 위치를 소자는 음 · 양 · 강 · 유라는 네 글자로 나누었으나, 주자는 오직 음 · 양이라는 두 글자만으로 밝혔다. 그 4상을 논의한 것이 이미 다르니, 8괘를 논의한 것도 다르다. 소자가 건괘 · 태괘 · 리괘 · 진괘로 하늘의 4상을 삼은 것은 이 4괘가 양의陽儀에서 나왔기 때문이고, 손괘 · 감괘 · 간괘 · 곤괘로 땅의 4상을 삼은 것은 이 4괘가 음의陰儀에서 나왔기 때문이다. 주자는 건괘 · 태괘 · 간괘 · 곤괘가 태양 · 태음에서 나왔기 때문에 그 상象을 하늘에 소속시키고, 리괘 · 진괘 · 손괘 · 감괘가 소음 · 소양에서 나왔기 때문에 그 상象을 땅에 소속시켰다. 이렇듯 둘은 각기 다름이 있다.

但詳玩邵子本意，謂陰陽相交者，指陽儀中之陰陽；剛柔相交者，指陰儀中之剛柔．是以老交少，少交老，而生天地四象．其機混然而無間.

朱子易陽爲太陽，陰爲太陰，剛爲少陽，柔爲少陰，二太相交而生天四象，二少相交而生地四象．其分粲然而有別．朱子之說，雖非邵子本意，然因是可以知「圖」之分陰分陽者，以交易而成，象之或老或少，初不易其分也.

그러나 소자의 본래 뜻을 자세히 음미하면, 음과 양이 서로 교착한다고 한 것은 양의陽儀 중의 음과 양을 가리키고, 강과 유가 서로 교착한다는 것은 음의陰儀 중의 강과 유를 가리킨다. 그러므로 노老는 소少와 교착하고 소는 노와 교착하여 천지와 4상을 낳는다. 그 기틀은 혼연하여 틈이 없다.

주자는 양을 바꾸어 태양으로 하고 음을 바꾸어 태음으로 하고 강을 바꾸어 소양으로 하고 유를 바꾸어 소음으로 하여, 태양과 태음이 서로 교착하여 하늘의 4상을 낳고 소음과 소양이 서로 교착하여 땅의 4상을 낳는다고 하였다. 그 분한分限이 뚜렷하여 구별이 있다. 주자의 주장은 비록 소자의 본래 뜻이 아니지만, 이것으로 인하여 「원도」의 음으로 나뉘고 양으로 나뉜 것이 교역交易으로 이루어지며 상象이 어떤 것은 노老이고 어떤 것은 소少인 것도 애초에 그 분한을 바꾸지 않았음을 알 수 있다.

朱子嘗言，‘「文王後天八卦」，震東·兌西，爲長少相合於正方；巽東南·艮東北，爲長少相合於偏方．以長少之合爲非其偶，必若「伏羲先天八卦」，震以長男而合陰長之巽，爲雷風不相悖；艮以少男而合陰少之兌，爲山澤通氣；以長合長，少合少，爲得其偶.’

又言，‘无伏羲底，做文王底不成.’ 其歸却在伏羲上．今邵子說四象之交，卽文王之說也；朱子說四象之交，卽伏羲之說也．觀朱子說，實廣邵子未盡之意，而觀邵子說者，亦庶乎有折衷矣．下文朱子復擧邵子說曰，‘震·兌在天之陰，巽·艮在地之陽’，則於彼處只據邵說而不以己意混之者，又可見也.”[108]

주자는 일찍이 말하기를, ‘「문왕후천8괘도文王後天八卦圖」에는 진괘☳가 동쪽에 태괘☱가 서쪽에 있어 장남長男과 소녀少女가 정방正方에서 서로 합하고, 손괘☴가 동남에 간괘☶가 동북에 있어 장녀長女와 소남少男이 편방偏方에서 서로 합한다. 장남 · 장녀와 소남 · 소녀의 합함이 그 짝이 아니기 때문

108 호방평, 『易學啟蒙通釋』 권上 「原卦畫」 제2

에 반드시 「복희선천8괘도伏羲先天八卦圖」에는 진괘가 장남으로 음괘 장녀인 손괘와 합하여 우레와 바람이 서로 어그러지지 않으며, 간괘가 소남으로 음괘 소녀인 태괘와 합하여 산과 못이 기운을 통하여, 장長으로 장長과 합하며 소少로 소少와 합하는 것과 같이 해야 그 짝을 얻는다.'고 했다. 또 말하기를, '복희의 「선천8괘도」가 없었으면 문왕의 「후천8괘도」는 이루어지지 못했을 것이다.'라고 하여, 그 귀결은 또한 복희의 「선천8괘도」에 있다. 지금 소자가 4상의 교착을 주장한 것은 바로 문왕의 말이고, 주자가 4상의 교착을 주장한 것은 바로 복희의 말이다. 주자의 주장을 살펴보면 실로 소자가 다 밝히지 못한 뜻을 넓혔지만, 소자의 주장을 살펴보는 것은 또한 거의 절충함이 있을 것이다. 아래 글에서 주자는 다시 소자의 말을 들어서 말하기를, '진괘 · 태괘는 하늘에 있는 음이고 손괘 · 간괘는 땅에 있는 양이다.'라고 하였으니, 이곳에서는 소자의 주장만 의거하고 자기(주자)의 뜻을 섞지 않은 것을 또한 알 수 있다."

[15-9-3]

"是故乾以分之, 坤以翕之, 震以長之, 巽以消之. 長則分, 分則消, 消則翕也. 乾 · 坤定位也, 震 · 巽一交也, 兌 · 離 · 坎 · 艮再交也. 故震陽少而陰尚多也, 巽陰少而陽尚多也, 兌 · 離陽浸多也, 坎 · 艮陰浸多也."[109]

(소옹이 말했다.) "그러므로 건乾☰으로 나누고 곤坤☷으로 모으며 진震☳으로 자라게 하고 손巽☴으로 사라지게 한다. 자라면 나누어지고 나누어지면 사라지며 사라지면 모인다. 건 · 곤이 제 자리를 잡고 진 · 손은 한 번 교착하고 태兌☱ · 리離☲ · 감坎☵ · 간艮☶은 두 번 교착한다. 그러므로 진은 양이 적고 음이 여전히 많으며 손은 음이 적고 양이 여전히 많으며, 태 · 리는 양이 점점 많아지고 감 · 간은 음이 점점 많아진다."

[15-9-3-1]

玉齋胡氏曰 : "震者長之始, 雷以動之也. 歷離·兌而乾, 則長之極而爲陰陽之分限矣, 乾以君之也. 巽者消之始, 風以散之也. 歷坎·艮而坤, 則消之極而爲純陰之翕聚矣, 坤以藏之也. 此所以長則分, 分則消, 消則翕, 翕則復爲長而循環無端也.

乾至陽也, 居上而臨下, 故曰君. 以震·離·兌之陽, 得乾而有所君宰. 坤至陰也, 居下而括終, 故曰藏. 以巽·坎·艮之陰, 得坤而有所歸宿. 然謂乾以分之, 則動而陽者, 乾也; 靜而陰者, 亦乾也. 乾實分陰陽而无不君宰也.

옥재 호씨玉齋胡氏[胡方平]가 말했다. "진은 자라남의 시작이니 우레로 움직이게 한다. 리 · 태를 지나 건이 되면 자라남이 극도에 달해 음양의 분한分限이 되니, 건으로 군림君臨한다. 손은 사라짐의 시작이니 바람으로 흩뜨린다. 감 · 간을 지나 곤이 되면 사라짐이 극도에 달해 순음純陰이 모여서 합쳐지니, 곤으로 간직한다. 이것이 자라나면 나누어지고 나누어지면 사라지고 사라지면 모이고, 모이면

109 소옹, 『皇極經世書』 권13 「觀物外篇」 上

다시 자라나서 순환하여 끝이 없게 되는 것이다.

건은 지극한 양이니, 위에 자리 잡아서 아래에 임하므로 '군림한다.[君]'고 하였다. 양괘인 진 · 리 · 태는 건을 얻어 임금에게 주재됨이 있다. 곤은 지극한 음이니, 아래에 자리 잡아서 끝을 마무리하므로 '저장한다.[藏]'고 하였다. 음괘인 손 · 감 · 간은 곤을 얻어 귀착됨이 있다. 그러나 건으로 나눈다고 했으니, 움직여서 양이 되는 것은 건이고 고요하여 음이 되는 것도 건이다. 건은 실로 음양을 나누어 임금으로 주재하지 않음이 없다.

朱子嘗言, '天地之間, 本一氣之流行而有動·靜耳. 以其流行之體統而言, 則但謂之乾而无所不包. 以動靜分之, 然後有陰陽·剛柔之別.'[110] 正此意也.

夫如是, 則諸卦皆乾之所君宰. 聖人特以君言之, 造化貴陽之大義, 聖人扶陽之至意, 昭昭矣. 乾·坤以陰·陽之純, 定上下之位; 震一交, 兌·離再交, 由一陽之交以至二陽之交也. 巽一交, 坎·艮再交, 由一陰之交以至二陰之交也. 故初交爲震, 則陽尙少; 再交爲離·兌, 則陽浸多也. 初交爲巽, 則陰尙少; 再交爲坎·艮, 則陰浸多矣."[111]

주자가 일찍이 말하기를, '천지 사이에는 본래 하나의 기氣가 유행하여 움직임과 고요함이 있을 뿐이다. 그 유행의 전체로서 말하면 다만 건乾이라고 하며 포함하지 않는 것이 없다. 움직임과 고요함으로 그것을 나눈 뒤에 음 · 양과 강 · 유의 구별이 있다.'고 하였으니, 바로 이 뜻이다.

이와 같으면 모든 괘는 건이 임금으로 주재하는 것이다. 성인이 그것을 특별히 '군림한다君'고 말했으니, 조화造化에서 양陽을 귀하게 여기는 큰 뜻과 성인이 양을 떠받치는 지극한 뜻이 아주 뚜렷하다. 건과 곤은 음과 양의 순수함으로 위와 아래의 제 자리를 잡고, 진이 한 번 교착하고 태 · 리가 두 번 교착하는 것은 하나의 양이 교착하는 것으로부터 두 개의 양이 교착하는 데에 이른 것이다. 손이 한 번 교착하고 감 · 간이 두 번 교착하는 것은 하나의 음이 교착하는 것으로부터 두 개의 음이 교착하는 데에 이른 것이다. 그러므로 처음 교착하여 진이 되면 양이 아직 적고, 두 번 교착하여 리 · 태가 되면 양이 점점 많아진다. 처음 교착하여 손이 되면 음이 아직 적고, 두 번 교착하여 감 · 간이 되면 음이 점점 많아진다."

[15-9-4]

又曰 : "無極之前, 陰含陽也; 有象之後, 陽分陰也. 陰爲陽之母, 陽爲陰之父; 故母孕長男而爲復, 父生長女而爲姤; 是以陽起於復, 而陰起於姤也."[112]

(소옹이) 또 말했다. "무극無極 이전에는 음이 양을 머금었고,[113] 상象이 있은 뒤에는 양이 음을 나누었

110 『朱子語類』 권69, 92조목에는, "先生嘗言, '天地之間, 本一氣之流行而有動靜耳. 以其流行之統體而言, 則但謂之乾而無所不包. 以動靜分之, 然後有陰陽剛柔之別.'"이라고 되어 있다.

111 호방평, 『易學啟蒙通釋』 권上 「原卦畫」 제2

112 소옹, 『皇極經世書』 권13 「觀物外篇」 上

113 음이 양을 머금었고 : 熊節編, 熊剛大 注, 『性理群書句解』 권10 「圖」에서 이 구절에 대하여 '이 때는 순전히

다.[114] 음은 양의 어머니가 되고 양은 음의 아버지가 되므로, 어머니가 장남을 잉태하여 복괘䷗가 되고 아버지가 장녀를 낳아 구괘䷫가 되었다. 이 때문에 양은 복괘에서 일어나고 음은 구괘에서 일어난다."

[15-9-4-1]

或問 : "無極如何說前?"

朱子曰 : "邵子就「圖」上說循環之意. 自姤至坤是陰含陽, 自復至乾是陽分陰. 坤·復之間乃無極, 自坤反姤是無極之前."[115]

어떤 사람이 물었다. "무극에 어떻게 그 이전을 말합니까?"

주자가 대답했다. "소자邵子[邵雍]가 「원도」에서 순환하는 뜻을 말했다. 구괘로부터 곤괘에 이르는 것은 음이 양을 머금는 것이고, 복괘로부터 건괘에 이르는 것은 양이 음을 분리시키는 것이다. 곤괘와 복괘의 사이가 무극이고 곤괘로부터 구괘에 되돌아가는 것이 '무극 이전'이다."

問 : "無極之前, 旣有前後, 須有有無."

曰 : "本無間斷."[116]

물었다. "무극 이전에 이미 전후前後가 있다면 반드시 유무有無가 있을 것입니다."

대답했다. "본래 틈이나 끊어짐이 없다."

問 : "「先天圖」陰陽自兩邊生, 若將坤爲太極與「太極」不同, 如何?"

曰 : "他自據他意思說, 卽不曾契勘濂溪底. 若論他太極, 中間虛者便是. 他亦自說, '「圖」從中起.'[117] 他兩邊生, 卽是陰根陽, 陽根陰, 這箇有對, 從中出者卽無對."[118]

물었다. "「선천도」에 음양이 양쪽에서 생겨나와 마치 곤坤으로 태극을 삼은듯하여 「태극도」와 같지

음으로 음의 고요함이다. 그러나 이미 그 가운데 양의 움직임을 포함하고 있다.(此時純陰, 陰靜. 然已包得陽動在其中.)'라고 주석을 붙였다.

114 양이 음을 나누었다 : 웅절 편, 웅강대 주, 『性理羣書句解』 권10 「圖」에서 이 구절에 대하여 '양이 움직여서 음을 열었으니, 둘로 나누었다.(陽動而闢陰, 分兩矣.)'라고 주석을 붙였다.

115 『朱子語類』 권65, 71조목에는 問 : "邵先生說'無極之前'. 無極如何說前?" 曰 : "邵子就「圖」上說循環之意. 自姤至坤, 是陰含陽; 自復至乾, 是陽分陰. 復坤之間乃無極, 自坤反姤是無極之前."이라고 되어 있다.

116 『朱子語類』 권65, 72조목에는 "無極之前"一段. 問 : "旣有前後, 須有有無?" 曰 : "本無前後."라고 되어 있다. 이황은 『啓蒙傳疑』「原卦畫」 제2에서 '間斷'을 '前後'로 보아야 한다고 바로잡고 있다.

117 소옹, 『皇極經世書』 권13 「觀物外篇上」에는, "先天學心法也, 故圖皆自中起. 萬化萬事, 生乎心也."라고 되어 있다.

118 『朱子語類』 권65, 58조목에는 "問 : '「先天圖」陰陽自兩邊生, 若將坤爲太極, 與「太極圖」不同, 如何?' 曰 : '他自據他意思說, 卽不曾契勘濂溪底. 若論他太極, 中間虛者便是. 他亦自說「圖」從中起, 今不合被「橫圖」在中間塞卻. 待取出放外, 他兩邊生者, 卽是陰根陽, 陽根陰. 這箇有對, 從中出卽無對.'"라고 되어 있다.

않은데, 어찌된 일입니까?"

대답했다. "소옹은 원래 그 자신의 생각에 의거해서 말하였으니, 염계濂溪[周敦頤]에게 맞추어 본 적이 없었을 것이다. 만약 그의 태극을 논한다면 (「선천도」) 중간의 빈 것이 바로 그것이다. 그도 스스로 말하기를, '「선천도」는 그 가운데에서부터 일어난다.'고 하였다. 그 양쪽에서 생겨나온다는 것은 바로 음이 양에 근거하고 양이 음에 근거한다는 것이니, 이것은 상대가 있지만 그 가운데에서부터 나온 것은 곧 상대가 없다."

[15-9-4-2]

進齋徐氏曰 : "無極之前陰含陽也, 言自巽消而至坤翕, 靜之妙也. 有象之後陽分陰也, 言自震長而至乾分, 動之妙也. 陰含陽, 故曰'母孕;' 陽分陰, 故曰'父生.' 朱子云, '坤·復之間乃無極',[119] 其論密矣. 又詩曰, '忽然夜半一聲雷, 萬戶千門次第開. 若識無中含有象, 許君親見伏羲來.'[120] 無中含有象, 卽坤·復之間無極而太極也."[121]

진재 서씨進齋徐氏[徐幾][122]가 말했다. "무극 이전에 음이 양을 머금은 것은 손괘☴의 사라짐으로부터 곤괘☷의 거둠에 이르기까지 고요함의 오묘함을 말한다. 상象이 있은 뒤에 양이 음을 분리시키는 것은 진괘☳의 자라남으로부터 건괘☰의 분리시킴에 이르기까지 움직임의 오묘함을 말한다. 음이 양을 머금기 때문에 '어머니가 잉태하였다.'고 했고, 양이 음을 분리시키기 때문에 '아버지가 낳는다.'고 했다. 주자가 말하기를 '곤괘와 복괘의 사이가 바로 무극이다.'고 했으니, 그 논의가 정밀하다. 또 시詩에 말하기를 '한밤중 홀연히 우레 소리가 들리니 수많은 문이 차례로 열리네. 만약 무無 가운데에 상象이 있는 것을 포함한다는 것을 안다면 그대가 복희를 직접 보았다고 인정하겠네.'고 하였는데, '무無 가운데에 상象이 있는 것을 포함한다.'는 것은, 바로 곤괘와 복괘의 사이가 무극이면서 태극이라는 것이다."

[15-9-4-3]

玉齋胡氏曰 : "朱子言'就「圖」上說循環之理'者, 蓋以右一邊屬陰而陰中有陽, 故自一陰之姤, 至六陰之坤, 皆是以陰而含陽. 陰主闔, 其翕聚者所以含畜此陽也. 左一邊屬陽而陽中有陰, 故自一陽之復, 至六陽之乾, 皆是以陽而分陰. 陽主闢, 其發散者所以分布此陰也.

---

119 『朱子語類』 권65, 71조목에는 "復坤之間乃無極."이라고 되어 있다.

120 『朱文公文集』 권9 「答袁機仲論『啓蒙』」에는, "忽然半夜一聲雷, 萬戶千門次第開. 若識無心含有象, 許君親見伏羲來.(半夜一本作平地)"라고 되어 있다.

121 호방평, 『易學啟蒙通釋』 권上 「原卦畫」 제2에 徐幾의 말로 실려 있다. 그런데 『周易傳義大全』「周易朱子圖說」에는, "無極之前陰含陽也, … 故曰'父生.'"까지가 翁泳의 말로 실려 있다.

122 徐幾 : 자는 子與이고, 호는 進齋이다. 송대 崇安(현 복건성 武夷山市) 사람이다. 송 理宗 景定 5년(1264)에 迪功郎에 천거되고, 建寧府教授 겸 建安書院山長 겸 崇政殿說書를 제수 받았다. 博學多才하였고 특히 역학에 정통하여 『易輯』·『易義』 등을 저술하였다.

옥재 호씨玉齋胡氏[胡方平]가 말했다. "주자가 '「원도」에서 순환의 이치를 설명했다.'[123]고 말한 것은, 오른쪽 한 편이 음에 속하고 음 속에 양이 있기 때문에 하나의 음인 구괘☴로부터 여섯 개의 음인 곤괘☷에 이르기까지 모두 음으로 양을 함유한다는 것이다. 음은 닫는 것을 주로 하니, 거두어 모이는 것은 이 양을 함축한 것이다. 왼쪽 한 편이 양에 속하고 양 속에 음이 있기 때문에 하나의 양인 복괘☳로부터 여섯 개의 양인 건괘☰에 이르기까지 모두 양으로 음을 분리시키는 것이다. 양은 여는 것을 주로 하니, 그 발산하는 것은 이 음을 분리시켜 펴는 것이다.

'坤·復之間乃爲無極', 蓋以一動一靜之間, 一無聲無臭之理而已. 自坤而反觀, 則推之於前以至於姤, 故爲無極之前. 自復而順數, 則引之於後以至於乾, 故爲有象之後. 四卦之循環, 蓋未見其終窮也. '陰爲陽之母', 謂坤爲復之母, 故生復也. '陽爲陰之父', 謂乾爲姤之父, 故生姤也. 「圖」分陰·陽, 復·姤爲陰·陽之起處. 故曰, '乾·坤爲大父母, 復·姤爲小父母也.'"[124]
'곤괘와 복괘의 사이가 바로 무극이다.'[125]라는 것은, 한 번 움직이고 한 번 고요한 사이에 조금도 소리가 없고 냄새가 없는 이치일 뿐이라는 것이다. 곤괘에서부터 되돌아보면 이전으로 미루어가서 구괘에 이르므로 무극 이전이 된다. 복괘에서부터 순응하여 헤아리면 뒤로 이끌어가서 건괘에 이르므로 상象이 있은 뒤가 된다. 4괘가 순환하는 것은 그 끝의 궁극을 보지 못하는 것이다. '음이 양의 어머니가 된다.'[126]는 것은 곤괘가 복괘의 어머니가 되므로 복괘를 낳는다는 것을 말한 것이다. '양이 음의 아버지가 된다.'[127]는 것은 건괘가 구괘의 아버지가 되므로 구괘를 낳는다는 것을 말한 것이다. 「원도」에서 음과 양으로 나뉘고 복괘와 구괘가 음과 양이 일어나는 곳이 되므로, '건괘와 곤괘는 큰 부모가 되고 복괘와 구괘는 작은 부모가 된다.'[128]고 하였다.

[15-9-5]

又曰: "震始交陰而陽生, 巽始消陽而陰生. 兌, 陽長也; 艮, 陰長也. 震·兌, 在天之陰也; 艮·巽, 在地之陽也. 故震·兌, 上陰而下陽, 巽·艮, 上陽而下陰. 天以始生言之, 故陰上而陽下, 交泰之義也. 地以旣成言之, 故陽上而陰下, 尊卑之位也. 乾·坤定上下之位, 坎·離列左右之門. 天地之所闔闢, 日月之所出入, 春夏秋冬, 晦朔弦望, 晝夜長短, 行度盈縮, 莫不由乎此矣."[129]

123 「圓圖」에서 순환의… 설명했다: 위 [B-4-1]에서 주자가 "邵子就「圖」上說循環之意."라고 한 말을 옥재 호씨가 이렇게 인용한 것으로 보인다.
124 호방평, 『易學啟蒙通釋』 권上 「原卦畫」 제2
125 곤괘와 복괘의 … 무극이다: 위 [B-4-1]의 주자 말이다.
126 음이 양의 … 된다: 위 [B-4-1]의 주자 말이다.
127 양이 음의 … 된다: 위 [B-4-1]의 주자 말이다.
128 건괘와 곤괘는 … 된다: 鮑雲龍의 『天原發微』 권4 下에 실려 있다.
129 소옹, 『皇極經世書』 권13 「觀物外篇」 上에는, "震始交陰而陽生, 巽始消陽而陰生. 兌, 陽長也; 艮, 陰長也.

(소옹이) 또 말했다. "진괘☳는 처음으로 음과 교착하여 양이 생겼고, 손괘☴는 처음으로 양을 사라지게 하여 음이 생겼다. 태괘☱는 양이 자란 것이고, 간괘☶는 음이 자란 것이다. 진괘와 태괘는 하늘에 있는 음이고, 손괘와 간괘는 땅에 있는 양이다. 그러므로 진괘와 태괘는 위가 음이고 아래가 양이며, 손괘와 간괘는 위가 양이고 아래가 음이다. 하늘은 처음 낳는 것으로 말하였기 때문에 음이 위이고 양이 아래이니, '교착하여 크게 소통하는[交泰]' 뜻이 있다. 땅은 이미 이룬 것으로 말하였기 때문에 양이 위이고 음이 아래이니, 높음과 낮음의 자리가 있다. 건괘와 곤괘는 위와 아래의 제 자리를 잡고, 감괘와 리괘는 좌우의 문을 늘어놓았다. 하늘과 땅이 열리고 닫히며 해와 달이 나오고 들어가니, 이 때문에 봄 · 여름 · 가을 · 겨울과 그믐 · 초하루 · 상현 · 하현 · 보름과 밤낮의 길고 짧음과 운행하는 도수의 남음과 모자람이 여기에 말미암지 않는 것이 없다."

[15-9-5-1]

朱子曰："'震始交陰而陽生'，是說「圓圖」震與坤接而一陽生也. '巽始消陽而陰生'，是說「圓圖」巽與乾接而一陰生也."[130]

주자가 말했다. "'진괘☳는 처음으로 음과 교착하여 양이 생겼다.'는 것은 「원도」에 진괘가 곤괘와 접촉하여 하나의 양이 생김을 말한 것이다. '손괘☴는 처음으로 양을 사라지게 하여 음이 생겼다.'는 것은 「원도」에 손괘가 건괘와 접촉하여 하나의 음이 생김을 말한 것이다."

[15-9-5-2]

進齋徐氏曰："一氣循環，自復至乾爲陽，生物之始也. 故震·兌陰上而陽下爲交泰之義，蓋主動而言，太極之用所以行. 自姤至坤爲陰，成物之終也. 故巽·艮陽上而陰下爲尊卑之位，蓋主靜而言，太極之體所以立也."[131]

진재 서씨進齋徐氏[徐幾]가 말했다. "하나의 기氣가 순환함에, 복괘로부터 건괘까지는 양이 되니 만물이 생겨나는 시작이다. 그러므로 진괘와 태괘가 음이 위이고 양이 아래로서 '교착하여 크게 소통하는[交泰]' 뜻이 된다는 것은, 움직임을 위주로 말하여 태극의 작용[用]이 운행되는 것이다. (하나의 기氣가 순환함에) 구괘로부터 곤괘까지는 음이 되니 만물이 이루어지는 끝이다. 그러므로 손괘와 간괘가 양이 위이고 음이 아래로서 높음과 낮음의 자리가 된다는 것은, 고요함을 위주로 말하여 태극의 본체[體]가 확립되는 것이다."

震 · 兌, 在天之陰也; 艮 · 巽, 在地之陽也. 故震 · 兌上陰而下陽, 巽 · 艮上陽而下陰. 天以始生言之, 故陰上而陽下, 交泰之義也. 地以旣成言之, 故陽上而陰下, 尊卑之位也. 乾 · 坤定上下之位, 離 · 坎列左右之門. 天地之所闔闢, 日月之所出入, 是以春夏秋冬, 晦朔弦望, 晝夜長短, 行度盈縮, 莫不由乎此矣."라고 되어 있다.

130 『周易傳義大全』「周易朱子圖說」에는, "朱子曰 : '此條是說「圓圖」震與坤接, 是震始交陰而一陽生也. 巽與乾接, 是巽始消陽而一陰生也.'"라고 되어 있다.

131 호방평, 『易學啟蒙通釋』 권上 「原卦畫」 제2에 徐幾의 말로 실려 있다.

[15-9-5-3]

思齋翁氏曰 : “卯爲日門, 太陽所生; 酉爲月門, 太陰所生. 不但日月出入於此, 大而天地之開物雖始於寅, 至卯而門彌闢; 閉物雖始於戌, 至酉而門已闔. 一歲而春夏秋冬, 一月而晦朔弦望, 一日而晝夜行度, 莫不由乎左右之門; 所以極贊坎·離功用之大也. ”[132]

사재 옹씨思齋翁氏[翁泳]가 말했다. “묘卯는 해의 문으로 태양太陽에 의해 생겨난 것이고, 유酉는 달의 문으로 태음太陰에 의해 생겨난 것이다. 단지 해와 달만이 여기에서 드나들 뿐 아니라, 크게는 하늘과 땅이 만물을 여는 것이 비록 인寅에서 시작되지만 묘卯에 이르러 문이 더욱 열리며, 만물을 닫는 것이 비록 술戌에서 시작되지만 유酉에 이르러 문이 이미 닫힌다. 일 년에 봄 · 여름 · 가을 · 겨울과 한 달에 그믐 · 초하루 · 상현 · 하현 · 보름과 하루에 밤낮의 운행하는 도수가 좌우의 문에 말미암지 않는 것이 없으니, 감괘와 리괘의 공용功用이 큼을 극찬한 것이다.”

[15-9-5-4]

玉齋胡氏曰 : “此一節先論震·巽·艮·兌四維之卦, 而後及於乾·坤·坎·離四正之位. ‘震始交陰而陽生’, 以震接坤言也; 至兌二陽, 則爲陽之長. ‘巽始消陽而陰生’, 以巽接乾言也; 至艮二陰, 則爲陰之長.

옥재 호씨玉齋胡氏[胡方平]가 말했다. “이 한 구절은 먼저 진괘 · 손괘 · 간괘 · 태괘 사유괘四維卦[네 개의 모서리 괘]를 논하고 그 뒤에 건괘 · 곤괘 · 감괘 · 리괘 사정위四正位[네 개의 정방위 괘]에 언급하였다. ‘진괘는 처음으로 음과 교착하여 양이 생겼다.’는 것은 진괘가 곤괘와 접촉한 것으로 말한 것이고, 태괘의 두 개의 양의 경우는 양이 자라난 것이다. ‘손괘는 처음으로 양을 사라지게 하여 음이 생겼다.’는 것은 손괘가 건괘와 접촉한 것으로 말한 것이다. 간괘의 두 개의 음의 경우는 음이 자라난 것이다.

‘震·兌在天之陰’者, 邵子以震爲天之少陰, 兌爲天之太陰. 惟其爲陰, 故陰爻皆在上而陽爻皆在下. 天以生物爲主, 始生之初, 非交泰不能, 故陰上陽下而取交泰之義.

‘巽·艮在地之陽’者, 邵子以巽爲地之少剛, 艮爲地之太剛. 惟其爲剛, 故陽爻皆在上而陰爻皆在下. 地以成物爲主, 旣成之後, 則尊卑定, 故陰下陽上而取尊卑之位.

‘진괘와 태괘는 하늘에 있는 음이다.’는 것은 소자가 진괘로 하늘의 소음少陰을 삼고 태괘로 하늘의 태음太陰을 삼은 것이다. 그것이 오직 음이기 때문에 음효가 모두 위에 있고 양효가 모두 아래에 있다. 하늘은 만물을 낳는 것을 위주로 하니, 처음 생긴 초기에 교착하여 크게 소통하지 않으면 불가능하기 때문에, 음이 위에 있고 양이 아래에 있어서 교착하여 크게 소통하는 뜻을 취하였다.

‘손괘와 간괘는 땅에 있는 양이다.’는 것은 소자가 손괘로 땅의 소강少剛을 삼고 간괘로 땅의 태강太剛을 삼은 것이다. 그것이 오직 강剛이기 때문에 양효가 모두 위에 있고 음효가 모두 아래에 있다.

132 호방평, 『易學啟蒙通釋』 권上 「原卦畫」 제2에 翁泳의 말로 되어 있다.

땅은 만물을 이루는 것을 위주로 하니, 이미 이루어진 뒤에는 높음과 낮음이 정해지기 때문에, 음이 아래에 있고 양이 위에 있어서 높음과 낮음의 자리를 취하였다.

'乾·坤定上下之位', '天地之所闔闢也'; '坎·離列左右之門', '日月之所出入也.' 歲而春夏秋冬, 月而晦朔弦望, 日而晝夜行度, 莫不胥此焉出, 豈拘拘爻畫·陰陽之間哉!"[133]

'건괘와 곤괘는 위와 아래의 제 자리를 잡는다.'는 것은 '하늘과 땅이 열리고 닫히는 곳'이고, '감괘와 리괘는 좌우의 문을 늘어놓았다.'는 것은 '해와 달이 드나드는 곳'이다. 일 년에 봄 · 여름 · 가을 · 겨울과 한 달에 그믐 · 초하루 · 상현 · 하현 · 보름과 하루에 밤낮의 운행하는 도수가 모두 이것에서 나오지 않는 것이 없으니, 어찌 효획과 음양의 사이에 구애될 것인가!"

[15-9-6]

又曰: "乾四十八而四分之, 一分爲陰所剋也. 坤四十八而四分之, 一分爲所剋之陽也. 故乾得三十六, 而坤得十二也.[134] (1) 兌·離以下更思之. (2) 今按兌·離二十八陽, 二十陰; 震二十陽, 二十八陰. 艮·坎二十八陰, 二十陽; 巽二十陰, 二十八陽."

(소옹이) 또 말했다. "건괘☰[64괘 가운데 내괘가 건괘인 괘]는 총 효수가 48효인데 이를 넷으로 나눌 때 그 하나(12효)는 음이 이긴 것이 된다. 곤괘☷[64괘 가운데 내괘가 곤괘인 괘]는 총 효수가 48효인데 이를 넷으로 나눌 때 하나(12효)는 이긴 양이 된다. 그래서 건괘☰[64괘 가운데 내괘가 건괘인 괘]는 36개의 양효를 얻고, 곤괘☷[64괘 가운데 내괘가 곤괘인 괘]는 12개의 양효를 얻는다. (1) 태괘☱ · 리괘☲ 이하는 더 생각해야 한다. (2) 지금 살펴보건대, 태괘와 리괘는 양효가 28개이고 음효가 20개이며, 진괘☳는 양효가 20개이고 음효가 28개이다. 간괘☶와 감괘☵는 음효가 28개이고 양효가 20개이며, 손괘☴는 음효가 20개이고 양효가 28개이다.

[15-9-6-1]

玉齋胡氏曰: "'乾四十八'者, 內卦爲乾, 自乾至泰八卦陰陽爻共四十八畫也. '四分之'者, 以四十八分爲四分, 每分計十二畫也. 乾至泰計三十六畫陽, 十二畫陰, 是陽占四分之三, 內一分爲陰所克也.

옥재 호씨玉齋胡氏[胡方平]가 말했다. "'건괘☰[64괘 가운데 내괘가 건괘인 괘]는 총 효수가 48효이다.'라는 것은, 내괘內卦가 건괘인 것으로 건괘䷀에서부터 태괘䷊까지 8개 괘의 음효와 양효의 총수가 모두 48개의 획이라는 것이다. '넷으로 나눈다.'는 것은, 48개를 네 부분으로 나누는 것이니, 매 한 부분은 12개의 획으로 계산된다. 건괘에서부터 태괘까지 36개의 획이 양으로, 12개의 획이 음으로 계산되니, 양이 3/4을 점유하고 그 속의 나머지 1/4은 음이 이긴 것이 된다.

133 호방평, 『易學啟蒙通釋』 권上 「原卦畫」 제2

134 소옹, 『皇極經世書』 권13 「觀物外篇」 上

‘坤四十八’者, 內卦爲坤, 自否至坤八卦陰陽爻共四十八畫也. ‘四分之’者, 以四十八分爲四分, 每分計十二畫也. 否至坤計三十六畫陰, 十二畫陽, 是陰占四分之三, 內一分爲所克之陽也. 故‘乾得三十六陽而坤得十二陽’者, 蓋乾固以陽爲主, 而坤亦以陽爲主也. 可見天道貴陽賤陰, 聖人扶陽抑陰之義, 邵子得之耳. 程子論復之陽長而曰, ‘陰亦然, 聖人不言者.’ 正與此合.

‘곤괘☷(64괘 가운데 내괘가 곤괘인 괘)는 총 효수가 48효이다.’라는 것은, 내괘가 곤괘인 것으로 비괘䷋에서부터 곤괘䷁까지 8개 괘의 음효와 양효의 총수가 모두 48개의 획이라는 것이다. ‘넷으로 나눈다.’는 것은, 48개를 네 부분으로 나누는 것이니, 매 한 부분은 12개의 획으로 계산된다. 비괘에서부터 곤괘까지 36개의 획이 음으로, 12개의 획이 양으로 계산되니, 음이 3/4을 점유하고 그 속의 나머지 1/4은 양이 이긴 것이 된다.

그러므로 ‘건괘는 36개의 양효를 얻고 곤괘는 12개의 양효를 얻는다.’는 것은, 건괘는 본디 양을 위주로 하지만 곤괘 또한 양을 위주로 한다는 것이다. 천도가 양을 중시하고 음을 천시하며 성인이 양을 떠받치고 음을 억누르는 의미를 소자邵子[邵雍]가 터득했음을 알 수 있다. 정자程子[程頤]가 복괘䷗에서 양이 자라나는 것을 논하면서, ‘음도 마찬가지지만 성인이 말하지 않을 뿐이다.’[135]고 말한 것이 바로 이와 부합된다.

兌八卦自履至臨, 離八卦自同人至明夷, 各計二十八陽, 共五十六陽, 各計二十陰, 共四十陰, 則其四十者, 爲陰所剋也. 震八卦自无妄至復計二十陽, 二十八陰, 則二十八爲陰所克也.

태괘☱(64괘 가운데 내괘가 태괘인 괘)인 8개의 괘는 리괘䷉에서부터 임괘䷒까지이고, 리괘☲(64괘 가운데 내괘가 리괘인 괘)인 8개의 괘는 동인괘䷌에서부터 명이괘䷣까지인데, 각각 28개의 획이 양효로 계산되어 합치면 56개의 획이 양효가 되고, 각각 20개의 획이 음효로 계산되어 합치면 40개의 획이 음효가 되니, 그 40개의 획은 음이 이긴 것이 된다. 그리고 진괘☳(64괘 가운데 내괘가 진괘인 괘)인 8개의 괘는 무망괘䷘에서부터 복괘䷗까지 20개의 양효와 28개의 음효로 계산되니, 28개는 음이 이긴 것이 된다.

艮八卦自遯至謙, 坎八卦自訟至師, 各計二十八陰, 共五十六陰, 各計二十陽, 共四十陽, 則其四十者, 爲所克之陽也. 巽八卦自姤至升, 計二十陰, 二十八陽, 則二十八者, 爲所克之陽也. 是兌·離·震得七十六陽, 巽·坎·艮得四(六)[136]十八陽也.”[137]

간괘☶(64괘 가운데 내괘가 간괘인 괘)인 8개의 괘는 둔괘䷠에서부터 겸괘䷎까지이고 감괘☵(64괘 가운데 내괘가 감괘인 괘)인 8개의 괘는 송괘䷅에서부터 사괘䷆까지인데, 각각 28개의 획이 음효로 계산되어 합치면 56개의 획이 음효가 되고, 각각 20개의 획이 양효로 계산되어 합치면 40개의 획이 양효가

135 『伊川易傳』 권2 「周易上經 · 剝 · 上九」

136 巽 · 坎 · 艮得四十八陽也 : 이황은 『啓蒙傳疑』「原卦畫」 제2에서 ‘四’자를 ‘六’자로 바로잡아야 한다고 했다. 손괘 · 감괘 · 간괘의 양효의 합계는 20+20+28=68이니, 이황의 말이 옳다.

137 호방평, 『易學啟蒙通釋』 권上 「原卦畫」 제2

되니, 그 40개의 획은 이긴 양이 된다. 손괘☴(64괘 가운데 내괘가 손괘인 괘)인 8개의 괘는 구괘䷫에서부터 승괘䷭까지인데, 20개의 획이 음효로 28개의 획이 양효로 계산되니, 28개의 획은 이긴 양이 된다. 이것이 태괘 · 리괘 · 진괘가 76개의 양효를 얻고 손괘 · 감괘 · 간괘가 68개의 양효를 얻는다는 것이다."

[15-9-7]

又曰 : "乾 · 坤縱而六子橫, 『易』之本也."[138]

(소옹이) 또 말했다. "건괘와 곤괘가 세로로 세워져 있고 여섯 자식이 가로로 늘어서 있는 것이 『역』의 근본이다."

[15-9-7-1]

玉齋胡氏曰 : "「圓圖」南北爲縱, 東西·東南·西北·西南·東北爲橫. 八卦對待以立其體, 『易』之本也. "[139]

옥재 호씨玉齋胡氏[胡方平]가 말했다. "「원도」에서 남과 북은 세로로 세워진 것이고, 동과 서, 동과 남, 서와 북, 서와 남, 동과 북은 가로로 늘어선 것이다. 8괘가 대대待對해서 그 본체를 정립하는 것이 『역』의 근본이다."

[15-9-8]

又曰 : "陽在陰中, 陽逆行; 陰在陽中, 陰逆行. 陽在陽中, 陰在陰中, 則皆順行. 此眞至之理, 按「圖」可見之矣."[140]

(소옹이) 또 말했다. "양이 음의 영역에 있으면 양은 역행하고, 음이 양의 영역에 있으면 음은 역행한다. 양이 양의 영역에 있고 음이 음의 영역에 있으면 모두 순행한다. 이것은 참으로 지극한 이치이니 「원도圓圖」를 살펴보면 알 수 있다."

[15-9-8-1]

朱子曰 : "「圓圖」左屬陽, 右屬陰. 坤無陽, 艮·坎一陽, 巽二陽, 爲'陽在陰中逆行.' 乾无陰, 兌·離一陰, 震二陰, 爲'陰在陽中逆行.' 震一陽, 離·兌二陽, 乾三陽, 爲'陽在陽中順行.' 巽一陰, 坎·艮二陰, 坤三陰, 爲'陰在陰中順行.'[141] 此皆以內八卦三畫陰陽言也.

---

138 소옹, 『皇極經世書』 권13 「觀物外篇」 上

139 호방평, 『易學啟蒙通釋』 권上 「原卦畫」 제2

140 소옹, 『皇極經世書』 권13 「觀物外篇」 上에는, "陽在陰中, 陽逆行; 陰在陽中, 陰逆行. 陽在陽中, 陰在陰中, 則皆順行. 此眞至理, 按圖可見之矣."라고 되어 있다.

141 『朱子語類』 권65, 74조목에는, "圖左一邊屬陽, 右一邊屬陰. 左自震一陽, 離兌二陽, 乾三陽, 爲陽在陽中, 順行; 右自巽一陰, 坎艮二陰, 坤三陰, 爲陰在陰中, 順行. 坤無陽, 艮坎一陽, 巽二陽, 爲陽在陰中, 逆行; 乾無陰,

주자가 말했다. “「원도」에서 왼쪽은 양에 속하고 오른쪽은 음에 속한다. 곤괘☷는 양이 없고 간괘☶와 감괘☵는 하나의 양이 있으며 손괘☴는 두 개의 양이 있는데, 이것은 ‘양이 음의 영역에서 역행한 것’이다. 건괘☰는 음이 없고 태괘☱와 리괘☲는 하나의 음이 있으며 진괘☳는 두 개의 음이 있는데, 이것은 ‘음이 양의 영역에서 역행한 것’이다. 진괘는 하나의 양이 있고 리괘와 태괘는 두 개의 양이 있으며 건괘는 세 개의 양이 있는데, 이것은 ‘양이 양의 영역에서 순행한 것’이다. 손괘는 하나의 음이 있고 감괘와 간괘는 두 개의 음이 있으며 곤괘는 세 개의 음이 있는데, 이것은 ‘음이 음의 영역에서 순행한 것’이다. 이것은 모두 내괘內卦(『역』괘의 아래 3효를 말함) 8괘 3획의 음과 양으로 말한 것이다.

若以外八卦推之, 陰陽逆順行亦然. 右方外卦四節皆首乾終坤, 四坤无陽, 自四艮各一陽逆行而至於乾之三陽, 其陽皆自下而上, 亦‘陽在陰中陽逆行’也. 左方外卦四節亦首乾終坤, 四乾無陰, 自四兌各一陰逆行而至於坤之三陰, 其陰皆自上而下, 亦‘陰在陽中陰逆行’也.

만약 외괘外卦(『역』괘의 위 3효를 말함) 8괘로 유추해도 음과 양의 역행과 순행은 또한 마찬가지다. 오른쪽에 있는 외괘 네 부분[節]은 모두 건괘에서 시작해서 곤괘로 끝나는데 4개의 곤괘는 양효가 없고, 4개의 간괘에서부터 각기 1개의 양효가 역행하여 건괘의 3개 양효에 이르며, 그 양효들은 모두 아래로부터 위로 올라가니 또한 ‘양이 음의 영역에서 역행한 것’이다. 왼쪽에 있는 외괘 네 부분[節]도 건괘에서 시작해서 곤괘로 끝나는데 4개의 건괘는 음효가 없고, 4개의 태괘에서부터 각기 1개의 음효가 역행하여 곤괘의 3개 음효에 이르며, 그 음효들은 모두 아래로부터 위로 올라가니 이 또한 ‘음이 양의 영역에서 역행한 것’이다.

左方外卦四坤无陽, 自四艮各一陽順行而至於乾之三陽, 其陽皆自下而上, 亦陽在陽中陽順行也. 右方外卦四乾无陰, 自四兌各一陰順行而至於坤之三陰, 皆自上而下, 亦陰在陰中陰順行也.

왼쪽에 있는 외괘 4개의 곤괘는 양효가 없고 4개의 간괘에서부터 각기 1개의 양효가 순행하여 건괘의 3개 양효에 이르며, 그 양효들은 모두 아래로부터 위로 올라가니 또한 ‘양이 양의 영역에서 순행한 것’이다. 오른쪽에 있는 외괘 4개의 건괘는 음효가 없고 4개의 태괘에서부터 각기 1개의 음효가 순행하여 곤괘의 3개 음효에 이르며, 모두 위로부터 아래로 내려가니 이 또한 ‘음이 음의 영역에서 순행한 것’이다.

以逆順之說推之, 陰·陽各居本方, 則陽自下而上, 陰自上而下, 皆爲順. 若陰陽互居其方, 則陽自上而下, 陰自下而上, 皆爲逆. 此自然之勢, 固自有眞至之理也.”[142]

兌離一陰, 震二陰, 爲陰在陽中, 逆行.”이라고 되어 있다.

142 호방평, 『易學啟蒙通釋』 권上 「原卦畫」 제2에 주자의 말로 실려 있다.

순행과 역행의 이론으로 미루어보건대, 음과 양이 각기 자신의 영역에 자리 잡으면, 양이 아래로부터 위로 올라가고 음이 위로부터 아래로 내려가는 것은 모두 순행이 된다. 그러나 만약 음과 양이 서로 자신의 영역을 바꾸어 자리 잡으면, 양이 위로부터 아래로 내려가고 음이 아래로부터 위로 올라가는 것은 모두 역행이 된다. 이것은 자연스러운 형세로서 본래 당연히 참으로 지극한 이치가 있다."

[15-9-8-2]

思齋翁氏曰 : "「先天圓圖」左陽右陰. 左三十二卦陽, 始於復之初九, 曆十六變而二陽臨, 又八變而三陽泰, 又三變而四陽大壯, 又一變而五陽夬, 而乾以君之, 陽之進也. 始緩而終速, 其進也以漸, 所謂'陽在陽中順'也. 陽主升, 自下而升亦順也.

사재 옹씨思齋翁氏[翁泳]가 말했다. "「선천원도」에서 왼쪽은 양이고 오른쪽은 음이다. 왼쪽의 32괘의 양들은 복괘䷗의 초구初九에서 시작하여 열여섯 번의 변화를 거쳐 양효가 2개인 임괘䷒가 되고, 또 여덟 번 변하여 양효가 3개인 태괘䷊가 되며, 또 세 번 변하여 양효가 4개인 대장괘䷡가 되고, 또 한 번 변하여 양효가 5개인 쾌괘䷪가 되는데, 건괘䷀가 거기에 군림하니, 양이 나아가는 것이다. 처음에는 느리다가 끝에는 빨라져서 그 나아감이 점진적인 것이, 이른바 '양이 양의 영역에서 순응하는 것'이다. 양은 오르는 것을 위주로 하여 아래로부터 위로 올라가는 것 역시 순행이다.

復至无妄二十陽, 明夷至同人二十八陽, 臨至履亦二十八陽, 乾至泰三十六陽. 二十者陽之微, 二十八陽之著, 三十六陽之盛. 陽在北則微, 在東則著, 在南則盛, 亦順也. 陽順而陰逆, 不言可知矣. 陽在右方三十二卦則反是. 故曰, '眞至之理, 按「圖」可見'也."[143]

복괘䷗에서 무망괘䷘까지 양효가 20개이고, 명이괘䷣에서 동인괘䷌까지는 양효가 28개이며, 임괘䷒에서 리괘䷉까지는 양효가 28개이고, 건괘䷀에서 태괘䷊까지는 양효가 36개이다. 여기에서 20개는 양의 미미함이고 28개는 양의 드러남이며 36개는 양의 성대함이다. 양이 북쪽에 있으면 미미하고 동쪽에 있으면 드러나고 남쪽에 있으면 성대한 것 역시 순행이다. 양이 순행할 때 음이 역행하는 것은 말하지 않아도 알 수 있다. 양이 오른쪽의 32괘에 있을 때는 이와 반대된다. 그러므로 '참으로 지극한 이치이니 「원도」를 살펴보면 알 수 있다.'고 말한 것이다."

[15-9-9]

又曰 : "復至乾, 凡百一十有二陽; 姤至坤, 凡八十陽; 姤至坤, 凡百一十有二陰; 復至乾, 凡八十陰."[144]

143 호방평, 『易學啟蒙通釋』 권上 「原卦畫」 제2에 翁泳의 말로 되어 있다.

144 소옹, 『皇極經世書』 권13 「觀物外篇」 上에는, "復至乾, 凡百有十二陽; 姤至坤, 凡八十陽; 姤至坤, 凡百有十二陰; 復至乾, 凡八十陰."이라고 되어 있다.

(소옹이) 또 말했다. "복괘䷗에서 건괘䷀까지는 양효가 모두 112개이고, 구괘䷫에서 곤괘䷁까지는 양효가 모두 80개이며, 구괘에서 곤괘까지는 음효가 모두 112개이고, 복괘에서 건괘까지는 음효가 모두 80개이다."

[15-9-9-1]

玉齋胡氏曰："「圖」之陰陽，在兩邊正相等．自復至乾居「圖」之左，陽方也；故陽多而陰少．自姤至坤居「圖」之右，陰方也；故陰多而陽少．左邊一畫陽，便對右邊一畫陰；左邊一畫陰，便對右邊一畫陽；對待以立體，而陰陽各居其半也．由此觀之，天地間陰陽各居其半，本無截然爲陽截然爲陰之理．但造化貴陽賤陰，聖人扶陽抑陰，故于消長之際，淑慝之分，又不能不致其區別爾，豈容以槩論哉！"[145]

옥재 호씨玉齋胡氏[胡方平]가 말했다. "「원도」에서의 음효와 양효의 갯수는 그 오른쪽과 왼쪽 양쪽에서 서로 꼭 같다. 복괘䷗에서 건괘䷀까지는 「원도」의 왼쪽에 자리 잡고 있으며 양의 영역이다. 그러므로 양효가 많고 음효가 적다. 구괘䷫에서 곤괘䷁까지는 「원도」의 오른쪽에 자리 잡고 있으며 음의 영역이다. 그러므로 음효가 많고 양효가 적다. 왼쪽의 양효 1획은 곧 오른쪽의 음효 1획과 짝하고, 왼쪽의 음효 1획은 곧 오른쪽의 양효 1획과 짝한다. 대대待對하면서 체體를 정립하는데, 음효와 양효가 각각 그 절반을 차지하고 있다. 이를 통해 살펴보면, 하늘과 땅 사이에는 음과 양이 각각 그 절반을 차지하니 본디 딱 자른 듯이 양이 되거나 딱 자른 듯이 음이 되는 이치는 없다. 그러나 조화造化에서는 양을 중시하고 음을 천시하며 성인은 양을 떠받치고 음을 억누르므로, 사그라질 때와 자라날 때 선함과 악함이 나누어지는 것을 또 그 구별을 하지 않을 수 없으니, 어찌 대충 논할 수 있겠는가!"

[15-9-10]

又曰："坎·離者，陰陽之限也；故離當寅，坎當申．而數常踰之者，陰陽之溢也．然用數不過乎中也． 此更宜思．離當卯，坎當酉，但以坤爲子半可見矣．"

(소옹이) 또 말했다. "감괘☵와 리괘☲는 음과 양의 한계점이다. 그러므로 리괘는 인寅에 해당하고, 감괘는 신申에 해당한다. 그래서 수數가 항상 넘치는 것은 음과 양이 넘치는 것이다. 그러나 사용하는 수는 중中을 지나치지 않는다." 이것은 더 생각해야 한다. 리괘는 묘卯에 해당하고, 감괘는 유酉에 해당하지만, 곤괘를 자반子半으로 여긴 것을 알 수 있다.

[15-9-10-1]

西山蔡氏曰："此論陰陽往來皆以馴致，不截然爲陰爲陽也．以坎·離而言，離中當卯，坎中當酉；然離之所生已起於寅震中，坎之所生已起於申巽中矣．故邵子謂離當寅，坎當申也．坤當子半，乾當午半，卽離卯·坎酉之謂也．"

145 호방평, 『易學啟蒙通釋』 권上 「原卦畫」 제2

서산 채씨西山蔡氏[蔡元定]가 말했다. "이것은 음과 양의 왕래가 모두 점차적으로 이루어지니 딱 자른 듯이 음이 되거나 양이 되지 않음을 논한 것이다. 감괘☵와 리괘☲로 말하면, 리괘의 중中은 묘卯에 해당하고, 감괘의 중中은 유酉에 해당한다. 그러나 리괘가 생겨난 것은 이미 인寅〈진괘☳의 중中〉에서 시작하고, 감괘가 생겨난 것은 이미 신申〈손괘☴의 중中〉에서 시작한다. 그러므로 소자邵子[邵雍]가 '리괘는 인寅에 해당하고 감괘는 신申에 해당한다.'고 하였다. 곤괘가 자반子半에 해당하고 건괘가 오반午半에 해당한다는 것은 바로 리괘가 묘卯에 해당하고 감괘가 유酉에 해당한다는 것을 말한다."

[15-9-10-2]

玉齋胡氏曰："'坎·離陰陽之限'者，就寅·申而言也. 以四時論之，春爲陽而始於寅，是離當寅而爲陽之限；秋爲陰而始於申，是坎當申而爲陰之限也.

'數常踰之'者，離雖當寅而盡於卯中，坎雖當申而盡於酉中，是踰寅·申之限，而爲陰陽之溢矣.

'然用數不過乎中'者，蓋邵子以卯·酉爲陰陽之溢，則其所謂中者，是取寅·申而不取卯·酉也. 陽之用始於寅，陰之用始於申.

옥재 호씨玉齋胡氏[胡方平]가 말했다. "'감괘☵와 리괘☲는 음과 양의 한계점이다.'라는 것은 인寅과 신申 측면에서 말한 것이다. 사계절로 논하면, 봄은 양이고 인寅에서 시작하니 리괘가 인寅에 해당하여 양의 한계점이 된다는 것이며, 가을은 음이고 신申에서 시작하니 감괘가 신申에 해당하여 음의 한계점이 된다는 것이다.

'수數가 항상 넘친다.'는 것은, 리괘가 비록 인寅에 해당하지만 묘卯의 중中에서 다하고, 감괘가 비록 신申에 해당하지만 유酉의 중中에서 다하니, 인寅과 신申의 한계점을 넘어서서 음과 양이 넘치게 된다는 것이다.

'그러나 사용하는 수는 중中을 지나치지 않는다.'는 것은, 소자邵子[邵雍]가 묘卯와 유酉를 음과 양의 넘침으로 여겼으니, 이른바 '중中'은 인寅과 신申을 취하지, 묘卯와 유酉를 취하지 않는다는 것이다. 양의 작용은 인寅에서 시작하고 음의 작용은 신申에서 시작한다.

蓋子位陽雖生而未出乎地，至寅則溫厚之氣始用事. 巳(午)位[146]陰雖生而未害於陽，至申則嚴凝之氣始用事. 是所謂用數仍不過乎寅申之中也.

夫以離當寅，坎當申推之，則乾當巳，坤當亥，兌當卯·辰，震當子·丑，巽當午·未，艮當酉·戌；皆數之不及，而邵子以爲中者也.

又以離當卯，坎當酉，坤當子半推之，則乾當午，坤當子，兌當辰·巳，震當丑·寅，巽當未·申，艮當戌·亥；皆四方之中，四隅之會處，而邵子以爲數嘗(常)[147]踰之者也. 此卽邵子怕處

146 巳(午)位：『周易傳義大全』「周易朱子圖說」에는 '巳位'가 '午位'로 되어 있다. 논리상 '午位'가 맞으므로 '午位'로 번역한다.

147 嘗(常)：여기의 '嘗'은 소옹의 원문을 인용한 것이므로 '常'의 통용자로 보인다. 따라서 '항상'으로 번역한다.

其盛之意.”[148]

자子의 위치는 양이 비록 생기지만 아직 땅 위로 나오지는 않고, 인寅에 이르게 되면 온후한 기氣가 비로소 일을 한다. 오午의 위치는 음이 비록 생기지만 양을 해치지는 못하고, 신申에 이르게 되면 매우 찬 기氣가 비로소 작용을 한다. 이것이 이른바 사용하는 수數는 여전히 인寅과 신申의 중中을 지나치지 않는다는 것이다.

리괘가 인寅에 해당하고 감괘가 신申에 해당하는 것으로 미루어보면, 건괘는 사巳에 해당하고 곤괘는 해亥에 해당하며 태괘는 묘卯·진辰에 해당하고 진괘는 자子·축丑에 해당하며 손괘는 오午·미未에 해당하고 간괘는 유酉·술戌에 해당하니, 모두 수數가 미치지 못하는데, 소자는 그것을 '중中'이라고 여겼다.

또 리괘가 묘卯에 해당하고 감괘가 유酉에 해당하며 곤괘가 자반子半에 해당하는 것으로 미루어보면, 건괘는 오午에 해당하고 곤괘는 자子에 해당하며 태괘는 진辰·사巳에 해당하고 진괘는 축丑·인寅에 해당하며 손괘는 미未·신申에 해당하고 간괘는 술戌·해亥에 해당하니, 모두 사방의 중앙이고 네 모퉁이가 모이는 곳인데, 소자는 그것을 '수數가 항상 넘친다.'고 여겼다. 이것이 바로 소자가 그 성대함에 처하기를 두려워 한다는 뜻이다."

[15-9-11]

又曰:"先天學, 心法也, 故「圖」皆自中起, 萬化萬事生於心也."[149]

(소옹이) 또 말했다. "선천학先天學은 심법心法[150]이다. 그러므로 「선천도」는 모두 가운데에서부터 일어나며, 온갖 변화와 온갖 일은 마음에서 생겨난다."

[15-9-11-1]

玉齋胡氏曰:"此明「圖」之所謂太極也. 「圖」從中起者, 心法也. 心爲太極, 而'萬化萬事生於心.' 「圖」之中亦爲太極, 而儀·象·卦生於中也.

林學履問, '「圖」皆從中起, 萬化萬事生於心, 何也?'

朱子云, '其中間白處便是太極. 三十二陽·三十二陰, 只是兩儀; 十六陰·十六陽, 便是四象; 八陰·八陽, 便是八卦.'[151]"[152]

옥재 호씨玉齋胡氏[胡方平]가 말했다. "이것은 「선천도」에서 말하는 '태극'을 밝힌 것이다. 「선천도」가 가운데에서부터 일어나는 것은 심법心法이다. 마음이 태극이어서 '온갖 변화와 온갖 일은 마음에서

148 호방평, 『易學啓蒙通釋』 권上 「原卦畫」 제2
149 소옹, 『皇極經世書』 권13 「觀物外篇上」
150 心法: 마음을 중시하는 원리를 가리킨다. 마음은 또한 '밖'이 아닌 '가운데[中]'를 가리킨다.
151 『朱子語類』 권65, 74조목에는 "又問: '「先天圖」, 心法也. 「圖」皆自中起, 萬化萬事生乎心, 何也?' 曰: '其中白處者太極也. 三十二陰·三十二陽者, 兩儀也; 十六陰·十六陽者, 四象也; 八陰·八陽, 八卦也.'"라고 되어 있다.
152 호방평, 『易學啓蒙通釋』 권上 「原卦畫」 제2

생겨난다.' 「선천도」의 가운데도 또한 태극이어서 양의兩儀와 4상, 8괘도 가운데에서 생겨난다.
임학리林學履[153]가 물었다. '「선천도」는 모두 가운데에서 일어나며 온갖 변화와 온갖 일은 마음에서 생겨난다고 했는데, 무슨 말입니까?'
주자가 대답했다. '가운데의 공백 부분이 바로 태극이고, 32개의 양과 32개의 음이 바로 양의兩儀이며, 16개의 음과 16개의 양이 바로 4상이고, 8개의 음과 8개의 양이 바로 8괘이다.'"

[15-9-12]

又曰 : "「圖」雖無文, 吾終日言而未嘗離乎是. 蓋天地萬物之理盡在其中矣."[154]

(소옹이) 또 말했다. "「선천도」에는 비록 글이 없지만 내가 하루 종일 말한다고 해도 여기에서 벗어난 적이 없다. 천지만물의 이치가 모두 이 속에 있다."

[15-9-12-1]

玉齋胡氏曰 : "或問, '「「圖」雖無文, 吾終日言而未嘗離乎是」, 何也?'
朱子云, '一日有一日之運, 一月有一月之運, 一歲有一歲之運. 大而天地之始終, 小而人物之生死, 遠而古今之世變, 皆不外乎此, 只是一箇盈虛消息之理. 本是一箇小底, 變成大底; 到那大處, 又變成小底. 如納甲法, 乾納甲·壬, 坤納乙·癸, 艮納丙, 兌納丁, 震納庚, 巽納辛, 坎納戊, 離納己, 亦是這箇. 又如道家以坎·離爲眞水·火, 爲六卦之主, 而六卦爲坎·離之用. 自月初三爲震, 上弦爲兌, 望日爲乾, 望後爲巽, 下弦爲艮, 晦日爲坤, 亦不外此.'[155]
옥재 호씨玉齋胡氏[胡方平]가 말했다. "어떤 사람이 물었다. '「선천도」에는 비록 글이 없지만 내가 하루 종일 말한다고 해도 이것을 벗어난 적이 없다는 것은 무엇을 말합니까?'
주자가 말했다. '하루에는 하루의 운행이 있고, 한 달에는 한 달의 운행이 있으며, 한 해에는 한 해의 운행이 있다. 크게는 천지의 시작과 끝, 작게는 인물의 태어남과 죽음, 멀리는 고금의 세상 변화가 모두 여기에서 벗어나지 않으니, 다만 차고 기욺과 사그라지고 불어남의 이치일 뿐이다. 본디 작은 것이 큰 것으로 변하고 큰 것이 되면 다시 작은 것으로 변한다. 예컨대 납갑법納甲法[156]에서 건괘에 갑甲·임壬을 배속시켜 받아들이고, 곤괘에 을乙·계癸를 배속시켜 받아들이며, 간괘에

153 林學履 : 자는 安卿이고 永福(현 광서성 소재) 사람으로 學蒙의 아우이다. 형과 함께 주희에게 학문을 배웠다. 그의 형인 학몽은 벼슬길에 나아가지 않고 龍門庵에 집을 지어 주자학을 강의해서 그 지역 사람들에게 스승으로 존경받았으며, 저서에 『梅塢集』이 있다.
154 소옹, 『皇極經世書』 권13 「觀物外篇上」
155 『朱子語類』 권65, 74조목
156 納甲法 : 한대 京房이 주장한 역학의 한 방법론으로, 역 64괘의 6개 효마다 10간 혹은 5행 등을 배속하여, 그것으로 모든 괘상의 기미와 길흉을 추단하는 방법이다. 모든 납갑은 초효에서부터 상효를 향해 순서대로 배속되는데, 양괘는 子·寅·辰·午·申·戌의 순행하는 순서로 붙여나가며, 음괘는 丑·亥·酉·未·巳·卯의 역행하는 순서로 붙여 나간다.

병丙을 배속시켜 받아들이고, 태괘에 정丁을 배속시켜 받아들이며, 진괘에 경庚을 배속시켜 받아들이고, 손괘에 신辛을 배당하여 받아들이며, 감괘에 무戊를 배속시켜 받아들이고, 리괘에 기己를 배속하여 받아들이는 것 역시 이와 같은 이치이다. 또 도가에서는 감괘와 리괘를 진정한 수水와 화火로 보아 6괘의 주인으로 삼고, 6괘를 감괘와 리괘의 작용으로 여긴다. 원래 1달에서 초삼일이 진괘☳가 되고 상현은 태괘☱가 되며 보름은 건괘☰가 되고 보름 뒤는 손괘☴가 되며 하현이 간괘☶가 되고 그믐이 곤괘☷가 되는 것도 역시 이러한 이치에서 벗어나지 않는다.'

又云, '乾之一爻屬戊, 坤之一爻屬己. 留戊就己方成坎·離. 蓋乾·坤是大父母, 坎·離是小父母.'[157]

'又如『火珠林』占得一屯卦, 則初九是庚子, 六二是庚寅, 六三是庚辰, 六四是戊申, 九五是戊戌, 上六是戊子, 亦都是這箇.'[158]

又云, '「先天圖」今所寫者, 是以一歲之運言之. 推而至於元會運世十二萬九千六百歲, 亦只是恁地道理. 小而一日一時, 亦只是這圈子, 都從復上推起去.'[159]

(주자가) 또 말했다. '건괘의 1효는 무戊에 속하고 곤의 1효는 기己에 속한다. 무에 머물다가 기로 나아가야만 비로소 감괘와 리괘를 이룬다. 건괘와 곤괘는 큰 부모이고 감괘와 리괘는 작은 부모이다.'

(주자가) 또 말했다. '또 예컨대 『화주림火珠林』[160]으로 점을 쳐서 둔괘䷂가 나오면, 초구初九가 경자庚子이고 육이六二가 경인庚寅이며 육삼六三이 경진庚辰이고 육사六四가 무신戊申이며 구오九五가 무술戊戌이고 상육上六이 무자戊子인 것도 또한 모두 이러한 이치이다.'

(주자가) 또 말했다. '「선천도」에 지금 쓰여 있는 것은 한 해의 운행을 기준으로 말한 것이다. 그것을 미루어서 원·회·운·세元·會·運·世[161] 129,600년에 이르러도 역시 그러한 도리일 뿐이다. 작게는 하루 한 시각도 이 범위 안에 있으니, 모두 복괘䷗로부터 미루어가기 시작한다.'

朱子之意, 蓋謂自有「先天圖」以後, 如納甲法, 道家修養法, 下至『火珠林』·占筮等書, 莫不自「先天圖」出. 此所謂天地萬物之理盡在其中也.

157 『朱子語類』 권65, 74조목

158 『朱子語類』 권65, 74조목에는 "又如『火珠林』, 若占一屯卦, 則初九是庚子, 六二是庚寅, 六三是庚辰, 六四是戊午, 九五是戊申, 上六是戊戌, 亦是此."라고 되어 있다.

159 『朱子語類』 권65, 81조목에는 "「先天圖」今所寫者, 是以一歲之運言之. 若大而古今十二萬九千六百年, 亦只是這圈子; 小而一日一時, 亦只是這圈子. 都從復上推起去."라고 되어 있다.

160 『火珠林』: '六爻卦法'으로 불리기도 하고, 속칭 '文王課'라고도 하는데, 『易經』 이후 영향력이 비교적 큰 일종의 法이다. 한대 京房의 역 이론을 계승하여 당말 송초의 麻衣道者가 정리한 책이 송대에 크게 유행했다고 한다.

161 元·會·運·世: 송대 邵雍이 연대를 계산하는 단위로 一元 만에 천지가 한 번 새롭게 변한다는 개념이다. 하늘의 운행원리를 원·회·운·세로 나누어, 30년을 一世, 12세를 一運, 30운을 一會, 12회를 一元으로 계산하였다. 1원이 129,600년이다.

邵子嘗「自贊」云, '弄環餘暇, 時往時來!' 又云, '自從會得環中意, 閒氣胸中一點無!'[162] 其有得於「圖」者如此.

주자의 뜻은 원래 「선천도」가 있고 나서부터 예컨대 납갑법, 도가의 수양법 및 아래로 『화주림』 · 점서법占筮法 등의 책에 이르기까지 그 어느 것도 「선천도」로부터 나오지 않은 것이 없다는 말이다. 이것이 이른바 '천지만물의 이치가 모두 그 속에 있다.'는 것이다. 소자邵子(邵雍)가 일찍이 「자찬自贊」에서 말하기를, '환環(「선천원도」를 가리킴)을 완롱玩弄하는 겨를에 수시로 과거와 미래를 오고갔네!'라 하고, 또 말하기를, '환중環中(「선천원도」의 가운데 즉 태극을 가리킴)의 뜻을 깨치고 나서부터 가슴 속에 한 점의 한기閒氣(객기)도 없어졌네!'라고 했으니, 소옹이 「선천도」에서 터득한 것이 이와 같다.

朱子贊之云, '天挺人豪, 英邁蓋世! 駕風鞭霆, 歷覽無際! 手探月窟, 足躡天根! 閒中今古, 靜裏乾坤!'[163] 可謂形容盡之矣.

今歷引其言而終之以「圖」爲心法, 「圖」皆從中起, 且以爲天地萬物之理盡在其中, 則其學之得心, 心之根於理者, 又豈徒象數云乎哉!"[164]

주자가 그를 찬양하여 말하기를, '하늘이 낳은 호걸로, 빼어남은 세상을 뒤덮었노라! 바람을 타고 우뢰를 채찍질하여, 무한의 세계를 두루 유람하였도다! 손으로는 월굴月窟을 더듬고, 발로는 천근天根을 밟았도다![165] 한가로운 가운데 고금을 꿰뚫고, 고요함 속에 건곤을 섭렵했도다!'라고 하였으니, 극진히 형용했다고 하겠다.

지금 그 말을 낱낱이 인용하며, 「선천도」를 심법心法으로 삼고, 「선천도」가 모두 가운데에서 일어나며, 또 천지만물의 이치가 모두 그 속에 들어있다는 것으로 종결하였으니, 그 학문은 마음에서 얻고 마음은 리理에 뿌리를 두고 있는 것이 또한 어찌 한낱 상수象數일 뿐이라고 말하겠는가!"

[15-9-12-2]

"按『易本義』云, '伏義四圖三畫 · 六畫「橫圖」 · 「圓圖」, 其說皆出邵氏. 蓋邵氏得之李之才, 之才得之穆修, 修得之希夷先生陳摶, 所謂先天之學也.'[166]

朱子答黃勉齋書云, '「先天」乃伏義本圖, 非康節所自作. 雖无言語而所該甚廣. 今『易』中一字一義, 无不自其中流出.'[167] 以上總論四圖."[168]

162 소옹, 『擊壤集』 권7 「閑行吟」
163 『朱文公文集』 권85 「六先生畫像贊」
164 호방평, 『易學啟蒙通釋』 권上 「原卦畫」 제2
165 손으로는 月窟을 … 밟았도다! : 月窟은 陰의 뿌리이니, 음의 뿌리는 곧 陽이다. 天根은 陽의 뿌리이니, 양의 뿌리는 곧 陰이다. 「先天圖」에서 월굴은 구괘(䷫)를 가리키고, 천근은 복괘(䷗)를 가리킨다.
166 주희, 『周易本義』 「序」에는, "右伏義四圖, 其說皆出邵氏. 蓋邵氏得之李之才挺之, 挺之得之穆脩伯長, 伯長得之華山希夷先生陳摶圖南者, 所謂先天之學也."라고 되어 있다.
167 『朱文公文集』 권46 「答黃直卿」

(옥재 호씨가 말했다.) "살펴보건대, 『주역본의』에서 말하기를, '복희의 4개 그림 3획으로 된 「횡도」와 「원도」 및 6획으로 된 「횡도」와 「원도」를 가리킴'에 대한 설명은 모두 소씨卲氏[邵雍]에게서 나왔다. 소씨는 이지재李之才[169]에게 전수받고, 이지재는 목수穆修[170]에게 전수받았으며, 목수는 희이선생 진단陳摶[171]에게 전수받았으니, 이른바 선천의 학문이다.'고 하였고, 주자가 황면재黃勉齋[黃榦][172]에게 답한 편지에서 이르기를, '「선천도」는 복희의 한 폭 그림이지 강절康節[邵雍]이 스스로 만든 것이 아니다. 비록 거기에 설명하는 말은 없지만 담고 있는 내용은 매우 광범위하다. 지금 『역』의 글자 하나 뜻 하나도 그것으로부터 나오지 않은 것이 없다.'고 하였다. 이상은 4개의 그림을 총괄해서 설명한 것이다."

[15-9-12-3]

"又云, '易是互相博易之義, 觀「先天圖」便可見. 東邊一畫陰, 便對西邊一畫陽. 蓋東一邊本皆是陽, 西一邊本皆是陰. 東邊陰畫都自西邊來, 西邊陽畫都自東邊來. 姤在西, 是東邊五畫陽過; 復在東, 是西邊五畫陰過; 互相博易而成. 易之變雖多般, 然此是第一變.'[173]

又云, '左邊百九十二爻本皆陽, 右邊百九十二爻本皆陰.[174] 陽中有陰, 陰中有陽, 便是陽往交易陰, 陰來交易陽. 兩邊各各相對, 其實非此往彼來, 只其象如此.[175]'

(옥재 호씨가 말했다.) "(주자가) 또 말하기를, '역易은 서로 광범위하게 교역하는 뜻이니 「선천도」를 보면 곧 알 수 있다. 동쪽의 음효 1개의 획은 곧 서쪽의 양효 1개의 획 양을 마주하고 있다. 동쪽은 본래 모두 양이고 서쪽은 본래 모두 음이다. 동쪽의 음 획들은 모두 서쪽에서부터 온 것이고 서쪽의

168 호방평, 『易學啟蒙通釋』 권上 「原卦畫」 제2

169 李之才(980~1045) : 자는 挺之이고 青州(현 산동성 青州市) 사람이다. 북송 仁宗 天聖 8년(1030)에 同進士出身이 되어 權共城令 · 孟州司法參軍 · 澤州簽署判官 등을 역임하였다. 穆修에게 역학을 배우고 邵雍에게 괘와 괘의 상호관계를 설명하는 卦變圖를 전수하여, 송대 상수역학의 선구자가 되었다. 『宋史』 권431에 그의 전기가 있다.

170 穆修(979~1032) : 자는 伯長이고, 穆參軍으로 불리었다. 송대 鄆州 汶陽(현 산동성 汶上) 사람인데, 나중에 蔡州(현 하남성 汝南)에 살았다. 泰州司理參軍과 潁州 · 蔡州文學參軍을 역임하였다. 蘇舜 · 蘇欽 형제와 친교하고 고문에 뛰어났다. 陳摶에게서 易數學을 배우고 그것을 李之才에게 전수해 주었으며, 李之才는 또 邵雍에게 전수하였다고 한다. 또 種放에게서 진단의 「太極圖」를 얻어 주돈이에게 전수해주었다고 한다. 저서는 『穆參軍集』이 있다.

171 陳摶(?~989) : 자는 圖南이고, 자호는 扶搖子이다. 황제가 하사한 호는 希夷先生이고, 세칭 白雲先生이라 하였다. 송대 亳州 眞源(현 하남성 鹿邑) 사람으로 武當山 · 居華山에 은거하여 수도하였다. 『易』에 대한 연구에 몰두하였으며, 「無極圖」와 「先天圖」를 그린 것이 소옹과 주렴계 등에게 전수되었다. 저서는 『指玄篇』, 『三峰寓言』, 『高陽篇』, 『釣潭集』 등이 있다.

172 黃榦(1152~1221) : 자는 直卿이고, 호는 勉齋이다. 송대 福州 閩縣(현 복건성 福州) 사람으로 주희의 고족제자인 동시에 사위이다. 주희의 蔭補로 知漢陽軍 · 知安慶府 등을 역임하였다. 저서는 『書說』 · 『六經講義』 · 『勉齋集』 등이 있고, 『朱子行狀』을 집필했다.

173 『朱子語類』 권65, 66조목

174 『朱文公文集』 권52 「答葉永卿」에는, "又左方百九十二爻本皆陽, 右方百九十二爻本皆陰."이라고 되어 있다.

175 『朱子語類』 권65, 21조목

양 획들은 모두 동쪽에서부터 온 것이다. 서쪽에 있는 구괘䷫는 동쪽의 양효 5개의 획이 건너간 것이고, 동쪽에 있는 복괘䷗는 서쪽의 음효 5개의 획이 건너간 것이니, 서로 광범위하게 교역하며 이루어진 것이다. 역의 변화가 비록 매우 다양하지만 이것이 첫 번째의 변화이다.'

(주자가) 또 말하기를, '왼쪽의 192효는 본래 모두 양이고 오른쪽의 192효는 본래 모두 음이다. 양 가운데에 음이 있고 음 가운데에 양이 있는 것은, 양이 가서 음과 교역하고 음이 와서 양과 교역한 것이다. 양쪽은 각각 서로 마주하고 있는데, 실은 이것이 가고 저것이 온 것은 아니라 그 상象이 이와 같을 뿐이다.'

邵子詩云, '耳目聰明男子身, 洪鈞賦予不爲貧! 因探月窟方知物, 未躡天根豈識人! 乾遇巽時觀月窟, 地逢雷處見天根! 天根月窟閒來往, 三十六宮都是春!'[176]

朱子贊之亦云, '手探月窟, 足躡天根.'

池陽何巨源問, '詩幷贊云, 莫是說陰陽否?'

朱子答云, '「先天圖」自復至乾, 陽也; 自姤至坤, 陰也. 陽主人, 陰主物. 「手探足躡」, 亦無甚意義. 但復在下, 姤在上, 上故言「手探」, 下故言「足躡」.'[177]

소자邵子[邵雍]의 시에서 말하기를, '귀와 눈이 총명한 남자의 몸은, 하늘이 빈약하지 않게 부여하였네! 월굴月窟(음)을 더듬어야 사물을 알 수 있으니, 천근天根(양)을 밟지 않고 어찌 사람을 알겠는가! 건괘가 손괘를 만날 때 월굴을 볼 수 있고, 땅[곤괘]이 우레[진괘]를 만나는 곳에 천근을 볼 수 있네! 천근과 월굴을 한가롭게 오고가니, 36궁이 온통 봄이네!'라고 했다.

주자가 그 시를 찬양해서 또 말하기를, '손으로 월굴을 더듬고 발로는 천근을 밟았다.'라고 했다.

지양池陽 하거원何巨源이 묻기를, '(소옹의) 시와 (주자의) 찬양에서 말한 것은 음양을 설명한 것이지 않습니까?'라고 했다.

주자가 대답하기를, '「선천도」에서 복괘에서 건괘까지는 양이고 구괘에서 곤괘까지는 음이다. 양은 사람을 위주로 하고 음은 사물을 위주로 한다. 「손으로 더듬고, 발로 밟는다.」는 것은 또한 무슨 특별한 의미가 없다. 다만 복괘가 아래에 있고 구괘가 위에 있으니, 위에 있기 때문에 「손으로 더듬는다.」고 말했고 아래에 있기 때문에 「발로 밟는다.」고 말했을 뿐이다.'라고 했다.

天根月窟, 指姤·復二卦, 乃是說他「圖」之所從起處. 三十六宮之說, 邵子嘗言, '八卦之象, 不易者四乾·坤·坎·離, 反易者二震反爲艮, 巽反爲兌, 本是四卦, 以反易爲二卦, 以六變而成八也. 重卦之象, 不易者八乾·坤·坎·離·頤·中孚·大·小過, 反易者二十八如屯反爲蒙之類, 本五十六卦, 反易只二

176 소옹, 『擊壤集』 권16 「觀物吟」

177 『朱子語類』 권100, 50조목에는 "何巨源以書問: '邵子詩: 「須探月窟方知物, 未躡天根豈識人?」 又, 先生贊邵子「手探月窟, 足躡天根」, 莫只是陰陽否?' 先生答之云: '「先天圖」自復至乾, 陽也; 自姤至坤, 陰也. 陽主人, 陰主物. 手探足躡, 亦無甚意義. 但姤在上, 復在下; 上, 故言'手探'; 下, 故言足躡.'"이라고 되어 있다.

十八卦, 以三十六變爲六十四也.'[178]

천근과 월굴은 복괘와 구괘 두 괘를 가리키는 것으로, 소옹의 「선천도」가 시작되는 곳을 설명한 것이다. 36궁에 대한 설명은 소자邵子[邵雍]가 일찍이 이렇게 말했다. '8괘의 상象에는 바뀌지 않는 것이 4가지건괘☰ · 곤괘☷ · 감괘☵ · 리괘☲이고, 거꾸로 바뀌는 것이 2가지진괘☳는 거꾸로 하면 간괘☶가 되고 손괘☴는 거꾸로 하면 태괘☱가 되어, 본래 4괘이지만 거꾸로 바뀐 것이니 2괘로 삼았다.이니, 6가지의 변화로 8괘를 이룬다. 중괘重卦의 상象은 바뀌지 않는 것이 8가지건괘䷀ · 곤괘䷁ · 감괘䷜ · 리괘䷝ · 이괘䷚ · 중부괘䷼ · 대과괘䷛ · 소과괘䷽이고, 거꾸로 바뀌는 것이 28가지예컨대 둔괘䷂가 반대로 몽괘䷃가 되는 것 따위이니, 본래 56괘이지만 거꾸로 바뀌는 것은 28괘일 뿐이다.이니, 36가지의 변화로 64괘가 된다.'

張行成云, '天地間唯一無對, 唯中無對. 乾·坤陰陽之一, 坎·離陰陽之中, 頤·大過似乾·坤之一, 中孚·小過似坎·離之中, 所以皆無對. 其餘五十六卦不純乎一與中者, 則有對也.'
劉砥問云, '「都是春,」 蓋云天理流行而已, 常周流其間之意否?'[179]
朱子云, '是.'[180] 以上說「圓圖」."[181]
장행성張行成[182]이 말하기를, '하늘과 땅 사이에 오직 「한 가지로 된 것[一]」은 짝이 없고, 오직 「가운데 있는 것[中]」은 짝이 없다. 건괘䷀와 곤괘䷁는 음이나 양이 한 가지로 된 것이고 감괘䷜와 리괘䷝는 음이나 양이 가운데 있는 것이며, 이괘䷚와 대과괘䷛는 건괘와 곤괘가 음이나 양이 한 가지로 된 것이라는 것과 유사하고, 중부괘䷼와 소과괘䷽는 감괘와 리괘가 음이나 양이 가운데 있는 것이라는 것과 유사하므로 모두 짝이 없다. 그 나머지 56괘는 한 가지로 된 것과 한 가운데 있는 것이라는 측면으로 순수하지 않으니, 짝이 있다.'
유지劉砥[183]가 물어서 말하기를, '「온통 봄이다.[都是春]」라는 말은 천리가 유행할 따름이니 언제나 그 사이를 두루 유행한다는 뜻입니까?'라고 했다.

178 소옹, 『皇極經世書』 권13 「觀物外篇」 上
179 王植은 『皇極經世書解』 권10에서 이 말을 黃畿의 말로 보고 있다.
180 『朱子語類』 권100, 50조목에는, "問'康節云: 「天根月窟間來往, 三十六宮都是春.」 蓋云天理流行, 而己常周旋乎其間. 天根月窟是箇總會處, 如大明終始, 時乘六龍之意否?' 曰: '是.'"라고 되어 있다.
181 호방평, 『易學啟蒙通釋』 권上 「原卦畫」 제2
182 張行成 : 자는 文饒이고 남송 臨邛(현 사천성 邛崍) 사람이다. 벼슬은 直徽猷閣, 兵部郎中, 知潼川府를 역임하였다. 소옹의 선천학이 세상에 전수되지 않는 것을 알고 10년을 두문불출하며 상수역을 연구해서 마침내 스스로 일가를 이루었다. 그의 상수역은 소옹에게 귀결되므로 당시 사람들에게 '觀物先生'이라고 불렸다. 저술로는 『述衍』, 『翼玄』, 『元包數義』, 『潛虛衍義』, 『皇極經世索隱』, 『觀物外篇衍義』, 『周易通變』 등이 있다.
183 劉砥(1154~1199) : 자는 履之이고 호는 存庵이다. 복건성 사람으로 乾道 2년(1166)에 아우 劉礪와 함께 童子科에 급제하였다. 그러나 과거공부를 그만두고 학문에만 전념하여 역시 아우와 함께 주자에게 배웠다. 주자는 그들 형제의 학업이 독실하고 민첩함을 칭찬하였고, 이에 「태극도설」을 전수하였으며 만년에 『禮書』를 편찬할 때에는 그에게 미리 編次를 작성하도록 하였다. 주자 문하의 蔡元定과 黃榦 등과도 친분이 두터웠다. 저술로는 『王朝禮記』, 『論語 · 孟子解』가 있다.

주자가 대답하여 말하기를, '그렇다.'라고 했다. 이상은 「원도」를 설명한 것이다."

[15-9-12-4]

"邵子又詩云, '天地定位, 否·泰反類! 山澤通氣, 咸·損見義! 雷風相薄, 恒·益起意! 水火相射, 旣濟·未濟! 四象相交, 成十六事; 八卦相盪, 爲六十四!'[184]

朱子釋之云, '此是釋「方圖」中兩交股底. 且如西北角乾, 東北(南)角坤, 是天地定位, 便對東南(北)角泰, 西南角否. 次乾是兌, 次坤是艮, 是山澤通氣, 便對次否之咸, 次泰之損. 後四卦亦如此; 共十六事.'[185]

後四卦謂次兌是離, 次艮是坎, 是水火相射, 便對次損之旣濟, 次咸之未濟. 次離是震, 次坎是巽, 是雷風相薄, 便對次旣濟之益, 次未濟之恒是也. 以上說「方圖」."[186]

(옥재 호씨가 말했다.) "소자邵子[邵雍]는 또 시에서 말하기를, '하늘과 땅이 제자리를 잡으니 비괘䷋와 태괘䷊가 정반대의 부류가 되는구나! 산山과 못[澤]이 기氣를 통하니 함괘䷞와 손괘䷨가 의미를 나타내구나! 우뢰[雷]와 바람[風]이 서로 부딪히니 항괘䷟와 익괘䷩가 생각을 일으키는구나! 물[水]과 불[火]이 서로 싫어하니 기제괘䷾와 미제괘䷿가 되는구나! 4상이 서로 교착하여 16가지 일을 이루고, 8괘가 서로 작용하여 64괘가 된다!'고 하였다.

주자가 이를 풀이하여 말하기를, '이것은 「방도」에서 2개의 교차하는 대각선을 풀이한 것이다. 예컨대 서북쪽 모퉁이의 건괘䷀와 동남쪽 모퉁이의 곤괘䷁는 하늘과 땅이 제자리를 잡은 것이며, 이것은 동북쪽 모퉁이의 태괘䷊와 서남쪽 모퉁이의 비괘䷋와 대칭을 이룬다. 건괘 다음인 것이 태괘䷹이고 곤괘 다음인 것이 간괘䷳이니 산과 못이 기氣를 통하는 것이며, 이것은 비괘䷋ 다음의 함괘䷞와 태괘䷊ 다음의 손괘䷨와 대칭을 이룬다. 그 다음의 4개 괘 또한 마찬가지며 모두 16가지 일이 된다.'고 하였다.

그 다음의 4개 괘는 다음과 같다. 태괘䷹ 다음이 리괘䷝이고 간괘䷳ 다음이 감괘䷜이니 물과 불이 서로 싫어하는 것이며, 이것은 손괘䷨ 다음의 기제괘䷾와 함괘䷞ 다음의 미제괘䷿와 대칭을 이룬다. 리괘䷝ 다음이 진괘䷲이고 감괘䷜ 다음이 손괘䷸이니 우뢰와 바람이 서로 부딪히는 것이며, 이것은 기제괘 다음의 익괘䷩와 미제괘 다음의 항괘䷟와 대칭을 이룬다. 이상은 「방도」를 설명한 것이다."

184 소옹, 『擊壤集』 권17 「大易吟」

185 『朱子語類』 권65, 76조목에는 "康節'天地定位, 否・泰反類'詩八句, 是說「方圖」中兩交股底. 且如西北角乾, 東南角坤, 是'天地定位', 便對東北角泰, 西南角否. 次乾是兌, 次坤是艮, 便對次否之咸, 次泰之損. 後四卦亦如是, 共十六卦."라고 되어 있다. 호방평의 『易學啟蒙通釋』 권上 「原卦畫」 제2에는 '동남쪽 모퉁이의 곤괘'를 '동북쪽 모퉁이의 곤괘'라 하고, '동북쪽 모퉁이의 태괘(䷊)'를 '동남쪽 모퉁이의 태괘(䷊)'라고 하였는데, 「方圖」와 『朱子語類』에 의거하여 바로잡아 번역하였다.

186 호방평, 『易學啟蒙通釋』 권上 「原卦畫」 제2

[15-9-12-5]

"『易本義』云, '此「圖」圓布者, 乾盡午中, 坤盡子中, 離盡卯中, 坎盡酉中. 陽生於子中, 極於午中; 陰生於午中, 極於子中; 其陽在南, 其陰在北. 方布者, 乾始於西北, 坤盡於東南; 其陽在北, 其陰在南, 此二者陰陽對待之數. 圓於外者爲陽, 方於中者爲陰, 圓者動而爲天, 方者靜而爲地也.'[187]

「圓圖」乾在南, 坤在北, 「方圖」坤在南, 乾在北. 乾位陽畫之聚爲多, 坤位陰畫之聚爲多, 此陰陽之各以類而聚也; 亦莫不有自然之法象焉.

(옥재 호씨가 말했다.) "『주역본의』에서 말하기를 '이 「복희64괘도伏義六十四卦圖」에서 「둥글게 펼쳐져 있는 것「圓圖」」은, 건괘☰는 오午의 중中에서 다하고 곤괘☷는 자子의 중中에서 다하며, 리괘☲는 묘卯의 중中에서 다하고 감괘☵는 유酉의 중中에서 다한다. 양은 자子의 중中에서 생겨나 오午의 중中에서 다하고, 음은 오午의 중中에서 생겨나 자子의 중中에서 다하니, 양은 남쪽에 있고 음은 북쪽에 있다. 「네모로 펼쳐져 있는 것「方圖」」은, 건괘☰는 서북쪽에서 시작하고 곤괘☷는 동남쪽에서 다하여, 양은 북쪽에 있고 음은 남쪽에 있으니 이 두 가지는 음과 양이 대대對待하는 수數이다. 바깥에 둥근 것은 양이고 안에 네모난 것은 음이니 둥근 것은 움직여서 하늘이 되고 네모난 것은 고요하여 땅이 된다.'

「원도」에서는 건괘가 남쪽에 있고 곤괘가 북쪽에 있으며, 「방도」에서는 곤괘가 남쪽에 있고 건괘가 북쪽에 있다. 건괘의 자리에는 양획陽畫이 모여 있는 것이 많고 곤괘의 자리에는 음획陰畫이 모여 있는 것이 많으니, 이것은 음과 양이 각기 부류별로 모이는 것이고 또한 그 어느 것도 저절로 그러한 법상法象을 가지지 않은 것이 없다.

又云, '「圓圖」象天, 一順一逆, 流行中有對待, 如震八卦對巽八卦之類. 「方圖」象地, 有逆无順, 定位中有對待, 四角相對, 如乾八卦對坤八卦之類. 此則「方·圓圖」之辨也. 「圓圖」象天者, 天圓而動, 包乎地外; 「方圖」象地者, 地方而靜, 囿乎天中. 「圓圖」者, 天道之陰·陽; 「方圖」者, 地道之柔·剛. 震·離·兌·乾爲天之陽, 地之剛; 巽·坎·艮·坤爲天之陰, 地之柔. 地道承天而行, 以地之剛柔應天之陰陽, 同一理也. 特在天者一逆一順, 卦氣所以運; 在地者惟主乎逆, 卦畫所以成耳.'[188] 以上總說「方·圓圖」."[189]

(주자가) 또 말했다. '「원도」는 하늘을 본떠서 한 번은 순행하고 한 번은 역행하는데 유행하는 가운데 대대待對함이 있으니, 예컨대 진괘☳의 무리 8개의 괘가 손괘☴의 무리 8개의 괘와 마주하고 있는 따위와 같은 것이다. 「방도」는 땅을 본떠서 역행만 있고 순행이 없어서 제 자리를 잡는 가운데 대대待對함이 있고 네 모퉁이가 서로 마주하니, 예컨대 건괘의 무리 8개의 괘가 곤괘의 무리 8개의

187 주희, 『周易本義』「序」

188 호방평, 『易學啟蒙通釋』 권上 「原卦畫」 제2에서 이상을 주자의 말이라고 하고 있다.

189 호방평, 『易學啟蒙通釋』 권上 「原卦畫」 제2

괘와 마주하고 있는 따위와 같은 것이다. 이것이 「방도」와 「원도」의 구분이다. 「원도」가 하늘을 본떴다는 것은 하늘은 둥글면서 움직여 땅 밖을 감싼다는 것이고, 「방도」가 땅을 본떴다는 것은 땅은 모나면서 고요하여 하늘 안에 감싸여 있는 것이다. 「원도」는 천도天道의 음 · 양陰 · 陽이고 「방도」는 지도地道의 유 · 강柔 · 剛이다. 진괘 · 리괘 · 태괘 · 건괘는 하늘의 양이고 땅의 강剛이며 손괘 · 감괘 · 간괘 · 곤괘는 하늘의 음이고 땅의 유柔이다. 지도地道는 하늘을 받들어 운행하니 땅의 강剛 · 유柔로 하늘의 음 · 양에 호응하는 것은 동일한 이치이다. 그렇지만 하늘에 있는 것은 한 번은 순행하고 한 번은 역행하니 괘의 기氣가 그것으로 운행하고, 땅에 있는 것은 오직 역행을 위주로 하니 괘의 획이 그것으로 이루어질 뿐이다.' 이상은 「방도」와 「원도」를 모두 설명한 것이다."

[15-9-12-6]

"此以上數條, 『啓蒙』未盡述. 今附見於此, 亦可互相發矣."

(옥재 호씨가 말했다.) "이상의 몇 조항들은 『역학계몽』에서 충분히 설명하지 못한 것들이다. 그래서 여기에 붙여 넣었으니 또한 서로 보완할 수 있을 것이다."

文王八卦圖 문왕8괘도

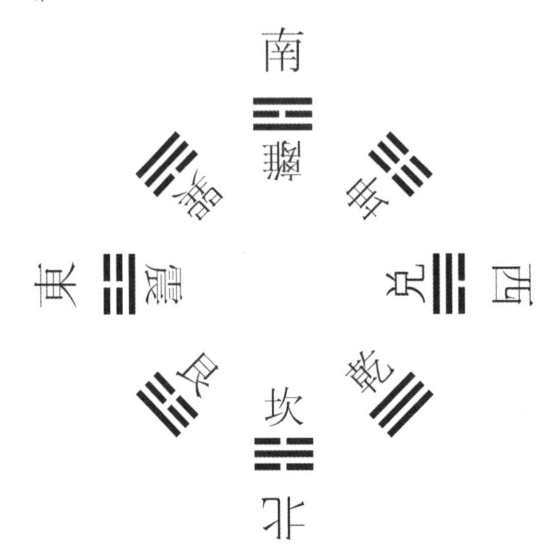

[15-10-0-1]

朱子曰 : "據邵氏說, 先天者, 伏羲所畫之『易』也; 後天者, 文王所演之『易』也. 伏羲之『易』初無文字, 只有一圖以寓其象·數, 而天地萬物之理, 陰陽始終之變具焉. 文王之『易』卽今之『周易』, 而孔子所爲作「傳」者是也. 孔子旣因文王之『易』以作「傳」, 則其所論固當專以文王之『易』爲主. 然不推本伏羲始畫之『易』, 只從中半說起, 不識向上根原矣. 故「十翼」之中, 如'八卦成列, 因而重之', '太極·兩儀·四象·八卦', 而'天地·山澤·雷風·水火'之類, 皆本伏羲畫卦之意. 而今『啓蒙』「原卦畫」一篇, 亦分兩義, 伏羲在前, 文王在後. 必欲知聖人作『易』之本, 則當考伏羲之畫; 若只欲知今『易』書文義, 則但求文王之『經』, 孔子之「傳」足矣. 兩者初不相妨, 而亦不可以相雜也."[190]

주자가 말했다. "소씨邵氏[邵雍]의 주장에 의거하면 '선천'은 복희가 그린 『역』이고, '후천'은 문왕이 연역한 『역』이다. 복희의 『역』은 애초에 문자가 없이 다만 하나의 그림으로 그 상象과 수數를 붙였는데, 천지만물의 리理와 음양이 시작하고 끝나는 변화가 거기에 갖추어져 있다. 문왕의 『역』은 바로 오늘날의 『주역』이며, 공자가 『역전』을 지은 것이 이것이다. 공자가 이미 문왕의 『역』에 근거하여 「역전」을 지었으니, 그가 논한 것들은 본디 오로지 문왕의 『역』을 위주로 했을 것이다. 그러나 복희가 처음 그린 『역』을 근본까지 미루어가지 않고 다만 중반에서 논의를 시작한다면, 그 위의 근원은 알 수 없게 될 것이다. 그러므로 「십익十翼」 가운데 예컨대 '8괘가 열을 이루고, (…) 그것에 따라서 거듭하니',[191]라고 하고 '태극, 양의兩儀, 4상, 8괘'를 말한 것과 '하늘과 땅, 산과 못, 우레와 바람, 물과 불'을 말한 것 따위는 모두 복희가 괘를 그린 뜻에 근본을 두었다. 이제 『역학계몽』의 「원괘획」 편에서도 또한 두 가지로 의미를 구분하여 복희의 『역』을 앞에 두고 문왕의 『역』을 뒤에 두었다. 성인이 『역』을 만든 근본을 반드시 알려고 하면 마땅히 복희가 8괘를 그은 것을 고찰해야겠지만, 만약 다만 오늘날의 『역』이라는 책 속에 담긴 글의 뜻만을 알려고 한다면, 단지 문왕의 『역경』과 공자의 「역전」만으로도 충분할 것이다. (복희의 『역』과 문왕의 『역』) 둘은 애초에 서로 방해되지 않지만, 그렇다고 또한 서로 뒤섞어서도 안 된다."

[15-10-0-2]

"自初未有畫時說到六畫滿處者, 邵子所謂'先天之學'也; 卦成之後各因一義推說, 邵子所謂'後天之學'也. 今如夫子「繫辭」·「說卦」三才·六位之說, 卽所謂後天者也. 先天·後天旣各自爲一義, 而後天說中取義又不同. 彼此自不相妨, 不可執一而廢百也.[192]

190 『朱文公文集』 권38 「答袁機仲」에는, "據邵氏說, 先天者, 伏羲所畫之『易』也; 後天者, 文王所演之『易』也. 伏羲之『易』初無文字, 只有一圖以寓其象·數, 而天地萬物之理, 陰陽始終之變具焉. 文王之『易』卽今之『周易』, 而孔子所爲作「傳」者是也. 孔子旣因文王之『易』以作「傳」, 則其所論固當專以文王之『易』爲主. 然不推本伏羲作『易』畫卦之所由, 則學者必將誤認文王所演之『易』便爲伏羲始畫之『易』, 只從中半說起, 不識向上根原矣. 故「十翼」之中, 如八卦成列, 因而重之, '太極·兩儀·四象·八卦', 而'天地·山澤·雷風·水火'之類, 皆本伏羲畫卦之意; 而今『啓蒙』「原卦畫」一篇, 亦分兩義, 伏羲在前, 文王在後. 必欲知聖人作『易』之本, 則當考伏羲之畫; 若只欲知今易書文義, 則但文王之『經』, 孔子之「傳」足矣. 兩者初不相妨, 而亦不可以相雜也."라고 되어 있다.

191 8괘가 열을 … 거듭하니 : 『易』「繫辭下」 제1장에서, "八卦成列, 象在其中矣. 因而重之, 爻在其中矣."라고 하였다.

192 『朱文公文集』 권38 「答袁機仲」에는, "自初未有畫時說到六畫滿處者, 邵子所謂'先天之學'也. 卦成之後各因一

如一索·再索之說，初間畫卦時也不是恁地．只是畫成八卦後，便見有此象耳．皆所謂後天之學．[193]"

(주자가 말했다.) "애초에 아직 획을 그리지 않았을 때부터 여섯 획이 채워지는 곳까지를 말하는 것은 소자邵子[邵雍]의 이른바 '선천의 학문'이고, 괘가 이루어진 뒤 각기 한 가지 의미에 근거해서 미루어 말한 것이 소자邵子[邵雍]의 이른바 '후천의 학문'이다. 이제 예컨대 공자의 「계사」와 「설괘」에서 삼재三才[194]와 육위六位[195]에 관하여 말하는 것들은 곧 이른바 후천의 학문이다. 선천과 후천은 이미 각자 하나의 의미가 되지만, 후천설 가운데에서 의미를 취한 것이 더욱 특별하다. 피차간에 원래 서로 방해되지는 않지만, 어느 하나에 집착하여 나머지 모든 것을 버려서는 안 된다.

'한 번 찾아서[一索]', '다시 찾아서[再索]'[196]라는 말이 있는데, 애초에 괘를 그을 때에는 또한 그렇게 하지 않았다. 단지 8괘를 그려낸 뒤에 곧 이러한 모습이 있음을 알았을 뿐이다. 모두 이른바 '후천의 학문'이다."

[15-10-0-3]

潛室陳氏曰："伏羲『易』以生出爲次，文王『易』以反對爲次．乾·坤純體，坎·離正體，頤·大過·小過·中孚雜體中之正者，此八卦不可反而兩相對．餘五十六卦爲雜體．兩相反以爲對于雜然紛錯之中，自有井然不紊之統紀者，此其所以爲妙也．"[197]

잠실 진씨潛室陳氏[陳埴]가 말했다. "복희의 『역』은 '생겨나오는 것[生出]'을 차례로 삼고, 문왕의 『역』은 '뒤집어 짝이 되는 것[反對]'을 차례로 삼는다. 건괘䷀ · 곤괘䷁는 괘의 체體가 순수하고, 감괘䷜ · 리괘䷝는 괘의 체體가 바르며, 이괘䷚ · 대과괘䷛ · 소과괘䷽ · 중부괘䷼는 괘의 체體가 뒤섞인 것 가운데 바른 것이다. 이들 8개 괘는 뒤집어도 (원래의 것과 뒤집힌 것) 둘이 서로 짝이 될 수 없다. 나머지 56개

義推說, 邵子所謂'後天之學'也. 今來喻所引「繫辭」·「說卦」三才 · 六位之說, 卽所謂後天者也. 先天 · 後天既各自爲一義, 而後天說中取義又不同. 彼此自不相妨, 不可執一而廢百也."라고 되어 있다.

193 『朱子語類』 권65, 21조목에는 "如乾一索而得震, 再索而得坎, 三索而得艮; 坤一索而得巽, 再索而得離, 三索而得兌. 初間畫卦時, 也不是恁地. 只是畫成八箇卦後, 便見有此象耳."라고 되어 있다.

194 三才 : 천 · 지 · 인 3획을 가리킨다. 『易』「繫辭下」 제10장에서, "『易』之爲書也, 廣大悉備, 有天道焉, 有人道焉, 有地道焉. 兼三才而兩之, 故六. 六者非它也, 三才之道也. 道有變動, 故曰爻. 爻有等, 故曰物. 物相雜, 故曰文. 文不當, 故吉凶生焉."이라고 하였다.

195 六位 : 6획 즉 6효의 자리를 가리킨다. 『易』「說卦」 제2장에서, "昔者, 聖人之作『易』也, 將以順性命之理. 是以立天之道, 曰陰與陽; 立地之道, 曰柔與剛; 立人之道, 曰仁與義. 兼三才而兩之, 故『易』六畫而成卦, 分陰分陽, 迭用柔剛, 故『易』六位而成章. 兼三才而兩之, 總言六畫. 又細分之, 則陰陽之位, 間雜而成文章也."라고 하였다.

196 '한 번 … 찾아서[再索]' : 『易』「설괘」 제10장에서, "乾, 天也, 故稱乎父. 坤, 地也, 故稱乎母. 震一索而得男, 故謂之長男. 巽一索而得女, 故謂之長女. 坎再索而得男, 故謂之中男. 離再索而得女, 故謂之中女. 艮三索而得男, 故謂之少男. 兌三索而得女, 故謂之少女."라고 하였다.

197 陳埴, 『木鍾集』 권4에는 "伏羲『易』以出入爲次, 文王『易』以反對爲次. 乾 · 坤純體, 坎 · 離互體, 頤 · 大過 · 小過 · 中孚雜體中之正者, 此八卦不可反爲兩相對. 餘五十六卦爲雜體. 兩相反以爲對于雜然紛錯之中, 自有井然不紊之統紀, 所以爲妙."라고 되어 있다.

괘는 괘의 체體가 뒤섞인 것이다. 둘이 서로 뒤집으면 뒤섞여 혼란한 속에서 짝이 되어, 원래 질서정연해서 문란하지 않은 조리가 있으니, 이것이 그 오묘한 까닭이다."

[15-10]

帝出乎震, 齊乎巽, 相見乎離, 致役乎坤, 說言乎兌, 戰乎乾, 勞乎坎, 成言乎艮. 萬物出乎震, 震, 東方也. 齊乎巽, 巽, 東南也. 齊也者, 言萬物之潔齊也. 離也者, 明也; 萬物皆相見, 南方之卦也. 聖人南面而聽天下, 嚮明而治, 蓋取諸此也. 坤也者, 地也; 萬物皆致養焉, 故曰, '致役乎坤.' 兌, 正秋也; 萬物之所說也, 故曰, '說言乎兌.' 戰乎乾, 乾, 西方之卦也; 言陰陽相薄也. 坎者, 水也, 正北方之卦也; 勞卦也, 萬物之所歸也, 故曰, '勞乎坎.' 艮, 東北之卦也; 萬物之所成終而所成始也, 故曰, '成言乎艮.'[198]

천제가 진괘☳에서 나와 손괘☴에서 가지런하며 리괘☲에서 서로 보고 곤괘☷에서 일을 다하며 태괘☱에서 기뻐하고 건괘☰에서 싸우며 감괘☵에서 수고롭고 간괘☶에서 이룬다. 만물이 진괘에서 나오니 진괘는 동쪽이다. 손괘에서 가지런하니 손괘는 동남쪽이다. '가지런하다'는 것은 만물이 깨끗하고 가지런하다는 것을 말한다. 리괘는 밝음이니, 만물이 모두 서로 보므로 남쪽의 괘다. 성인이 남쪽을 바라보며 천하 사람들의 말을 듣고 밝은 곳을 향해 다스리는 것은, 바로 여기에서 취한 것이다. 곤괘는 땅이니, 만물이 모두 여기에서 길러지므로 '곤괘에서 일을 다 한다.'고 했다. 태괘는 가을이 한창이니, 만물이 기뻐하므로 '태괘에서 기뻐한다.'고 했다. 건괘에서 싸운다는 것은, 건은 서북쪽의 괘이니 이는 음·양이 서로 부딪히는 것을 말한다. 감괘는 물水로서 정북방의 괘이며 수고로운 괘로서 만물이 귀결하는 곳이므로 '감괘에서 수고롭다.'고 했다. 간괘는 동북쪽의 괘이니, 만물이 여기에서 끝마치게 되고 시작하게 되므로 '간괘에서 이룬다.'고 했다.

神也者, 妙萬物而爲言者也. 動萬物者莫疾乎雷, 撓萬物者莫疾乎風, 燥萬物者莫熯乎火, 說萬物者莫說乎澤, 潤萬物者莫潤乎水, 終萬物始萬物者莫盛乎艮. 故水火相逮, 雷風不相悖, 山澤通氣, 然後能變化, 旣成萬物也.[199]

신神이란 만물을 신묘하게 하는 것을 말하는 것이다. 만물을 움직이는 것은 우레보다 빠른 것이 없고, 만물을 흔드는 것은 바람보다 빠른 것이 없으며, 만물을 건조시키는 것은 불보다 더 잘 말리는 것이 없고, 만물을 기쁘게 하는 것은 못보다 더 기쁘게 하는 것이 없으며, 만물을 적시는 것은 물보다 더 잘 적시는 것이 없고, 만물을 끝내고 만물을 시작하는 것은 간艮[산]보다 왕성한 것이 없다. 그러므로 물과 불이 서로 미치고, 우레와 바람이 서로 어그러지지 않으며, 산과 못이 기氣를 통한 다음에야 변화할 수 있고 만물을 충분히 이룰 수 있다.

198 『易』「說卦傳」 제5장
199 『易』「說卦傳」 제6장

[15-10-1]

邵子曰 : "此一節明文王八卦也."[200]

소자邵子[邵雍]가 말했다. "이 구절은 문왕 8괘를 밝혔다."

[15-10-2]

又曰 : "至哉文王之作『易』也, 其得天地之用乎! 故乾 · 坤交而爲泰, 坎 · 離交而爲旣濟也. 乾生於子, 坤生於午, 坎終於寅, 離終於申, 以應天之時也. 置乾於西北, 退坤於西南, 長子用事, 而長女代母, 坎 · 離得位, 而兌 · 艮爲耦, 以應地之方也. 王者文王也其盡於是矣."[201] 此言文王改易伏羲「卦圖」之意也. 蓋自乾南·坤北而交, 則乾北·坤南而爲泰矣. 自離東·坎西而交, 則離西·坎東而爲旣濟矣. 乾·坤之交者, 自其所已成而反其所由生也. 故再變則乾退乎西北, 坤退乎西南也. 坎·離之變者, 東自上而西, 西自下而東也. 故乾·坤旣退, 則離得乾位, 而坎得坤位也. 震用事者, 發生於東方; 巽代母者, 長養於東南也.

(소옹이) 또 말했다. "지극하다, 문왕이 『역』을 지은 것은 아마 하늘과 땅의 작용을 터득하였을 것이다! 그러므로 건괘☰와 곤괘☷가 교착하여 태괘䷊가 되고, 감괘☵와 리괘☲가 교착하여 기제괘䷾가 된다. 건괘☰는 자子에서 생기고, 곤괘☷는 오午에서 생기며, 감괘☵는 인寅에서 마치고, 리괘☲는 신申에서 마쳐서 하늘의 때에 응했다. 건괘☰를 서북쪽에 두고 곤괘☷를 서남쪽으로 물리니, 큰아들이 일을 하고 큰딸이 어머니를 대신하며, 감괘☵와 리괘☲가 자리를 얻고, 태괘☱와 간괘☶가 짝이 되어 땅의 방위에 응했다. 왕은 문왕을 가리킨다. 여기에서 다 드러내었다" 이것은 문왕이 복희의 「괘도」를 변경한 뜻을 말한다. 건괘☰가 남쪽이고 곤괘☷가 북쪽인 것에서부터 교착하면, 건괘가 북쪽이고 곤괘는 남쪽이 되어 태괘䷊가 된다. 리괘☲가 동쪽이고 감괘☵가 서쪽인 것에서부터 교착하면, 리괘가 서쪽이고 감괘는 동쪽이 되어 기제괘䷾가 된다. 건괘와 곤괘의 교착은 이미 이루어진 것으로부터 말미암아 생겨난 것으로 되돌아가는 것이다. 그러므로 다시 한 번 변하면 건괘는 서북쪽에 물러나고 곤괘는 서남쪽에 물러난다. 감괘와 리괘의 변화는 동쪽에 있던 것이 위에서부터 서쪽으로 가고 서쪽에 있던 것은 아래에서부터 동쪽으로 가는 것이다. 건괘와 곤괘가 이미 물러났으니, 리괘가 건괘의 자리를 얻고 감괘는 곤괘의 자리를 얻는다. 진괘가 일을 한다는 것은 동쪽에서 발생한다는 것이고, 손괘가 어머니를 대신한다는 것은 동남쪽에서 기른다는 것이다.

[15-10-2-1]

朱子曰 : "太極·兩儀·四象·八卦者, 伏羲畫之法也. 「說卦」'天地定位, 山澤通氣, 雷風相薄, 水火不相射, 八卦相錯'者, 伏羲所畫八卦之位也. '帝出乎震'以下, 文王卽伏羲已成之卦而推義類之辭也."[202]

---

200 소옹, 『皇極經世書』 권13 「觀物外篇上」에는 "起震終艮一節明文王八卦也."라고 되어 있다.

201 소옹, 『皇極經世書』 권13 「觀物外篇上」에는 "至哉文王之作『易』也, 其得天地之用乎! 故乾 · 坤交而爲泰, 坎 · 離交而爲旣濟也. 乾生於子, 坤生於午, 坎終於寅, 離終於申, 以應天之時也. 置乾於西北, 退坤於西南, 長子用事, 而長女代母, 坎 · 離得位, 而兌 · 艮爲耦, 以應地之方也. 王者之法其盡於是矣."라고 되어 있다.

주자가 말했다. "태극 · 양의 · 4상 · 8괘는 복희가 괘를 그었던 방식이다. 「설괘」의 '하늘과 땅이 제자리를 잡고, 산과 못이 기氣를 통하며, 우레와 바람이 서로 부딪히고, 물과 불이 서로 해치지 않아, 8괘가 서로 섞인다.'는 것은 복희가 그은 8괘의 방위이다. '천제가 진괘에서 나와서' 이하의 글은 문왕이 복희가 이미 이루어 놓은 괘에서 그 의미를 따져 유추한 말이다."

[15-10-2-2]

"上文兩段, 說伏羲卦位; 自'帝出乎震'以下, 說文王卦位. 自'神也者'以下有兩段, 前一段乃文王卦位, 後一段乃伏羲卦位.

恐夫子之意, 以爲伏羲·文王所定方位不同如此. 然生育萬物旣如文王所次, 則其方位非如伏羲所定, 亦不能變化旣成萬物. 但後段却除了乾·坤, 恐着一句'神也者妙萬物而爲言'引起, 則乾·坤在其中矣."[203]

(주자가 말했다.)[204] "앞의 글 두 단락[205]은 「복희8괘도」의 괘의 방위를 설명한 것이고, '천제가 진괘에서 나와서'부터 이하의 글은 「문왕8괘도」의 괘의 방위를 설명한 것이다. '신이란'부터 이하의 두 단락에서 앞 단락[206]은 바로 「문왕8괘도」의 괘의 방위이고, 뒤 단락[207]은 「복희8괘도」의 괘의 방위이다.

아마도 공자의 뜻은 복희와 문왕이 정한 방위가 이와 같이 다르다고 여긴 듯하다. 그러나 만물을 낳고 기르는 것이 (복희씨 당시에) 이미 문왕이 차례지운 것과 같았다면, 그 방위는 복희가 정한 것과 같지 않았을 것이고, 또한 이미 이루어진 만물을 변화시킬 수도 없었을 것이다. 그러나 뒤 단락에서 오히려 건괘와 곤괘를 제외했지만, 아마 '신이란 만물을 신묘하게 하는 것을 말한다.'라는 구절에서 이끌어보면, 건괘와 곤괘는 그 가운데에 있는 듯하다."

---

202 『朱文公文集』 권54 「答王伯禮」에는, "太極 · 兩儀 · 四象 · 八卦者, 伏羲畫之法也. 說卦'天地定位', 至'坤以藏之'以前, 伏羲所畫八卦之位也. '帝出乎震'以下, 文王卽伏羲已成之卦而推其義類之詞也."라고 되어 있다.

203 『朱子語類』 권77, 53조목에는 問 : "子細看此數段, 前兩段說伏羲卦位; 後兩段自'帝出乎震'以下說文王卦位. 自'神者妙萬物而爲言'下有兩段, 前一段乃文王卦位, 後段乃伏羲底. 恐夫子之意, 以爲伏羲 · 文王所定方位不同如此. 然生育萬物旣如文王所次, 則其方位非如伏羲所定, 亦不能變化. 旣成萬物, 無伏羲底, 則做文王底不出. 竊恐文義如此說, 較分明." 曰 : "如是, 則其歸卻主在伏羲上. 恁地說也好. 但後兩段卻除了乾坤, 何也?" 曰 : "竊恐著一句'神者妙萬物而爲言'引起, 則乾坤在其中矣."라고 되어 있다.

204 (주자가 말했다.) : 앞의 원문 출전에 비추어 보면, 이 글은 주희와 황간의 대화를 편집한 것으로서 대부분이 황간의 말이니, 전체를 주희의 말이라고 할 수 없다.

205 앞의 글 두 단락 : 「說卦傳」 제3장에서, "天地定位, 山澤通氣, 雷風相薄, 水火不相射, 八卦相錯. 數往者順, 知來者逆, 是故『易』逆數也."라고 한 것과 제4장에서, "雷以動之, 風以散之, 雨以潤之, 日以烜之, 艮以止之, 兌以說之, 乾以君之, 坤以藏之."라고 한 것을 가리킨다.

206 앞 단락 : 「說卦傳」 제6장에서, "動萬物者莫疾乎雷, 撓萬物者莫疾乎風, 燥萬物者莫熯乎火, 說萬物者莫說乎澤, 潤萬物者莫潤乎水, 終萬物始萬物者莫盛乎艮."이라고 한 것을 가리킨다.

207 뒤 단락 : 「說卦傳」 제6장에서, "故水火相逮, 雷風不相悖, 山澤通氣, 然後能變化, 旣成萬物也."라고 한 것을 가리킨다.

[15-10-2-3]

蔡季通云："伏羲「八卦」，是數之自然；文王「八卦」，乃是見之於用.

或謂'「先天」乃模寫天地之所以然，純乎天理者也；「後天」乃整頓天地所當然之理，合以人事.'此意固自然. 「先天」豈非人事![208] 「後天」亦是天理之自然. 顧有明體致用之不同，二者不可相無. 故夫子釋'帝出乎震'一章，又以先天說六子之用也. 邵子以'帝出乎震'爲文王所定，今觀連山首艮，以萬物成終成始，恐亦古有此矣."[209]

채계통蔡元定이 말했다. "「복희8괘도」는 수數가 저절로 그러한 것이고, 「문왕8괘도」는 곧 작용에서 그것을 본 것이다.

어떤 사람이 말하기를, '「선천도」는 곧 천지의 소이연所以然을 모사하였으니 천리에 순수한 것이고, 「후천도」는 천지의 소당연所當然의 이치를 정돈하였으니 사람의 일에 부합되는 것이다'라고 했다. 이 말은 참으로 좋다. 그러나 「선천도」가 어찌 사람의 일이 아니겠는가! 「후천도」도 또한 천리의 저절로 그러한 것이다. 다만 본체를 밝히는 것과 작용을 다하는 것의 다름이 있을 뿐이니, 이 둘은 서로 없어서는 안 된다. 그러므로 공자는 '천제가 진괘에서 나와서'라는 단락을 풀이하여, 또한 '선천'으로 '6자六子'의 작용을 설명하였다. 소자邵子[邵雍]는 '천제가 진괘에서 나와서'라는 단락을 문왕이 정한 것으로 여기는데, 이제 『연산』에서 첫 괘를 간괘로 하여 만물이 끝을 이루고 시작을 이루는 것을 보니, 아마 옛날에도 역시 이러한 주장이 있은 듯하다."

[15-10-2-4]

雲莊劉氏曰："八卦之象各一，而水則有二. 合「先·後天卦」位觀之，實周於東·南·西·北，以天地之間水爲最多也. 然坎爲水而兌止爲澤者，以坎乃陽水，陽主動，江河之流是也. 兌乃陰水，陰主靜，湖海之滙是也. 朱先生嘗謂'坎水塞其下流，則爲兌澤.'愚亦謂'兌澤疏其隄防，則爲坎水.'其實一水而已；特以坎陽兌陰而有水澤之分也."[210]

운장 유씨雲莊劉氏[劉爚]가 말했다. "8괘의 상象은 각각 하나씩인데 수水는 둘이 있다. 「선천도」와 「후천도」의 괘의 방위를 합쳐서 보면, 수水는 실로 '동 · 남 · 서 · 북'에 두루 하니, 하늘과 땅 사이에 수水가 가장 많기 때문이다. 그러나 감괘☵는 수水가 되지만 태괘☱가 못이 되는데 그치는 것은 감괘가 곧 양陽의 수水이기 때문이니, 양은 움직임을 위주로 하고 강물과 하천의 흐름이 이것이다. 태괘는 곧 음陰의 수水이니, 음은 고요함을 위주로 하고 호수나 바다에 물이 모이는 것이 이것이다.

208 此意固自然. 先天豈非人事：『周易傳義大全』「周易朱子圖說」에 "此意固好. 然先天豈非人事,"라고 한 것이 문맥상 자연스러우므로 고쳐서 번역한다. 이황도 『啓蒙傳疑』「原卦畫」 제2에서 이렇게 바로 잡았다.

209 『周易傳義大全』「周易朱子圖說」에는, "蔡季通云, '伏羲「八卦」, 是數之自然; 文王「八卦」, 乃是見之於用.' 或謂'「先天」乃模寫天地之所以然, 純乎天理者也. 「後天」乃整頓天地所當然之理, 參以人事.' 此意固好. 然「先天」豈非人事! 「後天」亦是天理之自然. 顧有明體致用之不同, 二者不可相無. 故夫子釋'帝出乎震'一章, 又以先天說六子之用也. 邵子以'帝出乎震'爲文王所定, 今觀連山首艮, 以萬物成終成始, 恐亦古有此矣."라고 되어 있다.

210 호방평, 『易學啟蒙通釋』 권上 「原卦畫」 제2에서 劉爚의 말이라고 하였다.

주선생朱先生[朱熹]은 일찍이 '감괘의 수水에서 그 하류를 막으면 태괘의 못이 된다.'고 하였고, 나도 '태괘의 못에서 그 둑을 터트리면 감괘의 수水가 된다.'고 하였으니, 사실 하나의 수水일 뿐인데, 다만 감괘는 양이고 태괘는 음이기 때문에 수水와 못의 구분이 있다."

[15-10-2-5]

玉齋胡氏曰 : "乾南·坤北·離東·坎西者, 「先天」卦位. 乾·坤由南·北而交, 坤南·乾北, 則坤上·乾下, 故交而爲泰也. 離·坎由東·西而交, 坎東·離西, 則坎上·離下, 故交而爲旣濟也.

옥재 호씨玉齋胡氏[胡方平]가 말했다. "건괘는 남쪽이고 곤괘는 북쪽이며 리괘는 동쪽이고 감괘는 서쪽이라는 것은 「선천도」의 괘의 방위이다. 건괘와 곤괘가 남쪽과 북쪽으로부터 교착하여 곤괘가 남쪽이 되고 건괘가 북쪽이 되면, 곤괘가 위가 되고 건괘가 아래가 되므로 교착하여 태괘䷊가 된다. 리괘와 감괘가 동쪽과 서쪽으로부터 교착하여 감괘가 동쪽이 되고 리괘가 서쪽이 되면, 감괘가 위가 되고 리괘가 아래가 되므로 교착하여 기제괘䷾가 된다.

「先天」卦乾居午而云'生於子'者, 以乾陽始生於復; 復, 子之半也. 坤居子而云'生於午'者, 以坤陰始生於姤; 姤, 午之半也. 午, 乾之所已成; 今下而交坤於子, 是反其所由生也. 子, 坤之所已成; 今上而交乾於午, 是反其所由生也. 故再變而爲後天卦, 則乾退西北, 坤退西南也.

「선천도」의 괘에서 건괘가 오午에 자리 잡고 있는데 '자子에서 생긴다.'고 한 것은 건괘의 양陽이 복괘䷗에서 처음으로 생겼기 때문이다. 복괘는 자子의 반半이다. 곤괘가 자子에 자리 잡고 있는데 '오午에서 생긴다.'고 한 것은 곤괘의 음陰이 구괘䷫에서 처음으로 생겼기 때문이다. 구괘는 바로 오午의 반半이다. 오午는 건괘가 이미 이루어진 곳이다. 이제 아래로 내려가 자子에서 곤괘와 교착하니 이는 그 말미암아 생긴 곳으로 되돌아 간 것이다. 자子는 곤괘가 이미 이루어진 곳이다. 이제 위로 올라가 오午에서 건괘와 교착하니, 이는 그 말미암아 생긴 곳으로 되돌아 간 것이다. 그러므로 다시 한 번 변하여 후천의 괘가 되면, 건괘는 서북쪽으로 물러나고 곤괘는 서남쪽으로 물러난다.

先天卦離當寅而云'終于申'者, 申乃坎之位, 離交坎而終於申也. 坎當申而云'終於寅'者, 寅乃離之位, 坎交離而終於寅也. 東者離之本位, 其變則交於坎而向西, 是'東自上而西'也. 西者坎之本位, 其變則交於離而向東, 是'西自下而東'也. 故再變而爲後天卦; 乾·坤旣退, 則離上而得乾位, 坎下而得坤位也. 震代父始事而發生於東方, 巽代母繼事而長養於東南也.

「선천도」의 괘에서 리괘가 인寅에 해당하는데 '신申에서 마친다.'고 한 것은, 신申이 바로 감괘의 방위이며 리괘가 감괘와 교착하여 신申에서 마친다는 것이다. 감괘가 신申에 해당하는데 '인寅에서 마친다.'고 한 것은, 인寅이 바로 리괘의 방위이며 감괘가 리괘와 교착하여 인寅에서 마친다는 것이다. 동쪽은 리괘의 본래 방위이지만 그것이 변하면 감괘와 교착하여 서쪽으로 향하니, '동쪽에 있던 것이 위에서 서쪽으로 간다.'는 것이다. 서쪽은 감괘의 본래 방위지만 그것이 변하면 리괘와 교착하여 동쪽으로 향하니, '서쪽에 있던 것이 아래에서 동쪽으로 간다.'는 것이다. 그러므로 다시 한 번 변하여 후천의 괘가 되는 데, 건괘와 곤괘가 이미 물러났으니, 리괘는 위로 올라가서 건괘의 방위를 얻고 감괘는 아래로 내려와서 곤괘의 방위를 얻는다. 진괘는 아버지를 대신해 일을 시작하여 동쪽에서 만물을 발생하고 손괘는 어미를 대신해 일을 이어받아 동남쪽에서 기른다.

「先天」主乾坤·坎離之交, 其交也將變而无定位, 天時之不窮也, 故曰'應天.' 「後天」主坎離·震兌之交, 其交也不變而有定位, 地方而有常也, 故曰'應地.'
「선천도」는 건괘와 곤괘, 감괘와 리괘의 교착을 위주로 하는데, 그 교착함은 장차 변하여 정해진 방위가 없고 하늘의 때가 무궁하기 때문에 '하늘의 때에 응한다.'고 하였다. 「후천도」는 감괘와 리괘, 진괘와 태괘의 교착을 위주로 하는데, 그 교착함은 변하지 않아 정해진 방위가 있고 땅은 네모져서 항상스러움이 있기 때문에 '땅의 방위에 응한다.'고 하였다.

由「先天」卦而爲「後天」卦, 此文王作『易』所以得天地之用, 而邵子以'至哉!'之辭贊之也. 雖然, 此邵子朱子之所已言者, 而其所未言者尤當竟也. 「先天」卦乾以君言, 則所主者在乾. 「後天」卦震以帝言, 則所主者又在震; 何哉? 此正夫子發明羲·文尊陽之意也. 蓋乾爲震之父, 震爲乾之子.
「선천도」의 괘에 근거하여 「후천도」의 괘를 만들었으니, 이는 문왕이 『역』을 만드는 데에 하늘과 땅의 작용을 터득한 까닭이며 소자邵子[邵雍]는 '지극하다!'라는 말로 그것을 찬양했다. 비록 그러하지만 이것은 소자와 주자가 이미 말한 것이고, 그들이 말하지 않은 것은 더욱 궁구해야 한다. 「선천도」의 괘에서는 건괘를 '임금[君]'이라고 말하니 주관하는 것이 건괘에 있다. 「후천도」의 괘에서는 진괘를 '천제[帝]'라고 말하니 주관하는 것이 또한 진괘에 있다. 무엇 때문인가? 이것은 바로 공자가 복희와 문왕이 양陽을 높이는 뜻을 밝힌 것이다. 건괘는 진괘의 아버지가 되고 진괘는 건괘의 아들이 된다.

以統臨謂之君, 則統天者莫如乾, 而「先天」卦位宗一乾也. 此乾方用事, 則震居東北而緩其用也. 以主宰謂之帝, 主器者莫若長子, 而「後天」卦位宗一震也. 此乾不用, 則震居正東而司其用也. 「先天」所重者在正南; 「後天」所重者在正東. 如此, 則文王改易伏羲「卦圖」, 均一尊陽之心可見矣."211
통치하는 것을 '임금'이라고 하니, 하늘을 통치하는 것은 건乾만 한 것이 없고, 「선천도」의 괘의 자리는 건괘가 근간이 된다. 여기에서 건괘가 바야흐로 일을 하면 진괘는 동북쪽에 자리 잡고 그 일을 하는 것을 느슨하게 한다. 주재하는 것을 '천제'라 하니 제사를 주관하는 것은 맏아들만 한 것이 없고, 「후천도」의 괘의 자리는 진괘가 근간이 된다. 여기에서 건괘는 일을 하지 않으니 진괘는

211 호방평, 『易學啟蒙通釋』 권上 「原卦畫」 제2

정동쪽에 자리 잡고 건괘가 하는 일을 맡는다. 「선천도」에서 중시하는 것은 정남쪽에 있고, 「후천도」에서 중시하는 것은 정동쪽에 있다. 이와 같으면, 문왕이 복희의 「괘도」를 변경한 것도 균일하게 양을 높이는 마음임을 알 수 있다."

[15-10-3]

又曰 : "易者, 一陰一陽之謂也. 震 · 兌始交者也, 故當朝夕之位. 坎 · 離交之極者 也, 故當子 · 午之位. 巽 · 艮不交而陰 · 陽猶雜也, 故當用中之偏. 乾 · 坤, 純陽 · 純陰也, 故當不用之位也."[212]

(소옹이) 또 말했다. "역은 한 번은 음이 되고 한 번은 양이 되는 것을 말한다. 진괘와 태괘는 처음에 교착하는 것이므로 아침과 저녁의 위치에 해당한다. 감괘와 리괘는 교착함이 극한에 이른 것이므로 자子와 오午의 위치에 해당한다. 손괘와 간괘는 교착하지 않지만 음과 양이 오히려 뒤섞여 있으므로 일을 하는 것 가운데 치우침에 해당한다. 건괘와 곤괘는 순전한 양과 순전한 음이므로 일을 하지 않는 위치에 해당한다."

[15-10-3-1]

西山蔡氏曰 : "此一節論陰陽以易位爲交. 陽本在上, 陰本在下. 艮一陽在上, 巽一陰在下, 故云'不交.' 震一陽在下, 兌一陰在上, 故爲'始交.' 坎陽在中, 離陰在中, 故爲'交之極.'

서산 채씨西山蔡氏[蔡元定]가 말했다. "이 구절은 음 · 양이 위치를 바꾸는 것으로 교착하는 것을 논하였다. 양은 본래 위에 있고 음은 본래 아래에 있다. 간괘는 하나의 양이 위에 있고 손괘는 하나의 음이 아래에 있으므로 '교착하지 않는다.'고 말한다. 진괘는 하나의 양이 아래에 있고 태괘는 하나의 음이 위에 있으므로 '처음에 교착하는 것'이 된다. 감괘는 양이 가운데 있고 리괘는 음이 가운데 있으므로 '교착함이 극한에 이른 것'이 된다.

春陽之始, 故震居之; 秋陰之始, 故兌居之; 夏陽極陰生, 故離居之; 冬陰極陽生, 故坎居之. 艮一陽二陰, 巽二陽一陰, 猶有用. 乾純陽, 坤純陰, 不爲用. 東方爲陽主用, 西方爲陰不用; 故乾·坤居西隅, 艮·巽居東隅也. 乾·艮爲陽, 坤·巽爲陰, 北爲地之陽, 南爲地之陰, 故乾·艮居北而坤·巽居南也."[213]

봄은 양의 시작이므로 진괘가 거기에 자리 잡고, 가을은 음의 시작이므로 태괘가 거기에 자리 잡으며, 여름은 양이 극한에 이르러 음이 생겨나므로 리괘가 거기에 자리 잡고, 겨울은 음이 극한에

---

212 소옹, 『皇極經世書』 권13 「觀物外篇」 上에는, "『易』者, 一陰一陽之謂也. 震 · 兌始交者也, 故當朝夕之位. 離 · 坎交之極也, 故當子午位. 巽 · 艮雖不交而陰陽猶雜也, 故當用中之偏位. 乾坤純陰陽也, 故當不用之位." 라고 되어 있다.

213 『周易傳義大全』「周易朱子圖說」에 채원정의 말로 실려 있다.

이르러 양이 생겨나므로 감괘가 거기에 자리 잡는다.
간괘는 양이 하나이고 음이 둘이며, 손괘는 양이 둘이고 음이 하나이니, 여전히 일을 하는 것이 있다. 건괘는 순전히 양이고 곤괘는 순전히 음이니 일을 하지 않는다. 동쪽은 양이니 일을 하는 것을 주로하고 서쪽은 음이니 일을 하지 않는다. 그러므로 건괘와 곤괘는 서쪽 모퉁이에 자리 잡고, 간괘와 손괘는 동쪽 모퉁이에 자리 잡는다. 건괘와 간괘는 양이고 곤괘와 손괘는 음이며, 북쪽은 땅의 양이고 남쪽은 땅의 음이므로, 건괘와 간괘는 북쪽에 자리 잡고 손괘와 곤괘는 남쪽에 자리 잡는다."

[15-10-3-2]

思齋翁氏曰 : "坎·離是乾·坤中爻之交. 在八卦位中, 只有東·西·南·北四正位, 位之極好. 「先天」則位坎·離以卯·酉, 「後天」則位坎·離以子·午也. 只此四位, 陽中有陰, 陰中有陽, 皆是羲·文微意."[214]

사재 옹씨思齋翁氏[翁泳]가 말했다. "감괘와 리괘는 건괘와 곤괘의 가운데 효가 교착한 것이다. 8괘의 위치에서 다만 동 · 서 · 남 · 북 4개의 정위正位만이 방위가 극히 좋다. 「선천도」에서는 감괘와 리괘를 묘卯와 유酉에 위치시키고, 「후천도」에서는 감괘와 리괘를 자子와 오午에 위치시켰다. 다만 이들 4개의 위치만이 양 가운데 음이 있고, 음 가운데 양이 있으니, 모두 복희와 문왕의 은미한 뜻이 있는 것이다."

[15-10-3-3]

玉齋胡氏曰 : "一陰一陽居正, 則相對而有交易之義; 居偏, 則不對而於交之義无取. 後天八卦正而對者, 震兌·坎離; 偏而不對者, 乾·坤·艮·巽. 故在東西·南北者, 相對則取其交, 而在東北東南·西北西南者, 不對則不取其交也.

옥재 호씨玉齋胡氏[胡方平]가 말했다. "하나의 음과 하나의 양이 정위正位에 자리 잡으면 서로 짝하여 교역하는 의미가 있지만, 치우친 방위에 자리 잡으면 짝하지 않아 교역하는 의미를 취할 수 없다. 후천 8괘 가운데 정위에 자리 잡아 짝하는 괘들은 진괘와 태괘, 감괘와 리괘이고, 치우친 방위에 자리 잡아 짝하지 않는 괘들은 건괘와 곤괘, 간괘와 손괘이다. 그러므로 동과 서, 남과 북에 있는 괘들은 서로 짝하니 그 교역함을 취하지만, 동북과 동남, 서북과 서남에 있는 괘들은 짝하지 않아 그 교역함을 취하지 못한다.

自其交者論之, 震東·兌西爲交之始, 當卯·酉之中, 朝夕之位也. 離南·坎北爲交之極, 當子·午之位, 天地之中也. 自其不交者論之, 巽·艮居南·北之東, 比於乾坤陰陽爲尤雜, 故巽稍向用而艮全未用, 所以爲當用中之偏. 乾·坤居南·北之西, 比於巽·艮爲陰陽之純, 所謂父母旣

214 호방평, 『易學啟蒙通釋』 권上 「原卦畫」 제2에 옹영의 말로 실려 있다.

老而退處於不用之地也."[215]

교역하는 것으로부터 논하면, 진괘는 동쪽, 태괘는 서쪽에 자리 잡아서 교역의 시작이 되며, 묘卯의 중中과 유酉의 중中 및 아침과 저녁의 위치에 해당한다. 리괘는 남쪽, 감괘는 북쪽에 자리 잡아서 교역의 극한이 되며, 자子와 오午의 위치 및 하늘과 땅의 가운데에 해당한다. 교역하지 않는 것으로부터 논하면, 손괘와 간괘는 남과 북의 동쪽에 자리 잡아서 건괘와 곤괘에 비하여 음과 양이 더욱 뒤섞여 있기 때문에, 손괘는 조금 일을 하는 쪽으로 향해 가지만 간괘는 전혀 일을 하지 않으므로 일을 하는 것 가운데 치우침에 해당하게 된다. 건괘와 곤괘는 남과 북의 서쪽에 자리 잡아서 손괘와 간괘에 비하여 음과 양이 순수하므로, 이른바 부모가 이미 늙어서 일을 하지 않는 곳에 물러나 있다는 것이다."

[15-10-4]

又曰 : "兌 · 離 · 巽得陽之多者也, 艮 · 坎 · 震得陰之多者也, 是以爲天地用也. 乾極陽, 坤極陰, 是以不用也."[216]

(소옹이) 또 말했다. "태괘 · 리괘 · 손괘는 양을 많이 얻은 것들이고, 간괘 · 감괘 · 진괘는 음을 많이 얻은 것들이므로, 하늘과 땅의 일을 하는 것이 된다. 건괘는 양이 극한에 이른 것이고, 곤괘는 음이 극한에 이른 것이므로, 일을 하지 않는다."

[15-10-4-1]

雲莊劉氏曰 : "兌·離·巽陰卦, 宜多陰而反多陽; 艮·坎·震陽卦, 宜多陽而反多陰, 何也? 蓋三男乃坤求於乾各得乾一陽而成, 本皆坤體故多陰. 三女乃乾求於坤各得坤一陰而成, 本皆乾體故多陽. 多陽·多陰者, 各得乾·坤之一體; 極陽·極陰者, 乃乾·坤之全體. 乾·坤雖不用, 而六卦之用无往而非乾·坤之用矣."[217]

운장 유씨雲莊劉氏[劉爚]가 말했다. "태괘 · 리괘 · 손괘는 음괘이므로 마땅히 음이 많아야 하지만 도리어 양이 많고, 간괘 · 감괘 · 진괘는 양괘이므로 마땅히 양이 많아야 하지만 도리어 음이 많은 것은 무엇 때문인가? 세 아들은 바로 곤괘가 건괘에서 구하여 각기 건괘의 양 하나를 얻어서 이루어지지만, 본래 모두 곤괘가 체體(본바탕)이므로 음이 많다. 세 딸은 바로 건괘가 곤괘에서 구하여 각기 곤괘의 음 하나를 얻어서 이루어지지만, 본래 모두 건괘가 체體이므로 양이 많다. 양이 많은 것과 음이 많은 것은 각기 건괘와 곤괘의 일부분의 체를 얻은 것이며, 양이 극한에 이른 것과 음이 극한에 이른 것은 바로 건괘 · 곤괘 전부의 체이다. 건괘와 곤괘는 비록 일을 하지 않지만, 나머지 6개 괘가 하는 일은 그 어느 것도 건괘와 곤괘가 하는 일이 아님이 없다."

215 호방평, 『易學啟蒙通釋』 권上 「原卦畫」 제2

216 소옹, 『皇極經世書』 권13 「觀物外篇」 上에는, "兌 · 離 · 巽得陽之多者也, 艮 · 坎 · 震得陰之多者也, 是以爲天地用也. 乾陽極, 坤陰極, 是以不用也."라고 되어 있다.

217 호방평, 『易學啟蒙通釋』 권上 「原卦畫」 제2에서 劉爚의 말이라고 하였다.

[15-10-4-2]

玉齋胡氏曰："此承上文而言六子得陰·陽之多而致用，乾·坤陰陽之極而不用也. 陰卦多陽，故兌·離·巽得陽之多；陽卦多陰，故艮·坎·震得陰之多. 是以各司天地之用，而生成萬物也. 至於'乾極陽，坤極陰'，極則止而不復用矣. 然六子之用卽乾·坤之用也."[218]

옥재 호씨玉齋胡氏[胡方平]가 말했다. "이 구절은 위의 글을 이어서, 여섯 자녀괘들이 음과 양을 많이 얻어서 일을 다 하고, 건괘와 곤괘는 음과 양이 극한에 이르러 일을 하지 않음을 말한다. 음괘는 양이 많으므로 태괘·리괘·손괘는 양을 얻은 것이 많고, 양괘는 음이 많으므로 간괘·감괘·진괘는 음을 얻은 것이 많다. 그래서 각기 하늘과 땅이 하는 일을 맡아서 만물을 낳고 이룬다. '건괘는 양이 극한에 이른 것이고, 곤괘는 음이 극한에 이른 것이다.'는 경우에, 극한에 이르면 멈추니 다시는 일을 하지 않는다. 그러나 여섯 자녀괘들이 하는 일은 곧 건괘와 곤괘가 하는 일이다."

[15-10-5]

又曰："震·兌橫而六卦縱，『易』之用也."[219] 嘗考此「圖」而更爲之說曰："震東·兌西者，陽主進，故以長爲先而位乎左；陰主退，故以少爲貴而位乎右也. 坎北者，進之中也；離南者，退之中也. 男北而女南者，互藏其宅也. 四者，皆當四方之正位，而爲用事之卦. 然震·兌始而坎·離終，震·兌輕而坎·離重也. 乾西北·坤西南者，父母旣老而退居不用之地也. 然母親而父尊，故坤猶半用而乾全不用也. 艮東北·巽東南者，少男進之後而長女退之先，故亦皆不用也. 然男未就傅，女將有行，故巽稍向用而艮全未用也. 四者，皆居四隅不正之位；然居東者未用，而居西者不復用也. 故下文歷擧六子而不數乾坤. 至其水火·雷風·山澤之相偶，則又用伏羲卦云."

(소옹이) 또 말했다. "진괘와 태괘가 가로로 있고, 나머지 6개의 괘들이 세로로 있는 것이 『역』의 작용이다." 나朱熹는 일찍이 이 「문왕8괘도」를 고찰하고 다시 다음과 같이 말했다. "진괘가 동쪽에 있고 태괘가 서쪽에 있는 것은, 양이 나아감을 위주로 하기 때문에 장남長男(진괘)을 우선으로 하여 왼쪽에 위치한 것이고, 음은 물러감을 위주로 하기 때문에 소녀少女(태괘)를 귀하게 여겨 오른쪽에 위치한 것이다. 감괘가 북쪽에 있는 것은 나아감의 중간이고 리괘가 남쪽에 있는 것은 물러남의 중간이다. 중남中男(감괘)이 북쪽에 있고 중녀中女(리괘)가 남쪽에 있는 것은, 서로 그 본거지를 감추고 있는 것이다. 이들 4개의 괘는 모두 동·서·남·북 사방의 정방위에 해당하고 일을 하는 괘들이다. 그러나 진괘와 태괘는 시작을 의미하고 감괘와 리괘는 마침을 의미하며, 진괘와 태괘는 역할이 가볍고 감괘와 리괘는 역할이 무겁다. 건괘가 서북쪽에 있고 곤괘가 서남쪽에 있는 것은, 아버지와 어머니가 늙어서 일하지 않는 곳으로 물러나 자리 잡은 것이다. 그러나 어머니는 친하고 아버지는 높기 때문에 곤괘는 오히려 절반은 일을 하지만 아버지는 전혀 일을 하지 않는다. 간괘가 동북쪽에 있고 손괘가 동남쪽에 있는 것은, 소남少男(간괘)은 나아감의 뒤이고 장녀長女(손괘)는 물러남의 앞이기 때문에 또한

218 호방평, 『易學啟蒙通釋』 권上 「原卦畫」 제2에는, "此承上文而言六子得陰·陽之多而致用，乾·坤陰陽之極而不用也. 陰卦多陽，故兌·離·巽得陽之多；陽卦多陰，故艮·坎·震得陰之多. 是以各司天地之用，而生成萬物也. 至於'乾極陽，坤極陰'，極則止而不復用矣. 然六子之用由乾·坤之用也."라고 되어 있다.

219 소옹, 『皇極經世書』 권13 「觀物外篇」 上에서, "乾·坤縱而六子橫，『易』之本也；震·兌橫而六卦縱，『易』之用也."라고 하였다.

모두 일을 하지 않는다. 그러나 소남少男은 아직 취학하지 못했고 장녀長女는 곧 시집갈 것이기 때문에, 손괘는 점점 일을 하는 데에로 나아가지만 간괘는 전혀 일을 하지 않는다. 이들 4개의 괘는 모두 4개 모퉁이의 똑바르지 않은 위치에 자리 잡고 있지만, 동쪽에 자리 잡은 괘들은 아직 일을 하지 않고, 서쪽에 자리 잡은 괘들은 다시는 일을 하지 않는다. 그러므로 아래 글에서 6개의 자식괘들을 열거했지만 건괘와 곤괘를 헤아리지 않았다. 물과 불, 우레와 바람, 산과 못을 서로 짝지은 것은 또한 복희의 선천괘들을 사용한 것이다."

[15-10-5-1]

玉齋胡氏曰 : "前論先天八卦有縱橫爲『易』之本, 故此論後天八卦亦有縱橫爲『易』之用也. 「先天八卦圓圖」, 乾南·坤北, 於象爲縱也; 離東·坎西, 震東北, 巽西南, 兌東南, 艮西北, 於象皆爲橫矣. 「後天八卦圓圖」, 震東·兌西, 於象爲橫也. 離南·坎北, 艮東北, 巽東南, 坤西南, 乾西北, 於象皆爲縱矣.

옥재 호씨玉齋胡氏[胡方平]가 말했다. "앞에서 선천8괘에 가로와 세로가 있는 것이 『역』의 근본이 된다고 논하였으므로, 여기서 후천8괘에 또한 '가로와 세로가 있는 것이 『역』의 작용이 된다고 논하였다. 「선천8괘원도」에서 건괘가 남쪽, 곤괘가 북쪽에 있는 것이 상象의 측면으로 세로가 되며, 리괘가 동쪽, 감괘가 서쪽에 있고, 진괘가 동북쪽, 손괘가 서남쪽, 태괘가 동남쪽, 간괘가 서북쪽에 있는 것이 상象의 측면으로 모두 가로가 된다. 「후천8괘원도」에서 진괘가 동쪽, 태괘가 서쪽에 있는 것이 상象의 측면으로 가로가 되며, 리괘가 남쪽, 감괘가 북쪽에 있고, 간괘가 동북쪽, 손괘가 동남쪽, 곤괘가 서남쪽, 건괘가 서북쪽에 있는 것이 상象의 측면으로 모두 세로가 된다.

「先·後天」縱橫不齊者, 蓋「先天」對待以立其本而所重在乾·坤, 「後天」流行以致其用而所重在震·兌. 「先天」有乾·坤之縱以定南·北之位, 然後六子之橫布列於東西者倚之以爲主, 是相爲對待以立本也. 「後天」有震·兌之橫以當春·秋之分, 然後六卦之縱其成全於冬·夏者資之以爲始, 是迭爲流行以致用也. 本立·用行, 「先·後天」所以可相有而不可相無也.

「선천도」와 「후천도」에서 가로와 세로가 가지런하지 않은 것은, 「선천도」는 대대對待로써 그 근본을 세워서 중점이 건괘와 곤괘에 있고, 「후천도」는 유행流行으로써 그 일을 하는 것을 다 표현하여 중점이 진괘와 태괘에 있기 때문이다. 「선천도」는 건괘와 곤괘를 세로로 하여 남 · 북의 자리를 정한 뒤에, 6개의 자식괘들이 동 · 서에 가로로 분포하여 배열한 것이 건괘와 곤괘에 의지하여 주인으로 삼으니, 이는 서로 대대對待하는 것으로써 근본을 세운 것이다. 「후천도」는 진괘와 태괘를 가로로 하여 봄 · 가을로 나누어 배당한 뒤에, 나머지 6개의 괘들이 겨울 · 여름에 세로로 그 온전함을 이룬 것이 진괘와 태괘를 바탕으로 하여 시작을 삼으니, 이는 번갈아 유행流行하는 것으로써 일을 하는 것을 다 표현했다. 근본이 세워지는 것과 작용이 행해지는 것은 「선천도」와 「후천도」에 상호간에 있어야 하는 것이지 없어서는 안 되는 것이다.

或曰 : '上文旣以震兌·離坎交而當用, 巽·艮不交而未用, 乾·坤純而不用, 又統論六子致用, 乾·坤不用, 至此則幷乾·坤皆以爲『易』之用, 何也?'

어떤 사람이 말했다. '위의 글에서 이미 진괘와 태괘, 리괘와 감괘가 교착하여 일을 하는 것에 해당하고, 손괘와 간괘는 교착하지 않아서 아직 일을 하지 않으며, 건괘와 곤괘는 순전한 것이어서 일을 하지 않는다고 했을 뿐만 아니라, 또한 6개의 자식괘들은 일을 다 하지만 건괘와 곤괘는 일을 하지 않는다고 총괄적으로 논했는데, 여기에서는 건괘와 곤괘를 아울러 모두 『역』의 작용이라 한 것은 무엇 때문인가?'

蓋就後天八卦論乾坤，則終於不用. 若合先·後天八卦而論先天所以立『易』之本，後天所以致『易』之用，則皆謂之入用矣. 況後天乾坤雖云不用而有六子以致用，則用者雖在六子，不用而主其用者實在乾坤，豈荒於无用哉！故亦皆以用言也."[220]

생각건대 후천8괘에서 건괘와 곤괘를 논하면 끝내 일을 하지 않는다. 만약 선천8괘와 후천8괘를 결합하여 선천은 『역』의 근본을 세우는 것이고 후천은 『역』의 작용을 다 하는 것임을 논하면, 모두 일을 하는 것의 범주에 들어간다고 할 수 있다. 하물며 후천에서 건괘와 곤괘는 비록 일을 하지 않는다고 하지만 6개의 자식괘들이 있어서 일을 다 하고 있으면, 일을 하고 있는 것은 비록 6개의 자식괘들에 달려있지만 일을 하지 않으면서 그 일하는 것을 주재하는 것은 실로 건괘와 곤괘에 달려있으니, 어찌 일을 함이 없는 것으로 내버려 두겠는가! 그러므로 또한 모두 일을 하는 것으로 말했다."

[15-10-5-2]

"自'震東·兌西'至'坎離重也'爲一節，專論震·兌·離·坎居四方之正位，而爲用事之卦. 震居東爲陽主乎進，兌居西爲陰主乎退，而東西之位以定. 離居南爲退之中，坎居北爲進之中，而南北之位以成. 離得乾位以陰卦居陽，坎得坤位以陽卦居陰，男女之互藏其宅也. 震當生育之始，兌當收成之始，離當長養之終，坎當歸藏之終. 當其始者其責輕，當其終者其責重也.

(옥재 호씨가 말했다.) "'진괘가 동쪽에 있고 태괘가 서쪽에 있는 것은'에서부터 '감괘와 리괘는 역할이 무겁다.'까지가[221] 한 구절이 되니, 진괘 · 태괘 · 리괘 · 감괘가 동 · 서 · 남 · 북의 정방위에 자리 잡고 일을 하는 괘들이 되었음을 전적으로 논했다. 진괘가 동쪽에 자리 잡은 것은 양이 나아감을 위주로 하는 것이고, 태괘가 서쪽에 자리 잡은 것은 음이 물러남을 위주로 하는 것이어서, 동쪽과

220 호방평, 『易學啟蒙通釋』 권上 「原卦畫」 제2

221 '진괘가 동쪽에 … 무겁다.'까지가 : 위 글의 "진괘가 동쪽에 있고 태괘가 서쪽에 있는 것은, 양이 나아감을 위주로 하기 때문에 長男[진괘]을 우선으로 하여 왼쪽에 위치한 것이고, 음은 물러감을 위주로 하기 때문에 少女[태괘]를 귀하게 여겨 오른쪽에 위치한 것이다. 감괘가 북쪽에 있는 것은 나아감의 중간이고 리괘가 남쪽에 있는 것은 물러남의 중간이다. 中男[감괘]이 북쪽에 있고 中女[리괘]가 남쪽에 있는 것은, 서로 그 본거지를 감추고 있는 것이다. 이들 4개의 괘는 모두 동 · 서 · 남 · 북 사방의 정방위에 해당하고 일을 하는 괘들이다. 그러나 진괘와 태괘는 시작을 의미하고 감괘와 리괘는 마침을 의미하며, 진괘와 태괘는 역할이 가볍고 감괘와 리괘는 역할이 무겁다."를 가리킨다.

서쪽의 자리를 정했다. 리괘가 남쪽에 자리 잡은 것은 물러남의 중간이 되는 것이고, 감괘가 북쪽에 자리 잡은 것은 나아감의 중간이 되는 것이어서, 남쪽과 북쪽의 자리를 이루었다. 리괘는 건괘의 자리를 얻어서 음괘로 양에 자리 잡고, 감괘는 곤괘의 자리를 얻어서 양괘로 음에 자리 잡으니, 남성과 여성이 서로 그 본거지를 감추고 있는 것이다. 진괘는 낳고 기르는 시작에 해당하고 태괘는 거두고 이루는 시작에 해당하며, 리괘는 키우고 성장시키는 끝에 해당하고 감괘는 돌이키고 감추는 끝에 해당한다. 시작에 해당하는 것들은 그 책임이 가볍고, 끝에 해당하는 것들은 그 책임이 무겁다.

自'乾西北'至'不復用也'爲一節, 專論四隅之卦. 乾·坤以父母之老不復用, 巽·艮以男女之長少而未用. 坤西南猶半用者, 謂其當長養·收成之交, 母道當親也. 乾西北全不用者, 謂其當嚴凝主靜之候, 父道常尊也. 艮東北·巽東南者, 以進退之先後定之, '男未就傅', 少而未習其事; '女將有行', 長而可以任其事也. 故巽稍用而艮全未用也. 然四卦固皆四隅, 而居東方生育之位者特未用, 居西方收成之位者全不用矣.

'건괘가 서북쪽에 있고'에서부터 '다시는 일을 하지 않는다.'까지가[222] 한 구절이 되니, 네 모퉁이의 괘들을 전적으로 논했다. 건괘와 곤괘는 아버지와 어머니 괘로서 늙어서 다시는 일을 하지 않고, 손괘와 간괘는 장녀長女와 소남少男으로서 아직 일을 하지 않는다. 곤괘가 서남쪽에 있어서 오히려 절반 정도로 일을 한다는 것은, 그것이 키우고 성장시킴과 거두고 이룸의 교착에 해당하여 어머니의 도道는 당연히 친밀하다는 것을 말한다. 건괘가 서북쪽에 있어서 전혀 일을 하지 않는다는 것은, 그것이 매우 차서 고요함을 위주로 하는 시기에 해당하여 아버지의 도道는 항상 존엄하다는 것을 말한다. 간괘가 동북쪽에, 손괘가 동남쪽에 있다는 것은 나아감과 물러남의 선후로 정한 것이니, '소남少男이 아직 취학하지 못했다.'는 것은 어려서 아직 그 일을 익히지 못했다는 것이고, '장녀長女가 곧 시집갈 것이다.'는 것은 장성하여 그 일을 맡을 수가 있는 것이다. 그러므로 손괘는 점점 일을 하지만 간괘는 아직 전혀 일을 하지 못한다. 그러나 이들 4개의 괘는 본디 모두 네 모퉁이에 있어서, 동쪽의 낳고 기르는 위치에 자리 잡은 것은 다만 아직 일을 하지 않는 것이고, 서쪽의 거두고 이루는 위치에 자리 잡은 것은 전혀 일을 하지 않는 것이다.

自'故下文歷擧六子'以下爲一節, 是總上兩節論六子致用而乾坤不用也. 謂之曰'不數乾坤'

222 '건괘가 서북쪽에 … 않는다.'까지가 : 위 글의 "건괘가 서북쪽에 있고 곤괘가 서남쪽에 있는 것은, 아버지와 어머니가 늙어서 일하지 않는 곳으로 물러나 자리 잡은 것이다. 그러나 어머니는 친하고 아버지는 높기 때문에 곤괘는 오히려 절반은 일을 하지만 아버지는 전혀 일을 하지 않는다. 간괘가 동북쪽에 있고 손괘가 동남쪽에 있는 것은, 少男[간괘]은 나아감의 뒤이고 長女[손괘]는 물러남의 앞이기 때문에 또한 모두 일을 하지 않는다. 그러나 少男은 아직 취학하지 못했고 長女는 곧 시집갈 것이기 때문에, 손괘는 점점 일을 하는 데에로 나아가지만 간괘는 전혀 일을 하지 않는다. 이들 4개의 괘는 모두 4개의 모퉁이의 정방위가 아닌 위치에 자리 잡고 있지만, 동쪽에 자리 잡은 괘들은 아직 일을 하지 않고, 서쪽에 자리 잡은 괘들은 다시는 일을 하지 않는다."를 가리킨다.

者，以致用在六子，故不復及之耳．而其下文仍用伏羲卦次者，沿流溯源，不容以後天而遺先天也.

'그러므로 아래 글에서 6개의 자식괘들을 열거했지만'에서부터 그 이하가[223] 한 구절이 되니, 이 구절은 위의 두 구절을 총괄하여, 6개의 자식괘들은 일을 다 하지만 건괘와 곤괘 두 괘는 일을 하지 않는다는 것을 논했다. '건괘와 곤괘를 헤아리지 않았다.'고 말한 것은, 일을 다 하는 것은 6개의 자식괘들에 달려 있기 때문에 다시 건괘와 곤괘를 언급하지 않았을 뿐이라는 것이다. 그러나 그 아래 글에서 여전히 복희씨의 선천괘들의 차례를 사용했다고 한 것은, 흐름을 따라 근원으로 거슬러 올라간 것으로서 후천 때문에 선천을 버려서는 안 된다는 것이다.

問，'且如雷風·水火·山澤，自不可喚做神?'

朱子云，'神也者，乃其所以動所以撓者也.'[224]

又云，'「水火相逮」一段，與上面「水火不相射」同．又自是伏羲卦.'[225]

물었다. '예컨대 우레와 바람, 물과 불, 산과 못은 원래 신령함[神]이라고 부를 수 없지 않습니까?'

주자가 대답했다. '신령함[神]이라는 것은 바로 그것이 움직이고 흔들리는 까닭이 되는 것이다.'

(주자가) 또 말했다. '「물과 불은 서로 미친다.」고 한 단락은 위의 「물과 불은 서로 해치지 않는다.」는 것과 같다. 또한 원래 복희의 괘이다.'

又云，'上言六子用「文王八卦」之位者，以六子之主時成用而言，故以四時爲序而用「文王後天」之序．下言六子用「伏羲八卦」之位者，推六子之所以主時成用而言，故以陰陽交合爲義而用「伏羲八卦」之序．蓋陰陽以其偶合，卽六子之用行，所以能變化盡成萬物也.'[226]

(주자가)[227] 또 말했다. '위에서 「문왕8괘도」의 자리로 6개의 자식괘들을 말한 것은, 6개의 자식괘들이 때를 주관하여 일을 하는 것으로 말했기 때문에, 사계절을 순서로 하였고 「문왕8괘도」의 순서를 사용하였다. 아래에서 「복희8괘도」의 자리로 6개의 자식괘들을 말한 것은, 6개의 자식괘들이 때를 주관하여 일을 하는 것의 까닭을 미루어 말했기 때문에, 음과 양의 교합을 의미로 삼아 「복희8괘도」

223 '그러므로 아래 … 이하가 : 위 글의 "그러므로 아래 글에서 6개의 자식괘들을 열거했지만 건괘와 곤괘를 헤아리지 않았다. 물과 불, 우레와 바람, 산과 못을 서로 짝지은 것은 이르면 또한 복희의 선천괘들을 사용한 것이다."를 가리킨다.

224 『朱子語類』 권77, 53조목에는 "問 : '且如雷風·水火·山澤, 自不可喚做神.' 曰 : '神者, 乃其所以動, 所以橈者是也.'"라고 되어 있다.

225 『朱子語類』 권77, 57조목에는 "'水火相逮'一段, 又似與上面'水火不相射'同, 又自是伏羲卦."라고 되어 있다.

226 『朱文公文集』 권60 「答周純仁」에는 周純仁이 보낸 서신 속의 말로서, "上言六子用「文王八卦」之位者, 以六子之主時成用而言, 故以四時爲序而用「文王後天」之序. 下言六子用「伏羲八卦」之位者, 推六子之所以主時成用而言, 故以陰陽交合爲義而用「伏羲八卦」之序. 蓋陰陽各以其偶合, 而六子之用行, 所以能變化盡成萬物也."라고 되어 있다.

227 『朱文公文集』 권60 「答周純仁」에 의하면, 이 단락은 주희의 말이 아니라 周純仁의 말로 되어 있다.

의 순서를 사용하였다. 음과 양은 그 짝지음으로 결합하니, 곧 6개의 자식괘들의 작용이 행해지는 것은 변화하여 만물을 다 이룰 수 있는 근거이다.'

蓋「後天八卦」以四時進退爲序, 「先天八卦」以陰陽交合爲義. 四時進退者, 用之所以行也, 故不以卦位之非其偶爲拘. 陰陽交合者, 體之所以立也, 故必以卦位之得其偶爲主. 要之先天以其偶合而八卦之體立, 則後天雖不以其偶合而六子之用自行. 此「變化旣成萬物」固歸之文王卦次, 而所以變化旣成萬物者, 實歸之伏羲卦次也. 不然, 聖人論伏羲卦次之後, 何爲必申之以'然後能變化旣成萬物'歟!"[228]

생각건대 「후천8괘도」는 사계절의 나아가고 물러남을 순서로 삼고, 「선천8괘도」는 음과 양의 교합을 의미로 삼는다. 사계절의 나아가고 물러남은 작용이 그것으로 행해지는 것이므로, 괘의 자리가 그 짝지음이 아닌 것에 구애되지 않는다. 음과 양의 교합은 본체가 그것으로 세워지는 것이므로, 반드시 괘의 자리가 그 짝지음을 얻는지를 위주로 한다. 요컨대 선천에서 그 짝지음이 결합하여 8괘의 본체가 세워지면, 후천에서 비록 그 짝지음이 결합하지 않더라도 6개 자식괘의 작용은 저절로 행해진다. 이것이 바로 「변화하여 이미 만물을 이루는 것」이 본디 문왕의 괘의 차례로 귀결되고, 변화하여 이미 만물을 이루는 근거는 실로 복희의 괘의 차례로 귀결되는 것이다. 그렇지 않으면 성인孔子께서 복희의 괘의 차례를 논한 뒤에 무엇 때문에 반드시 거듭하여 '그런 뒤에 변화하여 이미 만물을 이룰 수 있다.'고 하였겠는가!"

[15-6]

乾, 健也; 坤, 順也; 震, 動也; 巽, 入也; 坎, 陷也; 離, 麗也; 艮, 止也; 兌, 說也.[229]

건은 굳셈이고, 곤은 유순함이며, 진은 움직임이고, 손은 들어감이며, 감은 빠짐이고, 리는 걸림이며, 간은 멈춤이고, 태는 기쁨이다.

[15-6-1]

程子曰 : "凡陽在下者, 動之象; 在中者, 陷之象; 在上, 止之象. 陰在下者, 入之象; 在中者, 麗之象; 在上, 說之象."[230]

정자程子[程頤]가 말했다. "양이 밑에 있는 것은 움직임의 상象이고, 가운데 있는 것은 빠짐의 상이며, 위에 있는 것은 멈춤의 상이다. 음이 밑에 있는 것은 들어감의 상이고, 가운데 있는 것은 걸림의 상이며, 위에 있는 것은 기쁨의 상이다."

228 호방평, 『易學啟蒙通釋』 권上 「原卦畫」 제2
229 『易』「說卦傳」 제7장
230 『伊川易傳』「周易上經 · 감괘」 권2에는, "凡陽在上者, 止之象; 在中, 陷之象; 在下, 動之象. 陰在上, 說之象; 在中, 麗之象; 在下, 巽之象."이라고 되어 있다.

[15-6-1-1]

玉齋胡氏曰："此以八卦之性情爲言. 一陽起於二陰之下則爲動, 墮於二陰之中則爲 陷, 終於二陰之上則爲止. 一陰伏於二陽之下則爲入, 附於二陽之中則爲麗, 見於二陽之上則爲說. 純於陽爲健, 純於陰爲順也."[231]

옥재 호씨玉齋胡氏[胡方平]가 말했다. "이것은 8괘의 성질로 말한 것이다. 1개의 양이 2개의 음 밑에서 일어나면 움직임이 되고, 2개의 음 가운데에 떨어지면 빠짐이 되며, 2개의 음 위에서 끝나면 멈춤이 된다. 1개의 음이 2개의 양 밑에 엎드리면 들어감이 되고, 2개의 양 가운데에 붙으면 걸림이 되며, 2개의 양 위에 나타나면 기쁨이 된다. 양에 순전한 것은 굳셈이 되고, 음에 순전한 것은 유순함이 된다."

[15-12]

乾爲馬, 坤爲牛, 震爲龍, 巽爲雞, 坎爲豕, 離爲雉, 艮爲狗, 兌爲羊.[232]

건은 말이고, 곤은 소이며, 진은 용이고, 손은 닭이며, 감은 돼지이고, 리는 꿩이며, 간은 개이고, 태는 양이다.

[15-12-1]

此遠取諸物之象.

이것은 멀리 만물에서 취한 상象이다.

[15-13]

乾爲首, 坤爲腹, 震爲足, 巽爲股, 坎爲耳, 離爲目, 艮爲手, 兌爲口.[233]

건은 머리이고, 곤은 배이며, 진은 발이고, 손은 다리이며, 감은 귀이고, 리는 눈이며, 간은 손이고, 태는 입이다.

[15-13-1]

此近取諸身之象.

이것은 가까이 몸에서 취한 상象이다.

[15-13-1-1]

朱子曰："伏羲畫八卦, 只此數畫該盡天下萬物之理. 學者於言上會得者淺, 於象上會得者

231 호방평, 『易學啟蒙通釋』 권上 「原卦畫」 제2

232 『易』「說卦傳」 제8장

233 『易』「說卦傳」 제9장

深.[234]

王輔嗣伊川皆不信象,[235] 伊川說象只似譬喻樣說.[236] 郭子和云, '不獨是天地·雷風·水火·山澤謂之象, 只是卦畫便是象.' 亦說得好.[237]

鄭東卿專取象, 如以鼎爲鼎, 革爲爐, 小過爲飛鳥, 亦有義理.[238] 但盡欲如此牽合附會便疎脫.[239]

學者須先理會得正當道理了, 然後於此等些小零碎處收拾以相資益, 不爲無補.[240]

程沙隨以井卦有「井谷射鮒」一句, 遂說井有蝦蟆之象. 其穿鑿一至於此.[241]

주자가 말했다. "복희가 8괘를 그었는데, 다만 이 몇 획으로 천하 만물의 리理를 다 갖추었다. 학자들 가운데 이것을 말로 이해할 수 있는 자는 얕고, 상象으로 이해할 수 있는 자는 깊다.

왕보사王輔嗣[王弼][242]와 이천伊川[程頤]은 모두 상象을 믿지 않았으니, 이천이 상을 말했지만 다만 비유하는 것처럼 말했다. 곽자화郭子和[郭雍][243]는 '단지 하늘과 땅, 우레와 바람, 물과 불, 산과 못만을 상象이라고 하는 것이 아니라 다만 괘의 획이기만 해도 곧 상이다.'[244]라고 하였으니, 또한 훌륭한 말이다.

정동경鄭東卿[245]은 오로지 상象만을 취했으니, 예컨대 정괘䷱를 '솥'으로, 혁괘䷰를 '화로'로, 소과괘䷽

234 『朱子語類』 권66, 66조목에는 "嘗謂伏羲畫八卦, 只此數畫, 該盡天下萬物之理. 陽在下爲震, 震, 動也; 在上爲艮, 艮, 止也. 陽在下自動, 在上自止. 歐公卻說繫辭不是孔子作, 所謂'書不盡信, 言不盡意'者非. 蓋他不會看'立象以盡意'一句. 惟其'言不盡意', 故立象以盡之. 學者於言上會得者淺, 於象上會得者深."이라고 되어 있다.

235 『朱子語類』 권66, 70조목

236 『朱子語類』 권66, 67조목

237 『朱子語類』 권66, 77조목에는 "嘗得郭子和書云, 其先人說 : '不獨是天地 · 雷風 · 水火 · 山澤謂之象, 只是卦畫便是象.' 亦說得好."라고 되어 있다.

238 『朱子語類』 권66, 82조목에는 "鄭東卿『易』專取象, 如以鼎爲鼎, 革爲爐, 小過爲飛鳥, 亦有義理. 其他更有好處, 亦有杜撰處."라고 되어 있다.

239 『朱子語類』 권66, 84조목에는 "鄭東卿說『易』, 亦有好處. … 但『易』一書盡欲如此牽合附會, 少間便疏脫."이라고 되어 있다.

240 『朱子語類』 권66, 84조목

241 『朱子語類』 권66, 85조목

242 王弼(226~249) : 자는 輔嗣이고, 山陽 高平 (현 산동성 金鄕縣) 사람이다. 중국 삼국시대 魏나라의 철학자이며, 尙書郎을 지냈다. 왕필은 24세의 나이로 죽을 때 이미 도가경전 『道德經』과 유교경전 『周易』의 탁월한 주석가였다. 이러한 주석서들을 통해 중국 사상에 형이상학을 소개하는 데 기여했으며, 유가와 도가가 회통할 수 길을 열었다. 저서로는 『周易注』, 『周易略例』, 『老子注』 · 『老子指略』, 『論語釋疑』가 있다.

243 郭雍(1106~1187) : 자는 子和이고 자호는 白雲이며, 洛陽(현 하남성 낙양시) 사람이다. 程頤의 제자인 郭忠孝의 둘째 아들로 가학을 이었으며, 벼슬길은 나아가지 않고 은거하면서 역학과 의학에 정통하였다고 한다. 역학 방면 저술로 『傳家易解』, 『卦辭指要』, 『蓍卦辨疑』 등이 있다.

244 『朱子語類』 권66, 77조목에 의하면, 이는 곽옹의 말이 아니라 그가 先人에게서 들은 말이다.

245 鄭東卿 : 자는 少梅이고 송대 福州(현 복건성 복주시) 사람이다. 圖說을 중시하는 富沙邱에게서 『易』을 배웠다고 한다. 저술은 『易卦疑難圖』 권25이 있는데, 「自序」에서 『易』의 이치는 획 가운데 모두 다 있다고 하였

를 '날아가는 새'로 여겼는데, 또한 의미가 있다. 그러나 전부 다 이와 같이 견강부회하려고 했으니 경솔하다.
배우는 사람은 모름지기 먼저 올바른 도리를 이해하고 난 뒤에 이러한 자잘한 것을 정리하여 서로 보완한다면 보탬이 없지 않을 것이다.
정사수程沙隨[程迥][246]는 정괘䷯에 '우물이 골짜기 물처럼 두꺼비에게만 대줄 정도이다.[井谷射鮒]'라는 구절이 있다고 해서 마침내 '우물에 두꺼비가 있는 상象이다.'라고 말했다. 그 천착함이 결국 이런 지경까지 이르렀다.

某嘗作「易象說」, 大率以簡治繁, 不以繁御簡. '[247] 然『易』之取象各有不同, 却亦有難理會者. 如乾爲馬而乾之卦却專說龍之類是也.[248]
나朱熹는 일찍이 「역상설易象說」[249]을 지었는데, 대체로 간단한 것으로써 번쇄한 것을 정리하였지, 번쇄한 것으로 간단한 것을 처리하지 않았다. 그러나 『역』에서 상을 취한 것에는 각기 다름이 있으니, 역시 또 이해하기 어려운 것이 있었다. 예컨대 건乾은 말[馬]이지만, 건괘에서는 도리어 오로지 용龍만을 말하는 것과 같은 따위가 그것이다.

或問, '孔子專以義理說『易』如何?'
曰, '自上世流傳至此, 象·數已分明, 不須更說, 故孔子只於義理上. 程伊川亦從孔子. 今人旣不知象·數, 但知孔子說, 只是說得半截, 不見上面來歷. '[250]"
어떤 사람이 물었다. '공자는 오로지 의리만으로 『역』을 말했는데, 그 까닭은 무엇입니까?'
(주자가) 대답했다. '오랜 옛날부터 그때까지 전해진 것에서 상象과 수數는 이미 분명하여 다시 더 말할 필요가 없었기 때문에, 공자는 다만 의리에 대해서만 말했다. 정이천程伊川[程頤]도 역시 공자를 따랐다. 요즘 사람들은 이미 상象과 수數를 알지 못할 뿐 아니라 단지 공자가 말한 것만을 아니, 다만 절반만을 말할 수 있을 뿐 그 위의 내력은 알지 못한다.'"

으며, 64괘에 대하여 도설을 쓰고, 六位, 皇極, 先天, 卦氣 등에도 도설을 붙였다.
246 程迥 : 자는 可久이고 호는 沙隨이며, 세칭 沙隨先生이라고 했다. 송대 應天府 寧陵(현 하남성 영릉) 사람이다. 隆興(1162~1163년) 연간에 진사에 급제하고, 벼슬은 知進賢 · 上饒縣을 역임하면서 엄정하게 정사를 처리했다. 저술로는 『周易古占法』, 『三器圖義』, 『醫經正本書』 등이 있다.
247 『朱子語類』 권66, 68조목
248 『朱子語類』 권66, 74조목에는 "『易』之象理會不得. 如'乾爲馬', 而乾之卦卻專說龍. 如此之類, 皆不通."이라고 되어 있다.
249 「易象說」 : 『朱文公文集』 권67 「雜著」에 있다.
250 『朱子語類』 권66, 76조목에는, "或問, '孔子專以義理說『易』如何?' 曰, '自上世流傳至此, 象 · 數已分明, 不須更說, 故孔子只於義理上. 程伊川亦從孔子. 今人既不知象 · 數, 但依孔子說, 只是說得半截, 不見上面來歷.'" 이라고 되어 있다.

[15-14]

乾天也, 故稱乎父; 坤地也, 故稱乎母. 震一索而得男, 故謂之長男; 巽一索而得女, 故謂之長女. 坎再索而得男, 故謂之中男; 離再索而得女, 故謂之中女. 艮三索而得男, 故謂之少男; 兌三索而得女, 故謂之少女.[251]

건괘는 하늘이므로 아버지라고 부르고, 곤괘는 땅이므로 어머니라고 부른다. 진괘는 한 번 찾아 구해서 아들을 얻었기 때문에 장남長男이라고 하고, 손괘는 한 번 찾아 구해서 딸을 얻었기 때문에 장녀長女라고 한다. 감괘는 다시 한 번 찾아 구해서 아들을 얻었기 때문에 중남中男이라고 하고, 리괘는 다시 한 번 찾아 구해서 딸을 얻었기 때문에 중녀中女라고 한다. 간괘는 세 번 찾아 구해서 아들을 얻었기 때문에 소남少男이라고 하고, 태괘는 세 번 찾아 구해서 딸을 얻었기 때문에 소녀少女라고 한다.

[15-14-1]

今按坤求於乾, 得其初九而爲震, 故曰'一索而得男.' 乾求於坤, 得其初六而爲巽, 故曰'一索而得女.' 坤再求而得乾之九二以爲坎, 故曰'再索而得男.' 乾再求而得坤之六二以爲離, 故曰'再索而得女.' 坤三求而得乾之九三以爲艮, 故曰'三索而得男.' 乾三求而得坤之六三以爲兌, 故曰'三索而得女.'

(주희가) 생각건대, 곤괘☷가 건괘☰에게 구하여 그 초구初九 효를 얻어 진괘☳가 되니, '한 번 찾아 구해서 아들을 얻었다.'고 말했다. 건괘가 곤괘에게 구하여 그 초육初六 효를 얻어 손괘☴가 되니, '한 번 찾아 구해서 딸을 얻었다.'고 말했다. 곤괘가 다시 한 번 구하여 건괘의 구이九二 효를 얻어 감괘☵가 되니, '다시 한 번 찾아 구해서 아들을 얻었다.'고 말했다. 건괘가 다시 한 번 구하여 곤괘의 육이六二 효를 얻어 리괘☲가 되니, '다시 한 번 찾아 구해서 딸을 얻었다.'고 말했다. 곤괘가 세 번째로 구하여 건괘의 구삼九三 효를 얻어 간괘☶가 되니, '세 번 찾아 구해서 아들을 얻었다.'고 말했다. 건괘가 세 번째로 구하여 곤괘의 육삼六三 효를 얻어 태괘☱가 되니, '세 번 찾아 구해서 딸을 얻었다.'고 말했다.

[15-14-1-1]

玉齋胡氏曰："朱子云, '乾索於坤而得女, 坤索於乾而得男, 初間畫卦時不是恁地, 只是畫卦後便見有此象耳.'[252]

愚謂三男, 陽也, 乾之似也, 乃歸之於坤求而後得. 三女, 陰也, 坤之似也, 乃歸之於乾求而後得, 何也? 蓋三男本坤體, 各得乾一陽而成, 此陽根於陰, 故歸之坤也. 三女本乾體, 各得坤一陰而成, 此陰根於陽, 故歸之乾也. 邵子云, '母孕長男而爲復, 父生長女而爲姤.' 陰陽

251 『易』「說卦傳」 제10장

252 『朱子語類』 권65, 21조목에는 "如乾一索而得震, 再索而得坎, 三索而得艮; 坤一索而得巽, 再索而得離, 三索而得兌. 初間畫卦時, 也不是恁地, 只是畫成八箇卦後, 便見有此象耳."라고 되어 있다.

互根之義可見矣."[253]

옥재 호씨玉齋胡氏[胡方平]가 말했다. "주자는 '건괘가 곤괘에게 찾아 구해서 딸을 얻고 곤괘가 건괘에게 구해서 아들을 얻는데, 처음부터 괘를 그을 때에 이와 같은 것이 아니라, 다만 괘를 그은 다음에서야 곧 이러한 상象이 있다는 것을 알았을 뿐이다.'라고 말했다.

나는 이렇게 생각한다. 3개의 아들 괘들은 양이며 건괘와 닮았으니, 이에 곤괘가 구한 뒤에 얻은 것으로 귀결시키고, 3개의 딸 괘들은 음이며 곤괘와 닮았으니, 이에 건괘가 구한 뒤에 얻은 것으로 귀결시켰는데, 무엇 때문인가? 3개의 아들 괘들은 본래 곤괘의 몸인데 각각 건괘의 1개 양효를 얻어서 이루어지니, 이것은 양이 음에 뿌리를 둔 것이므로 곤괘에 귀결시켰다. 3개의 딸 괘들은 본래 건괘의 몸인데 각각 곤괘의 1개 음효를 얻어서 이루어지니, 이것은 음이 양에 뿌리를 둔 것이므로 건괘에 귀결시켰다. 소자邵子[邵雍]는 '어머니가 장남을 잉태하여 복괘䷗가 되고, 아버지가 장녀를 낳아서 구괘䷫가 된다.'[254]라고 하였으니, 음과 양이 서로 간에 뿌리가 되는 의미를 알 수 있다."

[15-14-2]

凡此數節, 皆文王觀於已成之卦, 而推其未明之象以爲說. 邵子所謂後天之學, 入用之位者也.[255]

이상의 몇 구절은 모두 문왕이 이미 이루어진 괘들을 보고 거기에 드러나지 않은 상象을 미루어 말한 것이다. 소자邵子[邵雍]의 이른바 후천의 학문은 일을 하는 자리에 들어다는 것이다.

[15-14-2-1]

玉齋胡氏曰 : "此總論'乾, 健也'以下四節之旨也."[256]

옥재 호씨玉齋胡氏[胡方平]가 말했다. "(주희의) 이 말은 '건은 굳셈이다.' 이하의 4개 구절의 취지를 총괄적으로 논한 것이다."

[15-14-2-2]

"嘗合先·後天之『易』而參之「圖」·「書」矣. 伏羲先天之『易』固以「河圖」爲本, 而其卦位未嘗不與「洛書」合. 且以乾南·兌東南, 則老陽四·九之位也; 離東·震東北, 則少陽三·八之位也; 巽西南·坎西, 則少陰二·七之位也; 艮西北·坤北, 則老陰一·六之位也. 其卦實與「洛書」合焉.

(옥재 호씨가 말했다.) "나는 일찍이 선천역과 후천역을 결합하면서 「하도」와 「낙서」를 참작하였다. 복희의 선천역은 본디 「하도」를 근본으로 삼았는데 그 괘들의 위치는 「낙서」와 합치하지 않음이 없었다. 우선 건괘가 남쪽, 태괘가 동남쪽에 있으니 노양 4·9의 위치이고, 리괘가 동쪽, 진괘가

253 호방평, 『易學啟蒙通釋』 권上 「原卦畫」 제2
254 소옹, 『皇極經世書』 권13 「觀物外篇」 上
255 주희, 『周易本義』 「序」에는, "右見「說卦」. 邵子曰, '此文王八卦.' 乃入用之位, 後天之學也."라고 하였다.
256 호방평, 『易學啟蒙通釋』 권上 「原卦畫」 제2

동북쪽에 있으니 소양 3·8의 위치이며, 손괘가 서남쪽, 감괘가 서쪽에 있으니 소음 2·7의 위치이고, 간괘가 서북쪽, 곤괘가 북쪽에 있으니 노음 1·6의 위치이다. 그 괘들은 실로 「낙서」와 합치한다.

文王後天之『易』雖但本之伏羲, 然亦未嘗不與「河圖」合. 且以坎·離當南·北之正, 子·午之中, 則兩卦各當夫水·火之一象; 離當地二·天七之火而居南, 坎當天一·地六之水而居北. 外此六卦, 則每卦共當一象. 震者木之生, 當天三之木於東; 巽者木之成, 當地八之木於東南; 兌者金之生, 當地四之金於西; 乾者金之成, 當天九之金於西北; 艮者土之生, 當天五之土於東北; 坤者土之成, 當地十之土於西南. 坤·艮所以獨配夫中宮之五·十者, 以土實寄旺於四季无乎不在, 故配夫中數耳. 其卦實與「河圖」合焉.
문왕의 후천역이 비록 단지 복희에 근본을 두고 있지만, 그것 또한 「하도」와 합치하지 않음이 없었다. 우선 감괘와 리괘가 남쪽과 북쪽의 정방위인 자子의 중中과 오午의 중中에 해당하니, 두 괘는 각각 수水와 화火의 상象에 해당한다. 리괘는 땅 2·하늘 7의 화火에 해당하여 남쪽에 자리 잡고, 감괘는 하늘 1·땅 6의 수水에 해당하여 북쪽에 자리 잡는다. 그밖에 나머지 6개의 괘들도 매 괘마다 모두 하나의 상象에 해당한다. 진괘는 목木이 생겨나는 것이니 동쪽에서 하늘 3의 목木에 해당하고, 손괘는 목木이 이루어지는 것이니 동남쪽에서 땅 8의 목木에 해당하며, 태괘는 금金이 생겨나는 것이니 서쪽에서 땅 4의 금金에 해당하고, 건괘는 금金이 이루어지는 것이니 서북쪽에서 하늘 9의 금金에 해당하며, 간괘는 토土가 생겨나는 것이니 동북쪽에서 하늘 5의 토土에 해당하고, 곤괘는 토土가 이루어지는 것이니 서남쪽에서 땅 10의 토土에 해당한다. 곤괘와 간괘만이 중궁中宮의 5와 10에 배당되는 까닭은, 토土는 실로 어떤 경우에도 사계절에 붙어서 왕성하기 때문에 중앙의 수數에 배당되었을 뿐이다. 그 괘들은 실로 「하도」와 합치한다.

原其初, 伏羲但據「河圖」以作『易』, 未必預見於「書」. 文王但據先天八卦以爲後天八卦, 未必追考於「圖」, 而方位旣成, 自默相符合. 於以見天地之間, 「河」·「洛」自然之數. 其與聖人心意之所爲, 自有不期合而合者, 此理之所必同也. 不可不察焉."[257]
그 시초를 추구해 보면, 복희는 단지 「하도」에만 의거하여 『역』을 만들었지 꼭 「낙서」를 예견한 것은 아니었다. 문왕은 단지 선천 8괘에만 의거하여 후천 8괘를 만들었지 꼭 「하도」를 미루어 고찰한 것은 아니었는데, 방위가 이루어지고 나니 묵묵한 가운데 저절로 서로 부합하였다. 이로써 보면 하늘과 땅 사이에 보이는 것은 「하도」와 「낙서」의 저절로 그러한 수數들이다. 성인의 마음이 하는 것과 원래 부합하기를 기약하지 않았는데도 합치하는 것은 리理가 꼭 같기 때문이니 자세히 살펴보지 않을 수 없다."

257 호방평, 『易學啟蒙通釋』 권上 「原卦畫」 제2

性理大全書卷之十六
성리대전서 권16

易學啓蒙三 역학계몽 3

明著策 第三 제3 명시책 … 419

易學啓蒙三
역학계몽 3

明蓍策 第三 제3 명시책(시초로 점치는 것을 밝힘)

[16-1]

大衍之數五十.[1]

대연의 수數는 50이다.

[16-1-1]

「河圖」·「洛書」之中數皆五, 衍之而各極其數以至於十, 則合爲五十矣.

「하도」와 「낙서」의 가운데 수數는 모두 5인데, 그것을 연역하여 각각 그 수를 끝까지 미루어 10에 이르면 합계가 50이 된다.

[16-1-1-1]

玉齋胡氏曰 : "「大傳」云, '天生神物, 聖人則之.' 又云, '是興神物, 以前民用.' 又云, '聖人幽贊於神明而生蓍.' 神物謂蓍, 蓍一根百莖可當大衍之數者二, 是五十者大衍之蓍數也. 以「圖」·「書」中宮之數衍之亦爲五十, 而與蓍數合.

「圖」·「書」中數計五箇一, 衍而推極之爲五箇十. 一者數之始, 十者數之終, 極卽終也. 「圖」·「書」中五, 下一點爲第一, 本身已自是一數, 衍而極之後面只有箇九, 以一合九爲十矣. 上一點爲第二, 本身已自是二數, 衍而極之後面只有箇八, 以二合八爲十矣. 左·右·中各一點皆然. 自一默小衍之爲十, 合五默大衍之通爲五十也.

옥재 호씨玉齋胡氏[胡方平]가 말했다. "「계사전」에서 '하늘이 신령스러운 것을 내니 성인이 그것을 본

1 『易』「繫辭上」 제9장

받았다.'[2]라고 하고, 또 '이에 신령스러운 것을 일으켜 백성들이 사용하는 것을 선도하였다.'[3]라고 하였으며, 「설괘전」에서 또 '성인이 (『역』을 만들 때에) 그윽하게 신명神明의 도움을 받아 시초蓍草를 (점을 치는 도구로) 만들었다.'[4]고 했다. '신령스러운 것'은 시초蓍草를 말하는데, 시초는 1개의 뿌리에 100개의 줄기가 나서 대연의 수數 둘에 해당하니, 이 50이라는 것은 대연의 시초 수이다. 「하도」와 「낙서」의 중궁中宮의 수를 연역해도 역시 50이 되며, 시초의 수와 합치한다.

「하도」와 「낙서」의 중궁의 수는 모두 5개의 1인데, 그것을 연역하여 끝까지 미루어 가면 5개의 10이 된다. 1은 수의 시작이고 10은 수의 끝이니, 끝까지 미루어 나가는 것이 곧 끝이다. 「하도」와 「낙서」의 중궁의 수 5에서, 아래의 1개 점이 첫 번째가 되는데, 그 자체가 이미 원래 1이라는 수이고 그것을 연역하여 끝까지 미루어 가면 뒤쪽에는 다만 9개가 있으니, 1로써 9를 합하여 10이 된다. 위의 1개 점이 두 번째가 되는데, 그 자체가 이미 원래 2라는 수이고 그것을 연역하여 끝까지 미루어 가면 뒤쪽에는 다만 8개가 있으니, 2로써 8을 합하여 10이 된다. 왼쪽 · 오른쪽 · 중앙의 1개 점들도 모두 그러하다. 1개의 점으로부터 작게 연역하면 10이 되고, 5개의 점을 합하여 크게 연역하면 합계 50이 된다.

盤澗董氏問云, '竊謂天地之數不過五而已. 五者數之祖也, 「河圖」·「洛書」皆五居中而爲數祖宗. 大衍之數五十者, 卽此五數衍而乘之各極其數而合爲五十也. 是五也, 於五行爲土, 於五常爲信. 水·火·木·金不得土不能各成一器, 仁·義·禮·智不實有之亦不能各成一德. 此五所以爲數之宗也. 不知是否.'

朱子答云, '此說是.'[5][6]

반간 동씨盤澗董氏[董銖]가 묻기를, '제 생각에, 하늘과 땅의 수는 5에 지나지 않을 뿐입니다. 5는 수數의 조상이니, 「하도」와 「낙서」는 모두 5가 중앙에 자리 잡아서 수의 조상이 되었습니다. 대연의 수 50이라는 것은 곧 이 5라는 수를 연역해 계산하여 각각 그 수를 끝까지 미루어 나가 합계가 50이 된다는 것입니다. 이 5는 5행에서는 토土가 되고, 5상五常에서는 신信이 됩니다. 수 · 화 · 목 · 금이 토를 얻지 못하면 각기 하나의 기氣가 될 수 없고, 인 · 의 · 예 · 지도 신信을 실제로 가지고 있지 못하면 또한 각기 하나의 덕이 될 수 없습니다. 이것이 바로 5가 수의 근간이 되는 까닭입니다. 이 말이 옳은지 모르겠습니다.'라고 했다.

2 『易』「繫辭上」 제11장

3 『易』「繫辭上」 제11장

4 『易』「說卦傳」 제1장에는, "昔者聖人之作『易』也, 幽贊於神明而生蓍."라고 하였다.

5 『朱文公文集』 권51 「答董叔重」에는, "銖竊謂天地之所以爲數不過五而已. 五者數之祖也. … 「河圖」 · 「洛書」 皆五居中而爲數宗祖. 大衍之數五十者, 卽此五數衍而乘之各極其十則合爲五十, 而爲大衍之數, 皆自此五數始耳. 是以, 於五行爲土, 於五常爲信. 水 · 火 · 木 · 金不得土不能各成一氣, 仁 · 義 · 禮 · 智不實有之亦不能各成一德. 此所以爲數之宗, 而揲蓍之法必衍而極於五十以見於用也. 不知是否.' 朱子答云, '此說是.'"라고 되어 있다.

6 호방평, 『易學啟蒙通釋』 권下 「明蓍策」 제3

주자가 대답하기를, '이 말은 옳다.'고 하였다."

[16-1-2]

「河圖」積數五十五, 其五十者皆因五而後得. 獨五爲五十所因而自無所因, 故虛之則但爲五十. 又五十五之中, 其四十者分爲陰陽老少之數, 而其五與十者無所爲, 則又以五乘十, 以十乘五, 而亦皆爲五十矣.

「洛書」積數四十五, 而其四十者散布於外而分陰陽老少之數, 唯五居中而無所爲, 則亦自含五數而幷爲五十矣.

「하도」에서 누적한 수는 55인데, 그 가운데 50은 모두 5를 근거로 한 뒤에 얻는다. 오직 5가 50의 근거가 되는데, 스스로는 근거 삼는 것이 없으니 그것을 비우면 50이 된다. 또 55 가운데 40은 나뉘어 노음·노양·소음·소양의 수가 되고, 남은 5와 10은 하는 일이 없으니 또 5를 10에 곱하거나 10을 5에 곱해도 역시 모두 50이 된다.

「낙서」에서 누적한 수는 45인데, 그 가운데 40은 밖에 흩어져 분포하고 노음·노양·소음·소양의 수로 나누어지며, 오직 5는 중앙에 자리 잡고 하는 일이 없으니, 또한 스스로 5의 수를 머금고 아울러 50이 된다.

[16-1-2-1]

朱子曰: "'大衍之數五十'云者, 以天地之數五十有五, 除出金·木·水·火·土五數幷天一便用四十九. 數家之說多不同, 此說却分曉. 一說三天·兩地, 則是已虛了天一之數, 便只用天三對地二. 一說五是生數之極, 十是成數之極; 以五乘十亦是五十, 以十乘五亦是五十. 一說數始於一, 成於五, 小衍之而成十, 大衍而成五十.[7] 一說五奇·五偶成五十五. 一說天三·地二合而爲五位, 每位各衍之爲十, 故曰'大衍.' 皆通. 大槩聖人說這數, 不只是說得一路, 自然有許多通透去.[8]

주자가 말했다.[9] "'대연의 수는 50이다.'라고 한 것은, 하늘과 땅의 수 55에서 금·목·수·화·토 5개의 수와 하늘 1을 제거하고 곧 49를 쓴다는 것이다. 수리학자들의 말이 대부분 다른데 이 말은

7 『朱子語類』 권75, 25조목에는 "'大衍之數五十', 以天地之數五十有五, 除出金·木·水·火·土五數幷天一, 便用四十九, 此一說也. 數家之說雖多不同, 某自謂此說卻分曉. 三天·兩地, 則是已虛了天一之數, 便只用天三對地二. 又五是生數之極, 十是成數之極, 以五乘十, 亦是五十, 以十乘五, 亦是五十, 此一說也. 又, 數始於一, 成於五, 小衍之而成十, 大衍之而成五十, 此又是一說."이라고 되어 있다.

8 『朱子語類』 권65, 43조목에는 "中數五, 衍之而各極其數以至於十者, 一箇衍成十箇, 五箇便是五十. 聖人說這數, 不是只說得一路. 他說出這箇物事, 自然有許多樣通透去. 如五奇·五耦成五十五. 又一說, 六·七·八·九·十因五得數, 是也."라고 되어 있다.

9 『朱文公文集』 권51 「答董叔重」에서, '天地之所以爲數不過五而已.'에서부터 '皆自此五數始耳.'까지는 董銖의 말로 되어 있다. 주자는 이에 대해 옳다고 인정하였다.

도리어 분명하다. 어떤 사람은 '삼천三天 · 양지兩地'[10]라고 하면 이미 하늘 1의 수를 비운 것이니, 곧 다만 하늘 3으로 땅 2에 짝지은 것이라고 말한다. 어떤 사람은 5는 생수生數의 끝이고 10은 성수成數의 끝이니, 5를 10에 곱해도 50이고 10을 5에 곱해도 50이라고 말한다. 어떤 사람은 수는 1에서 시작하고 5에서 이루어지니, 그것을 작게 연역하면 10이 되고 크게 연역하면 50이 된다고 말한다. 어떤 사람은 5개의 홀과 5개의 짝이 55를 이룬다고 말한다. 어떤 사람은 하늘 3 · 땅 2가 합하여 5개의 자리가 되니, 매 자리마다 각각 그것을 연역하면 10이 되기 때문에 '대연'이라 한다고 말한다. 이 말들은 모두 통한다. 대개 성인이 이 수를 말한 것은 다만 한 가지 방법으로만 말한 것이 아니니, 당연히 많은 방법으로 통할 수 있다.

今以前一說推之，天地之所以爲數不過五而已. 五者數之祖也. 蓋三天·兩地，三陽而二陰，三·二各陰陽錯而數之，所以爲數五也. 是故三其三·三其二而爲老陽·老陰之數，兩其三·一其二而爲少陰之數，兩其二·一其三而爲少陽之數，皆五數也.

이제 앞 사람들의 말로 미루어보면, 하늘과 땅이 수數가 되는 까닭은 5에 지나지 않을 뿐이다. 5는 수數의 조상이다. 삼천三天 · 양지兩地에서 3은 양이고 2는 음이며, 3과 2는 각각 음 · 양을 뒤섞여서 헤아린 것이니 5라는 수가 되는 까닭이다. 그러므로 그 3을 3배하고 2를 3배하여 노양(3×3=9)과 노음(3×2=6)의 수가 되고, 그 3을 2배하고 그 2를 1배하여 소음(3×2+2×1=8)의 수가 되며, 그 2를 2배하고 그 3을 1배하여 소양(2×2+3×1=7)의 수가 되니, 모두 5라는 수이다.

「河圖」自天一至地十積數凡五十有五，而其五十者皆因五而後得，故五虛中若無所爲，而實乃五十之所以爲五十也. 一得五而成六, 二得五而成七, 三得五而成八, 四得五而成九, 五得五而成十. 無此五數, 則五十者何自來耶!

「하도」에서 하늘 1로부터 땅 10에 이르기까지 누적한 수는 모두 55인데, 그 가운데 50은 모두 5를 근거로 한 뒤에 얻었으므로, 5는 중앙을 비운 것으로서 마치 아무 일도 하지 않는 것처럼 보이지만 실은 바로 50이 50으로 되는 까닭이다. 1은 5를 얻어 6이 되고, 2는 5를 얻어 7이 되며, 3은 5를 얻어 8이 되고, 4는 5를 얻어 9가 되며, 5는 5를 얻어 10이 된다. 이 5가 없으면 50이라는 것이 어디에서 유래하겠는가!

「洛書」自一五行至九五福積數凡四十有五，而其四十者亦皆因五而後得，故五亦虛中，若無所爲，而實乃四十之所以爲四十也. 一 · 六共宗而爲太陽之位 · 數, 二 · 七共朋而爲少陰之位 · 數, 三 · 八成友而爲少陽之位 · 數, 四 · 九同道而爲太陰之位 · 數. 不得此五數, 何以成此四十耶!

「낙서」에서 첫째 오행에서부터 아홉째 오복五福에 이르기까지 누적한 수는 모두 45인데, 그 가운데 40은 역시 모두 5를 근거로 한 뒤에 얻었으므로 5는 역시 중앙을 비운 것으로서 마치 아무 일도 하지 않는 것처럼 보이지만 실은 바로 40이 40으로 되는 까닭이다. 1 · 6은 근간을 함께하여 태양의 자리와

10 參天 · 兩地 : 하늘의 수는 세 배하고 땅의 수는 두 배한다는 의미이다.

수가 되고 2·7은 벗을 함께하여 소음의 자리와 수가 되며, 3·8은 벗을 이루어 소양의 자리와 수가 되고, 4·9는 도를 같이하여 태음의 자리와 수가 된다. 이 5라는 수를 얻지 못하면 무엇으로 이 40을 이루겠는가!

卽是觀之,「河圖」·「洛書」皆五居中而爲數宗祖. 大衍之數五十者, 卽此五數衍而乘之各極其十, 則合爲五十也. 是故五數散布於外爲五十而爲「河圖」之數, 散布於外爲四十而爲「洛書」之數, 衍而極之爲五十而爲大衍之數, 皆自此五數始耳."[11]

이것으로 보면,「하도」와「낙서」는 모두 5가 중앙에 자리 잡아서 수의 조상이 된다. 대연의 수 50은, 곧 이 5라는 수를 연역하고 계산하여 각각 그 10까지 끝까지 미루어 나간 것이니, 합계가 50이 된다. 그러므로 5의 수들이 밖에 흩어져 분포하여 50이 되고「하도」의 수가 되며, 밖에 흩어져 분포하여 40이 되고「낙서」의 수가 되며, 그것을 연역하여 끝까지 미루어 나가 50이 되고 대연의 수가 되는 것들은 모두 이 5라는 수로부터 시작하였을 뿐이다."

[16-1-2-2]

玉齋胡氏曰:"「河圖」五十因五而後得者, 一得五爲六, 一·六合七; 二得五爲七, 二·七合九; 三得五爲八, 三·八合十一; 四得五爲九, 四·九合十三; 五得五爲十, 總爲五十. 是皆因五而後得也. 五自無所因故虛之, 則四圍之數但爲五十. 以五乘十, 以十乘五, 而爲五十者, 以五乘十, 是爲五箇十; 以十乘五, 是爲十箇五. 乘乘取義, 皆可以爲五十.

「洛書」中五亦自含五而幷爲五十者, 天地間只有十數, 統擧中央五數自可以含得後面五數而成十, 幷四圍四十亦合爲五十也. 蓋言「圖」·「書」之數, 無往而不與大衍之數合者如此."[12]

옥재 호씨玉齋胡氏[胡方平]가 말했다. "「하도」에서 50은 5를 근거로 한 뒤에 얻는다는 것은, 1이 5를 얻어 6이 되고 1과 6이 합하여 7이 되며, 2가 5를 얻어 7이 되고 2와 7이 합하여 9가 되며, 3이 5를 얻어 8이 되고 3과 8이 합하여 11이 되고, 4가 5를 얻어 9가 되고 4와 9가 합하여 13이 되며, 5가 5를 얻어 10이 되고 총계(7+9+11+13+10=50) 50이 된다는 것이다. 이것들은 모두 5를 근거로 한 뒤 얻는다. 5는 원래 근거로 삼는 것이 없기 때문에 비우니, 네 둘레의 수들은 단지 50이 된다. 5를 10에 곱하거나 10을 5에 곱해서 50이 된다는 것은, 5를 10에 곱하면 5개의 10이 되며, 10을 5에 곱하면 10개의 5가 된다는 것이다. 곱하고 곱하는 것으로 의미를 취한 것은 모두 50이 될 수 있기 때문이다.

「낙서」에서 중앙의 5도 또한 원래 5를 머금고 아울러 50이 된다는 것은, 하늘과 땅 사이에는 다만 10의 수만 있는데, 중앙의 5라는 수를 통틀어 들면 원래 뒷부분의 5라는 수를 머금어 10이 될 수 있으며, 네 둘레의 40을 아우르면 역시 합계가 50이 된다는 것이다.「하도」와「낙서」의 수가 어떤 경우에도 대연의 수와 부합하지 않음이 없다는 것이 이와 같다."

11 『朱文公文集』 권51 「答董叔重」

12 호방평, 『易學啟蒙通釋』 권下 「明蓍策」 제3

[16-2]

其用四十有九.[13]

그 가운데 사용하는 것은 49개이다.

[16-2-1]

大衍之數五十, 而蓍一根百莖可當大衍之數者二. 故揲蓍之法, 取五十莖爲一握, 置其一不用以象太極. 而其當用之策凡四十有九. 蓋兩儀體具而未分之象也.

대연의 수數는 50인데 시초는 1개의 뿌리에 100개의 줄기가 나서 대연의 수 둘에 해당한다. 그러므로 시초를 세는 방법은 50개의 줄기를 취하여 한 줌으로 하고, 그 가운데 1개를 버려두고 쓰지 않음으로써 태극을 상징한다. 그리하여 (점치는 데에) 실제로 사용하는 산가지는 모두 49개이다. (이것은) 대개 양의兩儀의 체體가 갖추어졌으나 아직 나누어지지 않은 모습이다.

[16-2-1-1]

雲莊劉氏曰 : "蓍之數七, 七·七而四十九. 卦之數八, 八·八而六十四. 七數奇, 故其德圓而神. 八數偶, 故其德方以知. 以是知卦不自變, 因蓍而後變. 此四十九蓍必言用者, 有蓍之用乃可以用卦也.

乾坤二用爲諸卦陰陽爻之通例, 亦因蓍而後有用耳. 若有卦而無蓍, 何以通其變而爲事哉? 此庖羲氏畫卦之後, 必幽贊於神明而生蓍, 其以此歟."[14]

운장 유씨雲莊劉氏[劉爚]가 말했다. "시초蓍草의 수는 7이니, 7×7=49이다. 괘의 수는 8이니, 8×8=64이다. 7이라는 수는 홀수이므로 그 덕은 원만하고 신령하다. 8이라는 수는 짝수이므로 그 덕은 방정하여 지혜롭다. 이것으로서 괘는 스스로 변하지 않고 시초를 근거로 한 뒤에 변한다는 것을 알 수 있다. 꼭 이 49개의 시초를 사용한다고 말한 것은, 시초를 사용함이 있어야 이에 괘를 사용할 수 있다는 것이다.

건괘와 곤괘 두 가지의 작용은 모든 괘의 음효와 양효의 일반적인 규율이 되는데, 이 또한 시초를 근거로 한 뒤에 작용함이 있을 뿐이다. 만약 괘가 있는데 시초가 없다면 무엇으로써 그 변變을 통하여 일을 할 것인가? 이에 복희씨는 괘를 그린 뒤에 반드시 그윽이 신명의 도움을 받아서 시초蓍草를 (점을 치는 도구로) 만들었을 것이니, 바로 이 때문일 것이다!"

[16-2-1-2]

玉齋胡氏曰 : "『說文』云, '蓍蒿屬, 『易』以爲數, 天子九尺, 諸侯七尺, 大夫五尺, 士三尺.' 「龜策傳」云, '天下和平, 王道得而蓍莖長丈, 其叢生滿百莖, 下有神龜守之, 上有雲氣覆之.'

13 『易』「繫辭上」 제9장

14 호방평, 『易學啟蒙通釋』 권下 「明蓍策」 제3에 유약의 말로 실려 있다.

옥재 호씨玉齋胡氏[胡方平]가 말했다. "『설문해자說文解字』에서 말하기를, '시초는 쑥의 일종인데 『역』에서는 그것으로 (점을 치는) 수로 삼으며, 천자는 (시초의 길이가) 9척尺, 제후는 7척, 대부는 5척, 사는 3척이다.'[15]라고 하였다. 『사기』「귀책열전龜策列傳」에서 말하기를 '천하가 화평하면, 왕도가 이루어지고 시초 줄기의 길이도 한 장丈쯤 되는데, 그 한 무더기로 나는 것이 100개의 줄기나 되며, 아래에는 신령스러운 거북이 그것을 지키고, 위에는 구름 기운이 그것을 덮고 있다.'[16]고 하였다.

趙彦肅易解, 欲以四十九莖握而未分爲太極之象.
朱子答云, '恐未穩當. 蓋太極形而上者也, 兩·三·四·五形而下者也. 若四十九蓍可合而命之曰太極之象, 則兩·三·四·五亦可合而命之曰太極之體矣. 蓋太極雖不外乎陰陽·五行, 而亦不雜乎陰陽·五行. 與其以握而未分者象太極, 反不若以一策不用者象之爲無病也.'[17]
조언숙趙彦肅[18]이 『역』을 풀이하면서, 시초 49개 줄기를 한 줌에 쥐고 아직 나누지 않은 것을 태극의 상象으로 삼으려 했다.
주자가 대답하여 말하기를, '이는 아마 타당하지 않은 것 같다. 태극은 형이상자이고 2·3·4·5는 형이하자이다. 만약 49개의 시초를 합하여 태극의 상象이라고 명명할 수 있으면, 2·3·4·5도 역시 합하여 태극의 체體라고 명명할 수 있다. 태극이 비록 음양·오행을 벗어나지 않지만 또한 음양·오행과 뒤섞여 있지도 않다. 그 한 줌에 쥐고 아직 나누지 않은 것으로써 태극을 상징하기 보다는, 도리어 사용하지 않는 1개의 시초로써 태극을 상징한다고 하는 것이 문제가 없을 것이다.'라고 했다.

又云, '虛天一, 故用四十九策.'[19]
又云, '參天·兩地, 便是虛去天一, 只用天參對地二爾.'[20]
愚謂一爲太極, 虛一所以見太極之無不存, 其不用者所以爲用之原歟."[21]

15 『說文解字』「蓍」에서, "蓍蒿屬, 生十歲, 百莖, 『易』以爲數. 天子蓍九尺, 諸侯七尺, 大夫五尺, 士三尺."이라고 하였다.
16 『史記』 권128 「龜策列傳」 제68에는, "其下必有神龜守之, 其上常有青雲覆之. 傳曰, '天下和平, 王道得而蓍莖長丈, 其叢生滿百莖."이라고 되어 있다.
17 『朱文公文集』 권56 「答趙子欽」에는, "以四十九莖握而未分爲太極之象. 朱子答云, '恐亦未穩當. 蓋太極形而上者也, 兩·三·四·五形而下者也. 若四十九蓍可合而命之曰太極之象, 則兩·三·四·五亦可合而命之曰太極之體矣. 蓋太極雖不外乎陰陽·五行, 而其體亦不雜乎陰陽·五行. … 與其以握而未分者象太極, 反不若以一策不用者象之之爲無病也.'"라고 되어 있다.
18 趙彦肅 : 자는 子欽이고 호는 復齋이며, 송 태조의 후예이다. 송대 乾道(1165~1173) 년간에 진사에 급제하여, 주희의 천거에 의해 벼슬이 寧海軍節度推官에 이르렀다. 저술에 『廣雜學辨』과 『士冠禮·婚禮饋食圖』는 주희의 칭찬을 받았지만, 『易』에 대해서는 주희와 견해를 달리해서 상수역에 침잠했다. 그의 『復齋易說』은 지나치게 정밀하여 『易』의 간이함을 잃었다고 주희의 비난을 받았다.
19 朱鑑, 『文公易說』 권11 「繫辭上傳」에는, "虛天一, 故用四十有九."라고 되어 있다.
20 『朱子語類』 권75, 25조목에는 "三天兩地, 則是已虛了天一之數, 便只用天三對地二."라고 되어 있다.

(주자가) 또 말하기를, '하늘 1을 비우므로 49개의 산가지를 사용한다.'라고 하였다.
(주자가) 또 말하기를, '삼천三天·양지兩地는 곧 하늘 1을 비워버리고 다만 하늘 3으로 땅 2에 짝지은 것일 뿐이다.'라고 하였다.
내胡方平 생각에, 1은 태극이 되고, 1을 비우는 것은 그것으로써 태극이 존재하지 않음이 없다는 것을 나타내며, 그것을 사용하지 않는다는 것은 아마 그것으로써 사용하는 것의 근원으로 삼기 때문일 것이다!"

[16-3]

分而爲二以象兩, 掛一以象三, 揲之以四以象四時, 歸奇於扐以象閏. 五歲再閏, 故再扐而後掛.[22]

나누어 둘로 하는 것은 양의兩儀를 상징하고, '오른손의 1개의 시초를 뽑아 왼손 새끼손가락과 넷째 손가락 사이에 걸어두는[掛]' 것은 삼재三才를 상징하며, 4개씩 세는 것은 사계절을 상징하고, 나머지를 되돌려서 '왼손의 셋째 손가락과 넷째 손가락 사이에 끼우는 것[扐]'은 윤년을 상징한다. 5년에 두 번 윤년이 드니, 그러므로 '다시 한 번 왼손에 쥐었던 것을 4개씩 세고 남은 시초를 왼손의 둘째 손가락과 셋째 손가락 사이에 끼우고[再扐]', 그 뒤에 걸어둔다.

[16-3-1]

掛者, 懸於小指之間. 揲者, 以大指·食指間而別之. 奇, 謂餘數. 扐者, 扐於中三指之兩間也. 蓍凡四十有九, 信手中分各置一手以象兩儀. 而掛右手一策於左手小指之間以象三才. 遂以四揲左手之策以象四時. 而歸其餘數於左手第四指間以象閏. 又以四揲右手之策而再歸其餘數於左手第三指間以象再閏. 五歲之象, 掛一, 一也; 揲左, 二也; 扐左, 三也; 揲右, 四也; 扐右, 五也. 是謂一變. 其掛扐之數, 不五卽九.

'걸어둔다.[掛]'는 것은 왼손의 새끼손가락과 넷째 손가락 사이에 거는 것을 말한다. '센다.[揲]'는 것은 엄지손가락과 집게손가락으로 4개씩 한 묶음으로 떼어내는 것을 말한다. '나머지[奇]'는 남은 시초의 수를 말한다. '끼운다.[扐]'는 것은 왼손의 가운데 손가락의 양쪽 사이에 끼운다는 것이다.
점치는 데에 사용되는 시초는 모두 49개이고, 그것을 손이 닿는 대로 반으로 나누어 각각 한 손에 쥐는 것으로써 양의兩儀를 상징한다. 그리고 오른손에 쥐었던 시초 가운데 1개를 왼손 새끼손가락과 넷째 손가락 사이에 걸어두는 것으로써 삼재三才를 상징한다. 그리하여 왼손에 쥐었던 시초를 4개씩 세는 것으로써 사계절을 상징한다. 그리고 4개씩 세어내고 남은 시초를 되돌려 왼손 셋째 손가락과 넷째 손가락 사이에 끼우는 것으로써 윤년을 상징한다. 또 오른손에 쥐었던 시초를 4개씩 세어내고 남은 시초를 다시 되돌려 왼손 둘째 손가락과 셋째 손가락 사이에 끼우는 것으로써 5년에 두 번

21 호방평, 『易學啟蒙通釋』 권下 「明蓍策」 제3
22 『易』「繫辭上」 제9장

드는 윤년을 상징한다. 5년을 상징하는 것은, 오른손에 쥐었던 시초 가운데 1개를 왼손 새끼손가락과 넷째 손가락 사이에 걸어두는 것이 1년이고, 왼손에 쥔 시초를 4개씩 세는 것이 2년이며, 4개씩 세어내고 남은 시초를 왼손 셋째 손가락과 넷째 손가락 사이에 끼우는 것이 3년이고, 오른손에 쥐었던 시초를 4개씩 세는 것이 4년이며, 오른손에 쥐었던 시초를 4개씩 세어내고 남은 시초를 왼손 둘째 손가락과 셋째 손가락 사이에 끼우는 것이 5년이다. 이것을 1변이라고 한다. 여기에서 왼손에 걸어두고 끼운 시초의 수는 5개가 아니면 9개이다.

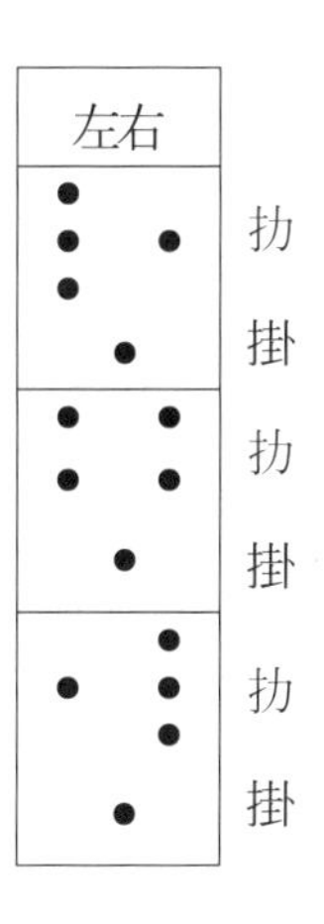

得五者三, 所謂奇也. 五除掛一卽四, 以四約之爲一故爲奇, 卽兩儀之陽數也.

5개를 얻는 것이 세 가지 경우인데, 이른바 '나머지[奇]'이다. 5개에서 걸어두었던 1개를 제외하면 4개인데, 이것을 4로 약분하면 1이므로 '홀[奇]'이 되고, 곧 양의兩儀 가운데 양陽의 수이다.

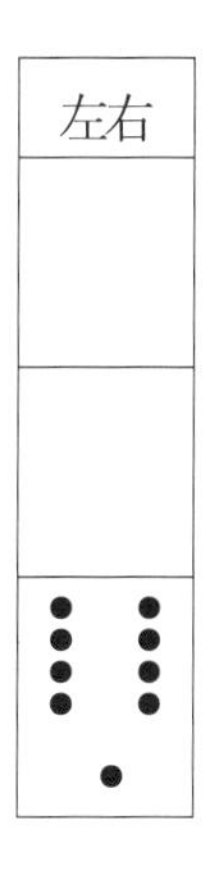

得九者一, 所謂偶也. 九除掛一卽八, 以四約之爲二故爲偶, 卽兩儀之陰數也.

9개를 얻는 것이 한 가지 경우인데, 이른바 '짝[偶]'이다. 9개에서 걸어두었던 1개를 제외하면 8개인데, 이것을 4로 약분하면 2이므로 '짝[偶]'이 되고, 곧 양의兩儀 가운데 음陰의 수이다.

[16-3-1-1]

玉齋胡氏曰 : "左手象天, 右手象地, 此象兩也. 掛一所以象人而配天地, 此象三也. 四·四揲而數之, 此象四時也. 揲蓍五節內有再扐, 所以象五歲內有再閏. 掛一象一歲, 揲左象二歲, 歸奇於左爲一扐象三歲一閏. 揲右象四歲, 歸奇於右(左)[23]爲再扐象五歲再閏. '後掛'者, 再扐之後, 復以所餘之蓍合而爲一, 爲第二變再分再掛再扐也. 不言'分二'·'揲四'·'歸奇', 獨言'而後掛'者, 明第二變之不可以不掛也."[24]

옥재 호씨玉齋胡氏[胡方平]가 말했다. "왼손에 쥔 시초는 하늘을 상징하고 오른손에 쥔 시초는 땅을 상징하니, 이것이 양의兩儀를 상징하는 것이다. 오른손에 쥐었던 시초 가운데 1개를 왼손 새끼손가락과 넷째 손가락 사이에 걸어두는 것으로써 사람을 상징하고 이를 하늘 · 땅과 짝지으니, 이것이 삼재三才를 상징하는 것이다. 네 개씩 네 개씩 세고 그것을 헤아리니, 이것이 사계절을 상징하는 것이다. 시초를 세는 다섯 과정 속에 다시 한 번 끼우는 것으로써 5년에 두 번 윤년이 있다는 것을 상징한다. 시초 1개를 걸어두는 것은 1년을 상징하고, 왼손에 쥐었던 시초를 4개씩 세는 것은 2년을 상징하며, 그 나머지 시초를 되돌려 왼손의 셋째 손가락과 넷째 손가락 사이에 끼우는 것은 3년에 한 번 윤년이 드는 것을 상징하고, 오른손에 쥐었던 시초를 4개씩 세는 것이 4년을 상징하며, 그 나머지 시초를 되돌려 다시 한 번 왼손의 둘째 손가락과 셋째 손가락 사이에 끼우는 것은 5년에 두 번 윤년이 드는 것을 상징한다. '그 뒤에 걸어둔다.[後掛]'는 것은 다시 한 번 끼운 뒤에, 다시 남은 시초를 하나로 합쳐 제2변에서 다시 둘로 나누고 다시 시초 1개를 걸어두며 다시 나머지 시초를 끼운다는 것이다. (제2변의 과정에서) '둘로 나눈다.[分二]'거나 '4개씩 센다.[揲四]'거나 '나머지 시초를 되돌린다.[歸奇]'라고 말하지 않고, 유독 '그 뒤에 걸어둔다.[後掛]'고만 말한 것은 제2변에서 시초 1개를 걸어두지 않으면 안 됨을 밝힌 것이다."

[16-3-1-2]

"'得五者三', 蓋以第一變右手餘三則左手餘一, 右手餘二則左手餘二, 右手餘一則左手餘三. 以右手之三·二·一, 湊左手之一·二·三, 併掛一之數而各成其五, 則成五者凡三矣. 凡初揲而可得五者, 有此三樣也. '得九者一', 蓋以第一變右手餘四則左手亦餘四, 併掛一之數爲九, 初揲而可得九者, 只有此一樣也.

朱子云, '以四約之者, 揲之以四之義也.'

又云, '凡四爲奇, 是一箇四也; 凡八爲偶, 是兩箇四也.'

一箇四爲一故爲奇, 卽兩儀之陽數; 兩箇四爲二故爲偶, 卽兩儀之陰數也."[25]

(옥재 호씨가 말했다.) "'5개를 얻는 것이 세 가지 경우'라는 것은, 제1변에서 오른손에 쥐었던 시초의

---

23 歸奇於右(左) : 이황, 『啓蒙傳疑』「明蓍策」 제3에 의거하여 '歸奇於左'로 바로잡았다. 번역문도 바로잡은 것에 따랐다.

24 호방평, 『易學啟蒙通釋』 권下「明蓍策」 제3

25 호방평, 『易學啟蒙通釋』 권下「明蓍策」 제3

나머지가 3개면 왼손에 쥐었던 시초의 나머지는 1개이고, 오른손에 쥐었던 시초의 나머지가 2개면 왼손에 쥐었던 시초의 나머지는 2개이며, 오른손에 쥐었던 시초의 나머지가 1개면 왼손에 쥐었던 시초의 나머지는 3개이다. 오른손에 쥐었던 시초의 나머지 3·2·1개로 왼손에 쥐었던 시초의 나머지 1·2·3개를 각각 합하고, 거기에 1개를 걸어둔 것까지 아울러서 각각 5개가 되니, 5개가 되는 것은 모두 세 가지 경우이다. 무릇 첫 번째 세어서 5개를 얻을 수 있는 것은 이 세 가지 경우이다. '9개를 얻는 것이 한 가지 경우'라는 것은, 제1변에서 오른손에 쥐었던 시초의 나머지가 4개면 왼손에 쥐었던 시초의 나머지도 4개이고, 거기에 1개를 걸어둔 것까지 아우르면 9개가 되니, 첫 번째 세어서 9개를 얻을 수 있는 것은 다만 이 한 가지 경우뿐이다.

주자가 말하기를, '4로 약분한다는 것은 4개씩 센다는 의미이다.'[26]라고 하였다.

(주자가) 또 말하기를, '4가 홀[奇]이 되는 것은 1개의 4라는 것이고, 8이 짝[偶]이 되는 것은 2개의 4라는 것이다.'[27]라고 하였다.

1개의 4는 1이기 때문에 '홀[奇]'이니, 곧 양의兩儀 가운데 양의 수이다. 그리고 2개의 4는 2이기 때문에 '짝[偶]'이니, 곧 양의兩儀 가운데 음의 수이다."

[16-3-2]

一變之後, 除前餘數, 復合其見存之策, 或四十, 或四十四, 分·掛·揲·歸如前法, 是謂再變. 其掛扐者, 不四則八.

제1변을 한 뒤에, 앞의 나머지 시초의 수를 제외하고 다시 그 남은 시초를 합하면 40개이거나 44개인데, 이것을 가지고 제1변에서 했던 대로 둘로 나누고, 1개를 걸어두며, 4개씩 세고, 나머지 시초를 되돌리는 것을 재변再變이라고 한다. 여기에서 걸어두고 끼운 시초의 수는 4개가 아니면 8개이다.

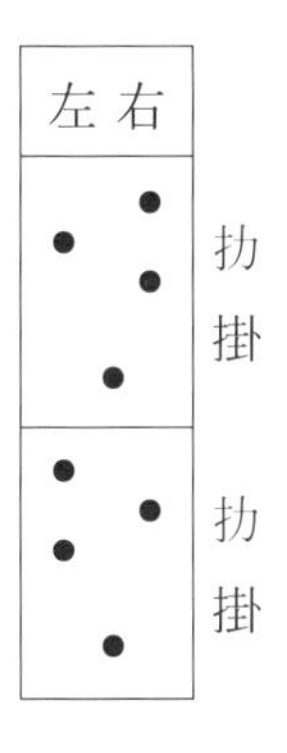

26 『朱子語類』 권66, 36조목

27 『朱文公文集』 권51 「答董叔重」에, 董銖의 말로 "五, 四爲奇, 五除掛一, 四不除掛一, 皆爲四者一, 所謂奇也. 九, 八爲偶, 九除掛一, 八不除掛一, 則爲四者二, 所謂偶也."라고 하였다.

得四者二, 所謂奇也. 不去掛一, 餘同前義.

4개를 얻는 것은 두 가지 경우인데, 이른바 '홀[奇]'이다. 여기서는 걸어두었던 1개를 제거하지 않으니, 그 나머지 셈법은 제1변의 의미와 같다.

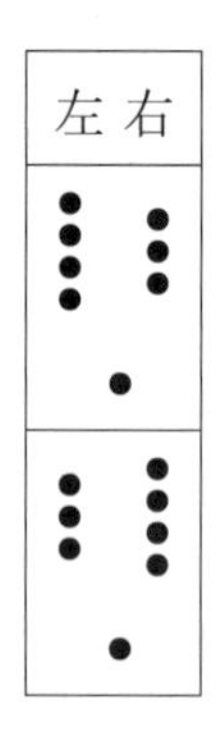

得八者二, 所謂偶也. 不去掛一, 餘同前義.

8개를 얻는 것은 두 가지 경우인데, 이른바 '짝[偶]'이다. 여기서는 걸어두었던 1개를 제거하지 않으니, 그 나머지 셈법은 제1변의 의미와 같다.

[16-3-2-1]

玉齋胡氏曰 : "'前餘數', 卽一變掛扐之數. '見存之策', 卽一變過揲之數. 掛扐除九, 則過揲存四十, 掛扐除五, 則過揲存四十四. '掛扐之數不四則八', 左二則右必一, 左一則右必二, 左三則右必四, 左四則右必三, 通掛一之數爲四與八也."[28]

옥재 호씨玉齋胡氏[胡方平]가 말했다. "'앞에서의 나머지 시초의 수'는 곧 제1변에서 걸어두고 끼운 시초의 수이다. '남은 시초'는 곧 제1변에서 4개씩 세어낸 시초의 수이다. 걸어두고 끼운 시초의 수 9개를 제외하면 세어낸 시초의 수는 40개가 남아 있고, 걸어두고 끼운 시초의 수 5개를 제외하면 세어낸 시초의 수는 44개가 남아 있다. '걸어두고 끼운 시초의 수는 4개가 아니면 8개이다.'라는 것은, 왼손에 쥐었던 시초의 나머지가 2개면 오른손에 쥐었던 시초의 나머지는 반드시 1개이고, 왼손에 쥐었던 시초의 나머지가 1개면 오른손에 쥐었던 시초의 나머지는 반드시 2개이며, 왼손에 쥐었던 시초의 나머지가 3개면 오른손에 쥐었던 시초의 나머지는 반드시 4개이고, 왼손에 쥐었던 시초의 나머지가 4개면 오른손에 쥐었던 시초의 나머지는 반드시 3개이니, 걸어두었던 1개의 시초를 합하여 4개와 8개가 된다는 것이다."

28 호방평, 『易學啟蒙通釋』 권下 「明蓍策」 제3

[16-3-2-2]

"'得四者二', 卽右一左二通掛一爲四, 右二左一通掛一亦爲四, 是得四者凡有二樣也. '得八者二', 則右四左三通掛一爲八, 右三左四通掛一亦爲八, 是得八者凡有二樣也. 奇·偶之說同上."[29]

(옥재 호씨가 말했다.) "'4개를 얻는 것이 두 가지 경우이다.'라는 것은, 곧 오른손에 쥐었던 시초의 나머지 1개와 왼손에 쥐었던 시초의 나머지 2개에 걸어두었던 시초 1개를 합하여 4개가 되고, 오른손에 쥐었던 시초의 나머지 2개와 왼손에 쥐었던 시초의 나머지 1개에 걸어두었던 시초 1개를 합하여도 역시 4개가 되니, 4개를 얻는 것은 모두 두 가지 경우가 있다는 것이다. '8개를 얻는 것이 두 가지 경우이다.'라는 것은, 오른손에 쥐었던 시초의 나머지 4개와 왼손에 쥐었던 시초의 나머지 3개에 걸어두었던 시초 1개를 합하여 8개가 되고, 오른손에 쥐었던 시초의 나머지 3개와 왼손에 쥐었던 시초의 나머지 4개에 걸어두었던 시초 1개를 합하여도 역시 8개가 되니, 8개를 얻는 것은 모두 두 가지 경우가 있다는 것이다. '홀[奇]'이니 '짝[偶]'이니 하는 말은 위와 같다."

[16-3-3]

再變之後, 除前兩次餘數, 復合其見存之策, 或四十, 或三十六, 或三十二, 分掛揲歸如前法, 是謂三變. 其掛扐者, 如再變例.

재변再變을 한 뒤에 앞의 두 차례에 걸친 변變에서의 나머지 시초의 수를 제외하고 다시 그 남은 시초를 합하면 40개이거나 36개이거나 32개인데, 이것을 가지고 앞의 두 차례 변에서 했던 대로 둘로 나누고, 1개를 걸어두며, 4개씩 세고, 나머지 시초를 되돌리는 것을 삼변三變이라고 한다. 여기에서 걸어두고 끼운 시초의 수는 재변의 예와 같다.

[16-3-3-1]

玉齋胡氏曰 : "'前兩次餘數', 卽一變再變掛扐之數. '見存之策', 卽再變過揲之數. 掛扐若兩次除五·四, 則過揲存四十; 掛扐若兩次除九·四及五·八, 則過揲存三十六; 掛扐若兩次除九·八, 則過揲存三十二."[30]

옥재 호씨玉齋胡氏[胡方平]가 말했다. "'앞의 두 차례에 걸친 변變에서의 나머지 시초의 수'는, 곧 제1변과 재변에서 걸어두고 끼운 시초의 수이다. '남은 시초'는 곧 재변에서 4개씩 세어낸 시초의 수이다. 만약 앞의 두 차례에 걸친 변에서 걸어두고 끼운 시초의 수 5개와 4개를 제거하면 세어낸 시초의 수는 40개가 남아 있고, 앞의 두 차례에 걸친 변에서 걸어두고 끼운 시초의 수 9개와 4개, 5개와 8개를 제거하면 세어낸 시초의 수는 36개가 남아 있으며, 앞의 두 차례에 걸친 변에서 걸어두고 끼운 시초의 수 9개와 8개를 제거하면 세어낸 시초의 수는 32개가 남아 있다."

29 호방평, 『易學啟蒙通釋』 권下 「明蓍策」 제3
30 호방평, 『易學啟蒙通釋』 권下 「明蓍策」 제3

[16-3-4]

三變旣畢乃合三變, 視其掛扐之奇偶以分所遇陰陽之老少, 是爲一爻.

삼변三變이 다 끝나면 이에 세 차례에 걸친 변變을 합하여, 그 걸어두고 끼운 시초 수의 홀[奇] · 짝[偶]을 보아서 얻게 된 음 · 양의 노 · 소를 구분하니, 이것이 제1효가 된다.

[16-3-4-1]

玉齋胡氏曰 : "掛扐四·五爲奇, 九·八爲偶. 三奇爲老陽, 遇老陽者其爻爲□, 所謂重也. 二奇·一偶爲少陰, 遇少陰者其爻爲--, 所謂拆也. 二偶一奇爲少陽, 遇少陽者其爻爲—, 所謂單也. 三偶爲老陰, 遇老陰者其爻爲✖, 所謂交也."[31]

옥재 호씨玉齋胡氏 : 胡方平가 말했다. "걸어두고 끼운 시초의 수가 4개와 5개인 것은 홀[奇]이 되고, 9개와 8개인 것은 짝[偶]이 된다. 세 번이 홀[奇]인 것은 노양이니, 노양을 얻으면 그 효를 '□'로 표시하니, 이른바 '겹쳤다[重]'는 것이다. 두 번이 홀[奇] · 한 번이 짝[偶]인 것은 소음이니, 소음을 얻으면 그 효를 '--'로 표시하니, 이른바 '갈라졌다[拆]'는 것이다. 두 번이 짝[偶] · 한 번이 홀[奇]인 것은 소양이니, 소양을 얻으면 그 효를 '—'로 표시하니, 이른바 '홑겹이다[單]'는 것이다. 세 번이 짝[偶]인 것은 노음이니, 노음을 얻으면 그 효를 '✖'로 표시하니, 이른바 '교차한다[交]'는 것이다."

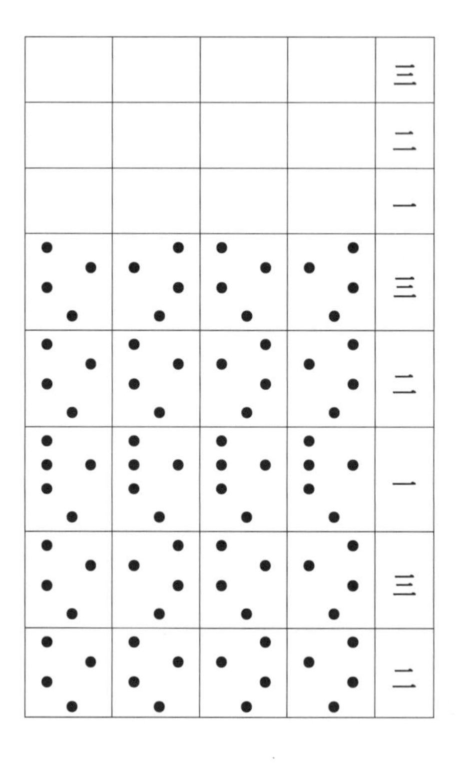

31 호방평, 『易學啓蒙通釋』 권下 「明蓍策」 제3

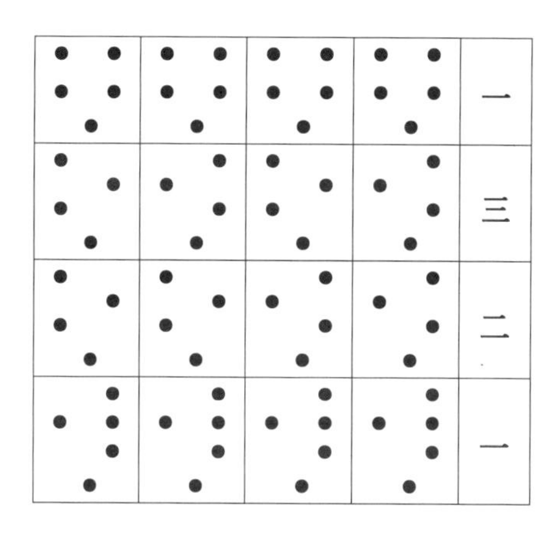

[16-3-5]

右'三奇爲老陽'者凡十有二. 掛扐之數十有三, 除初掛之一爲十有二, 以四約而三分之爲一者三. 一奇象圓而圍三, 故三 · 一之中各復有三, 而積三 · 三之數則爲九. 過揲之數三十有六, 以四約之亦得九焉. 掛扐除一, 四分四十有八而得其一也, 一其十二而三其四也, 九之母也. 過揲之數, 四分四十八而得其三也, 三其十二而九其四也, 九之子也. 皆徑一而圍三也. 卽四象太陽居一含九之數也.

위의 도표에서 '세 번이 홀[奇]이어서 노양이 되는 것'은 모두 12가지 경우이다. 걸어두고 끼운 시초의 수는 13개인데, 처음에 걸어 둔 시초 1개를 제외하면 12개가 되니, 그것을 4로 약분하고 셋으로 나누면 '1[奇]'이 되는 것이 3개이다. '1'인 홀[奇]은 원을 상징하고 그 둘레는 3이므로, 3개의 '1' 가운데에 각각 다시 3이 있으며, 그 3개를 세 번 누적한 수는 9가 된다. 세어낸 시초의 수는 36개이니, 그것을 4로 약분해도 역시 9를 얻는다. 걸어두고 끼운 시초의 수에서 1개를 제외한 것은, 48개의 시초를 4로 나누어 그 가운데에서 1개를 얻은 것이고, 이는 12를 1배한 것이기도 하고 4를 3배한 것이기도 하며, 이것은 9의 어머니이다. 그 세어낸 시초의 수는 48개를 4로 나누어 그 가운데에서 3개를 얻은 것이고, 이는 12를 3배한 것이기도 하고 4를 9배한 것이기도 하며, 이것은 9의 자식이다. 이들은 모두 지름 1에 둘레 3을 의미한다. 이것은 곧 4상 가운데 태양이 1에 자리 잡고서 9를 머금고 있는 수이다.

[16-3-5-1]

黃氏瑞節曰 : "此圖當分十二截看. 凡三奇有十二樣, 後倣此. 圖解再言十二者, 是起別數."
황씨 서절黃瑞節이 말했다. "이 도표는 마땅히 12마디로 나누어서 보아야 한다. 세 번이 홀[奇]인 것이 12가지 경우가 있다는 것이니, 뒤의 도표들도 이것을 따른다. 도표를 해설하면서 다시 '12'라는 수를 말한 것은 다른 수를 일으킨 것이다."

[16-3-5-2]

玉齋胡氏曰 : "已下四圖別老·少掛扐之數, 而圖說又兼及過揲之數也. 此圖明老陽掛扐之策,一箇五·兩箇四是爲三奇. '凡十有二'者, 言老陽之數其變凡十二樣也.

掛扐之數十有三, 除初掛之一爲十有二, 以四約其十二策之數而以三變分之, 每一變計四數也. '爲一者三', 謂一箇四策爲一, 一卽四也, 卽奇也, 故不言四而言一. 合三變則爲一者凡三, 謂爲四者凡三也.

'一奇象圓而圍三', 本參天之義, 是於四策之中取一策以象圓, 而以三策爲圍三而用其全, 此一之中復有三也. 如是而象圓圍三者凡三焉. 合三奇用其全者而言, 則三·一之中各復有三∴∴∴, 積三·三●●●●●●●●●爲老陽之九. 以四約過揲三十六, 亦得四箇九也."[32]

옥재 호씨玉齋胡氏[胡方平]가 말했다. "이하의 4개 도표는 노 · 소의 걸어두고 끼운 시초의 수를 구별한 것인데, 그 도표의 설명에는 또 세어낸 시초의 수도 겸하여 언급했다. 이 도표는 노양의 걸어두고 끼운 시초의 수를 밝혔으니, 한 번은 5개이고 두 번은 4개인 것이 세 번이 홀[奇]인 것이 되는 것이다. '모두 12가지 경우가 있다.'는 것은, 노양의 수는 그 변의 종류가 모두 12가지라는 말이다.

걸어두고 끼운 시초의 수는 13개인데, 처음에 걸어 둔 시초 1개를 제외하면 12개가 되니, 그 12개 시초의 수를 4로 약분하고 세 차례의 변으로 나누면, 매 1변마다 '4'라는 수로 계산된다. '1[奇]이 되는 것이 3개이다.'라는 것은, 4개짜리 시초 하나를 '1'로 삼은 것이니 이 '1'은 곧 '4'이고, 홀[奇]이므로 '4'라 하지 않고 '1'이라 말한 것이다. 세 변들을 합하면 '1'인 홀[奇]이 되는 것이 모두 세 번이니, 4개짜리가 되는 것이 모두 세 번이라는 것을 말한다.

'1인 홀[奇]은 원을 상징하고 그 둘레는 3이다.'라는 것은 본래 '삼천參天'의 의미로서, 이것은 4개의 시초 가운데 1개의 시초를 취하여 원을 상징하고 남은 3개의 시초를 둘레 3으로 삼아서 그 전부를 사용하는 것이니, 이 1 가운데에는 다시 3이 있다는 것이다. 이렇게 하여 원을 상징하고 그 둘레가 3인 것이 모두 3개이다. 세 번이 홀[奇]인 것에서 그 전부를 사용하는 것들을 합해서 말하면, 3개의 '1' 가운데 각각 다시 3개의 ∴∴∴(4)가 있으며, 그 3개의 ●●●●●●●●●(3) 3개를 누적하여 노양의 '9'가 된다. 세어낸 시초의 수 36개를 4로 약분해도 역시 4개의 '9'를 얻는다."

[16-3-5-3]

"'掛扐除一, 四分四十八而得其一'者, 以四十九策除初掛之一, 而四分四十八策計四箇十二. 於其中得一箇十二, 是爲四分中之一分, 一其十二而三其四也. 一箇十二亦徑一之義, 三箇四亦圍三之義, 卽上文'三·三之數', 只是一箇九, 故爲九之母.

過揲之數以四十八而四分之, 亦計四箇十二. 於其中得三箇十二, 是得四分中之三分, 三其十二而九其四也, 卽上文'三十六之數以四約之却是四箇九', 故爲九之子. 一箇十二亦徑一之義, 九箇四亦圍三之義, 卽四象中太陽占第一位而含九之數.

特揲蓍逐爻各有老·少之數, 觀其變與不變以爲占, 而由太極加倍以生者, 則老·少在第二爻方見. 此又不可不知也."[33]

32 호방평, 『易學啟蒙通釋』 권下 「明蓍策」 제3

(옥재 호씨가 말했다.) "(노양의) '걸어두고 끼운 시초의 수에서 1개를 제외한 것은, 48개의 시초를 4로 나누어 그 가운데에서 1개를 얻은 것이다.'라는 것은, 49개의 시초에서 처음에 걸어 둔 시초 1개를 제외하고, 남은 48개의 시초를 4로 나누면 모두 4개의 12가 된다는 것이다. 그 가운데 1개의 12를 얻는 것은, 넷으로 나눈 것 가운데 하나이며, 12개짜리 1개이고 4개짜리 3개라는 것이다. 1개의 12는 또한 '지름 1'의 의미이고 3개의 4는 또한 '둘레 3'의 의미이니, 곧 위 글의 '3개를 세 번 누적한 수'로서 단지 1개의 9이기 때문에 '9'의 어머니가 된다.
세어낸 수는 48개의 시초를 4로 나눈 것이니, 또한 모두 4개의 12이다. 그 가운데에서 3개의 12를 얻는 것은, 넷으로 나눈 것 가운데 세 부분이며, 12를 3배한 것이고 4를 9배한 것이니, 곧 위 글의 '36의 수를 4로 약분해도' 또한 4개의 9이므로 '9'의 자식이 된다. 1개의 12는 또한 '지름 1'의 의미이고 9개의 4는 또한 '둘레 3'의 의미이니, 곧 4상 가운데 태양太陽이 첫 번째 자리를 차지하고서 9를 머금고 있는 수이다.
다만 시초를 세어서 하나씩 효를 구해가면 각각 노·소의 수가 있으니, 그 변變과 불변不變을 살펴서 점을 치는데, 태극으로부터 2배씩 해서 생긴 것은 노·소가 제2효에서 비로소 나타난다. 이 또한 몰라서는 안 된다."

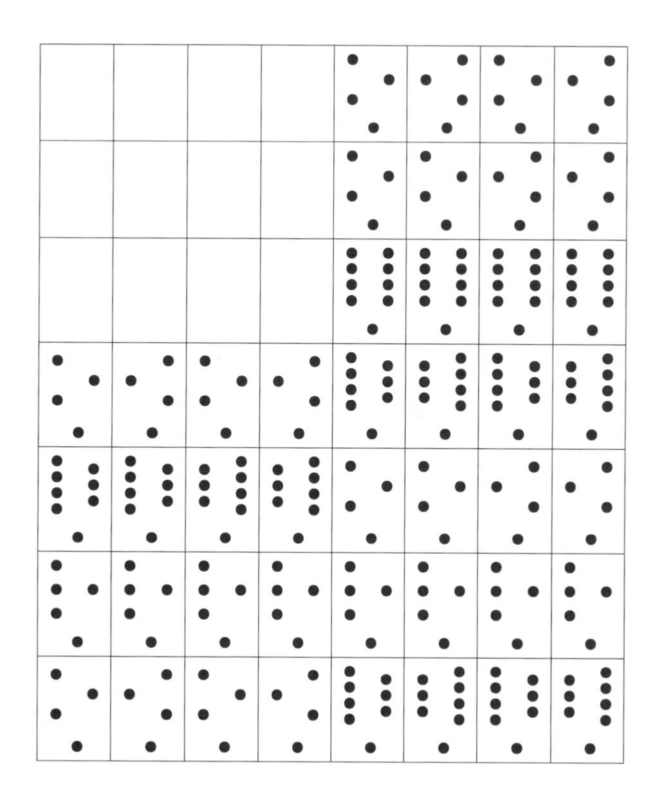

33 호방평, 『易學啟蒙通釋』 권下 「明著策」 제3

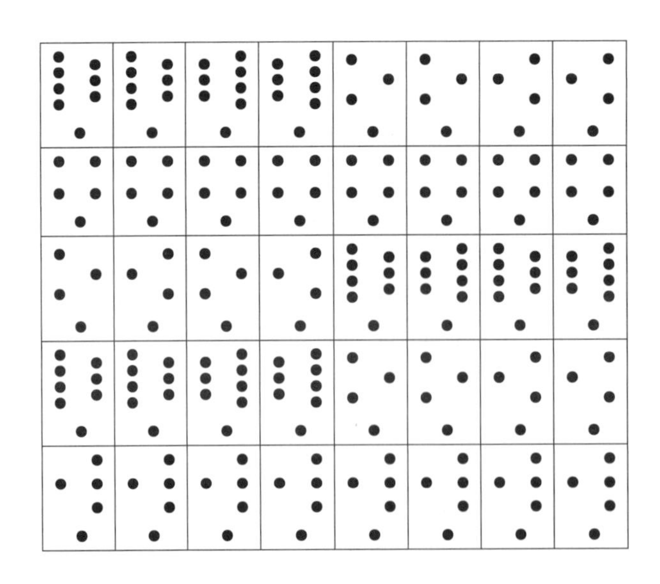

[16-3-6]

右'兩奇一偶', 以偶爲主, 爲少陰者凡二十有八. 掛扐之數十有七, 除初掛之一爲十有六, 以四約而三分之爲一者二, 爲二者一. 一奇象圓而用其全, 故二·一之中各復有三. 二偶象方而用其半, 故一·二之中復有二焉. 而積二三·一二之數則爲八. 過揲之數三十有二, 以四約之亦得八焉. 掛扐除一, 四其四也, 自一其十二者而進四也, 八之母也. 過揲之數, 八其四也, 自三其十二者而退四也, 八之子也. 卽四象少陰居二含八之數也.

위의 도표에서 '두 번이 홀[奇]·한 번이 짝[偶]인 것'은 짝[偶]을 위주로 하여 소음이 된 것이 모두 28가지 경우이다. 걸어두고 끼운 시초의 수는 17개인데, 처음 걸어 둔 1개를 제외하면 16개가 되니, 그것을 4로 약분하고 셋으로 나누면 '1[奇]'이 되는 것이 2개이고, '2[偶]'가 되는 것이 1개이다. '1'인 홀[奇]은 원을 상징하고 그 전부를 사용하므로 2개의 '1' 가운데에 각각 다시 3이 있다. '2'인 짝[偶]은 네모를 상징하고 그 절반을 사용하므로 1개의 '2' 가운데에 다시 2가 있다. 그리고 2개의 3과 1개의 2를 누적한 수는 8이 된다. 세어낸 시초의 수는 32개이니, 그것을 4로 약분해도 역시 8을 얻는다. 〈걸어두고 끼운 시초의 수에서 1개를 제외하면 4를 4배한 것이고, 이는 12를 1배한 것으로부터 4를 나아간 것이니, 8의 어머니이다. 세어낸 시초의 수는 4를 8배한 것이고, 이는 12를 3배한 것으로부터 4를 물러난 것이니, 8의 자식이다. 이것은 곧 4상 가운데 소음이 2에 자리잡고서 8을 머금고 있는 수이다.

[16-3-6-1]

玉齋胡氏曰 : "此圖明少陰掛扐之策. 一箇九, 兩箇四, 或一箇五, 一箇四, 一箇八, 是爲兩奇·一偶. '凡二十有八'者, 言少陰之數其變凡二十八樣也. 掛扐之數十有七, 除初掛之一則爲十有六, 以四約其十六策之數而以三變分之, 兩變計四數, 一變計八數也.

옥재 호씨玉齋胡氏[胡方平]가 말했다. "이 도표는 소음의 걸어두고 끼우는 시초의 수를 밝혔다. 1개의 9와 2개의 4이거나, 1개의 5와 1개의 4에 1개의 8인 것이 두 번 홀[奇]·한 번 짝[偶]인 것이 된다. '모두 28가지 경우이다.'라는 것은, 소음의 수는 그 변의 종류가 모두 28가지라는 것을 말한다. 걸어두고 끼운 시초의 수는 17이고 처음에 걸어 둔 1개를 제외하면 16이 되니, 그 16개의 시초를 4로 약분하고 세 번의 변으로 나누면, 두 번의 변은 그 수가 모두 4이고 한 번의 변은 그 수가 8이다.

'爲一者二', 謂一箇四策爲一, 一卽四也, 卽奇也, 故不言四而言一. 合二變則爲一者凡二, 謂爲四者凡二也. '爲二者一', 謂二箇四策爲二, 二卽八也, 卽偶也, 故不言八而言二. 只一變則爲二者凡一, 謂爲八者凡一也.
'1[奇]이 되는 것이 2개이다.'라는 것은, 4개짜리 시초 1개를 '1'로 여긴다는 것을 말하니, '1'은 곧 4이고 곧 홀[奇]이므로 4라고 하지 않고 '1'이라고 말했다. 두 번의 변을 합하면 '1'이 되는 것이 모두 2개이니, 4가 되는 것이 모두 2개라고 한다. '2[偶]가 되는 것이 1개이다.'라는 것은, 4개짜리 시초 2개를 '2'로 여긴다는 것을 말하니, '2'는 곧 8이고 곧 짝[偶]이므로 8이라 하지 않고 '2'라고 말했다. 다만 한 번의 변이라면 '2'가 되는 것이 모두 1개이니, 8이 되는 것이 모두 1개라고 한다.

'一奇象圓而用全', 亦本參天之義, 是於二變各四策全用, 而於其中各取一策以象圓, 而各以三策爲圍三而用其全, 故二·一之中各復有三∴∴. '二偶象方而用半', 亦本兩地之義, 是於一變八策中去其四不用, 而於所存四策中取二策以象方, 而以二策爲圍四而用其半, 故二之中復有二∶∶. 積二三·一二••••••••爲少陰之八, 以四約過揲三十二亦得四箇八也."[34]
'1인 홀[奇]은 원을 상징하고 그 전부를 사용한다.'라는 것도 역시 본래 '삼천參天'의 의미로서, 이는 두 번의 변에서 각각 4개의 시초를 전부 사용하는데, 그 가운데에서 각각 1개의 시초를 취하여 원을 상징하고 나머지 3개를 각각 '둘레 3'으로 삼아 그 전부를 사용한다는 것이므로, 2개의 '1' 가운데 각각 다시 3개의 ∴∴가 있다. '2인 짝[偶]은 네모를 상징하고 그 절반을 사용한다.'는 것도 역시 본래 '양지兩地'의 의미로서, 이는 한 번의 변에서 8개의 시초 가운데 4개를 제거하여 사용하지 않고 남겨진 4개의 시초 가운데에서 2개의 시초를 취하여 네모를 상징하고 2개의 시초를 '둘레 4'로 삼아 그 절반을 사용한다는 것이므로, '2' 가운데에 다시 2개의 ∶∶가 있다. 3개짜리 2개와 2개짜리 1개 즉 ••••••••를 누적하면 소음의 수 '8'이 되고, 4로 약분해 세어낸 시초의 수 32도 역시 4개의 '8'을 얻는다."

[16-3-6-2]

"掛扐十七, 除初掛之一而以四約之, 則四其四爲十六. 自一其十二而進四, 蓋自老陽之十二進四而變爲少陰, 卽上文積二三·一二之數, 只是一箇八, 故爲八之母.

34 호방평, 『易學啟蒙通釋』 권下 「明著策」 제3

過揲三十二，以四約之爲四八三十二. 自三其十二者而退四，亦自老陽之三十六退四而得三十二，卽上文四約三十二之數，却是四箇八，故爲八之子. 卽四象中少陰占第二位而含八之數. 餘悉同前義. ”[35]

(옥재 호씨가 말했다.) “(소음의) 걸어두고 끼운 시초 17개에서 처음에 걸어 둔 시초 1개를 제외하고 4로 약분하면, 그 4를 4배로 하여 16개가 된다. 이는 12를 1배한 것으로부터 4를 나아간 것이고, 노양의 12로부터 4를 나아가 변하여 소음이 된 것이니, 곧 윗글에서 3개짜리 2개와 2개짜리 1개를 누적한 수로서, 다만 8개짜리 1개이므로 ‘8’의 어머니가 된다.

세어낸 시초의 수 32개는 4로 약분하여 4×8=32가 된다. 이것은 12를 3배한 것으로부터 4를 물러난 것이고 또한 노양의 36으로부터 4를 물러나 32를 얻은 것이니, 곧 윗글에서 4로 32를 약분한 수이고 또한 8개짜리 4개이므로 ‘8’의 자식이 된다. 이는 곧 4상 가운데 소음이 둘째자리를 차지하고서 ‘8’을 머금고 있는 수이다. 나머지 설명은 모두 앞의 의미와 같다.”

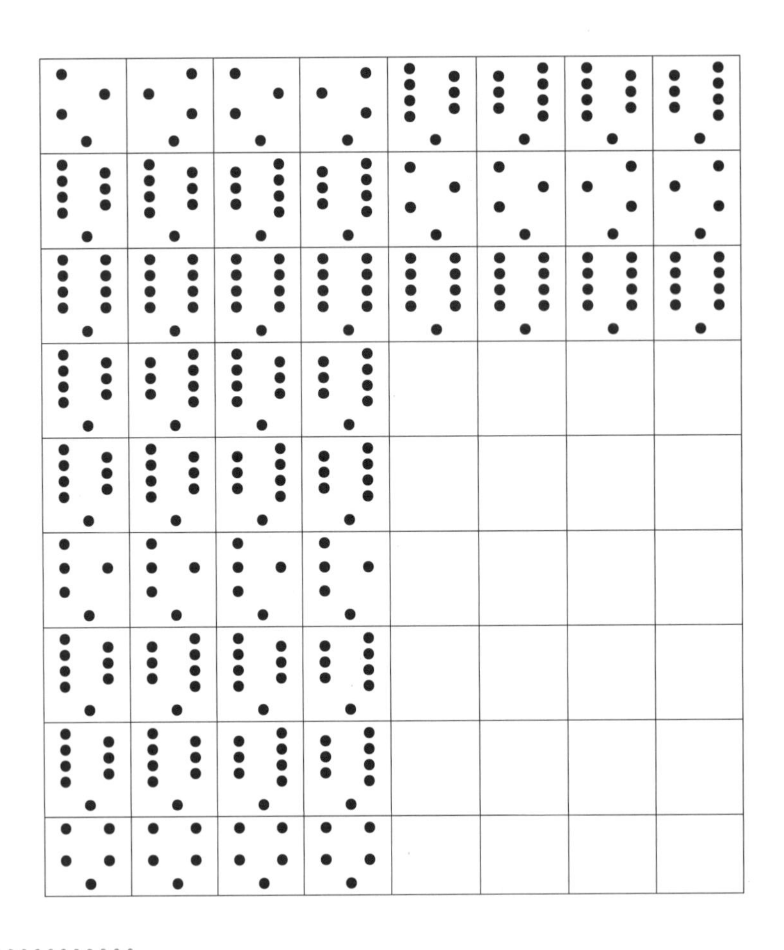

35 호방평, 『易學啟蒙通釋』 권下 「明蓍策」 제3

[16-3-7]

右‘兩偶一奇’, 以奇爲主, 爲少陽者凡二十. 掛扐之數二十有一, 除初掛之一爲二十, 以四約而三分之爲二者二, 爲一者一. 二偶象方而用其半, 故二 · 二之中各復有二. 一奇象圓而用其全, 故一 · 一之中復有三焉. 而積二二 · 一三之數則爲七. 過揲之數二十有八, 以四約之亦得七焉. 掛扐除一, 五其四也, 自兩其十二者而退四也, 七之母也. 過揲之數, 七其四也, 自兩其十二者而進四也, 七之子也. 卽四象少陽居三含七之數也.

위의 도표에서 ‘두 번이 짝[偶] · 한 번이 홀[奇]인 것’은 홀[奇]을 위주로 하여 소양이 된 것이 모두 20가지 경우이다. 걸어두고 끼운 시초의 수는 21개인데, 처음 걸어 둔 1개를 제외하면 20개가 되니, 그것을 4로 약분하고 셋으로 나누면 ‘2[偶]’가 되는 것이 2개이고, ‘1[奇]’이 되는 것이 1개이다. ‘2’인 짝[偶]은 네모를 상징하고 그 절반을 사용하므로 2개의 ‘2’ 가운데에 각각 다시 2가 있다. ‘1’인 홀[奇]은 원을 상징하고 그 전부을 사용하므로 1개의 ‘1’ 가운데에 다시 3이 있다. 그리고 2개의 2와 1개의 3을 누적한 수는 7이 된다. 세어낸 시초의 수는 28개이니, 그것을 4로 약분해도 역시 7을 얻는다. 걸어두고 끼운 시초의 수에서 1개를 제외하면 4를 5배한 것이고, 이는 12를 2배한 것으로부터 4를 물러난 것이니, 7의 어머니이다. 세어낸 시초의 수는 4를 7배한 것이고, 이는 12를 2배한 것으로부터 4를 나아간 것이니, 7의 자식이다. 이것은 곧 4상 가운데 소양이 3에 자리 잡고서 7을 머금고 있는 수이다.

[16-3-7-1]

玉齋胡氏曰 : “此圖明少陽掛扐之策. 兩箇八, 一箇五, 或一箇九, 一箇八, 一箇四, 是爲兩偶一奇. ‘凡二十’者, 言少陽之數其變凡二十樣也. 掛扐之數二十一, 除初掛之一爲二十, 以四約其二十策之數而以三變分之, 兩變計八數, 一變計四數也.

‘爲二者二’, 謂二箇四策爲二, 二卽八也, 卽偶也, 故不言八而言二. 合二變則爲二者凡二, 謂爲八者凡二也. ‘爲一者一’, 謂一箇四爲一, 一卽四也, 卽奇也, 故不言四而言一. 只一變則爲一者凡一, 謂爲四者凡一也.

옥재 호씨玉齋胡氏[胡方平]가 말했다. “이 도표는 소양의 걸어두고 끼우는 시초의 수를 밝혔다. 2개의 8과 1개의 5이거나, 1개의 9와 1개의 8에 1개의 4인 것이 두 번 짝[偶] · 한 번 홀[奇]인 것이 된다. ‘모두 20가지 경우이다.’라는 것은, 소양의 수는 그 변의 종류가 모두 20가지라는 것을 말한다. 걸어두고 끼운 시초의 수는 21이고 처음에 걸어 둔 1개를 제외하면 20이 되니, 그 20개의 시초를 4로 약분하고 세 번의 변으로 나누면, 두 번의 변은 그 수가 모두 8이고 한 번의 변은 그 수가 4이다. '2[偶]가 되는 것이 2개이다.'라는 것은, 4개짜리 시초 2개를 '2'로 여긴다는 것을 말하니, '2'는 곧 8이고 곧 짝[偶]이므로 8이라고 하지 않고 '2'라고 말했다. 두 번의 변을 합하면 '2'가 되는 것이 모두 2개이니, 8이 되는 것이 모두 2개라고 한다. '1[奇]이 되는 것이 1개이다.'라는 것은, 4개짜리 시초 1개를 '1'로 여긴다는 것을 말하니, '1'은 곧 4이고 곧 홀[奇]이므로 4라고 하지 않고 '1'이라고 말했다. 다만 한 번의 변이라면 '1'이 되는 것이 모두 1개이니, 4가 되는 것이 모두 1개라고 하는 것이다.

'二偶象方而用其半', 亦本兩地之義, 是於二變各八策中各去其四不用, 而於各存四策中各取二策以象方, 而各以二策爲圍四而用半, 故二二之中各復有二⁞⁞⁞⁞. '一奇象圓而用其全', 亦本參天之義, 是一變四策全用而於其中取一策以象圓, 而以三策爲圍三而用全, 故一一之中復有三⛬. 積二二·一三• ••-••••少陽之七, 以四約過揲二十八亦得四箇七也."[36]

'2인 짝[偶]은 네모를 상징하고 그 절반을 사용한다.'라는 것도 역시 '양지兩地'의 의미로서, 이는 두 번의 변에서 각각 8개의 시초 가운데 각각 4개를 제거하여 사용하지 않고 남겨진 각각 4개의 시초 가운데에서 각각 2개의 시초를 취하여 네모를 상징하고 각각 2개의 시초를 '둘레 4'로 삼아 그 절반을 사용한다는 것이므로, 2개의 '2' 가운데에 각각 다시 2개의 ⁞⁞⁞⁞가 있다. '1인 홀[奇]은 원을 상징하고 그 전부를 사용한다.'라는 것도 역시 본래 '삼천參天'의 의미로서, 이는 한 번의 변에서 4개의 시초를 전부 사용하는데, 그 가운데에서 1개의 시초를 취하여 원을 상징하고 나머지 3개의 시초를 '둘레 3'으로 삼아 그 전부를 사용하는 것이므로, 1개의 '1' 가운데 다시 3개의 ⛬가 있다. 2개짜리 2개와 1개짜리 3개 즉 • ••-••••를 누적하면 소양의 수 '7'이 되고, 4로 약분해 세어낸 시초의 수 28도 역시 4개의 '7'을 얻는다."

[16-3-7-2]

"掛扐二十一, 除初掛之一而以四約之, 則四其五而爲二十. 自兩其十二者而退四, 蓋自老陰之二十四退四而變爲少陽, 卽上文積二二·一三之數, 只是一箇七, 故爲七之母.
過揲二十八, 以四約之爲四七二十八. 自兩其十二者而進四, 亦自老陰之二十四進四而得二十八, 卽上文以四約二十八之數, 却是四箇七, 故爲七之子, 卽四象中少陽占第三位而含七之數. 餘悉同前義."[37]

(옥재 호씨가 말했다.) "(소양의) 걸어두고 끼운 시초 21개에서 처음에 걸어 둔 시초 1개를 제외하고 4로 약분하면, 그 5를 4배하여 20개가 된다. 이는 12를 2배한 것으로부터 4를 물러난 것이고 노음의 24로부터 4를 물러나 변하여 소양이 된 것이니, 곧 윗글에서 2개짜리 2개와 3개짜리 1개를 누적한

36 호방평, 『易學啟蒙通釋』 권下 「明蓍策」 제3
37 호방평, 『易學啟蒙通釋』 권下 「明蓍策」 제3

수로서, 다만 7개짜리 1개이므로 '7'의 어머니가 된다.

세어낸 시초의 수 28개는 4로 약분하여 4×7=28이 된다. 이것은 12개짜리 2개로부터 4를 나아간 것이고 또한 노음의 24으로부터 4를 나아가 28을 얻은 것이니, 곧 윗글에서 4로 28을 약분한 수이고 또한 4개의 '7'이므로 '7'의 자식이 된다. 이는 곧 4상 가운데 소양이 셋째 자리를 차지하고서 '7'을 머금고 있는 수이다. 나머지 설명은 모두 앞의 의미와 같다."

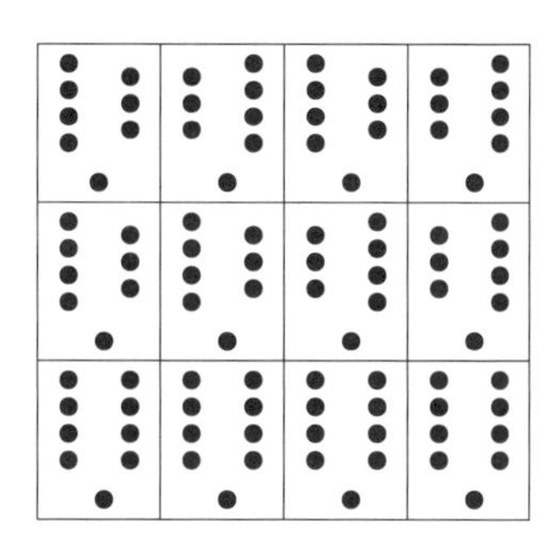

[16-3-8]

右'三偶爲老陰'者四. 掛扐之數二十有五, 除初掛之一爲二十有四, 以四約而三分之爲二者三. 二偶象方而用其半, 故三二之中各復有二, 而積三二之數則爲六. 過揲之數亦二十有四, 以四約之亦得六焉. 掛扐除一, 六之母也; 過揲之數, 六之子也. 四分四十有八而各得其二也, 兩其十二而六其四也, 皆圍四而用半也. **卽四象太陰居四含六之數也.**

위의 도표에서 '세 번이 짝[偶]인 것으로 노음이 되는 것'은 모두 4가지 경우이다. 걸어두고 끼운 시초의 수는 25개인데, 처음에 걸어 둔 시초 1개를 제외하면 24개가 되니, 그것을 4로 약분하고 셋으로 나누면 '2[偶]'가 되는 것이 3개이다. '2'인 짝[偶]은 네모를 상징하고 그 절반을 사용하므로 3개의 '2' 가운데에 각각 다시 2가 있으며, 그 2개를 세 번 누적한 수는 6이 된다. 세어낸 시초의 수도 역시 24개이니, 그것을 4로 약분해도 역시 6을 얻는다. 걸어두고 끼운 시초의 수에서 1개를 제외한 것은 6의 어머니이고, 세어낸 시초의 수는 6의 자식이다. 48개의 시초를 넷으로 나누고 각각 그 가운데에서 2개를 얻은 것이고, 12개짜리 2개이기도 하고 4개짜리 6개이기도 하니, 이들은 모두 둘레가 4이고 그 절반을 사용한다는 의미이다. 이것은 곧 4상 가운데 태음이 4에 자리 잡고서 6을 머금고 있는 수이다.

[16-3-8-1]

或問 : "揲蓍之法, 虛一·分二·掛一·揲四·歸奇, 其第一揲不五則九, 第二揲不四則八, 計其奇數以定陰陽老少, 去其初掛之一, 何也?"

어떤 사람이 물었다. "시초를 세는 방법은, 1개를 비우고, 둘로 나누며, 1개를 걸어두고, 4개씩 세어서 나머지를 되돌리는 것이며, 그 첫 번째 세는 것에서는 5가 아니면 9이고, 두 번째 세는 것에서는 4가 아니면 8이며, 그 나머지 시초의 수를 합하여 음 · 양의 노 · 소를 정하고, 그 처음 걸어 둔 시초

1개를 제거하는 것은 무엇 때문입니까?"

西山蔡氏答曰："虛一·分二·掛一·揲四·歸奇，乃天地四時之生萬物也．其奇數策數以定陰陽老少，乃萬物正性命於天地也．生蓍以分二·掛一爲體，揲四·歸奇爲用．立卦以奇數爲體，策數爲用．在天地則虛其一而用四十九，在萬物則又掛其一而用四十八，此聖人所以知變化之道也．"[38]

서산 채씨西山蔡氏[蔡元定]가 대답했다. "1개를 비우고, 둘로 나누며, 1개를 걸어두고, 4개씩 세어서 나머지를 되돌리는 것은 바로 하늘과 땅과 사계절이 만물을 낳는다는 것이다. 그 나머지 시초의 수를 헤아려서 음·양의 노·소를 정한다는 것은 바로 만물이 하늘과 땅에서 성명性命을 바로잡는다는 것이다. 시초로 점치는 방법을 만든 것에서, 둘로 나누고 1개를 걸어두는 것은 체體이고, 4개씩 세어서 나머지를 되돌리는 것은 용用이다. 괘를 세우는 데에서는 나머지 시초의 수가 체體이고, 세어낸 시초의 수가 용用이다. 하늘과 땅에서는 그 1개를 비우고 49개를 사용하고, 만물에서는 또 그 1개를 걸어두고 48개를 사용하니, 이것은 성인이 변화의 도를 안 것이다."

[16-3-8-2]

"蓍之奇數老陽十二，老陰四，少陽二十，少陰二十八，合六十有四．三十二爲陽，老陽十二，少陽二十．三十二爲陰，老陰四，少陰二十八．其十六，則老陽·老陰也；老陽十二，老陰四．其四十八，則少陽·少陰也．少陽二十，少陰二十八．老陽·老陰，乾·坤之象也．二八也．少陽·少陰，六子之象也．六八也．"[39]

(채원정이 말했다.) "시초의 나머지 수들의 경우는, 노양은 12가지 경우, 노음은 4가지 경우, 소양은 20가지 경우, 소음은 28가지 경우이니, 합계 64가지 경우이다. 그 가운데 32가지 경우는 양이고, 노양이 12가지, 소양이 20가지 경우이다. 32가지 경우는 음이다. 노음이 4가지, 소음이 28가지 경우이다. 그 가운데 16가지 경우는 노양·노음이고, 노양이 12가지, 노음이 4가지 경우이다. 그 가운데 48가지 경우는 소양·소음이다. 소양이 20가지, 소음이 28가지 경우이다. 노양과 노음은 건괘와 곤괘의 상象이고, 2개의 8이다. 소양과 소음은 여섯 자식의 상이다. 6개의 8이다."

[16-3-8-3]

"老陽之變，皆四也；十二變 老陰之變，皆八也；四變 少陽之變，一四 十二變 兩八；八變 少陰之變，一八 四變 兩四．二十四變．老陽·少陽得奇策之本數，而老陰之奇二十四，以少陽之奇損之則得四；少陰之奇十六，以老陽之奇益之則得二十八．故陽者君道，首出庶物，陰者臣道無成而代有終也．"[40]

38 『周易傳義大全』 권22 「繫辭上傳」에 채원정의 말로 실려 있다.
39 李光地, 『周易折中』 권20 「明蓍策」 제3에 채원정의 말로 실려 있다.

(채원정이 말했다.) “노양의 변變은 모두 4이고, 12(4×3)가지의 변이 있다. 노음의 변은 모두 8이다. 4(8÷2)가지의 변이 있다. 소양의 변은 1개의 4와 12(4×3)가지의 변이 있다. 2개의 8이고, 8(2×8÷2)가지의 변이 있다. 소음의 변은 1개의 8과 4(8÷2)가지의 변이 있다. 2개의 4이다. 24(2×4×3)가지의 변이 있다.[41] 노양 · 소양은 나머지 시초의 본래 수를 얻는데, 노음의 나머지 시초의 수는 24지만 소양의 나머지 시초의 수(20)를 덜면 4를 얻으며, 소음의 나머지 시초의 수는 16이지만 노양의 나머지 시초의 수(12)를 더하면 28을 얻는다. 그러므로 양은 군주의 도로서 만물에 으뜸으로 뛰어나며,[42] 음은 신하의 도로서 이룸은 없되 대신 마침은 있다.[43]”

[16-3-8-4]

玉齋胡氏曰 : “此圖明老陰掛扐之策. 一箇九, 兩箇八, 是爲三偶. ‘凡四者’, 言老陰之數其變凡四樣也. 掛扐之數二十五, 除初掛之一爲二十四, 以四約其二十四數而以三變分之, 每一變計八數也.

‘爲二者三’, 謂四箇四策爲二, 二卽八也, 卽偶也, 故不言八而言二. 合三變則爲二者凡三, 謂爲八者凡三也. ‘二偶象方而用半’, 本兩地之義, 是於三變八策中各去四不用, 而於各所存四策中各取二策以象方, 而各以二策爲圍四而用半, 此二之中復有二也. 如是而象方圍四者凡三焉. 合三偶用半者而言, 則三二之中各復有二⁚⁚⁚⁚⁚⁚, 積三二•-••-••-•爲老陰之六, 以四約過揲二十四亦得四箇六也.”[44]

옥재 호씨玉齋胡氏[胡方平]가 말했다. “이 도표는 노음의 걸어두고 끼우는 시초의 수를 밝혔다. 1개의 9와 2개의 8인 것이 두 번 짝[偶]인 것이 된다. ‘모두 4가지 경우이다.’라는 것은, 노음의 수는 그 변의 종류가 모두 4가지라는 것을 말한다. 걸어두고 끼운 시초의 수는 25이고 처음에 걸어 둔 1개를 제외하면 24가 되니, 그 24개의 시초를 4로 약분하고 세 번의 변으로 나누면, 매 한 번의 변마다 모두 그 수가 8이다.

‘2[偶]가 되는 것이 3개이다.’라는 것은, 4개짜리 시초 4개를 ‘2’로 여긴다는 것을 말하니, ‘2’는 곧 8이고 곧 짝[偶]이므로 8라고 하지 않고 ‘2’라고 말했다. 세 번의 변을 합하면 ‘2’가 되는 것이 모두 3개이니, 8이 되는 것이 모두 3개라고 한다. ‘2인 짝[偶]은 네모를 상징하고 그 절반을 사용한다.’는 것은 본래 ‘양지兩地’의 의미로서, 이는 세 번의 변에서 8개의 시초 가운데 각각 4개를 제거하여 사용하지 않고 남겨진 각각 4개의 시초 가운데에서 각각 2개의 시초를 취하여 네모를 상징하고

40 호방평, 『易學啓蒙通釋』 권下 「明蓍策」 제3에, ‘老陽 · 少陽得奇策之本數’,부터 ‘陰者臣道無成而代有終也.’까지가 채원정의 말로 실려 있다.

41 (4×3)과 (8÷2) : (4×3)이란 양의 변은 전부를 사용하므로 參天의 3을 곱한 것이고, (8÷2)이란 음의 변은 절반을 사용하므로 兩地의 2를 나눈 것이다.

42 양은 군주의 … 뛰어나며 : 『易』「乾卦 · 彖傳」에서, “首出庶物, 萬國咸寧.”이라고 하였다.

43 음은 신하의 … 있다 : 『易』「坤卦 · 文言」에서, “地道無成而代有終也.”라고 하였다.

44 호방평, 『易學啓蒙通釋』 권下 「明蓍策」 제3

각각 2개의 시초를 '둘레 4'로 삼아 그 절반을 사용한다는 것이므로, 2개의 '2' 가운데에 각각 다시 2개가 있다. 이렇게 하여 네모를 상징하고 그 둘레가 4인 것이 모두 3개이다. 세 번이 짝[偶]인 것에서 그 절반을 사용하는 것들을 합해서 말하면, 3개의 '2' 가운데 각각 다시 2개의 ⁝⁝⁝⁝⁝⁝(4)가 있으며, 그 3개의 •-••-••-•(2) 2개를 누적하여 노음의 '6'이 되며, 세어낸 시초의 수 24개를 4로 약분해도 역시 4개의 '6'을 얻는다."

[16-3-8-5]

"掛扐除一爲六之母者，積其三二之數爲一箇六也. 過揲爲六之子者，四約過揲之數爲四箇六也. 四分四十八，掛扐得二分爲兩箇十二，過揲得二分亦兩箇十二，六其四也. 兩其十二亦圍四之義，六其四亦用半之義，則四象中太陰占第四位而含六之數. 餘悉同前義."[45]

(옥재 호씨가 말했다.) "걸어두고 끼운 시초의 수에서 1개를 제외한 것이 6의 어머니가 된다는 것은, 그 3개의 '2'를 누적한 수가 1개의 6이 된다는 것이다. 세어낸 시초의 수가 6의 자식이라는 것은 4로 약분하여 세어낸 수가 4개의 6이라는 것이다. 48개의 시초를 넷으로 나눈 것에서, 걸어두고 끼운 시초의 수는 그 둘을 얻어 2개의 12가 되고, 세어낸 시초의 수도 그 둘을 얻어서 또한 2개의 12가 되니, 이는 그 4가 6개인 것이다. 그 12가 2개인 것은 역시 둘레 4의 의미이고, 그 4가 6개인 것도 역시 절반을 사용한다는 의미이니, 이는 곧 4상 가운데 태음이 넷째 자리를 차지하고서 '6'을 머금고 있는 수이다. 나머지 설명은 모두 앞의 의미와 같다."

[16-3-8-6]

"按「本圖書」篇有曰，'陽之象圓，圓者徑一而圍三；陰之象方，方者徑一而圍四. 圍三者以一爲一，故參其一陽而爲三；圍四者以二爲一，故兩其一陰而爲二.' 以此參之，揲蓍之法，其三變之中掛扐之數，一奇象圓而用其全，是以四策皆用四，而四策中以一奇象圓，餘三奇爲陽用其全. 陽以一爲一，故參其一陽而爲三，非參天歟! 二偶象方而用其半，是以八策只用四，而四策中以二策象方，餘二策爲陰用其半. 陰以二爲一，故兩其一陰而爲二，非兩地歟!

(옥재 호씨가 말했다.) "생각건대, 「본도서」편에 다음과 같은 말이 있다. '양의 상象은 둥글고, 둥근 것은 지름이 1일 때 둘레가 3이다. 음의 상象은 네모나고, 네모난 것은 한 변이 1일 때 둘레는 4이다. 둘레가 3인 것은 1天1을 하나로 셈하므로 그 1양陽을 세 배하여 3이 된다. 둘레가 4인 것은 2地2를 하나로 셈하므로 그 1음陰을 두 배하여 2가 된다.'[46] 이 말을 참조하면, 시초를 세는 방법에서 세 번의 변 가운데 걸어두고 끼운 시초의 수가 1인 홀[奇]은 원을 상징하고 그 전부를 사용하니, 이 때문에 4개의 시초를 모두 4로 사용하며, 그 4개의 시초 가운데 1개의 홀[奇]은 원을 상징하고 나머지 3개의 홀[奇]은 양이 되어 그 전부를 사용한다. 양은 1개를 1로 여기므로, 그 1개의 양을 3배하여

45 호방평, 『易學啟蒙通釋』 권下 「明蓍策」 제3
46 양의 象은 … 된다: 본서 「本圖書」 [2-4].

3이 되는 것은 '삼천參天'이 아니겠는가! 2인 짝[偶]은 네모를 상징하고 그 절반을 사용하니, 이 때문에 8개 시초 가운데 다만 4개를 사용하며, 그 4개의 시초 가운데 2개의 시초로써 네모를 상징하고 나머지 2개 시초는 음이 되어 그 절반을 사용한다. 음은 2개를 하나로 여기므로, 그 1개의 음을 2배하여 2가 되는 것은 '양지兩地'가 아니겠는가!

及揲之三變也, 因掛扐以見過揲, 則參·兩尤有可言者. 以參天言, 老陽掛扐三奇十二, 象圓用全, 參其三奇爲九也. 過揲四九三十六, 亦參其十二也. 以兩地言, 老陰掛扐三偶二十四, 象方用半, 兩其三偶爲六也. 過揲四·六二十四, 則亦兩其十二也. 以參天·兩地言, 少陽掛扐兩偶·一奇爲二十, 象方用半, 兩其二偶爲四, 象圓用全, 參其一奇爲三, 合而爲七. 過揲四·七二十八, 則亦兩其八·參其四也. 以參天·兩地言, 少陰掛扐兩奇·一偶爲十六, 象圓用全, 參其兩奇爲六, 象方用半, 兩其一偶爲二, 合而爲八也. 過揲四·八三十二, 則亦參其八·兩其四也.
시초를 세는 세 번의 변에 이르러서는, 걸어두고 끼운 시초의 수에 근거하여 세어낸 시초의 수를 알 수 있으니, 더욱 '삼천·양지'를 말할 수 있는 것이 있다. '삼천'으로 말하면, 노양은 걸어두고 끼운 시초의 수가 세 번 홀[奇]인 것이 12가지 경우이고, 원을 상징하는 것은 전부를 사용하니, 그 세 번 홀[奇]인 것을 3배하면 9가 된다. 세어낸 시초의 수는 4×9=36이고 또한 그 12를 3배한 것이다. '양지'로 말하면, 노음은 걸어두고 끼운 시초의 수가 세 번 짝[偶]인 것이 24가지 경우이고, 네모를 상징하는 것은 절반을 사용하니, 그 세 번 짝[偶]인 것을 2배하면 6이 된다. 세어낸 시초의 수는 4×6=24이고 또한 그 12를 2배한 것이다. '삼천·양지'로 말하면, 소양은 걸어두고 끼운 시초의 수가 두 번은 짝[偶], 한 번은 홀[奇]인 것이 20가지 경우이고, 네모를 상징하는 것은 절반을 사용하니 그 두 번의 짝[偶]을 2배하면 4가 되고, 원을 상징하는 것은 전부를 사용하니 그 한 번의 홀[奇]을 3배하면 3이 되며, 이 둘을 합하면 7이 된다. 세어낸 시초의 수는 4×7=28이니, 또한 그 8을 2배하고 그 4를 3배한 것이다. 또 '삼천·양지'로 말하면, 소음은 걸어두고 끼운 시초의 수가 두 번은 홀[奇], 한 번은 짝[偶]인 것이 16가지 경우이고, 원을 상징하는 것은 전부를 사용하니 그 두 번의 홀[奇]을 3배하면 6이 되고, 네모를 상징하는 것은 절반을 사용하니 그 한 번의 짝[偶]을 2배하면 2가 되며, 이 둘을 합하면 8이 된다. 세어낸 시초의 수는 4×8=32이니, 또한 그 8을 3배하고 그 4를 2배 더한 것이다.

二老陰陽之純, 分參天·兩地而得之, 二少陰陽之雜, 合參天·兩地而得之, 此占法所以爲妙也."[47]
노음과 노양은 음·양이 순전한 것으로서 '삼천·양지'를 나누어서 얻은 것이고, 소음과 소양은 음·양이 섞인 것으로서 '삼천'과 '양지'를 합하여 얻은 것이니, 이것이 점법이 오묘하게 된 까닭이다."

47 호방평, 『易學啟蒙通釋』 권下 「明蓍策」 제3

[16-3-8-7]

"又按前四圖，皆因掛扐之數以論過揲之數，已無可疑．但掛扐之數尤有當辨者，請得而究論之．掛扐全數列於四圍(圖)者，[48] 老陽十二而變數亦十二，少陽二十而變數亦二十，至於老陰則二十四而變數惟止於四，少陰十六而變數乃有二十八，此其故何哉?

(옥재 호씨가 말했다.) "또 생각건대, 앞의 네 도표는 모두 걸어두고 끼운 시초의 수를 근거로 하여 세어낸 시초의 수를 논했으니, 이미 의심할 것이 없다. 그러나 걸어두고 끼운 시초의 수에 대해서는 더욱 변별해야 할 것이 있으니, 추구해서 논해보겠다. 걸어두고 끼운 시초의 전체 수를 네 도표에 나열한 것은, 노양은 12개이고 변의 수도 역시 12가지이며, 소양은 20개이고 변의 수도 역시 20가지인데, 노음의 경우는 24개이지만 변의 수는 오직 4가지에 그치고, 소음의 경우는 16개이지만 변의 수는 28가지이니, 그 까닭은 무엇 때문인가?

嘗以西山蔡先生之說證之，其論陰陽·老少掛扐之數，有曰，'老陽·少陽得奇策之本數，而老陰之策二十四，以少陽之奇二十損之而得四；少陰之奇十六，以老陽之奇十二益之而得二十八．故陽者君道，首出庶物，陰者臣道，無成而代有終也.'

일찍이 서산 채선생西山蔡先生[蔡元定]의 말로 그것을 논증하였는데, 그는 음·양과 노·소의 걸어두고 끼운 시초의 수를 논하여 다음과 같이 말했다. '노양·소양은 나머지 시초의 본래 수를 얻는데, 노음의 나머지 시초의 수는 24이지만 소양의 나머지 시초의 수 20을 덜면 4를 얻으며, 소음의 나머지 시초의 수는 16이지만 노양의 나머지 시초의 수 12를 더하면 28을 얻는다. 그러므로 양은 군주의 도로서 만물에 으뜸으로 뛰어나며, 음은 신하의 도로서 이룸은 없되 대신 마침은 있다.'[49]

其意蓋謂老陽之掛扐本十二，自老陽變爲少陰也，雖以其十二益之而仍得其本數之十二，是老陽雖以其十二致益於少陰，而奇之本數不見其或少．少陽之掛扐本二十，自少陽由老陰而變也，雖得其十二(二十)之益[50]而仍不越乎本數之二十焉，是少陽雖受益於老陰之二十，而奇之本數亦不見其或多．此老陽·少陽所以得奇策之本數也.

이 말의 뜻은 대개 다음과 같다. 노양의 걸어두고 끼운 시초의 수는 본래 12개인데, 노양으로부터 변하여 소음이 되는 데에 비록 그 12개를 보태주더라도 여전히 그 본래의 수인 12를 얻으니, 이는 노양이 비록 그 12를 소음에 보태주게 되더라도 나머지의 본래의 수는 혹시라도 적어지는 것이 보이지 않는다는 것이다. 소양의 걸어두고 끼운 시초의 수는 본래 20개인데, 소양이 노음으로 말미암아 변하면서 비록 그 20개의 보탬을 얻었지만 여전히 그 본래의 수인 20을 넘어서지 않으니,

48 掛扐全數列於四圍(圖)者 : 이황, 『啓蒙傳疑』「明著策」 제3에 의거하여 '掛扐全數列於四圖者'로 바로잡았다. 번역문도 바로잡은 것에 따랐다.

49 노양·소양은 나머지 … 있다 : 본서 「明著策」 [3-8-3].

50 雖得其十二(二十)之益 : 이황의 『啓蒙傳疑』「明著策」 제3에 의거하여 '雖得其二十之益'으로 바로잡았다. 번역문도 바로잡은 것을 따랐다.

이는 소양이 비록 노음의 20을 받아서 보탰지만 나머지의 본래의 수는 역시 혹시라도 많아지는 것이 보이지 않는다는 것이다. 이것이 노양과 소양이 나머지 시초의 본래의 수를 얻는 까닭이다.

至於陰則有不可與陽等者矣. 老陰本二十四, 以其二十爲少陽所損, 故其數之變僅存其四, 是爲少陽所損而多者浸少也. 少陰本十六, 其餘十二爲老陽所益, 故其數之變乃得二十有八, 是爲老陽所益而少者浸多也. 此老陰·少陰所以於奇策之本數有損益也.
음의 경우는 양과 같을 수 없는 점이 있다. 노음은 본래 24개인데, 그 가운데 20은 소양에 의해 덜어졌기 때문에 그 수가 변하여 겨우 그 4개를 보존하고 있으니, 이것은 소양에 의해 덜어져서 많은 것이 적어진 것이다. 소음은 본래 16개인데, 그 나머지 12가 노양에 의해 보태졌기 때문에, 그 수가 변하여 이에 28을 얻으니, 이것은 노양에 의해 보태져서 적은 것이 점차 많아진 것이다. 이것은 노음과 소음이 나머지 시초의 본래의 수에서 덜어지고 보태지는 까닭이다.

是知陽者君道, 首出庶物, 其於奇策之本數不見其或盈而或縮; 陰者臣道, 無成而代有終, 其於奇策之本數, 未免因陽以爲之損益矣. 此陽得制陰, 陰必從陽. 惟其從陽也, 故其數之多也或爲陽所損, 其數之少也或爲陽所益. 惟其制陰也, 故可以損陰之多而爲少, 可以益陰之少而爲多. 而其本數之一定者, 初未嘗有損益也. 以是觀之, 陽尊陰卑之義蓋可見矣. ”[51]
이에 다음과 같은 점을 알 수 있다. 양은 군주의 도로서 만물에 으뜸으로 뛰어나니, 그 나머지 시초의 본래의 수에서 혹시라도 불어나거나 줄어드는 것이 보이지 않지만, 음은 신하의 도로서 이룸은 없되 대신 마침은 있으니, 그 나머지 시초의 본래의 수에서 양으로 인해서 덜어지고 보태지는 것을 피할 수가 없는 것이다. 이것이 양은 음을 제어할 수 있고 음은 반드시 양을 따라야 한다는 것이다. 오직 그것(음)이 양을 따르기 때문에 그 수가 많은 것은 양에 의해 덜어지기도 하고, 그 수가 적은 것은 양에 의해 보태지기도 한다. 오직 그것(양)이 음을 제어하기 때문에 음의 많음을 덜어서 적게 할 수도 있고 음의 적음을 보태서 많게 할 수도 있다. 그러나 그 본래 수가 일정한 것은 애초에 덜어지고 보태진 적이 없다. 이것으로 보면, 양이 높고 음이 낮은 의미를 알 수 있을 것이다."

[16-3-8-8]

"又嘗觀揲扐之數, 極其變則六十四, 而其中實該八卦之象. 老陽三變皆奇, 乾三畫純陽之象也. 老陰三變皆偶, 坤三畫純陰之象也. 至於少陰則該三女之象, 其乾索於坤而變爲巽·離·兌乎! 少陽則該三男之象, 其坤索於乾而變爲震·坎·艮乎! 少陰者陰之穉, 其變則二十有八, 以四約而七分之, 初變得偶者凡一, 巽之一陰在下也. 第二變得偶者凡三, 離之一陰在中也. 第三變得偶者凡三, 兌之一陰在上也. 合其一一二三, 則七其四而爲二十八矣. 少陽者陽之穉, 其變則有二十, 以四約而五分之, 初變得奇者凡三, 震之一陽在下也. 第二變得奇者凡

51 호방평, 『易學啟蒙通釋』 권下 「明蓍策」 제3

一，坎之一陽在中也．第三變得奇者凡一，艮之一陽在上也．合其一三二一，則五其四而爲二十矣．
(옥재 호씨가 말했다.) "또 일찍이 걸어두고 끼운 시초의 수를 살펴보니, 그 변을 끝까지 미루면 64인데, 그 가운데에 실로 8괘의 상象을 다 갖추고 있었다. 노양의 세 번의 변이 모두 홀[奇]인 것은, 건괘의 3획이 순전히 양인 상象이다. 노음의 세 번의 변이 모두 짝[偶]인 것은, 곤괘의 3획이 순전히 음인 상이다. 소음의 경우는 세 딸의 상을 갖추고 있으니, 그것은 건괘가 곤괘를 찾아 구해서 변하여 손괘☴ · 리괘☲ · 태괘☱가 된 것이 아닌가! 소양의 경우는 세 아들의 상을 갖추고 있으니, 그것은 곤괘가 건괘를 찾아 구해서 변하여 진괘☳ · 감괘☵ · 간괘☶가 된 것이 아닌가! 소음은 음이 어린 것으로서 그 변은 28가지인데 그것을 4로 약분하고 7로 나누면, 초변에서 짝[偶]을 얻는 경우가 모두 하나인데, 손괘의 1음이 아래에 있는 것이 그것이다. 제2변에서 짝[偶]을 얻는 경우가 모두 셋인데, 리괘의 1음이 가운데 있는 것이 그것이다. 제3변에서 짝[偶]을 얻는 경우가 모두 셋인데, 태괘의 1음이 위에 있는 것이 그것이다. 그 하나인 경우 한 번(1×1)과 셋인 경우 두 번(2×3)을 합하면 그 4개짜리를 7번하여 28이 된다. 소양은 양이 어린 것으로서 그 변은 20가지인데, 그것을 4로 약분하고 5로 나누면, 초변에서 홀[奇]을 얻는 경우가 모두 셋인데, 진괘의 1양이 아래에 있는 것이 그것이다. 제2변에서 홀[奇]을 얻는 경우가 모두 하나인데, 감괘의 1양이 가운데 있는 것이 그것이다. 제3변에서 홀[奇]을 얻는 경우가 모두 하나인데, 간괘의 1양이 위에 있는 것이 그것이다. 그 셋인 경우 한 번(1×3)과 하나인 경우 두 번(2×1)을 합하면 그 4개짜리를 5번하여 20이 된다.

要之二老則陽實陰虛，故老陽多而老陰少；二少則陽少陰多，故少陽少而少陰多也．然陽固少矣，而長男則未嘗少，其變有三肖父而得陽實之義．至於中少二男，則惟各得一變之象．是長男之陽不可少，而所以成其少者，男之中與少也．陰固多矣，而長女則未嘗多，其變惟一肖母而得陰虛之義．至於中少二女，則反各得三變之象．是長女之陰不可多，而所以成其多者，女之中與少也．
이상을 요약하면, 노양과 노음의 경우는 양은 채워져 있고 음은 비어 있으므로 노양은 많고 노음은 적으며, 소양과 소음의 경우는 양은 적고 음은 많으므로 소양은 적고 소음은 많다. 그러나 양은 본래 적지만 장남은 적은 적이 없으니, 그 변이 3가지가 있어서 아버지를 닮아 양이 채워져 있는 의미를 얻는다. 중남中男과 소남少男의 경우는 오직 각각 한 가지 변의 상만을 얻는다. 이것은 장남의 양은 적을 수 없지만, 그 (양의) 적음을 이루는 것은 아들 가운데 중남과 소남이라는 것이다. 음은 본래 많지만 장녀는 많은 적이 없으니, 그 변이 오직 한 가지로서 어머니를 닮아 음이 비어 있는 의미를 얻는다. 중녀中女와 소녀少女의 경우는 도리어 각각 세 가지 변의 상을 얻는다. 이것은 장녀의 음은 많을 수 없지만, 그 (음의) 많음을 이루는 것은 딸 가운데 중녀와 소녀라는 것이다.

此長男代父而長女代母，所以其變數皆擬乾·坤，而中與少則或不及乎父，或有踰於母，此又陰陽之變不可執一拘也．此其一變而得兩儀之象，再變而得四象之象，三變而得八卦之象，互之爲六十四變，而八卦之象又可以該六十四卦之象．其自然之妙，莫不各有法象也．”[52]

이는 장남은 아버지를 대신하고 장녀는 어머니를 대신하므로 그 변의 수는 모두 건괘와 곤괘에 견줄 수 있지만, 중남과 소남은 혹 아버지에 미치지 못하고, 중녀와 소녀는 혹 어머니를 넘어서기도 하니, 이는 또한 음양의 변은 한 가지로 전체를 고집해서는 안된다는 것이다. 이것은 (태극이) 1변하여 양의兩儀의 상을 얻고, 재변하여 4상의 상을 얻으며, 3변하여 8괘의 상을 얻고, 그것을 서로 갈마들어 64변이 되지만 8괘의 상이 또한 64괘의 상을 갖출 수 있다는 것이다. 그 저절로 그러한 오묘함은 각기 그 법상法象을 가지지 않은 것이 없다."

[16-3-9]

凡此四者，皆以三變皆掛之法得之．蓋『經』曰，“再扐而後掛．” 又曰，“四營而成『易』．” 其指甚明．注疏雖不詳說，然劉禹錫所記僧一行·畢中和·顧象之說，亦已備矣．

近世諸儒乃有前一變獨掛，後二變不掛之說．考之於『經』，乃爲六扐而後掛，不應五歲再閏之義．且後兩變又止三營，蓋已誤矣．

이 넷(노양·소음·소양·노음)은 모두 세 번의 변變에 매번 모두 '오른손의 한 개의 시초를 뽑아 왼손 새끼손가락 사이에 걸어두는[掛]' 방법으로 얻은 것이다. 『역경』에서 "'두 번 왼손 가운데 세 손가락 사이에 끼운[扐]' 다음에 걸어둔다."[53]라고 하고, 또 "'네 번 경영[四營]'[54]하여 변역[易]을 이룬다."[55]라고 하였으니, 그 가리키는 뜻이 매우 분명하다. 이에 대해 한백韓伯[56]의 주注와 공영달孔穎達[57]의 소疏는 비록 자세하게 설명하지 않았지만, 유우석劉禹錫[58]이 기록한 승僧 일행一行[59]·필중화畢中和[60]·

52 호방평, 『易學啟蒙通釋』 권下 「明蓍策」 제3

53 『易』「繫辭上」9

54 '네 번 경영[四營]': '네 번 경영'은 다음 네 과정을 가리킨다. 첫째는 '分二'로서 49개의 시초를 둘로 나누는 것이고, 둘째는 '掛一'로서 오른손의 한 개의 시초를 뽑아 왼손 새끼손가락 사이에 걸어두는 것이며, 셋째는 '揲四'로서 넷씩 세는 것이고, 넷째는 '歸奇·扐'으로서 나머지를 왼손 가운데 세 손가락 사이에 끼우는 것이다.

55 『易』「繫辭上」9

56 韓伯: 자는 康伯이고, 潁川 長社(현 하남성 長葛) 사람이다. 東晉의 玄學家로서 왕필의 『周易』 상·하경에 대한 주석에, 「繫辭傳」·「說卦傳」·「序卦傳」·「雜卦傳」 등에 대한 주석을 덧붙였다.

57 孔穎達(574~648): 자는 仲達이고 冀州 衡水(현 하북성 형수시) 사람이다. 隋나라 煬帝 때 明經科에 급제하여 관계에 나갔으나, 양제가 그의 재능을 시기하여 암살하려 하였다. 당나라의 太宗에게 중용되어 國子博士를 거쳐 국자감의 祭酒, 東宮侍講 등을 지내고, 태종의 신임을 받았다. 문장·천문·수학에 능통하였으며, 魏徵과 함께 『隋書』를 편찬하였다. 왕명에 따라 고증학자 顔師古 등과 더불어 五經 해석의 통일을 시도하여 『五經正義』 170권을 편찬하였다.

58 劉禹錫(772~842): 자는 夢得이고, 당대 彭城(현 하북성 소재) 사람이다. 795년 博學宏詞科에 급제하여 淮南節度使 杜佑의 막료가 되었다. 얼마 후 중앙의 감찰어사로 영전되어 王叔文·柳宗元 등과 함께 정치개혁을 기도하였으나 805년 왕숙문은 실각되고, 유우석은 朗州司馬로 좌천되었다. 그 뒤 중앙과 지방의 관직을 역임하면서 太子賓客을 최후로 생애를 마쳤다. 지방관으로 있으면서 농민의 생활 감정을 노래한 『竹枝詞』를 펴냈으며, 만년에는 白樂天과 교유하면서 詩文의 도에 정진하였다. 시문집으로 『劉夢得文集』, 『外集』이 있다.

고단顧象[61]의 설명이 이미 갖추어졌다.

근세의 학자들에게서 비로소 처음 한 번의 변變만 걸어두고 나중 두 번의 변變은 걸어두지 않는다는 주장이 있게 되었다. 그러나 『역경』으로 고찰해 보면, 이는 곧 여섯 번 끼운 다음에 걸어두는 것이니 "5년에 윤달이 두 번 있다."[62]는 의미에 상응하지 않는다. 게다가 나중 두 번의 변變은 또 세 번의 경영에 지나지 않으니, 이미 잘못되었다.

[16-3-9-1]

玉齋胡氏曰 : "按王輔嗣註云, '分而爲二, 一營也; 掛一象三, 二營也; 揲之以四, 三營也. 歸奇於扐, 四營也.'[63]

옥재 호씨玉齋胡氏[胡方平]가 말했다. "생각건대, 왕보사王輔嗣[王弼]의 주註에는 '나누어 둘이 되는 것이 한 번 경영하는 것이고, 하나의 시초를 걸어두어서 (천 · 지 · 인) 3을 상징하는 것이 두 번 경영하는 것이며, 넷으로 세는 것이 세 번 경영하는 것이고, 나머지를 끼우는 것이 네 번 경영하는 것이다.'[64]라고 하였다.

孔穎達疏云, '「再扐而後掛」者, 旣分天於左手, 地於右手, 乃四四揲天之數, 最末之餘, 歸之合於掛扐之一處, 是一扐也; 又以四四揲地之數, 最末之餘, 又合於前所歸之扐而總扐之, 是「再扐而後掛」也.'[65]

공영달의 소疏에, '「두 번 끼운 다음에 걸어둔다.」는 것은 이미 왼손에 하늘, 오른손에 땅을 나누고 나서, 비로소 4개 4개씩 하늘의 수를 세어 끝에 남는 나머지를 걸어두고 끼우는 곳에 적합하게 돌려보내는 것이 한 번 끼우는 것이며, 또 4개 4개씩 땅의 수를 세어 끝에 남는 나머지를 또 먼저 돌려보내 끼운 곳에 적합하게 하여 전부 끼우는 것이 「두 번 끼운 다음에 걸어둔다.」는 것이다.'라고

59 一行(683~727) : 본명은 張遂이다. 唐代 천문학자 승려로서 邢州 巨鹿(현 하북성 邢台) 사람이다. 그는 청년 시절에 이미 천문과 역법 및 수학에 정통하여 開元 5년(717)에는 唐玄宗의 고문이 되었다. 그 후 10년 동안 천문에 대한 연구와 曆法의 개혁에 매진하였고, 역사상 최초로 子午線을 측량하였다. 이러한 과정에서 그는 대형의 천문관측 기구를 제작하여 천문학 연구의 기반을 마련하였고, 그 성과로 『開元大衍曆』을 편찬하였다. 그 외의 저술로는 『七政長曆』, 『易論』, 『心機算術』 등이 있다.

60 畢中和 : 일행의 역학 사상을 계승하여 유우석에게 전해준 사람으로 알려진다.

61 顧象 : 유우석과 역학으로 교류했다고 전해진다.

62 『易』「繫辭上」 9

63 왕필 · 한강백, 『周易注』「繫辭上」에는, "是故四營而成『易』, 分而爲二, 以象兩, 一營也. 掛一以象三, 二營也. 揲之以四, 三營也. 歸奇於扐, 四營也."라고 되어 있다.

64 이것은 '왕보사(王弼)의 註'가 아닌, '한강백의 註'라고 하는 것이 옳다.

65 공영달, 『周易正義』「繫辭上」 권7에는, "'再扐而後掛'者, 旣分天地, 天於左手, 地於右手, 乃四四揲天之數, 最末之餘, 歸之合於扐掛之一處, 是一揲也. 又以四四揲地之數, 最末之餘, 又合於前所歸之扐而裏掛之, 是再扐而後掛也."라고 되어 있다.

하였다.

劉禹錫「辨易九六論」云, ‘畢中和之學, 其傳原於一行禪師.’ 一行唐開元時所作『大衍曆本議』云, ‘綜盈虛之數, 五歲而再閏’, 蓋其衍法皆以‘再扐而後掛’也. 畢中和有揲法, 其言‘三揲皆掛’, 正合四營之義. 朱子亦謂‘畢氏揲法, 視疏義爲詳.’

유우석은 「변역96론」에서, ‘필중화의 학문은 그 전수가 일행선사에 근원한다.’[66]라고 하였다. 일행선사는 당 개원開元(712~756년) 때 지은 『대연역본의大衍曆本議』에서 ‘넘치고 모자라는[盈虛][67] 수를 종합하는 것이 5년에 두 번 윤달이 드는 것이다.’[68]라고 하였으니, 그 연역하는 방법은 모두 ‘두 번 끼운 다음에 걸어두는’ 방법을 쓴 것이다. 필중화는 시초를 세는 방법에서, ‘세 번 세는 것에 모두 걸어둔다.’[69]고 말했으니, 네 번 경영하는 뜻에 꼭 부합한다. 주자 또한 ‘필씨의 시초를 세는 방법은 소疏의 뜻에 비해 상세하다.’[70]라고 하였다.

顧象之說未詳, 禹錫又自言揲法‘第一指餘一益三, 餘二益二, 餘三益一, 餘四益四. 第二指餘一益二, 餘二益一, 餘三益四, 餘四益三. 第三指與第二指同.’ 此可以見三變皆掛矣.

고단의 주장은 알 수 없지만, 유우석은 또 스스로 시초를 세는 방법을 말하여 ‘제1지[1變]에서는 「왼쪽에 남은 시초의 수[餘]」가 하나이면 「오른쪽에 남은 시초의 수[益]」는 셋이고, 왼쪽이 둘이면 오른쪽은 둘이며, 왼쪽이 셋이면 오른쪽은 하나이고, 왼쪽이 넷이면 오른쪽이 넷이다. 제2지[2變]에서는 왼쪽이 하나이면 오른쪽이 둘이고, 왼쪽이 둘이면 오른쪽은 하나이며, 왼쪽이 셋이면 오른쪽은 넷이고, 왼쪽이 넷이면 오른쪽이 셋이다. 제3지[3變]에서는 제2지[2變]와 같다.’[71]라고 하였으니, 이는 세 번의 변에 모두 건 것을 알 수 있다.

‘近世儒者’若郭雍所著『蓍卦辨疑』, 專以前一變獨掛, 後二變不掛, 其載橫渠先生之言曰, ‘再扐而後掛, 每成一爻而後掛也. 謂第二·第三揲不掛也.’ 且謂橫渠之言, 所以明註疏之失.

‘근세의 학자’로 예컨대 곽옹郭雍[72]이 지은 『시괘변의』에는 오로지 앞의 한 번의 변變만 걸어두고 뒤의 두 번의 변은 걸어두지 않는다고 하였는데, 그 책에는 횡거선생橫渠先生[張載][73]의 말을 실어

66 유우석, 『劉賓客文集』 권7 「論下 · 辯易九六論」에는, “中和本其師, 師之學本一行.”이라고 되어 있다.

67 ‘넘치고 모자라는[盈虛]: 氣盈과 朔虛를 말한다. 기영의 수는 대략 365.25-360=+5.25이고, 삭허의 수는 354.5-360=-5.5이다.

68 『唐書』 권27상 「歷志」

69 『朱文公文集』 권37 「答程泰之」에서, “畢論三揲皆掛”라고 하였다.

70 『朱文公文集』 권37 「答程泰之」

71 유우석, 『劉賓客文集』 권7 「論下 · 辯易九六論」에는, “第一指〈餘一益三, 餘二益二, 餘三益一, 餘四益四,〉 第二指〈餘一益二, 餘二益一, 餘三益四, 餘四益三,〉 第三指〈與第二指同.〉”라고 되어 있다.

72 郭雍(1106~1187) : 자는 子和이고 자호는 白雲이며, 洛陽(현 하남성 낙양시) 사람이다. 程頤의 제자인 郭忠孝의 둘째 아들로 가학을 이었으며, 벼슬길은 나아가지 않고 은거하면서 역학과 의학에 정통하였다고 한다. 역학 방면 저술로 『傳家易解』, 『卦辭指要』, 『蓍卦辨疑』 등이 있다.

'두 번 끼운 다음에 걸어둔다는 것은 매 한 효를 이룬 다음에 걸어둔다는 것이다. 두 번째와 세 번째 셀 때는 걸어두지 않는다는 것을 말한다.'[74]라고 하였다. 그리고 횡거의 말은 (한강백의) 주註와 (공영달의) 소疏의 잘못을 밝혔다고 하였다.

朱子辨之曰, '此說大誤, 恐非橫渠之言也. 「再扐」者, 一變之中左右再揲而再扐也. 一掛·再揲·再扐而當五歲, 蓋一掛·再揲當其不閏之年, 而再扐當其再閏之歲也. 而「後掛」者, 一變旣成, 又合見存之策, 分二·掛一以起後變之端也. 今曰, 「第一變掛, 而第二·第三變不掛.」遂以當掛之變, 爲掛而象閏, 以不掛之變爲扐而當不閏之歲, 則與「大傳」所云, 「掛一象三, 再扐象閏」者, 全不相應矣. 且不數第一變之再扐, 而以第二·第三變爲再扐, 又使第二·第三變中止有三營而不足乎成易之數, 且於陰陽·老少之數亦多有不合者.'

주자朱子[朱熹]는 그것을 변별하여, '이 주장은 크게 잘못되었으니 횡거의 말이 아닌 것 같다. 「두 번 끼운다.」는 것은 한 번의 변變 가운데 왼쪽과 오른쪽의 것을 두 번 세어 두 번 끼우는 것이다. 한 번 걸어두고 두 번 세며 두 번 끼워서 5년에 해당시키는데, 한 번 걸어두고 두 번 세는 것은 윤달이 들지 않는 해(3년)에 해당시키고, 두 번 끼우는 것은 윤달이 드는 두 해(2년)에 해당시킨다. 「다음에 걸어둔다.」는 것은 1변이 이루어진 다음에 또 남겨진 시초를 합쳐서 둘로 나누고 하나를 걸어두어서 다음 변(2변)의 단서를 일으키는 것이다. 그런데 「제1변은 걸어두지만 제2변과 제3변은 걸어두지 않는다.」라고 말하여, 마침내 걸어두는데 해당하는 변(제1변)을 걸어둔다고 하여 윤달을 상징한다고 하며, 걸어두지 않는 변(제2변과 제3변)을 끼운다고 하여 윤달이 들지 않는 해에 해당시키면, 「계사전」에서 이른바 「하나를 걸어두는 것으로써 3(삼재)을 상징하고, 두 번 끼우는 것으로써 윤달을 상징한다.」[75]라는 것과는 전혀 상응하지 않는다. 게다가 제1변의 두 번 끼우는 것은 계산하지 않고 제2변과 제3변을 두 번 끼우는 것이라고 하는 것은, 또 제2변과 제3변 가운데 다만 세 번 경영함이 있게 하여 변역을 이루는 수가 부족하며, 또한 음양 · 노소의 수에도 합치하지 않는 것이 많다.'[76]고 말했다.

其載伊川先生之言曰, '再以左右手分而爲二, 更不重掛奇.'

73 張載(1020~1077) : 자는 子厚이고, 세칭 橫渠先生이라 한다. 송대 大梁(현 하남성 開封) 사람으로 거주지는 郿縣 橫渠鎭(현 섬서성 眉縣)이었다. 1057년 진사에 급제했고 雲巖令 · 崇政院校書 등을 역임하였다. 젊어서 병법을 좋아하여 범중엄에게 서신을 보냈다가 『中庸』을 읽기를 권유받고, 얼마 뒤 『六經』에 전념하게 되었다. 특히 『易』과 『中庸』을 중시하여 『正蒙』, 『西銘』, 『易說』 등을 지었는데, 이로써 나중에 '關學'의 창시자가 되었다.

74 張載, 『橫渠易說』 권3 「繫辭上」에는, "再扐後掛者, 每成一爻而後掛也. 謂第二第三揲不掛也."라고 되어 있다.

75 『易』「계사上」9에서, "分而爲二以象兩, 挂一以象三, 揲之以四以象四時, 歸奇於扐以象閏, 故再扐而后挂."라고 하였다.

76 『朱文公文集』 권66 「蓍卦考誤」. 여기에서는 또한 곽옹의 주장도 제시하고 있다.

朱子辨之曰, '此說尤多可疑. 然郭氏云「本無文字,」 則其傳授之際不無差舛宜矣.'
그 책(곽옹의 『시괘변의』)에는 이천선생伊川先生[程頤]의 말을 실어 '다시 왼쪽과 오른쪽 손으로 나누어서 둘로 하는데, 더 이상 나머지 시초를 거듭 걸어두지 않는다.'[77]라고 하였다.
주자는 그것을 변별하여, '이 주장은 더욱 의심스러운 것이 많다. 그러나 곽씨가 「본래 문자는 없었다.」[78] 라고 하니, 그것을 전수할 때 반드시 착오가 없지 않았을 것이다.'[79]라고 말했다.

又云, '第二·第三揲(變)雖不掛,[80] 亦有四·八之變, 蓋不必掛也.'
朱子辨之曰, '所以不可不掛者有兩說. 蓋三變之中, 前一變屬陽, 故其餘五·九皆奇數. 後二變屬陰, 故其餘四·八皆偶數. 屬陽者爲陽三而爲陰一, 皆圍三徑一之術; 屬陰者爲陰二而爲陽二, 皆以圍四用半之術也. 是皆以三變皆掛之法得之, 後兩變不掛則不得也.
(곽옹은) 또 '제2변과 제3변은 비록 걸어두지 않지만 역시 4·8이 남는 변이 있으니, 걸어둘 필요가 없다.'라고 하였다.
주자는 그것을 변별하여 다음과 같이 말했다. '걸어두지 않을 수 없는 까닭은 두 가지 설명이 있다. 세 번의 변 가운데 앞의 제1변은 양에 속하므로 그 나머지 5·9는 모두 홀수이다. 뒤의 제2변·제3변은 음에 속하므로 그 나머지 4·8은 모두 짝수이다. 양에 속하는 것은 양이 되는 것이 셋이고 음이 되는 것이 하나이니, 모두 둘레 3에 지름 1의 방법이다. 음에 속하는 것은 음이 되는 것이 둘이고 양이 되는 것이 둘이니, 모두 둘레 4에 절반을 사용하는 방법이다. 이것은 모두 세 번의 변에 모두 걸어두는 방법으로 얻은 것이니, 뒤의 두 번의 변에 걸어두지 않으면 얻을 수 없다.

三變之後其可爲老陽者十二, 可爲老陰者四, 可爲少陰者二十八, 可爲少陽者二十, 雖多寡之不同而皆有法象. 是亦以三變皆掛之法得之, 而後兩變不掛則不得也.
세 번 변한 다음에 노양이 될 수 있는 경우는 12가지이고, 노음이 될 수 있는 경우는 4가지이며, 소음이 될 수 있는 경우는 28가지이고, 소양이 될 수 있는 경우는 20가지이니, 비록 (그 경우의 수의) 많고 적음이 같지 않으나 모두 법상法象이 있다. 이 또한 세 번의 변에 모두 걸어두는 방법으로 얻은 것이며, 뒤의 두 번의 변에 걸어두지 않으면 얻을 수 없다.

郭氏僅見第二·第三變可以不掛之一端耳, 而遂執以爲說, 夫豈知其掛與不掛之爲得失乃如此哉! 大抵郭氏他說偏滯雖多, 而其爲法尙無甚戾. 獨此一義所差雖小, 而深有害於成卦·變

77 朱鑑, 『文公易說』 권22에서 이천의 말이라고 하였다.
78 본래 문자는 없었다 : 『朱文公文集』 권66 「蓍卦考誤」에서, "郭氏曰, '此法先人親受於伊川先生, 雍復受於先人. 本無文字, 歲月滋久, 慮或遺忘, 謹詳書之."라고 하였다.
79 『朱文公文集』 권66 「蓍卦考誤」
80 第二·第三揲(變)雖不掛 : 『朱文公文集』 권66 「蓍卦考誤」에는, '第二·第三變雖不掛'라고 되어 있다. 문맥상 번역문은 『朱文公文集』에 따른다.

爻之法，尤不可不辨.’

곽씨郭氏[郭雍]는 다만 제2변과 제3변에 걸어두지 않을 수 있다는 한 측면만을 알았을 뿐인데, 마침내 그것을 고집하여 주장했으니, 어찌 걸어두고 걸어두지 않는 것의 득실이 이와 같음을 알았겠는가! 대체로 곽씨는 치우치고 막힌 주장이 비록 많았지만 그 시초를 세는 방법은 오히려 그다지 잘못되지 않았다. 다만 이 한 가지 내용은 차이가 비록 작지만 괘를 이루고 효를 변화시키는 방법에 깊이 해를 끼치기 때문에 더욱 분별하지 않을 수 없다.’[81]

愚嘗考之第一變獨掛，後二變不掛，非特爲六扐而後掛，三營而成易，於再扐四營之義不協；且後二變不掛，其數雖亦不四則八，而所以爲四八者實有不同.

蓋掛則所謂四者左手餘一，則右手餘二；左手餘二，則右手餘一. 不掛則左手餘一，右手餘三；左手餘二，右手餘二；左手餘三，右手餘一；此四之所以不同也.

掛則所謂八者左手餘四，右手餘三；左手餘三，右手餘四. 不掛則左手餘四，右手亦餘四，此八之所以不同也. 三變之後，陰陽變數皆參差不齊，無復自然之法象矣. 其可哉！”[82]

내(호방평)가 일찍이 살펴보건대, 제1변만 걸어두고 나중 두 번의 변에 걸어두지 않는 것은, 다만 여섯 번 끼운 다음에 걸어두고 세 번 경영하여 변역을 이루는 것이 될 뿐 아니라, 두 번 끼우고 네 번 경영하는 의미에도 어울리지 않는다. 게다가 나중 두 번의 변에 걸어두지 않으면 그 숫자가 비록 4가 아니면 8이지만 4·8이 되는 까닭은 실제로 같지 않다.

(나중 두 번의 변에) 걸어두면 이른바 4라는 수는 왼손에 1개가 남으면 오른손에 2개가 남고, 왼손에 2개가 남으면 오른손에 1개가 남는 것이다. (나중 두 번의 변에) 걸어두지 않으면 왼손에 1개가 남을 때 오른손에 3개가 남고, 왼손에 2개가 남을 때 오른손에 2개가 남으며, 왼손에 3개가 남을 때 오른손에 1개가 남는 것이다. 이것이 4가 같지 않은 까닭이다.

(나중 두 번의 변에) 걸어두면 이른바 8이라는 수는 왼손에 4개가 남을 때 오른손에 3개가 남고, 왼손에 3개가 남을 때 오른손에 4개가 남는 것이다. (나중 두 번의 변에) 걸어두지 않으면 왼손에 4개가 남을 때 오른손에도 4개가 남는 것이다. 이것이 8이 같지 않은 까닭이다. 세 번 변한 다음에 음양의 변수가 모두 들쑥날쑥 가지런하지 않으니 다시 자연의 법상法象이 없다. 어찌 옳겠는가!”

[16-3-10]

且用舊法，則三變之中又以前一變爲奇，後二變爲偶. 奇，故其餘五·九；偶，故其餘四·八. 餘五·九者，五三而九一，亦圍三徑一之義也. 餘四八者，四·八皆二，亦圍四用半之義也. 三變之後，老者陽饒而陰乏，少者陽少而陰多，亦皆有自然之法象焉.

옛날의 방법을 사용하면, 세 번의 변 가운데 또 앞의 1변이 홀[奇]이 되고, 나중 두 번의 변은 짝[偶]이

81 『朱文公文集』 권66 「蓍卦考誤」

82 호방평, 『易學啟蒙通釋』 권下, 「明蓍策」 제3

된다. 홀[奇]이기 때문에 그 나머지는 5 · 9이고, 짝[偶]이기 때문에 그 나머지는 4 · 8이다. 나머지가 5 · 9가 되는 경우는 5가 세 번이고 9가 한 번이니, 역시 '둘레 3에 지름 1'의 의미이다. 나머지가 4 · 8이 되는 경우는 4와 8이 모두 두 번이니, 역시 '둘레 4에 절반을 사용하는' 의미이다. 세 번 변한 다음에 '노老인 것[노양 · 노음]'은 양이 풍부하고 음이 모자라는 것이며, '소少인 것[소양 · 소음]'은 양이 적고 음이 많은 것이니, 또한 모두 자연의 법상法象이 있다.

<蔡元定曰 : "按五十之蓍, 虛一分二, 掛一揲四, 爲奇者三, 爲偶者二, 是天三·地二自然之數. 而三揲之變, 老陽·老陰之數本皆八, 合之得十六. 陰陽以老爲動而陰性本靜, 故以四歸于老陽, 此老陰之數所以四, 老陽之數所以十二也. 少陽·少陰之數本皆二十四, 合之四十八. 陰陽以少爲靜而陽性本動, 故以四歸於少陰, 此少陽之數所以二十, 而少陰之數所以二十八也.

채원정이 말했다. "생각건대, 50개의 시초에 1개를 비워두고 둘로 나누며 1개를 걸어두고 4개씩 세고나면, 홀[奇]이 되는 경우가 셋이고 짝[偶]이 되는 경우가 둘이니, 천3 · 지2의 자연의 수이다. 그러나 세 번 세는 변에 노양과 노음의 수는 본래 모두 8이고 그 둘을 합하여 16을 얻는다. 음 · 양은 노老를 움직임으로 삼지만 음의 성질이 본래 고요하기 때문에 4를 노양에게 돌려보내니, 이에 노음의 수는 4가 되고 노양의 수는 12가 된다. (세 번 세는 변에) 소양과 소음의 수는 본래 모두 24이고 그 둘을 합하면 48이다. 음 · 양은 소少를 고요함으로 삼지만 양의 성질은 본래 움직이는 것이기 때문에 4를 소음에게 돌려보내니, 이에 소양의 수는 20이 되고 소음의 수는 28이 된다.

陽(易)用老而不用少,[83] 故六十四變, 所用者十二(六)變,[84] 十六變, 又以四約之, 陽用其三, 陰用其一. 蓋一奇一偶對待者, 陰陽之體. 陽三陰一, 一饒一乏者, 陰陽之用. 故四時春·夏·秋生物, 而冬不生物. 天地東·西·南可見, 而北不可見; 人之瞻視亦前與左·右可見, 而背不可見也. 不然, 則以四十九蓍, 虛一分二, 掛一揲四, 則爲奇者二, 爲偶者二, 而老陽得八, 老陰得八, 少陽得二十四, 少陰得二十四, 不亦善乎!

聖人之智豈不及此, 而其取此而不取彼者, 誠以陰陽之體數常均, 用數則陽三而陰一也.">

역易은 노老를 사용하지 소少를 사용하지 않기 때문에 64변에서 사용하는 것은 16변이며, 16변은 또 4로 약분하여 양이 그 셋을 사용하고 음이 그 하나를 사용한다. 하나의 홀[奇]과 하나의 짝[偶]이 대대對待하는 것이 음양의 체體이며, 양은 셋을 사용하고 음은 하나를 사용하여 한 번은 풍부하고

83 陽(易)用老而不用少 : 호방평, 『易學啟蒙通釋』 권下 「明蓍策」 제3에는 '易用老而不用少'라고 되어 있다. 이황의 『啓蒙傳疑』「明蓍策」 제3에서도 '陽'을 '易'으로 바로잡았다. 논리상 『易學啟蒙通釋』과 『啓蒙傳疑』에 따라 번역하였다.

84 所用者十二(六)變 : 章如愚, 『羣書考索』 권2 「經籍門」에는 '所用者十六變'이라고 되어 있다. 이황의 『啓蒙傳疑』 「明蓍策」 제3에서도 "'六'은 다른 판본에서 '二'로 되어 있는데, 잘못이다."고 하였다. 논리상 『羣書考索』과 『啓蒙傳疑』에 따라 번역하였다.

한 번은 모자라는 것이 음양의 용用이다. 그러므로 사계절에서 봄·여름·가을은 만물을 생성하지만 겨울은 만물을 생성하지 않고, 천지간에서 동·서·남쪽은 볼 수 있지만 북쪽은 볼 수 없으며, 사람이 바라보는 것도 앞과 좌·우는 볼 수 있지만 뒤는 볼 수 없다. 그렇지 않고, 49개의 시초를 가지고 1개를 비워두고 둘로 나누며 1개를 걸어두고 4개씩 세고나면, 홀[奇]이 되는 경우가 둘이고 짝[偶]이 되는 경우가 둘이 되며, 노양이 8을 얻고 노음이 8을 얻으며 소양은 24를 얻고 소음은 24를 얻으니, 또한 (모양이) 좋지 아니한가!

성인의 지혜가 어찌 여기에 미치지 못하겠는가만, 이것을 취하고 저것을 취하지 않은 것은 참으로 음·양의 체體의 수는 항상 균등하지만 용用의 수는 양이 셋을 사용하고 음이 하나를 사용하기 때문이다.〉"

[16-3-10-1]

朱子曰 : "初一變得五者三, 得九者一, 故曰'餘五·九者五三而九一.' 後二變得四者二, 得八者二, 故曰'餘四·八者四·八皆二.' 三變之後爲老陽者十有二, 老陰四, 故曰'陽饒而陰乏.' 少陽二十, 少陰二十八, 故曰'陽少而陰多.'"[85]

주자朱子[朱熹]가 말했다. "처음 1변에서 5를 얻는 경우가 3가지이고 9를 얻는 경우가 1가지이기 때문에 '나머지가 5·9가 되는 경우는 5가 세 번이고 9가 한 번이다.'라고 했다. 나중 두 번의 변에서 4를 얻는 경우가 2가지이고 8을 얻는 경우가 2가지이기 때문에 '나머지가 4·8이 되는 경우는 4와 8이 모두 두 번이다.'라고 했다. 세 번 변한 다음에 노양이 되는 경우가 12가지이고 노음이 되는 경우가 4가지이므로 '양이 풍부하고 음이 모자란다.'라고 했으며, 소양이 되는 경우가 20가지이고 소음이 되는 경우가 28가지이므로 '양이 적고 음이 많다.'라고 말했다."

[16-3-10-2]

"沈氏『筆談』云, '易象九爲老陽, 七爲少陽, 八爲少陰, 六爲老陰. 其九·七·八·六之數, 皆有所從來, 得之自然, 非意之所配也. 凡歸餘之數, 有多有少, 多爲陰, 如爻之偶; 少爲陽, 如爻之奇. 三少, 乾也, 故曰老陽. 九揲而得之, 故其數九, 其策三十六. 兩多一少, 則一少爲之主, 震·坎·艮也, 故皆謂之少陽. 少在初爲震, 中爲坎, 末爲艮. 皆七揲而得之, 故其數七, 其策二十有八. 三多, 坤也, 故曰老陰. 六揲而得之, 故其數六, 其策二十有四. 兩少一多, 則一多爲之主, 巽·離·兌也, 故皆謂之少陰. 多在初謂之巽, 中爲離, 末爲兌. 皆八揲而得之, 故其數八, 其策三十有二.' 諸家揲蓍說, 惟『筆談』簡而盡."[86]

(주자가 말했다.) "심씨沈氏[沈括][87]는 『몽계필담夢溪筆談』에서 다음과 같이 말했다. '역의 상에서 9는

85 이광지, 『周易折中』 권20 「明著策」 제3에 『朱子文集』의 말로 실려 있다.

86 『朱文公文集』 권66 「著卦考誤」

87 沈括(1031~1095) : 자는 存中이고 호는 夢溪丈人이다. 절강성 抗州 사람이다. 仁宗 嘉祐 8년(1063년)에 진사에 급제하여, 神宗 때에 왕안석의 變法運動에 참여하였다. 58세에 완전히 정계에서 물러나, 강소성 鎭江에

노양이 되고, 7은 소양이 되며, 8은 소음이 되고, 6은 노양이 된다. 9·7·8·6이라는 수는 모두 유래가 있으니, 저절로 그러한 데서 얻은 것이지 의도적으로 안배한 것이 아니다. 나머지를 돌려보낸 수에 많고 적음이 있으니, 많은 것은 음이 되어 짝[偶]인 효와 같고, 적은 것은 양이 되어 홀[奇]인 효와 같다. 3개가 적은 것은 건괘이니 노양이라고 한다. 아홉 번 세어서 얻으므로 그 수는 9이고 시초의 수는 36이다. 둘이 많고 하나가 적으면 적은 하나가 주인이 되어 진괘·감괘·간괘가 되니 모두 소양이라고 한다. 적은 것이 초효에 있을 때 진괘가 되고, 가운데 있을 때 감괘가 되며, 끝(제3효)에 있을 때 간괘가 된다. 모두 일곱 번 세어서 얻으므로 그 수는 7이고 시초의 수는 28이다. 셋이 많은 것은 곤괘이니 노음이라고 한다. 여섯 번 세어서 얻으므로 그 수는 6이고 시초의 수는 24이다. 둘이 적고 하나가 많으면 많은 하나가 주인이 되어 손괘·리괘·태괘이니 모두 소음이라고 한다. 많은 것이 초효에 있을 때 손괘라 하고, 가운데 있을 때 리괘가 되며, 끝(제3효)에 있을 때 태괘가 된다. 모두 여덟 번 세어서 얻으므로 그 수는 8이고 시초의 수는 32이다.'[88] 여러 학자들의 시초를 세는 이론에서 『몽계필담』의 이론이 간략하고도 완전하다."

"孔穎達非不曉揲法者，但爲之不熟，故其言之易差. 然其於大數亦不差也.
畢中和視疏義爲詳. 柳子厚詆劉夢得以爲膚末於學者誤矣. 畢論三揲皆掛一，正合四營之義. 惟以三揲之掛扐，分措於三指間爲小誤，然於其大數亦不差也. 其言餘一益三之屬，乃夢得立文大簡之誤，使讀者疑其不出於自然而出於人意耳. 此與孔氏之說不可不正，然恐亦不可不原其情也."[89]

(주자가 말했다.) "공영달은 시초를 세는 방법을 모르지는 않지만 정통하지 못하기 때문에 그 말이 쉽게 틀린다. 그러나 대체적인 수에 대해서는 또한 틀리지 않는다.
필중화는 소疏의 뜻에 비해 상세하다. 유자후柳子厚[柳宗元][90]가 유몽득劉夢得[劉禹錫]을 비난하여 피상적인 학문이라고 한 것은 잘못이다. 필중화가 세 번 세는데 모두 하나를 걸어둔다고 논한 것은 네 번 경영한다는 의미에 꼭 들어맞는다. 오직 세 번 세는데서 걸어두고 끼우는 것을 세 손가락 사이에 나누어 둔다는 것이 작은 잘못이지만, 대체적인 수에 대해서는 역시 틀림이 없다. 왼쪽에 '남은 시초의 수[餘]'가 하나이면 '오른쪽에 남은 시초의 수[益]'는 셋이라는 따위의 필중화의 말은, 곧 유몽득이 너무 간략하게 이론을 정립한 잘못이니, 독자들에게 그것이 저절로 그러한 데서 나오지 않고 사람의 의도에서 나왔을 뿐이라는 의심이 들도록 하였다. 이것과 공씨孔氏[孔穎達]의 주장은 바로잡지 않을 수 없지만, 또한 그 실정을 추구해보지 않을 수 없을 것이다."

있는 夢溪園에서 은거하여 백과전서적인 저술인 『夢溪筆談』을 완성하였다.

88 심괄, 『夢溪筆談』 권7 「象數1」

89 『朱文公文集』 권37 「答程泰之」

90 柳宗元(773~819) : 자는 子厚이고, 세칭 柳河東·柳柳州라 한다. 당대 河東(현 산서성 運城) 사람으로 814년에 진사에 급제하여 校書郞·監察御史를 역임하였다. 문장은 韓愈와 짝을 이루고 당송팔대가의 한 사람이다. 저서는 『河東先生文集』, 『龍城錄』 등이 있다.

[16-3-10-3]

"蔡氏所謂'以四十九蓍, 虛一·分二, 掛一·揲四'者, 蓋謂'虛一外止用四十八, 分掛揲之餘爲奇偶各二, 老陽·老陰變數各八, 少陰·少陽變數各二十四, 合爲六十四, 八掛(卦)各得八焉.[91] 然此乃奇偶對待, 加倍而得者, 體數也. 若天三·地二, 衍而爲五十者, 用數也. 蓋體數常均, 用數則陽饒而陰乏也. 此正造化之妙. 若陰陽同科, 老少一例, 是體數, 非用數也.'"

(주자가 말했다.) "채원정이 이른바 '49개의 시초로 1개를 비워두고 둘로 나누며, 1개를 걸어두고 4개씩 센다.'라는 것은 다음과 같은 것을 말한다. '1개를 비워둔 것 외에 다만 48개를 사용하여, 둘로 나누고 하나를 걸어두고 4개씩 세고 난 나머지는 홀[奇]과 짝[偶]이 되는 것이 각각 둘이니, 노양과 노음의 변수는 각각 8이고 소음과 소양의 변수는 각각 24로서, 합치면 64가 되어 8괘가 각각 8을 얻은 것이다. 그러나 이것은 바로 홀[奇]과 짝[偶]이 대대對待하는 것을 배가하여 얻은 것이니 체體의 수이다. 천3 · 지2를 연역하여 50이 되는 것과 같은 것은 용用의 수이다.[92] 체體의 수는 항상 고르지만, 용用의 수는 양이 풍부하고 음은 모자라니 이것이 바로 조화造化의 오묘함이다. 만약 음과 양이 같은 부류이고 노와 소가 같다면, 이것은 체體의 수이지 용用의 수가 아니다.'[93]"

[16-3-10-4]

玉齋胡氏曰: "舊法與今所用之法, 四十九蓍, 虛一·分二, 掛一·揲四歸奇, 初元以異. 而三變之分得五者三, 得四者二, 得九者一, 得八者二, 亦莫不同. 但其於第一變以或五或九者皆爲奇, 第二·第三變以或四·或八者皆爲偶, 與今所論五·四爲奇, 九·八爲偶者, 有不同耳.

옥재 호씨玉齋胡氏[胡方平]가 말했다. "옛날의 방법과 지금 쓰는 방법은 49개의 시초에서 1개를 비워두고 둘로 나누며, 1개를 걸어두고 4개씩 세어 나머지를 돌려보내는 것이 애초에 다름이 없다.[94] 그리고 세 번 변의 나뉨에서 5를 얻는 것이 세 번이고, 4를 얻는 것이 두 번이며, 9를 얻는 것이 한 번이고, 8을 얻는 것이 두 번인 것도 같지 않음이 없다. 그러나 제1변에서 5가 되거나 9가 되는

91 八掛(卦)各得八焉: 이황의 『啓蒙傳疑』「明蓍策」 제3에 의거하여 '八卦各得八焉'으로 바로잡았다. 번역문도 바로잡은 것을 따랐다.

92 이것은 바로 … 수이다: '體의 수'와 '用의 수'에 대하여, 이황은 『啓蒙傳疑』「明蓍策」 제3에서, 소옹의 『皇極經世書』「觀物外篇」에 있는 "卦로써 體의 수를 삼고, 시초[蓍]로써 用의 수를 삼는다.(以卦爲體數, 蓍爲用數.)"라는 말로 풀이하고 있다.

93 1개를 비워둔 … 用의 수가 아니다: 胡居仁, 『易象鈔』 권4에 주자의 말로 실려 있다.

94 옛날의 방법과 … 없다: 이황은 『啓蒙傳疑』「明蓍策」 제3에서, "지금 살펴보건대, 49개로서 1개를 비우고 다만 48개를 사용하는 것은, 곧 蔡氏(蔡元定)가 가설로 설정한 방법인데, 이것을 가지고 곧 옛날 방법과 지금의 방법이라 하였으니, 胡氏(胡方平)의 본래의 설명이 이렇게 잘못되었을 것 같지는 않다. 당초에 '50개의 시초'라고 한 것을 뒤에 책을 베끼는 사람이, 위 단락에서 주자가 채씨의 방법을 논하여 '49(四十九)'라고 한 글자가 있기 때문에 실수를 해서, 이 단락의 '50(五十)'이라는 글자까지 아울러 '49'로 쓴 듯하다.(今按以四十九虛一, 只用四十八, 此卽蔡氏假設之法, 乃以是爲舊法與今法, 竊恐胡氏本說不應如此之謬. 得非本作五十蓍, 而後來傳寫者因上段朱子論蔡氏法'四十九'字, 而誤倂此段'五十'字, 作四十九也.)"라고 하였다.

것이 모두 홀[奇]이 되고, 제2변과 제3변에서 4가 되거나 8이 되는 것이 모두 짝[偶]이 되는 것은, 지금 설명하고 있는 5·4가 홀[奇]이 되고 9·8이 짝[偶]이 되는 것과 다름이 있을 뿐이다.

舊法所分，蓋以前一變在先而屬奇，故其餘五·九亦奇數也．後二變在後而屬偶，故其餘四·八亦偶數也．不過因其數以分奇·偶，初未嘗遽以此奇·偶而定陰·陽．然以餘五·九者爲奇，則五三·九一亦有圍三·徑一之義．以餘四·八者爲偶，則四·八皆二亦有圍四·用半之義．況三變之後，老陽十二，老陰四，少陽二十，少陰二十八．其饒乏多寡自然之法象，初不害其本同也！
옛날의 방법에서 나눈 것은 먼저 한 번의 변이 앞에서 홀[奇]에 속하기 때문에 그 나머지 5·9 또한 홀수이며, 나중 두 번의 변은 뒤에서 짝[偶]에 속하기 때문에 그 나머지 4·8 또한 짝수이다. 그러나 그 수에 따라 홀과 짝으로 나누기 때문에 애초에 성급히 이 홀과 짝으로써 음과 양을 규정하지 않았다. 하지만 그 나머지 5·9를 홀로 하면 5가 세 번 9가 한 번인 것도 역시 둘레 3·지름 1의 의미가 있으며, 그 나머지 4·8을 짝으로 하면 4·8이 모두 두 번인 것도 역시 둘레 4에 절반을 사용하는 의미가 있다. 하물며 세 번 변한 다음에 노양이 되는 경우가 12가지이고 노음이 되는 경우가 4가지이며, 소양이 되는 경우가 20가지이고 소음이 되는 경우가 28가지여서, 그 (양이) 풍부하고 (음이) 모자라며, (음이) 많고 (양이) 적은 자연의 법상이 애초에 그것이 본래 같음을 해치지 않는 것이겠는가!

朱子特擧此說，所以深明三變皆掛之得，以證上文近世後二變不掛之失．又以起下文若用近世之法，三變之餘，皆爲圍三徑一之義，而無復奇偶之分，以辨明其誤也．"[95]
주자朱子[朱熹]는 특별히 이 주장을 들어서 세 번의 변에 모두 걸어두는 방법의 터득을 깊이 밝혀서, 근세의 나중 두 번의 변에는 걸지 않는 윗글의 방법의 손실을 증명하였다. 또 아래의 글에서 만약 근세의 방법을 쓰면, 세 번의 변의 나머지가 모두 둘레 3, 지름 1의 의미가 되어 다시는 짝[偶]과 홀[奇]의 구분이 없다고 하여 그 잘못을 분명히 밝혔다."

[16-3-10-5]

"揲蓍之法，所謂'奇三而偶二'者，朱子嘗釋之于卷末云，'卷内蔡氏說爲奇者三，爲偶者二，蓋凡初揲左手餘一·餘二·餘三皆爲奇，餘四者爲偶，至再揲·三揲，則餘三者亦爲偶，故云奇三而偶二也．'
(옥재 호씨가 말했다.) "시초를 세는 방법에서 이른바 '홀[奇]은 셋이고 짝[偶]은 둘이다.'라는 것에 대하여 주자朱子[朱熹]는 권말에서 다음과 같이 해석하였다. '권내卷內에서 채씨蔡氏[蔡元定]가 홀[奇]이 되는 것이 셋이고 짝[偶]이 되는 것이 둘이라고 말한 것은, 처음 세는 데서 왼손에 1개가 남거나 2개가 남거나 3개가 남을 경우는 모두 홀[奇]이 되고 4개가 남는 경우 짝[偶]가 되며, 두 번째 세고

95 호방평, 『易學啓蒙通釋』 권下 「明蓍策」 제3

세 번째 세는 데서 3개가 남는 것이 또 짝[偶]이 되기 때문에 홀[奇]은 셋이고 짝[偶]이 둘이라고 하였다.'

二老本皆八, 二少本皆二十四者, 其實非揲蓍有此例; 蓋亦以天地之間, 陰陽各居其半本無多寡之殊. 以六十四卦言之, 陽卦三十二, 陰卦三十二; 以三百八十四爻言之, 陽爻百九十二, 陰爻百九十二.

夫如是則以陰陽·老少而均之, 二老皆八, 合之得十六; 二少皆二十四, 合之得四十八; 亦言其體數對待, 一奇一偶本如此而已.

'노양과 노음[二老]'의 수가 본래 모두 8이고 '소양과 소음[二少]'의 수가 모두 24라는 것은 사실 시초를 세는 데서 이러한 사례가 있는 것이 아니지만, 또한 천지 사이에 음과 양이 각각 절반씩 차지하여 많고 적은 다름이 없기 때문이다. 64괘로 말하면 양괘가 32개이고 음괘가 32개이며, 384효로 말하면 양효가 192개이고 음효가 192개이다.

이와 같다면 음양 · 노소로써 고르게 하여 노양과 노음의 수가 모두 8이며 합계하여 16을 얻고, 소양과 소음의 수가 모두 24이며 합계하여 48을 얻는다는 것도, 그 체體의 수가 대대對待하여 하나는 홀[奇]이 되고 하나는 짝[偶]이 되는 것이 본래 이와 같음을 말할 뿐이다.

至於揲蓍而見於用, 用二老而不用二少. 然其爲數之饒乏·多寡, 實有不可槩論者. 是以三揲之變, 老者陽饒而陰乏, 少者陽少而陰多. 二老以陽之動爲主, 故老陰以其四歸于老陽, 而老陽得十二, 老陰得四也. 二少以陰之靜爲主, 故少陽以其四歸于少陰, 而少陰得二十八, 少陽得二十也. 合之計六十四變, 此則合老·少之變以推二老之用, 因揲蓍而後見也.

시초를 세어 용用으로 드러나는 경우에는 노양과 노음을 사용하지 소양과 소음은 사용하지 않는다. 그러나 그 수의 풍부함과 모자람, 많음과 적음은 실로 대충 논할 수 없는 것이 있다. 이 때문에 세 번 세는 변變에서 노老는 양이 풍부하고 음이 모자라며, 소少는 양이 적고 음이 많다. 노양과 노음은 양의 움직임을 위주로 하기 때문에 노음은 자신의 것 4개를 노양에게 돌려보내니, 노양은 12를 얻고 노음은 4를 얻는다. 소양과 소음은 음의 고요함을 위주로 하기 때문에 소양은 자신의 것 4개를 소음에게 돌려보내니, 소음은 28을 얻고 소양은 20을 얻는다. 합계하면 64변이니, 이것은 노 · 소의 변을 합하여 노양과 노음의 용用을 추론한 것으로서, 시초를 세어낸 것에 근거한 다음에 아는 것이다.

'體數常均'者, 合陰陽·老少之本數而言, 故'一奇一偶對待'者, 陰陽之體也. 用數則'陽三而陰一'者, 於六十四變之中取其十六變者爲用, 又於十六變之中以四約之, 則老陽十二而用其三, 老陰四而用其一, 是'一饒一乏'爲陰陽之用也. 卽此推之, 蔡氏之言了然矣.

'체體의 수가 항상 고르다.'는 것은 음양 · 노소의 본래의 수를 합하여 말하는 것이므로, '하나의 홀[奇]과 하나의 짝[偶]이 대대對待한다.'는 것이 음양의 체體이다. 용用의 수에서 '양이 셋을 사용하고 음이 하나를 사용한다.'는 것은, 64변 가운데서 16변을 취한다는 것이 용用이 되며, 또 16변 가운데서

4로 약분하면 노양은 12이고 그 셋을 사용하며 노음은 4이고 그 하나를 사용하니, 이것이 '하나는 풍부하고 하나는 모자란다.'는 것이 음양의 용用이 되는 것이다. 이것으로 미루어보면, 채씨蔡氏[蔡元定]의 말이 확실하다.

邵子云, '天有四時, 一時四月, 一月四十日, 四四十六而各去其一, 是以一時三月, 一月三十日也. 四時, 體數也. 三月三十日, 用數也. 體雖具四而其一常不用也. 故用者止于三而極于九也.'
以此證蔡氏之說, 則一時必無四月, 一月必無四十日, 老陽·老陰必無本皆八之數, 少陽少陰必無本皆二十八之數. 所以爲此言者, 亦指其體數之常均耳. 至於用數, 則一時三月, 一月三十日, 陽用其三而陰用其一, 又豈可得而强同哉! 要之蔡氏損益之說, 視此又較明白云."[96]
소자邵子[邵雍]는 다음과 같이 말했다. '하늘에는 사계절이 있고 한 계절은 4개월이며 1개월은 40일인데, 4×4=16에 각각 그 하나를 제거하기 때문에 한 계절은 3개월이고 1개월은 30일이다. 사계절은 체體의 수이고 3개월과 30일은 용用의 수이다. 체體는 비록 넷을 갖추었지만 그 하나는 항상 사용하지 않는다. 그러므로 사용하는 것은 셋에 그치고 아홉을 극한으로 한다.'[97]
이것으로 채씨蔡氏[蔡元定]의 말을 증명하면, 한 계절은 꼭 4개월일 필요가 없고, 1개월이 꼭 40일일 필요가 없으며, 노양과 노음은 꼭 본래 모두 8이라는 수일 필요가 없고, 소양과 소음은 꼭 본래 모두 28이라는 수일 필요가 없다. 그러므로 이 말을 하는 것도 그 체體의 수가 항상 고르다는 것을 가리킬 뿐이다. 용用의 수 경우에는 한 계절이 3개월이고 1개월은 30일이며, 양은 그 셋을 사용하고 음은 그 하나를 사용하니, 또한 어찌 억지로 같게 할 수 있겠는가! 요컨대 채씨蔡氏[蔡元定]의 덜고 더한다는 말은 이것에 비해 또 비교적 명백하다고 할 수 있다."

[16-3-11]

若用近世之法, 則三變之餘皆爲圍三 · 徑一之義, 而無復奇 · 偶之分. 三變之後爲老陽 · 少陰者皆二十七, 爲少陽者九, 爲老陰者一, 又皆參差不齊, 而無復自然之法象. 此足以見其說之誤矣.

만약 근세의 방법을 사용하면, 세 번의 변의 나머지가 모두 둘레 3, 지름 1의 의미가 되어 다시는 홀[奇]과 짝[偶]의 구분이 없다. 세 번 변한 다음에 노양과 소음이 되는 경우는 27가지이고, 소양이 되는 경우는 9가지이며, 노음이 되는 경우는 1가지이니, 또한 모두 들쑥날쑥 가지런하지 않고, 다시는 자연의 법상法象이 없다. 이 점은 그 주장의 잘못을 알기에 충분하다.

96 호방평, 『易學啟蒙通釋』 권下 「明蓍策」 제3
97 소옹, 『皇極經世書』 권13 「觀物外篇上」

[16-3-11-1]

黃氏瑞節曰："此乃沙隨程氏之說. 第二·三變不掛, 則十八變之間多不得老陰也."[98]

황씨 서절黃瑞節이 말했다. "이것은 사수 정씨沙隨程氏[程迥][99]의 주장이다. 제2변과 제3변에 걸어두지 않으면, 18변 사이에 노음을 얻지 못하는 경우가 많다."

[16-3-11-2]

玉齋胡氏曰："舊法三變皆掛, 則初變五三·九一, 爲圍三·徑一之義. 後二變四·八皆二, 而爲圍四·用半之義. 今後二變不掛, 則皆四三·八一, 並如前一變之五三·九一, 而無復後二變之四·八皆二. 故惟有圍三·徑一之術, 而無圍四·用半之術也, 尙安有奇偶之分哉! 是以三變之後, 老·少變數雖有六十四, 而參差不齊無自然之法象矣. 今爲圖以附于卷後, 庶觀者易見其誤云."[100]

옥재 호씨玉齋胡氏[胡方平]가 말했다. "옛날 방법으로 세 번의 변에 모두 걸어두면, 제1변의 5가 셋, 9가 하나인 경우는 둘레 3 · 지름 1의 의미가 되고, 제2변 · 제3변의 4와 8이 모두 둘인 경우는 둘레 4에 절반을 사용하는 의미가 된다. 이제 제2변과 제3변에 걸어두지 않으면 모두 4가 셋, 8이 하나인 경우가 되어 다함께 제1변의 5가 셋, 9가 하나인 경우와 같아지니, 다시는 제2변 · 제3변의 4와 8이 모두 둘인 경우가 없다. 그러므로 오직 둘레 3, 지름 1의 방법만 있고 둘레 4에 절반을 사용하는 방법은 없으니, 또한 어찌 홀[奇]과 짝[偶]의 나뉨이 있겠는가! 이 때문에 3번 변한 다음에 노 · 소의 변수는 비록 64가지가 있지만, 들쑥날쑥 가지런하지 않고, 자연의 법상法象이 없다. 이제 도표를 그려서 이 책 뒤에 첨부하니, 독자들은 그 잘못을 쉽게 알 수 있을 것이다."

[16-3-12]

至於陰陽 · 老少之所以然者, 則請復得而通論之. 蓋四十九策除初掛之一而爲四十八, 以四約之爲十二, 以十二約之爲四. 故其揲之一變也, 掛扐之數一其四者爲奇, 兩其四者爲偶. 其三變也, 掛扐之數三其四, 一其十二; 而過揲之數九其四, 三其十二者爲老陽. 掛扐 · 過揲之數皆六其四, 兩其十二者爲老陰.

음양 · 노소가 그렇게 되는 까닭을 다시 통괄적으로 논하겠다. 49개의 시초는 처음 걸어두는 1개를 제외하고 48개가 되니, 이것을 4로 약분하면 12가 되고, 12로 약분하면 4가 된다. 그 세어낸 1변에

98 錢澄, 『田間易學』 卷首上에 황서절의 말로 실려 있다.

99 程迥 : 자는 可久이고 호는 沙隨이며, 세칭 沙隨先生이라고 했다. 송대 應天府 寧陵(현 하남성 영릉현) 사람이다. 隆興(1162~1163년) 연간에 진사에 급제하고, 벼슬은 知進賢 · 上饒縣을 역임하고 朝奉郞에 이르렀으며, 엄정하게 정사를 처리했다. 주희는 그의 박학다식함과 실천정신을 칭찬했다. 저술로는 『古易考』, 『古易章句』, 『周易古占法』, 『易傳外編』, 『春秋傳顯微例目』, 『南齋小集』 등이 있다.

100 호방평, 『易學啓蒙通釋』 권下 「明著策」 제3

걸어두고 끼운 시초의 수가 4가 하나인 것이 홀[奇]이 되고, 4가 둘인 것이 짝[偶]이 된다.
세 번의 변에 걸어두고 끼운 시초의 수가 4가 셋이고 12가 하나이며, 세어낸 수가 4가 아홉이고 12가 셋인 것이 노양이 된다. 걸어두고 끼운 시초의 수와 세어낸 수가 모두 4가 여섯이고 12가 둘인 것이 노음이 된다.

自老陽之掛扐而增一四, 則是四其四也, 一其十二而又進一四也; 自其過揲者而損一四, 則是八其四也, 三其十二而損一四也; 此所謂少陰者也.
自老陰之掛扐而損一四, 則是五其四也, 兩其十二而去一四也; 自其過揲而增一四, 則是七其四也, 兩其十二而進一四也; 此所謂少陽者也.
노양의 걸어두고 끼운 것으로부터 하나의 4가 증가하면 4가 넷이고, 12가 하나인 것에서 또 하나의 4가 늘어나며, (노양의) 세어낸 것으로부터 하나의 4가 줄어들면 4가 여덟이고, 12가 셋인 것에서 하나의 4가 줄어드니, 이것이 이른바 소음이라는 것이다.
노음의 걸어두고 끼운 것으로부터 하나의 4가 줄어들면 4가 다섯이고, 12가 둘인 것에서 하나의 4가 제거되며, (노음의) 세어낸 것으로부터 하나의 4가 증가하면 4가 일곱이고, 12가 둘인 것에서 하나의 4가 늘어나니, 이것이 이른바 소양이라는 것이다.

二老者, 陰陽之極也. 二極之間, 相距之數凡十有二而三分之; 自陽之極而進其掛扐, 退其過揲, 各至於三之一則爲少陰; 自陰之極而退其掛扐, 進其過揲, 各至於三之一則爲少陽.
노양과 노음은 음양이 지극한 것이다. 두 지극한 것 사이에 서로 벌어진 수는 모두 12이고 그것을 3등분하되, 양의 지극한 것으로부터 걸어두고 끼우는 수를 나아가고 세어낸 수를 물러나서 각각 3분의 1에 이르면 소음이 되며, 음의 지극한 것으로부터 걸어두고 끼우는 수를 물러나고 세어낸 수를 나아가서 각각 3분의 1에 이르면 소양이 된다.

[16-3-12-1]

朱子曰 : "老陽掛扐之數十二而老陰二十四, 老陽過揲之數三十六而老陰二十四, 其相距之數凡十二而三分之; 老陽掛扐之數十二而少陰則十有六, 是少陰進其掛扐者四, 而於二老相距之數得三之一. 老陽過揲之數三十六而少陰三十二, 是少陰退其過揲者四, 而於二老相距之數亦得三之一. 若少陽之於老陰, 退其掛扐者四, 進其過揲者四, 而於二老相距之數亦得三之一焉."

주자朱子[朱熹]가 말했다. "노양의 걸어두고 끼운 시초의 수는 12이고 노음은 24이며, 노양의 세어낸 수는 36이고 노음은 24이니, 서로 벌어진 수는 모두 12이고 그것을 3등분하되, 노양의 걸어두고 끼운 시초의 수는 12이지만 소음은 16이니 소음이 그 걸어두고 끼운 시초의 수를 나아간 것이 4이며, 노양과 노음 사이에 서로 벌어진 수에서 3분의 1을 얻었다. 노양의 세어낸 수는 36이고 소음은

32이니, 소음이 그 세어낸 수를 물러난 것이 4이며, 노양과 노음 사이에 서로 벌어진 수에서 역시 3분의 1을 얻었다. 소양이 노음에 대한 관계 같은 경우는, 그 걸어두고 끼우는 수를 물러난 것이 4이고 그 세어낸 수를 나아간 것이 4이니, 노양과 노음 사이에 서로 벌어진 수에서 역시 3분의 1을 얻었다."

[16-3-12-2]

西山蔡氏曰 : "四十九蓍, 去掛一之蓍則四十八, 以四約之爲十二, 以十二約之爲四. 四與十二, 十二與四, 宛轉相因爲四十八. 四十八者, 蓍之所以變化, 故其數之成四與十二, 自然相爲經緯也.

서산 채씨西山蔡氏[蔡元定]가 말했다. "49개의 시초에서 걸어둔 1개의 시초를 제거하면 48개이니, 4로써 약분하면 12가 되고 12로써 약분하면 4가 된다. 4와 12, 12와 4는 이 경우나 저 경우나 서로 곱하여 48이 된다. 48이란 (수는) 시초가 변화하는 근거이기 때문에, 그 수가 4와 12로 이루어진 것은 저절로 서로 날줄과 씨줄이 된다.

老陽奇數十二, 以十二約之得一, 則⚊之象也. 以四約之得三, 則☰之象也. 老陰奇數二十四, 以十二約之得二, 則⚋之象也; 以四約之得六, 則☷之象也.

老陽策數三十六, 以十二約之得三, 則三天之象也; 以四約之得九, 則用九之象也. 老陰策數二十四, 以十二約之得二, 則兩地之象也. 以四約之得六, 則用六之象也.

노양의 남은 수 12를 12로 약분하여 1을 얻으니 '⚊'의 형상이고, 4로 약분하여 3을 얻으니 '☰'의 형상이다. 노음의 남은 수 24를 12로 약분하여 2를 얻으니 '⚋'의 형상이고, 4로 약분하여 6을 얻으니 '☷'의 형상이다.

노양의 시초의 수 36을 12로 약분하여 3을 얻으니 '3천三天'의 형상이고, 4로 약분하여 9를 얻으니 '9를 사용하는[用九]' 형상이다. 노음의 시초의 수 24를 12로 약분하여 2를 얻으니 '2지二地'의 형상이고, 4로 약분하여 6을 얻으니 '6을 사용하는[用六]' 형상이다.

少陽奇數二十, 以十二約之得一餘八, 由老陰而息(消),[101] 蓋陽之未成者也; 以四約之得五, 則☳·☵·☶之象也. 少陰奇數十六, 以十二約之得一餘四, 由老陽而消(息),[102] 蓋陰之未成者也; 以四約之得四, 則☴·☲·☱之象也.

少陽策數二十八, 以十二約之得二餘四, 由老陰而息, 蓋陽之未成者也; 以四約之得七, 則不用之七也. 少陰策數三十二, 以十二約之得二餘八, 由老陽而消, 蓋陰之未成者也; 以四

101 由老陰而息(消) : 이황은 『啓蒙傳疑』「明蓍策」 제3에서, '由老陰而息'을 '由老陰而消'라고 바로잡았다. 노음의 남은 수 24가 사그라져서 소양의 남은 수 20이 되니, 이황이 바로잡은 것이 옳다.

102 由老陽而消(息) : 이황은 『啓蒙傳疑』「明蓍策」 제3에서, '由老陽而消'를 '由老陽而息'이라고 바로잡았다. 노양의 남은 수 12가 자라나서 소음의 남은 수 16이 되니, 이황이 바로잡은 것이 옳다.

約之得八，則不用之八也.
소양의 남은 수 20을 12로 약분하여 1을 얻고 8이 남는 것은 노음에서 사그라지는 것이니 양이 아직 성취하지 못한 것이며, 그것을 4로 약분하여 5를 얻으니 '☳震·☵坎·☶艮'의 형상이다. 소음의 남은 수 16을 12로 약분하여 1을 얻고 4가 남는 것은 노양에서 자라나는 것이니 음이 아직 성취하지 못한 것이며, 그것을 4로 약분하여 4를 얻으니 '☴巽·☲離·☱兌'의 형상이다.
소양의 시초의 수 28을 12로 약분하여 2를 얻고 4가 남는 것은 노음에서 자라나는 것이니 양이 아직 성취하지 못한 것이며, 그것을 4로 약분하여 7을 얻으니 '사용하지 않는[不用] 7'이다. 소음의 시초의 수 32를 12로 약분하여 2를 얻고 8이 남는 것은 노양에서 사그라지는 것이니 음이 아직 성취하지 못한 것이며, 그것을 4로 약분하여 8을 얻으니 '사용하지 않는[不用] 8'이다.

老陽之奇數進十二，則老陰之奇數也；策數退十二，則老陰之策數也. 老陰之奇數退十二，則老陽之奇數也. 策數進十二，則老陽之策數也. 少陽之奇數進十二，則少陰之策數也；策數退十二，則少陰之奇數也. 少陰之奇數進十二，則少陽之策數也；策數退十二，則少陽之奇數也.
老陽之奇數進四，則少陰之奇數也；策數退四，則少陰之策數也. 老陰之奇數退四，則少陽之奇數也；策數進四，則少陽之策數也. 少陽之奇數退四，則少陰之奇數也；策數進四，則少陰之策數也. 少陰之奇數進四，則少陽之奇數也；策數退四，則少陽之策數也.
노양의 남은 수(12)가 12를 나아가면 노음의 남은 수(24)이고, 시초의 수(36)가 12를 물러나면 노음의 시초의 수(24)이다. 노음의 남은 수(24)가 12를 물러나면 노양의 남은 수(12)이고, 시초의 수(24)가 12를 나아가면 노양의 시초의 수(36)이다. 소양의 남은 수(20)가 12를 나아가면 소음의 시초의 수(32)이고, 시초의 수(28)가 12를 물러나면 소음의 남은 수(16)이다. 소음의 남은 수(16)가 12를 나아가면 소양의 시초의 수(28)이고, 시초의 수(32)가 12를 물러나면 소양의 남은 수(20)이다.
노양의 남은 수가 4를 나아가면 소음의 남은 수이고, 시초의 수가 4를 물러나면 소음의 시초의 수이다. 노음의 남은 수가 4를 물러나면 소양의 남은 수이고, 시초의 수가 4를 나아가면 소양의 시초의 수이다. 소양의 남은 수가 4를 물러나면 소음의 남은 수이고, 시초의 수가 4를 나아가면 소음의 시초의 수이다. 소음의 남은 수가 4를 나아가면 소양의 남은 수이고, 시초의 수가 4를 물러나면 소양의 시초의 수이다.

少陽之奇以十二約之餘八，策數以十二約之餘四，蓋老陰之變陽未成也. 少陰之奇以十二約之餘四，策數以十二約之餘八，蓋老陽之變陰未成也. 此『易』之所以用九·用六，不用七與八也."
소양의 남은 수를 12로 약분하면 8이 남고 시초의 수를 12로 약분하면 4가 남으니, 노음이 양으로 아직 변화하지 못한 것이다. 소음의 남은 수를 12로 약분하면 4가 남고 시초의 수를 12로 약분하면 8이 남으니, 노양이 음으로 아직 변화하지 못한 것이다. 이것이 『역』에서 9와 6을 사용하되 7과

8을 사용하지 않는 까닭이다."

或曰 : "八卦乾·坤, 卽老陽·老陰也; 震·坎·艮·巽·離·兌, 卽少陽·少陰也. 八卦乾·坤不用, 而震·坎·艮·巽·離·兌致用, 蓍法乃不用七·八而用九·六, 何也?"
曰 "八卦主尊卑, 蓍主動靜, 故不同也."
어떤 사람이 물었다. "8괘에서 건괘와 곤괘는 노양 · 노음이고, 진괘 · 감괘 · 간괘 · 손괘 · 리괘 · 태괘는 소양 · 소음이다. 8괘에서는 건괘와 곤괘는 사용하지 않고 진괘 · 감괘 · 간괘 · 손괘 · 리괘 · 태괘는 다 사용하는데, 시초로 점치는 방법에서는 7 · 8을 사용하지 않고 9 · 6을 사용하는 것은 무엇 때문입니까?"
(채원정이) 대답했다. "8괘는 높음과 낮음을 위주로 하고, 시초로 점치는 데서는 움직임과 고요함을 위주로 하기 때문에 같지 않다."

[16-3-12-3]

玉齋胡氏曰 : "老陽掛扐十二, 老陰掛扐二十四; 老陽過揲三十六, 老陰過揲二十四; 其間相距, 各隔十二也.
自老陽變爲少陰, 以其掛扐十二, 進一四則爲少陰掛扐十六; 以其過揲三十六, 退一四則爲少陰過揲三十二.
自老陰變爲少陽, 以其掛扐二十四, 退一四則爲少陽掛扐二十; 以其過揲二十四, 進一四則爲少陽過揲二十八. 此所謂'二極之間, 相距之數凡十有二', 掛扐過揲皆進·退以四而成二少者如此. '各至於三之一'者, 以十二分爲三分, 其進退各至於三分中一分而成二少也. 一分, 指四數言."[103]
옥재 호씨玉齋胡氏[胡方平]가 말했다. "노양의 걸어두고 끼운 시초의 수는 12이고 노음의 걸어두고 끼운 시초의 수는 24이며, 노양의 세어낸 수는 36이고 노음의 세어낸 수는 24이니, 그 사이에 서로 벌어진 수는 간격이 각각 12이다.
노양으로부터 변하여 소음이 되니, 그 걸어두고 끼운 시초의 수 12로써 하나의 4를 나아가면 소음의 걸어두고 끼운 시초의 수 16이 되며, 그 세어낸 수 36으로써 하나의 4를 물러나면 소음의 세어낸 수 32가 된다.
노음으로부터 변하여 소양이 되니, 그 걸어두고 끼운 시초의 수 24로써 하나의 4를 물러나면 소양의 걸어두고 끼운 시초의 수 20이 되며, 그 세어낸 수 24로써 하나의 4를 나아가면 소양의 세어낸 수 28이 된다. 이것이 이른바 '두 지극한 것 사이에 서로 벌어진 수는 모두 12이다.'라는 것이니, 걸어두고 끼운 것과 세어낸 것이 모두 4를 나아가고 물러나서 소양과 소음이 되는 것이 이와 같다. '각각 3분의 1에 이른다.'라는 것은 12를 3등분으로 나누어 그 나아가고 물러나는 것이 각각 3등분

103 호방평, 『易學啓蒙通釋』 권下 「明蓍策」 제3

가운데 1등분에 이르러 소양과 소음을 이룬다는 것이다. 1등분은 4의 수를 가리켜 말한다."

[16-3-13]

老陽居一而含九, 故其掛扐十二爲最少, 而過揲三十六爲最多. 少陰居二而含八, 故其掛扐十六爲次少, 而過揲三十二爲次多. 少陽居三而含七, 故其掛扐二十爲稍多, 而過揲二十八爲稍少. 老陰居四而含六, 故其掛扐二十四爲極多, 而過揲亦二十四爲極少.

노양은 1에 자리 잡고서 9를 머금기 때문에 그 걸어두고 끼운 시초의 수 12는 가장 적고, 세어낸 수 36은 가장 많다. 소음은 2에 자리 잡고서 8을 머금기 때문에 그 걸어두고 끼운 시초의 수 16은 다음으로 적고, 세어낸 수 32는 다음으로 많다. 소양은 3에 자리 잡고서 7을 머금기 때문에 그 걸어두고 끼운 시초의 수 20은 조금 많고, 세어낸 수 28은 조금 적다. 노음은 4에 자리 잡고서 6을 머금기 때문에 그 걸어두고 끼운 시초의 수 24는 가장 많고, 세어낸 수 24는 가장 적다.

蓋陽奇而陰偶, 是以掛扐之數, 老陽極少, 老陰極多. 而二少者, 一進一退而交於中焉; 此其以少爲貴者也. 陽實而陰虛, 是以過揲之數, 老陽極多, 老陰極少; 而二少者, 亦一進一退而交於中焉; 此其以多爲貴者也.

양은 홀[奇]이고 음은 짝[偶]이니 이 때문에 걸어두고 끼운 시초의 수는 노양이 가장 적고 노음이 가장 많으며, 소음과 소양은 하나는 나아가고 하나는 물러나서 (노양과 노음) 가운데서 교역하니, 이것은 적은 것을 귀하게 여긴 것이다. 양은 '차있고[實]' 음은 '비어 있으니[虛]' 이 때문에 세어낸 수는 노양이 가장 많고 노음이 가장 적으며, 소음과 소양은 역시 하나는 나아가고 하나는 물러나서 (노양과 노음) 가운데서 교착하니, 이것은 많은 것을 귀하게 여긴 것이다.

[16-3-13-1]

朱子曰 : "少陰掛扐十六, 比老陽十二爲進四; 少陽掛扐二十, 比老陰二十四爲退四; 少陰過揲三十二, 比老陽三十六爲退四; 少陽過揲二十八, 比老陰二十四爲進四; 故皆曰'一進一退而交於中.'"104

주자朱子[朱熹]가 말했다. "소음의 걸어두고 끼운 시초의 수 16은 노양의 12에 비하여 4를 나아갔고, 소양의 걸어두고 끼운 시초의 수 20은 노음의 24에 비하여 4를 물러났으며, 소음의 세어낸 수 32는 노양의 36에 비하여 4를 물러났고, 소양의 세어낸 수 28은 노음의 24에 비하여 4를 나아갔으므로, 모두 '하나는 나아가고 하나는 물러나서 (노양과 노음) 가운데서 교착한다.'고 말했다."

104 韓邦奇의 『啓蒙意見』 권2 「明蓍策」 제3에 주자의 말로 되어 있다.

[16-3-13-2]

玉齋胡氏曰 : “老陽居一含九, 少陽居三含七, 其位與數皆奇. 老陰居四含六, 少陰居二含八, 其位與數皆偶. 主陽之奇而言, 則掛扐以少爲貴. 故老陽極少, 少陰次少, 而老陰掛扐極多, 少陰(陽)掛扐次多者,[105] 不能以並乎陽之少也.

老陽·少陽位數皆奇, 奇則一而實; 老陰少陰位數皆偶, 偶則二而虛. 主陽之實而言, 則過揲以多爲貴. 故老陽極多, 少陽(陰)次多, 而老陰過揲極少, 少陰(陽)過揲次少者,[106] 不能以並乎陽之多也.

壹皆以陽之奇與實者爲主, 其尊陽之義可見矣. 二少掛扐·過揲, 皆一進一退而交於二老之中者, 卽上文‘二老進退各至於三之一以成二少’之義.”[107]

옥재 호씨玉齋胡氏[胡方平]가 말했다. “노양은 1에 자리 잡고서 9를 머금고 소양은 3에 자리 잡고서 7을 머금으니, 그 위치와 수가 모두 홀[奇]이다. 노음은 4에 자리 잡고서 6을 머금고 소음은 2에 자리 잡고서 8을 머금으니, 그 위치와 수가 모두 짝[偶]이다. 양의 홀[奇]를 위주로 말하면, 걸어두고 끼운 시초의 수는 적은 것을 귀하게 여긴다. 그러므로 노양(12개)이 가장 적고 소음(16개)이 다음으로 적지만, 노음의 걸어두고 끼운 시초의 수(24개)가 가장 많고 소양의 걸어두고 끼운 시초의 수(16개)가 다음으로 많은 것은, 양의 적은 것과 나란히 할 수 없다.

노양과 소양의 위치와 수는 모두 홀[奇]이고 홀[奇]은 하나로서 ‘차있고[實]’, 노음과 소음의 위치와 수는 모두 짝[偶]이고 짝[偶]은 둘로서 ‘비어 있다.[虛]’ 양의 ‘차있음[實]’을 위주로 말하면, 세어낸 수가 많은 것을 귀하게 여긴다. 그러므로 노양(36개)이 가장 많고 소음(32개)이 다음으로 많지만, 노음의 세어낸 수(24개)가 가장 적고 소양의 세어낸 수(28개)가 다음으로 적은 것은, 양의 많은 것과 나란히 할 수 없다.

한결 같이 모두 양의 홀[奇]과 ‘차있음[實]’을 위주로 하니 양을 높이는 의미를 알 수 있다. 소음과 소양의 걸어두고 끼운 시초의 수와 세어낸 수가 모두 하나는 나아가고 하나는 물러나서 노양과 노음 가운데서 교착한다는 것은, 곧 윗글의 ‘노양과 노음이 나아가고 물러나서 각각 3분의 1에 이르러 소음과 소양을 이룬다.’라는 의미이다.”

[16-3-14]

凡此不唯陰之與陽旣爲二物而迭爲消長, 而其一物之中, 此二端者又各自爲一物而迭爲消長. 其相與低昂如權衡, 其相與判合如符契, 固有非人之私智所能取舍而有無者.

이것은 음이 양과 함께 이미 두 가지가 될 뿐 아니라 번갈아 줄어들고 불어나며, 그 한 가지 가운데

105 故老陽極少, 少陰次少, … 少陰(陽)掛扐次多者 : 걸어두고 끼운 시초의 수를 헤아려 볼 때, ‘故老陽極少, 少陰次少, 而老陰掛扐極多, 少陽掛扐次多者’라고 해야 한다. 이에 따라 번역문은 고쳐서 번역하였다.

106 故老陽極多, 少陽(陰)次多, … 少陰(陽)過揲次少者 : 세어낸 시초의 수를 헤아려 볼 때, ‘故老陽極多, 少陰次多, 而老陰過揲極少, 少陽過揲次少者’라고 해야 한다. 이에 따라 번역문은 고쳐서 번역하였다.

107 호방평, 『易學啟蒙通釋』 권下 「明蓍策」 제3

이 두 단서는 또 각자 한 가지가 되어 번갈아 줄어들고 불어난다. 그것이 서로 함께 내리고 올리고 하는 것이 마치 저울추와 저울대와 같고, 그것이 서로 함께 나누고 합치는 것이 마치 부신符信을 나누고 합치는 것과 같으니, 진실로 사람의 주관적인 지혜로써 취하고 버려서 있게 하고 없게 할 수 있는 것이 아니다.

[16-3-14-1]

玉齋胡氏曰："陰陽'二物', 指二老言; '迭爲消長', 指掛扐過揲言. 同一掛扐也, 老陽以長而變爲少陰, 老陰則以消而變爲少陽. 同一過揲也, 老陽以消而變爲少陰, 老陰則以長而變爲少陽. 此迭爲消長以成二少也.

'一物', 指或爲老陽一物, 或爲老陰一物言. '二端', 指掛扐過揲言. 且以老陽一物論之, 老陽掛扐十二, 視少陰掛扐十六消矣; 少陰掛扐十六, 視老陽掛扐十二則爲長焉. 老陽過揲三十六, 視少陰過揲三十二長矣; 少陰過揲三十二, 視老陽過揲三十六則爲消焉. 掛扐長, 則過揲消; 過揲長, 則掛扐消. 推之老陰一物之中亦然.

옥재 호씨玉齋胡氏[胡方平]가 말했다. "음과 양이 '두 가지'라는 것은 노양과 노음을 가리켜 한 말이고, '번갈아 줄어들고 불어난다.'는 것은 걸어두고 끼우며 세어낸 수를 가리켜 한 말이다. 동일하게 걸어두고 끼우는데 노양은 불어나서 변하여 소음이 되고, 노음은 줄어들어 변하여 소양이 된다. 동일하게 세어내는데 노양은 줄어들어 변하여 소음이 되고, 노음은 불어나서 변하여 소양이 된다. 이것이 번갈아 줄어들고 불어나서 소음과 소양을 이루는 것이다.

'한 가지'라는 것은 노양 한 가지가 되거나 노음 한 가지가 되는 것을 가리켜 말하고, '두 단서'는 걸어두고 끼우는 것과 세어내는 것을 가리켜 한 말이다. 우선 노양 한 가지로써 논하면, 노양의 걸어두고 끼운 시초의 수 12는 소음의 걸어두고 끼운 시초의 수 16에 비해 줄어들었고, 소음의 걸어두고 끼운 시초의 수 16은 노양의 걸어두고 끼운 시초의 수 12에 비해 불어났다. 노양의 세어낸 수 36은 소음의 세어낸 수 32에 비하여 불어났고, 소음의 세어낸 수 32는 노양의 세어낸 수 36에 비하여 줄어들었다. 걸어두고 끼운 시초의 수가 불어나면 세어낸 수가 줄어들고, 세어낸 수가 불어나면 걸어두고 끼운 시초의 수가 줄어든다. 노음 한 가지 가운데도 추론하면 역시 그러하다.

'相與低昂如權衡', 陽長則陽昂而陰低, 陰長則陰昂而陽低, 如權衡之有輕重也. '相與判合如符契', 合焉而陰陽二物迭爲消長, 判焉而一物之中又各自有消長, 如符契之有判合也. 因其相與之義, 究其迭爲之旨, 其自然之妙, 豈容人力於其間哉!"[108]

'서로 함께 내리고 올리고 하는 것이 마치 저울추와 저울대와 같다.'는 것은 양이 불어나면 양이 올라가고 음이 내려가며, 음이 불어나면 음이 올라가고 양이 내려가는 것이, 마치 저울추와 저울대로 가볍고 무거운 것을 재는 것과 같다는 것이다. '서로 함께 나누고 합치는 것은 마치 부신符信을 나누

108 호방평, 『易學啟蒙通釋』 권下 「明著策」 제3

고 합치는 것과 같다.'는 것은 합쳐져서 음과 양 두 가지가 번갈아 줄어들고 불어나며, 나뉘어서 한 가지 가운데 또 각자 줄어들고 불어나는 것이, 마치 부신符信을 나누고 합치는 것과 같다는 것이다. 서로 함께하는 의미에 근거해서 번갈아 하는 뜻을 탐구해 보면, 그 자연스러운 오묘함이 어찌 사람의 힘이 그 사이에 끼어드는 것을 용납하겠는가!"

[16-3-15]

而況掛扐之數, 乃七・八・九・六之原; 而過揲之數, 乃七・八・九・六之委; 其勢又有輕重之不同. 而或者乃欲廢置掛扐, 而獨以過揲之數爲斷, 則是舍本而取末, 去約以就煩, 而不知其不可也. 豈不誤哉!

하물며 걸어두고 끼우는 수는 7・8・9・6의 근원이고, 세어낸 수는 7・8・9・6의 결말이니, 그 형세는 또 가벼움과 무거움의 다름이 있다. 그러나 어떤 사람은 걸어두고 끼우는 수를 제쳐 놓고 다만 세어낸 수로써 단정하려고 하니, 이는 근본을 버리고 말단을 취하며 간략함을 버리고 번거로움에 나아가서 그것이 옳지 않음을 모르는 것이다. 어찌 잘못이 아니겠는가!

[16-3-15-1]

雲莊劉氏曰："掛扐之數所以不可廢置者, 有兩儀·三才·四時·閏餘之象焉. 使聖人當時若不以掛扐爲主, 將四十有九之蓍分二之後, 去其一足矣, 何必掛之以象三才; 揲左之後, 去其所餘之奇足矣, 何必扐之以象閏; 揲右之後, 又去其所餘之奇足矣, 何必再扐之以象再閏? 所以然者, 正欲以掛扐爲主也.

운장 유씨雲莊劉氏[劉爚]가 말했다. "걸어두고 끼우는 수를 폐기하여 제쳐놓을 수 없는 까닭은 양의兩儀・삼재三才・사계절・윤여閏餘의 상象이 있기 때문이다. 가령 성인이 당시에 만약 걸어두고 끼우는 수를 위주로 하지 않았다면, 49개의 시초를 둘로 나눈 뒤에 1개를 버려도 충분한데 하필이면 그것을 걸어두어 삼재를 상징하고, 왼손의 것을 세어낸 뒤에 그 남은 수를 버려도 충분한데 하필이면 그것을 끼워서 윤달을 상징하며, 오른손의 것을 세어낸 뒤 또 그 남은 수를 버려도 충분한데 하필이면 그것을 끼워서 두 번째 윤달을 상징하였겠는가? 그 까닭은 바로 걸어두고 끼우는 것을 위주로 하려고 했기 때문이다.

若夫乾·坤之策以過揲紀之而不及掛扐者, 畢竟過揲之數皆四十九蓍中之策. 以掛扐定爻之老少, 復以過揲紀爻之策數, 則蓍之全數於卦爻皆有用矣. 如必欲廢置掛扐, 盡用過揲, 是爲不知本之論也. 其誤可勝言哉!"[109]

그런데 건괘와 곤괘의 시초의 수는 세어낸 수로 기록을 하지 걸어두고 끼운 시초의 수를 언급하지 않는 것은, 결국에는 세어낸 수가 모두 49개 시초 가운데의 시초이기 때문이다. 걸어두고 끼운 시초

109 호방평, 『易學啟蒙通釋』 권下「明蓍策」 제3에, 劉爚의 말로 되어 있다.

의 수로써 효의 노·소를 결정하고 다시 세어낸 수로써 효의 시초의 수를 기록하니, 시초의 모든 수는 괘·효에서 모두 사용된다. 만약 반드시 걸어두고 끼우는 수를 폐기하여 제쳐 놓고 세어낸 수만을 다 사용하려고 한다면, 이것은 근본을 알지 못하는 이론이 되니 그 잘못을 이루 다 말할 수 있겠는가!"

[16-3-15-2]

玉齋胡氏曰 : "有過揲必先有掛扐, 掛扐所以爲七·八·九·六之原. 有掛扐而後有過揲, 過揲所以爲七·八·九·六之委.

옥재 호씨玉齋胡氏[胡方平]가 말했다. "세어낸 수가 있으면 반드시 먼저 걸어두고 끼우는 수가 있으니, 걸어두고 끼우는 수가 7·8·9·6의 근원이 되는 까닭이다. 걸어두고 끼우는 수가 있은 뒤에 세어낸 수가 있으니, 세어낸 수가 7·8·9·6의 결말이 되는 까닭이다.

朱子辨郭氏云, '四十九蓍, 蓍之全數也. 以其全數而揲之, 則其前爲掛扐, 其後爲過揲. 以四乘掛扐之數, 必得過揲之策; 以四除過揲之策, 必得掛扐之數. 其自然之妙, 如牝牡之相銜, 如符契之相合, 可以相勝而不可以相无. 且其前後相因, 固有次第, 而掛扐之數所以爲七·八·九·六, 又有非偶然者, 皆不可以不察也.

今於掛扐之策, 旣不知其所自來, 而以爲无所預於揲法,[110] 徒守過揲之數以爲正策, 而亦不知正策之所自來也. 其欲增損全數以明掛扐之可廢, 是又不知其不可相無之說, 其失益以甚矣.'

주자朱子[朱熹]는 곽씨郭氏[郭雍]의 주장에 대해 논변하여 다음과 같이 말했다. '49개의 시초는 시초의 전체 수이다. 그 전체 수로써 세면, 걸어두고 끼우는 것이 먼저이며 세어내는 것이 나중이다. 걸어두고 끼운 시초의 수에 4를 곱하면 반드시 세어낸 시초의 수를 얻으며, 세어낸 시초의 수에 4를 나누면 반드시 걸어두고 끼운 시초의 수를 얻는다. 그 자연스러운 오묘함은 마치 암컷과 수컷이 서로 마음을 품는 것과 같고 부신이 서로 합치하는 것과 같으니, 서로 이길 수는 있으나 서로 없앨 수는 없다. 또한 그 앞뒤로 서로 따르는 것이 본래 차례가 있어서 걸어두고 끼우는 수가 7·8·9·6이 되는 까닭도 또한 우연이 아니니, 모두 살피지 않을 수 없다.

이제 걸어두고 끼우는 시초에 대하여 이미 그 유래를 알지 못하고 세는 방법에 관계할 것이 없다고 하여, 다만 세어낸 시초의 수를 올바른 시초의 수로 여기는 것을 고수하지만, 또한 올바른 시초의 수의 유래를 알지 못하는 것이다. 전체 수를 보태고 덜어내서 걸어두고 끼우는 수를 폐기할 수 있다는 것을 밝히려고 하는 것은, 또 서로 없앨 수 없다는 이론을 알지 못하는 것이니, 그 잘못이 더욱 심하다고 할 수 있겠다.'[111]

110 而以爲无所預於揲法 : 『朱文公文集』 권66 「蓍卦考誤」에는, '而以爲无所務於揲法'이라고 되어 있다.
111 『朱文公文集』 권66 「蓍卦考誤」

又答郭氏書云, '過揲之數雖先得之, 然其數衆而繁; 歸奇之數雖後得之, 然其數寡而約. 紀數之法, 以約御繁, 不以衆制寡. 故先儒舊說專以多少決陰陽之老少, 而過揲之數亦冥會焉, 初非有異說也. 然七·八·九·六所以爲陰陽之老少者, 其說本於「圖」·「書」, 定於四象, 其歸奇之數, 亦因揲而得之耳. 大抵「河圖」·「洛書」者, 七·八·九·六之祖也; 四象之形體·次第者, 其父也; 歸奇之奇偶·方圓者, 其子也; 過揲而以四乘之者, 其孫也. 今自歸奇以上皆棄而不録, 而獨以過揲四乘之數爲說, 恐未究象數之本原也.'
按此二條, 說掛扐·過揲·本末·先後, 最爲精密, 所以正郭氏之誤無餘說矣. 此節所謂或者, 正指郭氏言也."[112]

또 (주희는) 곽씨郭氏[郭雍]에게 답하는 서신에서 다음과 같이 말했다. '세어낸 시초의 수는 비록 먼저 얻지만 그 수는 많고 번거로우며, 남은 것을 돌려보내는 시초의 수는 비록 나중에 얻지만 그 수는 적고 간략하다. 수를 기록하는 방법은 간략한 것으로써 번거로운 것을 제어하지 많은 것으로써 적은 것을 제어하지 않는다. 그러므로 선대 학자들의 옛 이론은 오로지 많음과 적음으로써 음·양의 노·소를 결정하였는데 세어낸 수는 또한 암암리에 합치하니, 애초에 다른 이론이 있지 않다. 그러나 7·8·9·6이 음·양의 노·소가 되는 까닭은 그 이론이 「하도」와 「낙서」에 근본하고 4상에서 확정되니, 그 남은 것을 돌려보내는 수는 또한 세는 것에 따라서 얻었을 뿐이다. 대개 「하도」와 「낙서」는 7·8·9·6의 조부이고, 4상의 형체와 차례는 그 아버지이며, 남은 것을 돌려보내는 수의 홀[奇]·짝[偶]과 네모·원은 그 아들이고, 세어낸 수를 4로 곱하는 것은 그 손자이다. 이제 남은 것을 돌려보내는 수에서부터 그 이상은 모두 버려서 기록하지 않고 다만 세어낸 수에 4를 곱한 수만을 말하니, 아마 상수의 본원을 탐구하지 않은 듯하다.'[113]
내胡方平 생각에 이 두 조목이 걸어두고 끼우는 수와 세어낸 수의 본말과 선후를 가장 정밀하게 설명했으니, 그것으로써 곽씨郭氏[郭雍]의 오류를 바로잡는데 더 이상의 설명이 필요 없다. 이 절에서 이른바 '어떤 사람'은 바로 곽씨를 가리켜 말했다."

[16-3-16]

邵子曰: "五與四·四, 去掛一之數, 則四三十二也; 九與八·八, 去掛一之數, 則四六二十四也; 五與八·八, 九與四·八, 去掛一之數, 則四五二十也; 九與四·四, 五與四·八, 去掛一之數, 則四四十六也. 故去其三·四·五·六之數, 以成九·八·七·六之策," 此之謂也.
소자가 말하기를 "5와 4·4에서 걸어둔 시초 1개의 수를 제거하면 4×3=12가 되고, 9와 8·8에서 걸어둔 시초 1개의 수를 제거하면 4×6=24가 되며, 5와 8·8 및 9와 4·8에서 걸어둔 시초 1개의 수를 제거하면 4×5=20이 되고, 9와 4·4 및 5와 4·8에서 걸어둔 시초 1개의 수를 제거하면 4×4=16이 된다. 그러므로 그 3·4·5·6이라는 수를 제거하여 9·8·7·6이라는 시초의 수를 이룬다."[114]고

112 호방평, 『易學啟蒙通釋』 권下 「明蓍策」 제3
113 『朱文公文集』 권37 「與郭沖晦」

한 것은, 이것을 말한다.

[16-3-16-1]

朱子曰："邵子此條是說陰陽·老少掛扐之數. 『啓蒙』引之者, 蓋以證掛扐之數乃七八九六之原. 以掛扐歸奇言之, 老陽得三·四, 少陰得四·四, 少陽得五·四, 老陰得六·四. 今不用三·四·五·六之數, 而以奇偶取徑一圍三·圍四用半之義者, 以成七·八·九·六之策故也."[115]

주자가 말했다. "소자의 이 조목은 음·양, 노·소의 걸어두고 끼운 시초의 수를 설명한 것이다. 『역학계몽』에서 이것을 인용한 것은 그것으로써 걸어두고 끼운 시초의 수가 이에 7·8·9·6의 근원임을 증명하기 때문이다. 걸어두고 끼우고 나머지를 돌려보낸 시초의 수로써 말하면, 노양은 4를 3개 얻고, 소음은 4를 4개 얻으며, 소양은 4를 5개 얻고, 노음은 4를 6개 얻는다. 지금 3·4·5·6이라는 수를 사용하지 않고 홀[奇]·짝[偶]으로써 지름 1에 둘레 3, 둘레 4에 절반을 사용한다는 뜻을 취한 것은, 7·8·9·6이라는 시초의 수를 이루기 때문이다."

[16-3-16-2]

玉齋胡氏曰："老陽掛扐十三, 去初掛一爲十二. 老陰掛扐二十五, 去初掛一爲二十四. 少陽掛扐二十一, 去初掛扐爲二十. 少陰掛扐十七, 去初掛一爲十六. 此去初掛之一以驗奇偶多寡之所由分也. 奇偶旣分, 用數斯判.

옥재 호씨玉齋胡氏[胡方平]가 말했다. "노양의 걸어두고 끼운 시초의 수는 13개인데, 처음에 걸어둔 시초 1개를 제거하면 12개가 된다. 노음의 걸어두고 끼운 시초의 수는 25개인데, 처음에 걸어둔 시초 1개를 제거하면 24개가 된다. 소양의 걸어두고 끼운 시초의 수는 21개인데, 처음에 걸어둔 시초 1개를 제거하면 20개가 된다. 소음의 걸어두고 끼운 시초의 수는 17개인데, 처음에 걸어둔 시초 1개를 제거하면 16개가 된다. 이것은 처음에 걸어둔 시초 1개를 제거함으로써 홀[奇]·짝[偶]의 많음·적음이 나누어지는 연유를 증험한 것이다. 홀과 짝이 이미 나누어지면 사용하는 수가 여기에서 갈라진다.

奇圓用全而徑一圍三, 偶方用半而徑一圍四, 是以老陽掛扐三奇十二全用. 又於三奇內去一策以象圓, 而三一之中各復有三, 積三三之數爲九, 是去三以成九也.

少陰掛扐兩奇一偶十六, 兩奇全用, 故四策各全用. 一偶用半, 故八策只用四, 亦用十二. 於兩奇內去一數以象圓, 而二一之中各復有三, 於一偶內去二數以象方, 而一二之中復有二, 積二三·一二之策爲八, 是去四以成八也.

홀[奇]은 원으로서 전부를 사용하고 지름 1에 둘레 3이며, 짝[偶]은 네모로서 절반을 사용하고 지름

114 『皇極經世書』 권13 「觀物外篇上」

115 王宏撰, 『周易筮述』 권2 「揲法」 제4에 주희의 말로 실려 있다.

1에 둘레 4이니, 이 때문에 노양의 걸어두고 끼운 시초의 수(5 · 4 · 4)는 3개의 홀로서 12이고, 전부를 사용한다. 또 3개의 홀 안에서 1개의 시초의 수를 제거하여 원을 상징하고, 3개의 1 가운데 각각 다시 3개가 있으니, 그 3개의 3을 누적한 수는 9가 되므로, 이것이 3을 제거하여 9를 이룬다는 것이다. 소음의 걸어두고 끼운 시초의 수(9 · 4 · 4와 5 · 4 · 8)는 2개의 홀[奇]과 1개의 짝[偶]으로서 16이고, 그 가운데 2개의 홀(4 · 4와 5 · 4)은 전부 사용하므로, 4개의 시초는 각각 전부 사용한다. 1개의 짝(9와 8)은 절반을 사용하므로 8개의 시초는 다만 4개를 사용하고 또한 12를 사용한다. 2개의 홀 안에서 1개의 시초 수를 제거하여 원을 상징하고, 2개의 1 가운데 각각 다시 3개의 시초가 있으며, 1개의 짝 안에서 2개의 시초 수를 제거하여 네모를 상징하고, 1개의 2 가운데 다시 2개가 있으니, 그 2개의 3과 1개의 2를 누적한 시초의 수는 8이 되므로, 이것이 4를 제거하여 8을 이룬다는 것이다.

少陽掛扐兩偶一奇二十，一奇用全，故四策全用. 兩偶用半，故八策各用四，亦用十二. 於一奇內去一數以象圓， 而一之中復有三， 於兩偶內各去二數以象方， 而三(二)二之中各復有二[116]，積一三·二二之策爲七，是去五以成七也.
老陰掛扐三偶二十四，用半亦只用十二. 又於三偶內各去二數以象方，而三二之中各復有二，積三二之策爲六，是去六以成六也.
此去三·四·五·六之數以成九·八·七·六之策也.
소양의 걸어두고 끼운 시초의 수(5 · 8 · 8과 9 · 4 · 8)는 2개의 짝[偶]과 1개의 홀[奇]로서 20이고, 1개의 홀(5와 4)은 전부 사용하므로 4개의 시초는 전부 사용한다. 2개의 짝(8 · 8과 9 · 8)은 절반을 사용하므로 8개의 시초는 각각 4개를 사용하고 또한 12개를 사용한다. 1개의 홀 안에서 1개의 시초 수를 제거하여 원을 상징하고, 1 가운데 다시 3개의 시초가 있으며, 2개의 짝 안에 각각 다시 2개의 시초 수를 제거하여 네모를 상징하고 2개의 2 가운데 각각 다시 2개가 있으니, 1개의 3과 2개의 2를 누적한 시초 수는 7이 되므로, 이것이 5를 제거하여 7을 이룬다는 것이다.
노음의 걸어두고 끼운 시초의 수(9 · 8 · 8)는 3개의 짝[偶]으로서 24이고, 절반을 사용하니 또한 다만 12개를 사용한다. 또 3개의 짝 안에서 각각 2개의 시초 수를 제거하여 네모를 상징하고, 3개의 2 가운데 각각 다시 2개가 있으니, 3개의 2를 누적한 시초 수는 6이 되므로, 이것이 6을 제거하여 6을 이룬다는 것이다.
이것이 3 · 4 · 5 · 6이라는 수를 제거하여 9 · 8 · 7 · 6이라는 시초의 수를 얻는다는 것이다.

是知老少掛扐去初掛之後多寡雖不同， 而用全·用半均不過十二之數. 以其十二者去三則成九，去四則成八，去五則成七，去六則成六. 十二，乃老陽掛扐之數也. 壹是皆以老陽之數爲準，而去取以成九·八·七·六焉. 其尊陽之意，又可見於此矣."[117]

116 而三(二)二之中各復有二 : 이황은 『啓蒙傳疑』「明蓍策」 제3에서, '而二二之中各復有二'이라고 바로잡았다. 소양의 걸어두고 끼운 시초의 수(5 · 8 · 8과 9 · 4 · 8)에는 2개의 짝[偶]이 있으니, 이황이 바로잡은 것이 옳다.

이에 노 · 소의 걸어두고 끼운 시초의 수에서 처음 걸어둔 시초를 제거한 뒤에 그것들의 많음과 적음이 비록 다르지만, 전부 사용하는 것과 절반을 사용하는 것이 모두 12라는 수를 넘지 않는 것을 알 수 있다. 그 12라는 수에서 3을 제거하면 9가 이루어지고, 4를 제거하면 8이 이루어지며, 5를 제거하면 7이 이루어지고, 6을 제거하면 6이 이루어진다. 12는 곧 노양의 걸어두고 끼운 시초의 수이다. 한결 같이 모두 노양의 수를 기준으로 삼아 제거하고 취하여 9 · 8 · 7 · 6의 수를 이룬다. 그 양을 높이는 뜻을 또 여기에서 볼 수 있다."

[16-3-17]

一爻已成, 再合四十九策, 復分掛揲歸以成一變. 每三變而成一爻, 並如前法.

1개의 효가 이미 이루어지면 49개의 시초를 다시 한 번 합쳐서 다시 둘로 나누고, 1개를 걸어두며, 4개씩 세고, 나머지를 되돌려서 1변을 이룬다. 매 3변마다 1개의 효를 이루는 것이 또한 앞의 방법과 같다.

[16-3-17-1]

朱子曰 : "今按四象之數, 乃天地之間自然之理. 其在「河圖」·「洛書」各有定位. 故聖人畫卦自兩而生, 有畫以見其象, 有位以定其次, 有數以積其實. 其爲四象也久矣. 至於揲蓍, 然後掛扐之奇偶·方圓有以兆之於前, 過揲之數有以乘之於後, 而九·六·七·八之數隱然於其中.[118] 未畫之前, 先有此象數. 聖人畫卦時依樣畫出. 揲蓍者又隨其所得掛扐過揲之數以合焉. 非是元無實體, 而畫卦揲蓍之際, 旋次安排出來也.[119]"

주자가 말했다. "이제 살펴보건대 4상의 수는 바로 하늘과 땅 사이의 저절로 그러한 리理이다. 그것이 「하도」와 「낙서」에서는 각각 정해진 자리가 있다. 그러므로 성인이 괘를 그은 것은 양의兩儀로부터 생겨났는데, 획을 가지고서 그 상象을 보이고, 위치를 가지고서 그 차례를 정하며, 수를 가지고서 그 실질을 쌓았다. 그것이 4상이 된 지는 오래되었다. 시초를 세고 나서야 걸어두고 끼운 시초 수의 홀[奇]과 짝[偶], 네모와 원을 가지고서 앞에서 그것을 조짐으로 삼고, 세어낸 시초의 수(36 · 32 · 28 · 24)를 가지고서 뒤에서 그것을 곱하는 것으로 하였는데, 9 · 6 · 7 · 8의 수가 은연중에 그 속에 있었다.

획을 긋기 전에 먼저 이 상象과 수數가 있었다. 성인이 괘를 그을 때 그것을 그대로 본떠서 그려내었

117 호방평, 『易學啟蒙通釋』 권下 「明著策」 제3

118 『朱文公文集』 권66 「著卦考誤」에는, "今按四象之數, 乃天地之間自然之理. 其在「河圖」·「洛書」各有定位. 故聖人畫卦自兩儀而生, 有畫以見其象, 有位以定其次, 有數以積其實. 其爲四象也久矣.至於揲蓍, 然後掛扐之奇偶方圓有以兆之於前, 過揲之三十六 · 三十二 · 二十八 · 二十四有以乘之於後, 而九 · 六 · 七 · 八之數隱然於其中."이라고 되어 있다.

119 『朱文公文集』 권38 「答袁機仲」에는, "未畫之前先有此象此數. 然後聖人畫卦時依樣畫出. 揲蓍者又隨其所得掛扐過揲之數以合焉. 非是元無實體, 而畫卦揲蓍之際, 旋次安排出來也."라고 되어 있다.

다. 시초를 세는 것은 또 거기에서 얻은 걸어두고 끼운 시초의 수와 세어낸 시초의 수에 따라서 합한 것이다. 원래 실체가 없었다가 괘를 긋고 시초를 셀 때에 차례대로 안배하여 나온 것이 아니다."

[16-3-17-2]

"老·少於『經』, 固無明文. 然揲蓍之法以奇偶分之, 然後爻之陰·陽可得而辨. 又於其中各以老·少分之, 然後爻之陰·陽變與不變可得而分. 『經』之用九·用六, 正謂比也. 若其無此, 則終日揲蓍不知合得何卦; 正使得卦, 不知當用何爻."[120]

(주자가 말했다.) "노·소에 대해서는 『역경』에 본래 명백하게 기록된 글이 없다. 그러나 시초를 세는 방법으로 홀[奇]·짝[偶]을 나눈 다음에는 효의 음·양을 분별할 수 있다. 또 그 가운데에서 각각 노·소를 나눈 다음에는 효의 음·양이 변하는 것인지 변하지 않는 것인지 분별할 수 있다. 『역경』에서 말하는 '9를 사용한다.[用九]', '6을 사용한다.[用六]'는 것은 바로 이것을 말한다. 만약 이것이 없다면 종일토록 시초를 세어도 무슨 괘를 만나게 되는지 알 수 없고, 설사 괘를 얻었어도 마땅히 무슨 효를 사용해야 되는지 알 수 없다."

[16-3-17-3]

"九·六之說, 嘗謂五行成數去其地十之土而不用, 則七·八·九·六而已. 陽奇·陰偶, 故七·九爲陽, 六·八爲陰. 陽進·陰退, 故九·六爲老, 而七·八爲少. 陽極於九, 則退八而爲陰; 陰極於六, 則進七而爲陽. 一進一退, 循環無端. 龜山所謂'參之爲三(九), 兩之爲六',[121] 乃康節以三爲眞數, 故以三·兩乘之而得九·六之數也."[122]

(주자가 말했다.) "9·6에 대한 설명은, 일찍이 5행五行의 성수成數에서 땅 10의 토土를 제거하여 사용하지 않으면, 7·8·9·6일 뿐이라고 말한 적이 있다. 양은 홀[奇]이고 음은 짝[偶]이기 때문에 7·9는 양이 되고 6·8은 음이 된다. 양은 나아가고 음은 물러나기 때문에 9·6은 노老가 되고 7·8은 소少가 된다. 양이 9에서 극에 이르면 8로 물러나 음이 되고, 음이 6에서 극에 이르면 7로 나아가 양이 된다. 하나는 나아가고 하나는 물러나는 것이 순환하여 끝이 없다. 구산龜山[楊時][123]이 이른바

120 『朱文公文集』 권38 「答袁機仲」에는, "老·少於『經』, 固無明文. 然揲蓍之法, 三變之中掛扐四以奇偶分之, 然後爻之陰陽可得而辨. 又於其中各以老·少分之, 然後爻之變與不變可得而分. 『經』所謂用九·用六者, 正謂此也. 若其無此, 則終日揲蓍不知合得何卦; 正使得卦, 不知當用何爻."라고 되어 있다.

121 '參之爲三(九), 兩之爲六': 현행 『龜山集』에 이 말이 없지만, 『龜山集』을 편집한 주희의 『朱文公文集』 권44 「答方伯謨」에는, '參之爲九, 兩之爲六'이라고 되어 있다. 논리상 『朱文公文集』의 글에 따라 번역하였다.

122 『朱文公文集』 권44 「答方伯謨」에는, "九·六之說, 嘗謂五行成數去其地十之土而不用, 則七·八·九·六而已. 陽奇·陰偶, 故七·九爲陽, 六·八爲陰. 陽進·陰退, 故九·六爲老, 而七·八爲少. 陽極於九, 則退八而爲陰; 陰極於六, 則進七而爲陽. 一進一退, 循環無端. 此揲蓍之法, 所以用九六而不用七八, 蓋取其變也. 只以此說推之, 似無窒礙. 龜山所謂'參之爲九, 兩之爲六', 乃康節以三爲眞數, 故以三·兩乘之而得九·六之數也."라고 되어 있다.

123 楊時(1053~1135): 자는 中立이고 호는 龜山이다. 북송 將樂(현 복건성 장락현) 사람이다. 程顥·程頤 형제에

'그것을 세 배하여 9가 되고 두 배 하여 6이 된다.'고 한 것은, 바로 소강절康節[邵雍]이 3을 '참된 수[眞數]'로 여겼기 때문에 그것을 3으로 곱하고 2로 곱하여 9·6이라는 수를 얻는다는 것이다."

[16-3-17-4]

"多少之說, 雖不經見, 然其實以一約四, 以奇爲少, 以偶爲多而已. 九·八者兩其四也, 陰之偶也, 故謂之多. 五·四者一其四也, 陽之奇也, 故謂之少. 奇陽體圓, 其法徑一圍三而用其全, 故少之數三. 偶陰體方, 其法徑一圍四而用其半, 故多之數二. 歸奇積三三而爲九, 則其過揲者四之而爲三十六矣. 歸奇積三二而爲六, 則其過揲者四之而爲二十四矣."[124]

(주자가 말했다.) "많음과 적음에 대한 설명은, 비록 『역경』에는 보이지 않지만, 사실은 (걸어두고 끼운 시초의 수·세어낸 시초의 수를) 한결같이 4로 약분하여 홀[奇]을 적음으로 여기고 짝[偶]을 많음으로 여겼을 뿐이다. 9와 8은 그 4가 둘이고 짝[偶]으로서 음이므로 '많음'이라고 한다. 5와 4는 그 4가 하나이고 홀[奇]로서 양이므로 '적음'이라고 한다. 홀[奇]인 양은 형체가 원이니, 그 법칙은 지름 1, 둘레 3이고 그 전부를 사용하므로 '적음'의 수는 3이다. 짝[偶]인 음은 형체가 네모이니, 그 법칙은 지름 1·둘레 4이고 그 절반을 사용하므로 '많음'의 수는 2이다. 나머지 시초를 되돌린 것이 3을 3번 누적하여 9가 되면, 그 세어낸 시초는 그것을 4배하여 36이 된다. 나머지 시초를 되돌린 것이 2를 3번 누적하여 6이 되면, 그 세어낸 시초는 그것을 4배하여 24가 된다."

[16-3-17-5]

"二老變之說無他, 到極處了無去處只得變. 九上更去不得了只得回來做八, 六下來便是五生數了亦去不得, 所以却去做七."[125]

(주자가 말했다.) "노양과 노음이 변하는 것에 대한 설명은 다름이 아니라, 궁극에 다다르고 나서는 갈 곳이 없으므로 다만 변할 뿐이라는 것이다. 9는 위로 더 이상 갈 수 없게 되었으니 다만 되돌아와서 8이 될 뿐이고, 6은 아래로 내려가면 5라는 생수生數가 되어버리니 또한 갈 수가 없으므로 되돌아가서 7이 될 뿐이다."

[16-3-17-6]

"揲蓍雖是一小事, 自孔子來千五百年人都理會不得. 唐人雖說得有病, 大體理會得是. 近來說得大乖自郭子和始. 子和以掛一爲奇, 以揲之餘爲扐, 又不用老·少, 只用三十六·三十二·

게 師事했는데, 특히 형 정호의 신임을 받았다. 그는 오래 살면서 二程(정호·정이)의 도학을 전하여 洛學(이정의 학파)의 大宗이 되었으며, 그 學系에서는 주희·張栻·呂祖謙 등 뛰어난 학자가 많이 배출되었다. 저서에 『龜山集』, 『龜山語錄』, 『二程粹言』 등이 있다.

124 『朱文公文集』 권66, 「蓍卦考誤」

125 『朱子語類』 권65, 54조목에는 "老陰·老陽所以變者, 無他, 到極處了, 無去處, 便只得變. 九上更去不得了, 只得變回來做八. 六下來, 便是五生數了, 也去不得, 所以卻去做七."이라고 되어 있다.

二十八·二十四爲策數；以爲聖人從來只說陰·陽，不曾說老·少．不知旣無老·少，則七·八·九·六皆無用，又何以爲卦．又以第一揲扐爲扐，第二·第三揲不掛爲扐，第四又掛，如此則無五年再閏，是六年再閏也．"[126]

(주자가 말했다.) "시초를 세는 것은 비록 하나의 작은 일이지만, 공자 이래 1,500년 동안 사람들은 모두 이를 이해하지 못했다. 당唐대 사람은 비록 그 설명이 문제가 있었지만 대체로 올바르게 이해했다. 근래에 그 설명이 크게 어그러진 것은 곽자화郭子和[郭雍]로부터 비롯되었다. 곽자화는 1개를 걸어둔 것을 '나머지 시초[奇]'로 삼고, 4개씩 세어낸 나머지 시초를 '끼우는 시초[扐]'로 삼았으며, 또 '노·소'라는 말을 사용하지 않고 다만 '36·32·28·24'라는 수를 사용하여 시초의 수로 삼고서는, 성인은 여태껏 다만 '음·양'만을 말했지 '노·소'를 말한 적이 없다고 여겼다. 이미 '노·소'가 없다면 '7·8·9·6'은 모두 쓸모가 없는데, 또 어떻게 괘가 될 수 있는지에 대해서는 몰랐다. 또 첫 번째 세어내고 끼운 시초를 끼우는 시초로 삼고, 두 번째와 세 번째 세어내고 걸어두지 않는 것을 끼우는 시초로 삼았으며, 네 번째에서는 또 걸어둔다고 하니, 이와 같다면 5년에 두 번 윤년이 드는 일이 없고 6년에 두 번 윤년이 드는 것이다."

[16-3-17-7]

或問："蓍之爲用，不知蓍是伏羲從來設，是後之聖人設．若謂伏羲只以心之所得者畫出，元未有蓍，則畫卦如何用．"

曰："想自有一物如蓍未可知．但不可道伏羲將揲蓍來立卦．如今時俗只把三銅錢求卦亦可也．"

어떤 사람이 물었다. "시초를 사용하는 것에서, 시초는 복희 때부터 갖추었는지, 뒤의 성인이 갖추었는지 모르겠습니다. 만약 복희가 다만 마음으로 터득한 것을 그려내기만 했을 뿐 원래 시초가 없었다고 한다면, 괘를 그은 것은 어디에 쓰겠습니까?"

(주자가) 대답했다. "아마 원래 어떤 것이 있었을 텐데 그것이 시초와 같은 것이었는지는 알 수 없다. 그러나 복희가 시초를 세는 것을 가지고 괘를 만들었다고 말할 수 없다. 오늘날 세속에서 다만 동전 3개를 가지고 괘를 구하는데 이 역시 괜찮다."

[16-4]

乾之策二百一十有六，坤之策百四十有四，凡三百有六十，當期之日．[127]

126 『朱子語類』 권75, 30조목에는 "揲蓍雖是一小事，自孔子來千五百年，人都理會不得．唐時人說得雖有病痛，大體理會得是．近來說得太乖，自郭子和始．奇者，揲之餘爲奇；扐者，歸其餘扐於二指之中．今子和反以掛一爲奇，而以揲之餘爲扐；又不用老少，只用三十六·三十二·二十八·二十四爲策數，以爲聖人從來只說陰·陽，不曾說老·少．不知他旣無老·少，則七·八·九·六皆無用，又何以爲卦？… 他以第一揲扐爲扐，第二·第三揲不掛爲扐，第四揲又掛．然如此，則無五年再閏．〈厲錄云：'則是六年再閏也.'〉"라고 되어 있다.

127 『易』「繫辭上」 제9장

건괘䷀의 시초 수는 216개이고 곤괘䷁의 시초 수는 144개이며, 모두 360개이니 1년의 날 수에 해당한다.

[16-4-1]

'乾之策二百一十有六'者, 積六爻之策各三十六而得之也. '坤之策百四十有四'者, 積六爻之策各二十有四而得之也. '凡三百六十'者, 合二百一十有六, 百四十有四而得之也. '當期之日'者, 每月三十日, 合十二月爲三百六十也.

蓋以氣言之, 則有三百六十六日; 以朔言之, 則有三百五十四日. 今擧氣盈·朔虛之中數而言, 故曰三百有六十也. 然少陽之策二十八, 積乾六爻之策, 則一百六十八; 少陰之策三十二, 積坤六爻之策, 則一百九十二. 此獨以老陰·陽之策爲言者, 以『易』用九·六不用七·八也. 然二少之合, 亦三百有六十.

'건괘의 시초 수가 216개'라는 것은 건괘 6개 효의 세어낸 시초 수가 각각 36개인 것을 누적하여 얻은 것이다.(6×36=216) '곤괘의 시초 수가 144개'라는 것은 곤괘 6개 효의 세어낸 시초 수가 각각 24개인 것을 누적하여 얻은 것이다.(6×24=144) '모두 360개'라는 것은 216개와 144개를 합하여 얻은 것이다. '1년의 날 수에 해당한다.'는 것은 매월 30일에 12개월을 합하면 360이 된다는 것이다.

24절기로 말하면 366일이고 월력으로 말하면 354일이다. 지금 '기영氣盈·삭허·朔虛'의 중간 수를 들어 말했기 때문에 '360일'이라고 했다. 그러나 소양의 세어낸 시초 수 28을 건괘 6개 효의 세어낸 시초의 수로 누적하면 168개(28×6=168)이고, 소음의 세어낸 시초의 수 32를 곤괘 6개 효의 세어낸 시초의 수로 누적하면 192개(32×6=192)이다. 여기에서 오직 노음·노양의 세어낸 시초 수를 가지고 말한 것은 『역』에서는 9와 6을 사용하되 7과 8은 사용하지 않기 때문이다. 그러나 소양·소음의 합도 역시 360이다.

[16-4-1-1]

玉齋胡氏曰 : "策, 指過揲之策. 乾·坤二老之策足以當期之數, 二少之策亦足以當期之數. 『易』以九·六名爻, 故言老而不言少.

옥재 호씨玉齋胡氏[胡方平]가 말했다. "여기에서의 '시초'는 세어낸 시초의 수를 가리킨다. 건괘와 곤괘라는 노양과 노음의 시초의 수는 1년의 날수에 해당되기에 충분하고, 소음과 소양의 시초도 역시 1년의 날수에 해당되기에 충분하다. 『역』에서는 9·6으로 효를 명명하기 때문에 노음·노양을 말하지 소음·소양을 말하지 않는다.

朱子答程可久云, '不可專指乾·坤之爻爲老陽·老陰, 其實六爻之爲陰·陽者老少錯雜. 「大傳」以六爻乘二老言, 故云「乾之策二百一十六, 坤之策百四十四, 凡三百六十.」 然爲六子諸卦者, 亦互有老少焉. 以策數合之, 亦三百六十. 若便以乾·坤皆爲老陰·陽, 六子皆爲少陰·陽, 則恐未安也.'

주자는 정가구程可久[程迥]에게 답하는 서신[128]에서 다음과 같이 말했다. '건괘와 곤괘의 효를 가리켜 오로지 노양과 노음이 된다고만 할 수 없으니, 사실 6효가 음과 양이 되는 것은 노와 소가 뒤섞여 있다. 「계사전」에서는 6효를 노음과 노양 위에 태워 놓고 말했기 때문에, 「건괘의 시초 수는 216개이고 곤괘의 시초 수는 144개이며, 모두 360개이다.」라고 했다. 그러나 나머지 6개 자식괘가 되는 괘들에도 역시 노음·노양과 소음·소양을 서로 간에 가지고 있다. 그 시초 수를 합하면 역시 360개이다. 만약 건괘·곤괘 두 괘가 모두 노음·노양으로 되어 있고 6개 자식괘들이 모두 소음·소양으로 되어 있다고 한다면 아마 온당하지 않을 것이다.'

'三百六十當期之日', 期者周也, 謂周一歲也. 以氣言, 則有三百六十六日; 以朔言, 則有三百五十四日. 今云三百六十者, 比之氣盈則少六日, 不得謂之盈; 比之朔虛則多六日, 不得謂之虛. 是蓋於氣朔·盈虛之間, 指其數之中者爲言也. 乾坤之策合之爲三百六十, 亦正足以當期之數也."[129]

'360개는 1년의 날 수에 해당한다.'는 말에서 '1년[期]'은 '한 바퀴 돈다.[周]'는 것이니, '1년 동안 한 바퀴 돈다.'는 것을 말한다. 그것을 24절기로 말하면 366일이고 월력으로 말하면 354일이다. 지금 360일이라고 말한 것은 '기영氣盈'에 비하면 6일이 적으니 남는다고 할 수 없고, '삭허朔虛'에 비하면 6일이 많으니 모자란다고 할 수 없다. 이것은 '기영'과 '삭허' 사이에서 그 수의 중간을 가리켜서 말한 것이다. 건괘와 곤괘의 시초의 수를 합하여 360이 되는 것도 또한 바로 1년의 날 수에 해당되기에 충분하다."

[16-4-1-2]

"按閏法始於「堯典」云, '朞三百六旬有六日以閏月定四時成歲.'

朱子云, '天體至圓, 周圍三百六十五度四分度之一. 繞地左旋, 常一日一周而過一度. 日麗天而少遲, 故日一日亦繞地一周而在天爲不及一度. 積三百六十五日九百四十分日之二百三十五而與天會, 是一歲日行之數也. 月麗天而尤遲, 一日常不及天十三度十九分度之七, 積二十九日九百四十分日之四百九十九而與日會. 十二會得全日三百四十八, 餘分之積五千九百八十八, 如日法九百四十而一得六不盡三百四十八, 通計得三百五十四日九百四十分日之三百四十八, 是一歲月行之數也. 歲有十二月, 月有三十日. 三百六十者, 一歲之常數也. 故日與天會而多五日二百三十五分者, 爲氣盈. 月與日會而少五日五百九十二分者, 爲朔虛.

128 程可久(程迥)에게 답하는 서신 : 『朱文公文集』 권37에 의하면, 이 글은 정가구에게 답하는 서신이 아니라 程泰之(程大昌)에게 답하는 서신에 들어 있다. 그 원문은 다음과 같다. "「大傳」專以六爻乘老陽老陰而言, 故曰乾之策二百一十有六, 坤之策百四十有四, 凡三百有六十. 其實六爻之爲陰陽者, 老少錯雜, 其積而爲乾者未必皆老陽, 其積而爲坤者未必皆老陰. 其爲六子諸卦者, 或陽或陰, 亦互有老少焉. 蓋老少之別本所以生爻, 而非所以名卦. 今但以乾有老陽之象, 坤有老陰之象, 六子有少陰陽之象, 且均其策數, 又偶合焉, 而因假此以明彼則可; 若便以乾六爻皆爲老陽, 坤六爻皆爲老陰, 六子皆爲少陽少陰, 則恐其未安也."

129 호방평, 『易學啟蒙通釋』 권下 「明蓍策」 제3

合氣盈朔虛而閏生焉. 故一歲閏率十日九百四十分日之八百二十七. 三歲一閏, 則三十二日九百四十分日之六百一. 五歲再閏, 則五十四日九百四十分日之二(三)百七十五.[130] 十九歲七閏, 則氣朔分齊是爲一章也.'[131]

(옥재 호씨가 말했다.) "윤달을 두는 법은 『상서』「요전堯典」에서, '1주년 366일은 윤달을 두어 사계절을 정하고 한 해를 이룬다.'라고 한 말에서 비롯한다.

주자는 다음과 같이 말했다. '천체는 지극히 둥글고 바깥 둘레가 365와 1/4도이다. 땅을 둘러싸고 왼쪽으로 도는데 늘 하루에 한 바퀴를 돌고 1도를 지나친다. 태양은 하늘에 걸려 있는데 그보다 약간 더디므로, 태양도 또한 하루에 지구를 둘러싸고 한 바퀴를 돌지만 하늘에서는 1도를 못 미치게 된다. 365와 235/940일을 누적하고 하늘과 만나니, 이것이 1년에 태양이 운행하는 수다. 달도 하늘에 걸려 있는데 그 보다 더욱 더디어서 하루에 늘 13과 7/19도를 하늘에 미치지 못하니, 29와 499/940일을 누적하고 태양과 만난다. 12번 만나는 데에 온전한 날 348일과 여분으로 누적된 5,988/940일을 얻고, 예컨대 날 수를 계산하는 방법으로 940을 1일로 하면 5988/940일은 6과 348/940일을 얻으므로, 총계 354와 348/940일이니, 이것이 1년에 달이 운행하는 수다. 1년에는 12개월이 있고, 1달에는 30일이 있다. 360은 1년의 상수常數이다. 그러므로 태양이 하늘과 만나되 5와 235/940일이 많은 것이 '기영'이 되고, 달이 태양과 만나되 5와 592/940일이 적은 것이 '삭허'이다. 기영과 삭허를 합하여 윤달이 생겨난다. 따라서 1년의 윤율閏率(윤달의 비율)은 10과 827/940일이다. 3년에 한 번 윤년이 들면 32와 601/940일이다. 5년에 두 번 윤년이 들면 54와 375/940일이다. 19년에 7번 윤년이 들면 기영과 삭허의 몫이 가지런해지니 이것이 1장一章[132]이 된다.

愚謂天體圓如彈丸, 半覆地上, 半在地下. 以二十八宿分周天之度, 共爲三百六十五度四分度之一.

朱子云, '天無體, 只二十八宿便是體'是也. 四分度之一者, 天行每一度, 計九百四十分. 分爲四分, 則計四箇二百三十五分而得其四分之一也. 天行過一度者, 天行健, 一日一夜周天

130 '五十四日九百四十分日之二(三)百七十五' : 호방평, 『易學啓蒙通釋』 권下 「明蓍策」 제3과 이황, 『啓蒙傳疑』 「明蓍策」 제3에 의거하여, '五十四日九百四十分日之三百七十五'.라고 바로 잡는다.

131 『朱子語類』 2권14조목에는 "天體至圓, 周圍三百六十五度四分度之一, 繞地左旋, 常一日一周而過一度. 日麗天而少遲, 故日行一日, 亦繞地一周, 而在天爲不及一度. 積三百六十五日九百四十分日之二百三十五而與天會, 是一歲日行之數也. 月麗天而尤遲, 一日常不及天十三度十九分度之七. 積二十九日九百四十分日之四百九十九而與日會. 十二會, 得全日三百四十八, 餘分之積, 又五千九百八十八. 如日法, 九百四十而一, 得六, 不盡三百四十八. 通計得日三百五十四, 九百四十分日之三百四十八, 是一歲月行之數也. 歲有十二月, 月有三十日. 三百六十日者, 一歲之常數也. 故日與天會, 而多五日九百四十分日之二百三十五者, 爲氣盈. 月與日會, 而少五日九百四十分日之五百九十二者, 爲朔虛. 合氣盈朔虛而閏生焉. 故一歲閏率則十日九百四十分日之八百二十七; 三歲一閏, 則三十二日九百四十分日之六百單一; 五歲再閏, 則五十四日九百四十分日之三百七十五. 十有九歲七閏, 則氣朔分齊, 是爲一章也."라고 되어 있다.

132 一章 : 고대 역법에서 19년을 1장이라고 했다. 『周髀算經』 卷下에서, "十九歲爲一章."이라고 하였다.

三百六十五度四分度之一而又過一度也.
내 생각에, 천체는 탄환처럼 둥근데, 그 절반은 땅의 위를 덮고 또 절반은 땅 아래에 있다. 28수宿로 하늘의 둘레 각도를 나누면 도합 365와 1/4도다.
주자가 '하늘은 체體가 없으니, 다만 28수宿가 곧 체體이다.'[133]라고 말한 것이 이것이다. 1/4도라는 것은 하늘이 매 1도마다 운행하는 것을 940분으로 계산한 것이다. 그것을 4로 나누면 4개의 235/940분이 되는데, 그 1/4을 얻었다는 것이다. 하늘의 운행이 1도를 지나친다는 것은, 하늘의 운행이 강건하여 하루 밤낮에 하늘을 일주하여 365와 1/4도를 돌고 또 1도를 지나친다는 말이다.

朱子云, '日月皆從角起. 日則一日運一周, 依舊只到那角上. 天則周了又過那角些子, 日日累將去, 到一年便與日會.'
又云, '而今若就天裏看時, 只是行得三百六十五度四分度之一. 若把天外來說, 則是一日過了一度. 季通嘗言「論日月, 則在天裏; 論天, 則在太虛空裏. 若去那太虛空裏觀天, 自是日日衮得不在舊時處.」'
주자가 말하기를 '태양과 달은 모두 각수角宿[134]에서부터 시작한다. 해는 하루에 1바퀴를 운행하고 여전히 다만 각수 위에 다다를 뿐이다. 하늘은 한 바퀴를 돌고나서 또 저 각수를 조금 지나치니, 나날이 누적해가서 1년이 되어야 태양과 만난다.'[135]고 하였다.
(주자는) 또 다음과 같이 말했다. '지금 만약 하늘 안에서 볼 때라면 다만 365와 1/4도를 운행할 수 있을 뿐이다. 만약 하늘 밖을 가지고 말한다면 하루에 1도를 지나친다는 것이다. 계통季通 : 蔡元定은 일찍이 「태양과 달을 논한다면 하늘 속에 있고, 하늘을 논한다면 태허의 허공 속에 있다. 만약 저 태허의 허공 속으로 가서 하늘을 본다면, 저절로 나날이 도도히 흘러가서 예전에 있던 곳에 있지 않을 것이다.」라고 하였다.'[136]

所謂'日之二百三十五'者, 在天爲度, 在歲爲日. 天有三百六十五度四分度之一, 歲亦有三百六十五日四分日之一也. 天一度有九百四十分, 歲一日亦有九百四十分. 均以四分分之, 每分計二百三十五分, 是天與日所行之餘分也. 所謂二百三十五者, 卽四分度之一耳.
'日與天會'者, 一朞內二十四氣, 必有三百六十六日, 雖遇置閏年亦同, 如自今年冬至, 至來年冬至前一日, 必三百六十六日也. 日與天在來年冬至三百六十六日上會而成一歲也.

133 『朱子語類』 권2, 14조목
134 角宿 : 천체 28宿 가운데 하나로서, 동쪽의 蒼龍七宿의 第一宿를 말한다.
135 『朱子語類』 권2, 14조목에는 "日月皆從角起, 天亦從角起. 日則一日運一周, 依舊只到那角上; 天則一周了, 又過角些子. 日日累上去, 則一年便與日會."라고 되어 있다.
136 『朱子語類』 권2, 14조목에는 "而今若就天裏看時, 只是行得三百六十五度四分度之一. 若把天外來說, 則是一日過了一度. 季通常有言 : '論日月, 則在天裏; 論天, 則在太虛空裏. 若去太虛空裏觀那天, 自是日月羇得不在舊時處了.'"라고 되어 있다.

이른바 '235/940일'이라는 것은, 하늘에서는 '도度'가 되고 1년에서는 '일日'이 된다는 것이다. 하늘에는 365와 1/4도가 있고, 1년에도 역시 365와 1/4일이 있다. 하늘의 1도는 940분分이 있고 1년의 1일도 역시 940분이 있다. 똑같이 네 부분으로 나누면 매 부분은 235/940분으로 계산되니, 이것이 하늘과 태양이 운행한 여분이다. 이른바 235/940라는 것은 곧 그 네 부분의 도수 가운데 하나일 뿐이다.
'태양이 하늘과 만난다.'는 것은, 1주년 안에 24절기가 있고 반드시 366일이 있는 것이, 비록 윤년을 만나게 되더라도 역시 같으니, 예컨대 올해 동지로부터 내년 동지 하루 전날까지 틀림없이 366일이 있는 것과 같다. 태양과 하늘은 내년 동지의 366일째 되는 날에 만나서 1년을 이룬다.

'十九分度之七'者, 以九百四十分分爲十九分, 每分計四十九分四釐七毫六絲八秒. 十九分內中取七分, 總爲三百四十六分三釐一毫五忽七絲六秒, 此月行一日不及天與日常度之餘分也. 如是, 則月行一日不及日十二度三百四十六分半. 每月積至二十九日四百九十九分上, 其不及日者三百六十五度二百三十五分. 則日所進過之度恰周得本數, 而月所不及之度亦退盡本數, 恰恰與日會而成一月.
合十二箇二十九日, 計全日三百四十八. 十二箇四百九十九分, 積五千九百八十八. 以日法九百四十分除之, 得六日零三百四十八. 通計三百五十四日三百四十八分, 此一歲月行之常數也.
'19부분의 도수 가운데 7'이라는 것은, 940분을 19부분으로 나누면 매 부분은 49.47068분으로 계산된다.[137] 그 19부분 가운데서 7부분을 취하면 그 총계가 346.31576분이 되고,[138] 이것은 달이 1일 동안 운행한 것이 하늘과 태양의 운행에 미치지 못하는 상도常度의 여분이다. 이와 같으면 달이 1일 동안 운행한 것은 태양의 운행에 12와 364.5/940도를 미치지 못한 것이다. 매달 누적된 것이 29와 499/940일에 이르러, 365와 235/940도만큼 태양에 미치지 못한다. 그러면 태양이 나아가면서 지나쳤던 도수는 '본래의 도수本數'를 꼭 한 바퀴 돌 수 있는데, 달이 미치지 못한 도수도 역시 '본래의 도수'를 다 물러나니, 마침맞게 태양과 만나서 1개월을 이룬다.
12개의 29일을 합하면 온전한 날 수 348일로 계산된다. 12개의 499/940일은 누적하여 5988/940일이다. 이것을 날 수를 계산하는 방법으로 940분으로 나누면 6과 348/940일을 얻는다. 총계 354와 348/940일이 1년에 달이 운행하는 상수常數이다.

月與日會處, 係於每月二十九日四百九十九分上會. 如正月斗柄指寅, 寅與亥合, 日月則會於亥, 其辰爲娵訾. 二月斗柄指卯, 卯與戌合, 日月則會於戌, 其辰爲降婁. 積十二會皆於斗柄所指之宮, 合宮上會也.
달과 태양은 매월 29와 499/940일에 연계하여 만난다. 예컨대 정월에는 북두칠성의 자루가 인寅

137 940분을 19부분으로 … 계산된다: 계산기로 계산하면 940÷19=49.47368이다.
138 그 19부분 … 되고: 계산기로 계산하면 940÷19×7=346.31578이다.

방향을 가리키는데 인寅과 해亥는 합하니, 태양과 달은 곧 해亥 방향에서 만나고 그 별자리는 추자娵訾이다. 2월에는 북두칠성의 자루가 묘卯 방향을 가리키는데 묘卯와 술戌은 합하니, 태양과 달은 술戌 방향에서 만나고 그 별자리는 강루降婁이다. 12번의 만남을 누적한 것들은 모두 북두칠성의 자루가 가리키는 궁이 합궁하는 곳에서 만난다.

'三百六十爲一歲之常數'者, 以五行之氣言之, 各旺七十二日, 則五其七十二爲三百六十. 以六甲之數言之, 每甲六十, 六其六十亦三百六十. 以乾·坤二篇之策言之, 乾二百一十六, 坤百四十四, 亦合三百六十, 所謂一歲之常數也.

氣, 則二十四氣. 自今年冬至至來年冬至前一日, 計三百六十五日二百三十五分, 是於三百六十日外多五日二百三十五分者爲氣盈. 朔, 則十二月朔, 自今年十一月初一至來年十一月初一前一日, 計三百五十四日三百四十八分, 是於三百六十日內少五日五百九十二分者爲朔虛.

'360일이 1년의 상수常數가 된다.'는 것은 오행의 기로써 말한 것인데, 각각 72일씩 왕성하니, 그 72를 다섯 번 하면 360이 된다. 육갑六甲[139]의 수로써 말하면, 매 갑은 60이고 그 60을 여섯 번 하면 역시 360이다. 건괘와 곤괘 둘의 시초 수로 말하면, 건괘가 216개이고 곤괘가 144개이며 역시 합계 360이니, 이른바 1년의 상수常數이다.

여기서 말하는 '기氣'는 24절기이다. 금년 동지로부터 내년 동지 하루 전날까지는 365와 235/940일로 계산되는데, 이것이 360일 외에 5와 235/940일 만큼 많은 것이 '기영氣盈'이 된다. '삭朔'은 12개월이다. 금년 11월 초하루부터 내년 11월 초하루의 하루 전날까지는 354와 348/940일로 계산되는데, 이것이 360일에서 5와 592/940일 만큼 적은 것이 '삭허朔虛'가 된다.

'合氣盈朔虛而閏生'者, 一歲閏, 積氣朔之數計十日八百二十七分. 三歲一閏, 積氣朔之數三箇十日八百二十七分, 計三十二日六百單一分. 五歲再閏, 積氣朔之數五箇十日八百二十七分, 計五十四日二百七十五分. 但五歲內無再閏而『易』「繫」乃有'五歲再閏'之文者, 蓋以氣盈六日, 朔虛六日, 而再閏在五歲內者, 擧成數也. 氣盈五日二百三十五分, 朔虛五日五百九十二分, 而再閏在六歲內者, 擧本數也.

'기영과 삭허를 합하여 윤달이 생긴다.'는 것은, 1년의 윤일閏日은 기영 · 삭허의 수를 누적하여 10과 827/940일로 계산된다. 3년에 한 번 윤년이 들면 기영 · 삭허의 수 10과 827/940일을 3개 누적하여 32와 601/940일로 계산된다. 5년에 두 번 윤년이 들면 기영 · 삭허의 수 10과 827/940일을 5개 누적하여 54와 375/940일로 계산된다. 그런데 5년 내에 두 번 윤년이 들지 않는데, 『역』「계사」에 의외로 '5년에 두 번 윤달이 든다.'는 글이 있는 것은, 기영을 6일로 하고 삭허를 6일로 하여 5년 내에 두

139 六甲 : 天干과 地支를 서로 짝지어 時日을 계산할 때, 그 가운데 甲으로 시작하는 甲子 · 甲戌 · 甲申 · 甲午 · 甲辰 · 甲寅의 6개를 가리킨다.

번 윤달이 든다는 것으로서 성수成數(소수가 없는 자연수)를 들었기 때문이다. 기영이 5와 235/940일이고 삭허는 5와 592/940일인데, 6년 내에 두 번 윤달이 든다는 것은 '본수本數(365와 1/4)'를 들어 말한 것이다.

'十九歲七閏爲一章'者, 蓋九爲天數之終, 十爲地數之終, 十九歲而天地之數俱終, 故當七閏也. 自一歲餘十日零八百二十七分, 積十九年得全日一百九十日零分, 積一萬五千七百一十三分. 以日法九百四十分除之, 計成日一十六日零六百七十三分, 通前所得全日總計二百單六日零六百七十三分. 將此數於十九年內分作七箇閏月, 計三七二百一十日內少三日二百六十七分, 七閏月之中合除此三日二百六十七分, 均作三箇月小盡正恰好. 故氣朔分齊定是冬至在十一月朔, 是爲至朔同日而爲一章之歲也.
'19년에 7번 윤년이 드는 것이 1장一章이 된다.'는 것은, 9가 하늘 수의 끝이고 10이 땅 수의 끝이어서, 그 합계인 19년에 하늘 수와 땅 수가 함께 끝나기 때문에 마땅히 7번 윤년이 든다. 1년에 남는 날 10과 827/940일로 부터 19년 동안 누적하면 온전한 날 190일을 얻고, 15,713/940일을 누적한다. 그것을 날 수를 계산하는 방법으로 940분으로 나누면 16과 673/940일이 계산되고, 앞서 얻은 온전한 날을 통틀어 총계 206과 673/940일이 된다. 이 수를 19년 속에 7개의 윤달로 나누어 3×7의 210일 안에 계산하면 3과 267/940일이 적으니, 7개의 윤달 가운데 이 3과 267/940일을 합쳐서 제거하고 골고루 3개월의 '작은 달小盡[29일]'로 하면 꼭 맞아떨어진다. 그러므로 기영 · 삭허의 몫이 가지런한 것은 반드시 동지가 11월 초하루에 있는 것이고, 이것이 동지와 초하루가 같은 날이 되고 1장一章의 해가 되는 것이다.

嘗論之, 日月皆麗乎天者也; 日之行比天只不及一度, 月之行乃不及日十二度, 何哉? 蓋天秉陽而在上, 日爲陽之精, 月爲陰之精也. 造化之間, 陽大陰小, 陽饒陰乏, 陽得兼陰, 陰不得兼陽, 此日行所以常過, 月行所以常不及也. 且一歲朔虛五日五百九十二分, 固月之所不及行者矣; 氣盈五日二百三十五分, 亦月之所不及行者也. 使日之運常有餘, 月之運常不足, 不置閏以齊之, 積之三年春之一月入于夏, 子之一月入于丑矣. 又至於三失閏, 則春季皆入於夏; 十二失閏, 子年皆入于丑矣, 何以成造化之功哉! 故聖人作曆, 必歸餘於閏以補月行不及於日之數, 則月之行也始可與一歲日與天會之數相參爲一. 至十九年而氣朔分齊, 無毫髮之差矣. 聖人裁成輔相之功, 豈淺淺哉!
일찍이 다음과 같이 논했다. 태양과 달이 모두 하늘에 걸려 있는 것들인데, 태양의 운행은 하늘과 비교하여 다만 1도를 미치지 못하고, 달의 운행은 또 태양에 12도를 미치지 못하는 것은 무엇 때문인가? 하늘은 양기陽氣를 지니고 위에 있는데, 태양은 양기의 정수이고 달은 음기陰氣의 정수이다. 조화造化하는 사이에 양은 크고 음은 작으며, 양은 넉넉하고 음은 모자라며, 양은 음을 겸할 수 있지만 음은 양을 겸하지 못하니, 이것이 태양의 운행은 늘 지나치고 달의 운행은 늘 미치지 못하는 까닭이다. 또 1년의 삭허 5와 592/940일은 본래 달의 운행이 미치지 못한 것이고, 기영 5와 235/940

일도 역시 달의 운행이 미치지 못한 것이다. 가령 태양의 운행은 늘 남음이 있고 달의 운행은 늘 부족한데 윤달을 두어 가지런하게 하지 않는다면, 3년이 쌓여서는 봄의 한 달이 여름으로 들어가고 자월子月(음력 11월) 1달이 축월丑月(음력 섣달)로 들어가게 될 것이다. 또 세 번 윤달 두는 것을 놓치게 되면 봄철 3개월이 모두 여름으로 들어가고, 열두 번 윤달 두는 것을 놓치게 되면 자년子年 12개월이 모두 축년丑年으로 들어가게 될 것이니, 어떻게 조화의 공로를 이루겠는가! 그러므로 성인이 책력을 만들 때 반드시 남은 만큼을 꼭 윤달로 되돌려서 달의 운행이 태양의 운행에 미치지 못하는 수를 보충하였으니, 달의 운행도 비로소 1년에 태양과 하늘이 만나는 수와 더불어 서로 가지런해져서 하나가 될 수 있었다. 19년이 되면 기영 · 삭허의 몫이 가지런하여 털끝만큼의 차이도 없다. 성인이 '천지의 도를 마름질하여 이루고 만물의 마땅함을 도와주는[財成輔相]'[140] 공로가 어찌 하찮겠는가!

或云, '曆家之說, 則以爲日行遲, 一日行一度; 月行速, 一日行十二度十九分度之七, 何也?'

어떤 사람이 물었다. '역법曆法을 연구하는 사람들의 주장이라면, 태양의 운행은 더디어서 하루에 1도를 가고 달의 운행은 빨라서 하루에 12와 7/19도를 간다고 여기는데 무엇 때문인가?'

曰 : '陳安卿嘗問, 「天道左旋, 自東而西, 日月右行, 則如何?」 朱子云, 「橫渠說日月皆是左旋, 說得好. 蓋天行甚健, 一日一夜周天三百六十五度四分度之一而又過一度. 日行速, 健次於天, 一日一夜周天三百六十五度四分度之一正恰好. 被天進一度, 則日却成每日退了一度. 積至三百六十五日四分日之一, 則天所進過之度又恰周得本數, 而日所不及之度亦恰退盡本數, 遂與天會而成一年. 月行遲, 一日一夜三百六十五度四分度之一行不盡, 比之天却成退了十三度有奇. 進數爲順天而左; 退數爲逆天而右. 曆家以進數難筭, 只以退數筭之, 故謂之右行, 且曰日行遲, 月行速也. 然則日行却得其正.」

(옥재 호씨가) 대답했다. '진안경陳安卿[陳淳][141]이 일찍이 「천도는 좌선하여 동쪽에서부터 서쪽으로 가는데, 태양과 달은 오른쪽으로 운행하니 어찌 된 것입니까?」라고 물었다. 주자가 대답했다. 「횡거橫渠[張載]가 태양과 달은 모두 좌선한다고 한 말은 적절하다. 하늘의 운행은 매우 강건하여 하루 낮과 밤에 하늘의 365와 1/4도를 돌고 또 1도를 지나친다. 태양의 운행은 빠르기가 하늘 다음으로 강건하여 하루 낮과 밤에 하늘의 365와 1/4도를 도는 것이 꼭 맞다. 하늘의 운행이 1도를 더 나아가는 것에 의해 태양은 도리어 매일 1도씩 물러나게 된다. 누적하여 365와 1/4일에 이르면, 하늘이 더 나아가 지나쳤던 도수가 또 꼭 본래 수(365와 1/4)를 돌 수 있고, 태양이 하늘에 미치지 못한 도수도 역시 꼭 그 본래 수를 다 물러나서, 마침내 태양이 하늘과 만나고 1년이 이루어진다. 달의 운행은 느려서 하루 낮과 밤에 365와 1/4도를 다 운행하지 못하니, 하늘에 비교하면 도리어 13도 남짓을 물러나게 된다. 나아가는 수는 하늘을 따라서 좌선하고 물러나는 수는 하늘을 거슬러서 우선

140 '천지의 도를 … 도와주는[財成輔相]' : 『易』「태괘(䷊)」의 "裁成天地之道, 輔相天地之宜"의 줄임 말이다.

141 陳淳(1159~1223) : 자는 安卿이고, 호는 北溪이다. 송대 龍溪(현 복건성 漳州) 사람으로 주희가 장주 지사일 때 제자가 되어, 주희에게 '남쪽에 와서 나의 도가 진순 한 사람을 얻었다'라는 칭찬을 받았다. 시호는 文安이다. 저서는 『字義詳講』, 『論孟學庸口義』, 『北溪大全集』 등이 있다.

한다. 역법曆法을 연구하는 사람들이 나아가는 수로서는 계산이 어렵다고 하여 다만 물러나는 수로 계산하였기 때문에, 오른쪽으로 운행한다고 하고 또 태양의 운행은 느리고 달의 운행은 빠르다고 하였다. 그렇다면 태양의 운행이 도리어 그 올바름을 얻는다.」[142]

愚謂欲知日速月遲, 其迹有易見者. 且日月會於晦朔之間, 初一日晚最好看起. 日纔西墜, 微茫之月亦隨之而墜矣. 至初二便相隔微闊, 初三生明以後相去漸遠. 一日遠似一日, 直至十五日月對望, 則是日行速, 進而遠至半天, 月行遲, 退而不及亦遠半天矣. 自十六至月晦, 日行全遠盡一天, 月行全不及亦盡一天, 卽所謂日進盡本數, 月退盡半數而復相會也."[143]

내胡方平 생각에, 태양이 빠르고 달이 느리다는 것을 알려고 하면 그 자취를 쉽게 볼 수 있는 것이 있다. 우선 태양과 달이 그믐과 초하루 사이에서 만날 때 초하룻날 저녁이 가장 보기가 좋다. 태양이 막 서쪽으로 떨어지자마자 어슴푸레한 달도 역시 태양을 따라서 떨어진다. 초이틀이 되면 태양과 달의 상호 간격이 조금 넓어지고, 초사흗날 달이 밝아진 뒤로는 상호간의 거리가 점점 멀어진다. 날마다 멀어져서 15일에 이르러서야 태양과 달이 서로 마주보게 되니, 이것은 태양의 운행이 빨라서 멀리 하늘의 절반만큼 나아가고, 달의 운행은 느려서 역시 멀리 하늘의 절반만큼 물러나서 미치지 못한 것이다. 16일에서부터 그믐에 이르면 태양의 운행은 완전히 멀어져 하늘 1바퀴를 다하고, 달의 운행이 완전히 미치지 못하는 것도 역시 하늘 1바퀴를 다하니, 곧 이른바 태양은 본래의 수(365와 1/4)를 다 나아가고 달은 그 절반의 수를 다 물러나 다시 서로 만난다는 것이다."

[16-5]

二篇之策, 萬有一千五百二十, 當萬物之數也.[144]

『역』 상·하 두 편의 시초 수 11,520개는 만물의 수에 해당한다.

[16-5-1]

'二篇'者, 上·下經六十四卦也. 其陽爻百九十二, 每爻各三十六策, 積之得六千九百一十二; 陰爻百九十二, 每爻二十四策, 積之得四千六百八. 又合二者爲萬有一千五百二十也. 若爲少陽則每爻二十八策, 凡五千三百七十六; 少陰則每爻三十二策, 凡六千一百四十四.

142 『朱子語類』 권2, 10조목에는 "問: '天道左旋, 自東而西, 日月右行, 則如何?' 曰: '橫渠說日月皆是左旋, 說得好. 蓋天行甚健, 一日一夜周三百六十五度四分度之一, 又進過一度. 日行速, 健次於天, 一日一夜周三百六十五度四分度之一, 正恰好. 比天進一度, 則日爲退一度. 二日天進二度, 則日爲退二度. 積至三百六十五日四分日之一, 則天所進過之度, 又恰周得本數; 而日所退之度, 亦恰退盡本數, 遂與天會而成一年. 月行遲, 一日一夜三百六十五度四分度之一行不盡, 比天爲退了十三度有奇. 進數爲順天而左, 退數爲逆天而右. 曆家以進數難算, 只以退數算之, 故謂之右行.' 且曰: '日行遲, 月行速.' 然則日行卻得其正."이라고 되어 있다.

143 호방평, 『易學啟蒙通釋』 권下 「明蓍策」 제3

144 『易』「繫辭上」 제9장

合之亦爲萬一千五百二十也.

'두 편'은 『역』 상・하경의 64괘이다. 그 가운데 양효 192개는 매 효마다 각각 36개의 시초로 이루어졌으니 그것들을 누적하면 6,912개(36×192=6,912)의 시초를 얻고, 음효 192개는 매 효마다 24개의 시초로 이루어졌으니 그것들을 누적하면 4,608개(24×192=4,608)의 시초를 얻는다. 또 이 둘을 합치면 11,520개의 시초가 된다. 만약 소양이라면 매 효마다 28개의 시초로 이루어졌으니 모두 5,376개(28×192=5,376)의 시초이고, 소음이라면 매 효마다 32개의 시초로 이루어졌으니 모두 6,144개(32×192=6,144)의 시초이다. 이들을 합치더라도 역시 11,520개의 시초가 된다.

[16-5-1-1]

西山蔡氏曰 : "此卽過揲之蓍, 大衍之終也. 策, 卽蓍也. 乾一爻三十六策, 六爻二百一十六策. 坤一爻二十四策, 六爻百四十有四策. 此陰陽自然之數, 聖人立大衍之法以倚之, 所謂'參天兩地而倚數'也. 天地之運, 大小皆極于三百六十. 大衍乾坤之策當期之日, 眞所謂'與天地相似'者也.

陽爻一百九十二, 每爻三十六策, 積之得六千九百一十二策; 陰爻一百九十二, 每爻二十四策, 積之得四千六百八策. 二篇之策, 分陰爻·陽爻爲二也, 合之則萬有一千五百二十以當萬物之數. 此天地流行之數, 歲·月·日·時之積也. 詳見『經世指要』上篇."

서산 채씨西山蔡氏 : 蔡元定가 말했다. "이것은 곧 헤아려낸 시초들이고 대연大衍의 끝이다. 시초[策]는 곧 시초[蓍]이다. 건괘의 1개 효는 36개의 시초로 이루어졌으니 6개 효는 216개의 시초로 이루어졌다. 곤괘의 1개 효는 24개의 시초로 이루어졌으니 6개 효는 144개의 시초로 이루어졌다. 이것은 음・양의 저절로 그러한 수이고 성인이 대연大衍 방법을 수립할 때에 의지한 것들이니, 이른바 '삼천三天・양지兩地하여 수에 의지한다.'[145]라는 것이다. 하늘과 땅의 운행은 큰 것이든 작은 것이든 모두 360에서 극에 이른다. 대연의 건괘와 곤괘의 시초 수는 1주년의 날 수에 해당하니 참으로 이른바 '하늘・땅과 서로 비슷하다.'[146]라는 것이다.

양효 192개는 매 효마다 36개의 시초로 이루어졌으니 그것을 누적하면 6,912개의 시초를 얻고, 음효 192개는 매 효마다 24개의 시초로 이루어졌으니 그것을 누적하면 4,608개의 시초를 얻는다. 『역』 상・하 두 편의 시초들은 음효와 양효로 나누면 둘이 되는데, 이 둘을 합치면 11,520개로서 만물의 수에 해당한다. 이것은 하늘과 땅이 유행하는 수이고 연・월・일・시의 누적 수이다. 자세한 내용은 나의 『황극경세지요皇極經世指要』 상편을 보라."

[16-5-1-2]

玉齋胡氏曰 : "二篇之策, 足以當萬物之數. 二老之策固然, 二少之策亦然也."[147]

145 『易』「說卦傳」 제1장
146 『易』「繫辭上」 제4장

옥재 호씨玉齋胡氏[胡方平]가 말했다. "『역』 상 · 하 두 편의 시초들은 만물의 수에 해당하기에 충분하다. 노양 · 노음의 시초들은 본래 그러하고 소양 · 소음의 시초들도 역시 그러하다."

[16-6]

是故四營而成『易』, 十有八變而成卦, 八卦而小成. 引而伸之, 觸類而長之, 天下之能事畢矣.[148]

그러므로 네 번 경영하여 『역』을 이루고, 18변을 통해 괘를 이루며, 팔괘가 되어 소성小成이 된다. 그것들을 끌어서 펼치고 부류에 따라 확장하면, 천하에 할 수 있는 일이 끝날 것이다.

[16-6-1]

'四營'者, 四次經營也. 分二者第一營也; 掛一者, 第二營也; 揲四者, 第三營也; 歸奇者, 第四營也. 易, 變易也, 謂揲之一變也. 四營成變; 三變成爻. 一變而得兩儀之象; 再變而得四象之象; 三變而得八卦之象. 一爻而得兩儀之畫; 二爻而得四象之畫; 三爻而得八卦之畫; 四爻成而得其十六者之一; 五爻成而得其三十二者之一; 至於積七十二營而成十有八變, 則六爻見而得乎六十四卦之一矣.

'4영四營'이란 네 차례 경영함이다. 둘로 나누는 것이 첫째 경영이고, '오른손의 1개의 시초를 뽑아 왼손 새끼손가락과 넷째 손가락 사이에 걸어두는[掛]' 것이 둘째 경영이며, 4개씩 세는 것이 셋째 경영이고, 나머지를 되돌려서 '왼손의 셋째 손가락과 넷째 손가락 사이에 끼우는 것[扐]'이 넷째 경영이다. '역은 변역變易이다.'라는 것은 4개씩 세는 하나의 변變을 말한다. 네 번 경영하여 그 변을 완성하고, 세 번의 변으로 1개의 효를 이룬다. 첫 번째 변으로 양의兩儀의 상象을 얻고, 두 번째 변으로 4상의 상을 얻으며, 세 번째 변으로 8괘의 상을 얻는다. 1개의 효로 양의兩儀의 획을 얻고, 2개의 효로 4상의 획을 얻으며, 3개의 효로 8괘의 획을 얻고, 4개의 효가 이루어지고는 그 16개 가운데 하나를 얻으며, 5개의 효가 이루어지고는 그 32개 가운데 하나를 얻으며, 72번의 경영이 누적되기에 이르러 18변이 이루어지면 6개의 효가 드러나고 64괘 가운데 1개의 괘를 얻는다.

然方其三十六營而九變也, 已得三畫而八卦之名可見, 則內卦之爲貞者立矣. 此所謂'八卦而小成'者也. 自是而往, 引而伸之, 又三十六營, 九變以成三畫而再得小成之卦者一, 則外卦之爲悔者亦備矣. 六爻成, 內外卦備, 六十四卦之別可見, 然後視其爻之變與不變而觸類以長焉, 則天下之事其吉 · 凶 · 悔 · 吝, 皆不越乎此矣.

그런데 비로소 그 36번의 경영으로 9변이 이루어지면 이미 3개의 획을 얻고 8괘의 이름을 알 수

147 호방평, 『易學啟蒙通釋』 권下 「明著策」 제3

148 『易』「繫辭上」 제9장

있으니, 내괘內卦가 정괘貞卦가 되는 것이 세워진다. 이것이 이른바 '팔괘에 소성小成(초보적인 형성)한다.'[149] 라는 것이다. 이로부터 나아가고 그것을 끌어서 펼치며 또 36번 경영하고 9변을 통하여, 3개의 획이 이루어지며 다시 소성괘들 가운데 1개를 얻으면, 외괘外卦가 회괘悔卦가 되는 것이 또한 갖추어진다. 6개의 효가 완성되어 내괘와 외괘가 갖추어지면 64괘를 분별할 수 있으니, 그런 뒤에 그 효의 변과 불변을 보고 부류에 따라 확장하면, 세상일들의 길 · 흉 · 회 · 린이 모두 이것을 벗어나지 않는다.

[16-6-1-1]

朱子曰 : "'四營而成易;' '易'字只是箇'變'字, 四度經營方成一變. 若說易之一變却不可. 這處未下得'卦'字, 亦未下得'爻'字, 只下得'易'字."[150]

주자가 말했다. "'네 번 경영하여 역을 이룬다.'에서 '역易'자는 다만 '변變'자로서 네 번 경영하여 비로소 하나의 변을 이룬다는 것이다. 만약 역의 한 가지 변이라고 말하면 도리어 안 된다. 여기에서는 '괘'자를 쓸 수도 없고 '효'자도 쓸 수 없으니, 다만 '역'자만 쓸 수 있다."

[16-6-1-2]

西山蔡氏曰 : "易者, 未入用也; 變者, 已入用也."

서산 채씨西山蔡氏[蔡元定]가 말했다. "'역'은 아직 사용하는 데에 들어가지 못하는 것이고, '변'은 이미 사용하는 데에 들어간 것이다.

[16-6-1-3]

玉齋胡氏曰 : "'一變而得兩儀之象; 至三變而得八卦之象', 蓋一爻以三變而成, 猶八卦以三畫而成, 故以爲象也.

'一變而得兩儀之象', 謂得五者象陽儀, 得九者象陰儀也.

'再變而得四象之象', 謂得五·四者象太陽, 得五·八者象少陰, 得九·四者象少陽, 得九·八者象太陰.

옥재 호씨玉齋胡氏[胡方平]가 말했다: "'첫 번째 변으로 양의兩儀의 상象을 얻고 세 번째 변에 이르러 8괘의 상을 얻는다.'고 하였는데, 1개의 효가 세 번의 변으로 이루어지는 것은 마치 8괘가 3개의 획으로 이루어지는 것과 같기 때문에 '상象'이라고 하였다.

'첫 번째 변으로 양의兩儀의 상을 얻는다.'는 것은, 걸어두고 끼운 시초의 수 5개를 얻은 것이 양의陽儀를 상징하고, 그 9개를 얻은 것이 음의陰儀를 상징한다는 말이다.

'두 번째 변으로 4상의 상을 얻는다.'는 것은, 걸어두고 끼운 시초의 수 5 · 4개를 얻은 것이 태양을 상징하고, 그 5 · 8개를 얻은 것이 소음을 상징하며, 그 9 · 4개를 얻은 것이 소양을 상징하고, 그

149 『易』「繫辭上」 제9장

150 『朱子語類』 권75, 33조목

9 · 8개를 얻은 것이 태음을 상징한다는 말이다.

'三變而得八卦之象', 謂得五·四·四者象乾, 得五·四·八者象兌, 得五·八·四者象離, 得五·八·八者象震, 得九·四·四者象巽, 得九·四·八者象坎, 得九·八·四者象艮, 得九·八·八者象坤. 其逐變皆彷彿近似於儀·象·卦而未有其畫, 故惟以其象言之.

'세 번째 변으로 8괘의 상을 얻는다.'는 것은, 걸어두고 끼운 시초의 수 5 · 4 · 4개를 얻은 것이 건괘를 상징하고, 그 5 · 4 · 8개를 얻은 것이 태괘를 상징하며, 그 5 · 8 · 4개를 얻은 것이 리괘를 상징하고, 그 5 · 8 · 8개를 얻은 것이 진괘를 상징하며, 그 9 · 4 · 4개를 얻은 것이 손괘를 상징하고, 그 9 · 4 · 8개를 얻은 것이 감괘를 상징하며, 그 9 · 8 · 4개를 얻은 것이 간괘를 상징하고, 그 9 · 8 · 8개를 얻은 것이 곤괘를 상징한다는 말이다. 그것들이 순서대로 변하는 것이 모두 대체로 양의兩儀 · 4상 · 8괘와 비슷하지만, 아직 그 획이 없기 때문에 오직 그 상징으로 말했다.

'一爻而得兩儀之畫', 謂初揲而得'⚊'者爲陽之儀, 必自乾至復三十二卦; 得'⚋'者爲陰之儀, 必自姤至坤三十二卦也.

'二爻而得四象之畫', 謂再揲而得'⚌'者爲太陽, 必自乾至臨十六卦; 得'⚍'者爲少陰, 必自同人至復十六卦. 得'⚎'者爲少陽. 必自姤至師十六卦. 得'⚏'者爲太陰, 必自遯至坤十六卦也.

'1개의 효로 양의兩儀의 획을 얻는다.'는 것은 처음 세어내고 '⚊'을 얻은 것이 양의陽儀가 되니 반드시 건괘䷀로부터 복괘䷗에 이르는 32개의 괘들이 되고, 그 '⚋'을 얻은 것들은 음의陰儀가 되니 반드시 구괘䷫로부터 곤괘䷁에 이르는 32개의 괘들이 된다는 말이다.

'2개의 효로 4상의 획을 얻는다.'는 것은, 두 번 세어내고 '⚌'을 얻은 것들은 태양이 되니 반드시 건괘䷀로부터 임괘䷒에 이르는 16개의 괘들이 되고, 그 '⚍'을 얻은 것들은 소음이 되니 반드시 동인괘䷌로부터 복괘䷗에 이르는 16개의 괘들이 되며, 그 '⚎'을 얻은 것들은 소양이 되니 반드시 구괘䷫로부터 사괘䷆에 이르는 16개의 괘들이 되고, 그 '⚏'을 얻은 것들은 태음이 되니 반드시 둔괘䷠로부터 곤괘䷁에 이르는 16개의 괘들이 된다는 말이다.

三爻而得八卦之畫, 謂三揲而得'☰'者爲乾, 必自乾至泰八卦; 得'☱'者爲兌, 必自履至臨八卦也. 餘放此.

四爻而得十六者之一, 謂四揲而得四爻, 則得'☰'者必自乾至大壯四卦, 得'☰'者必自小畜至泰四卦. 餘放此. 所謂十六卦中一卦也.

五爻而得三十二者之一, 謂五揲而得五爻, 則得'☰'者非乾則夬, 得'☰'者非大有則大壯. 餘放此. 所謂三十二卦中一卦也.

以至六揲而得六爻, 則一卦於是乎成, 而六十四卦之中, 各隨所遇而得其一矣.

'3개의 효로 8괘의 획을 얻는다.'는 것은, 세 번 세어내고 '☰'을 얻은 것은 건괘☰가 되니 반드시 건괘䷀로부터 태괘䷊에 이르는 8개의 괘들이 되고, 그 '☱'를 얻은 것은 태괘☱가 되니 반드시 리괘䷉

로부터 임괘䷒에 이르는 8개의 괘들이 된다는 것을 말한다. 나머지 괘들도 이와 같다.
'4개의 효가 이루어지고는 그 16개 가운데 하나를 얻는다.'라는 것은, 네 번 세어내고 4개의 효를 얻으니, 그 '☰'을 얻은 것들은 반드시 건괘䷀로부터 대장괘䷡에 이르는 4개의 괘들이 되고, 그 '☱'을 얻은 것들은 반드시 소축괘䷈로부터 태괘䷊에 이르는 4개의 괘들이 된다는 것을 말한다. 나머지 것들도 이와 같다. 이른바 16개의 괘들 가운데 1개의 괘를 얻는다는 것이다.
'5개의 효가 이루어지고는 그 32개 가운데 하나를 얻는다.'라는 것은, 다섯 번 세어내고 5개의 효를 얻으니, 그 '☰'을 얻은 괘들은 건괘䷀가 아니면 쾌夬괘䷪가 되고, 그 '☱'을 얻은 것들은 반드시 대유괘䷍가 아니면 대장괘䷡가 된다는 것을 말한다. 그 나머지 것들도 이와 같다. 이른바 32개의 괘들 가운데 1개의 괘를 얻는다는 것이다.
여섯 번 세어내고 6개의 효를 얻게 되면 1개의 괘가 여기에서 이루어지는데, 64괘 가운데 각각 그 얻은 것에 따라 그 1개의 괘를 얻는다.

朱子屢言揲蓍求卦之法，謂一爻成只有三十二卦，二爻成只有十六卦，三爻成只有八卦，四爻成只有四卦，五爻成只有二卦，六爻旣成一卦乃定者，[151] 此之謂也.
주자가 시초를 세어 괘를 구하는 방법을 여러 차례 말하면서, 1개의 효가 이루어지면 다만 32개의 괘들이 있고, 2개의 효가 이루어지면 다만 16개의 괘들이 있으며, 3개의 효가 이루어지면 다만 8개의 괘들이 있고, 4개의 효가 이루어지면 다만 4개의 괘들이 있으며, 5개의 효가 이루어지면 다만 2개의 괘들이 있고, 6개의 효가 이미 이루어지면 1개의 괘가 이에 확정된다고 말한 것은, 이것을 말한다.

或問，'內卦爲貞，外卦爲悔，如何?'
朱子云，'「貞」·「悔」出「洪範」.「貞」看來是正，「悔」是過意. 凡「悔」字都是過了方悔；這「悔」字是過底意思. 下三爻便是正卦，上三爻似過多了，恐是如此.'
又云，'內卦爲貞，外卦爲悔. 因說，「生物只有初時好；凡物皆然. 康節愛說.」'
又云，'康節看物事便成四箇. 渠只怕處其盛. 且如看花，方其蓓蕾向盛也半開，漸盛正開，太盛則衰矣. 人之勢焰者必衰，强壯者必死. 康節一見便能知之.'
어떤 사람이 묻기를, '내괘內卦가 정괘貞卦가 되고 외괘外卦가 회괘悔卦가 되는 것은 무슨 의미입니까?'라고 하였다.
주자가 대답하기를, '「정貞」·「회悔」는 『서경』「홍범」에 나온다.[152] 「정貞」은 보아하니 올바름[正]이

151 一爻成只有三十二卦, 二爻成只有十六卦, … 六爻旣成一卦乃定者 : 이와 관련하여 『朱子語類』 권66, 58조목에 "'筮短龜長', 近得其說. 是筮有筮病, 纔一畫定, 便只有三十二卦, 永不到是那三十二卦. 又二畫, 便只有十六卦; 又三畫, 便只有八卦; 又四畫, 便只有四卦; 又五畫, 便只有二卦. 這二卦, 便可以著意揣度了. 不似龜, 纔鑽拆, 便無救處, 全不可容心."이라는 말이 있다.
152 '「貞」·「悔」는 … 나온다.' : 『書經』「洪範」에서, "稽疑, 擇建立卜筮人, 乃命卜筮. 曰雨, 曰霽, 曰蒙, 曰驛, 曰克, 曰貞, 曰悔. 凡七, 卜五, 占用二, 衍忒."이라고 하였다.

고 「회悔」는 지나침[過]의 뜻이다. 무릇 모든 「회悔」라는 글자는 지나고 나서 비로소 후회하는 것이고, 이 「회悔」자는 지나침의 뜻이다. 아래 3개의 효는 곧 올바른 괘이고, 위의 3개의 효는 지나침이 많은 것 같으니 아마 이와 같을 것이다.'[153]라고 하였다.

(주자가) 또 말하기를, '내괘는 정貞이 되고 외괘는 회悔가 된다. 때문에 「살아있는 것들은 다만 처음이 좋으니, 모든 사물이 다 그러하다. 강절康節[邵雍]이 즐겨 말하던 것이다.」라고 말했다.'[154]고 하였다. 또 말하기를, '강절은 사물을 4가지로 보았다. 그는 다만 그 왕성함에 머무르는 것을 두려워하였다. 예컨대 꽃을 보면, 그 꽃봉오리들이 막 왕성해지려고 하면 반쯤 피었다가 점점 왕성해지면서 활짝 피는데, 너무 왕성해지면 시든다. 사람에게도 세력이 있고 기염을 토하는 자는 반드시 쇠퇴하고, 강하고 왕성한 자는 반드시 죽는다. 강절은 한 번 보자마자 곧 그것을 알아낼 수 있었다.'[155]고 하였다.

'觸類以長', 朱子謂如占得這一卦, 則就上面推看, 如乾則推其爲圜爲君爲父之類. 觸其類於彼而長其見於此, 則擧天下之事, 或吉或凶, 或自悔而趨吉, 或自吝而向凶者, 皆可以決諸此而無復疑矣."[156]

'부류에 따라 확장한다.'는 것에 대하여, 주자는 예컨대 점을 쳐서 1개의 괘를 얻으면 거기에서 미루어 보는 것이니, 만약 건乾괘라면 그것이 둥긂[圜]이 되고 임금이 되고 아버지가 되는 따위로 미루어 보는 것이라고 하였다. 저것들(둥긂 · 임금 · 아버지 등)에서 그 부류를 따라 여기에서 그 견해를 확장하면, 온 천하의 일이 길한지 흉한지, 혹은 후회함에서부터 길함으로 나아가는지 혹은 인색함에서부터 흉함으로 나아가는지를 모두 다시 의심할 나위 없이 여기에서 결정할 수 있을 것이다."

[16-7]

顯道神德行, 是故可與酬酢, 可與祐神矣.[157]

도道를 드러내고 덕행을 신령하게 하니, 이 때문에 더불어 수작酬酢(응대함)할 수 있고 더불어 신神을 도울 수 있다.

153 『朱子語類』 권66, 44조목에는, "問 : '「內卦爲貞, 外卦爲悔.」貞悔何如?' 曰 : '此出於洪範. 貞, 看來是正; 悔, 是過意. 凡悔字都是過了方悔, 這悔字是過底意思, 亦是多底意思. 下三爻便是正卦, 上三爻似是過多了, 恐是如此.'"라고 되어 있다.

154 『朱子語類』 권66, 42조목

155 朱鑑, 『文公易說』 권1 「「河圖」·「洛書」「先天圖」附」에는, "又云, '康節看物事便成四箇. 渠只怕處其盛. 且如看花, 方其蓓蕾向盛也半開, 漸盛正開, 太盛則衰矣. 人之勢焰者必衰, 强壯者必死. 是其理如此. 康節一見便能知之.'"라고 되어 있다.

156 호방평, 『易學啟蒙通釋』 권下 「明著策」 제3

157 『易』「繫辭上」 제9장

[16-7-1]

道因辭顯; 行以數神. '酬酢'者, 言幽明之相應, 如賓主之相交也. '祐神'者, 言有以佑助神化之功也.

도道는 말에 근거해서 드러나고, 덕행은 수數로써 신령해진다. '수작酬酢'은 어두운 것과 밝은 것이 서로 응대하는 것을 말하니, 마치 손님과 주인이 서로 교류하는 것과 같다. '신을 돕는다.'는 것은 그것으로 신령한 조화造化의 공로를 돕는 것을 말한다.

卷內蔡氏說"爲奇者三, 爲偶者二"; 蓋凡初揲左手餘一餘二餘三皆爲奇, 餘四爲偶; 至再揲三揲, 則餘三者亦爲偶. 故曰奇三而偶二也.

이『역학계몽』하권에 채씨蔡氏[蔡元定]가 "홀[奇]이 되는 것이 3개이고 짝[偶]이 되는 것이 2개이다."라고 말한 것은, 처음 세어낼 때 왼손에 쥐었던 시초의 나머지가 1개 · 2개 · 3개이면 모두 홀[奇]이 되고, 4개이면 짝[偶]이 되며, 두 번째 세어내고 세 번째 세어내게 되었을 때는 나머지가 3개인 것도 역시 짝[偶]이 되므로, '홀[奇]이 3개이고 짝[偶]이 2개이다.'라고 한 것이다.

[16-7-1-1]

朱子曰 : "道是無形底物事, 因卦詞說出來道這是吉, 這是凶, 這是可爲, 這是不可爲, 此'道因詞顯'也."

又曰 : "德行是人做底事, 因數推出來方知得. 這非是人硬恁地做, 都是神之所爲."[158]

又曰 : "德行是人事, 却須決於蓍,[159] 此'行以數神'也. '幽明之相應, 如賓主之相交'者, 幽言蓍也; 明言人也. 蓍與人之相應, 無異於賓主之交相酬酢也. 方揲之初, 則人爲主而蓍爲賓; 既揲之後, 則蓍爲主而人爲賓."

又曰 : "神不能自說吉凶與人, 必待蓍而後見, 皆佑助於神也."[160]

주자가 말했다. "도는 형체가 없는 것으로서, 괘의 말에 근거하여 도가 이것은 길하고, 이것은 흉하며, 이것은 해도 되는 것이고, 이것은 해서는 안 되는 것인지를 말하니, 이것이 '도는 말에 근거해서 드러난다.'는 것이다."

(주자가) 또 말했다. "덕행은 사람이 하는 일이지만, 시초의 수를 헤아려 미루어내야 비로소 알 수 있다. 이것은 사람이 억지로 그렇게 하는 것이 아니라 모두 신神이 하는 것이다."

(주자가) 또 말했다. "덕행은 사람의 일이지만 또한 시초에 의해 결정되어져야 하니, 이것이 '덕행은 수數로써 신령해진다.'는 것이다. '어두운 것과 밝은 것이 서로 응대하는 것은, 마치 손님과 주인이

158 『朱子語類』 권75, 35조목에는 "問'顯道, 神德行'. 曰 : '道較微妙, 無形影, 因卦辭說出來, 道這是吉, 這是凶; 這可爲, 這不可爲. 德行是人做底事, 因數推出來, 方知得這不是人硬恁做, 都是神之所爲也.'"라고 되어 있다.

159 『朱子語類』 권75, 38조목에는 "德行是人事, 卻由取決於蓍."라고 되어 있다.

160 『朱子語類』 권75, 38조목에는 "神又豈能自說吉凶與人! 因有易後方著見, 便是易來佑助神也."라고 되어 있다.

서로 교류하는 것과 같다.'는 것에서, '어두운 것'은 시초를 말하고 '밝은 것'은 사람을 말한다. 시초와 사람이 서로 응대하는 것은 손님과 주인이 서로 수작하는 것과 다름이 없다. 막 시초를 세어낼 초기에는 사람이 주인이 되고 시초가 손님이 되지만, 이미 세어낸 뒤에는 시초가 주인이 되고 사람이 손님이 된다."

(주자가) 또 말했다. "신은 원래 사람들에게 길·흉을 말할 수 없고, 반드시 시초를 기다린 다음에 드러나니, 모두 신에게 도움이 된다."

[16-7-1-2]

"「繫辭」言蓍法, 大抵只是解其大略. 想別有文字, 今不可見. 但如'天數五, 地數五', 此是舊文; '五位相得而各有合', 是孔子解文. '天數二十有五, 地數三十, 凡天地之數五十有五', 此是舊文; '此所以成變化而行鬼神', 此是孔子解文. '分而爲二', 是本文; '以象兩', 是解. '掛一, 揲之以四, 歸奇於扐', 皆是本文; '以象三, 以象四時, 以象閏之類', 皆解文也. '乾之策二百一十有六, 坤之策百四十有四', 孔子則斷之以'當期之日.' '二篇之策萬有一千五百二十', 孔子則斷之以'當萬物之數.' 於此可見."[161]

(주자가 말했다.) "「계사」에서 시초를 세는 방법에 대해 말했는데, 대체로 다만 그 대략을 풀이하였을 뿐이다. 아마 따로 관련된 글이 있었겠지만 지금은 볼 수 없다. 그러나 예컨대 '하늘의 수가 5개이고 땅의 수가 5개이다.'라는 것은 옛글이고, '5개의 자리가 서로를 얻어서 각각 합함이 있다.'는 것은 공자가 풀이한 글이다. '하늘 수의 합은 25이고 땅 수의 합은 30이니, 무릇 하늘과 땅 수의 합계는 55이다.'라는 것은 옛글이고, '이것이 변화를 이루고 귀신을 행하게 하는 것이다.'라는 것은 공자가 풀이한 글이다. '나뉘어 둘이 된다.'는 것은 본문이고 '그것으로써 양의兩儀를 상징한다.'는 풀이한 글이다. '1개를 걸어두고, 4개씩 세고, 나머지 시초들을 되돌려서 끼운다.'는 것은 모두 본문이고, '삼재三才를 상징하고, 사계절을 상징하며, 윤년을 상징한다.'와 같은 따위는 모두 풀이한 글이다. '건괘의 시초 수는 216개이고 곤괘의 시초 수는 144개이다.'라는 구절에 대해 공자는 '1주년의 날 수에 해당한다.'고 단정하였고, '『역』 상·하 두 편의 시초의 수가 11,520개이다.'라는 구절에 대해 공자는 '만물의 수에 해당한다.'고 단정하였으니, 여기에서 (시초를 세는 방법과 관련된 또 다른 글이 있었을 것이라는 것을) 알 수 있다.

[16-7-1-3]

黃氏瑞節曰: "大衍之說, 朱·蔡可謂備矣. 武陵丁氏云, '朱子以五乘十之說, 於諸家爲近. 至於四十有九率不過歸之虛一而已, 未有得夫五十數與四十九之全者.' 於是萃五十七家之說爲「稽衍」, 而自爲「原衍」·「翼衍」凡三卷. 其說曰, '有以先天兩儀四象八卦, 合四十九所虛之一是爲太極者, 有謂四十九與五十皆天地之數, 各再自乘而以中數自乘除之者, 二說似矣而未

161 『朱子語類』 권75, 26조목

也.[162] 蓋天地之數各五, 合而衍之通得九位. 一與二爲三, 二與三爲五, 三與四爲七, 四與五爲九, 五與六爲十一, 六與七爲十三, 七與八爲十五, 八與九爲十七, 九與十爲十九, 九位各有奇而五位各有偶, 置其五位之偶是爲五十, 大衍之體數也; 存其九位之奇, 則得四十有九, 大衍之用數也. 一居其中不用, 而左右之位各四. 有掛一分二揲四之象焉.'[163]

丁氏之說, 又出朱蔡之外; 備之備也. 已撮其圖入諸書圖類, 大略附此以見朱子所謂'聖人說數, 不只說得一路, 自然有許多通透', 信矣."

황씨 서절黃瑞節이 말했다. "대연大衍에 관한 설명은 주자와 채원정의 설명이 갖추어졌다고 할 수 있다. 무릉 정씨武陵丁氏[丁易東][164]가 말하기를, '주자의 「5를 10에 곱한다.」는 말은 여러 학자들보다 이치에 가깝다. 49에 대한 경우는 모두 1개를 비우는 것으로 귀결시키는 데 지나지 않으니, 저 50의 수와 49의 온전함을 얻지 못했다.'[165]고 하였다. 정씨는 이에 57명의 학자들의 말을 모아서 「계연稽衍」을 만들고 스스로 「원연原衍」과 「익연翼衍」을 지어 모두 3권이 되었다.[166] 거기에서 말하기를, '어떤 사람[167]은 선천의 양의兩儀, 4상, 8괘는 49가 비워 둔 1이 태극이 되는 것과 합한 것이라 하였고, 또 어떤 사람[168]은 49와 50은 모두 하늘의 수와 땅의 수에서 각각 다시 제곱하여 중앙의 수를 제곱한 것을 제거한 것이라고 말했는데, 이 두 가지 주장은 그럴 듯하지만 아니다. 하늘의 수와 땅의 수는 각각 5개인데 합하여 연역하면 총 9개의 자리를 얻는다. 여기에서 1과 2는 3이 되고, 2와 3은 5가 되며, 3과 4는 7이 되고, 4와 5는 9가 되며, 5와 6은 11이 되고, 6과 7은 13이 되며, 7과 8은 15가 되고, 8과 9는 17이 되며, 9와 10은 19가 되니, 9개의 자리에는 각각 홀[奇]이 있고 5개의 자리에는 각각 짝[偶]이 있는데, 그 5개의 자리의 짝[偶]을 그대로 둔 것이 50이 되어서 대연의 체體의 수가 되고, 9개의 자리의 홀[奇]을 보존하면 49를 얻어서 대연의 용用의 수가 된다. 1은 가운데 자리 잡아서

162 有以先天兩儀四象八卦 … 二說似矣而未也 : 이는 丁易東, 『大衍索隱』 권1 「原衍」의 "比游浙右有謂, '邵子先天兩儀四象八卦, 合四十九所虛之一是爲太極. 其說雖異先儒, 要無牽合傅會之病. 予始以爲大衍之說, 不過此耳. 徐而思之, 則於易中天地五十五數, 尙有未合, 固已疑之. 未幾復得河南楊氏大衍本原, 謂四十九與五十皆天地之數, 各再自乘而以中數自乘除之者. 始知四十九眞爲四十九, 五十眞爲五十, 非强合之也. 噫楊氏之說似矣, 然其爲數必再自乘又以中數除而後得, 雖無牽强頗非簡易, 未必聖人作易初意. 嘗以管見求之, 亦旣得其說之一二矣, 而猶以爲未也."라는 구절을 요약한 것이다.

163 丁易東, 『大衍索隱』 권1 「原衍」

164 丁易東 : 자는 漢臣이고 호는 石壇이다. 武陵 혹은 龍陽 사람이라고 한다. 송대 咸淳 4년(1268년)에 진사에 급제하여, 벼슬은 朝議大夫, 太守寺簿 겸 樞密院編修에까지 이르렀다. 원나라 때 조정에서 여러 번 불렀으나, 나아가지 않고 石壇精舍(뒤에 沅陽書院이라는 사액서원이 된다.)를 지어 후학들을 지도하였다. 특히 역학을 깊이 연구하여 그 방면으로 저술이 많이 남아있다. 저서로 『梅花詩』, 『周易象義』, 『大衍索隱』 등이 있다.

165 丁易東, 『大衍索隱』 권1 「原衍」에서, "天地之數五十有五, 而大衍五十. 先儒於此每失之鑿, 獨朱子以五乘十之說近之. 至於四十有九率不過歸之虛一而已, 未有得夫五十數與四十九之全者. 予竊病焉."이라고 하였다.

166 정씨는 이에 … 되었다 : 丁易東의 『大衍索隱』은 이 3권으로 되어 있다.

167 어떤 사람 : 浙右 즉 절강성 동부지방에 사는 사람을 지칭한다.

168 어떤 사람 : 楊忠輔를 가리킨다. 그의 저서 『大衍本原』은 현존하지 않는다.

사용하지 않고, 왼쪽 · 오른쪽 자리는 각각 4이다. 1개를 걸어두고 둘로 나누며 4개씩 세어내는 상象이 있다.'고 하였다.

정씨丁氏[丁易東]의 주장은 또 주자와 채원정의 주장 이외의 것에서 나왔으나 갖출 것은 갖추었다. 이미 그 도표들을 모아서 여러 책과 도표류에 넣었으니, 대략 여기에 붙여서 주자가 이른바 '성인이 수를 말하는데 단지 한 갈래 길로만 말한 것이 아니니, 저절로 여러 가지로 통할 수 있다.'[169]라는 말이 믿을 만 하다는 것을 알 수 있다."

169 『朱子語類』 권65, 43조목에서 "聖人說這數, 不是只說得一路. 他說出這箇物事, 自然有許多樣通透去."라고 하였다.

易學啓蒙四 역학계몽 4

考變占 第四 제4 고변점 … 501

易學啓蒙四
역학계몽 4

考變占 第四 제4 고변점(변효로 점치는 것을 살핌)

[17-0-0-1]

朱子曰 : "『易』中先儒舊說,[1] 皆不可廢. 但互體·五行·納甲·飛伏之類, 未及致思耳. 卦變獨於「彖傳」之詞有用故也. [2]"[3]

주자朱子(朱熹)가 말했다. "『역』과 관련된 설명 가운데 선대 학자들의 옛 이론은 모두 폐기할 수 없다. 그러나 호체설互體說[4]·오행역五行易[5]·납갑설納甲說[6]·비복설飛伏說[7]과 같은 따위에 대해서는 미처 깊이 생각하지 못했다. 괘변설卦變說은 오직 「단전彖傳」에서 사용되었기 때문에 연구를 했다.[8]"

1 『易』中先儒舊說 : 『朱文公文集』 54권 「答王伯禮」에는 '『易』中先儒舊法'이라고 되어 있다.

2 卦變獨於「彖傳」之詞有用故也 : 『朱文公文集』 54권 「答王伯禮」에는 "卦變說은 오직 「彖傳」에서 사용되었지만, 옛날의 도해에는 또한 갖추어지지 않았다.(卦變獨於「彖傳」之詞有用, 然舊圖亦未備.)"라고 되어 있다.

3 『朱文公文集』 54권 「答王伯禮」

4 互體說 : 漢代 역학 용어이다. '互卦'의 象으로써 괘사와 효사를 추론하는 방법이다. '互卦'는 『易』의 한 괘에서 2효부터 4효까지의 3획괘를 취하고, 3효부터 5효까지의 3획괘를 취하여 새로 만들어낸 괘를 가리킨다. 예컨대 관괘(觀 : ䷓)에서 2효에서 4효까지를 취하여 곤괘(坤 : ☷)를 새로 만들고, 3효에서 5효까지를 취하여 간괘(艮 : ☶)를 새로 만들어서, 곤괘(䷁)와 간괘(䷳)의 象으로써 관괘의 괘사와 효사를 추론하는 것이다.

5 五行易 : 五行을 『易』에 끌어들여 오행으로 『易』을 해석하는 학설이다. 이는 漢代 焦贛과 京房 등이 『易』의 괘를 五行·六親으로 배합하여 『易』을 해설한 것으로서, 후세에 상수역학의 근원이 되었다.

6 納甲說 : 漢代 역학자 京房이 창립한 筮法이다. 팔괘를 十干·五行·방위와 서로 배합시켜서 괘와 효의 길흉을 점치는 방법이다. 그 방법은 곧 乾의 內象을 甲에 짝지우고 坤의 內象을 乙에 짝지워, 甲과 乙이 木이 되며 방위로는 동쪽이 된다는 형식이다.

7 飛伏說 : 역시 漢代 역학자 京房이 창립한 筮法이다. 괘가 밖으로 드러나는 것을 '飛'라고 하고 드러나지 않고 배후에 감추어진 것을 '伏'이라고 하며, '飛'를 미래로 보고 '伏'을 과거로 보아 그것으로서 괘의 길흉을 점치는 방법이다.

[17-0-0-2]

"「卦變」所謂'剛來柔進'之類,[9] 亦是就卦已成後用意推說, 以此爲自彼卦而來耳, 非眞先有彼而後方有此卦也.[10] 古注說賁卦自泰卦而來, 先儒非之以爲乾·坤合而爲泰, 豈有泰復爲賁之理?[11] 殊不知若論伏羲畫卦, 則六十四卦一時都了,[12] 雖乾·坤亦無能生諸卦之理. 若如文王·孔子之說, 則縱橫曲直, 反復相生, 無所不可. 要在看得活路無所拘泥,[13] 則無不通耳."[14]

(주자가 말했다.) "「괘변도卦變圖」[15]에서 말하는 '강剛이 오고 유柔가 나아간다.'[16]는 부류는, 역시 괘가 이미 이루어진 다음에 의도적으로 추론하여 이 괘는 저 괘에서부터 온 것이라는 것을 말할 뿐이지, 참으로 먼저 저 괘가 있고 난 뒤에 비로소 이 괘가 있다는 것이 아니다. 옛 주注에 비괘䷕는 태괘䷊로부터 왔다고 설명했는데, 선대 학자들은 그것을 비판하여 건괘䷀와 곤괘䷁가 결합하여 태괘䷊가 된다고 하였으니, 어찌 태괘䷊가 다시 비괘䷕가 될 리 있겠는가? 만약 복희가 괘를 그은 것을 논한다면 64괘는 한꺼번에 모두 그렸을 것이니, 비록 건괘䷀와 곤괘䷁라 하더라도 또한 다른 괘를 생겨나게 할 수 있는 이치가 없다는 것을 전혀 몰랐다. 문왕과 공자의 이론과 같다면, 가로로 하거나 세로로 하거나, 굽게 보거나 바르게 보아도 되풀이하여 서로 생겨나니 안 될 것이 없다. 요점은

8 卦變說은 오직 … 했다 : 卦變說은 괘와 괘 간의 변화와 연계성을 말하는 것으로서, 本卦의 효의 변동으로 말미암아 또 다른 하나의 괘를 형성하는 것을 가리킨다. 그렇게 하는 이유는 괘와 괘 사이의 변화와 연계성에 의거하여 『易』의 傳文을 해석하려는 데에 있다. 현존하는 『易』의 「彖傳」·「說卦傳」·「繫辭傳」에 괘변에 대한 많은 묘사가 있다. 그 가운데 효의 위치의 往來·上下·剛柔에 대한 분석은 괘변 방식에 대한 인식이라고 할 수 있다. 괘변설은 漢代의 荀爽·虞翻 등이 그 이론을 체계화한 대표자이다. 주희도 순상과 우번의 괘변설을 계승 발전시켜서 『周易本義』 卷首에 「上下經卦變歌」를 지어 두었고 「變卦圖」를 그려 두었으며, 같은 책에서 「彖傳」을 剛柔·往來 등으로 해석한 곳이 모두 19개 괘에 이른다.

9 卦變所謂'剛來柔進'之類 : 『朱文公文集』 권54 「答王伯禮」에는 '如卦變圖'剛來柔進'之類'라고 되어 있다.

10 非眞先有彼而後方有此卦也 : 『朱文公文集』 권54 「答王伯禮」에는 '非是先有彼卦而後方有此卦也'라고 되어 있다.

11 豈有泰復爲賁之理? : 『朱文公文集』 권54 「答王伯禮」에는 '豈有泰復變爲賁之理?'라고 되어 있다.

12 則六十四卦一時都了 : 『朱文公文集』 권54 「答王伯禮」에는 '則六十四卦一時俱了'라고 되어 있다.

13 要在看得活路無所拘泥 : 『朱文公文集』 권543 「王伯禮」에는 '要在看得活絡無所拘泥'라고 되어 있다.

14 『朱文公文集』 권54 「答王伯禮」

15 「卦變圖」: 「卦變圖」는 본서 뒷부분에 있다.

16 剛이 오고 … 나아간다 : 『周易傳義大全』 3권 訟卦(䷅) 괘사에 대한 설명에, "建安丘氏(丘富國)가 말했다. '剛이 와서 中을 얻은 것, 이것이 괘변이다. 『易』에서 괘변을 말하는 것이 여기에서 시작한다. 剛이 위에서부터 반대로 아래로 내려오는 것이 오는 것이고, 柔가 아래에서부터 위로 올라가는 것이 가는 것이고 나아가는 것이다. 무릇 괘 가운데에서 剛·柔가 위 아래로 왕래하는 것은 3개의 음과 3개의 양으로 된 괘의 경우가 많으니, 내괘와 외괘의 2개의 體의 變을 말하는 것이다. 예컨대 서합괘(䷔)·비괘(䷕) 따위가 이것이다. 4개의 양과 2개의 음, 4개의 음과 2개의 양으로 된 괘의 경우도 剛이 오고 柔가 나아간다고 말하는 것이 있으니, 상괘와 하괘의 1개의 爻의 變을 말하는 것이다. 예컨대 송괘(䷅)·진괘(䷢) 따위가 이것이다. 성인이 괘변이라고 말한 것은 여기에서 그 두 가지 양상을 볼 수 있다.(建安丘氏曰: "剛來而得中, 此卦變也. 『易』中言卦變, 始於此. 剛自上而反下爲來, 柔自下而升上爲往爲進. 凡卦中言剛柔上下之往來者, 多三陰三陽之卦, 謂內外兩體之變也. 如噬嗑·賁之類, 是也. 有四陽二陰·四陰二陽之卦亦言剛來柔進者, 謂上下一爻之變也. 如訟·晉之類, 是也. 聖人之言卦變, 於此見其兩端焉.)"라고 하였다.

맥락을 봐서 막힘이 없으면 통하지 않음이 없다는 데에 있을 뿐이다.”

[17-0-0-3]

潛室陳氏曰 : “伊川正是破否 · 泰卦變之說, 故以卦變皆從乾 · 坤來. 蓋『易』中卦變多是三陽 · 三陰, 類於否 · 泰. 與其主否 · 泰, 寧主乾 · 坤. 乾 · 坤猶卦之母, 否 · 泰則甚無義. 若知諸卦皆可變之說, 則知主乾 · 坤者猶非, 況否 · 泰乎!

잠실 진씨潛室陳氏[陳埴]가 말했다. “이천伊川[程頤]은 확실히 비괘䷋와 태괘䷊가 변한다는 이론을 타파했기 때문에, 괘의 변變은 모두 건괘䷀와 곤괘䷁로부터 온다고 생각했다. 대개 『역』에서의 괘의 변變은 대부분 3개의 양陽과 3개의 음陰이 있는 괘이니, 비괘䷋와 태괘䷊의 부류이다. 그러나 괘의 변變은 비괘䷋와 태괘䷊를 위주로 하는 것보다는 차라리 건괘와 곤괘를 위주로 하는 것이 낫다. 건괘와 곤괘는 괘의 어미와 같지만 비괘䷋와 태괘䷊는 별로 의미가 없다. 만약 모든 괘가 다 변할 수 있다는 이론을 알면, 건괘와 곤괘를 위주로 하는 것도 그르다는 것을 알 것인데, 하물며 비괘䷋와 태괘䷊를 위주로 하겠는가!

蓋卦變之法, 每一卦皆可變爲六十四卦, 如賁之變或主內卦, 則自損而來; 或主外卦, 則自既濟而來. 此晦翁之通例, 不必三陽 · 三陰皆可推. 程子之例, 可稱於三陽 · 三陰之卦, 或三畫不等者即推之不通. 若曉通例, 即一卦可變爲六十四卦, 卦卦皆然, 所謂‘易’也. 若只乾坤二變, 則非變矣.”[17]

대개 괘가 변하는 법칙은 1개의 괘마다 모두 변하여 64개의 괘가 될 수 있으니, 예컨대 비괘䷕로 변變하는 것은 혹 내괘內卦를 위주로 하면 손괘䷨로부터 오고, 혹 외괘外卦를 위주로 하면 기제괘䷾로부터 온다. 이것은 회옹晦翁[朱熹]의 일반적인 규칙인데 굳이 3개의 양陽과 3개의 음陰이 아니더라도 모두 미루어 볼 수 있다. 정자程子[程頤]의 규칙은 3개의 양陽과 3개의 음陰이 있는 괘에는 들어맞을 수 있지만, 혹 3개의 획이 같지 않은 것은 곧 미루어 보아도 통하지 않는다. 만약 일반적인 규칙을 분명히 알면, 1개의 괘가 변하여 64개의 괘가 될 수 있고 괘마다 모두 그러하니 이른바 ‘역易’이다. 만약 다만 건괘와 곤괘 2개의 괘만 변한다면 변變이 아니다.”

[17-1]

乾卦用九, 見羣龍无首吉. 「象」曰 : “用九, 天德不可爲首也.”

건괘 용구用九는 뭇 용들이 머리가 없는 것을 보니 길吉하다. 「상전象傳」에서 말했다. “용구用九는 하늘의 덕은 머리가 될 수 없다는 것이다.”

17 이 구절의 전반부(伊川正是破否泰卦變之說 … 不必三陽三陰皆可推.)는 그 출전을 알 수 없고, 후반부(程子之例 … 則非變矣.)는 陳埴 『木鍾集』 권4에 실려 있다.

坤卦用六, 利永貞. 「象」曰: "用六, 永貞, 以大終也."

곤괘 용육用六은 오래가고 굳게 지킴이[18] 이롭다. 「상전象傳」에서 말했다. "용육用六은 오래가고 굳게 지키는 것은 끝에는 성대하다."

[17-1-1]

用九·用六者, 變卦之凡例也. 言凡陽爻皆用九而不用七, 陰爻皆用六而不用八. 用九, 故老陽變爲少陰; 用六故老陰變爲少陽; 不用七·八, 故少陽·少陰不變. 獨於乾·坤二卦言之者, 以其在諸卦之首, 又爲純陽·純陰之卦也. 聖人因繫以辭, 使遇乾而六爻皆九, 遇坤而六爻皆六者, 即此而占之. 蓋羣龍無首, 則陽皆變陰之象; 利永貞, 則陰皆變陽之義也. 餘見六爻變例. 歐陽子曰: "乾·坤之用九·用六, 何謂也? 曰: '乾爻七·九, 坤爻八·六, 九·六變而七·八无爲. 「易」道占其變, 故以其所占者名爻, 不謂六爻皆九·六也. 及其筮也, 七·八常多而九·六常少, 有無九·六者焉, 此不可以不釋也. 六十四卦皆然. 特於乾·坤見之, 則餘可知耳.'"[19] ○ 愚按此說, 發明先儒所未到, 最爲有功. 其論七·八多而九·六少, 又見當時占法, 三變皆掛, 如一行說.

용구用九와 용육用六은 변괘變卦의 범례이다. 그것은 무릇 양효陽爻는 모두 9를 사용하고 7을 사용하지 않으며, 음효陰爻는 모두 6을 사용하고 8을 사용하지 않는다는 것을 말한다. 9를 사용하므로 노양老陽은 변하여 소음少陰이 되고, 6을 사용하므로 노음老陰은 변하여 소양少陽이 되며, 7과 8을 사용하지 않으므로 소양少陽과 소음少陰은 변하지 않는다. 오직 건괘와 곤괘 2개의 괘에서 용구用九와 용육用六을 말한 것은, 그것이 모든 괘의 첫머리에 있고 또 순양純陽과 순음純陰의 괘이기 때문이다. 성인은 그 때문에 말[辭]을 붙여서, 건괘를 얻어 6개의 효가 모두 9인 경우와 곤괘를 얻어 6개의 효가 모두 6인 경우에는 이것(용구·용육)으로써 점을 치도록 했다. 대개 뭇 용들에 머리가 없는 것은 양이 모두 음으로 변한 상象이고, 오래가고 굳게 지키는 것이 이롭다는 것은 음이 모두 양으로 변했다는 의미이다. 나머지 괘는 6개의 효가 변하는 규칙에 보인다. 구양자歐陽子[歐陽脩]가 말했다. "건괘와 곤괘의 용구用九와 용육用六은 무엇을 말하는가? 스스로 답하였다. '건괘의 효는 7과 9이고 곤괘의 효는 8과 6인데, 9와 6은 변하지만 7과 8은 변함이 없다. 「역」의 도道는 그 변하는 것으로 점치는 것이므로, 그 점친 것을 가지고 효를 이름붙인 것이지 6개의 효가 모두 9와 6이라는 것을 말한 것이 아니다. 산가지로 점을 치는 경우에는 7과 8이 항상 많고 9와 6은 항상 적으며, 9와 6이 없는 경우도 있으니, 이것은 설명하지 않을 수 없다. 64개의 괘가 모두 그러하다. 다만 건괘와 곤괘에서 그것을 이해한다면 나머지는 알 수 있을 것이다.'" ○ 내朱熹 생각에

18 굳게 지키는 것: 주희는 『周易本義』 1권에서 "貞은 굳게 지키는 것이다.(貞, 健之守也.)"라고 하였다.

19 歐陽脩, 『文忠集』 권18 「明用」에서 "用九, 見羣龍无首吉者, 何謂也? 謂以九而名爻也, 乾爻七·九, 九變而七無爲. 「易」道占其變, 故以其所占者名爻, 不謂六爻皆常九也. 曰用九者, 釋所以不用七也. 及其筮也, 七常多而九常少, 有無九者焉, 此不可以不釋也. … 用六, 利永貞者, 何謂也? 謂以六而名爻也, 坤爻八·六, 六變而八無爲, 亦以其占者名爻, 不謂六爻皆常六也. 曰用六者, 釋所以不用八也. 及其筮也, 八常多而六常少, 有無六者焉, 此不可以不釋也. … 六十四卦陽爻皆七·九, 陰爻皆六·八, 於乾坤而見之, 則其餘可知也."라고 하였는데, 이를 종합하여 정리했다.

이 말은 선대 학자들이 이르지 못한 것을 밝혔으니 공로가 가장 크다. 구양수가 7과 8이 많고 9와 6이 적은 것을 논했는데, 또 당시의 점치는 방법을 보면 3번의 변變마다 모두 걸어두었으니, 일행一行[20]의 주장과 같다.

[17-1-1-1]

朱子曰 : "陽爲大, 陰爲小, 如大過 · 小過之類, 皆是以陰·陽而言. 坤六爻皆陰, 其始本小; 到此陰皆變爲陽矣, 所以謂'以大終也.'[21] 言始小而終大也."[22]

주자朱子[朱熹]가 말했다. "양이 크고 음이 작으니, 예컨대 대과괘䷛와 소과괘䷽ 따위는 모두 음과 양으로써 말한 것이다. 곤괘의 6개 효는 모두 음인데 그 시작은 본래 작지만, 여기用六에 이르러서는 음이 모두 변하여 양이 되므로 '끝에는 성대하다.'고 하였다. 이것은 시작이 작지만 끝이 크다는 것을 말한다."

[17-1-1-2]

"凡得乾而六爻純九, 得坤而六爻純六者, 皆當直就此例占其所繫之辭, 不必更看所變之卦. 『左傳』蔡墨所謂'乾之坤曰, 見羣龍无首'者, 可以見其一隅也. 蓋'羣龍无首', 即坤之'牝馬先迷'也; '利永貞', 即乾之不言所利也."[23]

(주자가 말했다.) "무릇 건괘를 얻어서 6개의 효가 순전히 9인 것과 곤괘를 얻어서 6개의 효가 순전히 6인 것은, 모두 다만 이 규칙으로 그것에 대해 붙인 말[辭]로 점쳐야지 다시 변한 괘를 볼 필요가 없다. 『춘추좌씨전』에서 채묵蔡墨[24]이 이른바 '건괘가 곤괘로 간 것은 뭇 용들이 머리가 없다는 것을 보는 것을 말한다.'[25]고 한 것에서 그 한 측면을 볼 수 있다. 대개 '뭇 용이 머리가 없다.'는 것은, 곧 곤괘의 '암말이 앞서면 길을 잃는다.'[26]는 것이며, '오래가고 굳게 지키는 것이 이롭다.'는 것은, 곧 건괘의 '이로운 것을 말하지 않는다.'[27]는 것이다."

20 一行(683~727) : 본명은 張遂이다. 唐代 천문학자 승려로서 邢州 巨鹿(현 하북성 邢台) 사람이다. 그는 청년 시절에 이미 천문과 역법 및 수학에 정통하여 開元 5년(717)에는 唐玄宗의 고문이 되었다. 그 후 10년 동안 천문에 대한 연구와 曆法의 개혁에 매진하였고, 역사상 최초로 子午線을 측량하였다. 이러한 과정에서 그는 대형의 천문관측 기구를 제작하여 천문학 연구의 기반을 마련하였고, 그 성과로 『開元大衍曆』을 편찬하였다. 그 외의 저술로는 『七政長曆』, 『易論』, 『心機算術』 등이 있다.

21 所以謂'以大終也.' : 『朱子語類』 권69, 136조목에는 "所謂'以大終也.'"라고 되어 있다.

22 『朱子語類』 권69, 136조목

23 『朱文公文集』 권45 「答虞士朋」

24 蔡墨 : 춘추시대 晉나라 史官으로, 史蔡라고도 불리며, 오행사상을 『周易』에 끌어들인 학자라고 한다. 그는 고대 용을 기르는 전설에 대하여, 五行之官에서 水官이 폐기되어 水에 속하는 용이 상징으로만 남게 되었다고 하였다. 『周易』 연구를 통하여 당시 여러 제후국들의 미래를 점치기도 하였다고 한다.

25 『춘추좌씨전春秋左傳』 昭公 29년에는, "蔡墨對曰 : '其(乾之)坤曰, 見羣龍无首, 吉.'"이라고 하였다.

26 암말이 앞서면 … 잃는다 : 『易』, 곤괘. "坤, 元亨, 利牝馬之貞. 君子有攸往, 先迷後得, 主利."

27 이로운 것을 … 않는다 : 『易』, 건괘, 「文言傳」. "乾始能以美利利天下, 不言所利, 大矣哉!"

[17-1-1-3]

"'見羣龍', 謂値此六爻皆九也. '无首', 謂陽變而陰也. 剛而能柔故吉, 而聖人因之以發明剛而不過, 爲用剛之道也. 凡揲而六爻皆九者, 則以此辭占之. 蔡氏引此, 杜註亦如此說."[28]

(주자가 말했다.) "'뭇 용을 본다.'는 것은 이 6개의 효가 모두 9인 것을 만난다는 것을 말한다. '머리가 없다.'는 것은 양이 변하여 음이 된다는 것을 말한다. 굳세면서도 부드러울 수 있으므로 길하다고 하였는데, 성인(공자)은 그것에 의거하여 굳세면서도 지나치지 않는 것이 굳셈을 사용하는 도道라는 것을 밝혔다. 무릇 시초를 세어서 6개의 효가 모두 9인 것은 이 말辭로 점을 친다. 채씨蔡氏[蔡墨]는 이것을 인용하였고, 두예杜預[29]의 주석도 역시 이와 같이 설명했다.[30]"

[17-1-1-4]

"七·八·九·六, 雖是逐爻之數, 然全卦七·八, 則當占本卦辭; 三爻七·八, 則當占兩卦辭; 全卦九·六, 則當占之卦辭."[31]

(주자가 말했다.) "7·8·9·6은 비록 효마다 얻게 된 수數이지만, 괘의 전체 효가 7이거나 8이면 본괘本卦의 괘사로 점을 쳐야 하고, 3개의 효가 7이거나 8이면 2개 괘의 괘사로 점을 쳐야 하며, 괘의 전체 효가 9와 6이면 지괘之卦[32]의 괘사로 점을 쳐야 한다."

[17-1-1-5]

進齋徐氏曰: "六爻皆用九, 則乾變之坤. 九者剛健之極,[33] 天德也. '天德不可爲首', 指卦變言, 即坤无首之義, 非謂乾剛有所不足也. 善用九者, 物極必變, 剛而能柔, 不爲物先, 用坤道也."[34]

28 『朱文公文集』 권44 「答方伯謨」에는, "凡揲而六爻皆九者, 則以此辭占之. '見羣龍', 謂値此六爻皆九也. '无首', 謂陽變而陰也. 剛而能柔故吉, 而聖人因之以發明剛而不過, 爲用剛之道也. 『左傳』蔡墨云, '在乾之坤曰, 見羣龍無首, 吉.' 杜註亦如此說."이라고 되어 있다. 문장 배열순서가 바뀌고, 일부분은 간략해졌다.

29 杜預(222~284): 자는 元凱이며, 京兆 杜陵(현 섬서성 長安縣) 사람이다. 중국 晉代의 학자·정치가이며, 秦州刺史·鎭南大將軍 등을 역임하였다. 유일하게 삼국시대의 명맥을 유지하고 있던 吳나라를 공격하여 평정(280년)하였으며 뛰어난 군사전략가로서 실력을 발휘하였다. 만년에는 학문과 저술에 힘을 기울였다. 저서에 『春秋左氏經傳集解』, 『春秋釋例』 등이 있는데, 특히 『春秋左氏經傳集解』는 종래 별개의 책이었던 『春秋』의 經文과 『左氏傳』을 한 권의 책으로 정리하여, 경문에 대응하도록 『左氏傳』의 문장을 분류하여 春秋義例說을 확립하고, 춘추학으로서의 좌씨학을 집대성하였다. 또한 훈고에서도 선대 학자들의 학설의 좋은 점을 모아 『左氏傳』을 춘추학의 정통적 지위에 올려놓았다. 이 저서는 현재에도 가장 기본적인 註釋으로 꼽힌다.

30 杜預의 주석도 … 설명했다: 杜預는 『春秋左傳注疏』 권53에서 "其坤(注, 坤上坤下), 坤乾六爻皆變曰, '見羣龍無首, 吉.(注, 乾用九爻辭.)'"라고 하였다.

31 『朱文公文集』 권59 「答吳斗南」 별지

32 之卦: 한 괘가 변하여 또 다른 괘가 되는 것을 말한다. 또 한편으로는 괘변에서 2개의 효가 交易하여 얻은 괘를 말하기도 한다.

33 九者剛健之極: 胡方平, 『易學啓蒙通釋』 권下 「考變占」 제4에는 '九者乾之極'이라고 되어 있다.

진재 서씨進齋徐氏[徐幾][35]가 말했다. "6개의 효가 모두 9를 사용하면 건괘가 변하여 곤괘로 간다. 9는 지극히 강건한 것이니 하늘의 덕이다. '하늘의 덕은 머리가 될 수 없다.'라는 것은 괘의 변變을 가리켜 말한 것이니, 곧 곤괘에 머리가 없다는 의미이지 건괘의 굳셈에 부족함이 있다는 것을 말하는 것이 아니다. 9를 잘 사용하는 자는, 만물이 극한에 이르면 반드시 변하여 굳세면서도 부드러울 수 있어서 만물에 앞서지 않으니, 곤괘의 도리를 사용하는 것이다."

[17-1-1-6]

玉齋胡氏曰："'羣龍', 六龍也. 筮得六爻皆用老陽之九, 則變而之坤. 旣變而坤, 故'不可爲首.' '首', 先也. 坤爲首, 則'先迷'矣. '永貞', 陽也. 筮得六爻皆用老陰之六, 則變而之乾. 旣變而乾, 故'以大終.' '大', 陽也. 『易』中稱'大'爲陽也. '乾爻七·九, 坤爻八·六'者, 蓋謂遇乾而變者爲老陽之九, 其間亦有不變而爲少陰之七者[36]; 遇坤而變者爲老陰之六, 其間亦有不變而爲少陰之八者. '七·八常多, 九·六常少'者, 七·八每易遇, 以其或奇或偶之不齊, 故常多也; 九·六每難遇, 以其老陽必三奇, 老陰必三隅, 故常少也. '又見當時占法, 三變皆掛'者, 蓋三變皆掛, 則少陽二十·少陰二十八爲易遇, 老陽十二爲難遇; 後二變不掛, 則老陽二十七遇之甚易矣."[37]

옥재 호씨玉齋胡氏[胡方平]가 말했다. "'뭇 용'은 6마리의 용이다. 산가지로 점을 쳐서 6개의 효를 얻은 것이 모두 노양老陽의 9를 사용하면, 변해서 곤괘로 간다. 이미 변해서 곤괘가 되었으므로 '머리가 될 수 없다.' '머리'는 앞서는 것이다. 곤괘가 머리가 되는 것은 '앞서면 길을 잃는다.'는 것이다. '오래가고 굳게 지키는 것'은 양陽이다. 산가지로 점을 쳐서 6개의 효를 얻은 것이 모두 노음老陰의 6을 사용하면, 변해서 건괘로 간다. 이미 변해서 건괘가 되었으므로 '끝에는 크다.' '크다'는 양陽이다. 『역』에서 '크다'라고 일컬은 것은 양陽이다. '건괘의 효는 7과 9이고 곤괘의 효는 8과 6이라는 것'은, 대개 건괘를 얻었을 때 변하는 것은 노양老陽의 9이고, 그 사이에 또한 변하지 않는 것이 있으니 소양少陽의 7이라는 것이며, 곤괘를 얻었을 때 변하는 것은 노음老陰의 6이고, 그 사이에 또한 변하지 않는 것이 있으니 소음少陰의 8이라는 것을 말한다. '7과 8이 항상 많고 9와 6이 항상 적다는 것'은, 7과 8은 매번 얻기 쉬우니 홀수를 얻기도 하고 짝수를 얻기도 하여 고르지 않으므로 항상 많으며, 9와 6은 매번 얻기 어려우니 그 얻는 것이 노양老陽은 반드시 3개의 홀수이고 노음老陰은 반드시 3개의 짝수이므로 항상 적다는 것이다. '또 당시의 점치는 방법을 보면 3번의 변變마다 모두 걸어두

34 胡方平, 『易學啓蒙通釋』 권下 「考變占」 제4에 徐幾의 말로 실려 있다.

35 徐幾 : 자는 子與이고 호는 進齋이다. 송대 崇安(현 복건성 소속) 사람이다. 經史에 두루 통하였고 특히 『易』에 정통했다. 景定(1260~1264) 연간에 何基와 함께 벼슬이 없이 建寧府敎授 겸 建安書院山長을 역임하면서 많은 문인을 지도하였다.

36 少陰之七者 : 胡方平, 『易學啓蒙通釋』 권下 「考變占」 제4에도 '少陰之七者'로 되어 있지만, 오자인 것 같다. 7은 少陽이므로 '少陽之七者'라고 수정해야 할 것이다. 번역문은 역자가 수정한 것에 따랐다.

37 胡方平, 『易學啓蒙通釋』 권下 「考變占」 제4

었다.'는 것은, 3번의 변變마다 모두 걸어두면 소양少陽 20과 소음少陰 28은 얻기 쉽지만 노양老陽 12는 얻기 어려우며, 뒤의 2번의 변變에 걸어두지 않으면 노양老陽 27은 얻기가 매우 쉽다는 것이다."

[17-1-2]

凡卦六爻皆不變, 則占本卦彖辭, 而以內卦爲'貞', 外卦爲'悔.' 彖辭爲卦下之辭. 孔成子筮立衛公子元, 遇屯曰'利建侯.' 秦伯伐晉, 筮之遇蠱曰'貞風也, 其悔山也.'

무릇 괘의 6개 효가 모두 변하지 않으면, 본괘의 단사彖辭로 점을 치되, 내괘內卦는 '정貞'이 되고 외괘外卦는 '회悔'가 된다. 단사彖辭는 괘 아래에 있는 말[辭]이다. 공성자孔成子[孔烝][38]는 위衛나라의 공자公子 원元[衛靈公]을 옹립하는 문제로 점을 쳤는데, 준괘䷂를 얻고 '제후를 세우는 것이 이롭다.'[39]라고 말했다.[40] 진秦나라 목공穆公이 진晉나라를 정벌하는 문제로 점을 치게 했는데, 고괘䷑를 얻고 '정貞은 바람巽☴이고 그 회悔는 산[艮]☶이다.'라고 말했다.[41]

[17-1-2-1]

潛室陳氏曰 : "貞·悔字皆從卜."[42]

잠실 진씨潛室陳氏[陳埴]가 말했다. "'정貞'자와 '회悔'자는 모두 '복卜'자를 따랐다."[43]

[17-1-2-2]

玉齋胡氏曰 : "朱子云 : '陽用九而不用七.[44] 且如占得純乾卦皆七數,[45] 這却不是變底. 他未當得九, 未在這爻裏面, 所以只就占上面彖辭.[46]' 他亦然.

38 孔烝 : 춘추전국시대 衛나라의 대부로서 점을 쳐서 衛靈公을 추대한 權臣이다.

39 제후를 세우는 … 이롭다 : 『易』 屯괘 괘사. 屯, 元亨, 利貞. 勿用有攸往. 利建侯.

40 孔成子(孔烝)는 衛나라의 … 말했다 : 『春秋左氏傳』 昭公 7년에는, "孔成子以『周易』筮之, 曰, '元尙享衛國, 主其社稷.' … 史朝對曰, '康叔名之, 可謂長矣. 孟非人也, 將不列於宗, 不可謂長. 且其繇曰, 利建侯.'"라고 하였다. 그 내용은, 孔成子(孔烝)는 衛나라의 公子 元(衛靈公)을 옹립하는 문제로 점을 치게 했는데, 준괘(䷂)를 얻자 (卜官인 史朝가 말하기를,) '제후를 세우는 것이 이롭다.'라고 말했다는 것이다.

41 秦나라 穆公이 … 말했다 : 『春秋左氏傳』 僖公 15년에는, "晉饑, 秦輸之粟; 秦饑, 晉閉之糴, 故秦伯伐晉. 卜徒父筮之, 吉, '涉河, 侯車敗.' … '蠱之貞, 風也; 其悔, 山也.'"라고 하였다. 그 내용은 秦나라 穆公이 晉나라를 정벌하는 문제로 점을 치게 했는데, 고괘(䷑)를 얻자 (卜官인 徒父가 말하기를,) '貞은 바람(巽 ☴)이고 그 悔는 산(艮 ☶)입니다.'라고 말했다는 것이다.

42 貞·悔字皆從卜 : 陳埴, 『木鍾集』 권4에는, "或說貞·悔字皆從卜."이라고 하여 '或說'이 더 붙어 있다.

43 '貞'자와 '悔'자는 … 따랐다 : '悔'자에는 '卜'자가 없지만 '悔'와 통용되는 '𠧪'자에 '卜'자가 있다. '貞'은 '점을 묻다.[卜問]'라는 뜻이고 '卜'이 의미부분으로 작용하고, '悔'는 '𠧪'가 古字로서 '주역 卦의 上體'라는 뜻이고, 역시 '卜'이 의미부분으로 작용한다.(『說文解字』 참조)

44 陽用九而不用七 : 『朱子語類』 권68, 66조목에는 '用九而不用七'이라고 되어 있다.

45 且如占得純乾卦皆七數 : 『朱子語類』 권68, 66조목에는 '且如得純乾卦皆七數'라고 되어 있다.

46 所以只就占上面彖辭 : 『朱子語類』 권68, 66조목에는 '所以只占上面彖辭'라고 되어 있다.

옥재 호씨玉齋胡氏[胡方平]가 말했다. "주자朱子[朱熹]는, '양은 9를 사용하고 7을 사용하지 않는다. 예컨대 점을 쳐서 순수한 건괘를 얻어 (괘의 효가) 모두 7의 수라면 이것은 변하는 것이 아니다. 그것은 아직 9가 되지 않고 그 효들 속에 있지 않기 때문에[47] 다만 위의 단사彖辭로 점을 친다.'[48]고 말했다. 다른 것도 역시 그러하다.

'以內卦爲貞, 外卦爲悔'者, 朱子云 : '貞是事之始, 悔是事之終; 貞是事之主, 悔是事之客; 貞是事在我底, 悔是應人底.' 今統占本卦彖辭而分內·外卦爲貞·悔者,[49] 大抵筮法有變卦, 則以本卦爲貞, 之卦爲悔; 无變卦, 則以內卦爲貞, 外卦爲悔. 此又是兼內·外卦體推斷, 如貞風悔山之類, 是以貞爲我悔爲彼也. 論貞·悔詳見前篇末."[50]

'내괘內卦는 정貞이 되고 외괘外卦는 회悔가 된다.'는 것에 대하여, 주자朱子[朱熹]는, '정貞은 일의 시작이고 회悔는 일의 끝이며, 정貞은 일의 주인이고 회悔는 일의 손님이며, 정貞은 일이 나에게 있는 것이고 회悔는 남에게 응대하는 것이다.'[51]라고 말했다. 이제 본괘의 단사彖辭로 점을 치되 내괘와 외괘로 나누어 정貞이 되고 회悔가 된다고 한 것은, 대체로 산가지로 점치는 방법에서, 변괘가 있으면 본괘本卦를 정貞으로 하고 지괘之卦를 회悔로 하며, 변괘가 없으면 내괘를 정貞으로 하고 외괘를 회悔로 한다. 이것은 또 내괘·외괘의 괘체卦體[52]를 겸해서 미루어 판단하는 것이니, 예컨대 정貞이 바람이고 회悔가 산이라고 하는 따위는 정貞을 나로 삼고 회悔를 남으로 삼은 것이다. 정貞과 회悔에 대해 논한 것은 전편의 끝부분에 자세히 나타나 있다."

[17-1-2-3]

"『左』昭七年, 衛卿孔成子欲立公子元, 筮之遇屯. 以示子朝. 子朝曰, '元亨, 且其繫辭曰, 利建侯, 子其建之.' 成子遂立元, 即靈公也."[53]

(옥재 호씨가 말했다.) "『춘추좌씨전』 소공昭公 7년에 위衛나라 경卿 공성자孔成子[孔烝鉏]가 공자公子 원元을 옹립하려고 점을 쳤는데, 둔괘䷂를 얻었다. 그것을 자조子朝[54]에게 보여주니, 자조가 '크게 형통할 것이고, 또 그 괘사에 제후를 세우는 것이 이롭다고 했으니 그대는 그를 세우시오.'라고

47 그 효들 … 때문에 : 李宜哲, 『朱子語類考文解義』 584쪽에서, "효가 변하지 않으면 이 효에서 점을 칠 수 없다. 이것은 점을 치는 일이 여기에 있지 않다는 것이다.(爻不變, 則不可就此爻占之. 是所占之事, 不在於此也.)"라고 하였다.
48 『朱子語類』 권68, 66조목
49 今統占本卦彖辭而分內·外卦爲貞·悔者 : 胡方平의 『易學啓蒙通釋』 권下, 「考變占」 제4에는 '今就占本卦彖辭而分內·外卦爲貞·悔者'라고 되어 있다.
50 胡方平, 『易學啓蒙通釋』 권下 「考變占」 제4
51 貞은 일의 … 것이다 : 『朱子語類』 권66, 46조목
52 卦體 : 八卦의 총합이 괘체를 구성한다. 어떤 사람은 팔괘가 바로 괘체라고도 한다.
53 胡方平, 『易學啓蒙通釋』 권下 「考變占」 제4
54 子朝 : 『春秋左氏傳』 昭公 7년에는 '史朝'라고 하였는데, 당시의 衛나라 史官이었다.

하였다. 공성자가 마침내 원元을 옹립하니, 곧 위나라 영공靈公이다.[55]"

[17-1-2-4]

"僖十五年, 秦伯伐晉, 卜徒父筮之, '吉. 其卦遇蠱, 貞風也, 悔山也. 歲云秋矣, 我落其實而取其材, 所以克也. 實落材亡, 不敗何待!' 遂獲晉侯以歸."[56]

(옥재 호씨가 말했다.) "『춘추좌씨전』 희공僖公 15년에 진백秦伯(진秦나라 목공穆公)이 진晉나라를 정벌하려고 할 때 복관卜官 도보徒父에게 점을 치게 했는데, (대답하기를,) '길吉합니다. 고괘䷑를 얻었으니, 정貞은 바람이고 회悔는 산입니다. 때는 가을이라 우리가 (바람을 일으켜) 저들의 열매를 떨어뜨리고 저들의 재목을 취하므로 전쟁에 이깁니다.[57] 열매가 떨어지고 재목이 없어지는데 전쟁에 지지 않고 어찌겠습니까!'라고 했다. 마침내 진후晉侯[晉惠公]를 사로잡아 돌아왔다.[58]"

[17-1-3]

一爻變, 則以本卦變爻辭占. 沙隨程氏曰 : "畢萬遇屯之比, 初九變也; 蔡墨遇乾之同人, 九二變也; 晉文公遇大有之睽, 九三變也; 陳敬仲遇觀之否, 六四變也; 南蒯遇坤之比, 六五變也; 晉獻公遇歸妹之睽, 上六變也."

1개의 효가 변하면 본괘本卦의 변효變爻의 효사爻辭로 점친다. 사수 정씨沙隨程氏[程迥]가 말했다. "필만畢萬[59]이 준괘䷂가 비괘䷇로 가는 것을 얻었으니, 초구初九효가 변한 것이다. 채묵蔡墨이 건괘䷀가 동인괘䷌로 가는 것을 얻었으니, 구이九二효가 변한 것이다. 진 문공晉文公이 대유괘䷍가 규괘䷥로 가는 것을 얻었으니, 구삼九三효가 변한 것이다. 진경중陳敬仲이 관괘䷓가 비否䷋로 가는 것을 얻었으니, 육사六四효가 변한 것이다. 남괴南蒯가

---

55 『春秋左氏傳』 昭公 7년에는, "又曰, '余尙立縶, 尙克嘉之.' 遇屯䷂之比䷇. 以示史朝. 史朝曰, '元亨, 又何疑焉?' 成子曰, '非長之謂乎?' 對曰, '康叔名之, 可謂長矣. 孟非人也, 將不列於宗, 不可謂長. 且其繇曰, 利建侯. 嗣吉, 何建? 建非嗣也. 二卦皆云, 子其建之!'"라고 하였다.

56 胡方平, 『易學啓蒙通釋』 권下 「考變占」 제4

57 우리가 (바람을 일으켜) 저들의 열매를 떨어뜨리고 저들의 재목을 취하므로 전쟁에 이깁니다 : 이에 대한 구체적 설명은 『음주전문춘추괄례시말좌전구두직해(音註全文春秋括例始末左傳句讀直解)』 僖公 15년 조의 본문 설명에 다음과 같이 자세히 말하였다. "간괘는 산으로 외괘에 있어 晉나라를 상징하고, 손괘는 바람으로 내괘에 있어 秦나라를 상징한다. 점을 칠 때는 가을을 맞아 바람이 불어 산속 나무의 열매를 떨어뜨린다. 秦나라가 주동이므로 '내가 그 열매를 떨어뜨린다'고 말하였다. 材는 나무이니, 열매가 떨어지면 나무는 내가 차지하는 것이다. 내괘는 외괘를 이기므로 秦나라가 반드시 이길 것을 알겠다.(艮爲山, 在外象晉, 巽爲風, 在內象秦. 占時屬秋, 風吹落山木之實, 秦爲主, 故言我落其實. 材, 木也, 實落則材爲我所取. 內卦克外卦, 故知秦必克)" 이는 秦나라가 내괘이기 때문에 외괘인 晉나라를 이긴다고 설명한 것이다.

58 『춘추좌씨전』 僖公 15년에는, "卜徒父筮之, 吉, '涉河, 侯車敗.' 詰之. 對曰, '乃大吉也. 三敗, 必獲晉君. 其卦遇蠱䷑, 曰, 「千乘三去, 三去之餘, 獲其雄狐.」 夫狐蠱, 必其君也. 蠱之貞, 風也; 其悔, 山也. 歲云秋矣, 我落其實, 而取其材, 所以克也. 實落材亡, 不敗何待! … 秦獲晉侯以歸."라고 하였다.

59 畢萬 : 周文王의 서자인 畢公高의 후예이다. 晉나라 獻公 때 耿·霍·魏 등 주변국 정벌에 공로를 세워 魏(현 산서성 소속)에 봉해지고 大夫가 되었다. 이에 그 후손이 魏 姓을 가지게 되었다.

곤괘䷁가 비괘䷇로 가는 것을 얻었으니, 육오六五효가 변한 것이다. 진 헌공晉獻公이 귀매괘䷵가 규괘䷥로 가는 것을 얻었으니, 상육上六효가 변한 것이다."

[17-1-3-1]

玉齋胡氏曰 : "一爻變者凡六卦, 有圖在後. 如第一圖以乾爲本卦, 一爻變自姤至夬; 以坤爲本卦, 一爻變自復至剝是也. 餘放此. 沙隨所擧六事, 皆各得一爻變; 就本卦變爻占, 其例觀後注可見."[60]

옥재 호씨玉齋胡氏[胡方平]가 말했다. "1개의 효가 변하는 것은 모두 6개의 괘인데 도표가 뒤에 있다. 예컨대 제1도에서 건괘䷀를 본괘로 한 경우 1개의 효가 변하는 것은 구괘䷫에서 쾌괘䷪까지이고, 곤괘䷁를 본괘로 한 경우 1개의 효가 변하는 것은 복괘䷗에서 박괘䷖까지가 이것이다. 나머지도 이와 같다. 사수 정씨沙隨程氏[程迥]가 거론한 6가지 일은 모두 각각 1개의 효가 변한 것을 얻은 것이니, 본괘의 변효에서 점을 친 것에 대한 그 사례는 뒤의 주석을 보면 알 수 있다."

[17-1-3-2]

"『左』閔元年, 畢萬筮仕於晉, 遇屯之比, 辛廖占之曰, '吉孰大焉? 其必蕃昌, 公侯之卦也.'"[61]

(옥재 호씨가 말했다.) "『춘추좌씨전』 민공閔公 원년에, 필만畢萬이 진晉나라에서 벼슬하는 일에 대하여 산가지로 점을 치니 준괘䷂가 비괘䷇로 가는 것을 얻었는데, 신료辛廖(晉나라 대부)가 그것을 점쳐서 말하기를, '무엇이 이것보다 크게 길하겠는가? 반드시 번창하리니 공후公侯가 될 괘이다.[62]'라고 했다.[63]"

[17-1-3-3]

"昭二十九年秋, 龍見於絳郊. 魏獻子問於蔡墨, 墨曰, '乾之同人, 九二變也.'"[64]

(옥재 호씨가 말했다.) "『춘추좌씨전』 소공昭公 29년 가을에, 용이 강絳(진晉나라 도읍: 현 산서성 강현絳縣)의 교외에 나타났다. 위헌자魏獻子[65]가 채묵蔡墨에게 물으니, 채묵이 말하기를, '건괘䷀가 동인괘䷌로 간 것이니, 구이九二효가 변한 것입니다.'고 했다.[66]"

60 胡方平, 『易學啓蒙通釋』 권下 「考變占」 제4
61 胡方平, 『易學啓蒙通釋』 권下 「考變占」 제4
62 반드시 번창하리니 … 괘이다 : 『易』 屯괘 初九효의 효사에, "利居貞, 利建侯."라고 하였다.
63 『春秋左氏傳』 閔公 원년에는, "畢萬筮仕於晉, 遇屯䷂之比䷇, 辛廖占之, 曰, '吉. 屯固比入, 吉孰大焉? 其必蕃昌. 震爲土, 車從馬, 足居之, 兄長之, 母覆之, 衆歸之, 六體不易, 合而能固, 安而能殺, 公侯之卦也.'"라고 하였다.
64 胡方平, 『易學啓蒙通釋』 권下 「考變占」 제4
65 魏獻子(?~B.C.509) : 이름은 舒 혹은 荼이고, 춘추시대 말기 晉나라의 경대부이다. 晉나라의 名將인 魏昭子 絳의 손자로서 군사전문가로 유명하다. 중국 고대 보병전술의 창시자이다.
66 『春秋左氏傳』 昭公 29년 가을에는, "龍見于絳郊. 魏獻子問於蔡墨曰, '吾聞之, 蟲莫知於龍, 以其不生得也, 謂之知, 信乎?' 對曰, ' … 在乾䷀之姤䷫, 曰潛龍勿用 ; 其同人䷌曰見龍在田'"이라고 하였다.

[17-1-3-4]

"僖二十五年，晉文公將納王，使卜偃筮之，遇大有之睽曰，'公用享于天子之卦，戰克而王享，吉孰大焉?'"[67]

(옥재 호씨가 말했다.) "『춘추좌씨전』 희공僖公 25년에, 진 문공晉文公[68]이 주 양왕周襄王을 왕위에 앉히려고 하여 복관卜官 언偃에게 산가지로 점을 치게 하였는데, 대유괘䷍가 규괘䷥로 가는 것을 얻어서 말하기를, '공후公侯가 천자에게 대접 받을 괘이므로[69] 전쟁에서 이겨서 왕이 향연을 베푸니, 무엇이 이것보다 크게 길하겠는가?'라고 했다.[70]"

[17-1-3-5]

"莊二十二年，陳厲公生敬仲，使周史筮之，遇觀之否曰，'是謂觀國之光，利用賓于王，此其代陳有國乎!'"[71]

(옥재 호씨가 말했다.) "『춘추좌씨전』 장공莊公 22년에, 진 여공陳厲公[72]이 경중敬仲을 낳고서 주周나라의 사관史官에게 산가지로 점을 치도록 하니, 관괘䷓가 비괘䷋로 가는 것을 얻어서 말하기를, '이것은 나라의 풍광을 보는 것이니 왕의 손님이 되는 것이 이롭다[73]는 것을 말하니, 이것은 경중敬仲이 진陳나라를 대신하여 나라를 소유하게 될 것입니다!'라고 했다.[74]"

[17-1-3-6]

"昭十二年，南蒯將叛，筮遇坤之比曰，'黃裳元吉'，以爲大吉. 子服惠伯曰，'忠信之事則可，不然必敗.' 後蒯果敗."[75]

(옥재 호씨가 말했다.) "『춘추좌씨전』 소공昭公 12년에, 남괴南蒯[76]가 모반을 일으키려고 산가지로

---

67 胡方平, 『易學啓蒙通釋』 권下 「考變占」 제4

68 晉文公(B.C.697 혹은 660~B.C.628) : 이름은 重耳이다. 晉獻公의 아들이자 晉惠公의 형으로서, 재위 기간은 B.C.636~B.C.628이다. 그는 재위기간 중 부친이 신장시킨 국력을 기반으로 더욱 노력하여, 진나라가 춘추5패에 들어 100여 년을 지속할 수 있게 하였다.

69 公侯가 천자에게 … 괘이므로 : 『易』 大有卦 九三爻의 효사에, "公用亨于天子, 小人弗克."이라고 하였다.

70 『春秋左氏傳』 僖公 25년에는, 公曰, "筮之!" 筮之, 遇大有䷍之睽䷥, 曰, "吉. 遇'公用享于天子'之卦. 戰克而王饗, 吉孰大焉?"이라고 하였다.

71 胡方平, 『易學啓蒙通釋』 권下 「考變占」 제4

72 陳厲公(?~B.C.700) : 이름은 躍이고, 陳桓公의 아들로서 재위 기간은 B.C.706~B.C.700년이다. 그의 아들 陳完(田敬仲)은 아버지인 진 여공이 피살되는 궁정의 내란을 피해 齊나라로 망명하여 성을 田으로 바꾸고 나중에 제나라의 정권을 쟁취하였다.

73 나라의 빛을 … 이롭다 : 『易』 觀卦 六四爻의 효사에 "觀國之光, 利用賓于王."이라고 하였다.

74 『春秋左氏傳』 莊公 22년에는, "陳厲公, 蔡出也, 故蔡人殺五父而立之. 生敬仲. 其少也, 周史有以『周易』見陳侯者, 陳侯使筮之, 遇觀䷓之否䷋, 曰, '是謂「觀國之光, 利用賓于王.」 此其代陳有國乎! 不在此, 其在異國; 非此其身, 在其子孫.'"이라고 하였다.

75 胡方平, 『易學啓蒙通釋』 권下 「考變占」 제4

점을 쳤는데, 곤괘䷁에서 비괘䷇로 가는 것을 얻고는, '황색 치마니 크게 길하다.'[77]고 말하며 크게 길한 것으로 생각했다. 자복혜백子服惠伯이 말하기를, '충성스럽고 신의가 있는 일이라면 괜찮지만 그렇지 않으면 반드시 패배할 것이다.'라고 했다. 과연 나중에 남괴南蒯는 패배했다.[78]"

[17-1-3-7]

"僖十五年, 晉獻公筮嫁伯姬於秦, 遇歸妹之睽, 史蘇占之曰, '不吉. 其繇曰, 士刲羊, 亦无衁也; 女承筐, 亦无貺也.'"

(옥재 호씨가 말했다.) "『춘추좌씨전』 희공僖公 15년에, 진 헌공晉獻公[79]이 백희伯姬를 진秦나라에 시집보내는 일에 대하여 산가지로 점을 치도록 했는데, 귀매괘䷵에서 규괘䷥로 가는 것을 얻으니, 사소史蘇가 점쳐서 말하기를, '불길합니다. 그 효사에, 남자가 양을 잡았는데도 피가 없고 여자가 광주리를 받들었는데도 담겨진 것이 없다고 했습니다.'[80]라고 했다.[81]"

---

76 南蒯 : 춘추시대 魯나라 費邑의 재상이었다. 당시 노나라의 실권자였던 季平子가 그를 홀대하자, 모반을 일으켰다가 실패하였다.

77 황색 치마가 크게 길하다 : 『易』 坤괘 六五효의 효사에 "黃裳元吉"이라고 하였다.

78 『春秋左氏傳』 昭公 12년에는, "南蒯枚筮之, 遇坤䷁之比䷇曰, '黃裳元吉', 以爲大吉也. 示子服惠伯, 曰, '卽欲有事, 何如?' 惠伯曰, '吾嘗學此矣, 忠信之事則可, 不然, 必敗. 外彊內溫, 忠也; 和以率貞, 信也, 故曰「黃裳元吉」.'"이라고 하였다.

79 晉獻公(?~B.C.651) : 이름은 詭諸이고 재위기간 26년 동안 국력을 신장시켜, 驪戎 · 耿 · 霍 · 魏 등 17개국을 병탄하고 38개국을 복속시켰다.

80 불길합니다. 그 … 했습니다 : 程頤, 『易程傳』, 歸妹 上六의 傳에서, "上六은 여자가 시집가는 것의 끝인데 응함이 없으니, 여자가 시집가는 것에 좋은 끝이 없는 것이다. 부인은 선조를 받들어 제사를 지내야 하는데 제사를 지낼 수 없다면 부인이 될 수 없다. 광주리를 채우는 것은 부인의 직분으로 이바지하는 것이다. 옛날에는 집안의 제기와 절인 음식 따위는 后와 夫人이 관리했다. 제후의 제사에는 제후가 몸소 犧牲을 베고 경 · 대부도 역시 그러했다. 베어서 피를 가져다가 제사를 지내는데, 그것에 대하여 禮에서 말하기를 '피로 제사지내는 것은 氣를 왕성하게 하는 것이다.'라고 했다. 여자는 광주리를 받드는 일을 감당해야 하는데 광주리를 채우지 못하면 제사 지낼 것이 없으니, 제사를 지낼 수 없다고 하였다. 부부가 함께 종묘를 받드는데, 부인이 제사를 지낼 수 없으면 지아비도 제사를 지낼 수 없다. 그러므로 양을 잡았는데도 피가 나오지 않는 것은 역시 제사를 지낼 것이 없는 것이니, 제사를 지낼 수 없다고 했다. 부인이 제사를 지낼 수 없으면 마땅히 헤어져서 끊어질 것이다. 이것은 부부관계에 좋은 끝이 없는 것이니 그 어떤 경우라고 해도 이롭겠는가!(上六, 女歸之終而无應, 女歸之无終者也. 婦者, 所以承先祖奉祭祀, 不能奉祭祀, 則不可以爲婦矣. 筐篚之實, 婦職所供也. 古者, 房中之俎葅歜之類, 后夫人職之. 諸侯之祭, 親割牲, 卿大夫皆然. 割取血以祭, 禮云, '血祭, 盛氣也.' 女當承事筐篚而无實, 无實則无以祭, 謂不能奉祭祀也. 夫婦共承宗廟, 婦不能奉祭祀, 乃夫不能承祭祀也. 故刲羊而无血, 亦无以祭也, 謂不可以承祭祀也. 婦不能奉祭祀, 則當離絶矣. 是夫婦之无終者也, 何所往而利哉!)"라고 설명하였다.

81 『春秋左氏傳』 僖公 15년에는, "晉獻公筮嫁伯姬於秦, 遇歸妹䷵之睽䷥. 史蘇占之, 曰, '不吉. 其繇曰, 「士刲羊, 亦無衁也; 女承筐, 亦無貺也. 西鄰責言, 不可償也. 歸妹之睽, 猶無相也.」'"라고 하였다.

[17-1-4]

二爻變, 則以本卦二變爻辭占, 仍以上爻爲主. 經傳無文, 今以例推之當如此.

2개의 효가 변하면 본괘本卦의 2개의 변효의 효사로 점을 치는데, 그 중에서 위의 효를 위주로 한다. 경전에는 이것과 관련된 글이 없지만, 이제 규칙으로 미루어보면 마땅히 이와 같아야 한다.

[17-1-4-1]

玉齋胡氏曰 : "二爻變者凡十五卦. 如第一圖以乾爲本卦, 二爻變自遯至大壯; 以坤爲本卦, 二爻變自臨至觀是也. 後放此.

옥재 호씨玉齋胡氏[胡方平]가 말했다. "2개의 효가 변하는 것은 모두 15개 괘이다. 예컨대 제1도에서 건괘䷀를 본괘로 한 경우 2개의 효가 변하는 것은 둔괘䷠에서 대장괘䷡까지이고, 곤괘䷁를 본괘로 한 경우 2개의 효가 변하는 것은 임괘䷒에서 관괘䷓까지가 이것이다. 뒤의 것도 이와 같다.

朱子云 : '凡變須就其變之極處看, 所以以上爻爲主. 不變者是其常, 只順其先後, 所以以下爻爲主. 亦如陰陽·老少之義, 老者變之極,[82] 少者只順其初.[83]' 又云 : '二爻變者下至上而極,[84] 二爻不變者下便是不變之本,[85] 故以之爲主.' 又云 : '卦是從下生, 占事都有一箇先後·首尾.'"

주자朱子[朱熹]는, '무릇 변하는 것은 그 변함이 궁극에 이른 곳에서 보아야 하므로, 위의 효를 위주로 한다. 변하지 않는 것은 그것이 항상된 것이니 다만 그 선후를 따를 뿐이므로, 아래의 효를 위주로 한다. 또한 예컨대 음양과 노소老少의 의미에서는, 노老는 변함이 궁극에 도달한 것이고 소少는 다만 그 처음을 따를 뿐이다.'[86]고 말했고, 또 '2개의 효가 변하는 것은 아래에서 위에 이르러 궁극에 도달하고, 2개의 효가 변하지 않는 것은 아래의 것이 바로 변하지 않는 근본이므로 그것을 위주로 한다.'[87]고 말했으며, 또 '괘는 아래에서부터 생겨나니 점치는 일은 모두 앞과 뒤, 처음과 끝이 있다.'[88]고 말했다."

[17-1-5]

三爻變, 則占本卦及之卦之彖辭, 而以本卦爲貞, 之卦爲悔. 前十卦主貞, 後十卦主悔. 凡三爻變者通二十卦, 有圖在後. ○ 沙隨程氏曰 : "晉公子重耳筮得國, 遇貞屯悔豫皆八, 蓋初與四·五凡三爻

82 老者變之極 : 『朱子語類』 권66, 41조목에는 "老者變之極處"라고 되어 있다.
83 少者只順其初 : 『朱子語類』 권66, 41조목에는 "少者只是初"라고 되어 있다.
84 二爻變者下至上而極 : 『朱子語類』 권66, 41조목에는 "變者下至上而極"이라고 되어 있다.
85 二爻不變者下便是不變之本 : 『朱子語類』 권66, 41조목에는 "不變者下便是不變之本"이라고 되어 있다.
86 무릇 변하는 … 뿐이다 : 『朱子語類』 권66, 41조목
87 2개의 효가 … 한다 : 『朱子語類』 권66, 41조목
88 괘는 아래에서부터 … 있다 : 『朱子語類』 권66, 44조목

變也. 初與五用九變, 四用六變. 其不變者, 二·三·上在兩卦皆爲八, 故云皆八. 而司空季子占之曰, '皆利建侯.'

3개의 효가 변하면 본괘本卦 및 지괘之卦의 단사彖辭괘사로 점을 치는데, 본괘를 정貞으로 삼고 지괘를 회悔로 삼는다. 앞부분의 10개의 괘는 정貞을 위주로 하고 뒷부분의 10개의 괘는 회悔를 위주로 한다. 3개의 효가 변하는 것은 통틀어 20개 괘인데 도표가 뒤에 있다. ○ 사수 정씨沙隨程氏[程迥]가 말했다. "진晉나라 공자公子 중이重耳[뒤의 진 문공]가 나라를 얻을 수 있을지 산가지로 점을 쳐서, 정貞은 둔괘䷂이고 회悔는 예괘䷏인 것을 얻었는데, 모두 8[소음]이며,[89] 초효와 제4효·제5효 3개의 효는 변하는 것이었다. 초효와 제5효는 9[노양]가 변한 것이고, 제4효는 6[노음]이 변한 것이었다. 그 변하지 않는 것은 제2효·제3효·상효上爻가 두 괘에서 모두 8[소음]이므로 모두 8이라고 말했다. 그런데 사공계자司空季子[90]는 그것을 점쳐서 '모두 제후를 세우는 것이 이롭다.'고 말했다.[91]"

[17-1-5-1]

玉齋胡氏曰 : "三爻變者凡二十卦. 如第一圖以乾爲本卦, 三爻變自否至泰; 以坤爲本卦, 三爻變自泰至否是也. 後放此.

옥재 호씨玉齋胡氏[胡方平]가 말했다. "3개의 효가 변하는 것은 모두 20개 괘이다. 예컨대 제1도에서 건괘䷀를 본괘로 한 경우 3개의 효가 변하는 것은 비괘䷋에서부터 태괘䷊까지이고, 곤괘䷁를 본괘로 한 경우 3개의 효가 변하는 것은 태괘䷊에서부터 비괘䷋까지가 이것이다. 뒤의 도표도 이와 같다.

所以'占本卦及之卦彖辭'者, 蓋變至三爻, 則所變爻與不變爻六爻平分. 故就兩卦彖辭占, 而以本卦爲貞, 之卦爲悔也. '前十卦主貞, 後十卦主悔'者, 且如乾三爻變, 自否至恒爲前十卦, 自益至泰爲後十卦. 如坤三爻變, 自泰至益爲前十卦, 自恒至否爲後十卦. 若所得變卦在前十卦內, 雖占兩卦彖辭, 却以本卦貞爲主, 是重在本卦彖辭占也. 若所得變卦在後十卦內, 雖亦占兩卦彖辭, 却以變卦悔爲主, 是重在變卦彖辭占也. 司空季子所占屯·豫皆'利建侯', 其例可見.

'본괘 및 지괘의 단사彖辭괘사로 점친다.'고 하는 이유는, 변하는 것이 3개의 효에 이르면 변한 효와 변하지 않은 효가 6개의 효에서 고르게 나누어지기 때문이다. 그러므로 두 괘의 단사에서 점을 치는데 본괘를 정貞으로 삼고 지괘를 회悔로 삼는다. '앞부분의 10개의 괘는 정貞을 위주로 하고

89 모두 8[소음]이며 : 바로 뒤에서 말하는, 둔괘(䷂)와 예괘(䷏)에서 변하지 않는 효 즉 제2효·제3효·上爻 3개의 효가 모두 8[소음]이라는 것을 말한다.

90 司空季子 : 본명은 胥臣인데, 臼(현 산서성 運城縣)땅에 봉해졌고 벼슬이 司空을 역임하였기 때문에 臼季 또는 司空季子라고 불리기도 하였다. 晉文公이 霸者였을 때 정치적 핵심 인물 가운데 한 사람이었다. 특히 그는 진 문공이 公子였던 시절부터 학문을 함께 토론하였던 師友로서의 측근으로 알려져 있다.

91 『國語』 10권 「晉語4」에서, "公子親筮之, 曰, '尙有晉國.' 得貞屯·悔豫, 皆八也. 筮史占之, 皆曰, '不吉. 閉而不通, 爻無爲也.' 司空季子曰, '吉. 是在『周易』, 皆利建侯. 不有晉國, 以輔王室, 安能建侯? 我命筮曰, 「尙有晉國」, 筮告我曰, 「利建侯」, 得國之務也, 吉孰大焉!'"이라고 하였다.

뒷부분의 10개의 괘는 회悔를 위주로 한다.'는 것은, 예컨대 건괘䷀의 3개 효가 변한 경우에는, 비괘䷋에서부터 항괘䷟까지가 앞부분의 10개의 괘가 되고, 익괘䷩에서 태괘䷊까지가 뒷부분의 10개의 괘가 된다는 것이다. 예컨대 곤괘䷁의 3개 효가 변한 경우에는, 태괘䷊에서부터 익괘䷩까지가 앞부분의 10개의 괘가 되고, 항괘䷟에서부터 비괘䷋까지가 뒷부분의 10개의 괘가 된다는 것이다. 만약 얻어진 변괘가 앞부분의 10개의 괘 안에 있으면, 비록 두 괘의 단사로 점을 치지만 또한 본괘 정貞을 위주로 하니, 이것은 본괘의 단사에 비중을 두고 점을 치는 것이다. 만약 얻어진 변괘가 뒷부분의 10개의 괘 안에 있으면, 비록 역시 두 괘의 단사로 점을 치지만 또한 변괘 회悔를 위주로 하니, 이것은 변괘의 단사에 비중을 두고 점을 치는 것이다. 사공계자司空季子가 점을 친 준괘䷂와 예괘䷏가 '모두 제후를 세우는 것이 이롭다.'고 한 것에서 그 사례를 볼 수 있다.

朱子云 : '三爻變, 則所主者不一,[92] 故以兩卦彖辭占.' 又云 : '所以到那三爻變,[93] 第三十二卦以後, 占變卦彖辭者,[94] 无也,[95] 到這裏時, 離那本卦分數多了.[96] 到四畫·五畫, 則更多矣.[97]'"[98]

주자朱子[朱熹]는, '3개의 효가 변하면 위주가 되는 것이 일정하지 않으므로 두 괘의 단사로써 점을 친다.'[99]라고 말했고, 또 '그러므로 그 3개의 효가 변하는 제32괘 이후에 이르면 변괘의 단사로 점을 친다는 것은, 다름이 아니라 여기에 이르렀을 때 그 본괘로부터 떨어져 나간 정도가 커졌다는 것이다. 4개의 획과 5개의 획에 이르면[100] 더욱 크다.'[101]라고 말했다."

[17-1-5-2]

"『國語』: '晉公子重耳筮得國, 親筮之曰, 「尙有晉國,」得貞屯悔豫, 皆八. 司空季子曰, 「吉. 是在『周易』, 皆利建侯. 我命筮曰, 尙有晉國, 告我曰, 利建侯, 得國之務也.」'"[102]

(옥재 호씨가 말했다.) "『국어國語』에 다음과 같은 말이 있다. '진晉나라 공자公子 중이重耳가 나라를 얻을 수 있는지를 산가지로 점을 치는데, 몸소 산가지로 점을 치면서, 「진나라를 얻기를 바랍니다.」

92 則所主者不一 : 『朱子語類』 권66, 46조목에는 "則所主不一"이라고 되어 있다.
93 所以到那三爻變 : 『朱子語類』 권66, 40조목에는 "所以到那三畫變底"라고 되어 있다.
94 占變卦彖辭者 : 『朱子語類』 권66, 40조목에는 "占變卦彖·爻之辭者"라고 되어 있다.
95 无也 : 『朱子語類』 권66, 40조목에는 '無他'라고 되어 있다. 맥락으로 볼 때 『朱子語類』에 따르는 것이 옳으니, 번역문도 그에 따랐다. '也'는 '他'의 오자로 보인다.
96 離那本卦分數多了 : 『朱子語類』 권66, 40조목에는 "離他那本卦分數多了"라고 되어 있다.
97 則更多矣 : 『朱子語類』 권66, 40조목에는 "則更多"라고 되어 있다.
98 胡方平, 『易學啓蒙通釋』 권下 「考變占」 제4
99 3개의 효가 … 친다 : 『朱子語類』 권66, 46조목
100 4개의 획과 … 이르면 : 내용상으로 볼 때, '4개의 효와 5개의 효가 변하는 데에 이르면'이라는 의미이다.
101 그러므로 그 … 크다 : 『朱子語類』 권66, 40조목
102 胡方平, 『易學啓蒙通釋』 권下 「考變占」 제4

라고 말하니 정貞은 준괘䷂이고 회悔는 예괘䷏를 얻었는데 모두 8[소음]이었다. 사공계자司空季子가 말하기를, 「길합니다. 『주역』에서 모두 제후를 세우는 것이 이롭다고 했습니다. 내가 산가지로 점을 치며 말하기를 진나라를 얻기를 바랍니다. 라고 하니, 나에게 고하기를 제후를 세우는 것이 이롭다고 말했으니, 나라를 얻을 형세입니다.[103]」라고 하였다.'[104]"

[17-1-6]

四爻變, 則以之卦二不變爻占, 仍以下爻爲主. 經傳亦無文, 今以例推之當如此.

4개의 효가 변하면, 지괘之卦의 2개의 변하지 않는 효로 점을 치는데, 그 중에서 아래의 효를 위주로 한다. 경전에는 이것과 관련된 글이 없지만, 이제 규칙으로 미루어보면 마땅히 이와 같아야 한다.

[17-1-6-1]

玉齋胡氏曰 : "四爻變凡十五卦. 如第一圖以乾爲本卦, 四爻變自觀至臨; 以坤爲本卦, 四爻變自大壯至遯是也. 後放此."[105]

옥재 호씨玉齋胡氏[胡方平]가 말했다. "4개의 효가 변하는 것은 모두 15개 괘이다.[106] 예컨대 제1도에서 건괘䷀를 본괘로 한 경우 4개의 효가 변하는 것은 관괘䷓에서부터 임괘䷒까지이고, 곤괘䷁를 본괘로 한 경우 4개의 효가 변하는 것은 대장괘䷡에서부터 둔괘䷠까지가 이것이다. 뒤의 도표도 이와 같다."

[17-1-7]

五爻變, 則以之卦不變爻占. 穆姜往東宮, 筮遇艮之八. 史曰, "是謂艮之隨." 蓋五爻皆變, 唯二得八, 故不變也. 法宜以'係小子失丈夫'爲占, 而史妄引隨之彖辭以對, 則非也.

5개의 효가 변하면, 지괘之卦의 변하지 않는 효로 점을 친다. 목강穆姜이 동궁東宮으로 갈 때에 산가지로 점을 쳤는데, 간괘䷳의 8[소음]을 얻었다.[107] 사관이 "이것은 간괘가 수괘䷐로 간 것입니다."라고 말했다. 5개의 효가 모두 변했는데, 오직 육이六二효만이 8[소음]을 얻었으므로 변하지 않은 것이다. 점치는 법은 마땅히 '소자小子에게 매여 장부丈夫를 잃는다.'[108]라는 것으로써 점을 쳐야 하는데, 사관이 함부로 수隨괘의 단사(계사)를 인용하여 대답했으니,[109] 잘못이다.

103 나라를 얻을 : 『國語』 권10 「晉語4」 주석에서, "務, 猶趨也."라고 하였다.

104 『國語』 10권 「晉語4」에서, "公子親筮之, 曰, '尙有晉國.' 得貞屯・悔豫, 皆八也. 筮史占之, 皆曰, '不吉. 閉而不通, 爻無爲也.' 司空季子曰, '吉. 是在『周易』, 皆利建侯. 不有晉國, 以輔王室, 安能建侯? 我命筮曰, 「尙有晉國」, 筮告我曰, 「利建侯」, 得國之務也, 吉孰大焉!'"이라고 하였다.

105 胡方平, 『易學啓蒙通釋』 권下 「考變占」 제4

106 4개의 효가 … 괘이다 : 의미상으로는 '4개의 음효와 4개의 양효가 변하는 것은 모두 각각 15개씩의 괘이다.' 라고 보아야 한다.

107 간괘(䷳)의 8[소음]을 얻었다 : 이 말의 의미는 간괘의 六二만이 8[소음]이고 나머지 음효는 6(太陰)이라는 뜻이다.

108 小子에게 매여 … 잃는다 : 『易』「隨卦」 六二 효사. "係小子, 失丈夫."

[17-1-7-1]

朱子曰 : "艮之隨, 惟六二一爻不變, 餘五爻盡變. 變者, 遇九·六也; 不變者, 遇八也. 筮法以少爲卦主. 變者五而定者一, 故以八爲占, 而曰'艮之八'"

주자朱子[朱熹]가 말했다. "간괘䷳가 수괘䷐로 간 것은 오직 육이六二효 1개의 효만이 변하지 않고 나머지 5개의 효는 모두 변했다. 변한 것은 9[노양]나 6[노음]을 얻은 것이고, 변하지 않은 것은 8[소음]을 얻은 것이다. 점치는 법은 '적은 것少'을 괘의 주인으로 삼는다. 변한 것이 5개이고 고정된 것이 1개이므로, 8[소음]로 점을 쳐서 '간괘의 8[소음]'이라고 말했다."

[17-1-7-2]

玉齋胡氏曰 : "五爻變凡六卦. 如第一圖以乾爲本卦, 五爻變自剝至復. 以坤爲本卦, 五爻變自夬至姤是也. 後放此."[110]

옥재 호씨玉齋胡氏[胡方平]가 말했다. "5개의 효가 변하는 것은 모두 6개 괘이다. 예컨대 제1도에서 건괘䷀를 본괘로 한 경우 5개의 효가 변하는 것은 박괘䷖에서부터 복䷗괘까지이고, 곤괘䷁를 본괘로 한 경우 5개의 효가 변하는 것은 쾌괘䷪에서부터 구괘䷫까지가 이것이다. 뒤의 도표도 이와 같다."

[17-1-7-3]

"『左』襄九年, 穆姜始往東宮, 筮之遇艮之八. 史曰, '是謂艮之隨. 隨其出也, 君必速出!' 姜曰, '亡! 是於『周易』曰, 隨, 元·亨·利·貞. 有四德者, 隨而無咎. 我皆無之, 豈隨也哉? 必死於此, 弗得出矣.'

(옥재 호씨가 말했다.) "『춘추좌씨전』 양공襄公 9년에, 목강穆姜이 처음 동궁에 가서 산가지로 점을 치게 하니 간괘䷳의 8[소음]을 얻었다. 사관이 말하기를, '이것은 간괘가 수괘䷐로 간 것입니다. 수괘는 나가는 것이니 군君께서는 반드시 빨리 나가시게 될 것입니다!'라고 했다. 목강이 말하기를, '아니다! 이것은 『주역』에서, 수괘는 원 · 형 · 이 · 정이라고 했다. 이 4가지 덕을 가지고 있는 자만이 따라가도 허물이 없다. 나는 이것이 모두 없는데 어찌 따라가겠는가? 반드시 여기에서 죽고 나갈 수 없을 것이다.'라고 하였다.[111]

---

109 隨卦의 단사(계사)를 … 대답했으니 : 사관은 "『周易』曰, '隨, 元 · 亨 · 利 · 貞, 無咎.'"라고 하여 수괘의 계사로 대답했다.

110 胡方平, 『易學啓蒙通釋』 권下 「考變占」 제4

111 『春秋左氏傳』 襄公 9년에는, "穆姜薨於東宮. 始往而筮之, 遇艮䷳之八. 史曰, '是謂艮之隨䷐. 隨, 其出也. 君必速出!' 姜曰, '亡! 是於『周易』曰, 「隨, 元 · 亨 · 利 · 貞, 無咎.」 元, 體之長也. 亨, 嘉之會也. 利, 義之和也. 貞, 事之幹也. 體仁足以長人, 嘉德足以合禮, 利物足以和義, 貞固足以幹事. 然, 故不可誣也, 是以雖隨無咎. 今我婦人, 而與於亂. 固在下位, 而有不仁, 不可謂元. 不靖國家, 不可謂亨. 作而害身, 不可謂利. 棄位而姣, 不可謂貞. 有四德者, 隨而無咎. 我皆無之, 豈隨也哉? 我則取惡, 能無咎乎? 必死於此, 弗得出矣.'"라고 하였다.

按穆姜魯成公母, 姜淫僑如, 欲廢成公, 故徙居太子宮也. 筮遇艮之八者, 艮五爻皆變, 惟六二少陰八不變. 不云'之隨'而云'之八'者, 八指隨之六二言也. 以之卦不變爻占, 則重在六二, 故云'之八'者. 史妄引隨之彖辭以對, 故又不云'之八'而云'之隨'耳."[112]

생각건대 목강은 노魯나라 성공成公의 어머니였는데, 그녀는 숙손교여叔孫僑如와 간음하고 성공成公을 폐위하려고 했기 때문에 태자궁으로 거처를 옮기게 되었다. 산가지로 점을 쳐서 간괘䷳의 8[소음]을 얻었다는 것은, 간괘의 5개의 효가 모두 변하고 오직 육이六二인 소음 8만이 변하지 않았다는 것이다. '수괘로 갔다.'고 말하지 않고 '(간괘)의 8'이라고 말한 것은, 8이 수괘의 육이六二를 가리킨 말이다. 지괘之卦의 변하지 않는 효로 점을 치면, 중점이 육이六二에 있으므로 '(간괘)의 8'이라고 말한 것이다. 사관은 함부로 수괘의 단사를 인용하여 대답했으므로 또 '(간괘)의 8'이라고 말하지 않고 '수괘로 갔다.'고 말했을 뿐이다."

[17-1-8]

六爻變, 則乾·坤占二用, 餘卦占之卦彖辭. 蔡墨曰, "乾之坤曰, '見羣龍无首吉'"是也. 然'羣龍无首', 即坤之'牝馬先迷'也. 坤之'利永貞', 即乾之'不言所利'也.

6개의 효가 변하면 건괘와 곤괘는 용구用九와 용육用六으로 점을 치고, 나머지 괘들은 지괘之卦의 단사彖辭로 점을 친다. 채묵蔡墨이 "건괘가 곤괘로 가는 것은 '뭇 용의 머리가 없는 것을 보니 길하다.'[113]는 것을 말한다."라고 말한 것이 이것이다. 그러나 '뭇 용이 머리가 없는 것'이 곧 곤괘의 '암말이 앞서면 길을 잃는다.'[114]는 것이다. 곤괘의 '오래가고 굳게 지키는 것이 이롭다.'[115]는 것이 곧 건괘의 '이로운 것을 말하지 않는다.'[116]는 것이다.

[17-1-8-1]

玉齋胡氏曰 : "六爻變只一卦. 如第一圖以乾爲本卦, 六爻盡變則爲坤; 以坤爲本卦, 六爻盡變則爲乾是也. 後放此. 乾·坤占用九·用六之辭. 餘卦无二用可占, 故占之卦彖辭也.

옥재 호씨玉齋胡氏[胡方平]가 말했다. "6개의 효가 변하는 것은 다만 1개의 괘이다. 예컨대 제1도에서 건괘䷀를 본괘로 한 경우 6개의 효가 다 변하면 곤괘䷁가 되고, 곤괘䷁를 본괘로 한 경우 6개의 효가 다 변하면 건괘䷀가 되는 것이 이것이다. 뒤의 도표도 이와 같다. 건괘와 곤괘는 용구用九와 용육用六의 말辭로 점을 친다. 나머지 괘는 점을 칠 수 있는 용구用九와 용육用六이 없으므로 지괘之卦의 단사로 점을 친다.

112 胡方平, 『易學啓蒙通釋』 권下 「考變占」 제4
113 뭇 용의 머리가 … 길하다 : 『易』 건괘 用九의 "見羣龍无首吉."
114 암말이 앞서면 길을 잃는다 : 『易』「坤卦」 "元亨, 利牝馬之貞. 君子有攸往, 先迷後得, 主利."
115 오래가고 굳게 … 이롭다 : 『易』 곤괘 用六의 "利永貞."
116 이로운 것을 … 않는다 : 『易』「乾卦·文言傳」. "乾始能以美利, 利天下, 不言所利, 大矣哉!"

朱子云, '遇乾而六爻皆變則爲陰, 故有羣龍无首之象, 即坤利牝馬之貞也. 言羣龍而却无頭, 剛而能柔, 則吉也.' 牝馬順而健行者, 故坤利此以爲貞. '先迷', 陽先陰後, 以陰而先陽則迷矣. 又云, '遇坤而六爻皆變則爲陽, 故有利永貞之象, 即乾之元·亨·利·貞也.' 不言所利者, 貞也."[117]

주자朱子[朱熹]가 말하기를, '건괘를 얻었지만 6개의 효가 모두 변하면 음陰이 되므로, 뭇 용에 머리가 없는 상象에는 곧 곤괘의 암말이 굳게 지키는 것이 이롭다[118]는 것이 있다. 뭇 용에 도리어 머리가 없어서 굳세지만 부드러울 수 있으니 길하다는 것을 말한다.'[119]고 했다. 암말은 유순하면서도 굳세게 가는 것이므로, 곤괘는 이것을 굳게 지키는 것으로 삼는 것이 이롭다. '앞서면 길을 잃는다.'는 것은 양陽이 앞서고 음陰이 뒤따르는데, 음으로서 양을 앞서면 길을 잃는다는 것이다. (주자가) 또 말하기를, '곤괘를 얻었지만 6개의 효가 모두 변하면 양陽이 되므로, 오래가고 굳게 지키는 것이 이로운 상象에는 곧 건괘의 원·형·이·정이 있다.'[120]고 했다. 이로운 것을 말하지 않는다는 것은 굳게 지키는 것이다.[121]"

[17-1-8-2]

"左昭二十九年, 蔡墨答魏獻子曰, '乾之坤曰, 見羣龍无首吉,' 蓋言六爻皆變之占也."[122]

(옥재 호씨가 말했다.) "『춘추좌씨전』 소공昭公 29년에, 채묵蔡墨이 위헌자魏獻子에게 대답하기를, '건괘가 곤괘로 가는 것은 뭇 용이 머리가 없는 것을 보니 길하다는 것을 말합니다.'[123]라고 했는데, 6개의 효가 모두 변한 것에 대한 점을 말한다."

[17-1-9]

於是一卦可變六十四卦, 而四千九十六卦在其中矣. 所謂"引而伸之, 觸類而長之, 天下之能事畢矣," 豈不信哉? 今以六十四卦之變, 列爲三十二圖. 得初卦者, 自初而終, 自上而下; 得末卦者, 自終而初, 自下而上. 變在第三十二卦以前者, 占本卦爻之辭. 變在第三十二卦以後者, 占變卦爻之辭. 凡言初終·上下者, 據圖而言. 言第幾卦·前後者, 從本卦起.

이에 1개의 괘가 64개의 괘로 변할 수 있으니 4,096개의 괘가 그 가운데에 있다. 이른바 "그것을 이끌어 펼치고 부류에 따라 확장하면 천하에서 할 수 있는 일을 다 할 것이다."[124]라는 말을 어찌

117 胡方平, 『易學啓蒙通釋』 권下 「考變占」 제4
118 곤괘의 암말이 … 이롭다 : 『易』「坤卦」 "坤, 元亨, 利牝馬之貞."
119 건괘를 얻었지만 … 말한다 : 『朱子語類』 권68, 68조목
120 곤괘를 얻었지만 … 있다 : 『朱子語類』 권68, 68조목
121 이로운 것을 … 것이다 : 『周易本義』「乾卦·문언」에 주자의 말로 되어 있다.
122 胡方平, 『易學啓蒙通釋』 권下 「考變占」 제4
123 『春秋左氏傳』 昭公 29년에는, "蔡墨對曰, '乾之其坤☷曰, 「見羣龍無首, 吉」'"이라고 하였다.
124 그것을 이끌어 … 것이다 : 『易』「繫辭上」 제9장

믿지 못하겠는가? 이제 64개 괘의 변變을 32개의 도표로 나열하였다. 처음의 괘를 얻은 자는 처음에서부터 끝으로 위에서부터 아래에 이르고, 마지막 괘를 얻은 자는 끝에서부터 처음으로 아래에서부터 위에 이른다.[125] 변괘가 제32괘 이전에 있는 것은 본괘의 괘사·효사로 점을 치고, 변괘가 제32괘 이후에 있는 것은 변괘의 괘사·효사로 점을 친다. 처음과 끝, 위와 아래라고 말한 것은 도표에 의거해서 말한 것이다. 제 몇 번째 괘 이전·이후라고 말한 것은 본괘로부터 세기 시작한 것이다.

[17-1-9-1]

朱子曰:"變在三十二卦以前, 占本卦辭; 變在三十二卦以後, 占之卦辭. 蓋一爻·二爻變在三十二卦之前, 四爻·五爻·六爻變在三十二卦之後, 此甚易見. 獨三爻變者凡二十卦, 十卦在三十二卦之前, 十卦在三十二卦之後. 然占法三爻變者, 雖占兩卦彖辭, 而變在前十卦者主貞, 變在後十卦者主悔. 貞是本卦, 悔是變卦, 故槩以三十二卦前·後言之."

주자朱子[朱熹]가 말했다. "변變이 제32괘 이전에 있으면 본괘의 말[辭]로 점을 치고, 변이 제32괘 이후에 있으면 지괘의 말[辭]로 점을 친다. 대개 1개의 효나 2개의 효가 변한 것은 제32괘의 앞에 있고, 4개의 효나 5개의 효나 6개의 효가 변한 것이 제32괘의 뒤에 있으니, 이것은 매우 알기 쉽다. 오직 3개의 효가 변한 것은 모두 20개의 괘인데 10개의 괘는 제32괘의 앞에 있고, 10개의 괘는 제32괘의 뒤에 있다. 그러나 3개의 효가 변한 것을 점치는 방법은 비록 두 개 괘의 단사로 점을 치지만, 변變이 앞의 10개 괘에 있는 것은 정貞을 위주로 하고, 변變이 뒤의 10개 괘에 있는 것은 회悔를 위주로 한다. 정貞은 본괘이고 회悔는 변괘이므로 대략 제32괘 이전·이후로 말했다."

[17-1-9-2]

雲莊劉氏曰:"筮法占卦·爻之辭, 然其辭與事應者, 吉·凶固自可見; 又有不相應者, 吉·凶何自而決? 蓋人於辭上會者淺, 於象上會者深. 伏羲教人卜筮亦有卦而已. 隨其所遇, 求之卦體·卦象·卦變, 无不應矣. 文王·周公之辭, 雖以明卦, 然辭之所該終有限, 故有時而不應. 必如『左傳』及『國語』所載, 占卦體·卦象·卦變, 又推互體, 始足以濟辭之所不及, 而爲吉凶之前知耳. 讀『易』者不可不察也."

운장 유씨雲莊劉氏[劉爚]가 말했다. "산가지로 점을 치는 방법은 괘나 효의 말[辭]로 점을 치는데, 그 말이 일과 상응하는 것은 길·흉을 저절로 알 수 있지만, 그 가운데 상응하지 않는 것은 무엇에 근거해서 길·흉을 결정하는가? 대개 말[辭]에서 알 수 있는 것은 얕고 상象에서 알 수 있는 것은 깊다. 복희씨가 사람들에게 복서卜筮를 가르칠 때에는 또한 괘만 있었을 뿐이다. 점을 쳐서 얻은 것에 따라서 괘체卦體(괘의 형체)와 괘상卦象(괘의 상징)과 괘변卦變(괘의 변화)에서 구한 것이 상응하지

125 처음의 괘를 … 이른다: 이 단락의 의미는 '산가지로 점을 쳐서 처음의 괘를 얻은 자는 그 변괘를 처음에서부터 끝으로 위에서부터 아래로 가면서 찾고, 마지막 괘를 얻은 자는 그 변괘를 끝에서부터 처음으로 아래에서부터 위로 가면서 찾으면 된다.'는 것이다.

않음이 없었다. 문왕과 주공의 말辭은[126] 비록 그것으로써 괘를 밝혔지만, 말辭이 담고 있는 것은 끝내 제한이 있기 때문에 어떤 때에는 상응하지 않는다. 반드시 『춘추좌씨전』 및 『국어國語』에 기재된 것과 같이 괘체卦體와 괘상卦象과 괘변卦變에서 점치고 또 호체互體[127]를 미루어 보아야, 비로소 말辭이 미치지 못하는 것까지 충분히 해결하여 길흉을 미리 알게 된다. 『역』을 연구하는 자는 자세히 살피지 않으면 안 된다."

[17-1-9-3]

黃氏瑞節曰 : "所謂初末 · 上下 · 前後者, 朱子借此以起例耳, 非卦有初末 · 上下 · 前後也. 假如得初卦者, 以初爲初; 得末卦者, 又以末爲初矣, 逆而觀之也. 又如前三十二卦, 以前爲前; 後三十二卦, 又以後爲前矣, 覆而觀之也. 此三十二圖, 所以反復爲六十四圖也."

황씨 서절黃氏瑞節[黃瑞節]이 말했다. "이른바 처음과 끝, 위와 아래, 이전과 이후라는 것은 주자가 이러한 표현을 빌려서 규칙을 만든 것일 뿐이지, 괘에 처음과 끝, 위와 아래, 이전과 이후가 있다는 것이 아니다. 예컨대 처음의 괘를 얻은 것은 그 처음의 괘를 처음으로 삼지만, 끝의 괘를 얻은 것은 또 그 끝의 괘를 처음으로 삼으니 거슬러서 보는 것이다. 또 예컨대 앞의 32괘는 앞을 앞으로 삼지만, 뒤의 32괘는 또 그 뒤를 앞으로 삼으니 뒤집어서 보는 것이다. 이 32개의 도표는 그것을 뒤집어서 64개의 도표가 된다."

[17-1-9-4]

玉齋胡氏曰 : "三十二圖初終 · 上下, 各主首 · 末兩卦爲本卦. 反復變易, 隨所遇老陽 · 老陰而一卦可變六十四卦, 共四千九十六卦, 皆在六十四卦所變之中. 引伸觸類, 人謀鬼謀, 百姓與能, 而天下之能事備於此矣.

옥재 호씨玉齋胡氏[胡方平]가 말했다. "32개 도표의 처음과 끝, 위와 아래는 각각 첫머리와 끝의 두 괘를 주인으로 하여 본괘가 된다. 반복적으로 변역하여 노양老陽과 노음老陰을 얻은 것에 따라 1개의 괘가 64개의 괘로 변할 수 있으니, 합계 4,096개 괘가 모두 64개 괘의 변한 것 속에 있다. 이끌어 펼치고 부류에 따라 확장하면 사람의 꾀와 귀신의 꾀를 백성이 더불어 할 수 있으니, 천하에 할 수 있는 일이 여기에서 갖추어진다.[128]

'得初卦者, 自初而終, 自上而下', 如得乾卦者, 自變姤初六至坤上六之類. '得末卦者, 自終

126 문왕과 주공의 말辭은 : 문왕의 괘사와 주공의 효사를 가리킨다.

127 互體 : 한 괘의 상 · 하 두 體 중 제2효부터 제4효까지와, 제3효부터 제5효까지를 취하여 얻는 괘를 말한다. '互卦'라고도 한다. 예컨대 艮下坤上의 겸괘(䷎)에서 제2효부터 제4효까지를 취하여 감괘(☵)와 제3효부터 제5효까지를 취하여 진괘(☳)를 얻는 따위이다.

128 이끌어 펼치고 … 여기에서 갖추어진다 : 『易』「繫辭上」 제9장의 "引而伸之, 觸類而長之, 天下之能事畢矣." 구절과, 『易』「繫辭下」 제12장의 "天地設位, 聖人成能; 人謀鬼謀, 百姓與能."의 구절을 함께 인용하였다.

而初, 自下而上', 如得坤卦者, 自變復初九至乾上九之類. 後放此.
'처음의 괘를 얻은 자는 처음에서부터 끝에 이르고 위에서부터 아래로 이른다.'는 것은, 예컨대 건괘䷀를 얻은 자는 변괘인 구괘䷫의 초육初六에서부터 곤괘䷁의 상육上六에까지 이르는 것과 같다. '끝의 괘를 얻은 자는 끝에서부터 처음에 이르고 아래에서부터 위로 이른다.'는 것은 예컨대 곤괘䷁를 얻은 자는 변괘인 복괘䷗의 초구初九에서부터 건괘䷀의 상구上九에까지 이르는 것과 같다. 뒤의 도표도 이와 같다.

三十二卦前後者, 如乾自姤至恒, 坤自復至益爲三十二卦之前. 皆'占本卦爻辭'者, 即所謂一爻·二爻以至三爻之變, 前十卦皆以本卦爲占也. 如乾自益至坤, 坤自恒至乾爲三十二卦之後. 皆'占變卦爻辭'者, 即所謂三爻之變, 後十卦以至四·五·上爻變皆以之卦爲占也. 然而必以三十二卦爲限, 以在前者主貞, 在後者主悔, 亦取其中也. 變在三十二卦之前, 則正適其中, 故皆主貞卦以爲占. 變在三十二卦之後, 則便過其中, 故皆主悔卦以爲占也."[129]
제32괘 이전과 이후라는 것은, 예컨대 건괘䷀에서는 구괘䷫에서부터 항괘䷟까지와, 곤괘䷁에서는 복괘䷗에서부터 익괘䷩까지가 제32괘의 이전이다. 이것은 모두 '본괘의 괘사 · 효사로 점을 친다.'는 것은, 곧 이른바 1개의 효와 2개의 효가 변한 것에서부터 3개의 효가 변한 것 가운데 앞의 10개까지의 괘는 모두 본괘本卦로 점을 친다는 것이다. 또 예컨대 건괘䷀에서는 익괘䷩에서부터 곤괘䷁까지와, 곤괘䷁에서는 항괘䷟에서부터 건괘䷀까지가 제32괘의 이후이다. 이것은 모두 '변괘의 괘사 · 효사로 점을 친다.'는 것은, 곧 이른바 3개의 효가 변한 것에서 뒤의 10개의 괘부터 4개의 효와 5개의 효 및 6개의 효가 변한 것까지 모두 지괘之卦로 점을 친다는 것이다. 그러나 반드시 제32괘를 한계로 해서 이전에 있는 것은 정貞을 위주로 하고, 이후에 있는 것은 회悔를 위주로 하니, 이 또한 그 중간을 취한 것이다. 변괘가 제32괘 이전에 있으면 꼭 그 중간에 이른 것이므로 모두 정괘貞卦를 위주로 하여 점을 치고, 변괘가 제32괘 이후에 있으면 곧 그 중간을 지난 것이므로 모두 회괘悔卦를 위주로 하여 점을 친다."

129 胡方平, 『易學啓蒙通釋』 권下 「考變占」 제4

		否				遯	姤	乾
	渙	漸	大畜	中孚	无妄	訟	同人	
蠱	未濟	旅	需	睽	家人	巽	履	
井	困	咸	大壯	兌	離	鼎	小畜	
恒					革	大過	大有	
							夬	

	剝				觀			
	比	頤	蒙	艮	晉	損		益
	豫	屯	坎	蹇	萃	節	賁	噬嗑
	謙	震	解	小過		歸妹	旣濟	隨
	師	明夷	升			泰	豐	
坤	復	臨						

		无妄				同人	乾	姤
	中孚	家人	蠱	渙	否	履	遯	
大畜	睽	離	井	未濟	漸	小畜	訟	
需	兌	革	恒	困	旅	大有	巽	
大壯					咸	夬	鼎	
							大過	

	頤				益			
	屯	剝	損	賁	噬嗑	蒙		觀
	震	比	節	既濟	隨	坎	艮	晉
	明夷	豫	歸妹	豊		解	蹇	萃
	臨	謙	泰			升	小過	
復	坤	師						

		訟				姤	遯	同人
	觀	巽	賁	益	履	否	乾	
艮	晉	鼎	旣濟	噬嗑	小畜	漸	无妄	
蹇	萃	大過	豊	隨	大有	旅	家人	
小過					夬	咸	離	
							革	

	蒙				渙			
	坎	損	剝	蠱	未濟	頤		中孚
	解	節	比	井	困	屯	大畜	睽
	升	歸妹	豫	恒		震	需	兌
	坤	泰	謙			明夷	大壯	
師	臨	復						

		遯				否	訟	履
	巽	觀	損	小畜	同人	姤	无妄	
蒙	鼎	晉	節	大有	益	渙	乾	
坎	大過	萃	歸妹	夬	噬嗑	未濟	中孚	
解					隨	困	睽	
							兌	

	艮				漸			
	蹇	賁	蠱	剝	旅	大畜		家人
	小過	既濟	井	比	咸	需	頤	離
	坤	豐	恒	豫		大壯	屯	革
	升	復	師			臨	震	
謙	明夷	泰						

		觀				漸	巽	小畜
	訟	遯	大有	履	益	渙	家人	
鼎	蒙	艮	夬	損	同人	姤	中孚	
大過	坎	蹇	泰	節	賁	蠱	乾	
升					旣濟	井	大畜	
							需	

	晉				否			
	萃	噬嗑	未濟	旅	剝	睽		无妄
	坤	隨	困	咸	比	兌	離	頤
	小過	復	師	謙		臨	革	屯
	解	豊	恒			大壯	明夷	
豫	震	歸妹						

		晉				旅	鼎	大有
	蒙	艮	小畜	損	噬嗑	未濟	離	
巽	訟	遯	泰	履	賁	蠱	睽	
升	解	小過	夬	歸妹	同人	姤	大畜	
大過					豊	恒	乾	
							大壯	

	觀				剝			
	坤	益	渙	漸	否	中孚		頤
	萃	復	師	謙	豫	臨	家人	无妄
	蹇	隨	困	咸		兌	明夷	震
	坎	旣濟	井			需	革	
比	屯	節						

		萃				咸	大過	夬
	坎	蹇	泰	節	隨	困	革	
升	解	小過	小畜	歸妹	旣濟	井	兌	
巽	訟	遯	大有	履	豊	恒	需	
鼎					同人	姤	大壯	
							乾	

	坤				比			
	觀	復	師	謙	豫	臨		屯
	晉	益	渙	漸	否	中孚	明夷	震
	艮	噬嗑	未濟	旅		睽	家人	无妄
	蒙	賁	蠱			大畜	離	
剝	頤	損						

		履				乾	同人	遯
	益	小畜	艮	觀	訟	无妄	姤	
賁	噬嗑	大有	蹇	晉	巽	家人	否	
旣濟	隨	夬	小過	萃	鼎	離	漸	
豊					大過	革	旅	
							咸	

	損				中孚			
	節	蒙	頤	大畜	睽	剝		渙
	歸妹	坎	屯	需	兌	比	蠱	未濟
	泰	解	震	大壯		豫	井	困
	復	升	明夷			謙	恒	
臨	師	坤						

		同人				无妄	履	訟
	小畜	益	蒙	巽	遯	乾	否	
損	大有	噬嗑	坎	鼎	觀	中孚	姤	
節	夬	隨	解	大過	晉	睽	渙	
歸妹					萃	兌	未濟[130]	
							困	

	賁				家人			
	旣濟	艮	大畜	頤	離	蠱		漸
	豊	蹇	需	屯	革	井	剝	旅
	復	小過	大壯	震		恒	比	咸
	泰	坤	臨			師	豫	
明夷	謙	升						

130 未濟 : 『性理大全』에 '睽'로 되어 있는 것을 바로잡았다.

		益				家人	小畜	巽
	履	同人	鼎	訟	觀	中孚	漸	
大有	損	賁	大過	蒙	遯	乾	渙	
夬	節	旣濟	升	坎	艮	大畜	姤	
泰					蹇	需	蠱	
							井	

	噬嗑				无妄			
	隨	晉	睽	離	頤	未濟		否
	復	萃	兌	革	屯	困	旅	剝
	豊	坤	臨	明夷		師	咸	比
	歸妹	小過	大壯			恒	謙	
震	豫	解						

		噬嗑				離	大有	鼎
	損	賁	巽	蒙	晉	睽	旅	
小畜	履	同人	升	訟	艮	大畜	未濟	
泰	歸妹	豊	大過	解	遯	乾	蠱	
夬					小過	大壯	姤	
							恒	

	益				頤			
	復	觀	中孚	家人	无妄	渙		剝
	隨	坤	臨	明夷	震	師	漸	否
	旣濟	萃	兌	革		困	謙	豫
	節	蹇	需			井	咸	
屯	比	坎						

		隨				革	夬	大過
	節	旣濟	升	坎	萃	兌	咸	
泰	歸妹	豊	巽	解	蹇	需	困	
小畜	履	同人	鼎	訟	小過	大壯	井	
大有					遯	乾	恒	
							姤	

	復				屯			
	益	坤	臨	明夷	震	師		比
	噬嗑	觀	中孚	家人	无妄	渙	謙	豫
	賁	晉	睽	離		未濟	漸	否
	損	艮	大畜			蠱	旅	
頤	剝	蒙						

		姤				訟	否	无妄
	漸	渙	頤	家人	乾	遯	履	
剝	旅	未濟	屯	離	中孚	觀	同人	
比	咸	困	震	革	睽	晉	益	
豫					兌	萃	噬嗑	
							隨	

	蠱				巽			
	井	大畜	艮	蒙	鼎	賁		小畜
	恒	需	蹇	坎	大過	旣濟	損	大有
	師	大壯	小過	解		豐	節	夬
	謙	臨	坤			復	歸妹	
升	泰	明夷						

		渙				巽	漸	家人
	否	姤	離	无妄	中孚	觀	小畜	
旅	剝	蠱	革	頤	乾	遯	益	
咸	比	井	明夷	屯	大畜	艮	同人	
謙					需	蹇	賁	
							旣濟	

	未濟				訟			
	困	睽	晉	鼎	蒙	噬嗑		履
	師	兌	萃	大過	坎	隨	大有	損
	恒	臨	坤	升		復	夬	節
	豫	大壯	小過			豊	泰	
解	歸妹	震						

		未濟				鼎	旅	離
	剝	蠱	家人	頤	睽	晉	大有	
漸	否	姤	明夷	无妄	大畜	艮	噬嗑	
謙	豫	恒	革	震	乾	遯	賁	
咸					大壯	小過	同人	
							豊	

	渙				蒙			
	師	中孚	觀	巽	訟	益		損
	困	臨	坤	升	解	復	小畜	履
	井	兌	萃	大過		隨	泰	歸妹
	比	需	蹇			既濟	夬	
坎	節	屯						

		困				大過	咸	革
	比	井	明夷	屯	兌	萃	夬	
謙	豫	恒	家人	震	需	蹇	隨	
漸	否	姤	離	无妄	大壯	小過	旣濟	
旅					乾	遯	豊	
							同人	

	師				坎			
	渙	臨	坤	升	解	復		節
	未濟	中孚	觀	巽	訟	益	泰	歸妹
	蠱	睽	晉	鼎		噬嗑	小畜	履
	剝	大畜	艮			賁	大有	
蒙	損	頤						

		漸				觀	渙	中孚
	姤	否	睽	乾	家人	巽	益	
未濟	蠱	剝	兌	大畜	无妄	訟	小畜	
困	井	比	臨	需	頤	蒙	履	
師					屯	坎	損	
							節	

	旅				遯			
	咸	離	鼎	晉	艮	大有		同人
	謙	革	大過	萃	蹇	夬	噬嗑	賁
	豫	明夷	升	坤		泰	隨	旣濟
	恒	震	解			歸妹	復	
小過	豊	大壯						

		旅				晉	未濟	睽
	蠱	剝	中孚	大畜	離	鼎	噬嗑	
渙	姤	否	臨	乾	頤	蒙	大有	
師	恒	豫	兌	大壯	无妄	訟	損	
困					震	解	履	
							歸妹	

	漸				艮			
	謙	家人	巽	觀	遯	小畜		賁
	咸	明夷	升	坤	小過	泰	益	同人
	比	革	大過	萃		夬	復	豊
	井	屯	坎			節	隨	
蹇	旣濟	需						

		咸				萃	困	兌
	井	比	臨	需	革	大過	隨	
師	恒	豫	中孚	大壯	屯	坎	夬	
渙	姤	否	睽	乾	震	解	節	
未濟					无妄	訟	歸妹	
							履	

	謙				蹇			
	漸	明夷	升	坤	小過	泰		旣濟
	旅	家人	巽	觀	遯	小畜	復	豊
	剝	離	鼎	晉		大有	益	同人
	蠱	頤	蒙			損	噬嗑	
艮	賁	大畜						

		剝				艮	蠱	大畜
	未濟	旅	乾	睽	頤	蒙	賁	
姤	渙	漸	大壯	中孚	離	鼎	損	
恒	師	謙	需	臨	家人	巽	大有	
井					明夷	升	小畜	
							泰	

	否				晉			
	豫	无妄	訟	遯	觀	履		噬嗑
	比	震	解	小過	坤	歸妹	同人	益
	咸	屯	坎	蹇		節	豊	復
	困	革	大過			夬	旣濟	
萃	隨	兌						

		比				蹇	井	需
	困	咸	大壯	兌	屯	坎	旣濟	
恒	師	謙	乾	臨	革	大過	節	
姤	渙	漸	大畜	中孚	明夷	升	夬	
蠱					家人	巽	泰	
							小畜	

	豫				萃			
	否	震	解	小過	坤	歸妹		隨
	剝	无妄	訟	遯	觀	履	豊	復
	旅	頤	蒙	艮		損	同人	益
	未濟	離	鼎			大有	賁	
晉	噬嗑	睽						

		豫				小過	恒	大壯
	師	謙	需	臨	震	解	豊	
井	困	咸	大畜	兌	明夷	升	歸妹	
蠱	未濟	旅	乾	睽	革	大過	泰	
姤					離	鼎	夬	
							大有	

	比				坤			
	剝	屯	坎	蹇	萃	節		復
	否	頤	蒙	艮	晉	損	旣濟	隨
	漸	无妄	訟	遯		履	賁	噬嗑
	渙	家人	巽			小畜	同人	
觀	益	中孚						

		乾				履	无妄	否
	家人	中孚	剝	漸	姤	同人	訟	
頤	離	睽	比	旅	渙	益	遯	
屯	革	兌	豫	咸	未濟	噬嗑	觀	
震					困	隨	晉	
							萃	

	大畜				小畜			
	需	蠱	賁	損	大有	艮		巽
	大壯	井	旣濟	節	夬	蹇	蒙	鼎
	臨	恒	豊	歸妹		小過	坎	大過
	明夷	師	復			坤	解	
泰	升	謙						

		中孚				小畜	家人	漸
	无妄	乾	旅	否	渙	益	巽	
離	頤	大畜	咸	剝	姤	同人	觀	
革	屯	需	謙	比	蠱	賁	遯	
明夷					井	旣濟	艮	
							蹇	

	睽				履			
	兌	未濟[131]	噬嗑	大有	損	晉		訟
	臨	困	隨	夬	節	萃	鼎	蒙
	大壯	師	復	泰		坤	大過	坎
	震	恒	豊			小過	升	
歸妹	解	豫						

		睽				大有	離	旅
	頤	大畜	漸	剝	未濟	噬嗑	鼎	
家人	无妄	乾	謙	否	蠱	賁	晉	
明夷	震	大壯	咸	豫	姤	同人	艮	
革					恒	豊	遯	
							小過	

	中孚				損			
	臨	渙	益	小畜	履	觀		蒙
	兌	師	復	泰	歸妹	坤	巽	訟
	需	困	隨	夬		萃	升	解
	屯	井	旣濟			蹇	大過	
節	坎	比						

131 未濟 : 성리대전에 '旣濟'로 되어있는 것을 바로잡았다.

		兌				夬	革	咸
	屯	需	謙	比	困	隨	大過	
明夷	震	大壯	漸	豫	井	旣濟	萃	
家人	无妄	乾	旅	否	恒	豊	蹇	
離					姤	同人	小過	
							遯	

	臨				節			
	中孚	師	復	泰	歸妹	坤		坎
	睽	渙	益	小畜	履	觀	升	解
	大畜	未濟	噬嗑	大有		晉	巽	訟
	頤	蠱	賁			艮	鼎	
損	蒙	剝						

		家人				益	中孚	渙
	乾	无妄	未濟	姤	漸	小畜	觀	
睽	大畜	頤	困	蠱	否	履	巽	
兌	需	屯	師	井	剝	損	訟	
臨					比	節	蒙	
							坎	

	離				同人			
	革	旅	大有	噬嗑	賁	鼎		遯
	明夷	咸	夬	隨	旣濟	大過	晉	艮
	震	謙	泰	復		升	萃	蹇
	大壯	豫	歸妹			解	坤	
豊	小過	恒						

		離				噬嗑	睽	未濟
	大畜	頤	渙	蠱	旅	大有	晉	
中孚	乾	无妄	師	姤	剝	損	鼎	
臨	大壯	震	困	恒	否	履	蒙	
兌					豫	歸妹	訟	
							解	

	家人				賁			
	明夷	漸	小畜	益	同人	巽		艮
	革	謙	泰	復	豊	升	觀	遯
	屯	咸	夬	隨		大過	坤	小過
	需	比	節			坎	萃	
既濟	蹇	井						

		革				隨	兌	困
	需	屯	師	井	咸	夬	萃	
臨	大壯	震	渙	恒	比	節	大過	
中孚	乾	无妄	未濟	姤	豫	歸妹	坎	
睽					否	履	解	
							訟	

	明夷				旣濟			
	家人	謙	泰	復	豊	升		蹇
	離	漸	小畜	益	同人	巽	坤	小過
	頤	旅	大有	噬嗑		鼎	觀	遯
	大畜	剝	損			蒙	晉	
賁	艮	蠱						

		頤				賁	大畜	蠱
	睽	離	姤	未濟	剝	損	艮	
乾	中孚	家人	恒	渙	旅	大有	蒙	
大壯	臨	明夷	井	師	漸	小畜	鼎	
需					謙	泰	巽	
							升	

	无妄				噬嗑			
	震	否	履	同人	益	訟		晉
	屯	豫	歸妹	豊	復	解	遯	觀
	革	比	節	旣濟		坎	小過	坤
	兌	咸	夬			大過	蹇	
隨	萃	困						

		屯				旣濟	需	井
	兌	革	恒	困	比	節	蹇	
大壯	臨	明夷	姤	師	咸	夬	坎	
乾	中孚	家人	蠱	渙	謙	泰	大過	
大畜					漸	小畜	升	
							巽	

	震				隨			
	无妄	豫	歸妹	豊	復	解		萃
	頤	否	履	同人	益	訟	小過	坤
	離	剝	損	賁		蒙	遯	觀
	睽	旅	大有			鼎	艮	
噬嗑	晉	未濟						

		震				豊	大壯	恒
	臨	明夷	井	師	豫	歸妹	小過	
需	兌	革	蠱	困	謙	泰	解	
大畜	睽	離	姤	未濟	咸	夬	升	
乾					旅	大有	大過	
							鼎	

	屯				復			
	頤	比	節	旣濟	隨	坎		坤
	无妄	剝	損	賁	噬嗑	蒙	蹇	萃
	家人	否	履	同人		訟	艮	晉
	中孚	漸	小畜			巽	遯	
益	觀	渙						

[17-2-1]

以上三十二圖. 反復之, 則爲六十四圖. 圖以一卦爲主, 而各具六十四卦, 凡四千九十六卦, 與焦贛『易林』合. 然其條理精密, 則有先儒所未發者, 覽者詳之.

이상이 32개 도표이다. 그것을 거꾸로 되돌려보면 64개의 도표가 된다. 도표에는 1개의 괘를 주인(본괘)으로 삼아 각각 64개의 괘를 갖추어서 모두 4,096개의 괘가 있으니, 초공焦贛의 『역림易林』과 합치한다. 그러나 그 조리의 정밀함은 선대 학자들이 미처 드러내지 못한 것이 있으니, 열람하는 자는 자세히 살펴보기 바란다.

[17-2-1-1]

玉齋胡氏曰 : "三十二圖反復其變, 悉如乾·坤二卦變圖例. 每圖各以第一卦爲本卦順變將去, 則自初而終, 自上而下, 是由乾以至於坤. 反之則又以末一卦爲本卦逆變轉來, 則自終而初, 自下而上, 是由坤以至於乾. 一順一逆, 每圖遂以兩卦爲本卦而成兩圖矣. 合三十二圖, 反復則爲六十四圖矣. 然三十二圖先後次第, 皆本於乾·坤卦變, 只以第一圖觀之可見.

옥재 호씨玉齋胡氏[胡方平]가 말했다. "32개 도표는 그 변變을 거꾸로 되돌려보면 모두 건괘와 곤괘 두 괘의 괘변도卦變圖의 규칙과 같다. 매 도표마다 각각 제1괘를 본괘로 하여 순조롭게 변해가면, 처음에서부터 끝에 이르고 위에서부터 아래에 이르는 것이 건괘에서부터 곤괘에 이르는 것이다. 그것을 거꾸로 하면 또 끝의 1개의 괘를 본괘로 한 경우 거슬러서 변해가면, 끝에서부터 처음에 이르고 아래에서부터 위에 이르는 것이 곤괘에서부터 건괘에 이르는 것이다. 한 번 순조롭게 변해가고 한 번 거슬러 변해가서, 매 도표는 마침내 2개의 괘를 본괘로 하여 2개의 도표를 이룬다. 32개의 도표를 합하여 거꾸로 다시하면 64개의 도표가 된다. 그러나 32개 도표의 선후의 차례는 모두 건괘·곤괘의 변變에 근본하니, 다만 제1도를 가지고 보면 알 수 있다.

如以乾爲本卦, 則次姤, 次同人, 以至於恒, 計三十二卦, 今各爲三十二圖之第一卦, 而次第不紊矣. 如以坤爲本卦, 則次復, 次師, 以至於益, 計三十二卦, 今各爲三十二圖之末一卦, 而次第亦不紊矣. 此乃「卦畫變圖」之妙也.[132]"[133]

예컨대 건괘☰를 본괘로 하면, 다음이 구괘☴이고 그 다음이 동인괘☲이며 항괘☳에 이르기까지 합계 32개 괘가 되니, 이것들이 각각 32개 도표의 첫 번째 괘가 되어 차례가 문란하지 않다. 예컨대 곤괘☷를 본괘로 하면, 다음이 복괘☳이고 그 다음이 사괘☵이며 익괘☴에 이르기까지 합계 32개 괘가 되니, 이것들이 각각 32개 도표의 마지막 괘가 되어 차례가 또한 문란하지 않다. 이것이 바로 「괘획변도卦畫變圖」의 오묘함이다."

132 此乃「卦畫變圖」之妙也 : 胡方平의 『易學啓蒙通釋』 권下 「考變占」 제4에는 "此即三十二圖之序也"라고 되어 있다.

133 胡方平, 『易學啓蒙通釋』 권下 「考變占」 제4

玉齋胡氏『通釋』附圖 옥재 호씨(胡方平)의 『역학계몽통석』 부록의 도표

[17-3]

伏羲則「河圖」以作易圖 복희씨가 「하도」를 본떠서 역易을 만든 도표

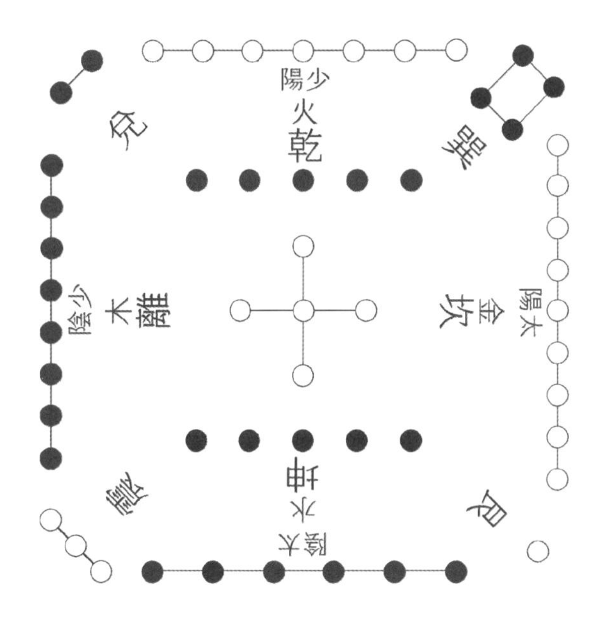

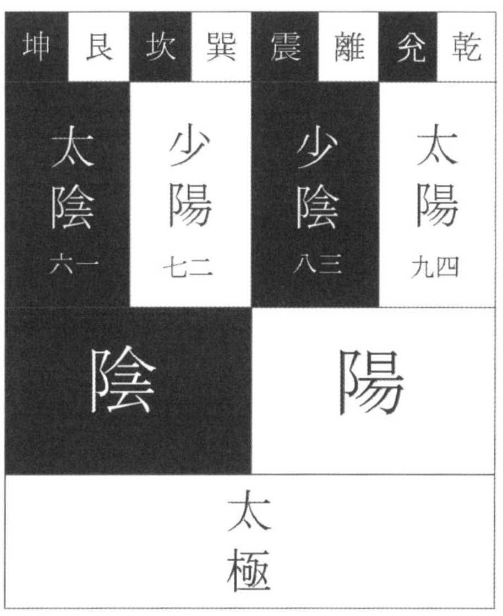

[17-3-1]

「橫圖」者, 卦畫之成; 「圓圖」者, 卦氣之運. 以卦配數, 離·震, 艮·坤同而乾·兌, 巽·坎異者, 以陰之老·少主靜而守其常, 陽之老·少主動而通其變故也.

「횡도橫圖」는 괘획卦畫이 이루어진 것이고, 「원도圓圖」는 괘기卦氣가 운행하는 것이다. 괘를 수에 짝지우면, 이괘☲·진괘☳와 간괘☶·곤괘☷는 같지만 건괘☰·태괘☱와 손괘☴·감괘☵가 다른 것은, 노음·소음은 고요함을 위주로 하여 그 항상됨을 지키고 노양·소양은 움직임을 위주로 하여 그 변화에 통하기 때문이다.

[17-4]

大禹則「洛書」以作「範」圖 우임금이 「낙서」를 본떠서 「홍범」을 만든 도표

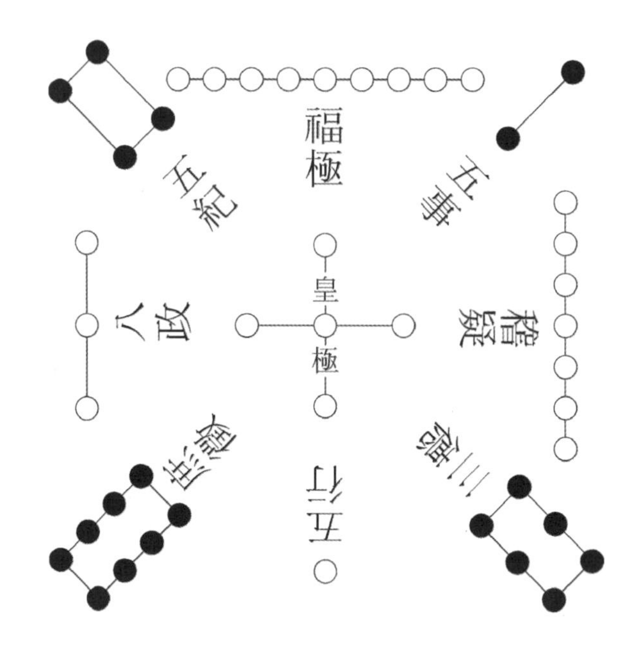

[17-4-1]

「書」「洪範」. "天乃錫禹洪範九疇, 彝倫攸序.[134] 初一曰五行; 次二曰敬用五事; 次三曰農用八政; 次四曰協用五紀; 次五曰建用皇極; 次六曰乂用三德; 次七曰明用稽疑; 次八曰念用庶徵; 次九曰嚮用五福 · 威用六極." 洪範九疇配九宮之數, 朱子之論備矣. 詳見「本圖書」篇. 上同.

「낙서」는 「홍범洪範」이다. "하늘이 홍범구주를 우禹임금에게 하사하니 사람이 지켜야할 도리가 펼쳐지게 되었다. 첫째는 오행五行이고, 둘째는 공경하기를 5가지 일로 하는 것이고, 셋째는 농사짓기를 8가지 정사政事로 하는 것이고, 넷째는 〈천시天時에〉 조화롭게 하기를 5가지 기강으로 하는 것이고, 다섯째는 확립하기를 임금의 표준으로 하는 것이고, 여섯째는 다스리기를 3가지 덕으로 하는 것이고, 일곱째는 명백히 하기를 의심을 살핌으로 하는 것이고, 여덟째는 생각하기를 여러 조짐으로 하는 것이며, 아홉째는 향하게 하기를 오복五福(5가지 복록)으로 하고 위압하기를 육극六極(6가지 극악)으로 하

134 彝倫攸序 : 『書』「洪範」에는 "彝倫攸敍"라고 되어 있다.

는 것이다."고 했다. 홍범구주를 구궁九宮의 수에 짝지은 것은 주자가 다 논의하였다. 「본도서本圖書」 편에 상세하게 보인다. 위도 같다.

[17-5]

先天八卦合「洛書」數圖 선천8괘와 「낙서」의 수數를 합친 도표

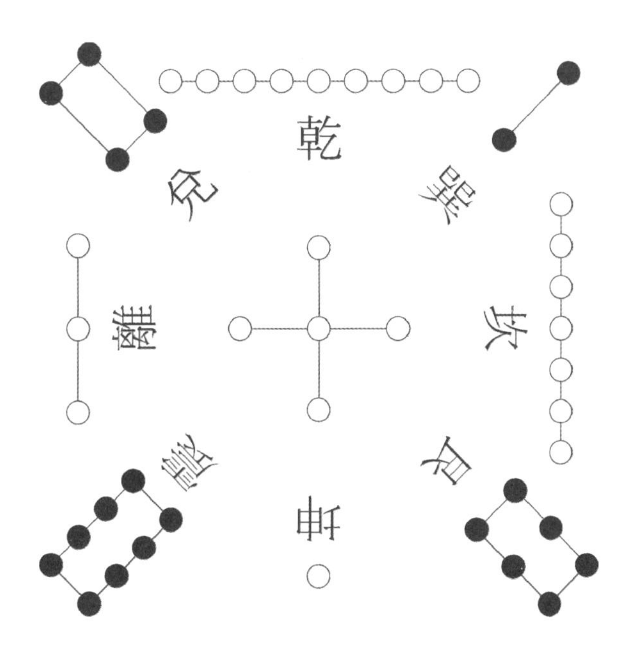

[17-5-1]

先天八卦. 乾·兌生於老陽之四·九; 離·震生於少陰之三·八; 巽·坎生於少陽之二·七; 艮·坤生於老陰之一·六. 其卦未嘗不與「洛書」之位·數合. 詳見「原卦畫」篇末. 下同.

선천팔괘이다. 건괘☰와 태괘☱는 노양의 4와 9에서 생겨나고, 이괘☲와 진괘☳는 소음의 3과 8에서 생겨나며, 손괘☴와 감괘☵는 소양의 2와 7에서 생겨나고, 간괘☶와 곤괘☷는 노음의 1과 6에서 생겨난다. 그 괘들은 「낙서洛書」의 자리·수와 합치되지 않은 적이 없다. 「원괘획原卦畫」 편 끝에 상세하게 보인다. 아래도 같다.

[17-6]

後天八卦合「河圖」數圖 후천8괘와 「하도」의 수數를 합친 도표

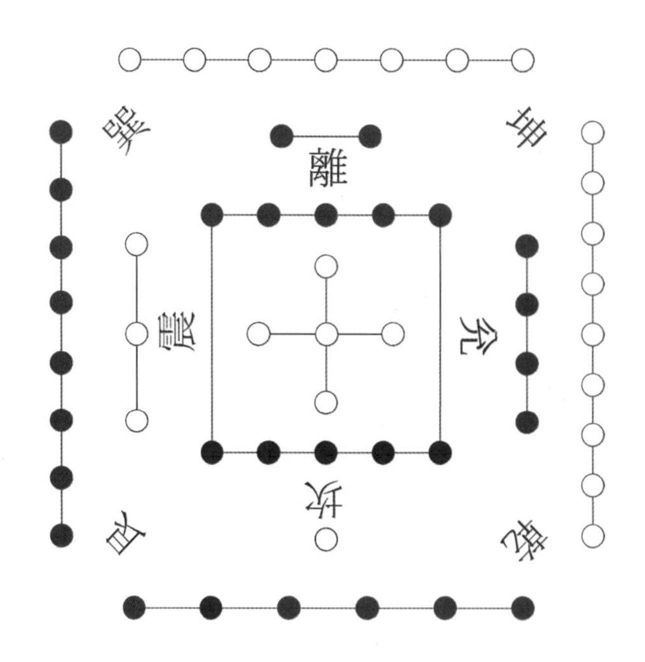

[17-6-1]

後天八卦. 坎一·六水; 離二·七火; 震·巽三·八木; 乾·兌四·九金; 坤·艮五·十土. 其卦未嘗不與「河圖」之位·數合. 此「圖」·「書」所以相爲經緯, 而先·後天亦有相爲表裏之妙也.

후천팔괘이다. 감괘☵는 1·6수水이고, 이괘☲는 2·7화火이며, 진괘☳·손괘☴는 3·8목木이고, 건괘☰·태괘☱는 4·9금金이며, 곤괘☷·간괘☶는 5·10토土이다. 그 괘들은 「하도」의 위치·수와 합치되지 않은 적이 없다. 이것이 「하도」와 「낙서」가 서로 씨줄과 날줄이 되고, 「선천도」와 「후천도」도 역시 서로 겉과 속이 되는 오묘함이다.

[17-6-2]

朱子曰: "「先天圖」一邊本都是陽, 一邊本都是陰. 陽中有陰, 陰中有陽, 便是陽往交易陰, 陰來交易陽. 兩邊各各相對, 其實非此往彼來, 只其象如此."[135]

135 『朱子語類』 권65, 21조목

又曰 : "如乾 · 夬 · 大有 · 大壯 · 小畜 · 需 · 大畜 · 泰, 內體皆乾是一貞, 外體八卦是八悔. 餘倣此."[136]

주자朱子[朱熹]가 말했다. "「선천도」의 한 쪽(왼쪽)은 본래 모두 양陽이고 한 쪽(오른쪽)은 모두 음陰이다. 양 가운데에 음이 있고 음 가운데에 양이 있는 것이 곧 양이 가서 음과 교역하고 음이 와서 양과 교역하는 것이다. 두 쪽이 각각 서로 마주하지만, 실은 이것이 가고 저것이 오는 것이 아니라 다만 그 상象이 이와 같을 뿐이다."

(주자가) 또 말했다. "예컨대 건괘☰ · 쾌괘☱ · 대유괘☲ · 대장괘☳ · 소축괘☴ · 수괘☵ · 대축괘☶ · 태괘☷에서, 내괘의 체體가 모두 건괘인 것이 1개의 정貞이고, 외괘의 체體가 8개 괘인 것이 8개의 회悔이다. 나머지도 이와 같다."

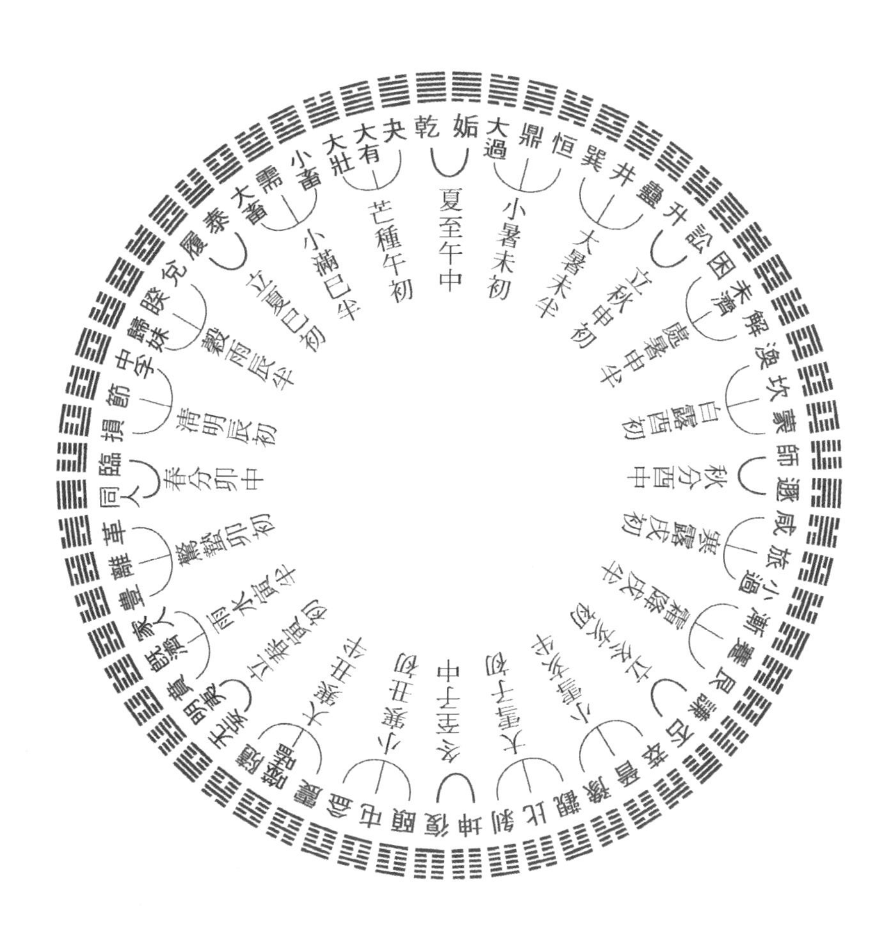

136 『朱子語類』 권66, 47조목

[17-7]

嘗因邵子冬至子半之說推之，則六十四卦分配節氣，二至 · 二分 · 四立總爲八節，每節各兩卦；外十六氣，每氣各三卦；合之爲六十四卦也. 詳見「原卦畫」篇.

일찍이 소자邵子[邵雍]의 동지자반冬至子半의 이론에 따라 이를 추구해본 적이 있었는데, 64개의 괘를 절기에 배분하니, 2개의 분(춘분 · 추분)과 2개의 지(하지 · 동지)와 4개의 입(입춘 · 입하 · 입추 · 입동)이 총계 8개의 절節[137]이 되고 매 절마다 각각 두 괘씩이며, 그 밖의 16개의 기氣[138]는 매 기마다 각각 세 괘씩이니, 합계 64괘(8절×2괘=16괘, 16기×3괘=48괘)가 되었다. 「원괘획」 편에 상세하게 나온다.

[17-8]

伏羲六十四卦方圖 복희64괘 방도

坤	剝	比	觀	豫	晉	萃	否
謙	艮	蹇	漸	小過	旅	咸	遯
師	蒙	坎	渙	解	未濟	困	訟
升	蠱	井	巽	恒	鼎	大過	姤
復	頤	屯	益	震	噬嗑	隨	无妄
明夷	賁	旣濟	家人	豊	離	革	同人
臨	損	節	中孚	歸妹	睽	兌	履
泰	大畜	需	小畜	大壯	大有	夬	乾

137 節 : '節氣'의 '節'로서 '약 45일마다 변하는 기후'를 의미한다.

138 氣 : '節氣'의 '氣'로서 '8개의 節을 제외하고 약 15일마다 변하는 기후'를 의미한다.

[17-8-1]

朱子嘗欲取出「圓圖」中「方圖」在外, 庶「圓圖」虛中以象太極. 今考「方圖」, 乾·坤·艮·兌·坎·離·震·巽, 八卦之正也. 泰·否·咸·損·旣未濟·恒·益, 卽乾·坤·艮·兌·坎·離·震·巽之交不交也. 「圓圖」乾居南, 今轉而居西北. 內乾八卦居北; 外乾八卦居西. 坤居北, 今轉而居東南. 內坤八卦居南; 外坤八卦居東. 而艮·兌, 坎·離, 震·巽皆易其位. 于以見「方圖」不特有一定之位, 而有變動交易之義也. 詳見「原卦畫」篇末.

주자朱子[朱熹]가 일찍이 「원도」 속의 「방도」를 밖으로 끄집어내어 「원도」의 가운데를 비워서 태극을 상징하려고 한 적이 있다. 이제 「방도」를 살펴보면, 건괘☰·곤괘☷·간괘☶·태괘☱·감괘☵·이괘☲·진괘☳·손괘☴는 팔괘의 정위正位이다. 태괘䷊·비괘䷋·함괘䷞·손괘䷨·기제괘䷾·미제괘䷿·항괘䷟·익괘䷩는 곧 건괘☰·곤괘☷·간괘☶·태괘☱·감괘☵·이괘☲·진괘☳·손괘☴가 교역交易하거나 교역하지 않은 것이다. 「원도」에서 건괘는 남쪽에 자리 잡는데 이제는 돌아서 서북쪽에 자리 잡았다. 내괘가 건괘인 8개의 괘[139]는 북쪽에 자리 잡고, 외괘가 건괘인 8개의 괘[140]는 서쪽에 자리 잡았다. 곤괘는 북쪽에 자리 잡는데 이제는 돌아서 동남쪽에 자리 잡았다. 내괘가 곤괘인 8개의 괘[141]는 남쪽에 자리 잡고, 외괘가 곤괘인 8개의 괘[142]는 동쪽에 자리 잡았다. 그런데 간괘☶·태괘☱, 감괘☵·이괘☲, 진괘☳·손괘☴는 모두 그 자리를 바꾸었다. 이에 「방도」는 다만 일정한 자리가 있을 뿐 아니라 변동하고 교역하는 의미가 있음을 알 수 있다. 「원괘획」 편 끝에 상세하게 보인다.

此「圓圖」布者, 乾盡午中; 坤盡子中; 離盡卯中; 坎盡酉中. 陽生於子中, 極於午中; 陰生於午中, 極於子中. 其陽在南; 其陰在北. 「方」布者, 乾始於西北; 坤盡於東南. 其陽在北; 其陰在南. 此二者, 陰陽對待之數. 圓於外者爲陽; 方於中者爲陰. 圓者動而爲天; 方者静而爲地者也.

이 「원도」에 배치된 것은, 건괘☰는 오중午中에서 다하고, 곤괘☷는 자중子中에서 다하며, 이괘☲는 묘중卯中에서 다하고, 감괘☵는 유중酉中에서 다한다. 양은 자중子中에서 생겨나 오중午中에서 극도에 이르고, 음은 오중午中에서 생겨나 자중子中에서 극도에 이른다. 그 양은 남쪽에 있고, 그 음은 북쪽에 있다. 「방도」에 배치된 것은, 건괘☰는 서북쪽에서 시작하고 곤괘☷는 동남쪽에서 다한다. 그 양은 북쪽에 있고 그 음은 남쪽에 있다. 이 두 가지는 음양이 대대對待하는 수數이다. 밖에 있는 원은

139 내괘가 건괘인 8개의 괘 : 「방도」를 보면 이것은 맨 아래쪽 한 줄인, 건괘(䷀)·쾌괘(䷪)·대유괘(䷍)·대장괘(䷡)·소축괘(䷈)·수괘(䷄)·대축괘(䷙)·태괘(䷊)를 가리킨다.

140 외괘가 건괘인 8개의 괘 : 「방도」를 보면 이것은 오른쪽 한 줄인, 건괘(䷀)·이괘(䷉)·동인괘(䷌)·무망괘(䷘)·구괘(䷫)·송괘(䷅)·둔괘(䷠)·비괘(䷋)를 가리킨다.

141 내괘가 곤괘인 8개의 괘 : 「방도」를 보면 이것은 맨 위쪽 줄인, 곤괘(䷁)·박괘(䷖)·비괘(䷇)·관괘(䷓)·예괘(䷏)·진괘(䷢)·췌괘(䷬)·비괘(䷋)를 가리킨다.

142 외괘가 곤괘인 8개의 괘 : 「방도」를 보면 이것은 왼쪽 줄인, 곤괘(䷁)·겸괘(䷎)·사괘(䷆)·승괘(䷭)·복괘(䷗)·명이괘(䷣)·임괘(䷒)·태괘(䷊)를 가리킨다.

양이 되고, 가운데에 있는 네모는 음이 된다. 원은 움직여서 하늘이 되고, 네모는 고요하여 땅이 된다.

[17-10]

邵子天地四象圖　소자(邵雍) 천지4상도

[17-10-1]

邵子「經世演易圖」, 以太陽爲乾, 太陰爲兌, 少陽爲離, 少陰爲震, 此四卦自陽儀中來, 故爲天四象; 少剛爲巽, 少柔爲坎, 太剛爲艮, 太柔爲坤, 此四卦自陰儀中來, 故爲地四象. 詳見「原卦畫」篇. 下同.

소자邵子[邵雍]의 「경세연역도經世演易圖」는 태양太陽을 건괘☰로 삼고, 태음太陰을 태괘☱로 삼고, 소양少陽을 이괘☲로 삼고, 소음少陰을 진괘☳로 삼았는데, 이 4개의 괘는 양의陽儀에서부터 나왔으므로 하늘의 4상四象이 되며, 소강少剛을 손괘☴로 삼고, 소유少柔를 감괘☵로 삼고, 태강太剛을 간괘☶로 삼고, 태유太柔를 곤괘☷괘로 삼았는데, 이 4개의 괘는 음의陰儀에서부터 나왔으므로 땅의 4상四象이 된다. 「원괘획」 편에 상세하게 보인다. 아래도 같다.

[17-11]

朱子天地四象圖 주자(朱熹) 천지4상도

[17-11-1]

朱子釋邵子說, 以乾 · 兌 · 艮 · 坤, 生於二太, 故爲天四象; 離 · 震 · 巽 · 坎, 生於二少, 故爲地四象. 但以太陽爲陽, 太陰爲陰, 少陽爲剛, 少陰爲柔, 不復就八卦上分陰陽 · 剛柔, 與邵子本意不同, 自爲一說也.

주자朱子[朱熹]는 소자邵子[邵雍]의 이론을 해석하여, 건괘☰ · 태괘☱ · 간괘☶ · 곤괘☷괘가 '2가지 태'二太[태양 · 태음과 태강 · 태유]에서 생겨나기 때문에 하늘의 4상四象이 되며, 이괘☲ · 진괘☳ · 손괘☴ · 감괘☵가 '2가지 소'二少[소양 · 소음과 소강 · 소유]에서 생겨나기 때문에 땅의 4상四象이 된다고 여겼다. 그러나 태양을 양으로 삼고, 태음을 음으로 삼으며, 소양을 강剛으로 삼고, 소음을 유柔로 삼아 다시 8괘에서 음양과 강유로 나누지 않은 것은, 소자邵子[邵雍]의 본래 의도와 같지 않으니 그 자체로 하나의 이론이 된다.

[17-12]

掛扐·過揲 總圖 괘륵·과설 총도

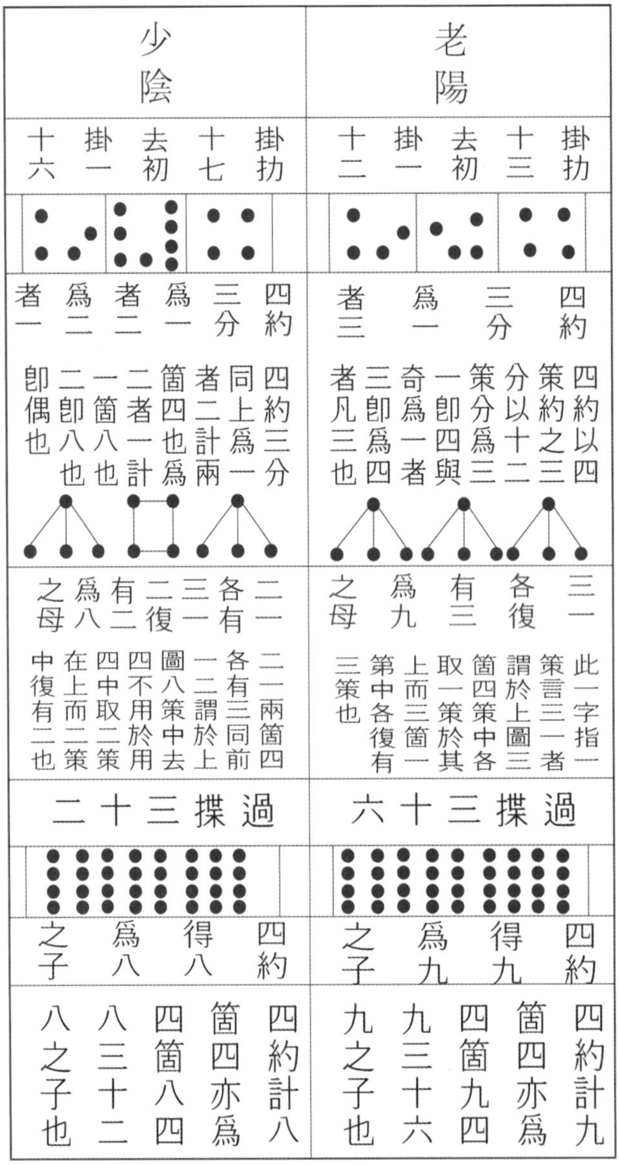

少陰	老陽
掛扐十七去初掛一十六	掛扐十三去初掛一十二
四約三分爲一者二爲二者一	四約三分爲一者三
四約三分同上爲一者二計兩箇四也爲二者一計一箇八也二卽八也卽偶也	四約以四策約之三分以十二策分爲三一卽四與奇爲一者三卽爲四者凡三也
二一各有三一二復有二爲八之母	三一各復有三爲九之母
二一兩箇四各有三同前一二謂於上圖八策中去四不用於用四中取二策在上而二策中復有二也	此一字指一策言三一者謂於上圖三箇四策中各取一策於其上而三箇一第中各復有三策也
過揲三十二	過揲三十六
四約得八爲八之子	四約得九爲九之子
四約計八箇四亦爲四箇八四八三十二八之子也	四約計九箇四亦爲四箇九四九三十六九之子也

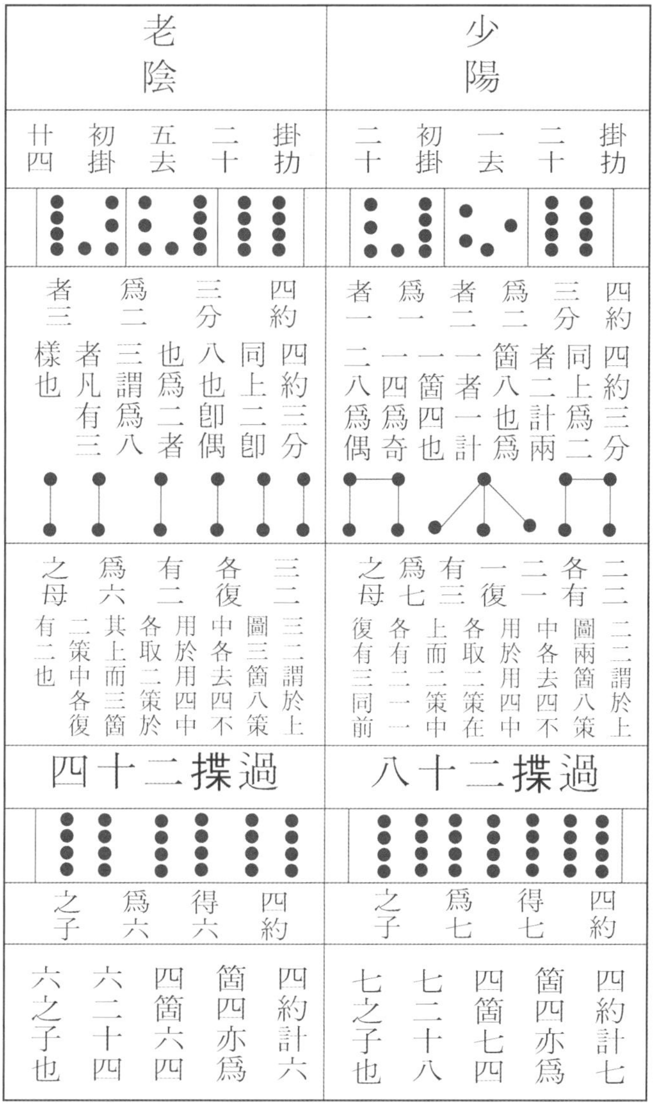

老陰	少陽
掛扐二十五去初掛廿四	掛扐二十一去初掛二十
四約三分爲二者三	四約三分爲二者二爲一者一
四約三分同上二卽八也卽偶也爲二者三謂爲八者凡有三樣也	四約三分同上爲二者二計兩箇八也爲一者一計一箇四也一四爲奇二八爲偶
三二各復有二爲六之母	二三各有二一一復有三爲七之母
三二謂於上圖三箇八策中各去四不用於用四中各取二策於其上而三箇二策中各復有二也	二三謂於上圖兩箇八策中各去四不用於用四中各取二策在上而二策中各有二一一復有三同前
過揲二十四	過揲二十八
四約得六爲六之子	四約得七爲七之子
四約計六箇四亦爲四箇六四六二十四六之子也	四約計七箇四亦爲四箇七四七二十八七之子也

[17-12-0-1]

按朱子「掛扐圖」·「四圖」說，并及過揲之數，今總爲一圖．蓍之全數，除初掛一外，粲然可見矣．詳見「明蓍策」篇．

생각건대 주자朱子[朱熹]의 「괘륵도掛扐圖」·「4도四圖」의 이론 및 '세어낸 시초의 수過揲之數'를 이제 총괄하여 1개의 도표를 만들었다. 시초의 전체 수에서 처음 1개를 걸어두는 것을 제외하고는 또렷이 알 수 있다. 「명시책」 편에 상세하게 보인다.

[17-12-1]

此係近世之法. 前一變獨掛, 後二變不掛, 故老陽·少陰變數皆二十七, 少陽變數九, 老陰變數一, 无復自然之法象也. 詳見「明蓍策」篇.

이것은 근세의 방법이다. 앞의 한 번의 변變만 걸어두고 뒤의 두 번의 변變에는 걸어두지 않으므로, 노양과 소음의 변수變數는 모두 27이고, 소양의 변수는 9이며, 노음의 변수는 1이니, 다시 자연의 법상法象이 없다. 「명시책」 편에 상세하게 보인다.

[17-12-2]

按第一變獨掛, 後二變不掛, 非特爲六扐而後掛, 三營而成易, 於再扐四營之義不協. 且後二變不掛, 其數雖亦不四則八, 而所以爲四·八者實有不同.

蓋掛, 則所謂四者左手餘一, 則右手餘二; 左手餘二, 則右手餘一. 不掛, 則左手餘一, 右手餘三; 左手餘二, 右手餘二; 左手餘三, 右手餘一. 此四之所以不同也. 三變之後, 陰陽變動皆參差不齊,[143] 无復自然之法象矣. 其可哉? 因爲圖以明之.[144]

생각건대 제1변에만 걸어두고 나중 두 번의 변에 걸어두지 않는 것은, 다만 여섯 번 끼운 다음에 걸어두고 세 번 경영하여 변역을 이루는 것이 될 뿐 아니라, 두 번 끼우고 네 번 경영하는 의미에도 어울리지 않는다. 게다가 나중 두 번의 변에 걸어두지 않으면 그 숫자가 비록 4가 아니면 8이지만 4·8이 되는 까닭은 실제로 같지 않다.

(나중 두 번의 변에) 걸어두면 이른바 4라는 수는 왼손에 1개가 남으면 오른손에 2개가 남고, 왼손에 2개가 남으면 오른손에 1개가 남는 것이다. (나중 두 번의 변에) 걸어두지 않으면 왼손에 1개가 남을 때 오른손에 3개가 남고, 왼손에 2개가 남을 때 오른손에 2개 남으며, 왼손에 3개가 남을 때 오른손에 1개가 남는 것이다. 이것이 4가 같지 않은 까닭이다. 세 번 변한 다음에는 음양의 변수가 모두 들쑥날쑥 가지런하지 않으니 다시 자연의 법상法象이 없는 것이다. 어찌 그것이 옳겠는가? 이 때문에 도표를 만들어서 그것을 밝혔다.

143 陰陽變動皆參差不齊 : 호방평의 『易學啟蒙通釋』 권下 「明蓍策」 제3에는 "陰陽變數皆參差不齊"라고 되어 있다.
144 호방평, 『易學啟蒙通釋』 권下 「明蓍策」 제3

[17-13]

近世揲蓍後二變不掛圖 시초를 세는 데에 뒤 두 번의 변에 걸어두지 않는 근세 방법 도표

	少陰二十七									老陽二十七	
											扐 三
											扐 二
											扐掛 一
											扐 三
											扐 二
											扐掛 一
											扐 三
											扐 二
											扐掛 一

老陰一			少陽九							

[17-13-1]

右十圖附見于此, 初學得之以明篇内本文之義, 亦庶幾乎易見云.

위의 10개의 도표를 여기에 부록으로 보였으니, 초학자들이 그것을 터득해서 각 편 안에 있는 본문의 의미를 밝히면, 또한 쉽게 알 수 있을 것이다.

해제解題

성리대전 권11~17 「역학계몽易學啓蒙」 해제 … 573

성리대전 권11~17 「역학계몽易學啓蒙」 해제[1]

Ⅰ. 『역학계몽』의 성격과 저자에 대하여

『역학계몽易學啓蒙』은 송대이후 상수학이 하락상수로 전환하는데 분수령이 된 저작이라 할 수 있다. 이 책은 주희역학의 상수학적 특징을 잘 드러낸다. 주희朱熹(1130~1200)는 송대이전 한대의 상수역학을 일체 배격하고 소옹邵雍(1011~1077)의 선천역학[2]을 수용하여 새로운 차원의 상수학을 건립하였는데, 그 구체적 내용을 담은 이론서가 바로 『역학계몽』이다. 오늘날 독자들이 상식적으로 알고 있는 「하도」·「낙서」의 도식 및 수數와 오행의 관련성, 시초점을 치는 방법, 점占의 해석법 등은 바로 『역학계몽』에서 정립된 것이다.

『주역周易』에서는 역易을 탐구하는 성인의 도가 네 가지가 있는데, 사辭·변變·상象·점占이 그것이라고 한다.[3] 주희는 『역학계몽』을 통하여 성인의 도로서의 상수象數와 서점筮占을 재정립하고자 했다. 그가 『역학계몽』에서 인정하는 성인의 상수는 「하도」·「낙서」의 상수, 「복희선천팔괘」, 「문왕팔괘」와 「계사전」에서 언급한 대연지수大衍之數의 상수이다. 팔괘의 성립 역시 「하도」·「낙서」를 근거하여 이루어졌다고 보는 주희는 먼저 하·락의 유래와 이치를 밝히고, 그 다음 괘의 성립과정을 논하며, 그에 근거한 바른 시초점의 방법을 수립하는 방식을 취한다. 무엇보다도 주희는 「하도」·「낙서」을 주역의 근원으로 보았다. 그 이유는 성인이 말씀한 상수의 유래를 바로 천지자연의 상수로서 「하도」와 「낙서」에서 찾기 때문이라고 할 수 있다. 실상 「하도」·「낙서」는 송대 이전의 상수학에서 역의 중심적 위치에 있지 않았고, 그 도식의 모양도 전해지지 않았다. 그러나 주희는 한유漢儒 공안국孔安國·유흠劉歆 등의 견해를 수용하여, 「하도」·「낙서」는 일종의 신물神物로서 그 부호와 도상이 천지자연의 이치를 반영한다고 본다. 다시 말해 「하도」·「낙서」는

1 이 글은 이선경의 「『역학계몽』을 통해서 본 주희역학의 특징」(『한국철학논집』8집, 2010. 3.)을 토대로 수정 보완한 것임을 밝혀둔다.

2 소옹은 이전의 역학자들이 문왕의 주역을 중심으로 연구한데 반해, 복희괘를 중심으로 하는 선천학을 주창하였다. 소옹은 복희역은 천지자연의 이치를 담고 있는 선천역이고, 문왕역은 인문적 성격이 가미된 후천역으로 보았다. 그런데 「복희64괘방원도」는 소옹의 저작에서는 정작 그 도식이 보이지 않으며 주희가 『周易本義』 앞면에 수록한 이래 보편적으로 확산되었다고 할 수 있다.

3 『周易·繫辭傳 10장』: 易有聖人之道四焉. 以言者尙其辭, 以動者尙其變, 以制器者尙其象, 以卜筮者尙其占.

천지자연의 마음을 담고 있는 일종의 '획괘 이전의 역'인 셈인데, 복희씨가 팔괘를 그려내고 우임금이 홍범구주를 지은 것은 두 성인의 심법心法이 천지자연의 심법과 일치한 결과라고 말하는 것이다. 따라서 상수역의 올바른 연구방향이란 「하도」·「낙서」가 담고 있는 자연의 이치를 얼마나 그에 부합하게 드러내는가에 있다고 하겠다. 주희가 「하도」·「낙서」를 중심으로 역학의 근본체계를 세운 것은 다음과 같은 맥락이 전제되어 있다고 본다.

첫째, 집대성의 대가로서 주희의 면모가 역학분야에서도 발휘되었다는 것이다. 도가에서 유래하였다는 선천학을 유가적 관점에서 재구성함으로써 한대 역학과 도교의 상수역학, 왕필王弼, 공영달孔穎達 이래의 의리역학을 종합하여 새로운 유가의 체계로 정리할 필요가 있었다는 것이다. 주희 당시에 이르기까지 역의 발생과 근원, 복희, 문왕괘와 64괘에 대한 획괘의 원리 등에 대한 정설이 존재하지 않았으며, 이러한 문제들을 체계적으로 정리한 정론定論의 수립이 요구되었다는 것이다. 「하도」·「낙서」에 대한 언급은 『서경』『주역』「계사전」『논어』에 이미 나타나 있으므로, 이를 유가 성인의 가르침으로 해석할 수 있는 근거를 확보하는 것은 매우 중요하다. 주희는 위백양魏伯陽의 『주역참동계周易參同契』를 고증하여 『주역참동계고이周易參同契考異』를 펴낼 만큼 도교 역학에도 관심이 지대하였다. 주희가 도가와 불가의 이론을 섭렵하고, 이를 뒤집어 유가의 형이상학으로 재탄생시켰음을 상기할 때, 유학자임을 자처하는 소옹이 당시 도가들에게서 전해 내려온 선천도를 수용하여 선천학을 전개한 것은 주희에게 좋은 참고가 되었으리라 짐작할 수 있다. "역의 상수는 성인이 이미 말씀한 것에서 벗어나지 않는다" "이 몇 가지를 이해한다면 『주역』의 큰 윤곽을 파악할 수 있을 것이기에, 상수 역시 모두 유용할 것이다" "이외의 분분한 설들은 굳이 알 필요가 없다" 등과 같은 주희의 언급에서 「하도」와 「낙서」가 '성인이 이미 말씀한 것으로서의 상수'라는 명분에 부합하며, 하·락을 역으로 들어가는 입문처로 삼아서 여타의 상수론을 정리하고자 하였던 주희의 의도를 읽을 수 있는 것이다.

둘째, 주희에게 있어 하·락은 천지자연의 상수이며, 동시에 성인의 상수이다. 의리역학자들은 『주역』을 해석할 때 우주자연에 대한 인문적 해석을 통하여 인간사에 유효적절한 지침을 이끌어낸다. 자연의 원리를 규명하여 인간사에 적용하려는 시도는 주희에 있어 자연의 상수로서 하락의 이치를 규명하려는 노력으로 드러난다. 즉 『역학계몽』에 나타난 주희의 상수학은 단순히 상수학에 그치는 것이 아니라는 말이다. 이러한 전제아래 주희는 「하도」와 「낙서」를 대연지수와의 관계성 속에서 논의하고, 소옹의 수리론 및 주돈이周敦頤(1017~1073) 태극도의 리학理學과 일원적으로 파악함으로써, 상象·수數·리理가 일체가 되는 거대한 체계를 구상하였던 것으로 보인다. 『역학계몽』의 구성방식을 보면, 먼저 「계사전」을 중심으로 『십익十翼』의 원문을 대문으로 놓고, 이 대문에 대해 역대 학자들의 견해를 인용하고, 자신의 견해를 덧붙여서 풀이한다. 일반적으로 『주역』은

『易傳[十翼]』에 입각하여 경문을 해석하는 방식[以傳解經]에 의하여 철학화함으로써 의리역이 된다고 본다. 그런데, 주희는 의리역의 근간이 되는 『역전』의 핵심내용들을 상수에 입각하여 해석해낸다. 상·수·리가 일체를 이루는 역학의 구도를 체계화함으로써, 상수를 겸한 의리학 그리고 의리를 겸한 상수학을 종합적으로 지양한다는 것이다.

저자의 문제에 있어서 『역학계몽』이 채원정과 주희의 공동저술이라는 주장은 이미 제기되었다. 중국철학자 주백곤朱伯崑은 그의 『역학철학사』에서 이를 비교적 상세히 다룬다. 주희는 채원정에게 보내는 편지에서 "『계몽』은 다 고쳤소? 빨리 보고 싶구먼"[4]이라 하거나 "『계몽』에서 몇 곳을 고쳤으면 하는데 이제 추려서 보내니 살펴주면 좋겠소."[5]라 한다. 또 소옹의 역학을 평가하면서 "단지 『역학계몽』에 실린 것이 역의 의미를 드러낸 것이 되고, 다른 것은 별도로 일가의 학문을 이룬 것입니다. 계통이 근래 그 대강을 편찬하여 출간하려하니 조만간 보게 될 것이나 역시 굳이 깊이 연구할 것은 없습니다."라 함을 볼 수 있다.[6] 주백곤은 이러한 근거를 들어 『역학계몽』은 채원정이 먼저 초고를 쓰고 주희가 수정의견을 제시한 다음 채원정이 완성한 것이라고 주장한다.[7]

Ⅱ. 『역학계몽』의 문제의식

하나의 저술에 있어서 저자의 의도를 간명하게 살필 수 있는 것이 저자가 지은 서문일 것이다. 주희가 지은 「역학계몽서」는 짧지만 그의 문제의식이 명료하게 드러난다. 주희는 역의 작자가 괘효를 그리고, 점을 쳐서 길·흉·회·린吉凶悔吝을 판별할 수 있도록 한 것이 인위적 사려와 판단에 의해 만들어낸 것이 아니라, 자연의 이치를 드러낸 것이라 본다.

> "그 괘가 이루어짐은 뿌리에서 줄기로, 줄기에서 가지로 나아가 그 형세가 급박하여 멈출 수 없는 듯하고, 그 시초를 헤아림에 있어서 나누고 합함, 나아가고 물러남, 종從으로 하고 횡橫으로 함, 거꾸로 하고 순서대로 함 등이 무엇을 어떻게 하든지 꼭 들어 맞으니, 이것이 어찌 성인이 마음과 지혜로 생각하여 만들어 낸 것이겠는가? 다만 기氣와 수數가 저절로 그러하여, 상象을 본뜨는 과정에서 드러나게 되는 것이다. 「하도」·「낙서」에 드러나 보이는 것은 (하늘이) 성인의 마음을 열어서 그 손을 빌린 것일 뿐이다."[8]

4 『晦菴集·答蔡季通』권44: 啓蒙修了未. 早欲得之.
5 『회암속집·答蔡季通』권2: 啓蒙中欲改數處, 今籤出奉呈, 幸更審之.
6 주백곤 지음·감학권 등 옮김, 『역학철학사』, 소명, 2012, 151~154쪽.
7 주백곤 지음·감학권 등 옮김, 『역학철학사』, 소명, 2012, 152쪽.

주희는 이 짧은 문장 속에서 괘의 성립이 필연적인 자연의 이치를 따라서 이루어졌다는 것과 시초점이 단지 신비의 영역에만 있는 것이 아니라, 역시 그 안에 이치를 담고 있음을 시사하고 있다. 「하도」와 「낙서」는 우주의 기氣와 수數를 드러내는 매체로 인식되고 있는 것이다. 여기에서 주희가 『역학계몽』을 지은 목적가운데 하나가 시초점과 상수를 단순한 술수가 아닌 합리적 근거를 지닌 체계로 재정리해내려는 것이라 생각해 볼 수 있다. 이어지는 주희의 언급은 이러한 생각을 증명한다.

> "근래의 학자들은 역을 즐겨 논의하지만 이에 대해서는 살피지 못하여, 그 글의 뜻만 따지는 사람은 지루하고 산만하여 뿌리가 없고, 상수를 섭렵한 사람들은 또한 모두 견강부회하며, 혹 역이 성인의 사려에 의해 만들어졌다고 생각하기도 한다. 나는 이러한 것들을 병통으로 생각해 왔다. 이에 동지들과 함께 예전부터 들어온 것을 자못 모아서 4편의 책으로 만들어 처음 공부하는 사람들에게 보임으로써 그러한 설들에 의심을 갖지 않도록 하고자 한다."[9]

위의 인용문을 통하여 주희역학의 문제의식이 당시 역학의 두 갈래로서 의리역학義理易學과 상수역학象數易學이 지니는 각각의 문제점을 지적하고, 이를 종합 지양하려는 데 있음을 알 수 있다. 즉, 상수를 떠난 의리적 해석이란 것은 공허한 사변에 불과할 위험이 있고,[10] 상수를 전공하는 경우는 천리天理를 드러내는 것이 아니라 견강부회하고, 역을 성인의 인위적 산물로 여긴다는 것이다. 주희는 『역학계몽』을 지은 이유를 이렇게 말하기도 한다.

> "내가 『역학계몽』을 지은 것은 바로 사람들이 말하는 것이 자잘하게 복잡다단하기 때문이다. 나는 늘 역에서 말하는 상수는 성인들께서 이미 말씀한 것으로 이를 넘어서지 않는다고 생각하였

8 『朱子大全』권 76, 「易學啓蒙序」, "其爲卦也, 自本而幹, 自幹而支, 其勢若有所迫而自不能已. 其爲蓍也, 分合進退縱橫順逆亦無往而不相値焉, 是豈聖人心思智慮之所得爲也哉? 特氣數之自然, 形於法象, 見於圖書者, 有以啓於其心而假手焉耳."

9 『朱子大全』권 76, 「易學啓蒙序」, "近世學者類, 喜談易而不察乎此, 其專於文義者, 旣支離散漫而無所根著, 其涉於象數者, 又皆牽合傅會而或以爲出於聖人心思智慮之所爲也. 若是者, 予竊病焉. 因與同志, 頗輯舊聞爲書四篇, 以示初學, 使毋疑於其說云."

10 예를 들어 주희는 伊川역학에 대하여 "伊川은 큰 도리를 볼 수 있었지만, 이런 저런 것들을 그의 이론에 부합시켰는데, 이것은 역을 해석한 것이 아니다(伊川見得個大道理, 却將往來合他這道理, 不是解易)"라 거나, "이천의 『역전』은 리를 말한 것이 매우 갖추어졌다. 상수는 들어있지 않다"고 한다. 또한 그는 의리역학자들이 역의 괘효사를 『시경』의 比 興과 같은 것으로 보거나, 『맹자』에서 즐겨 쓴 방식인 비유같은 것으로 보는 경향이 있다고 지적한다. 이러한 태도는 「설괘전」에서 말하는 설명들을 무시하거나 역의 추상을 아무 근거없는 것으로 여기는 태도라는 것이다.(곽신환, 「주자『주역본의』의 본의」『주자역학학술대회자료집』, 한국주역학회, 2000. 7. 94쪽 참조)

다. 이제 공부하는 이들이 이 몇 가지만 깨닫는다면 역에 대해서 대체를 대략 이해할 수 있을 것이며, 상수 역시 모두 유용할 것이다. 이외의 분분한 설들은 모두 군이 알 필요가 없다."[11]

당대의 여러 학설들은 복잡다단하면서도 자잘하기만 할 뿐 역의 대체大體를 통할 수가 없다는 것이다. 주희는 역에서 말하는 상수는 복희, 문왕, 주공, 공자와 같은 성인들이 이미 내놓은 것에서 벗어나지 않는다고 한다. 이렇게 생각한다면, 상수라는 것이 그리 복잡할 것도 없으며, 상수 역시 역을 해석하는 유용한 도구가 될 것이다. 주희의 입장에서 보았을 때, 상象과 점占은 공자의 「계사전」에서 이미 제시한 성인의 네 가지 도 가운데 포함되는 것이다.[12] 성인이 이미 말씀한 것에 따라서 상수를 해석하고 활용한다면 역의 대체大體와 종지를 이해할 수 있어서 지엽말단적인 데 떨어지지 않게 될 것이다. 주희는 "이외의 분분한 설들을 꼭 알 필요는 없다"라고 하여, 그가 상수를 중시하는 이유가 오히려 당시 횡행하던 상수에 대한 분분한 이론들을 재정리하려는 것임을 말하고 있다. 그는 상象의 의미에 대하여 이렇게 말한다.

"『역학계몽』을 보면 비로소 성인들이 지은 책으로서의 역이 모두 가차假借와 허설虛說의 말임을 알게 될 것이다. 천하의 이치를 특정한 일에 드러난 구체적 그 모습대로만 말한다면, 이는 단지 한가지의 쓰임이 될 뿐이다. 오직 상象으로 말해야만 점을 칠 때에 어떤 일이든지 와서 응할 수 있을 것이다"[13]

주희는 '상象'의 의미를 '가차'와 '허설'로 보는 것이다. 상의 의미를 확장해서 생각한다면, 괘사卦辭 효사爻辭 역시 특정한 한 가지 사실을 기술한 것이 아니라 그 역시도 '가차'와 '허설'로서의 '상象'이 될 것이다.

한편 주희는 '수'의 문제와 관련하여 구양수歐陽脩(1007~1072)가 『주역』의 '대연지수大衍之數'를 학문의 영역에서 배제하고 한낱 점술가들의 술수로 치부하는 태도가 『역학계몽』을 저술하게 된 직접적 계기가 되었다고 한다.[14] 구양수는 철저하게 의리학적 입장에서 군자의 역과 술수를 구별하여, 군자가 되려는 사람은 『주역』에서도 성인의 말을 배워야 하며, '대연지수'는 문왕의 일과는

11 『주자대전』권56「答方賓王」7, "熹向來作啓蒙, 正爲見人說得支離, 因竊以謂易中所說象數聖人所已言者, 不過如此. 今學易者但曉得此數條, 則於易略通大體, 而象數亦皆有用. 此外紛紛, 皆不須理會矣."

12 「繫辭」上10, "易有聖人之道四焉, 以言者尙其辭, 以動者尙其變, 以制器者尙其象, 以卜筮者尙其占. 是以君子將有爲也, 將有行也, 問焉而以言, 其受命也如嚮, 无有遠近幽深, 遂知來物. 非天下之至精, 其孰能與於此?"

13 『朱子語類』卷67「易三, 綱領下」, "今日看啓蒙, 方見得聖人一部易, 皆是假借虛設之辭. 蓋緣天下之理若正說出, 便只作一件用. 唯以象言, 則當卜筮之時, 看是甚事, 都來應得."

14 『주희어류』권67, "啓蒙, 初間只因看歐陽公集內或問易大衍, 遂將來考算得出."

무관한 『주역』의 말단으로서 점을 치는 술수에 불과한 것이라고 잘라 말한다. 성인의 말씀과 점은 양립할 수 없는 것으로 양자택일이 있을 뿐이라는 것이다.[15] 이는 상수의 본령은 성인이 이미 말씀한 것이며, 역시 유용한 것이라고 보는 주희의 견해와는 정면으로 충돌하는 것이다.

결국 『역학계몽』에 있어서 중요한 것은 '상수'에 대한 인식의 전환이라고 할 것이다. 주희가 단순히 역을 점이라 파악하고 상수를 긍정한 것이 아니라, 당시 역학자들이 지녔던 '상수'의 개념에 대한 이해와 인식을 새롭게 전환한 것이라고 하겠다. 주희가 새롭게 정의하고 이해한 '상수'는 술수적 상수가 아니라, 이치를 담고 드러내는 '가차'와 '허설'로서의 상수이다. 이러한 상수는 공허하지 않은 참된 인문적 해석을 산출하는 근거가 되는 것이며, 시초점 역시 단순히 술수로 떨어지는 것이 아니라 보다 근거를 지닌 복리증진의 도구로 고양된다고 할 수 있다.

Ⅲ. 구성과 내용

호방평胡方平이 쓴 『역학계몽통석易學啓蒙通釋』에 의하면 『역학계몽』은 주희 나이 57세(1186)에 이루어졌다. 본 번역서는 『성리대전』본을 저본으로 한다. 『성리대전』본은 주희의 자주自註형식의 해설과 후대 학자들의 설명을 세주細註형식으로 편집하여 제시하고 있다.

『역학계몽』의 본문은 크게 4부분으로 구성된다. 1. 「본도서本圖書」는 「하도」와 「낙서」의 근본을 밝히고 있고, 2. 「원괘획原卦畫」은 괘 그림의 근원을 설명하며, 3. 「명시책明蓍策」은 시초점의 방법을 설명하고, 4. 「고변점考變占」은 변하는 효의 점을 고증하는 내용이다. 본문을 서술하는 구조는 먼저 「계사전」의 경문經文을 제시하고 이에 대해 길게 주석을 달아 해설하는 방식을 취한다. 『역학계몽』의 주해는 공자가 제시한 상수의 의미를 충실하게 풀어낸 것이라는 포석이겠다. 본문의 내용과 특징을 순서대로 간략히 살펴본다.

1. 「본도서本圖書」

「본도서」는 「하도」와 「낙서」에 대한 제반논의로서 「하도」와 「낙서」를 비교해서 그 관계성을

15 『文忠集』권18, 「經旨十一首 ·易或問三首」, "大衍之數, 易之末也. 何必盡心焉也. 易者 文王之作也, 其書則六經也, 其文則聖人之言也, 其事則天地萬物君臣父子夫婦人倫之大端也. 大衍數占之一法耳, 非文王之事也.""凡欲爲君子者, 學聖人之言, 欲爲占者, 學大衍之數, 惟所擇之焉耳."

고찰하고 있다. 논의의 내용은 크게 네 부분으로 나누어 볼 수 있겠다. 먼저 「하도」·「낙서」의 기원에 대해 논의하고, 「하도」과 오행의 조합을 논하며, 「하도」·「낙서」의 수리에 대해 논한다. 끝으로 「하도」·「낙서」는 모두 성인이 「계사전」에서 태극太極→양의兩儀→사상四象→팔괘八卦로 전개되는 팔괘생성원리를 본뜬 것으로, 하·락의 이치는 일치한다고 주장한다. 주희는 「하도」·「낙서」에 대한 신화적 기원을 그대로 수용한다. 「하도」는 복희씨 시절에 황하에서 용마가 등에 지고 나온 모양을 본뜬 것으로서 그 문양에 따라 팔괘를 그었고, 「낙서」는 우임금이 홍수를 다스릴 때 낙수洛水에서 신비한 거북이 등에 지고 나온 아홉 문양을 본뜬 것으로, 이에 근거하여 아홉 개의 법을 이루었다는 것이다. 이는 매우 합리적 사고를 하는 주희가 한편으로는 신화적 사유방식을 수용하고 있음을 보여준다. 앞서 언급한 바와 같이 「하도」·「낙서」는 일종의 신물神物로서 그 부호와 도상이 천지자연의 이치를 반영한다고 보는 것이다. 주희는 「하도」관련 신화에서 「하도」의 문양에 따라 팔괘를 그었다는 내용을 수리적으로 증명하려고 노력하였다. 즉, 「하도」에서 가운데 5와 10을 쓰지 않고 비우면 그것이 태극이고, 나머지 음수의 합과 양수의 합이 각기 20으로 균등하니 이것이 양의兩儀이며, 1·2·3·4를 가지고 6·7·8·9와 관계짓는 것이 사상四象이라고 본다. 사상에서 팔괘로의 변화는 "네 방위의 합을 나누어 건乾·곤坤·감坎·리離로 하고, 네 모퉁이의 빈 곳을 보충하여 태兌·진震·손巽·간艮으로 한다"고 설명한다. 이른바 '석합보공析合補空'이라 불리는 이 논의는 그 불명료성으로 인하여 후세에 이를 정합적으로 설명하려는 수많은 복잡하기 짝이 없는 논의들을 낳게 된다.

2. 「원괘획原卦畫」

「원괘획」은 복희8괘와 64괘 그리고 문왕8괘에 대한 설명이다. 주희는 태극으로부터 8괘 더 나아가 64괘로 이르는 전개과정을 정합적으로 설명하기 위하여 소옹의 선천학을 수용한다. 「계사전」의 원문인 역유태극易有太極/시생양의是生兩儀/양의생사상兩儀生四象/사상생팔괘四象生八卦에 대하여 각기 구절별로 상세하게 설명하며 그의 태극에 대한 견해를 드러내고 사상의 수를 부여한다. 주희는 「원괘획」의 태극에 대한 논의에서 "태극은 상象과 수數가 아직 드러나지 않았으나 그 이치[理]는 이미 갖추어 있는 명칭이고, 형기形器가 이미 갖추어 졌으나 그 이치는 조짐이 없다. 「하도」·「낙서」에서 모두 가운데를 비운 상이다."라 하여, 주돈이 「태극도」에서의 태극과 「하도」의 태극을 함께 논의하고 또 주돈이의 '무극이태극無極而太極'과 소옹의 '심위태극心爲太極'을 같은 차원에서 논의하고 있다. 이는 주희의 상수학에 그의 리학理學 및 심학心學적 관심이 깃들어 있음을 엿보게 한다. 「원괘획」의 뒷부분에서는 「설괘전」에 근거하여 「문왕팔괘방위도」와 「문왕팔괘차서도」

의 특징을 설명하고 있다. 앞부분에서는 복희8괘와 복희64괘 형성과정을 주로 논의하였다면, 뒷부분에서는 문왕괘가 갖는 변화와 작용의 특징에 대해 주로 설명하고 있다.

3. 「명시책明蓍策」

「명시책」은 「계사전」에 나타난 설시법設蓍法을 공자가 승인한 것으로 전제하고, 그 올바른 방법을 연구하여 춘추시대의 점법을 재현하고자 한 것이다. 논의내용은 「계사전」의 '대연지수大衍之數'의 의미와 시초를 49개 쓰는 것의 의미, 그리고 설시의 방법을 사상수의 정합성을 중심으로 설명하는 것이다. '대연지수' 50에 대한 해석은 역학사에서 다양한 견해가 있다. 『역학계몽』에서는 「하도」·「낙서」의 가운데 수 5를 (사상수를 통해) 넓혀나가서 각각 그 극에 이르면 10이 되는데, 이를 합하면 50이 된다고 설명한다.[16] 주희는 「하도」와 「낙서」를 역의 근원으로 보았기 때문에 '대연지수' 역시 「하도」·「낙서」의 수에 근거를 두었다고 설명하는 것이다. 또 주희는 대연의 수에 해당하는 50개의 시초가운데 사용하지 않는 한 개의 시초가 태극을 상징하는 것으로 해석하는데, 여기에서 우주를 통섭하는 이치로서 태극을 상정하는 그의 리학적 관심을 읽을 수 있다. 구체적인 설시법에서 주희는 초변初變, 재변再變, 삼변三變의 과정에서 얻는 시초의 수와 남는 시초의 수의 정합성을 논하는데 치중한다. 그의 설시법에 따르면 노양은 9·36, 노음은 6·24, 소양은 7·28, 소음은 8·32로 정합적 구조를 갖게 된다. 그는 이것이 「계사전」이 취한 옛날의 설시법이라고 주장하며 당대의 설시법을 비판한다. 주희 당시 학자들이 주장하는 설시법에 따르면 삼변을 마친 뒤 노양과 소음이 모두 27이 되고, 소양이 9. 노음이 1이 되므로 일정한 법도를 갖춘 이론이 될 수 없다는 것이다. 「명시책」의 끝부분에서는 「계사전」에서 언급한 건乾의 책수 216과 곤坤의 책수 144, 만물의 수 11520이 도출되는 근거를 설명하고, 설시할 때 언급되는 '4번 경영함[四營]'의 의미를 해설한다.

4. 「고변점考變占」

「명시책」의 설시법에 따라 점을 쳐서 괘를 얻을 수는 있지만 그것으로 점을 해석하고 판단할 수는 없다. 「고변점」에서 주희는 얻은 괘를 해석할 수 있는 기준과 방법에 대해 논한다. 또 그의 점 해석법을 『춘추좌씨전春秋左氏傳』과 『국어國語』에 나타난 점친 사례를 들어 일일이 고증함으로

16 『易學啓蒙·明蓍策』: 河圖洛書之中數皆五, 衍之而各極其數以至於十, 則合爲五十矣.

써, 자신의 해석법의 신뢰도를 증명한다. 『주역』은 본래 점치는 책이었다고 단언하는 주희는 이와 같이 심혈을 기울여 점법을 이론적으로 정비함으로써 그의 주장을 실증한 것이라고 하겠다.[17] 또한 「고변점」의 끝에 하나의 괘가 64괘로 변화하는 모습을 도표화 한 「괘변도」를 실어 64괘가 4096괘로 확장되는 모습을 보여준다.

Ⅳ. 의의 및 후세의 영향

주희의 『역학계몽』에서 보이는 하락상수와 점법은 후대에 관방학으로서 주자학의 위상에 힘입어 상수학의 보편적 통설이 되었다. 그러나 주희가 제시한 『역학계몽』의 이론은 당시엔 실험적이라 할 만큼 매우 새로운 것이었으며, 오히려 당대 유학자들의 비판대상이 되었다. 『역학계몽』의 근간이 된 소옹의 선천학 자체가 이미 당시 유학자들의 비판대상이었다. 소옹과 동시대를 지낸 정이程頤(1033~1107)가 그의 선천상수학을 인정하지 않았음은 물론이고, 구양수 및 육구연陸九淵, 임률林栗, 원추袁樞 등도 소옹의 선천학과 주희의 역학을 비판하였다. 역학에 관한한 주희의 주장은 당시 유학계의 비주류였던 셈이다.

주희의 역학은 원대와 명대를 거치면서 관방학이 되었으나, 그의 상수학은 청대에 이르러 신랄한 비판에 직면한다. 왕부지王夫之는 주희가 "공자와 주공을 버리고 술사들의 엉터리 방술을 따랐다"고 하였으며, 고염무顧炎武는 주희를 직접 비판하지는 않았지만 『주역본의』에 실린 9개의 도식이 도가에서 온 것이라고 지적하였다. 황종희黃宗羲, 모기령毛奇齡, 호위胡渭 등은 주희 상수학을 매우 심하게 비판하였다. 황종희는 "공부자께서 『역』의 끈을 세 번이나 다시 묶으면서 탐구하셨던 도리를 간장이나 팔러 다니는 무리에게서 구하였으니, 역학이 황폐하기가 초공焦贛, 경방京房 때와 같았다."고 하였다. 호위의 경우는 도서학圖書學 자체를 부인하고, 도서圖書를 역의 근본으로 여겨 역도易道를 재난에 빠뜨린 책임이 주희에게 있다고 통박하였다.

주희 상수학에 대한 비판의 요지는 대체로 첫째, 선천학은 유래가 도가에서 온 것으로 유가 성인의 가르침이 아니라는 것이다. 특히 당시 통용하던 역은 『주역』인데, 주희의 『역학계몽』은 『주역』의 주인공인 문왕이 지은 경문經文에 근거를 두지 않았다는 것이다. 둘째, 주역을 점치는

17 『주자어류』와 『주자행장』에서는 주희가 자신의 점법에 의해 점을 친 사례를 기록하고 있다. 1195년 주희가 도학을 위호하던 趙汝愚가 유배당하자, 그의 신원을 위한 상소를 올리는 일로 점을 친 결과가 기록되어 있으며, 채원정이 유배당하였을 때 주희의 문인이 점을 친 사례가 기록되어 있다.

책으로 보아 술수로 빠졌다는 것이다.

그러나 주희가 역이 본래 점을 치는 책이라고 강조한 것이 결코 의리역을 반대하였거나 부정하였음을 의미하는 것은 아니다. 주희가 점을 긍정한 것은 분명하다. 그러나 현대인들이 미래예측을 단지 신비의 영역으로 돌리지 않고, 과학, 정신분석학 등의 방법으로 합리적으로 이해하는 길을 찾듯이, 오히려 점을 합리적으로 체계화하고 활용할 수 있는 길을 모색하였던 것이라 하겠다.

주희이후 『역학계몽』의 상수학이 활발히 논의되고 발전한 곳은 오히려 조선의 학계였다. 중국에서 그의 상수학은 직계문인들 및 원대의 황서절黃瑞節, 호방평胡方平, 호일계胡一桂 부자에게 전수되고 청대 강희제康熙帝에 이르러 『역학계몽』은 『주역절중』속에 여러 집설들 및 강희제의 안案과 함께 수록되기에 이른다. 그러나 주희 이후 중국학계에서 『역학계몽』자체에 대한 연구서는 호방평胡方平의 『역학계몽통석易學啓蒙通釋』, 호일계胡一桂의 『주역계몽익전周易啓蒙翼傳』, 한방기韓邦奇의 『계몽의견啓蒙意見』 정도로 몇 편에 불과하여 조선시대 『역학계몽』 관련 연구저작물이 30편을 상회하는 것과는 대조적이다. 따라서 『역학계몽』의 연구발전사는 필연적으로 한국역학에 대한 연구로 귀결된다고 하겠다. 아래에 『역학계몽』관련 한국학자들의 저작 목록을 첨부한다.

《한국 『역학계몽』 관련 자료목록》

1. 崔恒(1409-1474), 『易學啓蒙要解』 (한국경학자료집성 1책)
2. 金宏弼(1454-1504), 『易學啓蒙覆繹』 (韓國易學大系 3책, 韓美文化社, 1998)
3. 李滉(1501-1570), 『易學啓蒙傳疑』 (한국경학자료집성 2책)
4. 鄭經世(1563-1633), 『思問錄-易學啓蒙』 (한국경학자료집성 5책)
5. 盧景任(1569-1620), 「易學啓蒙說」『敬菴先生集』권3 (규장각 奎4704-v.1-3)
6. 李徽逸(1619-1672), 「啓蒙圖說」『存齋文集』 (한국경학자료집성 6책)
7. 金楷(1633-1716), 『易學啓蒙覆繹』(한국경학자료집성 6책)
8. 韓汝愈(1642-1709), 「與鄭篪叟論易學啓蒙別紙」(一・二・三)『遁翁先生文集』 (규장각 奎 1379-v.1-3, 奎 4927-v.1-3, 奎 3203)
9. 朴致和(1680-1764), 「易學啓蒙」『雪溪隨錄』 (한국경학자료집성 12책)
10. 韓元震(1682-1751), 「易學啓蒙」・「易學答問」・「文王易釋義」『經義記聞錄』한국경학자료집성 13책)
11. 愼後聃(1702-1761),『易學啓蒙補註』(韓國易學大系 18-19책, 韓美文化社, 1998)
12. 宋能相(1710-1758), 「易學啓蒙質疑」・「易學啓蒙稟目」・「易學啓蒙原稟」・「記聞錄啓蒙篇稟目」『雲坪文集』 (한국경학자료집성 14책)
13. 金敎行(1712-1766), 「易學啓蒙本圖書五位相得說」・「易學啓蒙剳錄」『惟勤堂遺稿』 (한국경학자료집성 14책)

14. 金謹行(1712-1782), 「周易箚疑」·『易學啓蒙箚疑』·「周易疑目」『庸齋集』(한국경학자료집성 14책)
15. 徐命膺(1716-1787), 『啓蒙圖說』(한국경학자료집성 17책)
16. 徐命膺(1716-1787), 『易學啓蒙集箋』(한국경학자료집성 17책)
17. 黃胤錫(1729-1791), 「易學啓蒙解」『頤齋續稿』(한국경학자료집성 20책)
18. 洪大容(1731-1783), 「三經問辨-周易辨疑」〈附:啓蒙記疑〉『湛軒集』(한국경학자료집성 20책)
19. 金龜柱(1740-1786), 「易學啓蒙箚錄」『經書箚錄』(한국경학자료집성 21책)
20. 李秉遠(1744-1840), 「啓蒙記疑」『所菴文集』(한국경학자료집성 27책)
21. 裵相說(1759-1789), 「啓蒙傳疑攷疑」『槐潭遺稿』(한국경학자료집성 23책)
22. 柳徽文(1773-1827), 「啓蒙攷疑」『好古窩別集』(한국경학자료집성 26책)
23. 柳徽文(1773-1827), 『蓍卦考誤解』(한국역학대계 41책, 한미문화사, 1998)
24. 柳徽文(1773-1827), 『易說官窺』(한국역학대계 41책, 한미문화사, 1998)
25. 崔象龍(1786-1849), 『啓蒙箚疑』(한국역학대계, 한미문화사, 1998, 한국경학자료집성 27책)
26. 李恒老(1792-1868), 「南八灘啓蒙八圖說質疑」『華西文集』(한국경학자료집성 28책)
27. 金岱鎭(1800-1871), 「啓蒙」『訂窩文集』(한국경학자료집성 29책)
28. 張福樞(1815-1900), 『易學啓蒙』(한국역학대계, 한미문화사, 1998)
29. 向陽子, 『易學啓蒙私考』(한국역학대계, 한미문화사, 1998)
30. 未詳, 『易學啓蒙段釋』(한국역학대계 59-60책, 한미문화사, 1998)

性理大全 研究飜譯 役割 分擔表

卷	書名/大主題	飜譯	校閱	潤文	解題
	序・表	金在烈			尹用男, 金暎鎬
1	太極圖	尹用男			郭信煥
2~3	通書	李哲承			郭信煥
4	西銘	李哲承			李基鏞
5	正蒙 1	李哲承			李基鏞
6	正蒙 2	金炯錫			李基鏞
7~13	皇極經世書	沈義用			洪元植
14~17	易學啓蒙	尹元鉉			李善慶
18~21	家禮	秋琦淵			李迎春
22~23	律呂新書	尹元鉉			李善慶
24~25	洪範皇極內篇	秋琦淵			李迎春
26~27	理氣	李致億			李致億, 金演宰
28	鬼神	尹元鉉			李致億, 金演宰
29~31	性理 1~3	尹元鉉			李致億, 鄭相峯
32~34	性理 4~6	沈義用	共同研究員 李忠九	鄭修卿	李致億, 鄭相峯
35~37	性理 7~9	金炯錫			李致億, 鄭相峯
38	道統・聖賢	尹元鉉			沈義用, 金演宰
39~40	諸儒 1~2	金炯錫			沈義用, 金演宰
41~42	諸儒 3~4	沈義用			沈義用, 金演宰
43~45	學 1~3	李致億			沈義用, 鄭炳碩
46~48	學 4~6	沈義用			沈義用, 鄭炳碩
49~50	學 7~8	金炯錫			沈義用, 鄭炳碩
51	學 9	金昡炅			沈義用, 池俊鎬
52~54	學 10~12	尹元鉉			沈義用, 池俊鎬
55~56	學 13~14	李忠九			沈義用, 池俊鎬
57~58	諸子	金在烈			李忠九, 李相益
59~64	歷代	金在烈			李忠九, 李相益
65	君道	金在烈			李忠九, 李相益
66~69	治道	金在烈			李忠九, 李相益
70	詩・文	金在烈			李忠九, 池俊鎬

性理大全 研究飜譯 研究陣

研究責任者

尹用男 성신여자대학교

共同研究員

郭信煥 숭실대학교
金演宰 공주대학교
李基鏞 연세대학교
李相益 부산교육대학교
李善慶 조선대학교
李迎春 국사편찬위원회
鄭炳碩 영남대학교
鄭相峯 건국대학교
池俊鎬 서울교육대학교
洪元植 계명대학교

專任研究員

李忠九 단국대학교
金在烈 단국대학교
尹元鉉 고려대학교
秋琦淵 성신여자대학교
李哲承 조선대학교
沈義用 숭실대학교
金烔錫 경상대학교
李致億 성균관대학교
金昡炅 한국외국어대학교

研究補助員

鄭修卿 성신여자대학교
宣昌坤 성신여자대학교
金洙廷 성신여자대학교
金炫在 한국고전번역원
朴智惠 서울노일중학교
權處隱 성균관대학교
徐政嬅 동방문화대학원대학교

완역 성리대전 ❸

초판 인쇄 2018년 7월 15일
초판 발행 2018년 8월 10일

역 주 자 | 윤용남 · 이충구 · 김재열 · 윤원현 · 추기연
이철승 · 심의용 · 김형석 · 이치억 · 김현경
펴 낸 이 | 하운근
펴 낸 곳 | 學古房

주 소 | 경기도 고양시 덕양구 통일로 140 삼송테크노밸리 A동 B224
전 화 | (02)353-9908 편집부(02)356-9903
팩 스 | (02)6959-8234
홈페이지 | http://hakgobang.co.kr/
전자우편 | hakgobang@naver.com, hakgobang@chol.com

등록번호 | 제311-1994-000001호

ISBN 978-89-6071-763-3 94150
978-89-6071-760-2 (세트)

값 : 800,000원 (전10책)